整形外科医のための
手術解剖学図説
原書第6版

SURGICAL EXPOSURES IN ORTHOPAEDICS
The Anatomic Approach
6th Edition

Piet de Boer, M.A., F.R.C.S.
Visiting Lecturer
University of Rijeka Medical School
Department of Anatomy
Rijeka, Croatia
CEO
Medical Education Consultants GmbH
Zurich, Switzerland

Richard Buckley, M.D., F.R.C.S.C.
Associate Professor of Orthopaedic Traumatology
University of Calgary Cumming School of Medicine
Fomer Head, Orthopaedic Trauma Department of Surgery, Section of Orthopaedics
Foothills Hospital
Calgary, Alberta, Canada

Stanley Hoppenfeld, M.D. 1934-2020
Clinical Professor of Orthopaedic Surgery
Albert Einstein College of Medicine
Attending Physician
Jack D. Weiler Hospital of the Albert Einstein College of Medicine
Montefiore Hospital and Medical Center
Bronx, New York

Illustrated by **Birnie Kida and Hugh A. Thomas**

本書はWolters Kluwer社の"Surgical Exposures in Orthopaedics, The Anatomic Approach, 6th edition"を邦訳したものです.

Copyright © 2022 Wolters Kluwer

Wolters Kluwer Health did not participate in the translation of this title and therefore it does not take any responsibility for the inaccuracy or errors of this translation.

本書では正しい適応および副作用, 投薬計画を掲載していますが, これらは変更されることがあります. 利用にあたっては, 医薬品のパッケージに記載されている製造販売者による情報をご確認ください. 著者, 編集者, 翻訳者, 出版者, および販売者は, 本書の情報を適用することで生じた過失またはいかなる問題に対しても責任を負わないものとし, 出版物の内容については明示または黙示を問わず, 一切の保証も行いません. 著者, 編集者, 翻訳者, 出版者, および販売者は, 出版物の使用によって発生した人または資産に対するいかなる損害または障害にも法的責任を負いかねます.

Japanese Version:
Copyright ©2023 Nankodo Co., Ltd.
Translated by Yoshiharu Kawaguchi, Yasuhito Tanaka, Akinori Sakai
Published by Nankodo Co., Ltd., Tokyo, 2023
Published by arrangement with Wolters Kluwer Health Inc., USA

SURGICAL EXPOSURES IN ORTHOPAEDICS
The Anatomic Approach

Piet de Boer, Richard Buckley, Stanley Hoppenfeld

Sixth Edition

整形外科医のための
手術解剖学図説

川口善治／田中康仁／酒井昭典［監訳］
Yoshiharu Kawaguchi　Yasuhito Tanaka　Akinori Sakai

原書第6版

訳者一覧

監訳者

川口　善治	かわぐち　よしはる	富山大学整形外科 教授
田中　康仁	たなか　やすひと	奈良県立医科大学整形外科 教授
酒井　昭典	さかい　あきのり	産業医科大学整形外科 教授

訳　者（翻訳順）

川口　善治	かわぐち　よしはる	富山大学整形外科 教授
玉井　和哉	たまい　かずや	獨協医科大学 名誉教授
谷口　　昇	たにぐち　のぼる	鹿児島大学整形外科 教授
今谷　潤也	いまたに　じゅんや	岡山済生会総合病院 副院長
酒井　昭典	さかい　あきのり	産業医科大学整形外科 教授
飯田　寛和	いいだ　ひろかず	関西医科大学リハビリテーション学部 学部長
内尾　祐司	うちお　ゆうじ	島根大学整形外科 教授
田中　康仁	たなか　やすひと	奈良県立医科大学整形外科 教授
前川　尚宜	まえがわ　なおき	奈良県立医科大学高度救命救急センター 准教授

献 辞

To my wife Suzi, my three children James, Kate and Jan,
and my two grandchildren Rowan and Finn
Piet de Boer

To my wife Lois,
who organizes my "whole"
life and makes it manageable,
whom I respect greatly,
and my two children,
Shannon and Andrew.
Richard Buckley

To my wife Norma,
my sons Jon-David,
Robert, and Stephen,
and my parents Agatha and David,
all in their own special way have made my life full
and made this book possible.
Stanley Hoppenfeld

原書第6版の序

　本書初版の発刊にさいして著者の一人に寄せられた優れた助言の1つに，"序文を読む人はいても少数"であるので，序文は長くないほうがよいというものがあった．では，なぜ第6版でも序文を書くのかということになるが，それに対しての答えは，本版でどのような変更がなされたか，その変更の理由は何かをお知らせすることにある．

　「整形外科医のための手術解剖学図説」は37年前に初版が発刊された．本書は外科医が患者を治療するために作られたものであり，初版以来その目的を達成している．その後本書は常にベストセラーとなり，電子版や剽窃版を含め世界の各国で使われている．いくつかの医療センターではこの中のもっとも重要な図版をラミネートコピーし，手術室で外科医のために壁に貼っているところもある．現著者の2人は，50年以上にわたって外傷学を教えている教授で，この本が使われていなかった国は皆無であったと述べている．初版の緒言では「本書は一般的に用いられている整形外科手術のアプローチのテクニックを説明し，そのアプローチに関連する解剖を解説している」と述べている．この緒言は本書の基本的な考えを表している．

　著者らは，本書は多くの場合，A.K. Henryの「古典的な」外科的アプローチを解説した解剖学書を用いて勉強しているレジデントによって使われていることを，フォーカスグループの調査から認識している．しかしもっとも経験豊かな外科医でさえ，まれな手術のさいには本書に含まれている情報の有用性を評価している．

　第6版を作成するには，多くの理由があった．整形外科手術は進歩しない学問ではない．基本的な解剖学的知識は決して変化しないが，手術と外科的技術のテクニックは絶えず進化している．本書には21の新たな外科的アプローチを含めた．

- 初版で解説された肋骨骨折の固定についての見解は当時としては風変わりなようだったかもしれない．しかし，この記述は現在では多発外傷のさいのフレイルチェストの管理の一部として認識されている．本書にある2つの外科的アプローチは，胸壁の解剖を学ぶとともに，肋骨の骨折部位を展開するための記載である．
- 上腕骨近位骨折のためのネイルのデザインが変更されたため，このネイルの挿入に使用される外科的アプローチの記載の変更が必要となった．また，脛骨ネイルの挿入の技術は進歩した．よってとくに本書では近位骨折の処置に役立つネイル挿入のための膝蓋骨上部アプローチの記載を追加した．
- 鎖骨に対する最小侵襲手術法を，これまでの手術アプローチとともに追加した．また肩への後方進入アプローチは修正し，肩甲骨骨折に対する固定術の重要性を反映して拡大記載した．
- 上腕骨遠位部に対する上腕三頭筋温存後方アプローチを追加することによって，上腕三頭筋の機能を温存しつつ上腕骨遠位への展開を図りたいと考える一部の外科医の要求に答えた．
- 内側顆上部の骨切りをせずに展開することができる肘関節への前内側アプローチを追加した．橈骨頭への後外側アプローチの記載を，Kaplanの基本線と肘筋と尺側手根伸筋の間にある古典的な神経間隙を区別するために拡大した．肘関節への前方アプローチの最近の記述を，尺骨の鉤状突起への到達のために加えた．
- 高エネルギー外傷によって引き起こされる骨盤と寛骨臼骨折の発生率は先進国で減少している

が，発展途上国では増加している．骨盤前柱への古典的な腸骨鼠径アプローチを用いることは少なくなっているが，それに取って代わって前方骨盤内アプローチ (Stoppaアプローチ) が骨盤および寛骨臼ユニットに使用されることが多くなっている．このアプローチの記載をこれまでの骨盤アプローチのレビューとともに含めた．

- 股関節脱臼を整復するために必要な転子骨切り術の記載を，Noetztli教授からアドバイスを受けて変更した．
- 大腿骨遠位部への3つのアプローチ法を，とくに垂直面 (Hoffa骨折) の骨折のような末梢の関節骨片の固定を行うために追記した．
- 開放式半月切除術 (open meniscectomy) は今となっては歴史的に行われていた手技であるといえる．関節鏡の手技がこれに取って代わった．開放式半月切除術は本書からは削除した．前十字靱帯再建術における over the top アプローチは精密なジグが導入されたために削除した．
- 関節と足趾へのアプローチの章は，距骨，立方骨，舟状骨と Lisfranc 関節への8つの新しい外科的アプローチが記載され，大幅に拡張された．
- 外固定に関する章は修正された．貫通ピンは，もはや使われなくなったからである．架橋型創外固定器が頻繁に使用されるようになり，足部の外固定については，本書で初めて詳細に記載した．

読者の多くは本書に含まれる引用文献を使用してはいないが，著者らはこれらの引用文献の多くが時代遅れであることに気がついていた．よって本書では新しい引用文献を必要に応じて新しく含めた．文献検索には PubMed を用いた．

この本の強みは，初版から一貫して外科医の視点から手術のアプローチを図を用いて明確に解説していることである．古典的なアプローチは，今でももっともよく使用される．われわれは，安全な手術の鍵は解剖についての確かな知識であると信じている．アプローチがより縮小していくと，逆に解剖学的知識の必要性はより増してゆく．したがって，われわれは，本書のタイトルが "Surgical Exposures in Orthopaedics – The Anatomic Approach" であるように，これが今日でも適切な名称であると考えている．

最後に，本書の全項目が新たなものとなり，多数の小さな訂正が行われた．この作業にはスイスのバーゼル大学 ORTP 助手，Peter S. Saubermann 博士のかけがえのない援助なしでは不可能であった．彼は，文章の一字一句を調べ上げ，有用な改訂案を提案し，そのおかげで本書は作成された．

Piet de Boer
Richard Buckley

Stanley Hoppenfeld ―個人的な回想

　2020年，本書の筆頭編集者であるStanley Hoppenfeldが亡くなった．彼を友人として知っている私たちにとって彼の死は，多くの悲しみをもたらすと同時に，多くの思い出を呼び起こした．以下は，彼に関する私の回想である．

　1980年，私は彼から本書の執筆を依頼された．彼は，脊柱側弯症の治療を中心に臨床に携わっていた．私はロンドンのSt Thomas病院から米国に派遣された客員研究員であった．彼と私は2人ともブロンクスのJacobi病院に勤務していた．この病院は，Albert Einstein医科大学を拠点とする研修プログラムを実施していた．長年にわたって彼はYeshiva大学で局所解剖学の講義をしていたが，彼はアイルランドの解剖学者で，Cairo大学の解剖学教授として長年活躍していたA.K. Henryの研究に興味を持っていた．Henryが提唱した，外科医が骨や関節に安全にアクセスするためにinternervous planesを利用するという考え方に，彼は魅了されていた．そして彼は，Henryの概念に基づいた外科的アプローチの教科書を作ることを思いついたのである．

　解剖学を教えるとき，彼にはいつもHugh Thomasがついていた．Hughはそうして解剖学を学び，芸術的才能を医学の分野で発揮するようになった．Hughと彼は，本書の執筆前に，すでに2冊の教科書 "Orthopaedic Neurology" "Physical Examination of the Spine and Extremities" を完成させていた．この2冊は，Columbia大学で英語を専攻していたRick Huttonが編集したもので，しばらくの間，彼は，HughとRickの3人でニューヨークの独身アパートをシェアしていた．

　本書執筆に着手する際，彼自身は執筆の時間がないことを十分承知していた．そんなとき，彼は渡米中の英国人客員研究員が英国のプライマリーフェローシップ試験に合格するために解剖学の広範な知識を持っていることに気づいたのである．私は本書の執筆を依頼された最初の客員研究員ではないが，私は彼からの執筆依頼の申し出を引き受けた．私が最初に取り組んだのは，橈骨への前方アプローチについて解説することであった．これは，昔も今も，私の好む解剖学的アプローチであった．彼とRickのいる打ち合わせの席で最初に返された私の原稿は，すべてのページが赤いインクで覆われており，原文がまったく残っていなかった．Rickが「君の言葉はラテン語で書かれているんだよ」と話していたのを覚えている．私は，手術の方法を説明するときの言葉づかいを学んでいった．

　この本の最終的な構成が決まるのに半年近くがかかった．どのアプローチも同じような構成で，ランドマークや皮切などが説明されることとなった．彼は完璧な助言者であった．偉大な教育者である彼は，何が効果的で何が効果的でないかを知っていた．そして，教育的な文章を書くために何が必要であるかを知っていた．それは他に類をみないものであった．最終的な文章を完成するのにさらに1年がかかった．夜，原稿を書き，翌日，彼にそれを渡し，あくる日までに彼の研究室のタイピストがタイピング原稿を完成させるという作業が続いた．ブロードウェイのHughのオフィスでは，ドン・ジョヴァンニの音楽が聞こえるなか，彼と一緒に何時間も座りながら外科的アプローチを示す医学イラストを完成させていった．

　そしてついに，凍えるような寒さのマンハッタンで，私たちはLippincott社に本書を売り込むため，Stuart Freemanとの朝食会に臨んだのであった．Hughはフォリオサイズ (22 × 33cm)

の原画を持参していた．打ち合わせは短時間で終わり，気がつくと私はもうすぐ出版される書籍の共著者になっていた．脊椎の章を除いて，原文はすべて私が執筆したものだが，本書のアイデアはすべて彼のものであった．彼は，本書を作るうえで最適なキャリアの人たちを集めていた．彼は，私たちの努力に建設的な批判を加えることで，この本を作り上げたのである．また，忘れてならないのは，彼が初版制作時に多くの私財を投じてくれたことである．

　2003年の第3版刊行以降，彼の貢献は少なくなったが，本書編集者に Rick Buckley を入れることを彼は強く希望し，2009年から Rick が参加することになった．最後の打ち合わせが行われたのは，2017年，スカースデールの彼の自宅であった．このとき彼はパーキンソン病を患っていたが，知性は損なわれておらず，誇らしげに私の末息子に1,000枚を超えるガラス張りのスライドコレクションを披露してくれた．

　私は，"Orthopaedic Neurology" を彼の最も優れた著作とみなしているが，彼の残した最も貴重な遺産は本書である．本書は，世界中の外科医が何百万人もの患者を安全に治療するのに役立っており，彼の死は，家族やわれわれ友人にとって痛惜の極みであるが，彼の考え方は，これからもずっと整形外科治療に影響を与え続けることであろう．

Piet de Boer

監訳者の序

　Stanley Hoppenfeld，Piet de Boer，Richard Buckley による"Surgical Exposures in Orthopaedics – The Anatomic Approach, Sixth Edition"の日本語訳「整形外科医のための手術解剖学図説（原書第6版）」が上梓された．本書は，創刊から30年以上にわたってベストセラーとして多くの整形外科医に愛用されているものである．これまで翻訳を行ってこられた先人の先生方に代わって，新たなメンバーがこの任を受け継がせていただいた．

　「ホッペンフェルドの手術アプローチ」と称される本書は，整形外科医が手術を行う際，解剖を確認するための必須の教科書である．監訳者の一人である川口も，1988年医学部を卒業し，整形外科医を志したときに本書の初版を真っ先に購入し，熟読し勉強した．その後も事あるごとに本書を紐解き確認作業を行っている．本書から受けた恩恵は計り知れない．

　トレーニングの途上にある外科医は，時に手術の途中で手が止まってしまうことがある．何故か？　それは次に展開される組織が頭に描けず，重要臓器，血管，神経などを傷つけてしまわないかという恐れが生じるためである．本書は，表面解剖から浅部組織，深部組織が段階的に詳細に記載されているため，そのような恐れが極力生じないように細心の注意が施されているといえる．ここに示されている段階的な解剖図を徹底的に頭に入れることによって，手術がスムーズかつ安全に進行できるようにと配慮されたものとなっている．

　本書において解剖の重要ポイントとして強調されているのは internervous plane である．この概念については是非本書の一部を引用し，紹介したい．初版の序には，「手術的アプローチを規定する決定的要素は internervous plane を活用することである．これは，異なった神経によって支配された筋と筋とが接している面を意味するもので，この面で展開を行う限り，その筋は麻痺（神経脱落）を生じることはないのである．したがって，この原則に則ったアプローチでは，十分な広さの骨の展開が可能になるのである．この internervous plane は，A.K. Henry の最初の記述，すなわち『もし手術の鍵が外科的解剖にあるならば，外科的解剖の鍵は internervous plane にある』という理念に基づくものである」とある．術者の基本理念として是非押さえておきたい記載である．

　第6版の特徴は，手術と外科的技術のテクニックの進化に合わせて，21の新たな外科的アプローチを追加している点である．脊椎については最小侵襲アプローチが解説されており，時代に即した記載に工夫がみられる．さらに肋骨骨折の固定，上腕骨近位骨折のためのネイルのデザイン，鎖骨に対する最小侵襲手術法，骨切り術を加えない肘関節への前内側アプローチ，寛骨臼への前方骨盤内アプローチ，大腿骨遠位部へのアプローチ，距骨，立方骨，舟状骨と Lisfranc 関節への新しい外科的アプローチが加えられ，外固定に関する修正もなされた．加えて訳者註として，日本語訳の担当者による独自の経験に基づく解説が随所にみられる．読者には是非これも参考にしていただければ幸いである．

　我々は今回本書の日本語訳を担当し，改めて故 辻 陽雄先生，故 寺山和雄先生をはじめ多くの先人の先生方の素晴らしいお仕事に感銘を受けた．本書は解剖学的手術アプローチに特化した運動器外科の類をみない手術基本の書であり，これらをわかりやすく，懇切丁寧に解説された先生方に改めて感謝の意を表したい．

本書が，整形外科を志す若い同志に少しでも役に立ち，手術を受けた多くの患者に対し幸せをもたらすならば望外の幸せである．

2023年初春

川口　善治
田中　康仁
酒井　昭典

目 次

本書の使用方法	川口 善治	xviii
整形外科手術手技序説	川口 善治	xx

第1章 肩 ——————————— 玉井 和哉　1

- 1 鎖骨への前方アプローチ ……………………………………………………… 2
- 2 鎖骨への最小侵襲アプローチ ………………………………………………… 5
- 3 肩関節への前方アプローチ …………………………………………………… 7
- 4 肩関節への前方アプローチに必要な外科解剖 ……………………………… 20
- 5 肩鎖関節と肩峰下腔への前外側アプローチ ………………………………… 29
- 6 上腕骨近位部への外側アプローチ …………………………………………… 33
- 7 上腕骨近位部への外側最小侵襲アプローチ ………………………………… 38
- 8 髄内釘のための上腕骨近位部への前外側最小侵襲アプローチ …………… 40
- 9 肩関節への前外側および外側アプローチに必要な外科解剖 ……………… 42
- 10 肩甲骨と肩関節への後方アプローチ ………………………………………… 51
- 11 肩甲骨と肩関節への後方アプローチに必要な外科解剖 …………………… 62
- 12 肩関節への関節鏡後方および前方アプローチ ……………………………… 66
- 　　　後方ポータルからの肩関節鏡視 ………………………………………… 72

第2章 上 腕 ——————————— 谷口 昇　79

- 1 上腕骨・骨幹部への前方アプローチ …………………………………………… 80
- 2 上腕骨・骨幹部への前方最小侵襲アプローチ ………………………………… 87
- 3 上腕骨への後方アプローチ …………………………………………………… 90
- 4 上腕骨遠位部への前外側アプローチ ………………………………………… 99
- 5 上腕骨遠位部への外側アプローチ …………………………………………… 104
- 6 上腕骨遠位部への内側アプローチ …………………………………………… 107
- 7 上腕部の手術に必要な外科解剖 ……………………………………………… 109

第3章 肘関節 ——————————— 今谷 潤也　121

- 1 肘頭骨切り術を加えた肘関節への後方アプローチ ………………………… 122
- 2 肘頭骨切り術を加えない肘関節への後方アプローチ ……………………… 127
- 3 上腕骨遠位部に対する上腕三頭筋温存後方アプローチ …………………… 130
- 4 肘関節への前内側アプローチ ………………………………………………… 132
- 5 尺骨鉤状突起への後内側アプローチ ………………………………………… 139
- 6 肘関節への前外側アプローチ ………………………………………………… 142
- 7 肘窩部への前方アプローチ …………………………………………………… 148
- 8 橈骨頭への後外側アプローチ ………………………………………………… 154
- 9 肘関節手術に必要な外科解剖 ………………………………………………… 158

　　　　肘関節への内側アプローチに必要な外科解剖　　159
　　　　肘関節への前外側アプローチに必要な外科解剖　　160
　　　　肘窩部への前方アプローチに必要な外科解剖　　163
　　　　肘関節への後方アプローチに必要な外科解剖　　163

第4章　前腕　　　　　　　　　　　　　　　　　　　酒井　昭典　167

1. 橈骨への前方アプローチ　　168
2. 前腕の前方コンパートメントの手術に必要な外科解剖　　175
3. 尺骨骨幹部の展開　　182
4. 尺骨へのアプローチに必要な外科解剖　　186
5. 橈骨への後方アプローチ　　187
6. 橈骨への後方アプローチに必要な外科解剖　　193
7. 前腕コンパートメント症候群の治療におけるアプローチ　　198
　　　　前腕屈筋コンパートメントの減圧のための前方アプローチ　　199
　　　　前腕屈筋コンパートメントの減圧のための後方アプローチ　　199
　　　　前腕屈筋コンパートメントの減圧のための尺側アプローチ　　204

第5章　手関節と手　　　　　　　　　　　　　　　　酒井　昭典　209

1. 手関節への背側アプローチ　　210
2. 手関節背側の手術に必要な外科解剖　　220
3. 橈骨遠位への掌側アプローチ　　224
4. 手根管と手関節への掌側アプローチ　　228
5. 尺骨神経への掌側アプローチ　　234
6. 手関節掌側の手術に必要な外科解剖　　238
7. 指屈筋腱への掌側アプローチ　　248
8. 基節および中節部の指屈筋腱鞘への側正中アプローチ　　254
9. 指節骨と指節間関節への背側アプローチ　　256
10. 指屈筋腱の手術に必要な外科解剖　　259
　　　　腱の血行　　261
11. 舟状骨への掌側アプローチ　　262
12. 舟状骨への背外側アプローチ　　265
13. 手における膿瘍ドレナージ　　269
　　　　理想的な手術の条件　　269
14. 爪周囲炎に対するドレナージ　　270
15. 指腹腔感染（ひょう疽）に対するドレナージ　　271
16. 指間腔感染に対するドレナージ　　272
17. 指の指間腔の解剖　　274
18. 母指の指間腔の解剖　　274
　　　　母指内転筋　　274
　　　　第1背側骨間筋　　274
　　　　動脈　　274

19	腱鞘の感染	276
20	深手掌腔の感染	277
21	内側腔（手掌中央腔）に対するドレナージ	279
22	外側腔（母指腔）に対するドレナージ	281
23	深手掌腔の手術に必要な外科解剖	284
	外側腔（母指腔）	284
	内側腔（手掌中央腔）	284
24	橈側滑液鞘感染に対するドレナージ	284
25	尺側滑液鞘感染に対するドレナージ	287
26	手の解剖	289
	手掌	289
	手背	291

第6章　脊　椎 ——川口　善治　293

腰　椎
1	腰椎への後方アプローチ	294
2	腰椎への後方最小侵襲アプローチ	299
3	腰椎への後方アプローチに必要な外科解剖	302
4	腰椎への前方（経腹膜）アプローチ	306
5	腰椎への前方（後腹膜）アプローチ	314
6	腰椎への前方アプローチに必要な外科解剖	318
7	腰椎への前側方（後腹膜）アプローチ	325

頚　椎
8	下位（C3～C7）頚椎への後方アプローチ	334
9	下位頚椎への後方アプローチに必要な外科解剖	341
10	上位（C1～C2）頚椎への後方アプローチ	347
11	上位頚椎への後方アプローチに必要な外科解剖	352
12	頚椎への前方アプローチ	353
13	頚椎への前方アプローチに必要な外科解剖	359

胸　椎
14	胸椎への後側方アプローチ（肋骨横突起切除術）	365
15	開胸による胸椎への前方アプローチ	370

胸腰椎/脊柱側弯症
16	脊柱側弯症に対する胸腰椎への後方アプローチ	380
17	胸腰椎への後方アプローチに必要な外科解剖	386
18	肋骨切除のための後側方アプローチ	392
19	肋骨骨折に対する固定のためのアプローチ	395
20	筋肉を温存した後側方からの肋骨プレートのためのアプローチ	395
21	肋骨のプレート固定のさいの腋窩アプローチ	399

第7章　骨盤と寛骨臼 ──────── 飯田　寛和　405

1. 採骨のための腸骨稜への前方アプローチ　407
2. 採骨のための腸骨稜への後方アプローチ　410
3. 恥骨結合への前方アプローチ　413
4. 仙腸関節への前方アプローチ　416
5. 仙腸関節への後方アプローチ　420
6. 骨性骨盤へのアプローチに必要な外科解剖　424
7. 寛骨臼への腸骨鼠径アプローチ　425
8. 寛骨臼への腸骨鼠径アプローチに必要な外科解剖　435
9. 寛骨臼への前方骨盤内アプローチ　443
10. 寛骨臼への前方骨盤内アプローチに必要な外科解剖　450
11. 寛骨臼への後方アプローチ　453

第8章　股関節 ──────── 飯田　寛和　463

1. 股関節への前方アプローチ　465
2. 股関節への前方最小侵襲アプローチ　480
3. 股関節への前外側アプローチ　485
4. 股関節への外側アプローチ　496
5. 股関節への前方，前外側および外側アプローチに必要な外科解剖　501
6. 股関節への後方アプローチ　510
7. 股関節および寛骨臼への後方アプローチに必要な外科解剖　517
8. 股関節への内側アプローチ　522
9. 股関節への内側アプローチに必要な外科解剖　528

第9章　大腿骨 ──────── 内尾　祐司　531

1. 大腿骨への外側アプローチ　532
2. 大腿骨への後外側アプローチ　536
3. 大腿骨遠位 2/3 への前内側アプローチ　541
4. 大腿骨への後方アプローチ　545
5. 大腿骨遠位部への最小侵襲アプローチ　549
6. 大腿骨遠位部へのアプローチ　553
7. 遠位大腿骨顆部への前方アプローチ（Swashbuckler アプローチ）　553
8. 大腿骨内側顆への内側アプローチ　555
9. 遠位大腿骨顆部への外側アプローチ（Gerdy 結節骨切りによるアプローチ）　560
10. 髄内釘のための大腿骨近位部への最小侵襲アプローチ　564
11. 大腿骨の逆行性髄内釘のための最小侵襲アプローチ　572
12. 大腿部の手術に必要な外科解剖　576
    - 半膜様筋　578
    - 半腱様筋　578

第10章　膝関節 ———————————— 内尾　祐司　587

1. 関節鏡視の一般的原則 588
2. 膝への関節鏡アプローチ 589
3. 膝関節鏡視 591
4. 内側傍膝蓋アプローチ 598
5. 膝関節への内側アプローチとその支持組織 605
6. 膝関節への内側アプローチに必要な外科解剖 614
7. 膝関節への外側アプローチとその支持組織 623
8. 膝関節への外側アプローチに必要な外科解剖 629
9. 膝関節への後方アプローチ 632
10. 膝関節への後方アプローチに必要な外科解剖 641
11. 内側半月切除術のためのアプローチ 644
12. 外側半月切除術のためのアプローチ 652
13. 前十字靱帯手術のための大腿骨遠位部への外側アプローチ ... 656

第11章　脛骨と腓骨 ———————————— 田中　康仁　665

1. 脛骨外側プラトーへの前外側アプローチ 666
2. 脛骨近位部への後内側アプローチ 670
3. 脛骨プラトーへの後外側アプローチ 674
4. 脛骨プラトーへの後内側アプローチ 681
5. 脛骨近位部への前外側最小侵襲アプローチ 686
6. 脛骨への前方アプローチ 688
7. 脛骨遠位部への前方最小侵襲アプローチ 692
8. 脛骨への後外側アプローチ 695
9. 腓骨へのアプローチ 700
10. 下腿部の手術に必要な外科解剖 705
11. 下腿コンパートメント症候群に対する減圧のためのアプローチ ... 709
12. 膝蓋下脛骨髄内釘のための最小侵襲アプローチ 710
13. 膝蓋上脛骨髄内釘のための最小侵襲アプローチ 714

第12章　足と足関節 ———————————— 田中　康仁　719

足関節ならびに後足部

1. 足関節への前方アプローチ 721
2. 内果への前方および後方アプローチ 725
3. 足関節への内側アプローチ 731
4. 足関節への後内側アプローチ 735
5. 足関節への後外側アプローチ 739
6. 外果への外側アプローチ 746
7. 足関節および足の後方部への前外側アプローチ 749
8. 足の後方部への外側アプローチ 753

- 9 後距踵関節への外側アプローチ …… 758
- 10 距骨頚部への前外側アプローチ …… 761
- 11 距骨頚部への前内側アプローチ …… 765
- 12 踵骨への外側アプローチ …… 768
- 13 足関節ならびに距骨下関節固定術のための後足部髄内釘（足底アプローチ）…… 770
- 14 足関節へのアプローチに必要な外科解剖 …… 774
  - 足関節内側アプローチ …… 781
  - 足関節前方アプローチ …… 783
  - 足関節外側アプローチ …… 783
- 15 後足部へのアプローチに必要な外科解剖 …… 784

中足部
- 16 足の中央部への背側アプローチ …… 787
- 17 舟状骨へのアプローチ …… 791
- 18 立方骨へのアプローチ …… 793
- 19 Lisfranc 関節への背内側アプローチ …… 796
- 20 Lisfranc 関節への背外側アプローチ …… 798

前足部
- 21 第1中足骨への背内側アプローチ …… 801
- 22 母趾中足趾節（MTP）関節への背側アプローチ …… 803
- 23 母趾中足趾節（MTP）関節への背内側アプローチ …… 806
- 24 外反母趾手術のための背外側アプローチ …… 808
- 25 中足骨と第2〜5中足趾節（MTP）関節への背側アプローチ …… 812
- 26 前足部の手術に必要な外科解剖 …… 815
  - 足背の解剖 …… 815
  - 足底の解剖 …… 815

第13章　創外固定のアプローチ ───前川 尚宜 819

- 1 上腕骨 …… 820
- 2 橈骨・尺骨と手関節 …… 822
- 3 骨盤 …… 826
- 4 大腿骨 …… 831
- 5 脛骨・腓骨 …… 832
- 6 足関節 …… 833

索引 837

- 図題索引 …… 837
- 内容項目索引 …… 853
- 用語索引 …… 869

本書の使用方法

　本書の特徴は一貫して各アプローチをまず第1に説明し，第2にそれに関連した外科解剖を説明していることである（**表1**）．これを一括して読めるようになっているのが特徴であり，一度その手技に関する解剖学的基本を理解すれば，アプローチがどうあるべきかという論理が明らかとなるはずである．

表1　各項目の概略

I．**外科的アプローチ (Surgical Approach)**
- （前文）
- 手術体位 (Position of Patient on Operating Table)
- ランドマーク (Landmarks)
- 皮切 (Incision)
- Internervous Plane
- 浅層の展開 (Superficial Surgical Dissection)
- 深層の展開 (Deep Surgical Dissection)
- 注意すべき組織 (Dangers)
- 術野拡大のコツ (How to Enlarge the Approach)
  - 深部への拡大 (Local Measures)
  - 上下への拡大 (Extensile Measures)

II．**手術に関連した外科解剖 (Applied Surgical Anatomy)**
- 概観 (Overview)
- ランドマーク (Landmarks)
- 皮切 (Incision)
- 浅層の展開－その注意すべき組織 (Superficial Surgical Dissection and Its Dangers)
- 深層の展開－その注意すべき組織 (Deep Surgical Dissection and Its Dangers)
- 特別な解剖学的ポイント (Special Anatomical Points)

外科的アプローチ

　手術的アプローチを規定する決定的要素は internervous plane を活用することである．これは，異なった神経によって支配された筋と筋とが接している面を意味するもので，この面で展開を行うかぎり，その筋は麻痺（神経脱落）を生じることはない．したがって，この原則に則ったアプローチでは，十分な広さの組織の展開が可能になる．この internervous plane は，A.K. Henry の最初の記述，すなわち「もし手術の鍵が外科的解剖にあるならば，外科的解剖の鍵は internervous plane にある」という理念に基づくものである．外科的アプローチの項の構成は次のようになっている．まず，各アプローチの適応とその手術に対する主な長所，短所を指摘し，主な要注意事項についての要点を述べてある．

　手術体位は，術者のやりやすさもさることながら，明解で十分な展開を得るための決定的要素である．

　外科的ランドマークはすべての皮切における基準点であり，いかにそれを求めるかを述べ，皮切はすべてこの鍵となるべきランドマークに従っている．ここに記述してある切開は概ね直線切

開であるが，多くの外科医は縫合部張力を少なくするため，曲線あるいはジグザグ切開を好む．

手術的アプローチによっては骨の全長にわたる展開が可能なこともあるが，通常の手術では骨の一部分の展開で事足りる．手術展開法の項では，教育的見地から，**浅層の展開と深層の展開**とに分けてある．これは次の層の展開に移る前に，完全にすべての層が理解されなければならないという理由による．適切な展開というものは，より深い層の展開を始める前に，完璧に各層を熟知し，系統的で習熟されたテクニックを必要とするものである．

各アプローチの項目中の注意すべき組織の項は，1. 神経，2. 血管，3. 筋および腱，4. 特別な注意事項の4つよりなり，いかにこれらの損傷を避けうるかという視点から述べられている．

手術的アプローチの項目は**術野拡大のコツ**で結んである．展開野が不適切であることは，むしろしばしば起こることであって，これには基本的に2つの術野拡大法がある．1つは**深部への拡大法**としての，皮切の延長，レトラクターの部位の変更，筋の剥離，および光源の調節にまで及ぶものであり，もう1つは周辺骨組織を含めた展開の**上下への拡大法**である．internervous plane を経由したアプローチにおいては，骨の全長を展開することさえも可能である．

手術に関連した外科解剖

手術に関連する解剖は，神経血管系の配列を加味した筋解剖の簡単な概略より始まる．

ランドマークの解剖では，周囲組織との関連に言及し，**皮切**の解剖では，Langer が提唱した正常な皮膚の「ひだ」あるいは皮線と切開線との角度に関して，皮切の大きさと術後瘢痕の大きさや程度との関連も述べている．ともあれ，どこに皮切をおくかは安全性と効率を中心に決定されるべきで，これを無視して美容的観点によるべきではない．つまり，皮切は皮下の主な神経を避けるように加えられ，そのさいの注意事項についても明解に述べてある．

浅層および深層の解剖ではアプローチのすべてを通じて関連する局所解剖について述べてあるが，それは単に局所の解剖のみでなく，アプローチが誤った方向へそれた場合に関係する解剖についても言及している．おそらくは，局所解剖の知識は外傷処置のさいにもっとも要求されるのであって，術者は確信をもって創を展開し，危険なものは何かを知っておくことが必要である．解剖学的構築に関連した臨床的事項については記載してあるものの，包括的臨床像については記述していない．筋の起始，付着，作用および支配神経などは，図の下に記した．

解剖学と外科アプローチの図は可能な限り，患者が手術台にのったときの術者からの視点で描き，アプローチのさいはまさにそのように見えるよう配慮した．

本書における解剖学用語は，現在の教科書に広く用いられている用語を採用したが，複数の呼称のある場合には（たとえば "flexor retinaculum/transverse carpal ligament"），双方を掲載した．また，米国やヨーロッパで異なる用い方をしているものについては，著者ら（1人はカナダ人で，他の1人は英国人）の見解の一致のみられた名称を使用した．すべての整形外科的アプローチは "Avoid cutting round structures." という一文に集約されるといわれる．本書は，いかにして正しくこの原則を実践するかを知らしめるものである．

整形外科手術手技序説

　手術手技は個々の整形外科医によって異なったところがある．外科医の経験が豊富になればなるほど，使用する器具の数も少なく，手技も単純化されうる．しかしどの手術においても共通する基本的事項があるので，そのいくつかについて述べる．

　手術体位について　いかなるアプローチを用いようとも，適切な手術体位や肢位をとることが基本である．最適の体位を決め，術中に体位がくずれない状態とする．手術台上では，必要な部位にパッドをあて，褥瘡や神経圧迫を防止する．とくに腓骨頭や大転子などの骨隆起部を十分に保護する．腹臥位の手術では，骨盤，腹部，胸郭および前頭部にパッドをおき，体幹の両側には長軸方向に長枕をあて，体幹正中前面を浮かせるのが最適であろう．術中に体位を変えることは困難であり，術野汚染の原因ともなるので注意する．腹臥位での呼吸および気道の確保と腹部の除圧は，術前に十分に確認しておかなければならない．

　術者が楽な姿勢で手術を続けられるように，術者の体格に合わせて手術台の高さを調節しておく．座位での手術においても同様である．

　ターニケット（空気止血帯）について　四肢の手術ではターニケットを使用することは多い．術野を無血に保ち，重要な組織の識別を容易にし，手術時間の短縮にも有効である．ターニケットを加圧する前に，患肢を3～5分間挙上位に保ち，患肢の貯留している血液を排除しておく．ターニケットのあたる部位を綿包帯のような柔らかいもので保護し，皮膚の点状出血や水疱の発生を予防する．ターニケットは上腕や大腿に装着するのが普通であるが，これらの部位では筋層が厚いので，重要な神経を圧迫する危険はより少ないといえる．

　ターニケットの内圧は四肢の周径によっても異なるが，成人上肢では275 mmHg，下肢では450 mmHg程度とする．ターニケットを患肢に装着する前に，ふくらませて点検しておくことが大切である．小児では収縮期血圧の50％増の内圧とし，高血圧患者では収縮期血圧の50％増以上の内圧とする．ターニケット使用は，上肢では1時間半，下肢では1時間半以上続けて使用してはならない．末梢循環障害が疑われる患者や鎌状赤血球症の患者にはターニケットは使用しない．

　患肢を1分間ほど挙上しておくと，静脈内に一部血液が残った部分的駆血状態となる．この状態でターニケットに加圧して手術を進めると，多少の出血はあるものの神経血管束の確認が容易となり，ときには非常に役に立つことがある．たとえば外側半月切除術の場合に，外側下膝動脈を不用意に切ってしまい，ターニケットを外してからはじめて気づくことがあるが，部分的駆血下ではこの血管を確認して止血することができるので安全である．創閉鎖の前にターニケットをゆるめるが，大きな出血点を確認しつつ凝固止血しておくのが原則である．

　ランドマークと皮切について　ランドマークは皮切線を決めるときの重要な目印である．ランドマーク上の皮膚にメチレンブルーで目印をつけてから皮切を加える．

　切開された皮膚は常に瘢痕によって治癒するが，瘢痕は時間が経つにしたがって収縮するので，このため皮切は皮膚のひだ，すなわち皮線と交差しないことが原則である．とくに関節の屈側では皮線に直交する皮切を加えることは禁忌であり，あとで瘢痕による関節の屈曲拘縮を残すことがある．この理由から関節の屈側では，皮線に対し約60°の角度になるようなジグザグまた

は弯曲した皮切にするのが普通である．表層と深層の展開のテクニックは手術の基本的なものであるが，本の記載にはない．このことは周囲組織を損傷することなく直接ターゲットにアプローチすることを意味している．しかし，この2つのテクニックはこの本にはできるだけ記載するようにした．

骨の展開における骨膜処理について　整形外科手術において骨膜の処理の仕方は，骨の血流や骨周辺組織の解剖上の特質から避けられない事項である．骨膜下 (subperiosteal) 剥離および骨膜上 (epiperiosteal) 展開が当てはまる．**骨膜下剥離**は，骨に近接して走っている重要な組織を損傷することを防止できる利点があるが，構造上，重要な神経などが骨膜に密着している部位もあるので注意しなければならない．たとえば，後骨間神経は橈骨頚部の骨膜と密着しているほか，橈骨神経は上腕骨後面の骨膜と密着して走っている．このような部位では厳密に骨膜下に剥離を進めなければならないが，骨折によって骨膜がすでに損傷されているときは，骨膜下剥離を完全に行うのは問題が大きい．骨膜は通常容易に骨から剥離できるものであるが，腱や靱帯の付着部では線維が強固に付着しているので，この部位を鈍的に剥離することは困難または不可能でもある．小児の骨膜は成人に比して厚く，剥離も容易である．骨折の手術では橈骨近位端と上腕骨中央骨幹部を除いては，骨膜下剥離の適応となることはむしろまれである．骨膜下剥離は骨の栄養血管を損傷するので，広範に剥離すれば骨折部の壊死を起こすことになる．このことから骨折では，正確な整復に必要な範囲だけの骨膜の剥離にとどめる．経験のある外科医は軟部組織の損傷を最小限として骨折部の展開を行い，整復を可能とする．

骨膜上展開は骨膜から筋付着部を切離する方法であり，骨のバイタルからみて有利といえる．一般に，骨膜上での筋線維剥離では，筋線維が骨に付着する角度をよくみて，鋭角に付着する方向へ剥離を進める．腓骨を例にとると，腓骨筋は遠位から近位の方向へ，線維走行が逆となる骨間膜は近位から遠位方向へ剥離することになる．

術野の拡大について　手術野を拡大するには2つの方向がある．local measures は展開したその場をより十分に拡大すること，いいかえれば**深部への拡大**である．extensile measures は近接している周辺へ術野を拡大する方法（**上下への拡大**）である．すべての手術が決められた範囲のアプローチのみで可能ではないことを理解しておくべきである．手術がうまくいかない主な原因の1つは，展開の不十分なことにある．術中に難渋することがあれば，必要に応じて，術野を深部あるいは上下へ拡大してみることである．

第1章

The Shoulder

肩

1. 鎖骨への前方アプローチ …………………… 2
2. 鎖骨への最小侵襲アプローチ ……………… 5
3. 肩関節への前方アプローチ ………………… 7
4. 肩関節への前方アプローチに必要な外科解剖 ……………………………………………… 20
5. 肩鎖関節と肩峰下腔への前外側アプローチ ……………………………………………… 29
6. 上腕骨近位部への外側アプローチ ………… 33
7. 上腕骨近位部への外側最小侵襲アプローチ ……………………………………………… 38
8. 髄内釘のための上腕骨近位部への前外側最小侵襲アプローチ ……………………… 40
9. 肩関節への前外側および外側アプローチに必要な外科解剖 ……………………………… 42
10. 肩甲骨と肩関節への後方アプローチ ……………………………………………… 51
11. 肩甲骨と肩関節への後方アプローチに必要な外科解剖 ……………………………… 62
12. 肩関節への関節鏡後方および前方アプローチ ……………………………………………… 66

後方ポータルからの肩関節鏡視 ………… 72

第1章

肩はもっとも可動域の大きい関節である．この関節は2つの筋のスリーブ（sleeve）*に囲まれている．すなわち，浅層では三角筋，深層では関節の安定性に必要不可欠な腱板がある．手術的治療を必要とするもっとも一般的な3つの病態は，反復性肩関節前方脱臼のような不安定症（👉図1-32），腱板の変性疾患，そして上腕骨近位端骨折である．

*訳者註：三角筋，腱板ともに洋服の「袖」（sleeve）のように肩関節を包んでいるため，原著ではこのように表現したと思われる．

本章では，肩関節への前方および後方のアプローチ，肩鎖関節と肩峰下腔への前外側アプローチ，鎖骨への前方および最小侵襲アプローチ，上腕骨近位部への外側アプローチおよび外側最小侵襲アプローチ，髄内釘のための前外側最小侵襲アプローチ，前方および後方の関節鏡アプローチの10のアプローチについて記述する．これらのアプローチのうち，前方アプローチは，関節，その前部をおおっている構造物，そして上腕骨近位部がともによく展開できる"使用頻度の高い"進入法である．前外側アプローチは主に肩鎖関節と肩峰下の組織，とくに腱板を展開するのに用いられる．ただし，このアプローチは関節鏡の使用頻度が増加するとともに次第に使われなくなった．外側アプローチおよび外側最小侵襲アプローチも腱板を展開できるが，主に上腕骨近位端骨折の治療に用いられる．後方アプローチは滅多に使われないが，反復性肩関節後方脱臼の治療には有効であり，肩甲骨関節窩後方の骨折と肩甲骨頚部骨折の観血的内固定術にも用いられる．前・後方関節鏡アプローチは関節内構造をよく観察できる．

外科解剖は前方，前外側，後方の3つに分けて，それぞれのアプローチに続いて述べる．

1 鎖骨への前方アプローチ

鎖骨への前方アプローチは鎖骨全長の展開が可能で，以下の手術に用いられる[1]．
- 骨折の観血的整復・内固定
- 胸鎖関節および肩鎖関節の脱臼・亜脱臼の再建術
- 感染のドレナージ
- 腫瘍の生検および切除
- 変形癒合に対する骨切り術

腕神経叢と鎖骨下動静脈へはこのアプローチからも到達できる．このためには鎖骨の骨切りが必要である（👉図1-23）．

皮下および広頚筋の動静脈からの出血がよく起こる．大血管が近くにあるので，このような表層の出血はよくコントロールし，良好な視野を保たなければならない（図1-2）．

患者体位

手術台に患者を背臥位とする．肩周辺を挙上するため手術台を折り，頭側を上げる．脊椎と肩甲骨の間に砂嚢を入れる．これにより肩が後方に落ち，中央1/3の骨折はしばしば整復される．あるいは手術台に患者を背臥位とし，手術台の頭側を60°挙上する．殿部を手術台の屈曲部に合わせ，腰椎に無理がかからない肢位を取る．患側の肩甲骨内縁が手術台の縁にくるまで身体をずらし，膝の下に枕を入れ，健側上肢は手台におく．これがいわゆるビーチチェアポジションである（図1-1）．神経血管損傷のリスクは，上方プレート固定ではビーチチェアポジションのほうが少なく，前下方プレート固定では背臥位のほうが少ないとのエビデンスがある[2]．

ランドマーク

頚切痕が皮切の最内側のランドマークとなる．この頚切痕から肩鎖関節に向けて外側へ触っていくと，皮下に鎖骨の表面を触れる．

皮　切

内側端から鎖骨のS字状の形に沿って皮切をおく．皮切の位置と長さは手術内容によって決まる（図1-2A）．

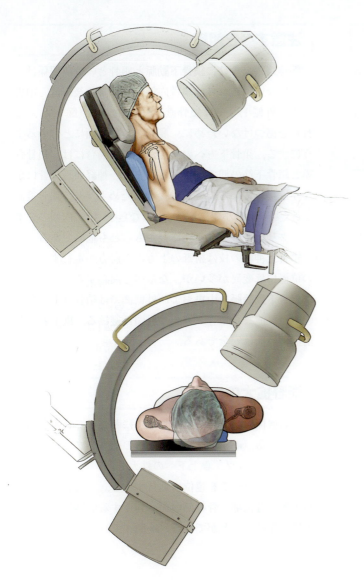

図 1-1 ビーチチェアポジション
手術台に患者を背臥位とし，手術台の頭側を 60°挙上する．患側の肩甲骨内縁が手術台の縁にくるまで身体をずらし，膝の下に枕を入れ，健側上肢は手台におく．

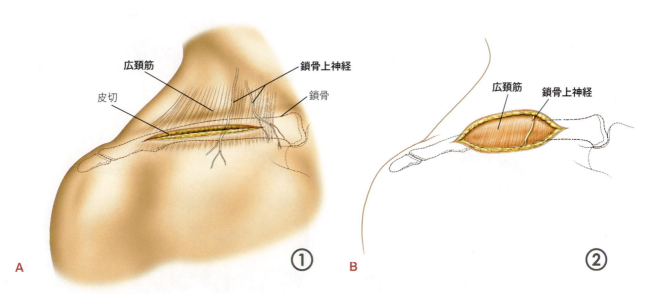

図 1-2 鎖骨前方アプローチ．皮切
A：皮下に触れる鎖骨表面上に長軸方向の切開をおく．皮切の位置と長さは治療対象の病態と使用する固定具によって決まる．
B：皮切と同方向に展開を進め，広頚筋を展開する．数本の皮神経が存在するので，損傷しないよう気をつける．

internervous plane

このアプローチは鎖骨表面に直接到達するので，internervous plane は存在しない．しかし，この皮切は広頚筋内を上から下へ走る多くの細い皮神経，すなわち鎖骨上神経の枝を切断する．

浅層の展開

広頚筋を切開し鎖骨表面に到達する．広頚筋内には多くの動静脈があるので注意深く凝固止血する（図1-2B）．鎖骨上神経の枝はなるべく温存する．胸鎖関節から 2.5 cm 以内，肩鎖関節から 2 cm 以内には鎖骨上神経が存在しないので安全である．この神経は通常，内側枝と外側枝に分かれるが[3]，鎖骨中央 1/3 の骨折の固定ではともに皮切を横切る．神経支配域の重なりのため，一方の枝だけの切断では術後の皮膚感覚障害は起こらないこともあるが，このアプローチでは術後の前胸壁感覚障害が多い[4]．

深層の展開

骨膜上で鎖骨表面の軟部組織をていねいに剥離する．とくに骨接合術の場合は，できるだけ軟部組織の付着部を残すように心がける（図1-3）．

注意すべき組織

腕神経叢ならびに鎖骨下動脈と鎖骨との位置関係は一定ではない．これらは鎖骨内側部では骨の後方に，中央および外側 1/3 では鎖骨直下に存在する（図1-4）．これらを傷つけないために，展開を鎖骨表面にとどめるようにする．鎖骨下方への展開が必要な場合には，鎖骨骨膜と鎖骨下筋の間で展開する．また，神経血管は骨にかなり近接しているので，骨接合のためドリルで鎖骨後面を貫く場合は最小限にしなければならない[5]．内側の 2 本のスクリューのドリル孔作製がもっとも危険である[2]．

鎖骨上神経の枝は術野の上方から前方へ走行する．その位置には変異が多いが，なるべく温存する．

鎖骨下動静脈は中央および外側部では鎖骨直下に存在する．可能なら鎖骨下方への展開は避ける．皮下表面と前面の展開は安全である．

術野拡大のコツ

この展開は必要により鎖骨全長にわたって長軸方向に拡大できる（☞本章「3 肩関節への前方アプローチ」の「術野拡大のコツ，●上下への拡大」）．

このアプローチを遠位に延長すると，三角筋胸筋溝から上腕骨近位部と骨幹部中央へ到達する前外側アプローチにつなげることができる（☞図1-23）．

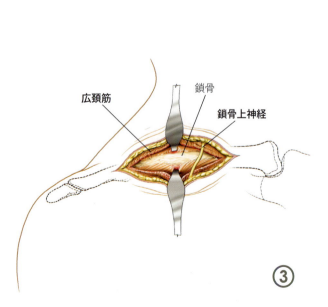

図1-3　鎖骨前方アプローチ．骨の展開
皮切と同方向に広頚筋を切開し，鎖骨表面を展開する．

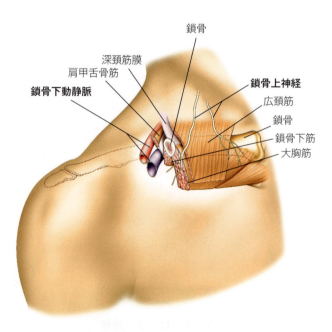

図1-4　鎖骨前方アプローチ．鎖骨下動静脈
鎖骨下動静脈は鎖骨に近接している．

2 鎖骨への最小侵襲アプローチ

鎖骨への最小侵襲アプローチの適応は，鎖骨の中央1/3の骨折である[6,7]．

このアプローチでは骨折部を展開せず間接的に整復を行うので，整復固定にはX線透視が必要である．皮切が鎖骨内側1/3と外側1/3に位置するため，前方アプローチに比べて鎖骨上神経の損傷は起こりにくい[4]．

患者体位

透視可能な手術台に患者を背臥位とする．手術台を折って頭側を上げ，肩甲骨内側縁に砂嚢を入れる．これにより肩が後方に落ち，上肢を牽引した状態になる．あるいは患者をビーチチェアポジションとする（☞図1-1）．ドレーピングの前に十分な透視が可能かを確認する．

ランドマーク

骨折部を触診し透視で位置を確かめる．使用予定のプレートを鎖骨上に置き，その両端部の皮膚に印をつける．プレートの長さと設置位置は，骨折の部位と形状で決める．

皮切

鎖骨上に2ヵ所，2cmの縦皮切をおく．各皮切の中

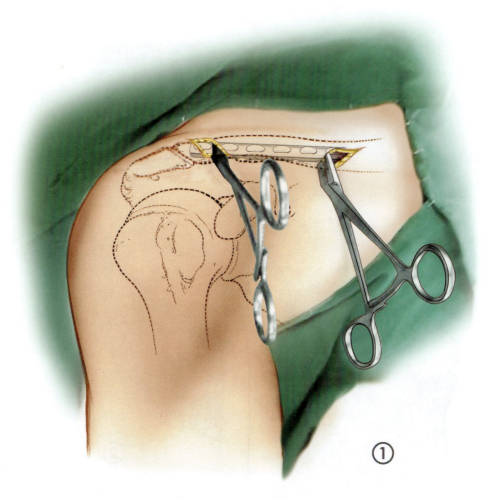

図1-5 鎖骨への最小侵襲アプローチ．皮切
鎖骨上に2ヵ所，2cmの縦皮切をおく．各皮切の中心はプレート両端の印に合わせる．

心はプレート両端の印に合わせる（図1-5）．

internervous plane

このアプローチは皮下を展開するので，internervous planeは存在しない．

浅層の展開

鎖骨骨膜まで剝離を進め，骨膜上を鈍的に展開する．2つの皮切をつなげて皮下トンネルを作る（図1-6）．

注意すべき組織

腕神経叢ならびに鎖骨下動静脈は鎖骨内側部では骨の後方に，中央および外側1/3では鎖骨直下に存在する．これらは鎖骨によって保護されているが，ドリル先が出すぎると，とくに内側部では損傷する危険がある．

術野拡大のコツ

このアプローチを拡大すると鎖骨上神経を損傷しうる．しかし整復固定のため小皮切の追加が必要になることが多い．

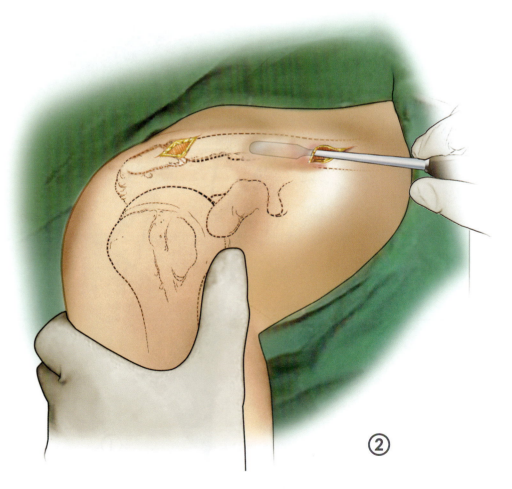

図1-6　鎖骨への最小侵襲アプローチ．浅層の展開
鎖骨表面で骨膜上を鈍的に展開し，2つの皮切をつなげて皮下トンネルを作る．

3 肩関節への前方アプローチ

前方アプローチでは肩関節を広範囲に展開することができ，前方，下方，上方の肩関節構造物の修復も可能である．とくに次のような場合に適している．

- 反復性脱臼の再建術[8〜13]
- 感染のドレナージ
- 腫瘍の生検および切除
- 上腕二頭筋長頭腱の修復または固定[14]
- 肩関節全置換術・人工骨頭置換術，この場合は通常前方切開の変法が用いられる[15〜17]．
- 上腕骨近位端骨折の固定[18〜20]

前方アプローチは皮膚や皮下組織からの出血が多いとされる．深層の展開の前に十分な止血を行う．止血が不十分だと重要な組織の確認ができず，損傷してしまう可能性がある．

患者体位

背臥位とする．脊柱と肩甲骨内縁部の下に砂嚢をおき，患側を前方へ押し出す．腕は後方へ落とし，関節の前方部が開くようにし，手術台の頭側を30〜45°挙上する（図1-7）．これにより静脈圧が下がり，出血が減少するとともに，術野に血液が貯留しなくなる．ヘッドレストを使用するときは，後頭部に褥瘡が生じないよう十分にパッドをあてる．アプローチにさいして上肢を動

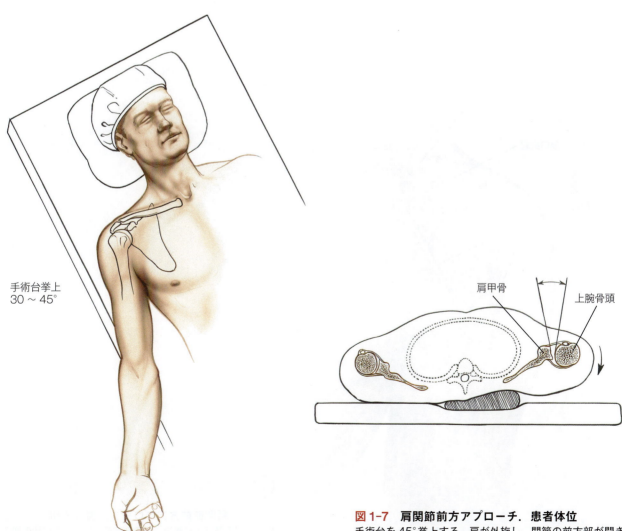

図1-7 肩関節前方アプローチ．患者体位
手術台を45°挙上する．肩が外旋し，関節の前方部が開きやすいように脊柱および肩甲骨内縁の下に砂嚢をおく．

かす必要があるので，上肢を自由に動かせるようドレーピングする．透視装置を使う場合は，手術台の位置決めとドレーピングの前に確実によい像を得られることを確認しておく．

ランドマーク

烏口突起は鎖骨下部の陥凹の深部に触れる．鎖骨の前端から約2.5cm遠位で外側，後方へ烏口突起に触れるまで押す．烏口突起は前外側を向き，大胸筋によって厚くおおわれているので，強めに押さないと触診できない．

三角筋胸筋溝はやせた患者では触診しなくても視診で確認できる．この溝内を走っている橈側皮静脈も視認できることがある．

皮 切

肩の前方部展開には，次の2種類の皮切が用いられる．

●前方皮切

三角筋胸筋溝に沿って10～15cmの直線切開とする．烏口突起の部分から始める（図1-8）．

●腋窩皮切

背臥位とし，肩90°外転外旋位とする．滅菌したペンで前腋窩皮線に印をつける．前腋窩皮線の中点から始まり腋窩部後方へのびる8～10cmの垂直皮切を加える[21]．指で皮下を広範に剥離する．とくに三角筋胸筋溝部の剥離は橈側皮静脈を目印に行い，垂直面での正しい位置を確認する．皮膚を上外側へ引き，切開部が三角筋胸筋溝

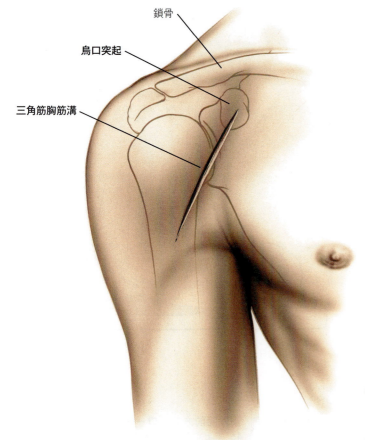

①

図1-8 肩関節前方アプローチ．前方皮切
烏口突起の高さより始め，三角筋胸筋溝に沿う直線状の切開を入れる．

3. 肩関節への前方アプローチ

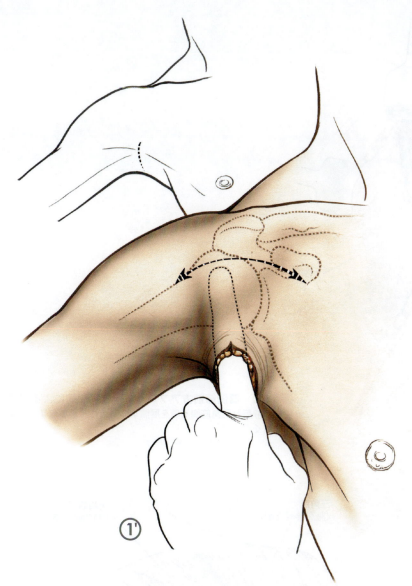

図 1-9 肩関節前方アプローチ．腋窩皮切と皮下の剥離
皮切部が三角筋胸筋溝まで移動できるように皮下を広く剥離する．

上まで移動できることを確かめる（図1-9, 10）．

腋窩皮切は前方皮切に比べ，はるかに美容上の利点を有する．その理由の第1は皮切線が腋窩に隠れること，第2は残った瘢痕が腋毛でおおわれることである．さらに，縫合部が治癒する間，創に緊張がかからないため瘢痕は小さくてすむ．この皮切は著しく筋肉質の患者には用いないほうがよい．皮膚を十分に移動させることができず，肩の前方に位置する筋群に対して満足のいく展開が得られないからである．腋窩皮切で十分な展開が得られなければ，三角筋胸筋溝へと皮切を上方へ延長する．この皮切は骨折の手術には勧められない．

internervous plane

腋窩神経支配の三角筋と内・外側胸筋神経支配の大胸筋との間に存在する（図1-11）．

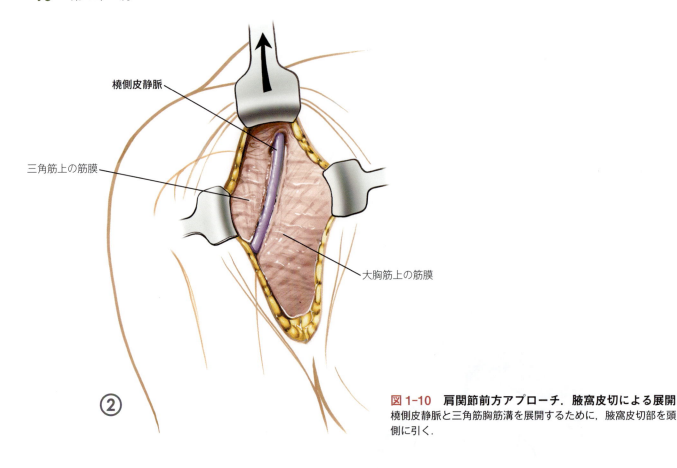

図 1-10 肩関節前方アプローチ．腋窩皮切による展開
橈側皮静脈と三角筋胸筋溝を展開するために，腋窩皮切部を頭側に引く．

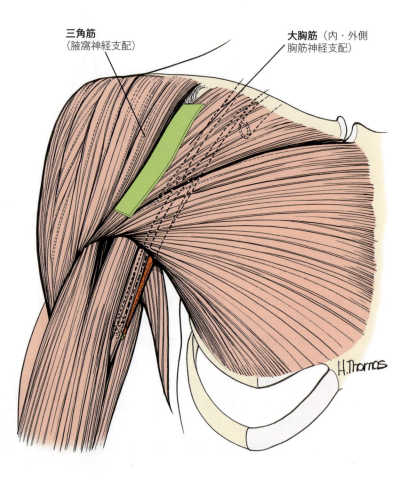

図 1-11 三角筋・大胸筋間の internervous plane
三角筋（腋窩神経支配）と大胸筋（内・外側胸筋神経支配）の間にある．

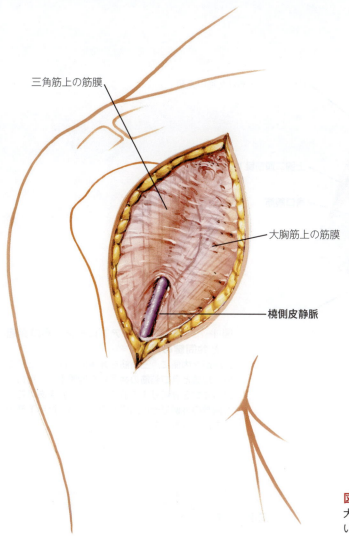

図1-12　肩関節前方アプローチ．三角筋胸筋溝の確認
大胸筋上の筋膜と三角筋上の筋膜の間で溝を展開する．そのさい橈側皮静脈が溝の指標となる．

浅層の展開

　三角筋胸筋溝と橈側皮静脈を確認する（図1-12）．橈側皮静脈が見つかりにくいときは，その周囲にある脂肪組織を目安にするとよい．大胸筋を内側へ，三角筋を外側へ分離する．橈側皮静脈は内側，外側どちらによけてもよい．このとき静脈と一緒に三角筋の線維を一部つけて展開すると，結紮を要する血管分枝の数は減るが，一部筋の脱神経を生じることがある．このため，ルーチンな手技としてこの方法は勧められない．術後の浮腫を減らすため橈側皮静脈はなるべく温存する．

深層の展開

　まず，どちらも筋皮神経支配である上腕二頭筋短頭と烏口腕筋を内側へよけると，肩関節の前方部分に到達できる．筋膜を切離して内側へよけるのみでMagnuson-Stackの肩甲下筋腱の前進法[10]，Putti-Plattの肩甲下筋と関節包の縫縮法[9]，上腕骨近位端骨折の観血的整復・内固定などの処置は十分行える．しかし，さらに広い展開を要する場合や，烏口突起を移行しなければならない場合[12]には，これら2筋が付着する烏口突起の先端1cmをボーンソーで切離する．1cm以上離れたところで切離すると，小胸筋や烏口上腕靱帯の付着部を損傷してしまう[22]．

　切離した骨はスクリューないしは縫合によって復元する．スクリューを使う場合には，烏口突起にドリルで穴をあけ，タッピングしてから骨切りを行うのがよい（図1-13, 14）．そうしておかないと，烏口突起の先端部は小さいのでドリリング中に割れ，もとの位置に復元することがきわめて困難となる．

　腋窩動脈は腕神経叢束部に囲まれ，小胸筋の後方に位置する．上腕外転位ではこれらの神経血管束は緊張し，烏口突起の先端や術野に近づく．したがって，烏口突起

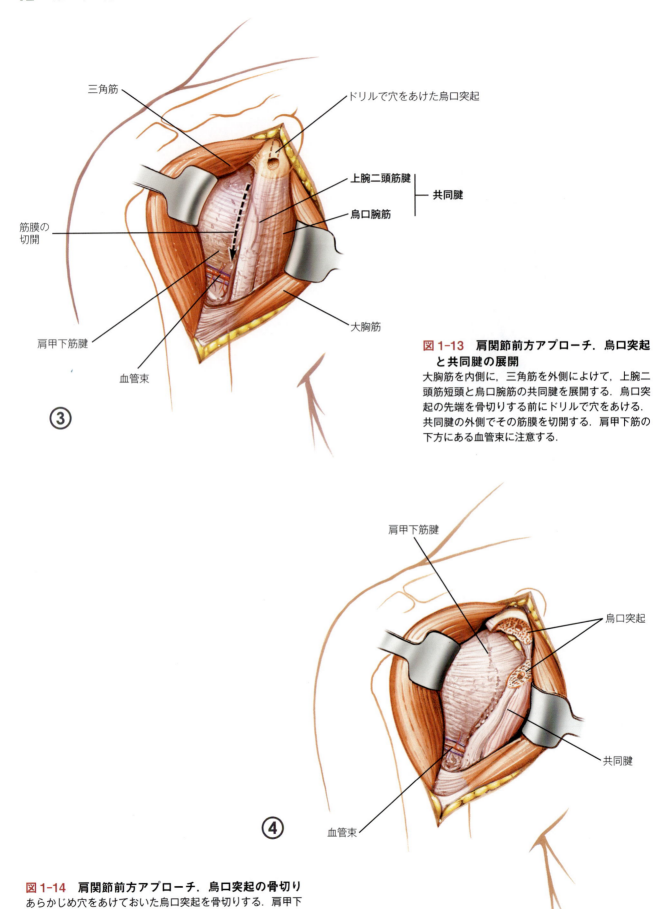

図 1-13 肩関節前方アプローチ．烏口突起と共同腱の展開
大胸筋を内側に，三角筋を外側によけて，上腕二頭筋短頭と烏口腕筋の共同腱を展開する．烏口突起の先端を骨切りする前にドリルで穴をあける．共同腱の外側でその筋膜を切開する．肩甲下筋の下方にある血管束に注意する．

図 1-14 肩関節前方アプローチ．烏口突起の骨切り
あらかじめ穴をあけておいた烏口突起を骨切りする．肩甲下筋をより広く展開するために共同腱を内側へよける．

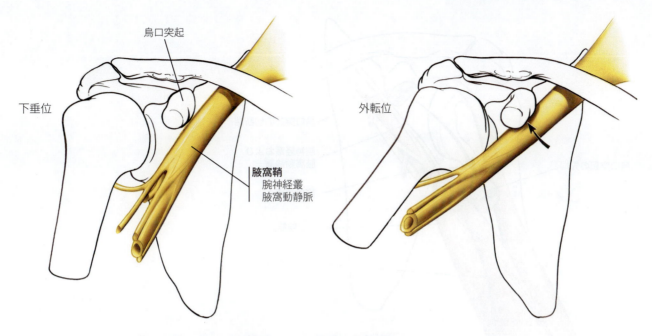

図 1-15　腋窩部の血管・神経（腋窩鞘）と烏口突起の位置関係
烏口突起の骨切り時，腋窩鞘は腕を下垂位にすると保護されるが，外転位にすると烏口突起に向かって引っ張られる．

周辺での操作は上腕を内転位にして行うべきである[8]（図 1-15）．

烏口突起とこれに付着する筋はともに内方へよける．烏口腕筋と上腕二頭筋短頭の共同腱からの筋膜を烏口腕筋の外側で切開する．筋皮神経が内側から烏口腕筋に入るため，外側寄りが安全である．烏口突起の骨切りを行った場合，烏口突起と付着筋をあまり強く下方へ引きすぎると，筋皮神経の一過性神経伝導障害（ニューラプラキシア）を引き起こすことがあるので注意を要する．烏口突起を骨切りしない場合は烏口突起に付着している両筋が牽引損傷の防波堤となる（図 1-16）．しかし，筋を強く内側に引くと神経損傷を起こしうる．

烏口腕筋と上腕二頭筋短頭の共同腱の下方には肩甲下筋の線維が横走する．肩甲下筋は肩関節包を前方から保護する唯一の筋である[8]（図 1-17）．この筋が関節窩を横切るところで，滑液包が筋と関節包の間に介在している．滑液包は肩関節と交通していることもある．頻回の前方脱臼例では，肩甲下筋と関節包の間にしばしば癒着が生じ，この2層間を分けることは容易ではない．肩関節に達するため肩甲下筋腱を切離する必要がある場合，上腕を外旋させて肩甲下筋を伸張させると，筋腹の上・下縁を容易にみることができる．上腕を外旋すると，肩甲下筋と腋窩神経は離れ，腋窩神経は肩甲下筋の下方に隠れてしまう．

肩甲下筋の下縁をもっとも簡単に確認するランドマークは横走する3本の血管束で，しばしば結紮ないしは焼灼を要する．この血管束は小さな動脈の上下に2本の静脈が伴走している．肩甲下筋の上縁は不明瞭で，棘上筋線維と混じり合っている．

関節包と肩甲下筋の間に下方から上方へ向けて先が鈍の鉗子を通し，筋を切離する（図 1-18）．このさい，内側の筋腹にあらかじめ支え縫合（stay suture）を行って，切離した筋が内側に引き込まれるのを防ぐとともに，上腕骨への新しい停止部への縫合が容易となるように準備しておく．肩甲下筋の切離は上腕骨小結節停止部から2～3 cm離れたところで行う（図 1-19）．肩甲下筋の線維の一部が関節包自体に停止して，そのため筋と関節包間が不明となり，筋を切離するさい関節包も破ってしまうことがしばしばあるので，十分に注意する．

もう1つの方法として，肩を内旋し肩甲下筋腱が上腕骨に停止している部位を確認する．細いオステオトーム（骨ノミ）を使って骨を切り，骨片付きで停止部を切離する．こうすれば，前もって作っておいた外方の骨溝に肩甲下筋を再縫着することができる．固定にはステープルを使う．

関節包に縦切開を加え，関節に進入する．切開の位置は，それぞれの修復法によって異なる（図 1-20）．

このアプローチを骨折の治療に用いる場合，外傷によ

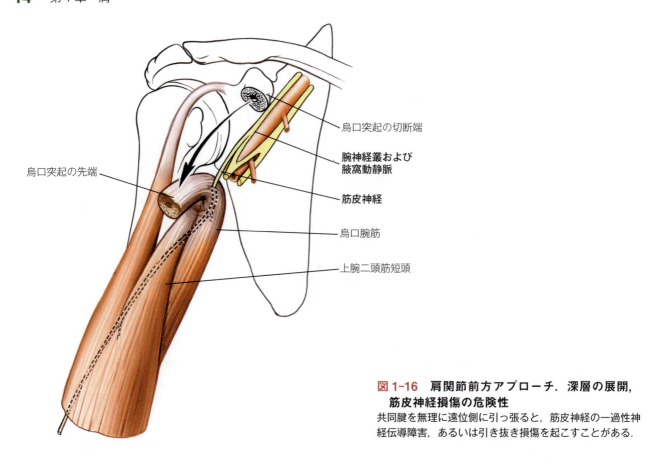

図 1-16 肩関節前方アプローチ．深層の展開，筋皮神経損傷の危険性
共同腱を無理に遠位側に引っ張ると，筋皮神経の一過性神経伝導障害，あるいは引き抜き損傷を起こすことがある．

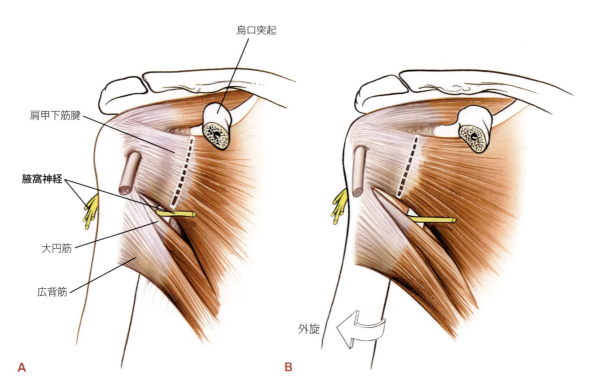

図 1-17 肩関節前方アプローチ．肩甲下筋腱の切離と腋窩神経の位置関係
A：肩甲下筋は切開部の深層にある．この腱をその筋腱移行部近くで線維方向に対し垂直に切る．腋窩神経は四辺形間隙（quadrangular space）を前後に貫通する．
B：肩甲下筋腱の切離のさいに腕を外旋させると，切開部と腋窩神経が離れる．

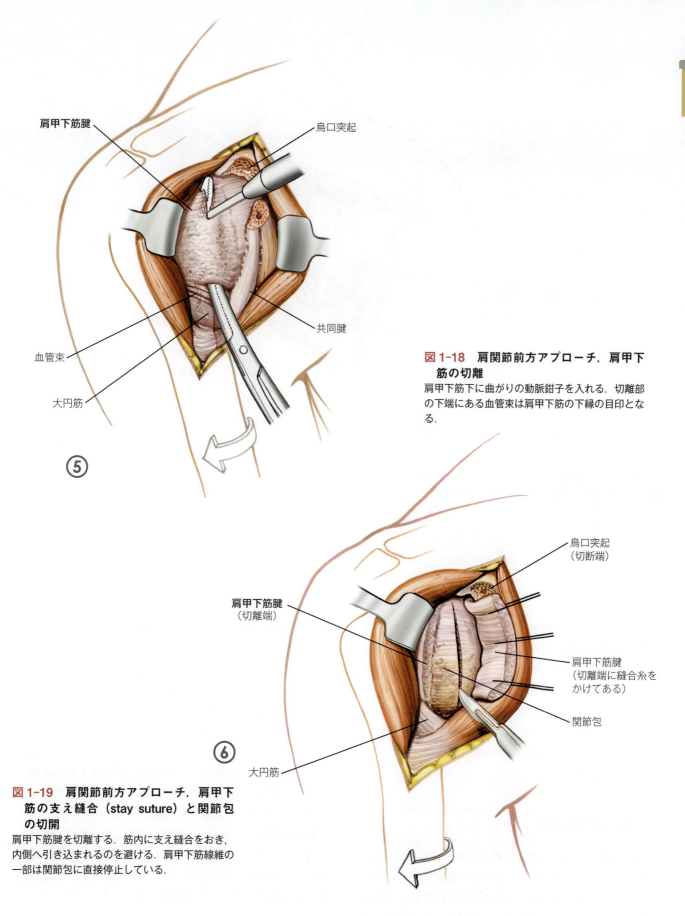

図 1-18　肩関節前方アプローチ．肩甲下筋の切離
肩甲下筋下に曲がりの動脈鉗子を入れる．切離部の下端にある血管束は肩甲下筋の下縁の目印となる．

図 1-19　肩関節前方アプローチ．肩甲下筋の支え縫合（stay suture）と関節包の切開
肩甲下筋腱を切離する．筋内に支え縫合をおき，内側へ引き込まれるのを避ける．肩甲下筋線維の一部は関節包に直接停止している．

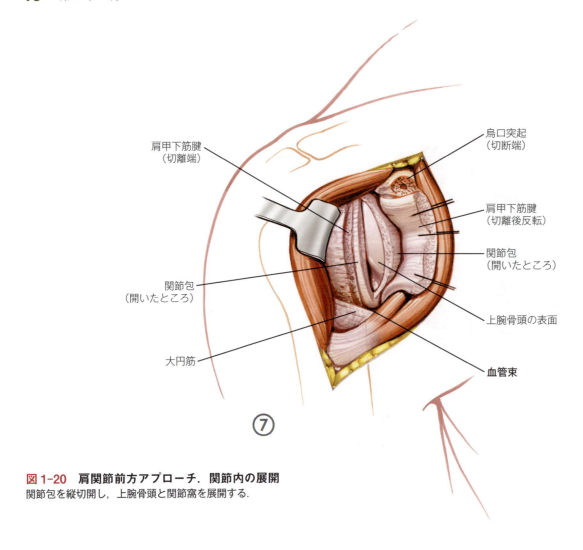

図 1-20　肩関節前方アプローチ．関節内の展開
関節包を縦切開し，上腕骨頭と関節窩を展開する．

りしばしば深部の離断が起こっている．大結節・小結節骨折では通常筋腱停止部は損傷されていないため，骨片は筋に引かれて転位・回旋する．通常，大結節は後上方に転位する．腱に糸をかけることで，結節を操作，整復することができる．虚血性壊死のリスクを下げるため，骨頭への血流の温存に努める．結節間溝を走行する上腕二頭筋長頭腱は通常断裂しておらず，骨修復のよいランドマークとなる．

注意すべき組織

筋皮神経は，烏口突起より約 5〜8 cm 遠位で烏口腕筋の筋腹へ入る．内側から入るので，切開はすべて外側から行う．筋を下方へ引きすぎて神経を過伸張し，肘屈筋を麻痺させないよう注意する（☞図 1-16）．烏口突起の骨切りをしない場合は，筋を内側に引きすぎないよう注意する．

腋窩神経は，三角筋の深層を後方から前方へと走行する．三角筋を後方へ引く操作で神経を損傷することはないが，上腕骨近位外側に器具を入れて三角筋を引くと，一過性神経伝導障害を生じうる．腋窩神経は肩甲下筋の下縁にあるので，肩甲下筋を切離するさいに損傷する危険がある．これを避けるには外旋位で切離する（☞図 1-17）．また，手術操作を肩甲下筋下縁の 3 本の血管束（上腕回旋動静脈）より下方で行わないようにする．

橈側皮静脈は，術後の上肢浮腫を防ぐためできるだけ温存する．万一，損傷したときには結紮する．橈側皮静脈と上大静脈の間には静脈弁が存在しないため，頻度は低いが静脈血栓塞栓症の危険性があるためである．

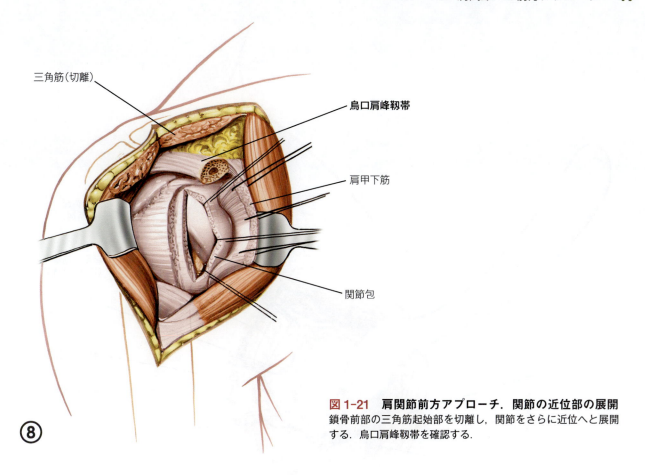

図 1-21 肩関節前方アプローチ．関節の近位部の展開
鎖骨前部の三角筋起始部を切離し，関節をさらに近位へと展開する．烏口肩峰靱帯を確認する．

術野拡大のコツ

●深部への拡大

次の5つの方法で拡大できる．

1) 皮切を鎖骨の下縁に沿って外側にカーブしながら上方へのばす．三角筋起始部を鎖骨外側部で2～4cmにわたって切離し，三角筋を外方によけると関節の近位が展開できる（図1-21）．しかし，三角筋の再縫合が難しいことから，この手技はルーチンに行うものではない．さらに三角筋を大きく外方によける必要があれば，上腕骨停止部で剥離するのがよい場合もある．
2) 三角筋の起始部を剥離することなく大胸筋と三角筋をさらに分離するには，皮切を三角筋胸筋溝に沿って下方へのばす．
3) 大胸筋の上腕骨停止部を部分切離する．
4) 上腕骨頭の展開には，適切なレトラクター（Bankart skid など）を使用する．上腕骨頭レトラクターは関節包切開後，関節窩の内部を十分に展開するために必須である（図1-22）．
5) 肩前方をおおっている種々の構成組織がみえるよう肩関節を内・外旋する．

●上下への拡大

近位への拡大 腕神経叢と腋窩動脈の展開と腋窩動脈からの動脈性出血をコントロールするには，鎖骨の中央1/3を横切るように皮切を上内方へのばす．次に鎖骨の中央1/3を骨膜下に剥離し，鎖骨を2ヵ所で骨切りし，中央1/3を切除する*．鎖骨下を走る鎖骨下筋を切離する．僧帽筋は上方へ，大・小胸筋は下方へよけ，下部の腋窩動脈と周囲の腕神経叢を露出する（図1-23）．腕神経叢のもっとも浅層にある筋皮神経を損傷しないよう注意する．

*訳者註：腕神経叢展開のみの場合は骨切除は不要である．

遠位への拡大 このアプローチは上腕骨への前外側アプローチへと拡大できる．皮切を三角筋胸筋溝の下方，ついで上腕二頭筋の外側縁に沿って下方へ延長する．深部の展開には上腕二頭筋を内方へ引き，上腕筋を露出する．さらに上腕筋の線維方向に沿って分けていくと，上腕骨に達する．このアプローチの詳細は第2章「1 上腕骨骨幹部への前方アプローチ」を参照のこと．

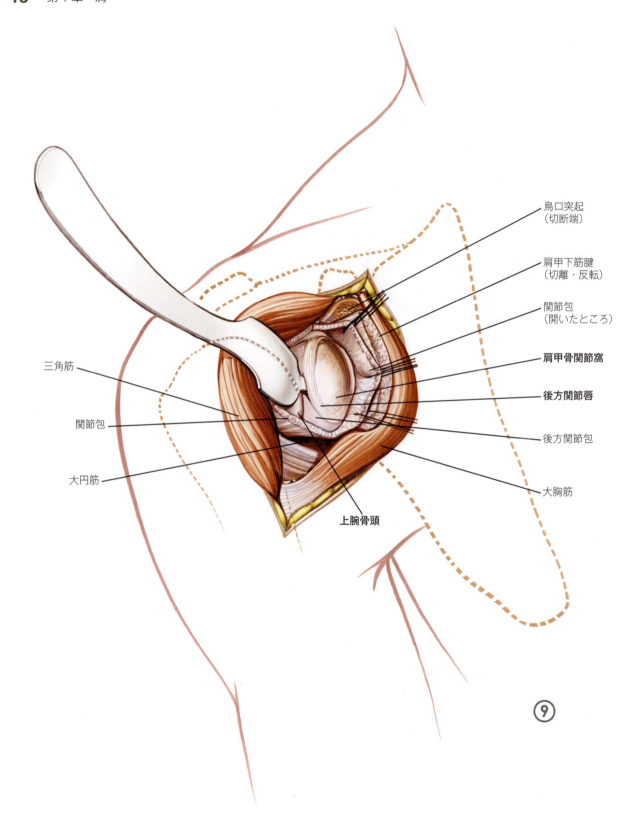

図 1-22 肩関節前方アプローチ．肩甲骨関節窩の展開
Bankart skid を用いて上腕骨頭をよけ，肩甲骨関節窩および関節唇を展開する．

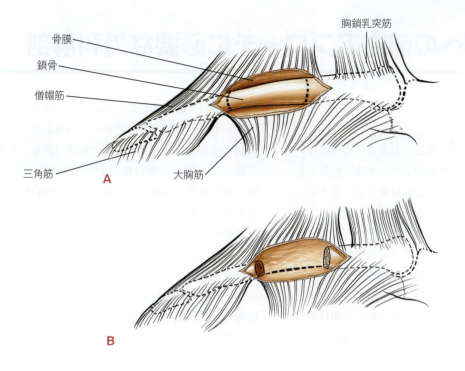
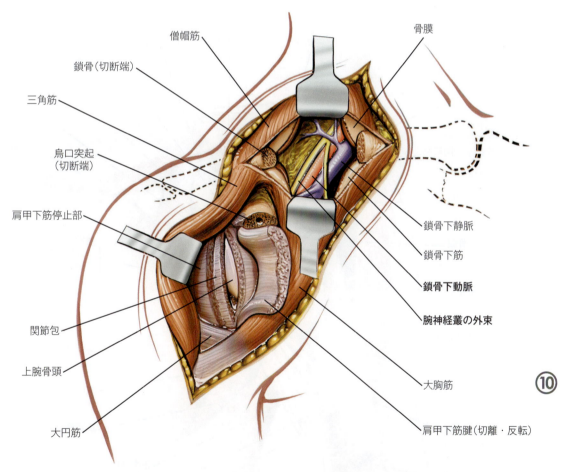

図1-23　肩関節前方アプローチ．近位への拡大．鎖骨下の血管・神経の展開
A，B：切開を上内側へ拡げる．鎖骨の中央1/3を骨膜下に展開し，これを切除する．
C：腕神経叢および腋窩動脈を展開する．

4 肩関節への前方アプローチに必要な外科解剖

概観

　肩のアプローチはすべて，関節をおおう2層の筋ないしはスリーブを経由する．外層のスリーブは三角筋である．内層のスリーブは腱板で，これは棘上筋，棘下筋，小円筋，肩甲下筋の4筋からなる（図1-24）．

　前方から関節へ達するには，外層のスリーブは外側へよけ，内層のスリーブ，とくに肩甲下筋は切離する．

　三角筋は大胸筋と広背筋（腋窩の二大筋）とともに肩の力源として重要である．内層のスリーブをなす筋群はすべて主動筋として働くが，もっとも重要な作用は他の筋群が肩関節を動かしている間，上腕骨頭を関節窩内にとどめておく機能である．

　棘上筋は外転開始時に主動筋としての重要な役割を有する．小円筋と棘下筋は肩の唯一の外旋筋である．この関節の病変はほとんどが内層の筋群（腱板）と関係し，高齢者では腱板の変性疾患が頻繁にみられる[23]．腱板は，関節運動の協調のみでなく，肩関節自体の安定には欠くことができない．

　骨折のパターンと骨折の転位は，損傷を生じる外力のみでなく，大・小結節に付着する腱板により規定される．

　前方からのアプローチでは，第3の筋群がこれらの2筋のスリーブの間にある．この筋群，すなわち上腕二頭筋短頭，烏口腕筋，小胸筋は，内層のスリーブの展開では内方へよける．いずれも烏口突起に付着している（☞図1-24）．

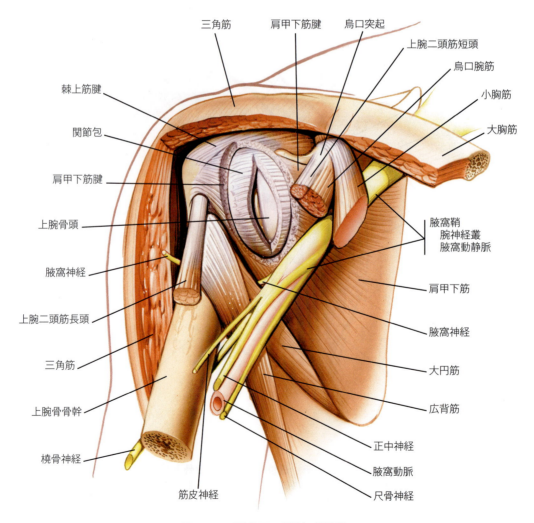

図1-24　肩前面の解剖（深層）

ランドマーク

烏口突起は三角筋胸筋溝の上端に位置し，皮膚上から触れる骨性の隆起で，この溝上におく皮切のランドマークとなる．また，肩関節内注射や関節鏡検査でも重要なランドマークとして用いられる．烏口突起は鉤状を呈しており，ワタリガラスのくちばしに似ているので，この名がある．烏口突起の先端は関節窩に対し前外下方に突き出している．したがって，後内方へ圧するともっともよく触れることができる．烏口突起の触診でしばしば痛みを生じるので，この部位での圧痛には局所所見の診断的意義はない．烏口突起には，次に挙げる6つの臨床上重要な構造物が付着する（図1-25）．

● 烏口肩峰靱帯

烏口肩峰靱帯は強靱な靱帯で，形態はさまざまである．典型的には三角形で，烏口突起の水平部分と肩峰の先端をつないでいる．台形，Y字形，多束性など5つのバリエーションも報告されている[24,25]．

この靱帯は肩峰前外側の下面から烏口突起の外側縁に向けて走行し，上方には鎖骨と三角筋，下方には肩峰下滑液包と棘上筋腱がある．烏口突起の外側で靱帯線維は烏口腕筋と上腕二頭筋短頭の共同腱の線維と混じり合い，内側では鎖骨胸筋筋膜（clavipectoral fascia）に連続する．

烏口肩峰靱帯は同一骨の2ヵ所を結ぶ数少ない靱帯の1つである．烏口突起，肩峰および烏口肩峰靱帯は烏口肩峰アーチを形成する．烏口肩峰アーチはインピンジメント症候群の病因にも関係がある．

烏口肩峰靱帯の機能は明らかではないが，肩甲骨の2ヵ所を結ぶ支柱と言えるかもしれない[26]．Rothenbergら[27]によると，この靱帯は上腕骨頭の上方移動を静的に抑制するとともに，圧感受性フィードバック機構によって肩関節の動的な安定性を助ける，ある種の負荷分散装置として働いている．

この靱帯の切除は肩峰下除圧術でもしばしば行われるが，長期的に重大な臨床的問題にはならないようである．

● 円錐靱帯と菱形靱帯

円錐靱帯および菱形靱帯はいずれもきわめて強靱である．円錐靱帯は逆円錐形で，烏口突起の上面から起始し，鎖骨下面の円錐結節に停止する．菱形靱帯は烏口突起の上面から起始し，上・外方へ向かって鎖骨下面の菱形縁に停止する．ともに肩鎖関節の主要な安定機構である．肩鎖関節脱臼例での靱帯修復はきわめて難しく，切れた場合は各々の靱帯を識別するのは困難である．

● 烏口上腕靱帯

烏口上腕靱帯は烏口突起の下面から始まり，肩関節上を外方に向け走行して肩関節の関節包に移行している．関節包の中でもっとも重要かつ堅固な肥厚部であるが，臨床的意義は少ないと思われる[28]＊．凍結肩ではこの靱

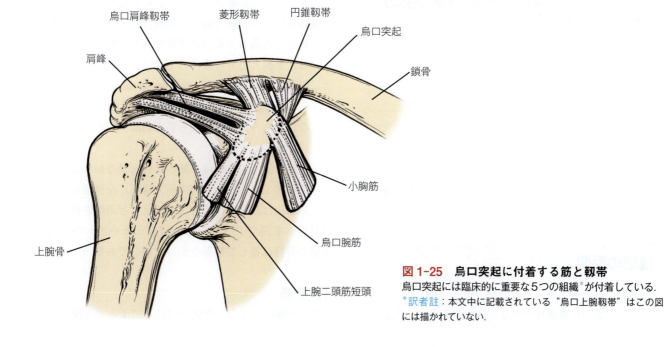

図1-25 烏口突起に付着する筋と靱帯
烏口突起には臨床的に重要な5つの組織＊が付着している．
＊訳者註：本文中に記載されている"烏口上腕靱帯"はこの図には描かれていない．

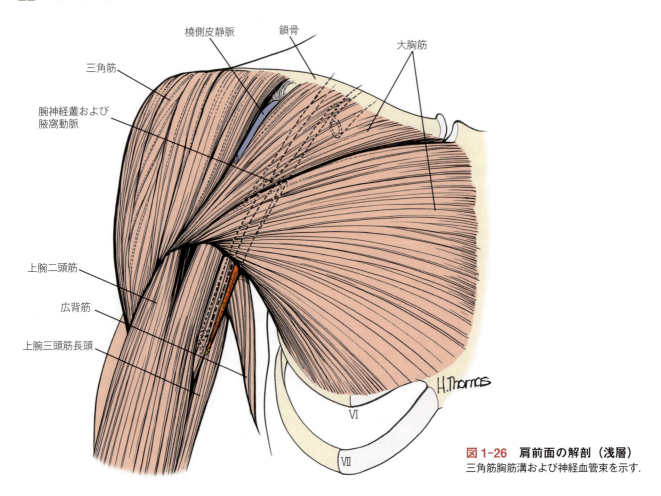

図 1-26　肩前面の解剖（浅層）
三角筋胸筋溝および神経血管束を示す．

帯が肥厚する[29]．

*訳者註：最近では肩関節の安定性に寄与すると考えられている．

●小胸筋および烏口腕筋と上腕二頭筋短頭の共同腱

図 1-28 を参照．

皮 切

三角筋胸筋溝を下方へ走る皮切は，皮線とほぼ直交するので，皮下縫合を用いてもしばしば皮膚瘢痕を残す．腋窩切開は，皮線と平行して走るので，瘢痕ははるかに軽度である．また，この皮切は腋窩ひだ内に隠れ，腋毛でおおわれるためほとんどみえなくなる．

浅層の展開

肩関節の前方アプローチによる浅層部の展開に関係するのは主に3つの構成体である．外側の三角筋，内側の大胸筋，この2筋間に存在する三角筋胸筋溝内の橈側皮静脈である（図 1-26）．

●三角筋

三角筋の前部線維は互いに平行して走り，筋線維間に隔壁はない．この種の筋線維の縫合は裂けやすく，鎖骨に三角筋を再縫着するのは困難である．強固に再縫着するには，筋膜とともに筋肉の全層に縫合糸をかけ，また骨に縫合糸を通す（transosseous suture）ことである．4〜6週間はこの部に緊張を加えないようにする．このような点からみても鎖骨から筋を切離するのは好ましくない．

三角筋を支配するのは，筋の深層を後方から前方へ走る腋窩神経である．三角筋の前方線維に脱神経が起こる唯一の原因は，筋肉の前方部がほとんど剥離され，強引に外側へ筋鈎で引っ張られる場合（図 1-27）か，筋の深層で神経に接して筋鈎をかけた場合である．

●大胸筋

2本の神経枝（内・外側胸神経）によって支配されて

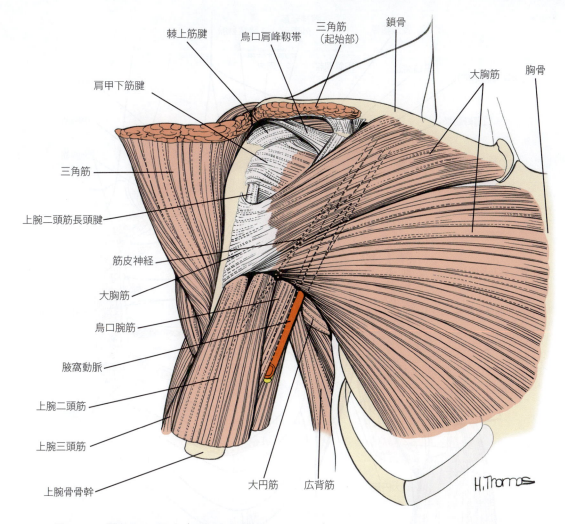

図 1-27 肩前面の解剖（三角筋を反転したところ）
三角筋の前部はすでにその起始部より切離してある．大胸筋，肩甲下筋，棘上筋腱および烏口肩峰靱帯の停止部を示す．

いるので，双方の神経支配を断つことなく筋の分離ができる．上腕骨への停止部は，上腕骨近位端骨折の手術では部分切離してもよい（👉図1-27）[30]．

●橈側皮静脈

鎖骨胸筋筋膜（clavipectoral fascia）を貫通後，腋窩静脈へ注ぐ．場合によってはこれを欠くこともある．結紮しても合併症はほとんど起こらないが，ルーチンに結紮することは術後の上肢浮腫を増悪する可能性もあるため勧められない（👉図1-26）．

深層の展開

烏口腕筋と上腕二頭筋短頭は烏口突起の先端にその起始を共有している．また，神経支配もともに筋皮神経支配である．肩関節への前方アプローチでは両筋は三角筋と腱板の中間の深さにある（👉図1-28）．

●烏口腕筋

著しく退化していて機能はほとんどないが，上腕の弱い屈曲・内転筋で肩関節の安定化に寄与する．大きさはさまざまで，大腿の内転筋に相当する．

もともと3つの起始頭をもっていたが，発達途上で融合した2つの起始頭間を筋皮神経が通るようになった．これは神経が筋を通過する数少ない事例である（👉図1-28）．

●上腕二頭筋

上腕二頭筋長頭腱は解剖学的に特異なもので，滑膜腔を通過する2つの腱のうちの1つである．すなわち肩関節の関節包は下方では完全に閉鎖しておらず，長頭腱は上腕横靱帯の下を通って関節外に出て，上腕骨の結節間

24　第1章　肩

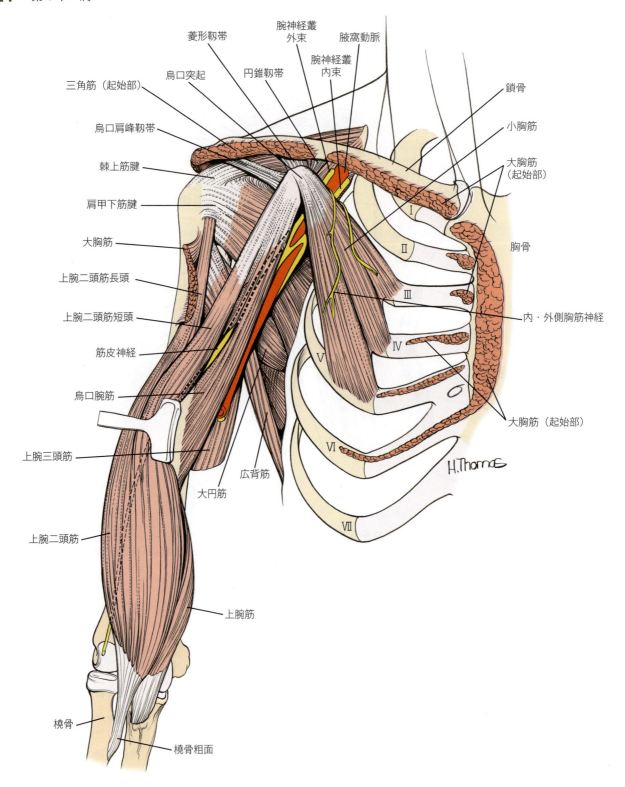

図 1-28　肩前面の解剖（三角筋，大胸筋を切除したところ）
大胸筋および三角筋は完全に取り除いてある．上腕二頭筋の長頭と短頭，腱板，烏口肩峰靱帯および神経血管束を示す．

4. 肩関節への前方アプローチに必要な外科解剖

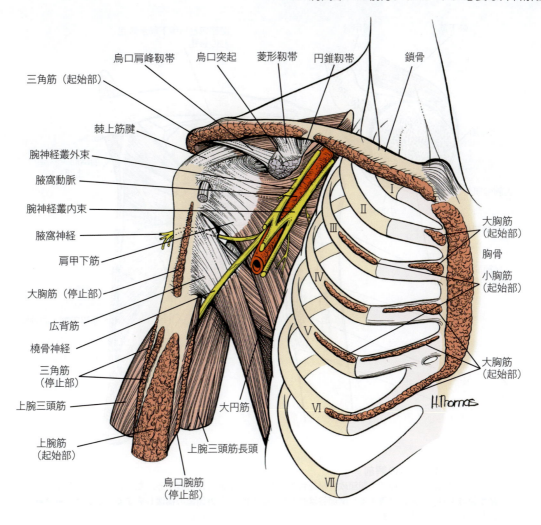

図 1-29　肩甲下筋前面の神経血管束
神経血管束は肩甲下筋の前面を走行している．腋窩神経は四辺形間隙を通り，橈骨神経はいわゆる三角間隙（triangular interval）を通る．

三角筋	起始	鎖骨外 1/3 の前縁．肩峰の外側端および肩甲棘の下縁
	停止	上腕骨の三角筋粗面
	作用	肩の外転．前部線維は肩の屈曲，後部線維は肩の伸展に働く
	支配神経	腋窩神経
大胸筋	起始	2頭よりなる 鎖骨頭：鎖骨の内側半分 胸肋頭：胸骨柄および体部，上位6つの肋軟骨および外腹斜筋の腱膜
	停止	上腕骨の結節間溝の外縁
	作用	上腕骨の内転
	支配神経	内・外側胸筋神経（外側胸筋神経の分枝が鎖骨線維を支配する）
烏口腕筋	起始	烏口突起の先端
	停止	上腕骨内縁の中央
	作用	わずかに腕を屈曲し内転させる
	支配神経	筋皮神経
上腕二頭筋	起始	短頭は烏口突起先端から，長頭は肩甲骨の関節上結節から
	停止	橈骨粗面
	作用	肘の屈曲．前腕の回外．肩のわずかな屈曲
	支配神経	筋皮神経
小胸筋	起始	第3～6肋骨の外縁
	停止	肩甲骨の烏口突起
	作用	肩甲骨の外側を下げる．肩甲骨を突き出す
	支配神経	内側胸筋神経

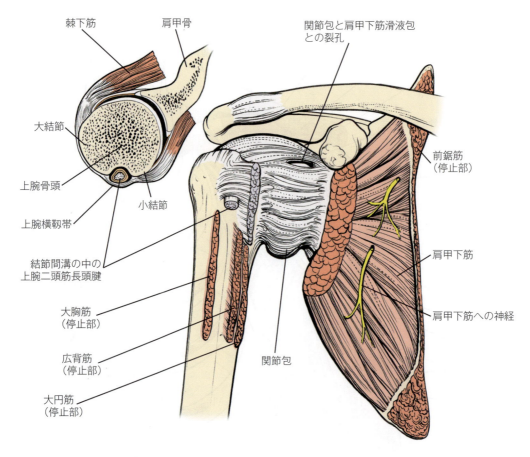

図 1-30　肩関節包の解剖
線維性関節包は上腕骨頚部の関節軟骨縁を包み囲むように上腕骨に付着する．ただし，関節包下部は関節軟骨縁よりも下方に付着する．関節包は結節間溝の内側壁と外側壁の橋渡しをする．これは上腕横靱帯として知られる構造である．

肩甲下筋	起　始	肩甲骨の前面の内側 4/5
	停　止	上腕骨小結節
	作　用	上腕の内旋
	支配神経	上・下肩甲下神経

溝の中を走る．上腕を外旋させると，溝内で容易に触れることができる（👉 図 1-30）．上腕二頭筋長頭腱は炎症性変化を起こしやすい腱で，その原因の一部は肩関節最大外転位と最大内転位で約 6 cm も滑動することにある．常にこのような動きをするため腱と結節間溝間に摩耗を生じて断裂することもあり，その場合の上腕二頭筋は特徴的な形*を呈する．上腕二頭筋長頭腱の炎症や変性は結節間溝の形態に関連があると考えられてきたが，最近のMRIを用いた研究によると必ずしもそうではない[31])．

*訳者註：力を入れると上腕下方に力こぶができる（Popeye sign）．

上腕二頭筋長頭腱は結節間溝から内側にすべり出ることがある．この腱の脱臼例では通常疼痛を覚えるが[32])，ときに肩の症状をまったく訴えなかった人でも解剖時にこの脱臼がみられることがある[33])．

この結節間溝の深さや，その内壁と床面のなす角度は非常にさまざまで，浅い溝では上腕二頭筋長頭腱の脱臼を生じやすい[34))．しかし，上腕横靱帯（支帯）が腱に対する主要な安定機構として存在しているので，これが断裂しなければ腱は脱臼しない．この腱は複雑な上腕骨近位部骨折の修復のためのランドマークとして有用である．

● **小胸筋**

外科的にみた小胸筋の重要性はその神経血管との関係にある．腋窩動脈の後半部分と腕神経叢束部は，この筋のすぐ後方で烏口突起下に位置する（👉 図 1-28）．

● **肩甲下筋**

切開の深層部には肩関節包をおおう肩甲下筋がある

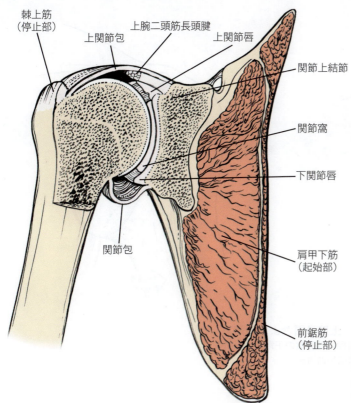

図 1-31　肩関節の断面
外転ができるよう関節包は下方にゆるみがある．上腕二頭筋長頭腱が関節内を走る．この腱は滑膜でおおわれているので，解剖学的には関節内で滑膜外に存在する．

（図 1-29）．

　肩甲下筋は腱板の前方部分をなし，部分的に関節包に停止している．その腱は腱板を形成する他の筋と同じように変性を受けやすいが，その程度は軽い．他に内旋を司る筋があるので，肩甲下筋の筋力がなくても機能的にはあまり異常を生じない．前方脱臼例では，肩甲下筋が弛緩していることがある．逆に，以前行われた手術がもとで短縮が生じていることもある[34]．肩甲下筋腱の外傷性断裂も報告されている[35]．

　肩甲下筋は上腕の外旋を制限し，前方脱臼を防止する．また，筋の大きさと肩関節の前面に位置することからも，物理的に前方脱臼を防止する．上・下 2 本の肩甲下神経は内側から肩甲下筋に入る．したがって筋の停止部から 2.5 cm の箇所での切開では，脱神経は起こらない（図 1-30）．

　肩甲下筋の上部では直接棘上筋と連結している．この境界面は肩甲上神経と肩甲下神経の間の真の internervous plane であるが，その停止部でこれを確認することは難しい．上腕二頭筋長頭腱はこの 2 つの筋の間隙に一致して存在するので，この間隙へ達するさいの道しるべとなる．

●肩関節包

　肩関節は大きな可動域を有する．関節包はとくに下方および前方でたるみがある．線維性関節包自体の面積は上腕骨頭表面の約 2 倍である（図 1-31）．前方では，関節唇と骨との境界部で肩甲骨に付着している．前方部には通常小さな間隙があり，その内面は滑膜におおわれ，肩甲下筋滑液包と交通している[36,37]．この滑液包は烏口突起へ向かって肩甲骨頸部前面へのびている（☞図 1-30）．

　後方および下方では関節包は関節唇の縁に付着している．2 つ目の間隙がここにあることがあり，関節の滑膜内層（synovial lining）と棘下筋滑液包の間を交通する．

　線維性関節包は上腕骨頸部の関節縁を囲むように上腕骨に付着しているが，下部では関節縁の 1 cm 下に付着している．上腕二頭筋長頭腱は結節間溝をおおう上腕横靭帯下を通って関節へ入る（☞図 1-30）．

　肩関節包は腱板を構成する 4 つの筋で補強されている．そして，さらに 3 つの関節上腕靭帯により補強されている．これらの靭帯は関節包の肥厚部にみえるが，開創直視下手術では各々を区別することは難しい．しかし鏡視下手術では確認できる．ただし，この靭帯は臨床的

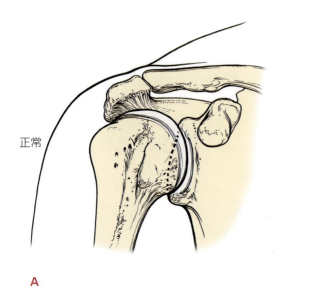
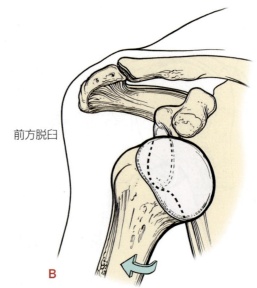

図1-32 上腕骨頭および関節窩
A：上腕骨頭と関節窩の正常な位置関係．
B：上腕骨頭の前方脱臼．

にはあまり意義はない*（☞図1-86A，88A）．
*訳者註：前下関節上腕靱帯は肩関節前方安定性を担う重要な要素である．

●肩関節の滑膜内層（synovial lining）

滑膜は，関節唇の周りに付着して，関節包内面をおおう．この膜は通常肩甲下筋滑液包と交通しており，ときには棘下筋滑液包と交通していることもある（☞図1-30，55）．滑膜は肩関節内で上腕二頭筋長頭腱を包み込み，上腕の内・外転にさいし腱が滑動できるよう筒状のスリーブを形成している．したがって，上腕二頭筋腱は解剖学的には関節包内であるが，滑膜外に存在する（☞図1-31，55）．

●関節唇

三角形の線維軟骨で，関節窩を取り囲んでいる（☞図1-28）．上方，下方および後方では関節包が関節唇に付着している．前方では，肩甲骨頚部を横走する滑膜陥凹（synovial recess），すなわち肩甲下筋滑液包が存在するか否かで付着部が変わる（☞図1-55）．滑膜陥凹が存在すると，関節唇が肩甲骨に付着する部に間隙が生じる（☞図1-30）．

反復性肩関節前方脱臼におけるBankart損傷は関節唇前方の剥離であり，骨片を伴うこともある（図1-32）．

注意すべき組織

筋皮神経は腕神経叢外束から分岐し，烏口腕筋，上腕二頭筋，上腕筋を支配し，外側前腕皮神経*として終わる（☞図1-16，28）．

*訳者註：原文では"upper lateral cutaneous nerve of the forearm"となっているが，解剖学用語"lateral cutaneous nerve of the forearm"に従った．

この神経は烏口腕筋の内側で烏口突起の先端から約8 cm遠位部で同筋へ入る．術中に切断することはまれであるが，烏口突起を切離し筋を下方に強く引きすぎると一過性神経伝導障害を起こすことがある．烏口突起を切離しない場合には，筋を内側に強く引きすぎると一過性神経伝導障害を生じる．

筋皮神経は，上腕外転位では腋窩部の神経・血管束の中でもっとも浅い位置に存在する神経である．したがって，鎖骨骨折などの外傷のさいもっとも損傷を受けやすい．ドリルを鎖骨上方から使うときに，鎖骨中央ならびに外側部では，下方皮質骨を貫きすぎないよう注意しなければならない．

腋窩動脈の後半部分は小胸筋におおわれ，烏口突起の下方にある．烏口突起部を操作するさい，上腕を内転位に保っていないと損傷を受けることがある（☞図1-15，29）．

5 肩鎖関節と肩峰下腔への前外側アプローチ

　肩関節部への前外側アプローチでは，肩鎖関節，烏口肩峰靱帯，棘上筋腱をよく展開することができる．次のような場合に用いられる．
- 肩の前方除圧術[38]
- 腱板の修復
- 上腕二頭筋長頭腱の修復や固定
- 肩鎖関節の骨棘の切除

　関節鏡による肩峰下除圧術が行われるようになったため，インピンジメント症候群の治療や腱板断裂修復では，このアプローチは使われなくなりつつある[39]．手術の適応は一定していない[40]．

　しかし，腱板の広範な変性を伴う多くの症例には今もこのアプローチは有用である[41]．

患者体位

　背臥位とし，砂嚢を脊椎と肩甲骨内縁下に挿入して患側を前方へ押し出す（👉図1-7）．手術台の頭側を45°挙上する．術中上肢を自由に動かせるようにドレープをかける．これにより各組織の展開が可能となる．

ランドマーク

　烏口突起は鎖骨前縁から鎖骨下部の凹部へ向かって2.5 cmのところに触れる．肩峰は肩頂点部に触れる．

皮　切

　肩峰の前外側縁から始まり，烏口突起外側にいたる横切開を加える（図1-33）．

internervous plane

　使用できるinternervous planeは存在しない．三角筋は神経進入点よりも十分近位部で剥離するので危険はない．

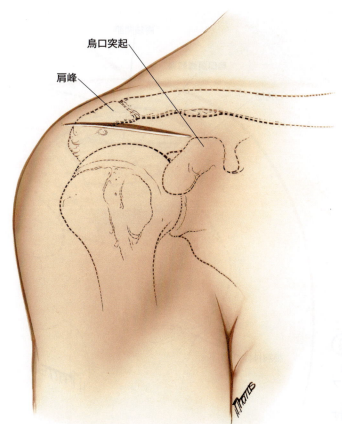

図1-33 肩鎖関節と肩峰下腔への前外側アプローチ．皮切
肩峰の前外側縁から，烏口突起のすぐ外側端にいたる横切開を加える．これに代わる皮切は図1-61を参照．

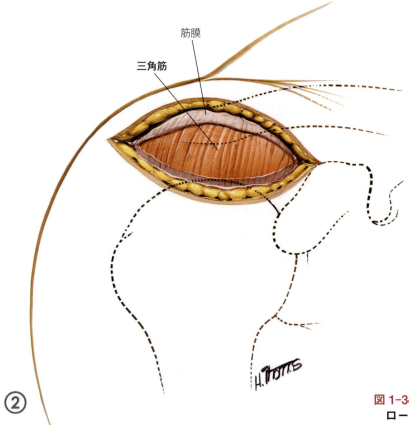

図 1-34　肩鎖関節と肩峰下腔への前外側アプローチ．三角筋の展開
深筋膜を皮膚切開に沿って切開し，三角筋を展開する．

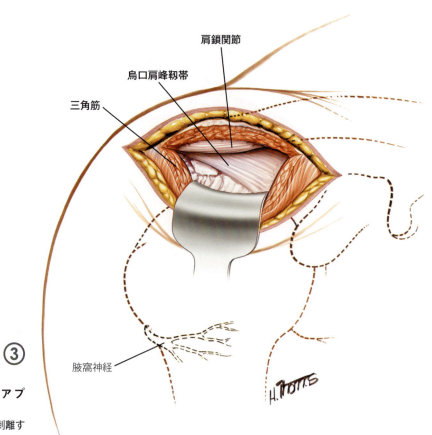

図 1-35　肩鎖関節と肩峰下腔への前外側アプローチ．三角筋の剥離
肩鎖関節部と肩峰の前縁 1 cm の部分から三角筋を剥離する．

浅層の展開

深筋膜に達するまで皮下脂肪を切開する．小さな血管が多数現れるが，深部組織の良好な視野を得るために，これらの血管を確実に止血する．深筋膜を皮膚切開線に沿って切開する（図1-34）．肩鎖関節を触知する．このアプローチで肩峰下除圧術を行う場合で，腱板に達する必要がないときには，肩鎖関節の部分から三角筋剥離を始め，さらに鋭的に肩峰の前方1cm程度を露出する（図1-35）．剥離のさい，胸肩峰動脈*の肩峰枝を切ると出血が生じてしまう．必ず止血しなければならない．必要以上に三角筋を剥離しないようにすべきである．その理由は再縫着が困難であり，広範に剥離すると手術の長期成績が不良になりかねないからである．

*訳者註：原文では"coracoacromial artery"と記載されているが，解剖学用語"thoracoacromial artery"に従った．

このアプローチで腱板を修復するときは，肩鎖関節の部分から三角筋を線維方向に分ける．三角筋の中部線維は矢羽状構造で線維間に隔壁があるので，筋の縦割は一部鋭的，一部鈍的な剥離となる．肩鎖関節から5cm下方までこの縦割を進め（図1-36），切開がさらに下方に拡がって腋窩神経を損傷しないよう，切開下端部に支え縫合をおく．肩峰下除圧術のときと同様に肩鎖関節から起始している三角筋線維を剥離し，肩峰前方部1cmを露出するように外側に鋭的に剥離を進める．縦割された三角筋を引くと直下に烏口肩峰靱帯が現れる．

深層の展開

烏口肩峰靱帯を肩峰から鋭的に，あるいは肩峰下面の骨片をつけて切離する．烏口突起のすぐ近位部で烏口肩峰靱帯の内側端を切離し，靱帯を切除する．これにより肩峰下滑液包におおわれた棘上筋腱をみることができる．腱板の他の部分をみるために骨頭を回旋させる（図1-37）．最大外旋位で結節間溝内の上腕二頭筋長頭腱をみることができる．

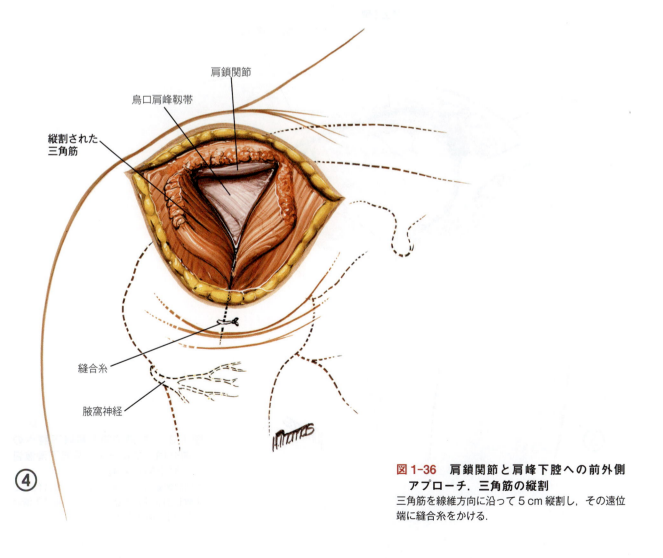

図1-36　肩鎖関節と肩峰下腔への前外側アプローチ．三角筋の縦割
三角筋を線維方向に沿って5cm縦割し，その遠位端に縫合糸をかける．

注意すべき組織

腋窩神経は肩峰先端から 5〜7 cm 下方の三角筋深部を横走している．神経の走行位置には変異があるが，肩峰前縁から腋窩神経までの距離は上腕骨長に比例する[42, 43]．

この部分を越えて三角筋の縦切を進めると，この神経を損傷することがあるが，縦割した三角筋の遠位部に支え縫合をすれば避けることができる．この神経の位置が気になるようであれば，筋の下面で容易に触れ，確認することができる．

三角筋の直下を走行する**胸肩峰動脈***の**肩峰枝**は，浅層の展開のさいに切離してしまうことがある．この部からの出血を処置しないと，深部を確認することが困難になり，正しい方向を見誤ることになる．関節鏡手術でもこの血管を損傷することがある．

*訳者註：p.31 の訳者註を参照．

術野拡大のコツ

●深部への拡大

三角筋の再縫着は難しいので，良好な視野が得られるからといって，さらに広範な剥離は行うべきでない．

●上下への拡大

この展開は internervous plane で操作しないので，近位にしろ遠位にしろ拡大することはできない．

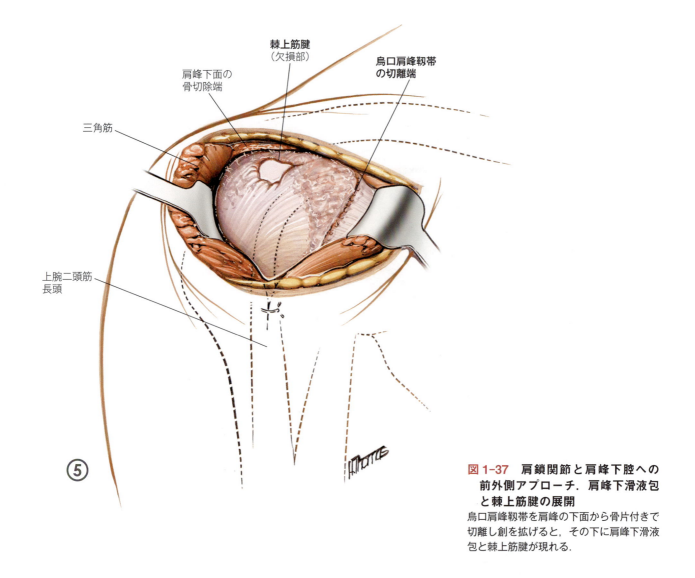

図 1-37 肩鎖関節と肩峰下腔への前外側アプローチ．肩峰下滑液包と棘上筋腱の展開
烏口肩峰靱帯を肩峰の下面から骨片付きで切離し創を拡げると，その下に肩峰下滑液包と棘上筋腱が現れる．

6 上腕骨近位部への外側アプローチ

上腕骨近位部への外側アプローチでは上腕骨頭および外科頚の展開は限られている．三角筋の深層部を腋窩神経が横走しているため，遠位に延長できないアプローチと考えられてきた．しかしながら，遠位への延長は，腋窩神経よりも遠位の別皮切で三角筋を縦割することで可能となる（☞本章「⑦上腕骨近位部への外側最小侵襲アプローチ」）．棘上筋の全長を展開するには，近位に延長するのが普通である．骨折手術においては，このアプローチは上腕骨外科頚と結節の骨折に限られる．より遠位の骨折には肩関節への前方アプローチ（☞図1-11）や，上腕骨近位部への外側最小侵襲アプローチ（☞図1-44）のほうがよい．

次のような場合に用いられる．

- 転位した上腕骨大結節骨折の観血的整復・内固定
- 上腕骨頚部骨折の観血的整復・内固定
- 上腕骨への髄内釘挿入
- 肩峰下滑液包の石灰沈着除去
- 棘上筋腱の修復
- 腱板の修復

患者体位

背臥位とし，患肢は手術台の端におく．静脈圧を下げ，術中出血を減少させるために頭側を挙上する（図1-38）．砂嚢を肩の下におく．ドレーピングの前に十分な術中透視が可能かを確認する．

ランドマーク

肩峰は長方形で，その背面と外側縁は肩の外側部で簡単に触知できる．上腕骨外側部も触知できる．

皮切

肩峰の先端から上腕の外側へ向けて，約5cmの縦切開を加える（図1-39）．

internervous plane

真のinternervous planeは存在しない．三角筋を割いて入る．

浅層の展開

肩峰から5cm下方まで，矢羽状の三角筋を筋線維に平行に縦割する．これは一部鋭的，一部鈍的に行う．遠

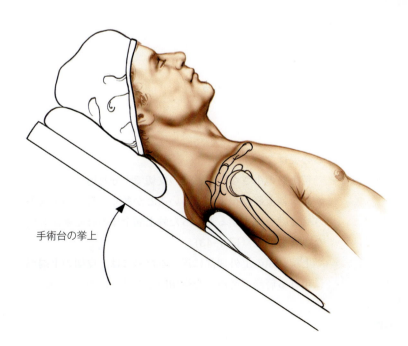

図1-38 上腕骨近位部外側アプローチ．患者体位
手術台の頭側を45°挙上する．肩を手術台から持ち上げるように，肩の下に砂嚢をおく．

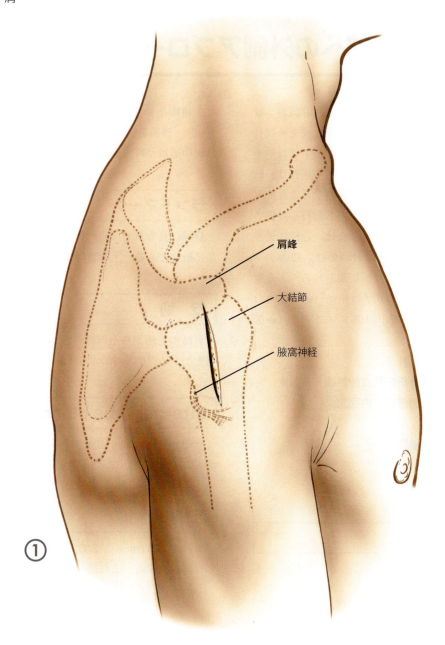

図 1-39 上腕骨近位部外側アプローチ．皮切
肩峰の先端から上腕の外側に向かって，5 cm の縦切開を入れる．

位方向に筋が裂け，その結果，腋窩神経が損傷されてしまうことがないよう，切開の下端に縫合糸をかけておく（図 1-40, 41）．

深層の展開

上腕骨近位外側部とそれに付着する腱板は三角筋と肩峰下滑液包の直下に位置する（図 1-42）．上腕骨頚部骨折では骨折先端がこの位置に現れるので，さらに展開する必要はない．

棘上筋の小さな断裂もこの皮切で十分対応できる．しかし，棘上筋の損傷は大きいことが多く，棘上筋を前進させて腱を修復するといった棘上筋全体の移動術が必要なこともある（図 1-43）．

上腕骨頭の上外側部に達するためには，皮切の上端部に現れる肩峰下滑液包を縦切開しなければならない．

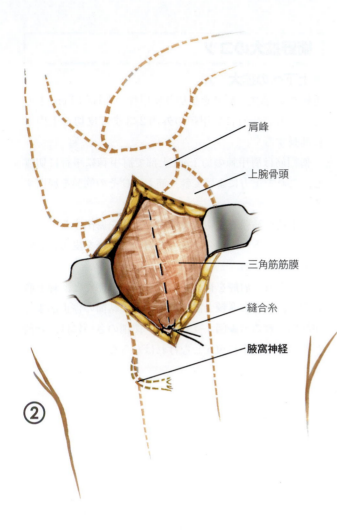

図 1-40　上腕骨近位部外側アプローチ．三角筋の展開および分割
三角筋を線維方向に分ける．分割部の下端に支え縫合をかけ，切開を遠位方向にのばしすぎて腋窩神経の損傷を起こさないようにする．

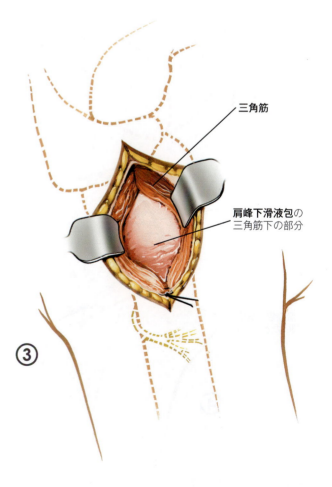

図 1-41　上腕骨近位部外側アプローチ．肩峰下滑液包の展開
三角筋を前方および後方へよけ，肩峰下滑液包の三角筋下の部分を展開する．

注意すべき組織

腋窩神経は四辺形間隙（quadrangular space）*を貫き，腋窩の後壁を通過する．そののち後上腕回旋動脈とともに上腕骨に巻きついて走行する（👍図1-40, 53）．この神経は肩峰先端の約5～7cm下方で三角筋の深層，後方から筋に進入する．この部位から腋窩神経の線維は前方へ向かう．このため皮切は遠位へ拡大することができず，無理に筋を分割すると三角筋麻痺が生じる．

*訳者註：原著では"quadrangular space"となっているが，"quadrilateral space"という用語が用いられることが多い．

術野拡大のコツ

●上下への拡大

近位への拡大　肩峰を横切り肩甲棘の上縁約1cm上方で，これに平行に肩甲棘の外側2/3まで皮切を上内方に延長する[44]．

僧帽筋は肩甲棘の約1cm上部で肩甲棘に平行に切離し，これを上方によせて棘上筋およびその筋膜を展開する．

棘上筋の筋膜を皮切線で切開し，筋を露出する．

オステオトーム（骨ノミ）を用いて肩峰を皮切線と同じ線で切離する[45]．

二分された肩峰を自在レトラクターで開くと，棘上筋の全長，すなわち棘上窩の起始から大結節の停止部までが展開される（👍図1-43, 53）．閉創のさいには，分割した肩峰は完全に復元しなければならない．

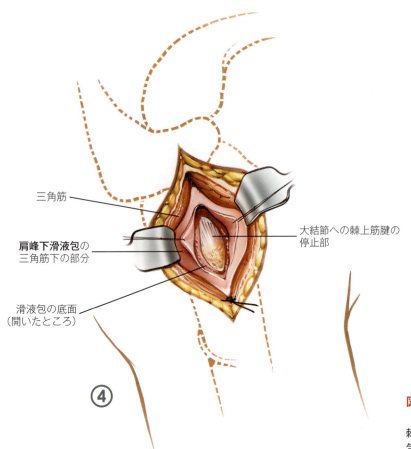

図1-42　上腕骨近位部外側アプローチ．肩峰下滑液包の切開
棘上筋腱の大結節への停止部をみるために，滑液包を切開する．

6. 上腕骨近位部への外側アプローチ 37

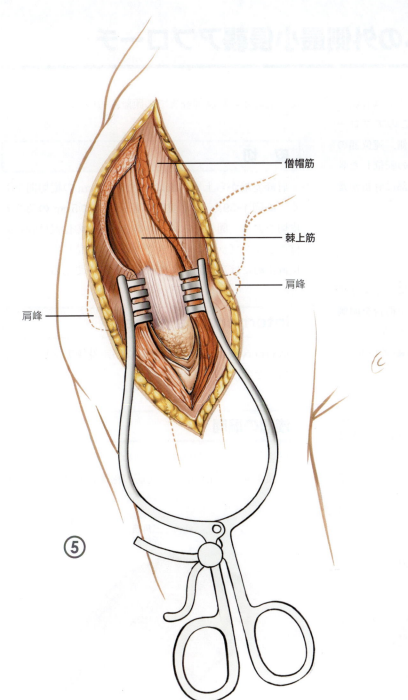

図 1-43 上腕骨近位部外側アプローチ．棘上筋全長の展開
棘上筋の全長を展開するためには肩峰を骨切りし，僧帽筋を分割して，その下にある棘上筋の筋腹および腱を露出する．これにより筋全体を前進させ腱を修復することが可能となる．

7 上腕骨近位部への外側最小侵襲アプローチ

上腕骨近位部への外側最小侵襲アプローチでは骨頭，外科頚，骨幹部近位1/3に到達できる．このアプローチは三角筋下面を横走する腋窩神経の近位側，遠位側の2つの窓を用いるもので，上腕骨近位1/3の転位した骨折の内固定，とくに分節骨折ならびに骨幹部に骨折が及ぶものに用いられる[46〜48]．

患者体位

手術台に背臥位とし，患肢が手術台の端にくるようにする．静脈圧を下げ術中出血を減らすため手術台を頭側高位とする（ 図1-38）．肩の下に砂嚢を入れる．ドレーピングの前に十分な透視が可能かを確認する（ 図1-38）．

ランドマーク

肩峰外側縁を触れ，肩峰から5cm遠位の位置に横にマーキングして，切開下端を決める．これは腋窩神経の約1cm近位に相当する．ただし体格の小さい患者では，肩峰から腋窩神経までの距離も短い．

皮 切

肩峰先端から上腕外側に向け5〜6cmの縦切開をおく（ 図1-39）．近位切開の延長線上に5cmの第2の皮切をおく（図1-44）．この第2の皮切の位置は骨折の位置とインプラントの長さで決める．遠位切開の正しい位置決めには透視装置を使うのがベストである．

internervous plane

internervous planeは存在しない．外側アプローチは三角筋を分ける．

浅層の展開

皮切と同方向に近位の窓を深め，三角筋外側部に達する（図1-45）．注意深く三角筋の線維を分けるが，肩峰

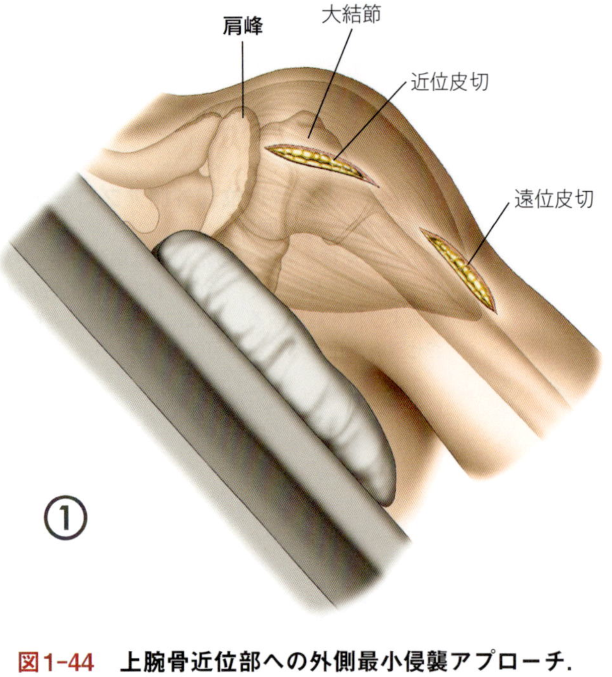

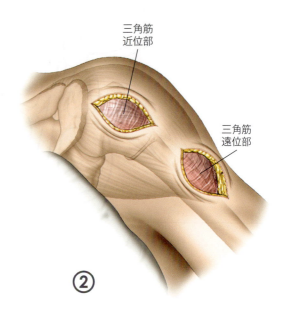

図1-44 上腕骨近位部への外側最小侵襲アプローチ．皮切
近位では肩峰先端から上腕外側に向け5〜6cmの縦切開をおく．遠位の切開は近位の延長線上におく．遠位切開の長さと位置は治療する病態と使用するインプラントによる．

図1-45 上腕骨近位部への外側最小侵襲アプローチ．筋膜の展開
皮下組織を展開して三角筋をおおう筋膜を露出する．

の5 cm以上遠位まで分けてはならない．遠位の皮切も三角筋外側部に達するまで皮下組織を分ける（図1-46）．

深層の展開

近位の開窓部から上腕骨外側の骨膜上まで注意深く展開を進める．三角筋裏面を走る腋窩神経を注意深く指で触る（図1-47）．腋窩神経の位置を確認したら，遠位皮切から三角筋を線維方向に分ける．

指，ついでインプラントを用いて，骨膜上で注意深く近位と遠位の展開をつなげる（図1-48）．

注意すべき組織

腋窩神経は三角筋の裏面を走る．三角筋深層の骨表面で作業する限り，この神経が損傷されることはない．しかし，近位であれ遠位であれ三角筋の線維を強く引くと，神経の牽引損傷を引き起こす．

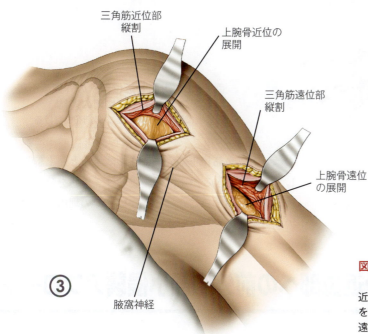

図1-46　上腕骨近位部への外側最小侵襲アプローチ．三角筋線維の分割
近位では，上腕骨近位外側の骨膜の展開のため，三角筋線維を分ける．肩峰より5 cm以上遠位まで分けてはいけない．遠位でも三角筋線維を分ける．

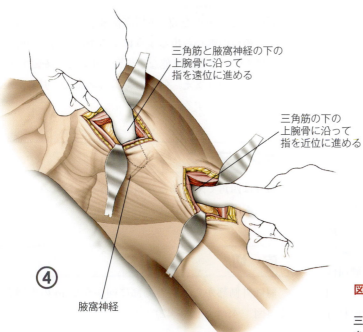

図1-47　上腕骨近位部への外側最小侵襲アプローチ．上腕骨骨膜上の展開
三角筋裏面を走行する腋窩神経を触知し，上腕骨外側骨膜上を鈍的に展開する．

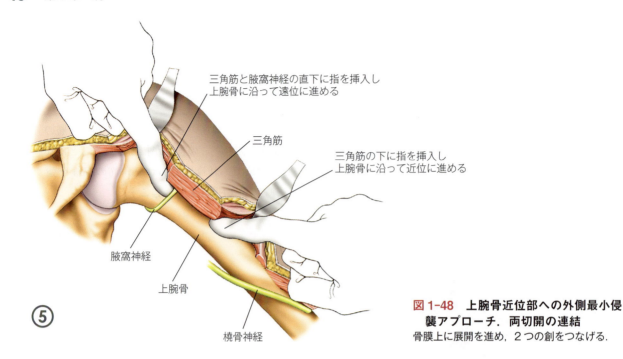

図 1-48　上腕骨近位部への外側最小侵襲アプローチ．両切開の連結
骨膜上に展開を進め，2 つの創をつなげる．

術野拡大のコツ

近位の皮切は近位方向へは延長できるが，遠位方向へは延長できない（☞図 1-40）．遠位の皮切を遠位方向にのばし，三角筋停止部の一部を剥離すると，上腕骨中央 1/3 を展開できる．遠位の開窓部は三角筋を分けながら近位へと展開することはできない．その理由は腋窩神経の損傷を避けられないからである．

8　髄内釘のための上腕骨近位部への前外側最小侵襲アプローチ

上腕骨近位部への最小侵襲アプローチは下記の場合の髄内釘（ネイル）挿入に用いられる．
- 上腕骨骨幹部の新鮮骨折
- 上腕骨骨幹部の病的骨折
- 上腕骨骨幹部骨折の遷延治癒または偽関節

ネイルにはストレート型と弯曲型とがある．肩峰ならびに関節軟骨の存在のため弯曲型ネイルが開発された．これは上腕骨外側の皮質から挿入するので，棘上筋腱付着部を損傷するおそれがある[49]．

ストレートネイルではこの心配はないが，骨頭軟骨を損傷する可能性がある．ネイルの刺入部位は X 線像にテンプレートをあてて決めるが，ネイルのデザインによってその部位は異なる．弯曲型ネイルでは通常，関節軟骨の外側で大結節の内側が刺入点となる（☞図 1-51）．ストレートネイルでは，前後像ならびに側面像での髄腔の延長線上の骨頭頂部が刺入点である．この刺入点は上腕二頭筋長頭腱の後外側で，大結節・骨頭移行部よりも内側にある．

患者体位

背臥位で手術台を 60° 頭側高位とする（☞図 1-81）．肩が手術台の端から出るようにするか，肩関節の前後および側方向の透視が可能な手術台を用いる（☞図 1-1）．頸椎をしっかり支え，側屈して腕神経叢に牽引力がかからないよう注意する．

ランドマーク

肩峰は四角で，背側と外側縁を容易に触れることができる（☞図 1-52，53）．

皮切

肩峰外側部から上腕外側部に向かう 2 cm の皮切をおく（図 1-49；☞図 1-42）．

internervous plane

internervous plane は存在しない．このアプローチは三角筋を分けて入る．

浅層および深層の展開

皮切と同じ方向に三角筋筋線維を分け，三角筋下滑液包に達する．棘上筋腱を確認して皮切と同じ方向にメスで切開する．腱の上腕骨付着部直上の低血流域を傷つけないよう注意する．透視下にこの経路からガイドピンを挿入し，術前に決めたネイルの刺入点まで進める．透視の前後像と側面像を見て，その位置が正しいことを確認する．ストレートネイルを用いる場合には，肩関節を伸展させて上腕骨頭が肩峰の前に出るようにしてガイドピンを入れ，適切な深さまで進める．

使用するネイルに応じて，オウルまたはドリルで上腕骨を開窓する（図1-50, 51）．

注意すべき組織

腋窩神経は肩峰から5～7cm遠位で三角筋の裏面を横走する．

上腕動脈と正中神経は上腕骨の内側にあり，このアプローチで損傷する可能性は低い（☞図1-42）．しかし腋窩神経は，近位ロッキングスクリューを外側から内側に向けて挿入するさいに損傷する可能性がある（☞図1-51）．

このアプローチでは**棘上筋腱**と**肩峰下滑液包**の一部を切開するので，ネイルを使用する限りある程度の腱板損傷は避けられない（☞図1-42）．低血流域を避けて腱を鋭的に切開すること，閉創時に腱切開部を縫合すること，ドリルを使うときにスリーブで腱を保護することで，腱への影響を最小限にすることができる．それでも順行性髄内釘の術後に高度な関節拘縮を生じることがある[50]．

術野拡大のコツ

● 遠位への拡大

このアプローチを遠位に延長し，上腕骨近位への側方アプローチとすることができる．これは上腕骨近位端骨折を閉鎖的に整復できないときに必要となる（☞図1-42）．

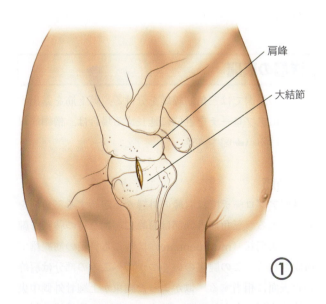

図1-49 上腕骨近位部への前外側最小侵襲アプローチ．皮切
肩峰外側縁を触れ，上腕外側に向かって2cmの皮切をおく．

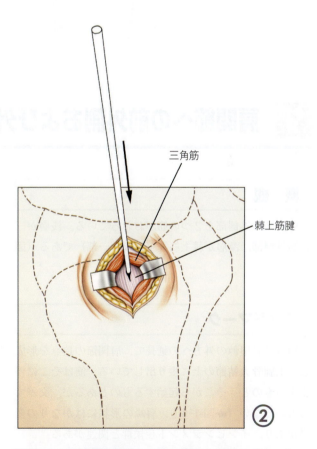

図1-50 上腕骨近位部への前外側最小侵襲アプローチ．浅層および深層の展開
皮切と同じ方向に三角筋筋線維を分けて三角筋下滑液包に達し，棘上筋腱をメスで切開する．透視下にガイドピンを挿入し，ネイル刺入点まで進める．

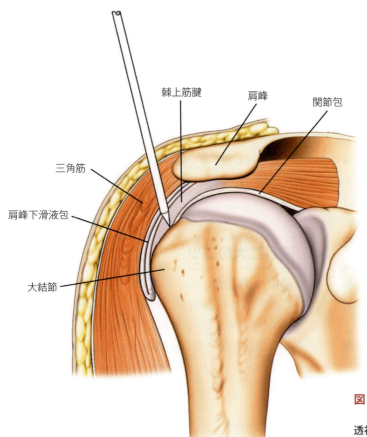

図1-51 上腕骨近位部への前外側最小侵襲アプローチ．ガイドピンの挿入点
透視下にガイドピンを挿入する．弯曲型ネイルとストレートネイルの刺入点を示す．

9 肩関節への前外側および外側アプローチに必要な外科解剖

概観

肩関節の外側部を2つの筋がおおっている．浅層が三角筋外側部，深層が棘上筋腱（腱板の一部）である（図1-52, 53）．

ランドマーク

肩峰は肩甲棘の外方への延長で，肩関節の頂点を形成し，上腕骨大結節の上に張り出している．筋はそこに停止するものと，そこから起始するものとあるが，交差するものはない（図1-52）．肩峰の形状にはかなりの変異があり，インピンジメント症候群と関連がある[51]．

皮切

外側皮切は皮線とほぼ直交するので，幅広い瘢痕を残しやすい．

浅層の展開

浅層の展開では三角筋線維を分ける．棘上筋を露出するためにアプローチを近位に延長する場合は，僧帽筋線維を分ける（図1-43）．

●三角筋

外側アプローチでは肩峰の外縁から起始する三角筋を分けて入る．三角筋外側部は肩峰に起始を持つ強靱な腱束から矢羽状（multipennate）に起こる斜走の筋線維で構成される．この腱束のいくつかのへこみの部分は肩峰の骨表面に相当する．似かよった腱束が上腕骨外側中央の筋停止部にもあり，この腱束から起こる筋線維は杉あや模様（herringbone pattern）に互いに咬合している．この矢羽状の配列（multipennate arrangement）*は三

9. 肩関節への前外側および外側アプローチに必要な外科解剖

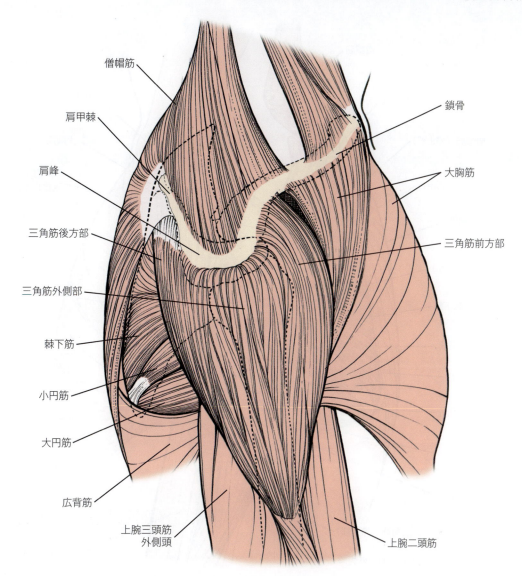

図 1-52　肩の外側面（浅層）
筋群は肩峰や肩甲棘から起始または停止するが，肩峰や肩甲棘と交差することはない．

角筋に強力な力を与える一方，筋の滑走距離は短い．しかし，この構成であっても筋を縦に割くことは比較的容易である．強靱な腱束は，術中に筋を割くときに筋に対する無用な損傷も防いでくれる（図 1-54）．
*訳者註：このような構造の筋は多羽状筋（multipennate muscle）と呼ばれる．

　三角筋を肩峰から剝離すべきか否かは，いまだ問題である．再縫着が難しく，またしばしば不成功に終わるからである[52]．筋を付着させたまま肩峰を骨切りし，その後再接合する方法はもっともよい解決法かもしれない．しかし，三角筋の前部および後部線維が骨切り部を引き離す傾向にあるので，肩峰の偽関節を生じる可能性がある．ほとんどの場合，十分な展開を得るために広範囲に肩峰から三角筋を切離する必要はない．

● 僧帽筋
　第6章の「頚椎への後方アプローチ」の各項を参照．

● 腋窩神経
　腋窩神経は四辺形間隙（quadrangular space）*を貫き，腋窩の後壁を通過する．そののち後上腕回旋動脈とともに上腕骨に巻きついて走行する（☞図 1-40，53）．この神経は肩峰先端の約5～7cm下方で三角筋の深層，後方から筋に進入する．この部位から腋窩神経の線維は前方へ向かう．このため皮切は遠位へ拡大することができず，無理に筋を分割すると三角筋麻痺が生じる．

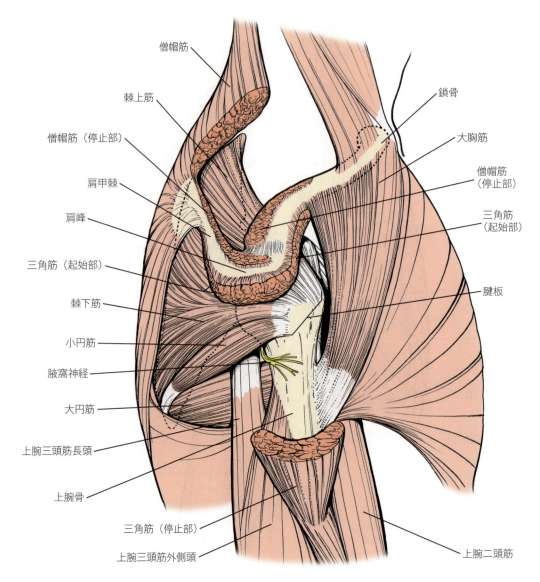

図 1-53 肩の外側面（三角筋と僧帽筋は切除してある）
三角筋と僧帽筋を取り除き，その下にある腱板と腋窩神経を示す．腋窩神経は通常，小円筋の下で四辺形間隙を通る．

*訳者註：原著では"quadrangular space"となっているが，"quadrilateral space"という用語が用いられることが多い．

●胸肩峰動脈の肩峰枝

胸肩峰動脈*の支流であり，腋窩動脈の遠位部分から分かれる．肩鎖関節から起始する三角筋の深部を走るが，容易に凝固止血できる．

*訳者註：p.31の訳者註を参照．

●肩峰下（三角筋下）滑液包

これは肩関節の外側部をおおう2つの筋スリーブを分離している．両者が互いに滑走するのを助け，その上方にある骨・靱帯複合体（肩峰，烏口肩峰靱帯［烏口突起と肩峰を結ぶ］，烏口突起）から腱板（内層スリーブ）を保護する．この滑液包は棘上筋と三角筋の間，あるいは棘上筋と烏口肩峰靱帯の間にも存在するので，肩峰下滑液包とも三角筋下滑液包とも呼ばれる（図 1-55，56）．

滑液包は，烏口突起の下から前方へ大きくのびているが，烏口突起部では，烏口腕筋と上腕二頭筋の共同腱および肩甲下筋の間を潤滑する．

この滑液包は通常，肩関節とは交通していない．しかし，棘上筋腱の断裂が起こると，滑膜によって裏張りされた2つの腔は連続することになる．肩の関節造影を行えばこの交通の有無がわかる[53, 54]（図 1-57）．

腕を下垂位にすると，滑液包は三角筋と烏口肩峰靱帯の下に位置し，上腕外転位では，滑液包はこの靱帯の下

9. 肩関節への前外側および外側アプローチに必要な外科解剖

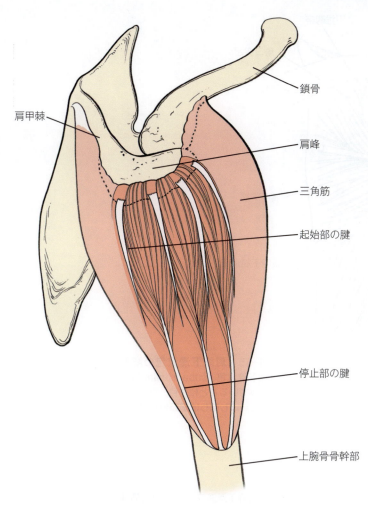

図 1-54　三角筋筋線維の構造
三角筋の中央部の筋線維の矢羽状の配列（multipennate arrangement）．

に隠れる．滑液包炎が生じると，外転位では滑液包が肩峰の下面と上腕骨頭の間で圧迫され，患者は疼痛を訴える（図1-58）．典型的にはこの有痛弧は肩関節外転80～120°で生じる．逆説的だが，外転位では滑液包は烏口肩峰靱帯によって完全にかくされるため，肩の外側部に圧痛はない．腕を再び内転させると，滑液包は靱帯と棘上筋の間から離れるので，疼痛は消失する．しかし，肩峰下で肩の外側部を圧すると，滑液包を押すことになるので，圧痛を生じる．肩の他動的伸展では，滑液包は肩峰下から前方へ移動するため，触知できるようになる．

深層の展開―その注意すべき組織

● **棘上筋**

多羽状筋（multipennate muscle）で，烏口肩峰靱帯の下を外側へ向かって走行する．この筋には変性変化や断裂が起こりやすい．棘上筋腱の変性は，その上に位置する肩峰下滑液包にも炎症を誘発し，肩峰下滑液包炎の症例ではそのほとんどが棘上筋の病変を有する[55]．烏口肩峰靱帯と棘上筋とが近接しているので，腕を外転するさいに両者間に機械的な摩擦が生じ，腱の変性を引き起こす．肩峰下滑液包は，この摩擦を緩和する（👉図1-56，60）．

腕下垂位では，棘上筋腱はその停止部近傍の上腕骨骨頭上で90°方向を変え，腱への血管が引きのばされる．このため血液循環不全がこの腱部に起こると，退行変性の一原因となる[56]．

変性のメカニズムが何であれ，65歳以上の人のおよそ1/4に棘上筋腱の断裂がみられる[57]．棘上筋は肩外転の初期に働くので，棘上筋腱が完全に断裂している場合は肩をすくめるといったごまかし運動（trick move-

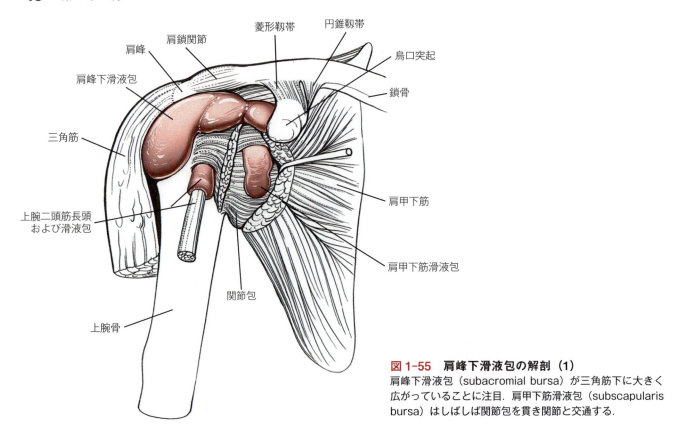

図 1-55　肩峰下滑液包の解剖（1）
肩峰下滑液包（subacromial bursa）が三角筋下に大きく広がっていることに注目．肩甲下筋滑液包（subscapularis bursa）はしばしば関節包を貫き関節と交通する．

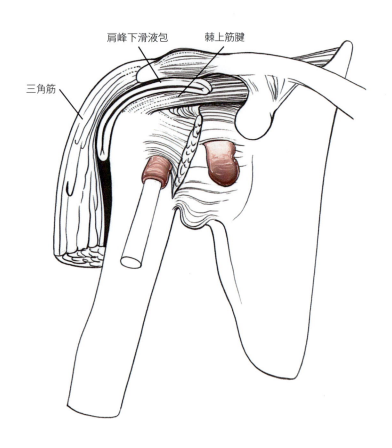

図 1-56　肩峰下滑液包の解剖（2）
肩峰下滑液包はそれをおおう骨や靱帯複合体から直接棘上筋を保護している．

9. 肩関節への前外側および外側アプローチに必要な外科解剖

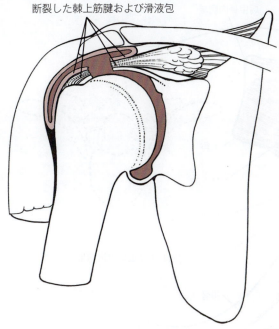

図 1-57　棘上筋腱の断裂と肩峰下滑液包との関係
棘上筋腱が断裂すると，関節と肩峰下滑液包との間が交通する．肩関節造影像では，この交通を証明できる．すなわち腱板断裂の確定診断の助けとなる．

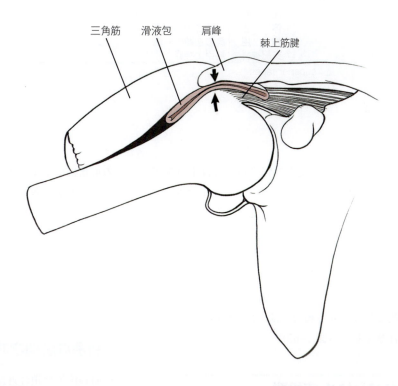

図 1-58　上肢外転時の肩峰下滑液包
腕を外転させると，大結節と肩峰下面および烏口肩峰靱帯との間で肩峰下滑液包が挟み込まれる．

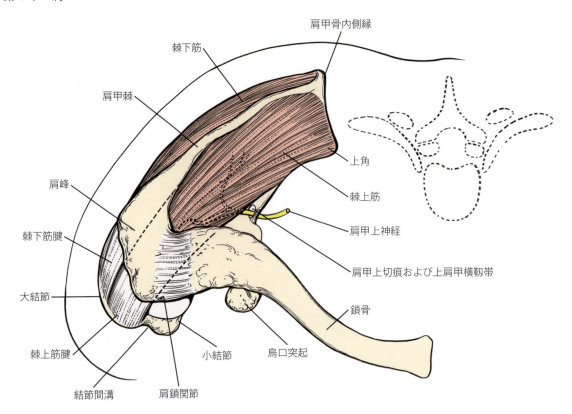

図 1-59　肩の上面からの展望
腱板と肩鎖関節を示す．肩甲上神経は肩甲上切痕および上肩甲横靱帯を通過したのち，棘上筋および棘下筋へ分布する．

棘上筋	起始	肩甲骨棘上窩の内側 3/4
	停止	上腕骨大結節の上部*
	作用	肩の初期の外転
	支配神経	肩甲上神経

*訳者註：superior facet．

ment）を行なわなければ，腕を外転することは不可能である．もしこの患肢を水平位からゆっくりと下げさせると，約30°外転位で急に腕が落下してしまう．

　肩甲上神経は腕神経叢上幹の分枝であるが，筋下面から筋内に進入する．棘上筋腱断裂の修復法の中には筋腹全体を移動させ，さらに外側に前進させて修復の縫合部に緊張がかからないようにする方法がある[44]．棘上窩から棘上筋を移動させる場合には，神経を損傷しないように十分注意を払う（図 1-59）．

インピンジメント症候群（impingement syndrome）

　上腕外転位では，棘上筋は上腕骨頭と肩峰ならびに烏口肩峰靱帯で形成されるアーチとの間に挟まれる．肩峰の形状にはかなり個人差があり，特定の形状はインピンジメント症候群と関連がある[58]．

　インピンジメント症候群を有する症例では，肩峰形成術を行って烏口肩峰靱帯を切離すると症状が軽減することがある．この手術は直視下手術でも（☞本章「5 肩鎖関節と肩峰下腔への前外側アプローチ」）でも，関節鏡手術でも行える．

特別な解剖学的ポイント

　肩鎖関節は鎖骨外側端と肩峰内側縁の間の滑膜関節である．鎖骨の外側端は肩峰より高いので，鎖骨遠位端の突出を内方に圧迫すると関節を触れる．

　肩鎖関節には線維軟骨性の関節円板があるが，通常不完全である．外傷性肩鎖関節亜脱臼のさいには転位する

9. 肩関節への前外側および外側アプローチに必要な外科解剖

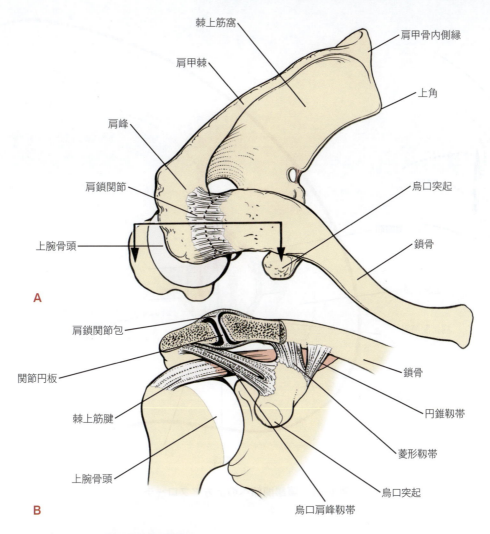

図1-60　肩鎖関節部の解剖
A：肩関節の上方からの解剖．骨と肩鎖関節包を示す．
B：肩関節の前方からの解剖．肩鎖関節と関節円板，棘上筋と烏口肩峰靱帯との関係を示す．

ことがある（図1-60）．

　肩鎖関節の障害で頻度が高いのは肩鎖関節脱臼と肩鎖関節炎である．肩鎖関節脱臼では，烏口突起から鎖骨下面へ走る重要な円錐・菱形靱帯は関節から少し離れたところにある．それらは直接修復することはできないが，他の方法で肩鎖関節を整復し，安定させると自然に治癒する[59,60]．

　肩鎖関節炎では通常，肩峰下の骨棘を伴う．この骨棘はインピンジメント症候群の要因となる．

　肩鎖関節は皮膚直下にあるので，上方からのアプローチで容易に展開できる．鎖骨への僧帽筋停止部と三角筋起始部とは鎖骨の上面で合流しているが，この2つの筋の分離は骨膜下の剥離によって容易に可能である（図1-61）．しかし，肩鎖関節脱臼では，この剥離はすでに生じており，鎖骨遠位端はしばしば皮下に突出している．

　この関節には前方からもアプローチできる（☞本章「3 肩関節への前方アプローチ」）．

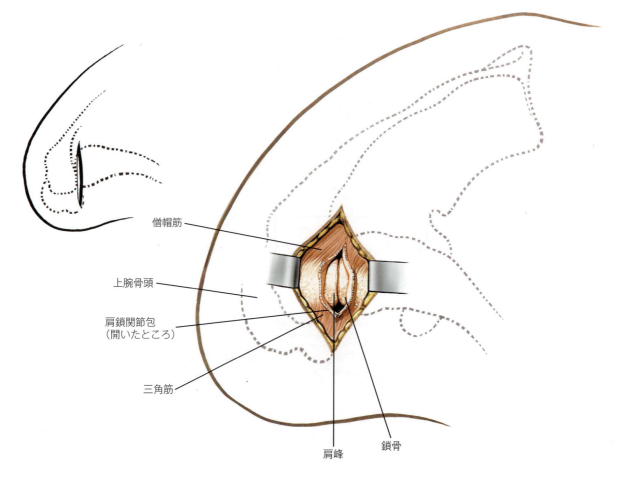

図 1-61　肩鎖関節への上方アプローチ

10 肩甲骨と肩関節への後方アプローチ

肩甲骨，ならびに肩関節の後面と下面の展開が可能である[61]．このアプローチにより肩甲骨体部，肩甲棘，肩甲骨頸部後面に到達し，骨折を固定できる．次のような場合に用いられる．

- 反復性肩関節後方脱臼または亜脱臼の修復[62,63]
- 関節窩骨切り術（glenoid osteotomy）[64]
- 腫瘍の生検および切除
- 感染のドレナージ（患者がベッドに仰向けに寝た状態で重力によりドレナージされる）
- 肩甲骨頸部・体部骨折の治療，とくに鎖骨骨折を伴うもの（floating shoulder）[65～68]
- 肩関節後方脱臼骨折の治療[69]

患者体位

手術台の側端に患側上の側臥位とし，患肢を自由に動かせるようにドレーピングする（図1-62）．患者の後方に立ち，耳介が頭部の下で折れ曲がっていないか注意する．

ランドマーク

肩峰と**肩甲棘**は連続したアーチを形成する．肩甲棘は肩甲骨の背面の上4/5を斜めにのび，肩甲骨の内縁で扁平な三角形として終わる．これは容易に触診できる．

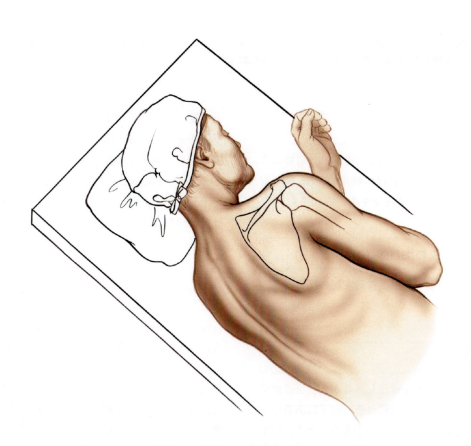

図1-62　肩甲骨と肩関節への後方アプローチ．患者体位
患肢を自由に動かすことができるようドレーピングする．

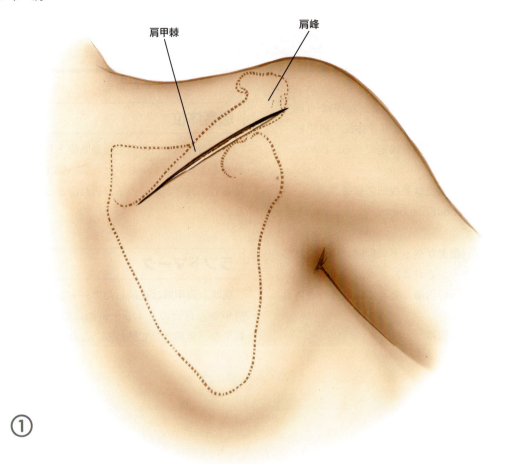

肩甲棘　　肩峰

①

図1-63　肩甲骨と肩関節への後方アプローチ．皮切
肩甲棘上で全長にわたって直線状の切開を入れ，肩峰角までのばす．術野をより広く露出させるためには，切開の内側端を遠位側に少しカーブさせるとよい．

皮切

肩甲棘の全長に沿った直線状の皮切を入れ，肩峰角まで延長する（図1-63）．あるいは肩峰角の2cm後下方を中心とする10～15cmの縦皮切を用いる．

internervous plane

腋窩神経支配の小円筋と肩甲上神経支配の棘下筋の間にある（図1-64）．

浅層の展開

肩甲棘上の三角筋の起始を確認し，骨から筋を剥離する．このアプローチでは，三角筋とその直下にある棘下筋の境界を確認するのが難しいことがある．とくに肩甲骨に接してその境界を見つけ，棘下筋を肩甲骨から剥離しようとする場合である．この境界は皮切外側部で探すと容易である．その境界から三角筋を下方に引けば，棘下筋が展開される（図1-65）．三角筋は腋窩神経，棘下筋は肩甲上神経で支配されているので，この境界はinternervous planeとなる．縦切開を用いる場合は，皮膚を十分引き上げて三角筋を露出し，肩甲棘から下方に向けて筋線維を切開して棘下筋を展開する．遠位は小円筋まで展開を進める．

深層の展開

棘下筋と小円筋間のinternervous planeを確認し，指を使って鈍的に展開する．これら組織の境界を明らかにするのは容易でない（図1-66）．肩甲骨関節窩と肩甲骨頸部の後面に達するには，棘下筋を上方に，小円筋を下方に鉤で引く（図1-67）．これで肩関節包の後下縁が展開される．関節に入るには肩甲骨縁に接して関節包を縦切する（図1-68，69）．後方不安定症では，関節包は後方関節窩より剥離しており，骨片を伴う場合もある（後

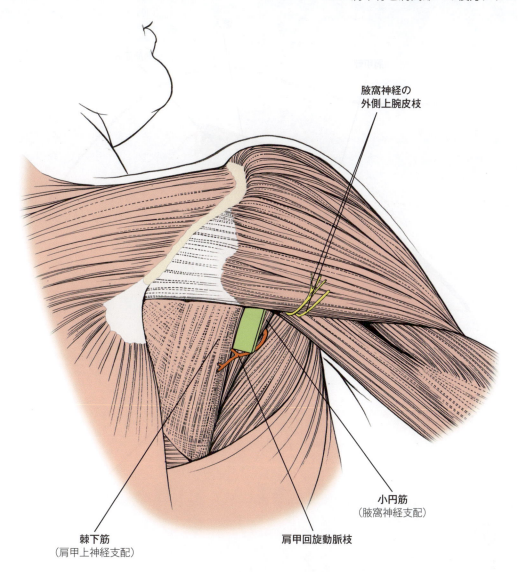

図 1-64 小円筋・棘下筋間の internervous plane
小円筋（腋窩神経支配）と棘下筋（肩甲上神経支配）の間にある．

方 Bankart 損傷）．肩甲骨頸部および外側縁に達するには，骨膜下に下方へと剥離を進め，上腕三頭筋長頭の一部を切離する．

注意すべき組織

腋窩神経は小円筋下で四辺形間隙を通過する．小円筋の下方まで剥離すると腋窩神経損傷の可能性があるので，棘下筋と小円筋の筋間を確認し，剥離はその筋間にとどめることが重要である．

肩甲上神経は肩甲棘の基部を通過し，棘上窩から棘下窩へと向かい，棘上筋および棘下筋を支配する．棘下筋を過度に内側へ筋鉤で引くと，肩甲上神経が硬い肩甲棘の基部外側縁で引きのばされ，一過性神経伝導障害を起こしうるので注意する（☞図 1-75）．このアプローチによって棘下筋の萎縮が生じることはまれではない[70]．

後上腕回旋動脈は小円筋下縁の下を通り，四辺形間隙の中を腋窩神経とともに走る．この動脈を損傷すると止血は困難である．正しい筋間での操作であれば，危険を避けることができる（☞図 1-74）．

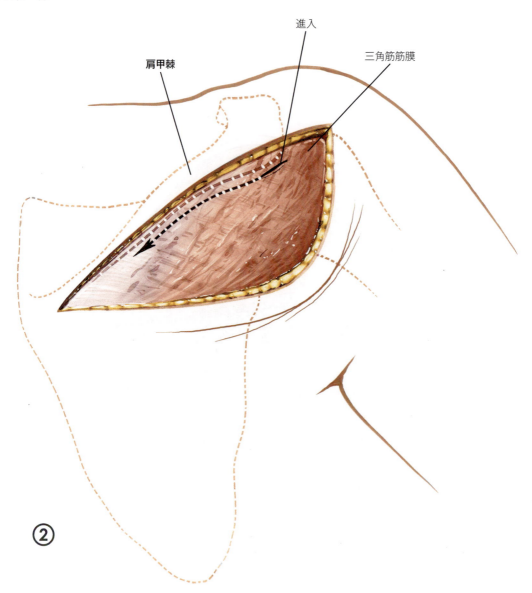

図 1-65　肩甲骨と肩関節への後方アプローチ．三角筋後方起始部の展開
肩甲棘とそこから起始する三角筋（腱膜様の部分）を確認する．三角筋を外側から内方に向けて剥がしていく．

術野拡大のコツ

●深部への拡大

　深層をより広く展開するには三角筋を創の外縁で肩甲棘からさらに剥離する．さらに肩関節後部を展開するには，棘下筋を上腕骨大結節への停止部1cmの部位で切離する．肩甲棘のすぐ下方で筋下面から棘下筋に入る肩甲上神経を損傷しないように注意しながら，棘下筋を内側へ引く（図1-70）．この展開は後方に正確に骨ブロックを設置する場合に必要であるが，肩甲上神経の一過性神経伝導障害は注意していてもまれではない．

●上下への拡大

　肩甲骨体部骨折のプレート固定では，肩甲骨内縁に沿って下角まで皮切を延長する[68]（図1-71, 72）．肩甲棘内側端に付着する僧帽筋の外側縁を同定し，これを持ち上げて棘下筋を露出する．これで肩甲骨内側縁が展開される．肩甲骨内側縁に停止する大・小菱形筋はそのままでよい[68]．

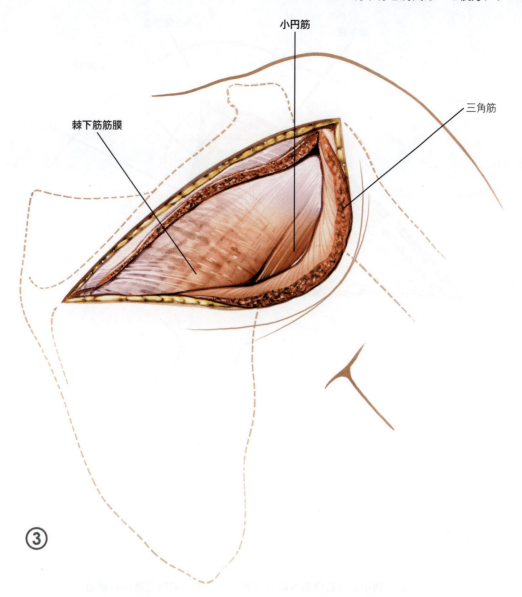

図 1-66　肩甲骨と肩関節への後方アプローチ．棘下筋・小円筋間の確認
棘下筋と小円筋の間の internervous plane を確認する．両筋をおおう共通の筋膜のため，筋間を見つけにくい．

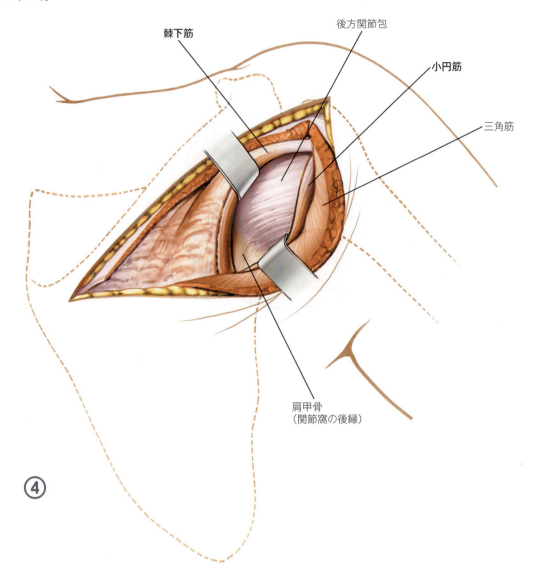

図 1-67　肩甲骨と肩関節への後方アプローチ．関節包後部の展開
棘下筋を上方に，小円筋を下方によけて，肩関節包の後部に達する．

10. 肩甲骨と肩関節への後方アプローチ　57

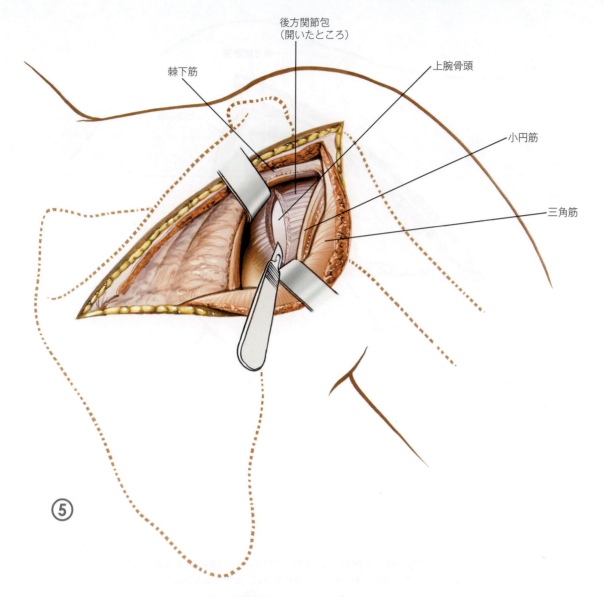

図1-68　肩甲骨と肩関節への後方アプローチ．関節包の切開
肩甲骨関節窩に沿って関節包を切る．

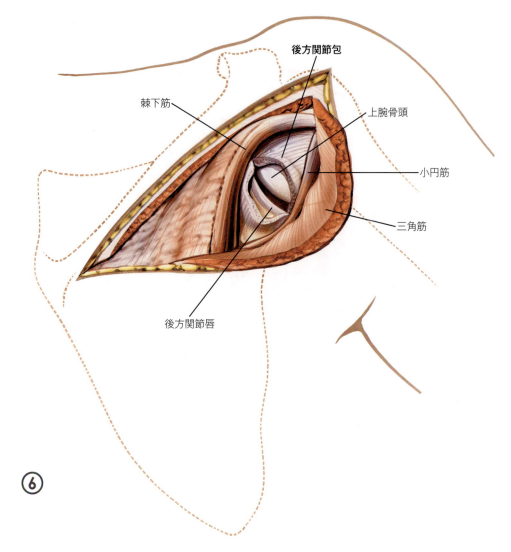

図 1-69　肩甲骨と肩関節への後方アプローチ．関節後方部の展開
関節包を引いて，肩甲骨関節窩後部，肩甲骨頸部，上腕骨頭を展開する．

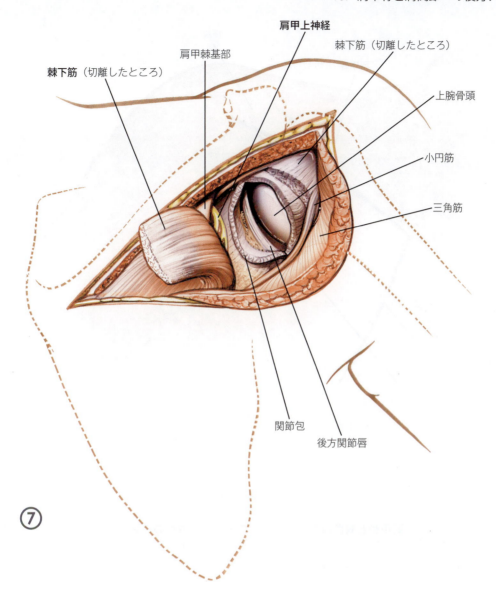

図 1-70 肩甲骨と肩関節への後方アプローチ．関節後方部の展開（棘下筋の切離）
さらに広く関節を展開するために棘下筋をその停止部で切離し，これを内側へよける．肩甲上神経を引きのばさないように愛護的に筋を扱う．肩甲上神経は下面から棘下筋に入る．

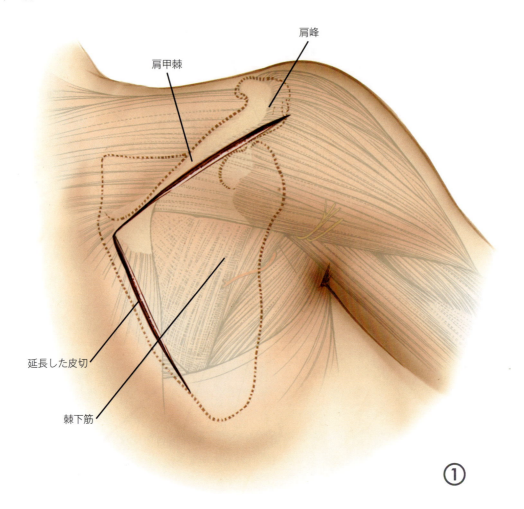

図 1-71　肩甲骨と肩関節への後方アプローチ．下方への拡大（1）
肩甲骨体部骨折のプレート固定では，肩甲骨内側縁に沿って下角まで皮切をのばす．

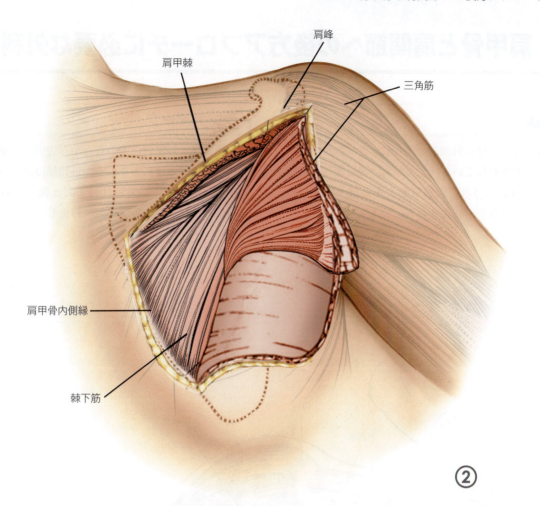

図 1-72　肩甲骨と肩関節への後方アプローチ．下方への拡大（2）
肩甲棘内側端に付着する僧帽筋の外側縁を同定し，これを持ち上げて棘下筋を展開する．

11 肩甲骨と肩関節への後方アプローチに必要な外科解剖

概　観

　肩の後部は，前部や外側部と同様に，2つの筋スリーブによっておおわれている．すなわち，浅層は三角筋後部線維により形成され，深層は腱板を形成する2つの筋，棘下筋および小円筋よりなる（図1-73，74）．

ランドマーク

　肩甲棘は，肩甲骨体部の背面から突出した厚い骨性の尾根で，ほぼ水平に走り，その外側縁は前方へ曲がり，肩峰を形成する．肩甲棘は棘上窩と棘下窩の境界となる．僧帽筋は上方から肩甲棘に停止し，三角筋の一部は

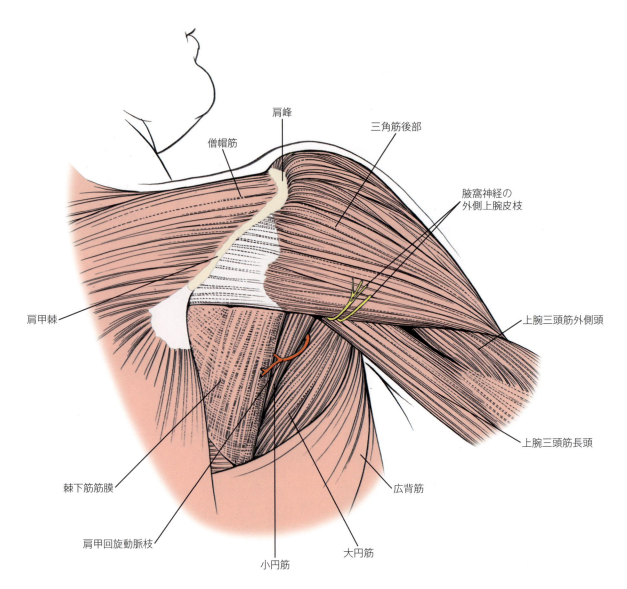

図1-73　肩の後面（浅層）
肩の後方部における浅層の筋．肩甲棘から起始する三角筋後部は腱膜様で，その下に存在する棘下筋との間隙は確認しにくい．

11. 肩甲骨と肩関節への後方アプローチに必要な外科解剖

その下縁から起始する（ 図1-73）．

皮切

横皮切は皮線を横切るので瘢痕は通常幅広くなる．肩甲骨内側縁を展開するには，肩甲棘に沿う横皮切に加えて内側に縦切開をおく[68, 69]．

浅層の展開

後方アプローチで剥離を要するのは，肩甲棘から起こる三角筋の一部のみである．この筋は肩甲骨の骨膜に密着しているので骨膜下に剥離する．筋を再縫着する場合には，筋に骨膜という強靱な組織がついているので，縫合は確実強固に行える．このことは三角筋の前および外側部とは対照的である．しかし，筋の縫合固定には肩甲

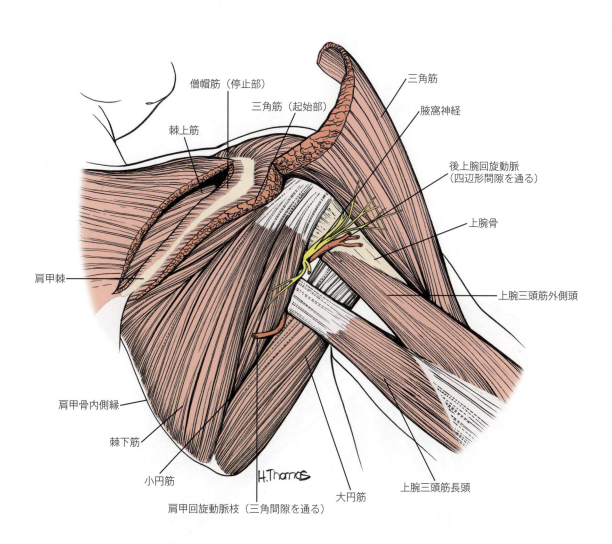

図1-74 肩の後面（三角筋後方部を反転している）
棘下筋，小円筋，大円筋および上腕三頭筋の長頭と外側頭がみえるよう，三角筋の後部は肩甲棘から剥離されている．四辺形間隙の境界は，上方が小円筋の下縁，外側が上腕骨外科頚，内側が上腕三頭筋長頭，下方が大円筋の上縁である．この間隙内を腋窩神経と後上腕回旋動脈が走る．

棘下筋	起始	肩甲骨棘下窩の内側3/4
	停止	上腕骨大結節の中央部*
	作用	上腕の外旋
	支配神経	肩甲上神経
小円筋	起始	肩甲骨の腋窩縁
	停止	上腕骨大結節の最下部**
	作用	上腕の外旋
	支配神経	腋窩神経

訳者註：* middle facet, ** inferior facet.

棘にドリルで穴をあける必要がある．

深層の展開

このアプローチでの深層部の展開は，肩甲上神経支配の棘下筋と腋窩神経支配の小円筋の間を分けて入る（☞図1-74）．肩甲骨内側縁へのアプローチでは，肩甲上神経支配の棘下筋と副神経支配の僧帽筋の間を分ける．

● 棘下筋

棘下筋筋線維は矢羽状（multipennate）で，多数の線維性の筋内中隔に筋線維が付着する．

棘下筋は肩関節裂隙のすぐ内側で腱性となる．腱が自由に滑走できるようこの筋と肩甲骨頚部後面との間には小さな滑液包がある．棘下筋はまた肩関節包にも停止し，機械的に関節包を補強している（図1-75）．

● 小円筋

小円筋は棘下筋と並んで走る．小円筋は大円筋とともに肩関節外転時に上腕骨頭を関節窩内に保持する．棘下筋が矢羽状（multipennate）の構造であるのに対し，小円筋の線維は互いに平行であるので，2筋間の間隙を確認する一助となる．

腋窩神経からの小円筋への筋枝は小円筋の下縁から入る．したがって，筋の上縁，すなわち棘下筋と小円筋の境界は安全で，真のinternervous planeである（☞図1-74）．

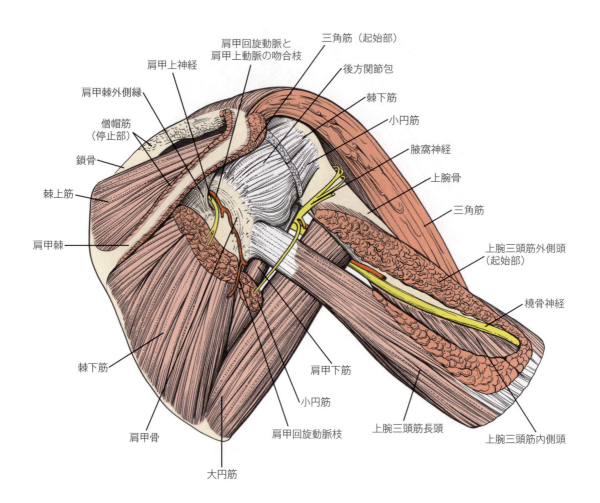

図1-75　肩の後面（棘下筋，小円筋を除去している）
関節包を示すために棘下筋と小円筋の外側部は取り除いてある．肩甲上神経と肩甲回旋動脈は肩甲棘外側縁をまわって内方および遠位に向かう．腋窩神経は四辺形間隙を通り抜けて現れ，多数の枝に分かれる．内側枝は小円筋に分枝する．橈骨神経は三角間隙（triangular interval）を通過し，上腕骨上部の橈骨神経溝へ入る．三角間隙は，上方が大円筋の下縁，内側が上腕三頭筋長頭，外側が上腕骨幹部によって形成されている．

注意すべき組織

腋窩神経は腕神経叢後束の1つの枝である．肩甲下筋上を腋窩の後壁に沿って下方へ走るが，肩関節への前方アプローチのさいに肩甲下筋を切開する部位とは離れている（☞図1-29）．神経は四辺形間隙を通過するが，そのさい上腕骨外科頚と近接する．したがって，手術や上腕骨外科頚骨折や肩の前方脱臼のとき，この部位で損傷されやすい．

四辺形間隙の境界は，前方からみる場合と後方からみる場合とで違ってくる（☞図1-74）．

- **後方からの観察**：上方は小円筋の下縁，外側は上腕骨外科頚部，内側は上腕三頭筋長頭，下方は大円筋の上縁である．
- **前方からの観察**：上方は肩甲下筋，外側は上腕骨外科頚部，内側は上腕三頭筋長頭，下方は大円筋の上縁である（☞図1-29）．

腋窩神経は肩甲下筋の下縁の下を通り，四辺形間隙を通過したのち，小円筋下縁の下から肩の背部に現れる．後上腕回旋動静脈が併走している（☞図1-74）．

小円筋より上方で操作する限り腋窩神経を損傷することはない．しかし，この操作が誤って小円筋の下部に達すると損傷されうる．三角筋は腋窩神経の単独支配であり，神経損傷は重篤な機能障害を起こす．

四辺形間隙の中での腋窩神経は，肩関節に小枝を出したのち，2つの枝に分かれる．深枝は三角筋の深層に（☞図1-74），浅枝は小円筋を支配し，上腕の外側に皮枝を送る．これは上外側上腕皮神経で，三角筋停止部上の皮膚感覚を支配する（☞図1-73）．

肩関節前方脱臼などによる外傷性腋窩神経麻痺の場合には，上外側上腕皮神経支配域の感覚鈍麻の有無が診断に重要である．すなわち，外傷時に三角筋と小円筋が麻痺しているかどうかを診断することは疼痛のため困難であるので，三角筋停止部上の感覚鈍麻は腋窩神経麻痺を疑うよい指標となる．

Hilton は，ある筋への運動神経はその筋が動かしている関節へ分枝を出し，またその関節の上の皮膚に別の枝を送る傾向があるとした[71]．このHiltonの法則のもっともよい例が腋窩神経である．肩の疼痛は腋窩神経を通して感知され，この神経の皮膚分布に投射されると考えられる．

腕神経叢後束のもう1つの主枝である**橈骨神経**は，三角間隙（triangular interval）を後方へ通過しながら腋窩を離れる．三角間隙は上方は大円筋の下縁，外側は上腕骨骨幹，内側は上腕三頭筋長頭によって形成される（☞図1-75）．肩関節への後方アプローチで橈骨神経が損傷される可能性はほとんどなく，小円筋のみならず大円筋の下まで展開しない限り，橈骨神経を損傷することはない．

肩の筋の内側スリーブを後方からみると，また別の三角間隙が存在する．その境界線は上方が小円筋下縁，外側が上腕三頭筋長頭，下方が大円筋の上縁である（☞図1-74）．

この三角間隙には**肩甲回旋動静脈**があり，肩甲骨に対する豊富な血液供給の一端を担っている．小円筋と大円筋の間で切開を行うと，これらの血管を損傷し，止血困難な出血を起こすことがあるので，行うべきでない（☞図1-74）．肩甲骨への血流は豊富であるので，骨折を生じるとしばしば大量の出血を伴う．血腫は肩甲骨の周囲の筋の筋膜内に拡がるので見つけにくい．多発外傷患者の血管損傷の評価にあたっては，肩甲骨骨折からの潜在性失血を考慮しなければならない．

12 肩関節への関節鏡後方および前方アプローチ

関節鏡視の一般的原則

直視下手術においては解剖学的構造をみるのは簡単である．もしある構造がみえなければ，皮膚切開を延長して，すなわち外科的アプローチを拡大して，展開すればよい．一方，関節鏡アプローチでは，構造の観察は一種の望遠鏡を用いて行われる．もっともよく用いられる関節鏡は，先端に30°の角度がついている．そのため，みているものは関節鏡の長軸から30°の位置にある構造であり，関節鏡のすぐ前方の構造ではない．本書で述べるのはこのような関節鏡についてである（図1-76，挿入図）．

斜視鏡が必要なのは，関節を形成する骨性構造により，特定の位置にしか関節鏡を入れられないためである．斜視鏡の使用によって「曲がり角の先」がみえるようになり，どの関節においても視野が大きく拡がった．

関節鏡を用いる観察にはいくつかの方法がある．関節鏡を前方または後方に動かす（前進または後退）と，もとの視野の前方あるいは手前の構造がみえる（👉図1-76）．関節鏡の使用にあたっては，以下の重要な点を念頭におくべきである．

1) 関節鏡は長軸に対して30°の角度がついているため，関節鏡を単に前進させるだけでは対象を拡大して観察することはできない．
2) 関節鏡を回旋させることで関節鏡の軸から30°の位置にある一連の構造をみることができる（図1-77）．
3) 関節鏡の挿入方向を変えれば視野の方向が変わる（図1-78）．関節鏡のすぐ前方にある構造は関節鏡の挿入方向を変えなければみえない．
4) 関節鏡を一定の位置においたまま関節を動かすと視野を変えることができる．どの関節内でも隅々までみるにはこの手技が必要である．

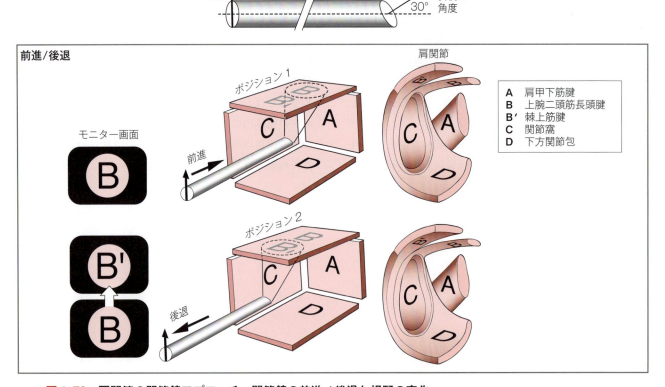

図1-76　肩関節の関節鏡アプローチ．関節鏡の前進／後退と視野の変化
関節鏡を用いる観察にはいくつかの方法がある．関節鏡を前方または後方に動かす（前進または後退）と，もとの視野の前方あるいは手前の構造がみえる．ポジション1からポジション2へ関節鏡を引くと，視野はBからB'へと変化する．関節鏡は長軸に対して30°の角度がついているため，関節鏡を単に前進させるだけでは対象を拡大して観察することができない．

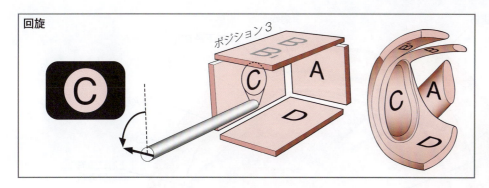

図1-77 肩関節の関節鏡アプローチ．関節鏡の回旋と視野の変化
関節鏡を回旋させることで，関節鏡の軸から30°の位置にある一連の構造がみられる．ポジション2からポジション3へと関節鏡を反時計回りに90°回旋すると，視野はB'からCへと変化する．

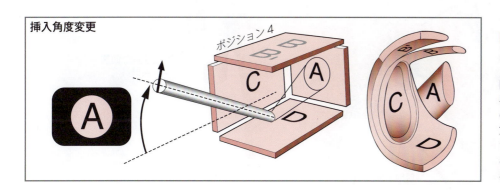

図1-78 肩関節の関節鏡アプローチ．関節鏡の挿入方向の変更と視野の変化
関節鏡の挿入方向を変えれば，視界の方向が変わる．これが関節鏡のすぐ前にある構造をみる唯一の方法である．ポジション2からポジション4へ関節鏡の角度を変えると，視野はB'からAへと変化する．

概　観

肩関節は大きなボールと浅いソケットからなる関節であり，関節包に余裕があるため，すべての方向に大きな可動域を有する．したがって，こうした解剖学的特徴は関節鏡アプローチに最適である．しかし，肩関節は厚い筋でおおわれており，このことが関節鏡アプローチをやや困難にしている（図1-79，80）．また，肩関節への関節鏡アプローチでは神経・血管も損傷される危険性がある．肩関節の前下方に主要な神経血管束があるため，前方アプローチは制限される．刺入口（ポータル）の位置が不正確な場合には，他の神経・血管も損傷される危険性がある（☞本項後述の「注意すべき組織」）．

肩関節に対する関節鏡の適応は次の通りである．
- 陳旧性腱板障害に対する鏡視下肩峰下除圧術[72]
- 腱板部分断裂の治療[73, 74] *
- 関節唇損傷の治療[75, 76]
- 肩鎖関節の変性疾患の治療
- 遊離体の摘出
- 離断性骨軟骨炎の治療
- 滑膜切除

*訳者註：現在は腱板完全断裂の治療も関節鏡で行うことが一般的である．

肩関節鏡手術においてはいくつかのポータルが用いられてきた．後方ポータルは診断目的ではもっとも一般的であり，前方ポータルと併用されることが多い．両ポータルの併用により，鏡視しながら器具を使うことが可能である．一般的には関節鏡を後方ポータルから，器具を前方ポータルから挿入するが，その逆も可能である．ここではこれら2つのアプローチについて述べる．

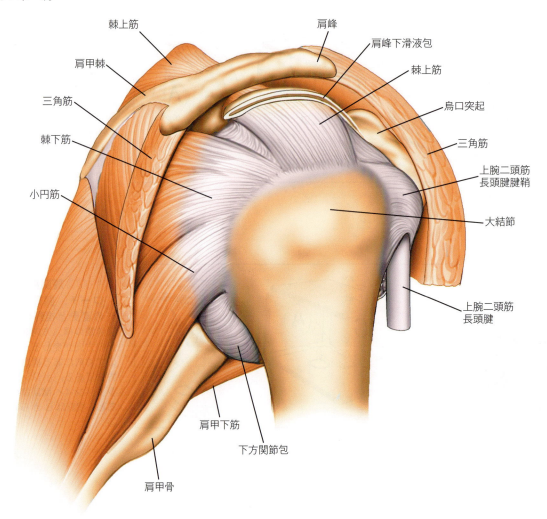

図 1-79　肩関節の解剖
右肩を外側からみた図で，三角筋外側部は取り除いてある．関節をおおう厚い筋層*が認められる．
*訳者註：腱板．

患者体位

　患者を背臥位とし，手術台の上半身部を 60°挙上する．患側の肩を手術台の端から出し，肩の前面および後面にアクセスできるようにする（図 1-81）．術中に上肢を自由に動かせるようにドレーピングする．この体位はビーチチェアポジション[14]（👉図 1-1）として知られており，肩関節周囲の静脈圧を下げ，出血を減らす利点がある．上肢の牽引は鏡視下肩峰下除圧術では有用であるが，診断目的の関節鏡では不要である．

ランドマーク

　肩関節は全周を厚い筋層に囲まれている（👉図 1-52, 79）．関節裂隙を触知することはできない*ので，関節から離れたランドマークを頼りにアプローチする．
*訳者註：やせた人では触知可能である．

　肩峰と**肩甲棘**は 1 つのアーチを形成している．肩峰の背面および外縁は肩の外側部で簡単に触れることができる（👉図 1-52, 54, 60A）．

　烏口突起を同定するには，鎖骨の外側 1/3 の前縁から約 2.5 cm 遠位に指をのばし，外側，後方に向かって斜めに指を押し進めるとよい．

皮　切

●後方部

　肩峰の後外側端*から 2 cm 下方，1 cm 内側に 8 mm

12. 肩関節への関節鏡後方および前方アプローチ

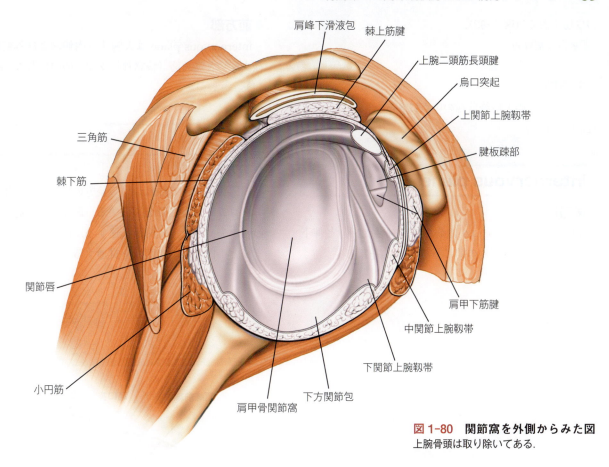

図 1-80　関節窩を外側からみた図
上腕骨頭は取り除いてある．

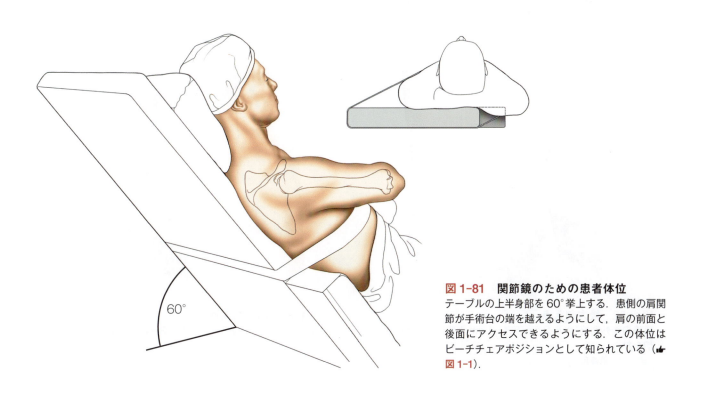

図 1-81　関節鏡のための患者体位
テーブルの上半身部を 60°挙上する．患側の肩関節が手術台の端を越えるようにして，肩の前面と後面にアクセスできるようにする．この体位はビーチチェアポジションとして知られている（☞図 1-1）．

の皮切をおく（図 1-82）.

*訳者註：肩峰角.

● 前方部

烏口突起先端と肩峰前縁の中点に 8 mm の皮切をおく（図 1-83）.

internervous plane

● 後方部

internervous plane は小円筋（腋窩神経支配）と棘下筋（肩甲上神経支配）の間にある（👉 図 1-75）.

● 前方部

internervous plane は大胸筋（内側および外側胸筋神経支配）と三角筋（腋窩神経支配）の間にある（👉 図 1-11）.

展　開

● 後方部

烏口突起を指で触れつつ，後方の皮切部から指に向けてトロカーと外套管を挿入する（図 1-84）．肩甲上腕関節の中央やや上方で関節に達する．関節鏡は理論上，棘下筋と小円筋の間で腱板を貫通することもあると思われ

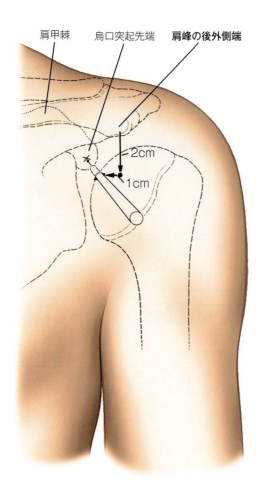

図 1-82　後方刺入点
肩峰の後外側端*から 2 cm 下方，1 cm 内側に 8 mm の皮切をおく．
*訳者註：肩峰角.

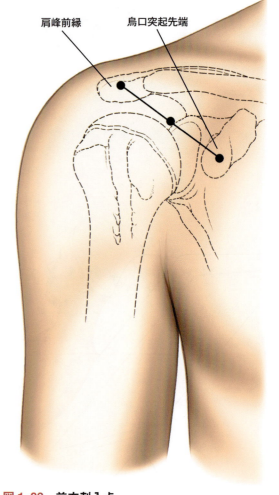

図 1-83　前方刺入点
烏口突起先端と肩峰前縁の中点に 8 mm の皮切をおく．

12. 肩関節への関節鏡後方および前方アプローチ

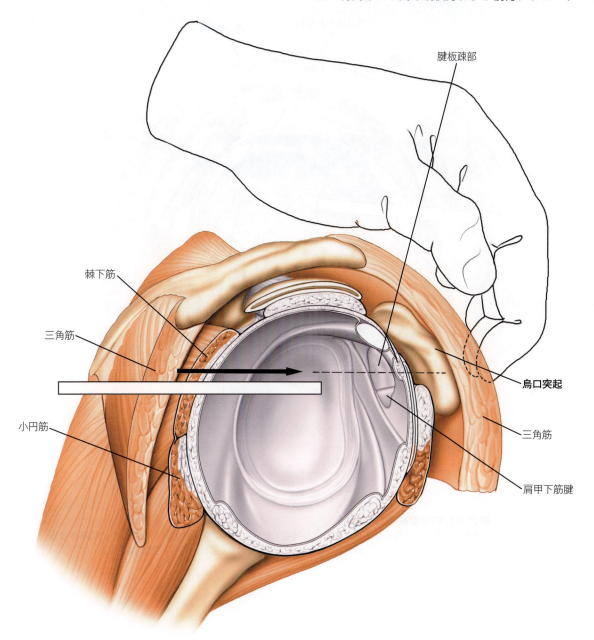

図1-84 後方からの関節鏡の挿入手順
烏口突起上に指を固定し，後方の小皮切から指に向けてトロカー（套管針）と外套管を挿入する．

るが，通常，棘下筋の筋実質を通っている．

●前方部

2つの方法が可能である＊．もっとも安全な方法は後方ポータルから関節鏡を挿入して前方関節包を鏡視する．次に，長い皮下注射針を前方の皮切から通し，鏡視しながら関節内まで進める．こうすると正しく安全な位置で関節に達していることが確認できる（図1-85）．

＊訳者註：原書には第2の方法は記載されていない．

72　第1章　肩

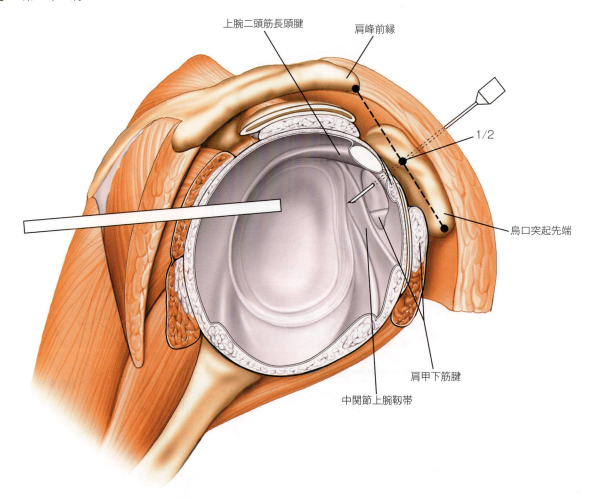

図 1-85　前方からの関節鏡の挿入手順
まず後方ポータルから関節鏡を挿入して前方関節包を鏡視する．次に長い皮下注射針を前方の小皮切部から通し，鏡視しながら関節内の正しい位置に入っていることを確認したのち，これに沿って関節鏡を挿入していく．

後方ポータルからの肩関節鏡視

1) 後方皮切から 30°斜視鏡を挿入する（☞図 1-82）．
2) 上方から下方に走る上腕二頭筋長頭腱とその起始部を確認する（図 1-86，ビュー 1）．
3) 次に，関節鏡を上方へ回旋させて棘上筋腱をみる（図 1-86，ビュー 2）．棘上筋腱は上腕二頭筋長頭腱の後方にある．
4) 関節鏡だけでなく上腕骨頭も回旋させて棘下筋腱と小円筋腱をみる（図 1-87B，ビュー 3）．
5) 次に，上腕二頭筋長頭腱，肩甲下筋腱の上縁，関節窩で形成される肩関節の前方三角部*に注目する（図 1-88，ビュー 4；☞図 1-86，ビュー 1）．この三角部は，安全に前方ポータルから挿入できる部位である（☞図 1-85）．

*訳者註：腱板疎部．

6) 関節鏡を関節窩前縁の上部に移動させ，下方に回旋すると前方の関節上腕靱帯を観察することができる（☞図 1-88，ビュー 5）．このときには上肢を牽引するか，または 30°よりは 70°の斜視鏡を使うとよりよい場合

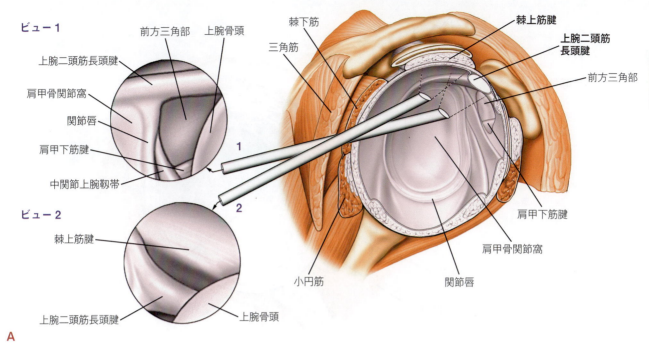
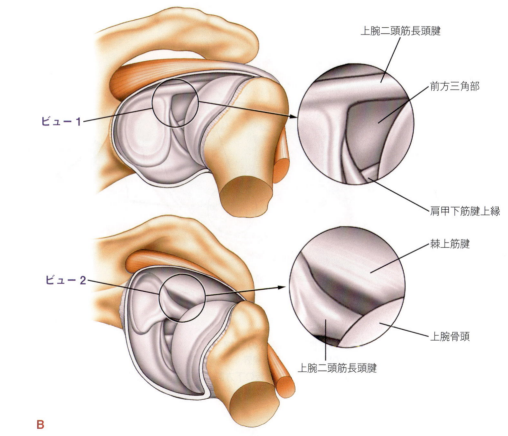

図 1-86　後方アプローチによる肩関節上半分の鏡視
A：肩関節外側からみた鏡視域とその関節鏡でみえる視野
　ビュー 1：後方アプローチで関節鏡を挿入し，上腕二頭筋長頭腱を同定する．長頭腱を上方に追っていくと，その起始部に達する．関節鏡の位置とその視野の関係に注意する．
　ビュー 2：腱板をみるには関節鏡を上方に回旋し，棘上筋腱を観察する．
B：関節全体の中でのビュー 1，2 の領域

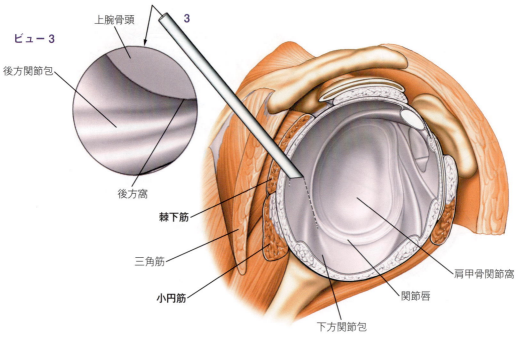

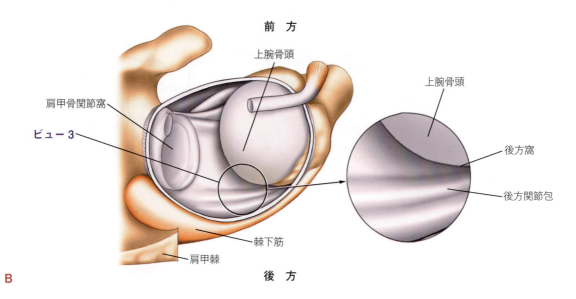

図 1-87 後方アプローチによる肩関節下半分の鏡視
A：肩関節外側からみた鏡視域とその関節鏡でみえる視野
 ビュー3：下方をみるため関節鏡を回旋させ，腱板の下方部（棘下筋腱および小円筋腱）を観察する．上腕骨頭を回旋させて棘下筋腱をみる．
B：関節全体の中でのビュー3の領域

12. 肩関節への関節鏡後方および前方アプローチ

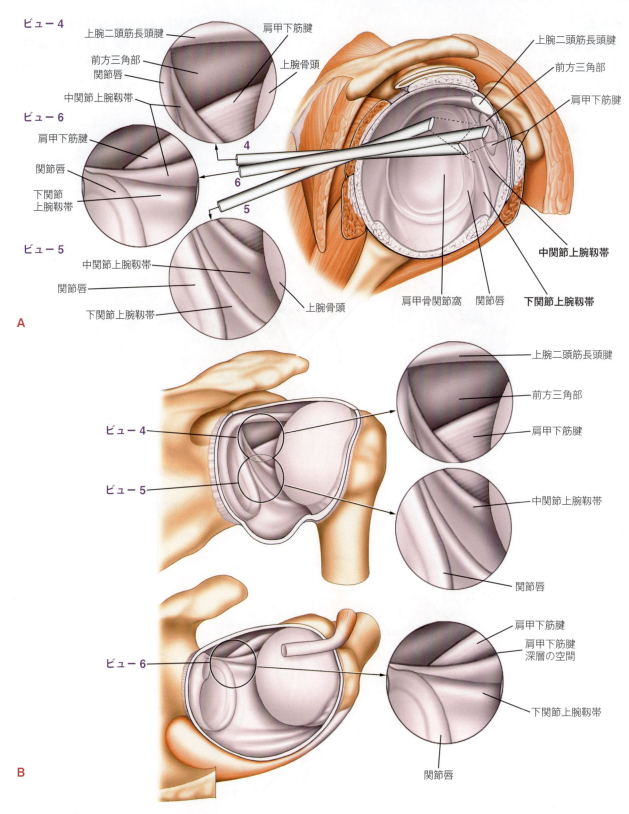

図1-88　後方アプローチによる肩関節前方部分の鏡視

A：肩関節外側からみた鏡視域とその関節鏡でみえる視野
　ビュー4：関節鏡を前方に進め前方三角部をみつける．上腕二頭筋長頭腱，肩甲下筋上縁，関節唇で形成される前方三角部を観察する．
　ビュー5：関節窩の上縁に関節鏡を移動し，下方に回旋する．前方の関節上腕靱帯を観察する．
　ビュー6：関節鏡を前方に移動させ，下方に回旋して肩甲下筋腱の裏側*を観察する．さらに関節鏡を下方に向け，後方がみえるように回旋する．
B：関節全体の中でのビュー4，5，6の領域

*訳者註：腱と中関節上腕靱帯の間を指している．

がある.

7) 関節鏡を前方三角部に移動させ，回旋して下方を向け，肩甲下筋腱の裏側のスペース*を観察する（☞図1-88，ビュー6）．ここにはしばしば遊離体が認められる．

*訳者註：腱と中関節上腕靱帯の間を指している.

8) 次に，関節鏡を下方に向けつつ後方に回旋させて，肩の後方窩*を観察する（図1-89，ビュー7；☞図1-87）．後方ポータルを用いると，上腕骨頭と関節窩は簡単に観察できる．関節面全体をみるには肩関節を注意深く動かす必要がある．

*訳者註：後方の関節包のたるみによって生じる空間.

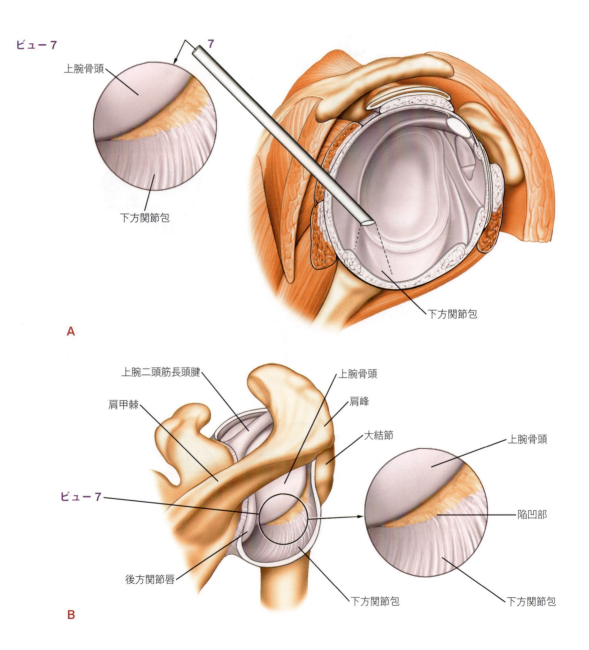

図1-89 後方アプローチによる関節窩下方の鏡視
A：肩関節外側からみた鏡視域とその関節鏡でみえる視野
ビュー7：下方に関節鏡を向け，後方もみえるように回旋して，後方窩*を観察する.
B：関節全体の中でのビュー7の領域
*訳者註：後方の関節包のたるみによって生じる空間.

注意すべき組織

腋窩神経は腋窩の後壁を出て，四辺形間隙を通過する．この神経は肩峰先端の約7cm下方，三角筋の深部で上腕骨を取り巻くように走る（☞図1-29，39，53，74）．もし，後方ポータルが肩峰後外側端に対して正しい位置にあれば，このポータルは神経の3cm上方に存在するはずである．皮切をかなり下方においた場合には神経損傷の危険性がある．

肩甲上神経は棘上筋および棘下筋を支配するが，棘上窩から棘下窩へ向かうさい，肩甲棘の基部を通過する（☞図1-59，75）．後方ポータルが内側に寄りすぎると，この神経を損傷する危険がある．正しい位置に作られたポータルはこの神経の約2cm外側にある．

皮切を下方においた場合，三角筋の深部を横走する腋窩神経を損傷する可能性がある．

上腕の屈筋群を支配する筋皮神経は，烏口突起の先端から2～8cm遠位で筋に入る．それゆえ烏口突起の上方および外側にポータルを作れば，この神経を損傷する可能性は少ない（☞図1-16，24，28）．

橈側皮静脈は三角筋と大胸筋の間の浅層を走る．皮切が外側に寄りすぎる場合には損傷されうる．

胸肩峰動脈の肩峰枝は烏口肩峰靱帯の内側に沿って存在しているので，標準的な前方ポータルによって損傷されることはない．しかし，肩峰下腔に到達するためにより上方へアプローチしようとすると，この動脈枝は損傷されうる．

視野拡大のコツ

後方ポータルから肩峰下腔に到達するためには，肩関節から関節鏡を抜き，同じ皮切から関節鏡をより上方に向け，肩峰の下面に向けて進める．それには，関節鏡が別の場所で三角筋を貫通する必要がある．肩峰下滑液包に病変があると，肩峰下腔に到達することが困難なことが多い．そのときには上肢の持続的牽引が必要となる．出血することがしばしばある．

前方ポータルは拡大できない．

文献

1. Mckee MD, Wild LM, Schemitsch EH. Midshaft malunions of the clavicle. *J Bone Joint Surg Am*. 2003;85:790-797.
2. Chuaychoosakoon C, Suwanno P, Boonriong T, et al. Patient position is related to the risk of neurovascular injury in clavicular plating: a cadaveric study. *Clin Orthop Relat Res*. 2019;477:2761-2768.
3. Nathe T, Tseng S, Yoo B. The anatomy of the supraclavicular nerve during surgical approach to the clavicular shaft. *Clin Orthop Relat Res*. 2011;469:890-894.
4. You JM, Wu YS, Wang Y. Comparison of post-operative numbness and patient satisfaction using minimally invasive plate osteosynthesis or open plating for acute displaced clavicular shaft fractures. *Int J Surg*. 2018;56:21-25.
5. Iannoitti MR, Crosby LA, Stafford P, et al. Effects of plate location and selection on the stability of midshaft clavicle osteotomies: a biomechanical study. *J Shoulder Elbow Surg*. 2002;11:457-462.
6. Wang X, Wang Z, Xia S, Fu B. Minimally invasive in the treatment of clavicle middle part fractures with locking reconstruction plate. *Int J Surg*. 2014;12:654-658.
7. Sohn HS, Kim WJ, Shon MS. Comparison between open plating versus minimally invasive plate osteosynthesis for acute displaced clavicular shaft fractures. *Injury*. 2015;46:1577-1584.
8. Bankart ASB. The pathology and treatment of recurrent dislocation of the shoulder joint. *Br J Surg*. 1938;26:23-29.
9. Osmond-Clarke H. Habitual dislocation of the shoulder: the Putti-Platt operation. *J Bone Joint Surg Br*. 1948;30:19-25.
10. Magnuson PB, Stack JK. Recurrent dislocation of the shoulder. *J Am Med Assoc*. 1943;123:889-892.
11. Boyd HB, Hunt HL. Recurrent dislocation of the shoulder: the staple capsulorrhaphy. *J Bone Joint Surg Am*. 1965;47:1514-1520.
12. Helfet AJ. Coracoid transplantation for recurring dislocation of the shoulder. *J Bone Joint Surg Br*. 1958;40:198-202.
13. Rowe CR, Patel O, Southmard WW. Bankart procedure: long-term end result study. *J Bone Joint Surg Am*. 1978;60:1-16.
14. Froimson AI, Oh I. Keyhole tenodesis of biceps origin at the shoulder. *Clin Orthop Relat Res*. 1975;112:245-249.
15. Neer CS II. Prosthetic replacement of the humeral head: indications and operative technique. *Surg Clin North Am*. 1963;43:1581-1597.
16. Chou YC, Tseng IC, Chiang CW, et al. Shoulder hemiarthroplasty for proximal humeral fractures: comparisons between the deltopectoral and anterolateral deltoid-splitting approaches. *J Shoulder Elbow Surg*. 2013;22(8):e1-e7.
17. Lädermann A, Lubbeke A, Collin P, et al. Influence of surgical approach on functional outcome in reverse shoulder arthroplasty. *Orthop Traumatol Surg Res*. 2011;97(6):579-582.
18. Moonot P, Ashwood N, Hamlet M. Early results for treatment of three- and four-part fractures of the proximal humerus using the PHILOS plate system. *J Bone Joint Surg Br*. 2007;89(9):1206-1209.
19. Martetschläger F, Siebenlist S, Weier M, et al. Plating of proximal humeral fractures. *Orthopedics*. 2012;35:e1606-e1612.
20. Buecking B, Mohr J, Bockmann B, et al. Deltoid split or deltopectoral approaches for the treatment of displaced proximal humeral fractures? *Clin Orthop Relat Res*. 2014;472:1576-1585.
21. Leslie JT Jr, Ryan TJ. The anterior axillary incision to approach the shoulder joint. *J Bone Joint Surg Am*. 1962;44:1193-1196.
22. Terra BB, de Figueiredo EA, Marczyk CS, et al. Osteotomies of the coracoid process: an anatomical study. *Rev Bras Ortop*. 2015;47:337-343.
23. Tashjian RZ. Epidemiology, natural history and indications for treatment of rotator cuff tears. *Clin Sports Med*. 2012;31:589-604.
24. Gallino M, Battiston B, Annaratone G, et al. Coracoacromial ligament: a comparative arthroscopic and anatomic study. *Arthroscopy*. 1995;11:564-567.
25. Kesmezacar H, Akgun I, Ogut T, et al. The coracoacromial ligament: the morphology and relation to rotator cuff pathology. *J Shoulder Elbow Surg*. 2008;17:182-188.
26. Putz R, Liebermann J, Reichelt A. The function of the coracoacromial ligament. *Acta Anat (Basel)*. 1988;131:140-145.
27. Rothenberg A, Gasbarro G, Chlebeck J, Lin A. The coracoacromial ligament: anatomy, function, and clinical significance. *Orthop J Sports Med*. 2017;5:2325967117703398.
28. Cooper DE, O'Brien SJ, Arnoczky SP, et al. The structure and function of the coracohumeral ligament: an anatomic and microscopic study. *J Shoulder Elbow Surg*. 1993;2:70-77.
29. Yukata K, Goto T, Sakai T, et al. Ultrasound-guided coracohumeral ligament release. *Orthop Traumatol Surg Res*. 2018;104:823-827.
30. Clark JMP. Reconstruction of biceps brachii by pectoral muscle transplantation. *Br J Surg*. 1946;34:180.
31. Abboud JA, Bartolozzi AR, Widmer BJ, et al. Bicipital groove morphology on MRI has no correlation to intra-articular biceps tendon pathology. *J Shoulder Elbow Surg*. 2010;19:790-794.

32. Meyer AW. Spontaneous dislocation and destruction of tendon of long head of biceps brachii: fifty-nine instances. *Arch Surg*. 1928;17:493-506.
33. Meyer AW. Chronic functional lesions of the shoulder. *Arch Surg*. 1937;35:646-674.
34. Hitchcock HH, Bechitol CO. Painful shoulder: observations on the role of the tendon of the long head of the biceps brachii in its causation. *J Bone Joint Surg Am*. 1948;30:263-273.
35. Bartl C, Scheibel M, Magosch P, et al. Open repair of isolated traumatic subscapularis tendon tears. *Am J Sports Med*. 2011;39:490-496.
36. De Palma AF, Callert G, Bennett GA. Variational anatomy and degenerative lesions of the shoulder joint. *Instr Course Lect*. 1949;6:255-281.
37. Horwitz MT, Tocantins LM. An anatomical study of the role of the long thoracic nerve and the related scapular bursa in the pathogenesis of local paralysis of the serratus anterior muscle. *Anat Rec*. 1938;71:375-385.
38. Neer CS II. Anterior acromioplasty for the chronic impingement syndrome in the shoulder. *J Bone Joint Surg Am*. 1972;54:41-50.
39. Kuntz AF, Raphael I, Dougherty MP, et al. Arthroscopic subscapularis repair. *J Am Acad Orthop Surg*. 2014;22:80-89.
40. Karjalainen TV, Jain NB, Page CM, et al. Subacromial decompression surgery for rotator cuff disease. *Cochrane Database Syst Rev*. 2019;1:CD005619.
41. Morse K, Davis AD, Afra R, et al. Arthroscopic versus mini-open rotator cuff repair: a comprehensive review and meta-analysis. *Am J Sports Med*. 2008;36:1824-1828.
42. Křivohlávek M, Taller S, Lukáš R, et al. Anatomy notes on minimally invasive plate osteosynthesis of the proximal humerus: a cadaver study. *Acta Chir Orthop Traumatol Cech*. 2014;81:63-69.
43. Cetik O, Uslu M, Acar HI, et al. Is there a safe area for the axillary nerve in the deltoid muscle? A cadaveric study. *J Bone Joint Surg Am*. 2006;88:2395-2399.
44. Debevre J, Patte D, Elmeuk E. Repair of rupture of the rotator cuff of the shoulder, with a note on the advancement of the supraspinatus muscle. *J Bone Joint Surg Br*. 1965;47:36-42.
45. Paulos LE, Meislin RJ, Drawbert J. The acromion-splitting approach for large and massive rotator cuff tears. *Am J Sports Med*. 1994;22:306-312.
46. Acklin YP, Stoffel K, Sommer C. A prospective analysis of the functional and radiological outcomes of minimally invasive plating in proximal humerus fractures. *Injury*. 2013;44:456-460.
47. Wagner M, Frigg R. *Internal Fixators*. Thieme; 2006.
48. Liu K, Liu PC, Liu R, Wu X. Advantage of minimally invasive lateral approach relative to conventional deltopectoral approach for treatment of proximal humerus fractures. *Med Sci Monit*. 2015;21:496-504.
49. Muccioli C, Chelli M, Caudal A, et al. Rotator cuff integrity and shoulder function after intra-medullary humerus nailing. *Orthop Traumatol Surg Res*. 2020;106:17-23.
50. Cox MA, Dolan M, Synnott K, et al. Closed interlocking nailing of humeral shaft fractures with the Russell-Taylor nail. *J Orthop Trauma*. 2000;14:349-353.
51. Natsis K, Tsikaras P, Totlis T, et al. Correlation between the four types of acromion and the existence of enthesophytes: a study on 423 dried scapulas and review of the literature. *Clin Anat*. 2007;20:267-272.
52. De Palma AF. *Surgery of the Shoulder*. JB Lippincott; 1950.
53. Presto BJ, Jackson JP. Investigation of shoulder disability by arthrography. *Clin Radiol*. 1977;28:259-266.
54. Kerwein GA, Roseberg B, Sneed WR Jr. Arthrographic studies of the shoulder joint. *J Bone Joint Surg Am*. 1957;39:1267-1279.
55. Bosworth DM. Supraspinatus syndrome: symptomatology, pathology and repair. *J Am Med Assoc*. 1941;117:422-428.
56. Rathbun JB, Macnab I. The microvascular pattern of the rotator cuff. *J Bone Joint Surg Br*. 1970;52:540-553.
57. Wilson CL, Duff GL. Pathologic studies of degeneration and rupture of the supraspinatus tendon. *Arch Surg*. 1943;47:121-135.
58. Nyffeler RW, Meyer DC. Acromion and glenoid shape: why are they important predictive factors for the future of our shoulders? *EFORT Open Rev*. 2017;2(5):141-150.
59. Darabos N, Vlahovic I, Gusic N, et al. Is AC TightRope fixation better than Bosworth screw fixation for minimally invasive operative treatment of Rockwood III AC joint injury? *Injury*. 2015;46(suppl 6):S113-S118.
60. Cetinkaya E, Arıkan Y, Beng K, et al. Bosworth and modified Phemister techniques revisited: a comparison of intraarticular vs extraarticular fixation methods in the treatment of acute Rockwood type III acromioclavicular dislocations. *Acta Orthop Traumatol Turc*. 2017;51:455-458.
61. Rowe R, Vee LB. A posterior approach to the shoulder joint. *J Bone Joint Surg*. 1944;26:580-584.
62. Itindenach JC. Recurrent posterior dislocation of the shoulder. *J Bone Joint Surg*. 1947;29:582-586.
63. Boyd HB, Sisk TD. Recurrent posterior dislocation of the shoulder. *J Bone Joint Surg Am*. 1972;54:779-786.
64. Scott DJ Jr. Treatment of recurrent posterior dislocation of the shoulder by glenoplasty: report of three cases. *J Bone Joint Surg Am*. 1967;49:471-476.
65. Cole PA, Dubin JR, Freeman G. Operative techniques in the management of scapular fractures. *Orthop Clin North Am*. 2013;44:331-343.
66. Schandelmaier P, Blauth M, Schneider C, et al. Fractures of the glenoid treated by operation: 5 to 23 year follow up of 22 cases. *J Bone Joint Surg Br*. 2002;84:173-177.
67. Judet R. Traitement chirsurgical dos fractures de l'onoplate, indication operatories. *Acta Orthop Belg*. 1964;30:673-678.
68. Obremsky W, Lyman J. A modified Judet approach to the scapula. *J Orthop Trauma*. 2004;18:696-699.
69. Cole P, Dugarte A. Posterior scapula approaches: extensile and modified Judet. *J Orthop Trauma*. 2018;32:S10-S11.
70. Bartoníček J, Tucek M, Lunácek L. Judet posterior approach to the scapula. *Acta Chir Orthop Traumatol Cech*. 2008;75:429-435.
71. Hilton J. Lectures on rest and pain. In: Jacobson WH, ed. *Joint Innervation: Reflex Control of Muscles Activating Joints*. 6th ed. G Bell; 1950:156.
72. Olsewski JM, Depew AD. Arthroscopic subacromial decompression and rotator cuff debridement for stage II and stage III impingement. *Arthroscopy*. 1994;10:61-68.
73. Ogilvie-Harris DJ, Demazière A. Arthroscopic debridement versus open repair for rotator cuff tears: a prospective cohort study. *J Bone Joint Surg Br*. 1993;75:416-420.
74. Schnaser E, Toussaint B, Gillespie R, et al. Arthroscopic treatment of anterosuperior rotator cuff tears. *Orthopedics*. 2013;36:e1394-e1400.
75. Tokish JM, McBratney CM, Solomon DJ, et al. Arthroscopic repair of circumferential lesions of the glenoid labrum: surgical technique. *J Bone Joint Surg Am*. 2010;92(suppl 1 pt 2):130-144.
76. Angelo RL. Arthroscopic Bankart repair for unidirectional shoulder instability. *Instr Course Lect*. 2009;58:305-313.

参考文献

Andrews JR, Timmerman LA. *Diagnostic and Operative Arthroscopy*. WB Saunders; 1997.
Laurencin CT, Deutsch A, O'Brien FJ, et al. The supero-lateral portal for arthroscopy of the shoulder. *Arthroscopy*. 1994;10:255-258.
Martin DR, Garth WP. Results of arthroscopic debridement of glenoid-labral tears. *Am J Sports Med*. 1995;23:447-451.
Matthews LS, Labuddle JK. Arthroscopic treatment of synovial diseases of the shoulder. *Orthop Clin North Am*. 1993;24:101-109.
Olsewiski JM, De Pew AD. Arthroscopic sub-acromial decompression and rotator cuff debridement for stage II and stage III impingement. *Arthroscopy*. 1994;10:61-68.
Paulos LE, Franklin JL. Arthroscopic shoulder decompression development and application. *Am J Sports Med*. 1990;18:359.
Skyhar MJ, Altchek DW, Warren RF, et al. Shoulder arthroscopy with the patient in the beach chair position. *Arthroscopy*. 1988;4:256-259.
Woolfe EM. Anterior portals in shoulder arthroscopy. *Arthroscopy*. 1989;5:201-208.
Zvijac JE, Levy HJ, Lemak LJ. Arthroscopic sub-acromial decompression in the treatment of full thickness rotator cuff: a 3- to 6-year follow-up. *Arthroscopy*. 1994;10:518-523.

第2章

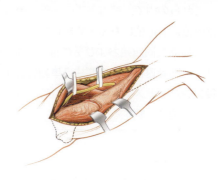

The Humerus

上　腕

1 上腕骨骨幹部への前方アプローチ……… 80
2 上腕骨骨幹部への前方最小侵襲アプローチ
　……………………………………………… 87
3 上腕骨への後方アプローチ……………… 90
4 上腕骨遠位部への前外側アプローチ……… 99
5 上腕骨遠位部への外側アプローチ……… 104
6 上腕骨遠位部への内側アプローチ……… 107
7 上腕部の手術に必要な外科解剖………… 109

第2章

　上腕骨に対する手術の頻度は比較的まれで，骨折の観血的整復・内固定がほとんどである．上腕骨に対するすべてのアプローチは潜在的に危険を含んでいる．それは主要な神経，血管が他の部位に比べてより骨に密接して走行しているためである．すなわち，腋窩・橈骨・尺骨神経はすべて直接上腕骨と関係し，なかでも橈骨神経は上腕骨骨幹を展開するさいにもっとも危険である（☞図2-39）．

　この章では上腕骨に対する6つのアプローチを記載する．上腕骨骨幹部への前方アプローチ，前方最小侵襲アプローチ，上腕骨への後方アプローチの3つのアプローチにより，上腕骨の大部分を展開できる．上腕骨遠位部への前外側アプローチ，外側アプローチと内側アプローチの3つは，上腕骨遠位1/3とその部位での神経，血管の展開を行うためのアプローチである．

　これらの中で，前方アプローチと後方アプローチがもっとも用途が広い．上腕骨遠位部への前外側アプローチは近位にも遠位にも拡大できるが，これを必要とすることはまれである．上腕骨遠位部への外側アプローチは，前腕伸筋共同起始およびその近傍の展開に限られた局所アプローチである．上腕骨遠位部への内側アプローチは，上腕骨遠位部の内側柱の単独骨折手術に用いられる．上腕における手術の鍵となる橈骨神経は，上腕の前・後コンパートメント内を走行している．上腕骨の手術に必要な外科解剖については，各手術アプローチについて述べた後に記載する．

1　上腕骨骨幹部への前方アプローチ

　上腕骨骨幹前方部分を展開するのに用いる[1~3]．各手術ではアプローチの一部分を必要に応じ用いる．上腕骨への他の全アプローチと同様，橈骨神経がもっとも危険である．

　上腕骨骨幹部への前方アプローチは次のような場合に用いられる．

- 上腕骨骨折の内固定
- 上腕骨骨幹部骨折の遷延治癒および偽関節の治療
- 上腕骨骨切り術
- 骨腫瘍の生検と切除
- 骨髄炎の治療

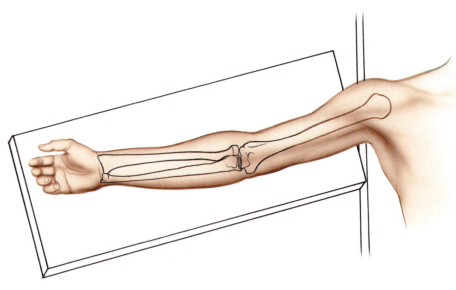

図2-1　上腕骨骨幹部前方アプローチ．患者体位
背臥位とする．上肢を上肢台上におき，約60°外転させる．

1. 上腕骨骨幹部への前方アプローチ

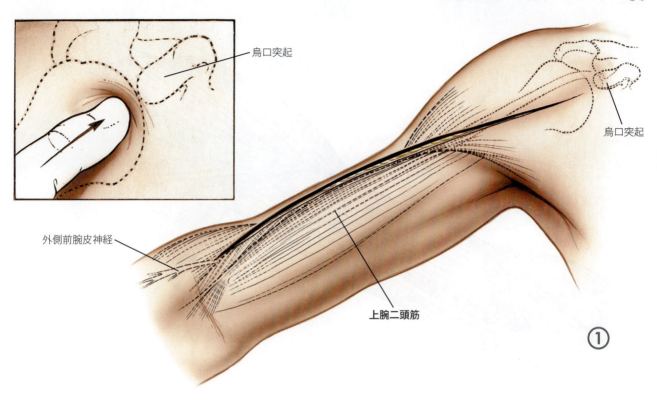

図2-2　上腕骨骨幹部前方アプローチ．皮切
烏口突起先端から三角筋胸筋溝に沿う縦皮切を入れ，上腕骨軸の外側に沿って延長する．皮切は必要なだけ遠位へ延長するが，肘の屈側皮線（flexion crease）の上方約5cmまでにとどめる．烏口突起は外側から内側へ向かって触診する（挿入図）．

患者体位

背臥位，上肢は上肢台上で約60°外転位とする．患肢からの出血を減少させるために対側に患者を傾ける．大抵の術者は患者の腋窩側に座り，助手は反対側に位置する．ターニケットは術野の妨げになるので使用しない（図2-1）．

ランドマーク

鎖骨の中・外1/3の境界部の直下に肩甲骨の**烏口突起**を触知する（図2-2，挿入図）．

肩関節を横切り，上腕を下行する**上腕二頭筋長頭**を触知する．可動性のある筋腹の外側縁が上腕の前面となる．

皮切

まず烏口突起先端上に縦切開を加える．ついで，三角筋胸筋溝上を外下方，三角筋の上腕骨停止部に向け，上腕骨外側に沿って骨幹部の約半分くらいまで切開する．以後，上腕二頭筋の外縁に沿って必要なだけ切開を延長する．皮切は肘の屈側皮線（flexion crease）の上方約5cmまでにとどめる（☞図2-2）．

internervous plane

前方アプローチでは2つの異なるinternervous planeを用いる（図2-3A）．この境界面は，近位では三角筋（腋窩神経支配）と大胸筋（内・外側胸神経支配）の間，遠位では内側の上腕筋内側線維（筋皮神経支配）と外側の上腕筋外側線維（橈骨神経支配）*の間にある（図2-3B）．

*訳者註：本章「4　上腕骨遠位部への前外側アプローチ」の「internervous plane」参照．

浅層の展開

● **上腕骨骨幹近位部**

橈側皮静脈をメルクマールとして三角筋胸筋溝を確認

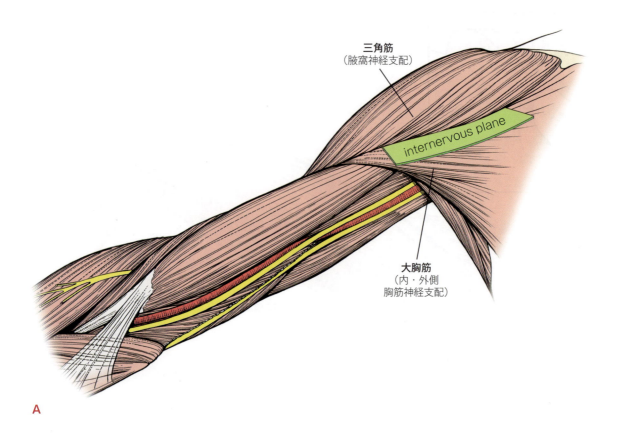

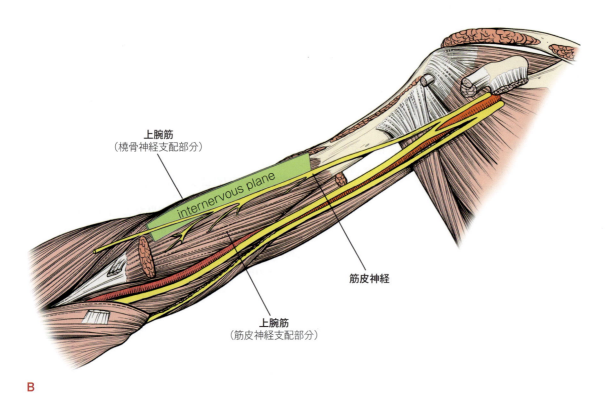

図 2-3　上腕の近位および遠位の internervous plane
A：近位では plane は三角筋（腋窩神経支配）と大胸筋（内・外側胸筋神経支配）の間に存在する．
B：遠位では plane は内側の上腕筋内側線維（筋皮神経支配部分）と外側の上腕筋外側線維（橈骨神経支配部分）との間に存在する．

1. 上腕骨骨幹部への前方アプローチ　83

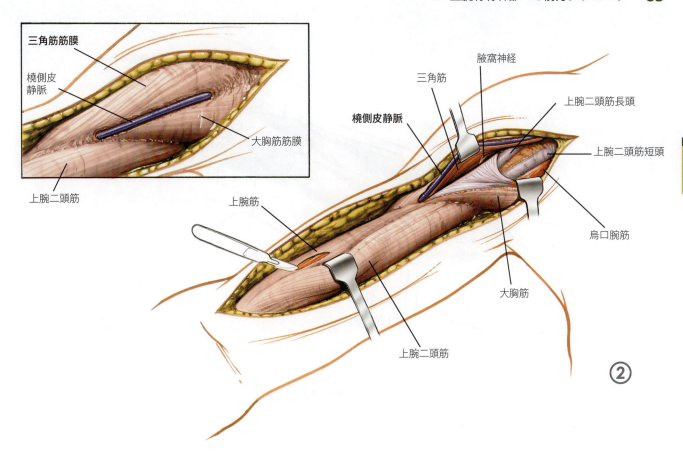

図2-4　上腕骨骨幹部前方アプローチ．上腕骨への三角筋停止部，大胸筋停止部および上腕二頭筋，上腕筋の確認
橈側皮静脈をメルクマールとして三角筋胸筋溝を確認する（挿入図）．この筋間を展開して上腕骨三角筋粗面の三角筋停止部と外側結節間溝の大胸筋停止部に達する．遠位では，上腕二頭筋と上腕筋との間隙を確認するために皮切線に沿って深筋膜を切開する．

し（図2-4，挿入図），三角筋と大胸筋間を分ける．このさい橈側皮静脈を大胸筋とともに内側へよけるか，三角筋とともに外側へよけるかは，どちらか簡単なほうを選べばよい．筋間をさらに遠位へ拡げ，三角筋粗面への三角筋停止部および結節間溝の外側唇への大胸筋停止部を展開する（図2-4）．三角筋をよけるためレトラクターを強く牽引すると，腋窩神経が圧迫され三角筋の前半部が麻痺することがあるので注意する．

● **上腕骨骨幹遠位部**
　皮切線に沿って上腕の深筋膜を切り，上腕二頭筋と上腕筋の筋間を同定する．上腕二頭筋を内側へ引き，筋間をさらに拡大すると，その下に上腕骨骨幹をおおう上腕筋が現れる（図2-5；👍図2-4）．切開線の最遠位端において，筋皮神経の終末枝である外側前腕皮神経が上腕

二頭筋の外縁で深筋膜を貫通している．切開線の遠位端まで切開する場合はこの神経を確認して温存する．

深層の展開

● **上腕骨骨幹近位部**
　上腕骨骨幹の近位部を展開するには，大胸筋腱の停止部のすぐ外側で骨膜を縦切する．ついで，骨膜の切開をさらに近位へと続けるが，そのさい切開は上腕二頭筋長頭腱の外側で行う．前上腕回旋動脈が切開部を内側から外側へと横切って走行しているので，これは結紮する（👍図2-5）．骨を十分に展開するには，大胸筋停止部の一部またはすべてを上腕骨の結節間溝の外側唇から剥離するが（図2-6），剥離は骨膜下に行う．軟部組織の剥離は正確な骨折の整復を得ることができる最小限にとど

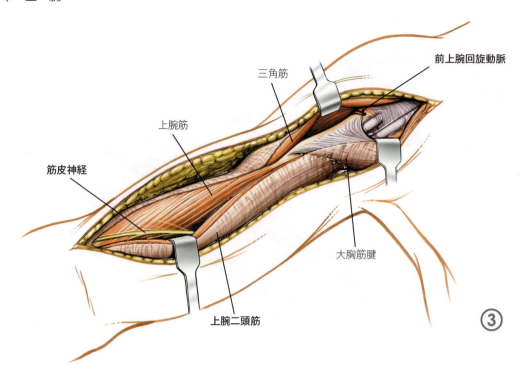

図 2-5　上腕骨骨幹部前方アプローチ．筋皮神経と前上腕回旋動脈の確認
慎重に筋皮神経を同定したうえ，上腕二頭筋を内側によける．近位では切開部を内側から外側へ交差するように走行する前上腕回旋動脈を確認する．

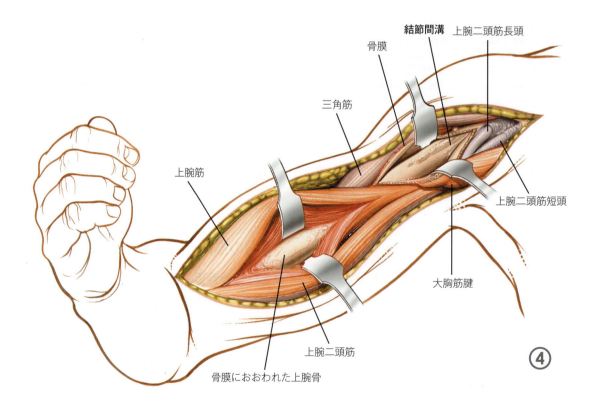

図 2-6　上腕骨骨幹部前方アプローチ．上腕骨骨幹の展開
近位では結節間溝の外側で大胸筋停止部を切離する．ついで骨膜下に上腕骨近位部を展開する．遠位では上腕筋の線維を割きながら，上腕骨前面の骨膜を露出する．骨膜を切り，上腕骨から上腕筋を剥離する．肘を屈曲させると上腕筋の緊張がとれて展開が容易になる．

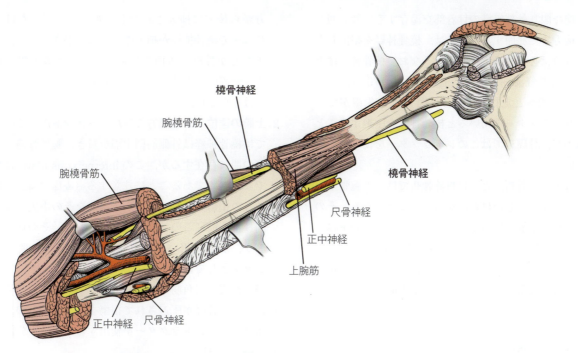

図 2-7　橈骨神経が損傷されやすい部位
橈骨神経は上腕骨に沿って走行し，2つの部位で損傷されやすい．1ヵ所は橈骨神経溝内で，もう1ヵ所は腕橈骨筋と上腕筋の間隙を走り外側筋間中隔を貫く部位である．

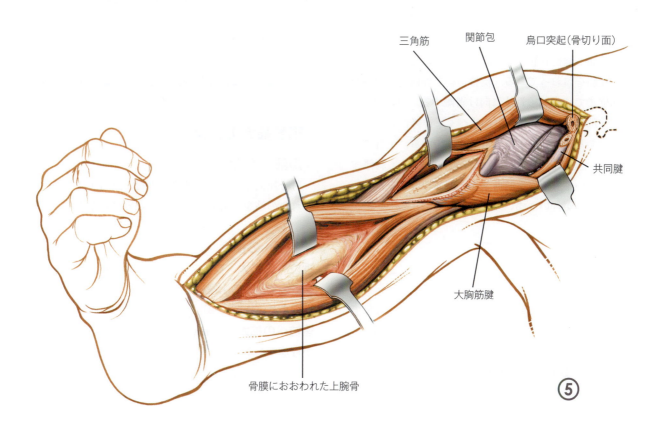

図 2-8　上腕骨骨幹部前方アプローチ．深層の展開．近位への拡大
三角筋胸筋間隙を分け，烏口突起の先端を骨切りし，肩甲下筋を切ると，肩の前方アプローチへの展開が可能となる．

め，可能な限り軟部組織の付着部を温存する．骨周囲をさらに後方まで展開する場合には，橈骨神経を損傷しないよう剥離は必ず骨膜下にて行う．なお，橈骨神経は上腕骨の橈骨神経溝内にあり，上腕骨の中 1/3 の後面を内側から外側へと走行している（図 2-7）．先端がてこ形状のレトラクターを用いると橈骨神経を圧迫することがあるので，骨周辺ではこのレトラクターを使用してはならない．

上腕骨近位端骨折，とくに粉砕骨折では，上腕骨頭および解剖頚を展開しなければならないこともある．そのためには肩甲下筋を切離する必要があるが，筋の下縁を併走している3本の血管束を注意深く凝固する（図 2-8；図 1-23）．しかしながら，小結節に肩甲下筋腱が付着したまま骨片化している場合は，肩甲下筋腱切離は不要となる．

● 上腕骨骨幹遠位部

上腕骨遠位 1/3 での螺旋骨折では遠位骨片が橈骨神経を巻き込んで橈骨神経麻痺を併発することがある[4]．このため，この骨折では，上腕筋と上腕二頭筋間を剥離する前に上腕筋と腕橈骨筋間隙をていねいに剥離し，その後肘関節の近位直上で橈骨神経を同定すると安全である．この上腕筋と腕橈骨筋との間隙は斜めに走行し，腕橈骨筋が上腕筋をおおっている．橈骨神経を外側筋間中隔を貫く部位まで注意深く近位に向け剥離する．ついで，上腕骨骨幹部の前面の骨膜を展開すべく，神経に対し安全な場所である上腕筋中央部で線維を縦切する．上腕骨の前面から上腕筋をできるだけ軟部組織をつけて剥離する．このさい，肘関節を屈曲させ上腕筋の緊張をゆるめておくと操作が行いやすい（図 2-6）．

注意すべき組織

橈骨神経は，次の2ヵ所で損傷されやすい．
1) **上腕骨の中央 1/3 の背面の橈骨神経溝内**：この部位では骨から筋を剥離するさいに，決して骨の後面へよけたりしないことが肝要である（図 2-7，43）．上腕骨の中央 1/3 でプレートを前方におく場合には，前方から後方に挿入されたドリルやタップまたはスクリューで橈骨神経が損傷されることがあるので，ドリルなどが骨皮質後面を貫通しないよう最大限注意する．骨周囲で先端がてこ形状のレトラクターを使用してはならない．
2) **上腕の遠位 1/3 の前方コンパートメント内**：この部位では橈骨神経は外側筋間中隔を貫き，腕橈骨筋と上腕筋の間に存在するが，この internervous plane は垂直でなく斜めであることに注意する（図 2-43）．橈骨神経の損傷を防ぐために，上腕筋をその中央で長軸方向に割く前にこの神経を同定しておく．その後外側の筋が，展開で用いるレトラクターと神経の間でクッションとして働く（図 2-7，43）．

腋窩神経は三角筋の下後面を走行するが，三角筋を過度に引くと神経が圧迫されて損傷を受けることがある．三角筋に対しレトラクターを使用するときは十分注意する（図 2-4）．

外側前腕皮神経は肘屈側皺のすぐ近位で深筋膜を貫通しているので，上腕二頭筋と上腕筋間の剥離をこのアプローチの遠位端まで行うとこの神経を損傷する可能性がある．

前上腕回旋動脈は上腕の近位 1/3 で，大胸筋と三角筋との間隙にあり手術野を横切る．切除せざるを得ない場合には結紮または凝固処理を行う（図 2-5，6）．

術野拡大のコツ

● 深部への拡大

肘を屈曲させると上腕筋と上腕二頭筋がゆるむので，これらの筋を側方によけることが容易となる．

● 上下への拡大

近位への拡大　このアプローチは三角筋胸筋溝を利用するので，その上端は肩への前方アプローチへ容易に変換できる（図 2-8）．
遠位への拡大　Henry アプローチを用いて遠位へ延長が可能である．

2 上腕骨骨幹部への前方最小侵襲アプローチ

このアプローチでは，本章ですでに述べた上腕骨骨幹部への前方アプローチの近位部と遠位部の2ヵ所を用いる．三角筋を割いて近位部へ進入する別の進入法については本章では扱わない．このアプローチは上腕骨骨折内固定に限定して用いる．本法の利点は骨折部への血行を温存できることであるが，欠点は骨折部が展開されないため整復およびその評価が困難であり，その間患者および術者らは放射線に曝される[5〜9]．

患者体位

上腕骨前方アプローチと同様に背臥位とする（☞図2-1）．ドレーピングの前にX線透視で骨折部が十分にみえるかどうか確認しておく．患者と術者らは高品質の放射線防具を着用する．ターニケットは使用しない．

ランドマーク

鎖骨の中・外1/3の境界部の直下にある肩甲骨の烏口突起（☞図2-2，挿入図）と上腕二頭筋の外側縁を触知する（図2-9）．

皮切

烏口突起のすぐ下から三角筋胸筋溝に沿い5〜7cmの縦切開を加える．ついで，もう1つ上腕の遠位1/3で上腕二頭筋の外側線上に5〜7cm*の縦切開を加える．皮切の高さは骨折部の位置に合わせる．

*訳者註：図2-9の説明文では，皮切の長さは「6〜8cm」と記載されている．

internervous plane

前方最小侵襲アプローチでは，近位では三角筋（腋窩神経支配）と大胸筋（内・外側胸神経支配）の間の境界面を使用する．遠位では上腕筋内側半分（筋皮神経支配）と上腕筋外側半分（橈骨神経支配）の間の境界面を使用する（☞図2-3，4）．

浅層の展開

● 近位開創部

橈側皮静脈をメルクマールとして三角筋胸筋溝を同定

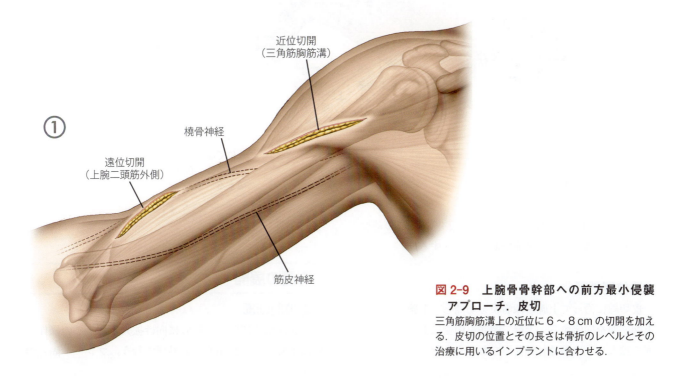

図2-9 上腕骨骨幹部への前方最小侵襲アプローチ．皮切
三角筋胸筋溝上の近位に6〜8cmの切開を加える．皮切の位置とその長さは骨折のレベルとその治療に用いるインプラントに合わせる．

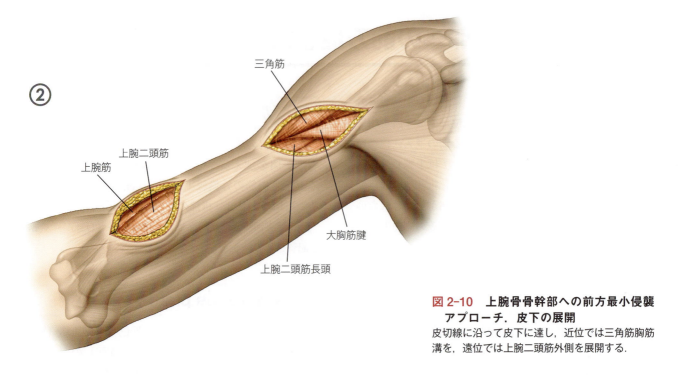

図 2-10　上腕骨骨幹部への前方最小侵襲アプローチ．皮下の展開
皮切線に沿って皮下に達し，近位では三角筋胸筋溝を，遠位では上腕二頭筋外側を展開する．

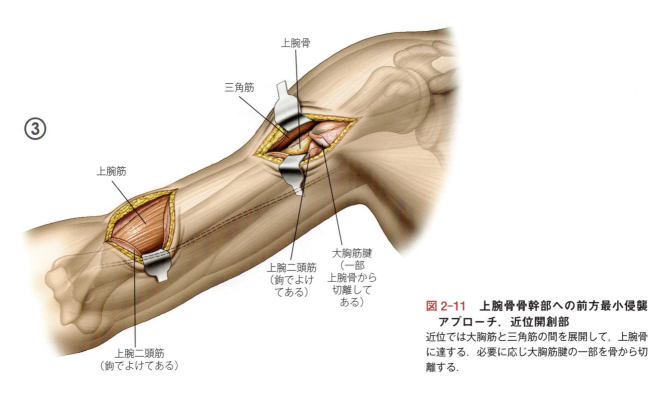

図 2-11　上腕骨骨幹部への前方最小侵襲アプローチ．近位開創部
近位では大胸筋と三角筋の間を展開して，上腕骨に達する．必要に応じ大胸筋腱の一部を骨から切離する．

し，通常鈍的に両筋間を分ける（👍図 2-4）．この静脈を外側か内側によけ，可能であれば温存する．

● 遠位開創部
　皮切線に沿って上腕の深筋膜を切開し，上腕二頭筋と上腕筋間を同定する．上腕二頭筋を内側に引いてこの筋間を拡大し，上腕骨骨幹前面をおおう上腕筋を同定する（図 2-10，11）．

深層の展開

● 近位開創部
　三角筋胸筋間隙を上腕骨に向け拡大する．この操作は常に上腕二頭筋長頭筋腱の外側で行う．プレート固定の

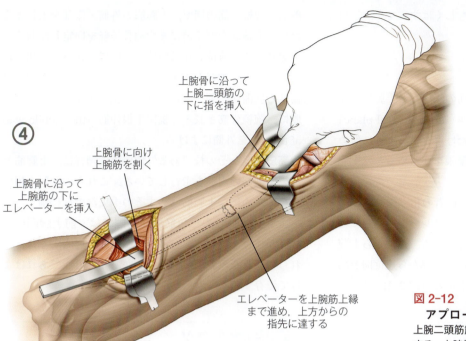

図 2-12　上腕骨骨幹部への前方最小侵襲アプローチ．遠位開創部
上腕二頭筋筋腹を内側によけ，上腕筋前面を展開する．上腕筋を線維方向に縦に割いて上腕骨前面を展開する．ついで，上腕骨前面で骨膜上にトンネルを作製するが，近位開創部では指を用い作製する．

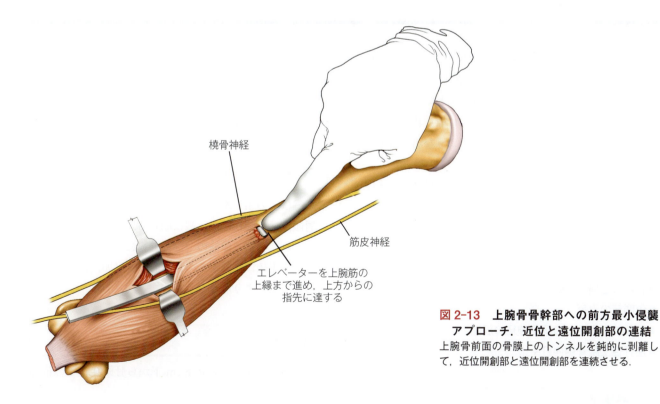

図 2-13　上腕骨骨幹部への前方最小侵襲アプローチ．近位と遠位開創部の連結
上腕骨前面の骨膜上のトンネルを鈍的に剝離して，近位開創部と遠位開創部を連続させる．

場合には，大胸筋停止部の一部もしくはすべてを，三角筋停止部は一部を切離する．

● 遠位開創部

上腕筋線維を縦に割り，上腕筋の深層面と上腕骨前面をおおう骨膜との間にトンネル（epiperiosteal plane）を作製する．軟部組織はできるだけ温存するように努める．肘関節を屈曲して上腕筋の緊張をゆるめると，上記操作がより容易となる．

2つの開創部をつなげるには，術者の指，先が鈍なエレベーター，または固定に使用するプレートを用いて上腕骨前面の骨膜上にトンネルを作製する．遠位から上腕骨の前面に密着して行うが，近位開創部から遠位開窓部に向けて作製が必要になる場合もある（図2-12，13）．

注意すべき組織

橈骨神経は遠位開創部ではアプローチの外側，上腕筋外側縁と腕橈骨筋の間を走行している．上腕骨遠位部での骨折に本アプローチを用いる場合には，橈骨神経は上腕筋と腕橈骨筋の間で，上腕筋の外側・深部を走行するため，上腕筋を割る前にまず橈骨神経を同定しておく．上記骨折では遠位骨片は回旋していて，スパイク状の遠位骨片に橈骨神経が絡まっていることがある．上腕骨外側柱の展開が必要な場合には，上腕二頭筋と上腕筋を内側に，腕橈骨筋と長・短橈側手根伸筋（the mobile wad of three）を外側によせる．

筋皮神経とその枝である外側前腕皮神経は，上腕筋と遠位開創部の内側を走行している．これらの神経を損傷しないために，上腕筋は必ずその中央部で縦に割る．

上腕近位1/3の三角筋胸筋間隙では，**前上腕回旋動静脈**が術野を横切っている．この間隙を展開するにはこれらの血管を確認しておく必要があり，可能であればよけて温存する．

術野拡大のコツ

上腕骨への前方最小侵襲アプローチは，上下両皮切を連続させれば上腕前方アプローチに変更可能であり，上腕筋を完全に割いて展開する．

3 上腕骨への後方アプローチ

上腕骨への後方中央アプローチは古くからよく用いられ，上腕骨後面の下3/4の展開には優れたアプローチである[1, 10]．上腕骨への他のアプローチと同様に，後方アプローチでも橈骨神経が上腕骨背部に螺旋状に回り込むため損傷しないよう注意する．次のような場合に用いる．

- 上腕骨骨折の観血的整復・内固定．橈骨神経断裂を伴う上腕骨骨折（上腕骨骨幹中央部での転位の大きい横骨折でよくみられる）に対して，上腕骨背面を横切るように走行する橈骨神経を展開できる．
- 骨髄炎の治療
- 腫瘍の生検と切除
- 偽関節の治療
- 橈骨神経溝内での橈骨神経の展開
- 逆行性上腕骨髄内釘手術

患者体位

患側上の側臥位（図2-14A），もしくは上肢を90°外転した腹臥位（図2-14B）が用いられる．後者では手術側の肩の下には砂嚢をおき，肘は屈曲可能とし，前腕は手術台の外側に垂らす．ターニケットは術野の妨げになるので使用しない．

ランドマーク

肩峰は肩の頂上を形づくる長方形の骨性隆起である．

肘頭窩は上腕後面遠位端に触れる．この部位は脂肪で満たされ，上腕三頭筋の一部と腱膜によっておおわれているため正確に触診するのは難しい．肘頭窩は肘を伸展すると肘頭により触れなくなる．

皮切

上腕後面中央に肩峰の8cm下から肘頭窩までの縦切開を加える（図2-15）．

internervous plane

真の internervous plane は存在しない．展開は橈骨神経によって支配されている上腕三頭筋各頭の間を分けて行う．神経枝はその起始部に比較的近い部位で各頭に進入し，筋内を下行しながら走行するので，筋を縦に割いても脱神経は生じない．内側頭はもっとも深部にあるが，橈骨神経と尺骨神経の二重神経支配を受けている*ので，内側頭を縦に割いても脱神経は起こらない（☞図2-47）．

*訳者註：上腕三頭筋内側頭は二重神経支配と考えられていたが，主に橈骨神経支配である（☞ p.114 の訳者註）．

浅層の展開

皮切線に沿って上腕深筋膜を切開する（図2-16）．

浅層部切開のポイントは上腕三頭筋の解剖をよく理解することである．この筋は2層に分かれる．外層は外側頭と長頭の2頭からなり，外側頭は橈骨神経溝の外側唇が，長頭は肩甲骨の関節窩下結節が起始部となる．内層は上腕三頭筋の残りの頭，すなわち内側頭（または深頭）で，橈骨神経溝の下から上腕骨遠位1/4までの上腕骨の後部全幅が起始部となる．橈骨神経は橈骨神経溝内を走行しているので，この神経が外側頭と内側頭起始との境界である（☞図2-47）．

上腕三頭筋の外側頭と長頭の間隙は，両頭が合わさって共通の腱を形成する部位の近位に認められる（図2-17）．近位で外側頭を外側に，長頭を内側によせて鈍的に両頭間を拡げていく．遠位では皮切に沿ってその共通腱を鋭的に分離する（図2-18；☞図2-46）．この部位では多数の小血管が皮切線上を交差するため，ていねいに凝固止血する．

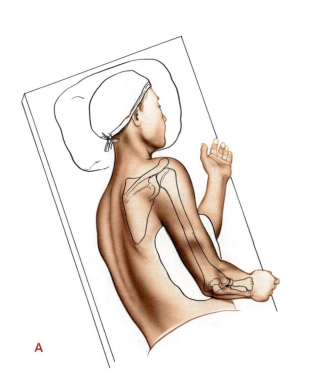
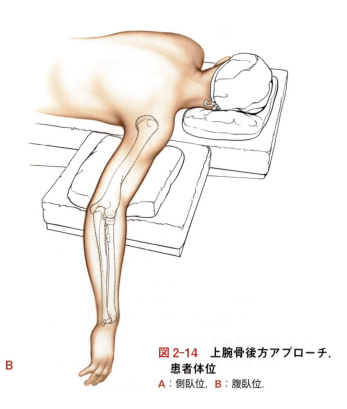

図2-14 上腕骨後方アプローチ．患者体位
A：側臥位，B：腹臥位．

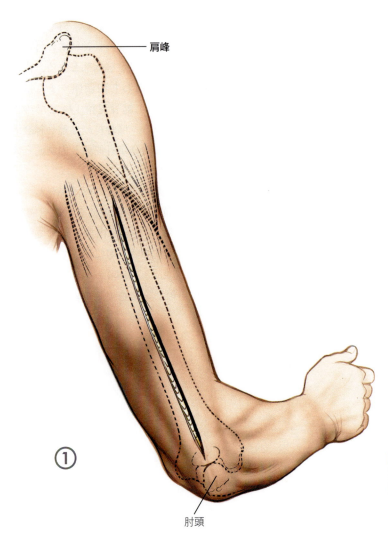

図 2-15　上腕骨後方アプローチ．皮切
肩峰の 8 cm 下方から肘頭窩まで上腕骨後面中央に縦切開を加える．

深層の展開

　上腕三頭筋内側頭は他の 2 頭の下にあり，橈骨神経が橈骨神経溝内で内側頭のすぐ近位を走行する（☞図2-18）．内側頭を中央で切開し，上腕骨の骨膜に達するまで切離する．ついで骨膜上（epiperiosteal）で骨から筋を剝離する（図2-19）．このとき，尺骨神経は内側筋間中隔を貫き，上腕の遠位 1/3 で前方から後方へ向かうため，尺骨神経を損傷しないように常に骨膜に沿って操作する（☞図2-19，48）．骨折部位への血行を保つために，軟部組織の剝離はなるだけ最小限にとどめる．

注意すべき組織

　橈骨神経は橈骨神経溝内で損傷されやすいが，神経を同定してしまえば安全である．損傷を避けるためには，それがなされるまでは上腕の遠位 1/3 周辺で骨に達するまで展開を進めてはならない（☞図2-18）．
　尺骨神経は上腕の遠位 1/3 では上腕三頭筋内側頭の深部にあるため，骨膜上で内側頭を引き上げると損傷する可能性がある（☞図2-48）．
　上腕深動脈は橈骨神経溝内を橈骨神経とともに走行するため，神経同様に損傷されやすい（☞図2-18）．

3. 上腕骨への後方アプローチ　93

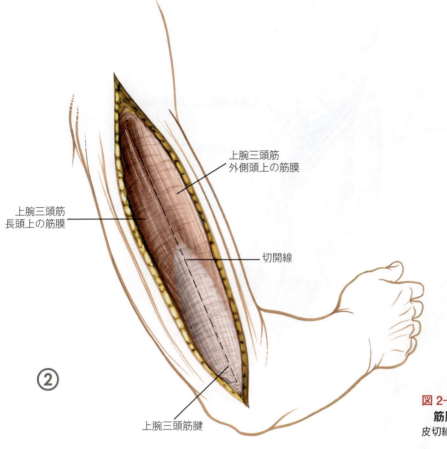

図 2-16　上腕骨後方アプローチ．筋膜の切開
皮切線上で深筋膜を切離する．

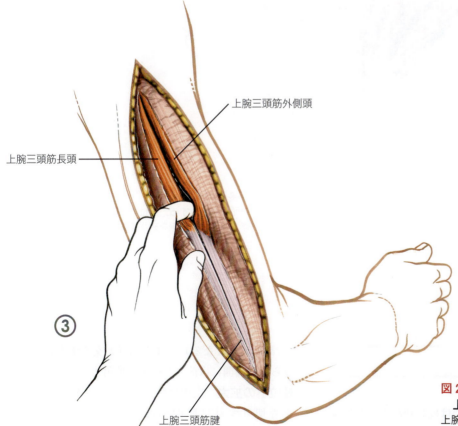

図 2-17　上腕骨後方アプローチ．上腕三頭筋の分離
上腕三頭筋の外側頭と長頭の間隙を確認する．

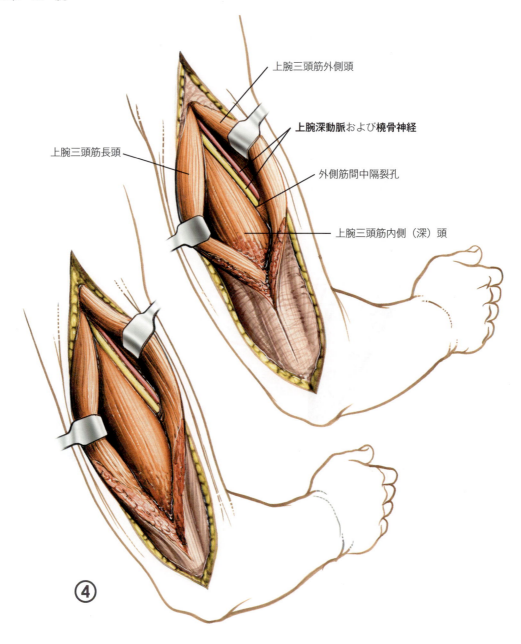

図 2-18 上腕骨後方アプローチ．上腕三頭筋の外側頭と長頭の分離
近位では上腕三頭筋外側頭を外側に，長頭を内側によせ，鈍的に両頭間を分離する．遠位では鋭的に皮切線に沿ってその共通の腱を鋭的に分ける．橈骨神経とこれに随伴する上腕深動脈を確認する．

術野拡大のコツ

●上下への拡大

近位への拡大　本アプローチでは橈骨神経溝より近位の上腕骨は十分に展開できない．この部位では三角筋（筋群の外層となる）もまた術野と交差する．近位へのさらなる展開には前方ルートを使用する．

遠位への拡大　皮切は肘頭上を遠位に延長でき，肘頭を骨切りすれば肘関節に達することができる（図2-20, 21；☞第3章「1 肘頭骨切り術を加えた肘関節

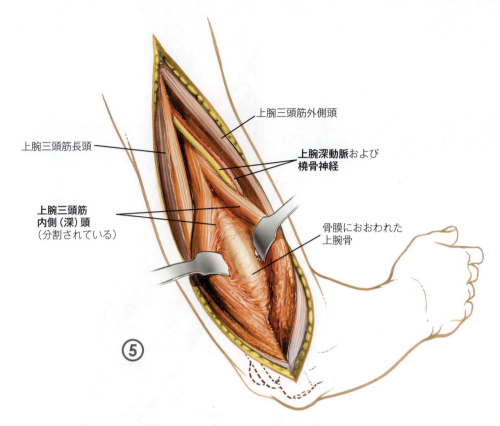

図 2-19　上腕骨後方アプローチ．上腕骨の展開
上腕三頭筋内側頭を中央で切る．筋を骨膜下*に骨から剥離する．橈骨神経は橈骨神経溝内で上腕三頭筋内側頭の起始部のすぐ近位を走行するが，これを確認し温存する．この内側頭の剥離は，内側筋間中隔を貫いている尺骨神経の損傷を避けるため，骨に付着する軟部組織はできるだけ温存する．
*訳者註：図の説明は上腕三頭筋内側頭を"骨膜下"に剥離するとあるが，本文中では"骨膜上"となっている．一般の骨折治療では骨膜下であるが，小切開法および尺骨神経の展開では骨膜上で剥離する．

への後方アプローチ」）．他の遠位への拡大法としては，まず尺骨神経を同定，剥離したあとに，上腕三頭筋の内側面を外側によけて上腕骨内側顆上稜内側を展開する（図2-21D）．次に上腕三頭筋腱部と上腕骨の間を剥離して筋を内側によけると上腕骨外側顆上稜外側が展開される（図2-21C）．上腕三頭筋の下にスリングを通し，筋を内側や外側に牽引すれば上腕骨遠位部の後面全体に到達できる（図2-21E）．

第2章 上　腕

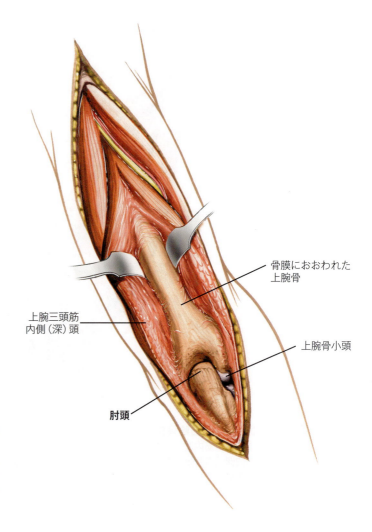

骨膜におおわれた上腕骨

上腕三頭筋内側（深）頭

上腕骨小頭

肘頭

図 2-20　上腕骨後方アプローチ．遠位側への術野拡大（1）
皮切は肘頭を越えて延長することができ，肘頭の骨切りによって肘関節に到達できる．橈骨神経溝より近位への切開の延長は橈骨神経の存在により十分に行えない．

①

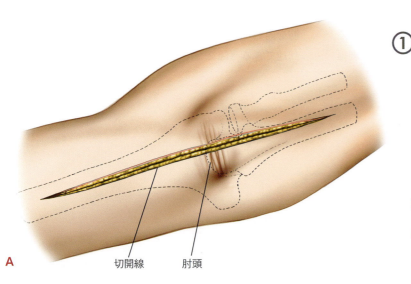

切開線　　肘頭

図 2-21　上腕骨後方アプローチ．遠位側への術野拡大（2）
A：このアプローチを遠位に延長する場合には皮切を肘頭から尺骨後面へと延長する．

（次頁へつづく）

3. 上腕骨への後方アプローチ　97

②

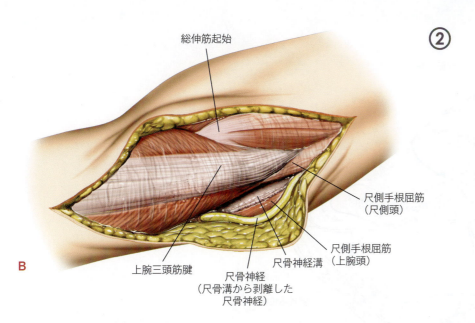

B

③

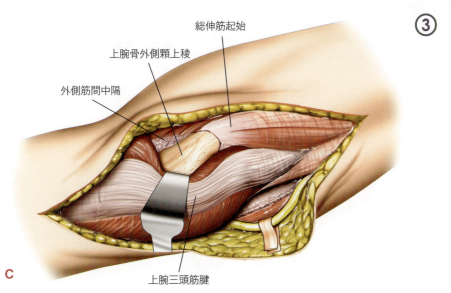

C

④

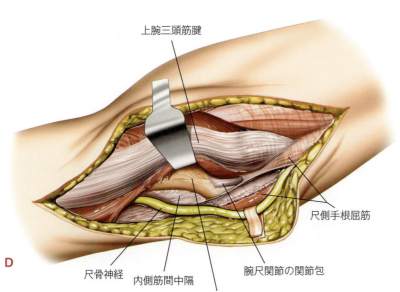

D

図2-21のつづき
B：深層へと展開を進め，上腕三頭筋を展開する．尺骨神経を確認し剥離する．
C：上腕三頭筋の筋腹と腱の外側面を剥離し，これを内側によけて上腕骨外側顆上稜を展開する．
D：上腕三頭筋の筋腹と腱の内側面を剥離し，これを外側によけて上腕骨内側顆上稜を展開する．

98　第2章　上　腕

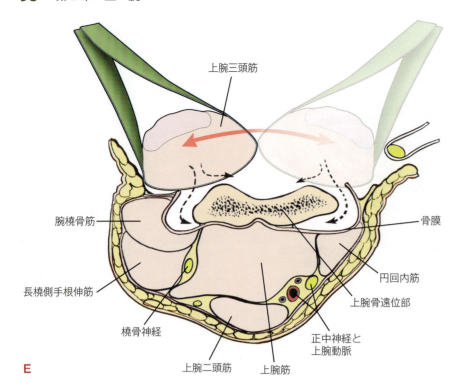

図2-21のつづき
E：上腕三頭筋の下にスリングを通し，筋を内・外側に移動させれば，上腕骨遠位部後面全体を展開できる．

4 上腕骨遠位部への前外側アプローチ

前外側アプローチでは上腕骨の遠位1/4が展開できる．上腕筋を割いて入る前方アプローチと比較して，遠位にも近位にも延長可能なのが長所である（上腕筋を割いて入るアプローチは遠位に延長できない）．次のような場合に使用する．

- 上腕骨遠位1/2の骨折，とくにHolstein-Lewis骨折*の観血的整復・内固定
- 上腕遠位部での橈骨神経の展開

*訳者註：上腕骨遠位1/3の骨折．

患者体位

背臥位とし，上腕は上肢台上で約60°外転位とする．3分間挙上するか，柔らかいソフトラバーバンテージを巻いて駆血する．なお，ターニケットは可能な限り上部に装着する（👉図2-1）．

ランドマーク

このアプローチにおけるランドマークは上腕の前面にある上腕二頭筋と肘の屈側皮線である．

皮切

上腕二頭筋の外側縁上に，肘の屈側皮線の近位約10 cmから屈側皮線の直上まで筋肉の輪郭に沿って弧状の縦切開を加える（図2-22）．

internervous plane

腕橈骨筋と上腕筋の外側半分はともに切開部位の近位で橈骨神経により支配されているため，真のinternervous planeは存在しない．近位へ切開を延長すると，上腕筋の一部に脱神経が生じることがあるが，これは臨床的には問題とならず，境界面は安全で拡大可能である．しかし，深筋膜に向けて展開していくときは注意を要する．なぜなら，外側前腕皮神経の走行が展開線とほぼ同じであるためで，これを損傷しないよう上腕二頭筋とともに内側によける（図2-23, 24）．

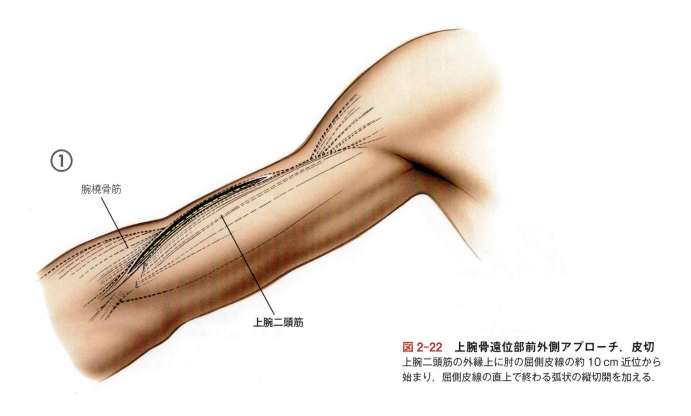

図2-22 上腕骨遠位部前外側アプローチ．皮切
上腕二頭筋の外縁上に肘の屈側皮線の約10 cm近位から始まり，屈側皮線の直上で終わる弧状の縦切開を加える．

浅層の展開

皮切線に沿って上腕の深筋膜を切り，上腕二頭筋の外側縁を確認する（ 図 2-23）．上腕二頭筋を内側によけ上腕筋と腕橈骨筋を展開する（ 図 2-24）．次に肘の直上でこれらの筋間を確認し，この筋間間隙に沿って深筋膜を切ると筋間面が明らかとなる（図 2-25）．筋間を指でていねいに斜め方向に剥離して，間隙を走る橈骨神経

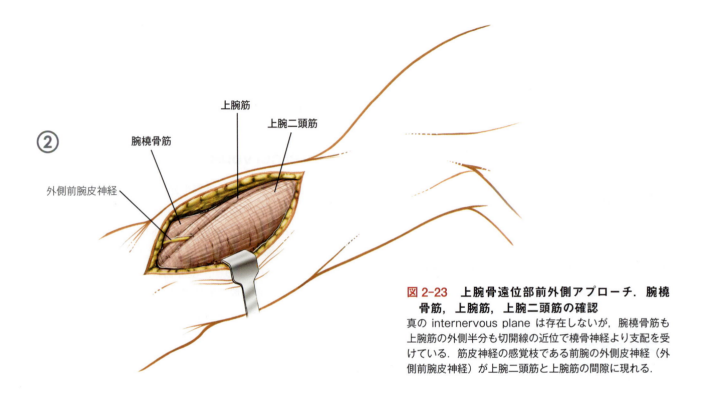

図 2-23 上腕骨遠位部前外側アプローチ．腕橈骨筋，上腕筋，上腕二頭筋の確認
真の internervous plane は存在しないが，腕橈骨筋も上腕筋の外側半分も切開線の近位で橈骨神経より支配を受けている．筋皮神経の感覚枝である前腕の外側皮神経（外側前腕皮神経）が上腕二頭筋と上腕筋の間隙に現れる．

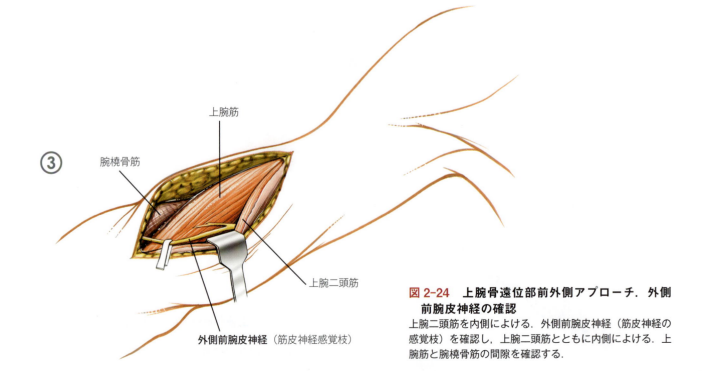

図 2-24 上腕骨遠位部前外側アプローチ．外側前腕皮神経の確認
上腕二頭筋を内側によける．外側前腕皮神経（筋皮神経の感覚枝）を確認し，上腕二頭筋とともに内側によける．上腕筋と腕橈骨筋の間隙を確認する．

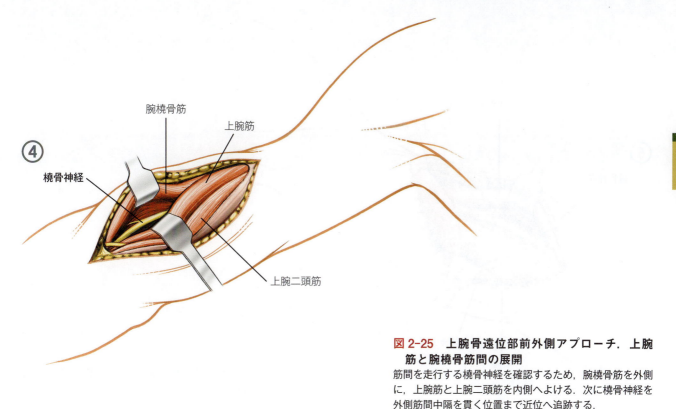

図 2-25 上腕骨遠位部前外側アプローチ．上腕筋と腕橈骨筋間の展開
筋間を走行する橈骨神経を確認するため，腕橈骨筋を外側に，上腕筋と上腕二頭筋を内側へよける．次に橈骨神経を外側筋間中隔を貫く位置まで近位へ追跡する．

を展開するが，この領域ではその同定がもっとも容易である（一般に肘周辺の手術では必ず橈骨神経を確認すべきである）．ただし骨折の整復操作をするさいは橈骨神経を牽引しないよう注意する．腕橈骨筋は外側に，上腕筋と上腕二頭筋は内側によける．橈骨神経は外側筋間中隔を貫く箇所まで近位へと追跡する．

深層の展開

橈骨神経を注意深く内側によけて，上腕筋の外側縁を縦方向に切離して骨に達する（図 2-26）．上腕骨の前外側面の骨膜を縦切し，上腕筋を骨膜下に剥離して内側によけると上腕骨幹遠位部の前面が展開される．

注意すべき組織

上腕筋を介して展開する場合は，いかなる切開の前にもまず**橈骨神経**を確認し保護する必要がある．

術野拡大のコツ

●上下への拡大

近位への拡大　まれではあるが，内側の上腕筋と後外側の上腕三頭筋外側頭の間隙を展開するため，皮切を近位へ延長することは可能である．上腕骨の前面より上腕筋を剥離して上腕骨を展開する．さらに後方へ剥離を進める場合には注意を要するが，それは橈骨神経が橈骨神経溝内を走行しているため，後方展開で橈骨神経を損傷する可能性があるからである．したがって，後方まで展開する場合には骨膜下に剥離しなければならない．骨から軟部組織を剥離してしまうのはデメリットであるが，橈骨神経を損傷する危険性を回避できる（図 2-27）．

もう1つのアプローチは外側筋間中隔と上腕三頭筋の間を展開して上腕後方コンパートメントから進入する方法である．肩関節を内旋位とし，橈骨神経の可動性を獲得するために外側筋間中隔を一部切離しながら，これに沿って橈骨神経を剥離していく．この間，橈骨神経の枝

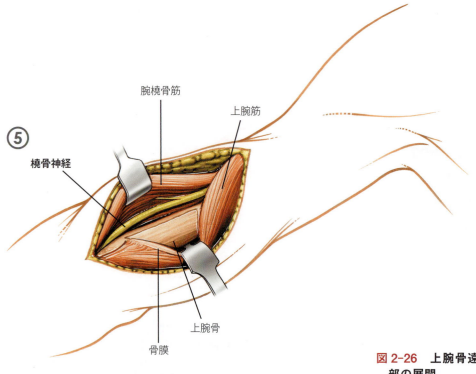

図 2-26　上腕骨遠位部前外側アプローチ．前方部の展開
上腕骨の前外側面の骨膜を切り，上腕筋と骨膜を内側によけて，上腕骨骨幹遠位部の前面を展開する．

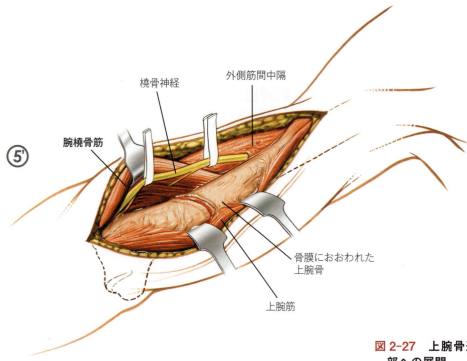

図 2-27　上腕骨遠位部前外側アプローチ．近位部への展開
近位に切開部を延長する場合は上腕筋と上腕三頭筋外側頭の間隙を分ける．橈骨神経は筋間中隔を貫通し，橈骨神経溝内を走行しているので，後方に展開する場合は骨膜下に剥離しないとそれを損傷する可能性がある．

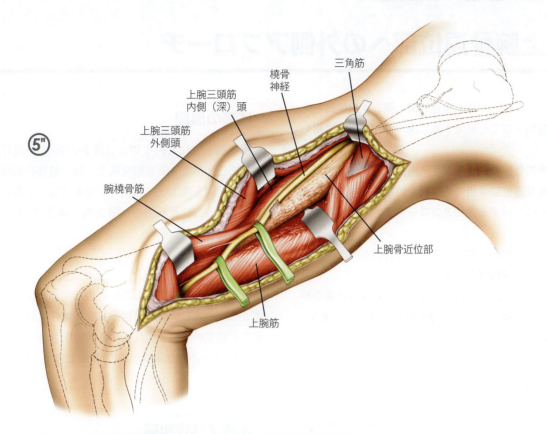

図 2-28　上腕骨遠位部前外側アプローチ．橈骨神経の展開
外側筋間中隔と上腕三頭筋の間を剥離して上腕後方コンパートメントに進入する．外側筋間中隔の一部を切開し，それに沿って橈骨神経を剥離すれば神経の愛護的な遊離が可能である．上腕骨後面，上腕三頭筋の前面で橈骨神経を近位方向に追跡していく．

である後側前腕皮神経を同定し，確保する．上腕三頭筋を愛護的に後方に引き，橈骨神経溝を走行する橈骨神経と上腕骨後面を展開する（上腕骨の後方，上腕三頭筋の前面で橈骨神経を近位に向け剥離する；図2-28）．これにより上腕骨遠位部2/3を安全に展開できる．

遠位への拡大　前外側アプローチは，皮切を遠位へ延長して腕橈骨筋（橈骨神経支配）と円回内筋（正中神経支配）の間隙を展開することにより，前方アプローチへと拡大できる．このさい外側前腕皮神経が上腕二頭筋腱の外側に沿って出現するので，これを損傷しないように注意する（👉第3章「6 肘関節への前外側アプローチ」，図3-30，31）．

5 上腕骨遠位部への外側アプローチ

外側アプローチにより上腕骨外側上顆と手根伸筋群の起始部を展開することができる．次のような場合に用いる．

- 上腕骨外顆骨折の観血的整復・内固定．このアプローチは上腕骨遠位部骨折で両顆部を固定するさいに，上腕骨遠位部に対する内側アプローチとともに使用される．
- テニス肘（上腕骨外側上顆炎）の外科的治療[11, 12]
- 肘関節外側支持組織の修復[13]

本アプローチでは，末梢へ延長しない限り肘関節の外側へは到達できない．関節そのものへの到達には後方・後外側・前外側アプローチのいずれかを用いる．

患者体位

背臥位とし，腕は胸の上におく．3分間患肢を挙上するか，柔らかく薄いソフトラバーバンテージなどを巻いて腕を駆血し，その後，ターニケットに送気する（図2-29）．

ランドマーク

上腕骨外側上顆は上腕遠位部外側に触れる．内・外側にある上顆のうち，外側上顆が小さい．

上腕骨外側顆上稜は内側顆上稜より長くて確認しやすく，ほぼ三角筋粗面近くまでのびている（図2-30）．

皮切

上腕骨外側顆上稜上で，肘の外側部に4〜6cmの弧状または直線状の皮切を加える（👍図2-30）．

internervous plane

上腕三頭筋および腕橈骨筋はともに橈骨神経支配であるため，真のinternervous planeは存在しない．橈骨神経はこれらの筋を外科進入路より近位で支配しているため，両筋間を遠位に拡げても神経脱落が生じることはない（図2-31A）．

浅層の展開

皮切線上で深筋膜を切る（図2-31B）．上腕骨外側顆上稜を起始部とする腕橈骨筋と上腕三頭筋の間隙を確認後，両筋間を骨上まで切開し，腕橈骨筋を前方に，上腕三頭筋を後方に反転する（図2-32；👍図2-50）．

深層の展開

上腕骨外側上顆にある総伸筋の起始部を確認する（👍図2-32）．さらに骨の展開が必要な場合には，上腕三頭筋を上腕骨の背面まで反転する．上腕骨外側上顆のさらなる展開が必要な場合は総伸筋起始部を切離する（図2-32）．

注意すべき組織

橈骨神経は上腕骨遠位部1/3で外側筋間中隔を貫く．

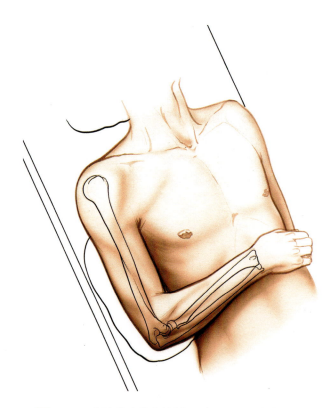

図2-29 上腕骨遠位部外側アプローチ．患者体位
背臥位とし腕を胸の上におく．

5. 上腕骨遠位部への外側アプローチ　105

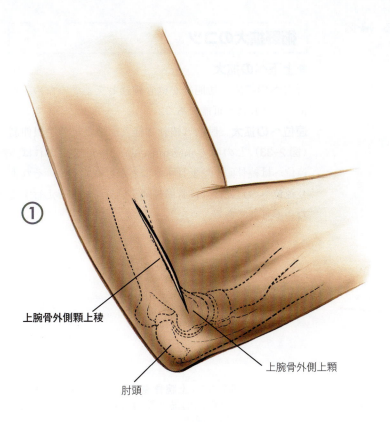

図 2-30　上腕骨遠位部外側アプローチ．皮切
肘の上腕骨外側顆上稜上に直線または弧状の皮切を入れる．

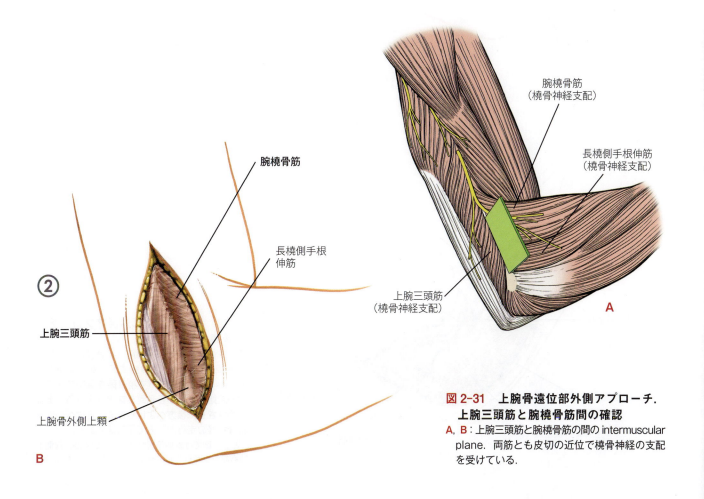

図 2-31　上腕骨遠位部外側アプローチ．上腕三頭筋と腕橈骨筋間の確認
A, B：上腕三頭筋と腕橈骨筋の間の intermuscular plane．両筋とも皮切の近位で橈骨神経の支配を受けている．

アプローチを近位へ延長しない限り安全である（👉図2-52）．

術野拡大のコツ

●上下への拡大

近位への拡大　切開線が橈骨神経と交差するため，近位への延長は不可能である．

遠位への拡大　肘筋（橈骨神経支配）と尺側手根伸筋（図2-33）との間のintermuscular planeを用いれば，遠位へは橈骨頭まで延長することが可能である．それより遠位への延長は，後骨間神経が橈骨頭周囲を走行するため不可能である．

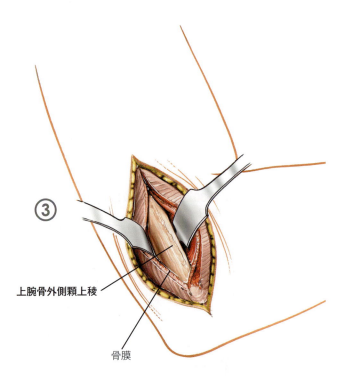

図2-32　上腕骨遠位部外側アプローチ．上腕三頭筋と腕橈骨筋間から外側顆上稜を展開

皮切線上で深筋膜を切離する．腕橈骨筋と上腕三頭筋の間隙面を確認し，そこより上腕骨外側顆上稜に達する切開を入れる．腕橈骨筋を前方に，上腕三頭筋を後方によける．

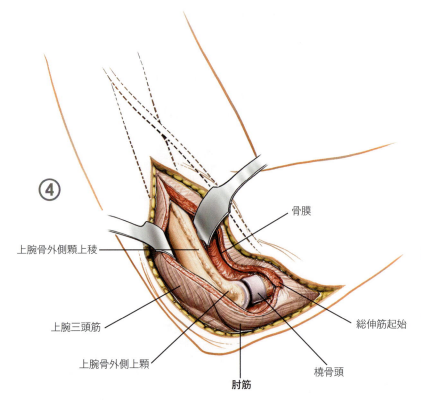

図2-33　上腕骨遠位部外側アプローチ．橈骨頭の展開*

皮切を遠位に延長すれば肘筋（橈骨神経支配）と尺側手根伸筋（後骨間神経支配）の間のinter-nervous planeを使って橈骨頭を展開できる．総伸筋起始部を骨から剥離し前方へよける．上腕三頭筋はさらに後方へよけられる．近位への延長は橈骨神経の走行からみて不可能である．

*訳者註：図では総伸筋起始となっているが，尺側手根伸筋がもっとも背側にあり肘筋と接している．

6 上腕骨遠位部への内側アプローチ

上腕骨遠位部への内側アプローチは，上腕骨内側顆上稜と内側上顆を起始とする総屈筋・円回内筋起始，および肘関節内側コンパートメントの展開に用いられる．このアプローチは肘関節内側アプローチ（☞第3章「4 肘関節への前内側アプローチ」）に比べ肘関節の展開は劣るが，内側上顆の骨切りが不要となる．

このアプローチは次のような場合に使用する．
- 上腕骨遠位部内側柱の関節外骨折の観血的整復・内固定．本アプローチはしばしば外側アプローチと組み合わせて，上腕骨遠位部骨折に対するbicondylar型プレートを用いた固定術のさいに使用される．
- 上腕骨内側上顆炎の手術療法[14]
- 肘関節尺側側副靱帯の修復と再建
- 肘関節内側部分からの遊離体摘出[15, 16]

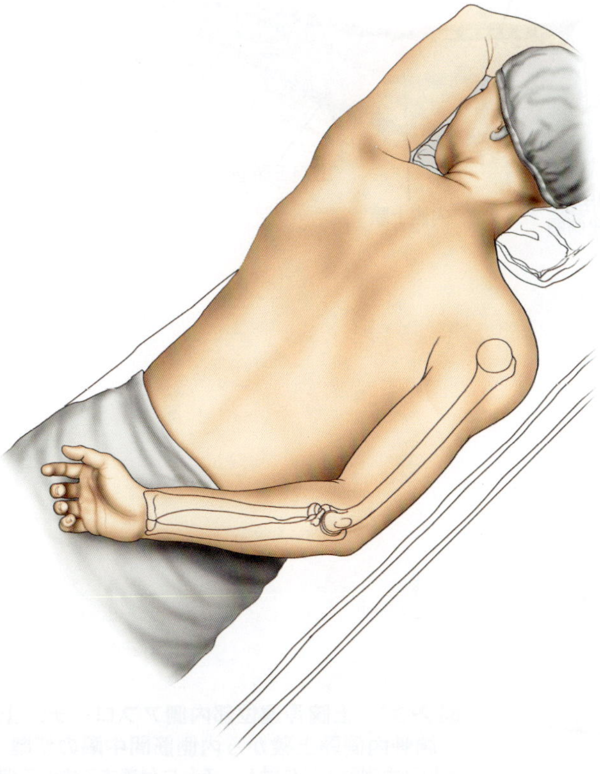

患者体位

手術体位には2通りある．

腹臥位で，肘関節を90°屈曲して前腕を回内外中間位の肢位で背中におく．この肢位では上腕骨内側上顆は直接術者のほうに向けられる（図2-34）．

他の体位は背臥位で，上腕を上腕支持台の上におく．上腕を外転し肩関節を最大外旋して，上腕骨内側上顆が前面に向くようにする．肘関節は90°屈曲する（☞図3-14）．

5分間上肢を挙上するか，ソフトラバーバンテージを巻いて駆血し，ターニケットに送気する．

ランドマーク

上腕骨遠位端内側に突出している**上腕骨内側上顆**を皮下に触知する．その上方に**上腕骨内側顆上稜**を触知するが，筋におおわれているため触知しづらい．

皮 切

上腕骨内側顆上稜を中心として肘関節5 cm近位から内側上顆直上を通り，肘関節下端部までの皮切を加える（図2-35）．

internervous plane

正中神経と尺骨神経により支配されている内側上顆を起始部とする総屈筋・円回内筋群と，橈骨神経支配の上腕三頭筋との間隙が境界面である（☞図3-16）．

浅層の展開

皮切線に沿って皮下組織を深部へと切開していく．内側前腕皮神経後枝が切開線と交差するので，術後問題となる神経腫を形成しないようにこれを同定して温存する（図2-36）．

上腕骨内側上顆後方の尺骨神経溝を走行する尺骨神経を触知したあと，内側上顆の近位から尺骨神経上の筋膜を切開して，皮切全長にわたって尺骨神経を剥離する．

図2-34 上腕骨遠位部内側アプローチ．患者体位
腹臥位とする．肘関節90°屈曲して，前腕を回内外中間位で背部におく．

108 第2章 上　腕

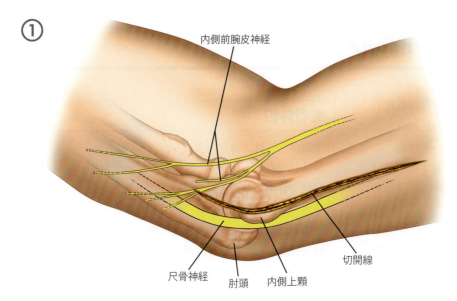

図 2-35　上腕骨遠位部内側アプローチ．皮切
上腕骨内側顆上稜を中心として肘関節5cm近位から内側上顆上を通り肘関節下端部までの皮切を加える．

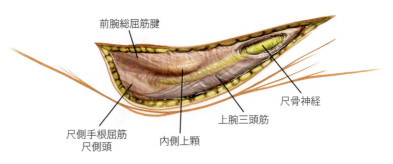

図 2-36　上腕骨遠位部内側アプローチ．尺骨神経上の筋膜の切開
上腕骨内側上顆後方の尺骨神経溝を走行する尺骨神経を触知する．内側上顆の近位から尺骨神経上の筋膜を切開する．

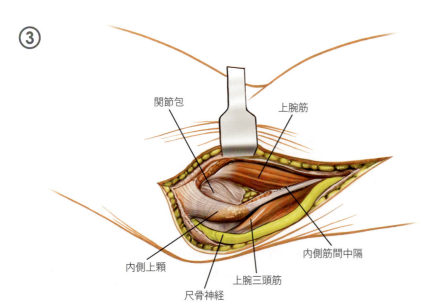

図 2-37　上腕骨遠位部内側アプローチ．上腕骨内側顆上稜から内側筋間中隔の切離
上腕骨内側顆上稜に触れ，それに付着する内側筋間中隔を切離する．

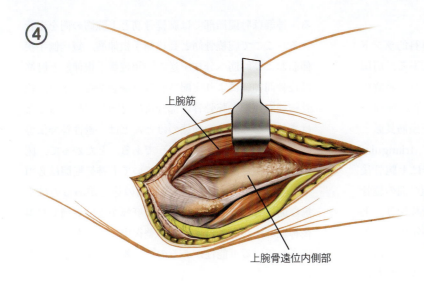

図 2-38 上腕骨遠位部内側アプローチ．肘関節前方関節包と上腕骨遠位内側前面の展開
総屈筋・円回内筋起始部を内側によると肘関節前方関節包と上腕骨遠位内側前面が展開される．

深層の展開

上腕骨内側顆上稜を触知し，内側顆上稜から内側筋間中隔を切離すると骨が確認され，総屈筋・円回内筋起始を内側に引くと前方関節包と上腕骨遠位内側前面が展開される（図 2-37，38）．関節内操作が必要な場合は関節包を縦切開するが，その必要はまれである．

注意すべき組織

浅層の切開時に**内側前腕皮神経後枝**が術野を横切る．この神経はいくつかの枝に分かれ，さまざまな解剖を有するが，同定して温存する[17]．

関節へと深く展開する前に尺骨神経を同定し，剥離する．肘関節内側靱帯修復時に一過性尺骨神経麻痺が高率に発生するとの報告があるため，尺骨神経の牽引は最小限にする[18]．

術野拡大のコツ

● 上下への拡大
近位への拡大 本アプローチでは，通常近位側には延長できない．上腕骨中央 1/3 の展開が必要な場合には，前外側アプローチか後方アプローチが推奨される．
遠位への拡大 内側上顆骨切りを行う場合のみ遠位へ展開可能である（☞第 3 章「4 肘関節への前内側アプローチ」）．これにより上腕筋の鉤状突起停止部の展開はできるが，それより遠位の尺骨の展開は難しい．

7 上腕部の手術に必要な外科解剖

概　観

上腕の手術において損傷されると問題となる神経，血管は 1 つの術野に限定して存在するのではなく，上腕を下行する中で 1 つのコンパートメントから別のコンパートメントへと交差して走行している．したがって上腕の解剖は屈筋および伸筋という 2 つの大きな筋コンパートメントと，3 つの神経，そして動脈から構成される点について理解するとよい（図 2-39）．

● 筋コンパートメント
1) **前方の屈筋コンパートメント**：烏口腕筋，上腕二頭筋，上腕筋の 3 つの筋が含まれる．後 2 者は肘の屈筋であり，3 つの筋すべてが筋皮神経支配である．
2) **後方の伸筋コンパートメント**：1 つの筋，すなわち上腕三頭筋のみからなり，橈骨神経支配である．上腕の近位 1/3 では筋コンパートメントは外側および内側筋間中隔によって隔てられている．

● 神 経

1) **橈骨神経**：上腕におけるもっとも重要な外科的ランドマークであり，腕神経叢後神経束の分枝である．肩関節部で腋窩動脈の後方で後神経束から分かれ，腋窩の後壁，すなわち肩甲下筋，広背筋，大円筋の前面に沿って下行し，ついで大円筋の下で上腕三頭筋長頭と上腕骨骨幹との間に形成される三角間隙（triangular interval）を通過する．上腕部では，神経は上腕骨後部にある上腕三頭筋外側頭と内側（深）頭の間の橈骨神経溝内を走行する．ついで上腕骨後部を横切り，上腕三頭筋外側頭と内側頭の外側部に枝を分枝したのち，外側筋間中隔を貫き前方コンパートメントに入る．橈骨神経はこの部位で上腕外側から挿入された遠位ロッキングスクリューにより損傷される可能性がある．神経は肘関節部では腕橈骨筋と上腕筋の間を走行する．ここで腕橈骨筋と長橈側手根伸筋，短橈側手根伸筋および肘筋へ分枝を送る．短橈側手根伸筋と肘筋は後骨間神経により支配される（☞図2-51, 52）．橈骨神経麻痺が上腕骨骨幹部骨折に付随して生じることはまれでなく，その病態のほとんどは一過性神経伝導障害（ニューラプラキシア）である．したがって，閉鎖骨折に橈骨神経麻痺を伴っていても神経展開は必須ではない[19, 20]．一方，神経展開の適応があるのは重篤な開放骨折である．骨折時に麻痺がない症例で整復後神経麻痺が生じた場合は，整復中に神経が骨片間に挟まれている可能性があるので，神経展開の適応となる．

2) **正中神経**：前方コンパートメントのみを走行し，上腕

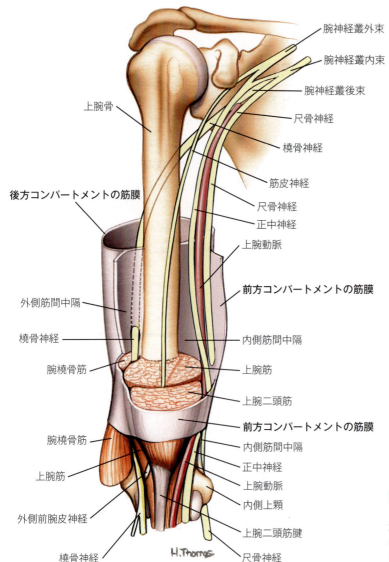

図2-39 上腕のコンパートメントと主な神経，血管
筋を一部除去し，上腕を下降する橈骨・尺骨・正中神経の走行と，各コンパートメントおよび隔壁と各神経との関係を示す．

骨の前内側に位置する．上腕動脈とともに走行し，上腕部ではその外側，肘窩ではその内側にある．

3) **尺骨神経**：上腕の上半分の前方コンパートメントでは，上腕動脈の後方に位置する．上腕を約2/3下行したところで内側筋間中隔を貫き，上腕三頭筋を含む後方コンパートメントに入る．その後，上腕骨内側上顆の後方を下行するが，ほぼ皮下となる．正中神経と同様に，尺骨神経も上腕では分枝を出さない（☞図2-43, 49, 51）．

● **動 脈**

上腕の血管構成は比較的簡単で，それぞれの神経が1つの動脈とともに走行する．

1) **上腕動脈**：正中神経とともに上腕の内側縁に沿って下行しながら，上腕二頭筋の下方，上腕筋の上方を走行する．血管の内側をおおっているのは上腕の深筋膜のみであるため，この動脈は全長にわたって触知できる．動脈は，上腕の遠位1/3では上腕骨の内側にあるが，肘部では外側に迂回し骨の前面を走行する．したがって，上腕骨顆上骨折ではこの部位で損傷されやすい（図2-40, 41）．

2) **上腕深動脈**：橈骨神経とともに走行し，上腕三頭筋の血行を支配する（☞図2-47, 48）．

3) **尺側側副動脈**：尺骨神経に伴走する．

以上3つの動脈は肘関節周囲で相互に自由に吻合している．

皮 切

上腕前面の縦皮切は皮膚割線とほぼ平行であるが，近位では直交する．したがって前方の瘢痕は美容上多種多様であり，位置によって異なる．

上腕後面の縦皮切は皮膚割線とほぼ90°直交するため，瘢痕は広範になりがちである．

浅層の展開

● **上腕骨への前側アプローチ**

近位では，internervous planeは三角筋（腋窩神経支配）と大胸筋（内・外側胸神経支配）との間に存在する（☞第1章「3 肩関節への前方アプローチ」）．

遠位では，アプローチは上腕の前方コンパートメント

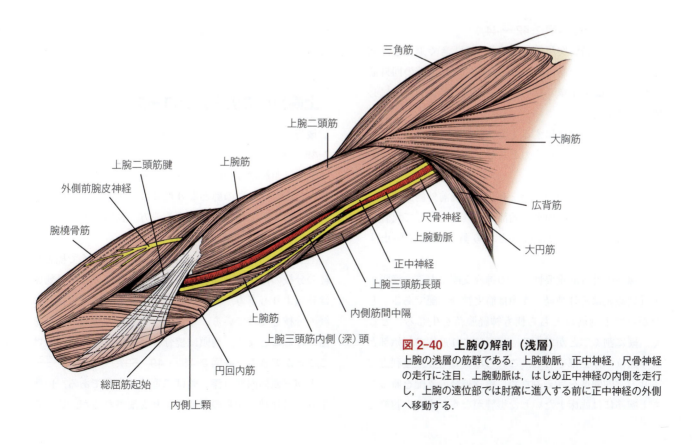

図2-40 上腕の解剖（浅層）
上腕の浅層の筋群である．上腕動脈，正中神経，尺骨神経の走行に注目．上腕動脈は，はじめ正中神経の内側を走行し，上腕の遠位部では肘窩に進入する前に正中神経の外側へ移動する．

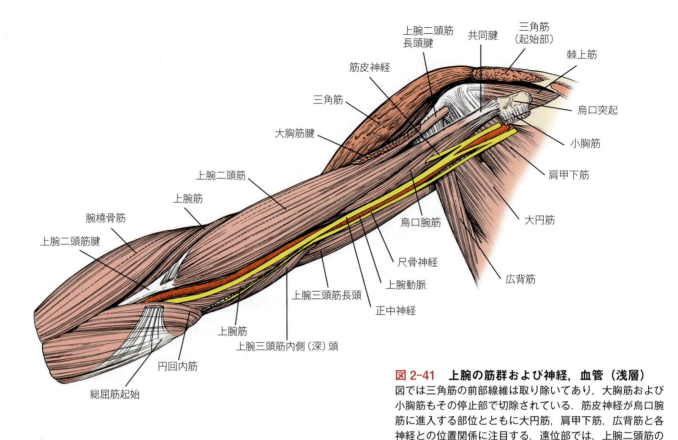

図 2-41　上腕の筋群および神経，血管（浅層）
図では三角筋の前部線維は取り除いてあり，大胸筋および小胸筋もその停止部で切除されている．筋皮神経が烏口腕筋に進入する部位とともに大円筋，肩甲下筋，広背筋と各神経との位置関係に注目する．遠位部では，上腕二頭筋の腱様停止部における上腕動脈と正中神経の位置に注目．

の筋群上にかかる（図 2-42～44）．

　烏口腕筋は烏口突起を起始部とする大きく退化した筋である．上腕二頭筋は肘の強力な屈筋で，前腕の回外筋でもある（☞第1章「4 肩関節への前方アプローチに必要な外科解剖」）．

　上腕筋は上腕で作用する主要な肘屈筋であり，上腕二頭筋は肘屈曲にさらなる力とスピードが必要なときにのみ働く．

　上腕二頭筋は2つの筋頭を有し，上腕前外側面近位部からの大浅頭と小深頭を起始部とし，腱を介して尺骨結節に停止する．深頭は腱膜となり鉤状突起に停止する[21, 22]．

　上腕筋の外科的重要性はその神経支配にある．深頭の下外側線維は橈骨神経，浅頭は筋皮神経支配である．したがって上腕筋はどちら側も神経脱落を生じることなく，縦に割くことができる．浅頭はより近位の起始部とより遠位の停止部を有し，これらはメカニカルな利点により力学的強度を与えるため，橈骨神経の支配を断っても上腕筋には臨床上たいした影響がなく，また上腕筋と

その外側に隣接する腕橈骨筋との間隙は手術で利用できる．

上腕骨への後方アプローチ

　後方アプローチは上腕三頭筋を割いて進入する（図 2-45～49）．

　上腕三頭筋は3つの頭（長頭，外側頭，内側頭）を有し，合流して1つの腱となり尺骨に停止する．内側頭は肘伸展のすべての相で活動する一方，長頭と内側頭は抵抗下の伸展以外の働きは小さい．

　上腕三頭筋長頭は腋窩の上方の起始部の近くで橈骨神経の分枝のほか，腋窩神経の分枝も受けている．外側頭は長頭よりも下方，すなわち橈骨神経溝の上部で橈骨神経の分枝を受けている．したがって各々の神経の分枝を傷つけることなく，両頭は橈骨神経溝のレベルまで分けることができる（☞図 2-45～49, 53）．

　上腕三頭筋内側（深）頭は二重神経支配である．内側半分は尺骨神経からの分枝により支配されるが，これら

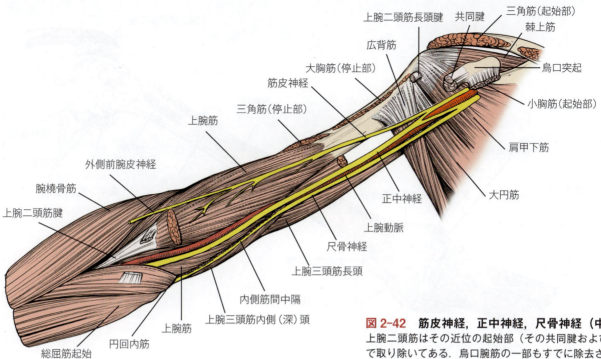

図2-42　筋皮神経，正中神経，尺骨神経（中間層）
上腕二頭筋はその近位の起始部（その共同腱および長頭）で取り除いてある．烏口腕筋の一部もすでに除去され，筋皮神経が上腕筋の上を走行，これを支配していることを示す．正中神経と尺骨神経はそれらの筋に分枝することなく上腕を通過する．

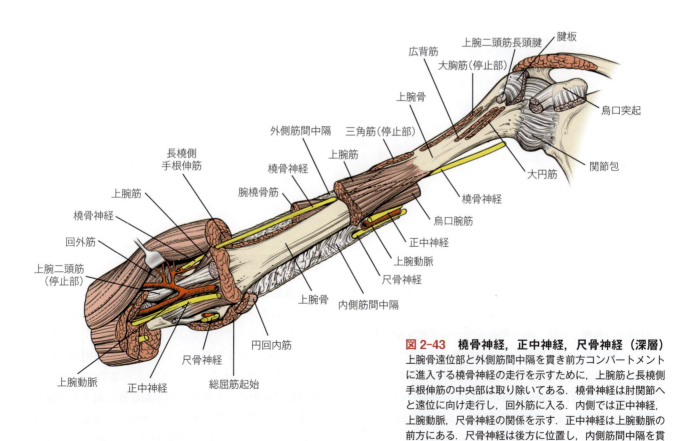

図2-43　橈骨神経，正中神経，尺骨神経（深層）
上腕骨遠位部と外側筋間中隔を貫き前方コンパートメントに進入する橈骨神経の走行を示すために，上腕筋と長橈側手根伸筋の中央部は取り除いてある．橈骨神経は肘関節へと遠位に向け走行し，回外筋に入る．内側では正中神経，上腕動脈，尺骨神経の関係を示す．正中神経は上腕動脈の前方にある．尺骨神経は後方に位置し，内側筋間中隔を貫き上腕の後方コンパートメントに入る．肘のレベルでより深部の構造を表わすために，一部屈筋・回内筋群は切除してある．

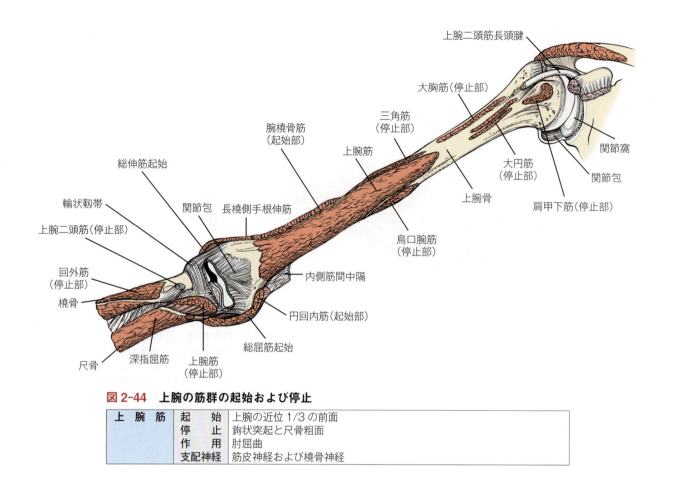

図 2-44 上腕の筋群の起始および停止

上腕筋	起　始	上腕の近位 1/3 の前面
	停　止	鉤状突起と尺骨粗面
	作　用	肘屈曲
	支配神経	筋皮神経および橈骨神経

の枝は橈骨神経を起始とする．尺骨神経と併走し相互に密接するため，かつては尺骨神経の枝と考えられていたが，この分枝も橈骨神経からの線維であり，尺骨神経内を間借りして走行しているにすぎない[23]．

内側頭の外側半分は，橈骨神経本幹から直接支配されており，橈骨神経が上腕骨の橈骨神経溝内で上腕骨後面を横切る．二重神経支配*であることより，上腕骨の後面を展開する場合，内側頭は縦に割いても問題ない[24]．

*訳者註：内側頭は主に橈骨神経支配であるが，橈骨神経と尺骨神経の二重支配を受けている．

特別な解剖学的ポイント

烏口腕筋には Struthers 靱帯に付着する副頭が存在することがある[25]．この靱帯は顆上棘と上腕骨内側上顆とを結んでいる．この靱帯は自身もしくは直下の上腕骨との間で正中神経を絞扼することがあり，手根管症候群と似た症状を惹起する[26, 27]．しかし，このレベルでの正中神経の圧迫は，正中神経の掌側皮枝に加えて前腕の屈筋群が障害を受けるため，手根管内での圧迫と鑑別可能である．正中神経の掌側皮枝はすべて Struthers 靱帯より遠位かつ手根管より近位で分枝する．

7. 上腕部の手術に必要な外科解剖　115

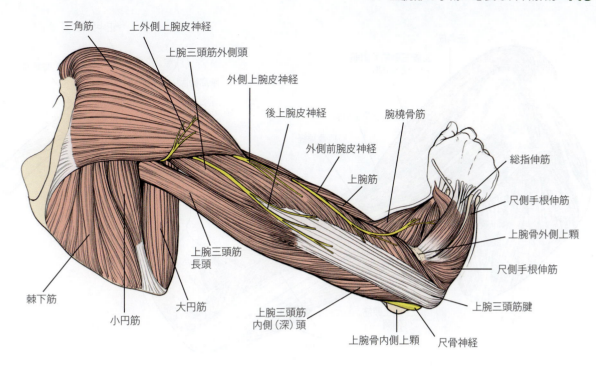

図 2-45　上腕後面の解剖（浅層）
上腕三頭筋長頭と外側頭の筋間間隙に注目する．

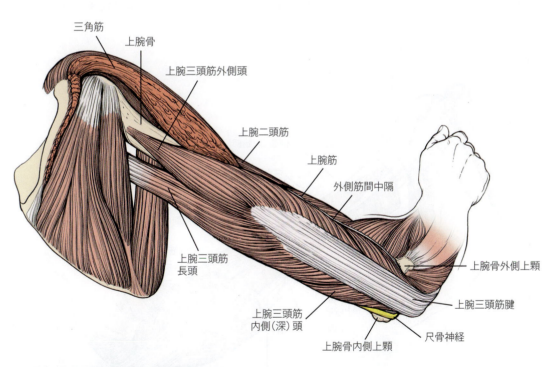

図 2-46　上腕三頭筋外側頭の起始部
上腕三頭筋外側頭の起始部がわかるように三角筋後部のほとんどは取り除いてある．

上腕三頭筋	起　始	長頭は肩甲骨の関節窩下結節 外側頭は上腕骨の後外側面 内側（深）頭は上腕骨の下部後面
	停　止	肘頭の上後面
	作　用	肘関節の伸展．肩関節の弱い内転
	支配神経	橈骨神経

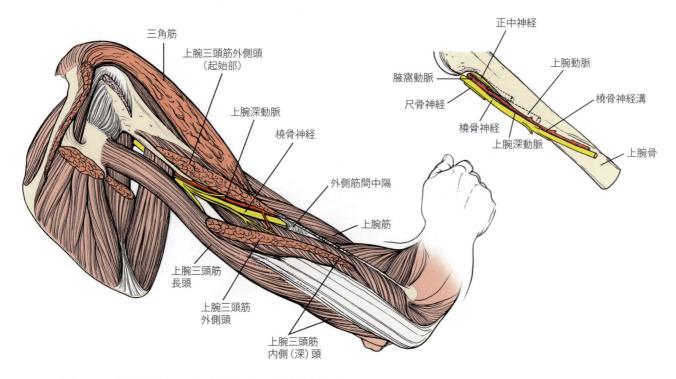

図 2-47　橈骨神経および上腕深動脈の走行（中間層）
橈骨神経溝内での橈骨神経および上腕深動脈の走行を示すため，上腕三頭筋外側頭の中央部は取り除いてある．上腕三頭筋の外側頭は橈骨神経溝の外側縁から，内側頭は内側から起始し，その間を橈骨神経が走行している．橈骨神経，腋窩動脈と上腕深動脈の間の関係の詳細を**挿入図**に示す．上腕骨の前面で腋窩動脈は上腕動脈となる．ここで上腕動脈は分枝である上腕深動脈を出し，これは橈骨神経とともに三角間隙（triangular interval）および橈骨神経溝を通って後方を走行する．

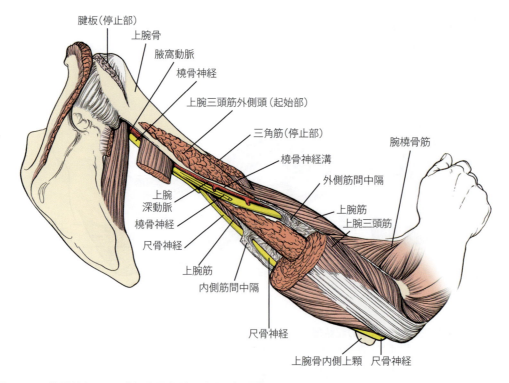

図 2-48　橈骨神経および上腕深動脈の走行（深層）
上腕三頭筋の近位半分は取り除いてある．橈骨神経と上腕深動脈は上腕三頭筋の外側頭および内側（深）頭の起始部の間で橈骨神経溝内を走る．この神経と動脈は上腕の前方コンパートメントに入る前に外側筋間中隔を貫通する．尺骨神経は内側筋間中隔を貫き，上腕の後方コンパートメントに入る．

7. 上腕部の手術に必要な外科解剖　117

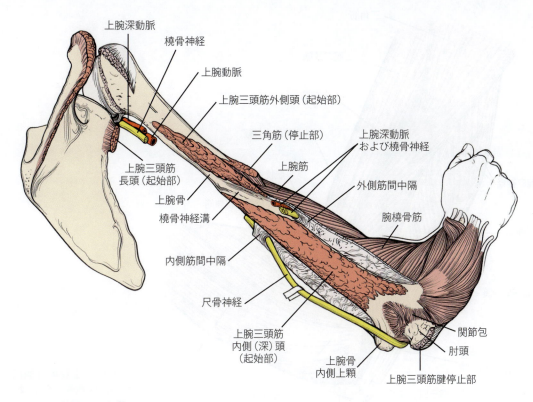

図 2-49　上腕骨の後面
上腕骨後面全体を示すために，上腕三頭筋全体が取り除かれている．内側および外側筋間中隔とこれを貫通する神経との関係に注目．

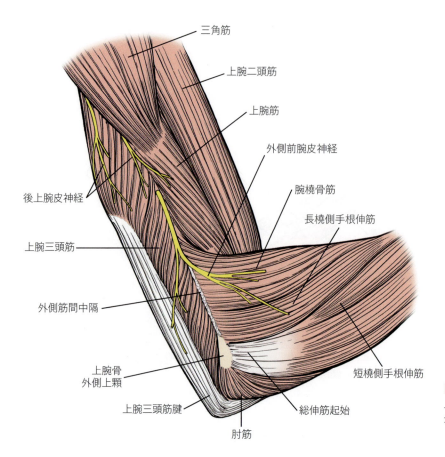

図 2-50　上腕の外側面（浅層）
上腕骨の外側部とそれをおおう皮神経を示す．

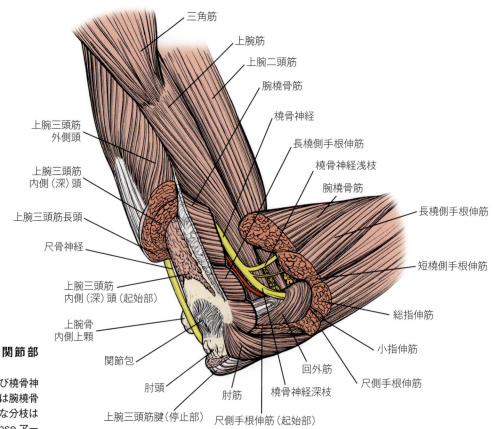

図 2-51　上腕骨後部と肘関節部の解剖（深層）
上腕骨と肘関節の後外側面および橈骨神経の走行を示す．外側筋間中隔は腕橈骨筋の下方を走る．橈骨神経の主な分枝は後骨間神経であり，これは Frohse アーケードを通り回外筋を貫く．

7. 上腕部の手術に必要な外科解剖　119

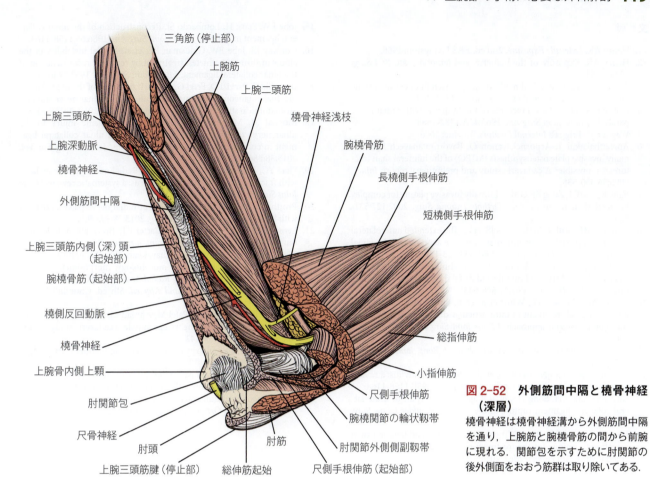

図 2-52　外側筋間中隔と橈骨神経（深層）
橈骨神経は橈骨神経溝から外側筋間中隔を通り，上腕筋と腕橈骨筋の間から前腕に現れる．関節包を示すために肘関節の後外側面をおおう筋群は取り除いてある．

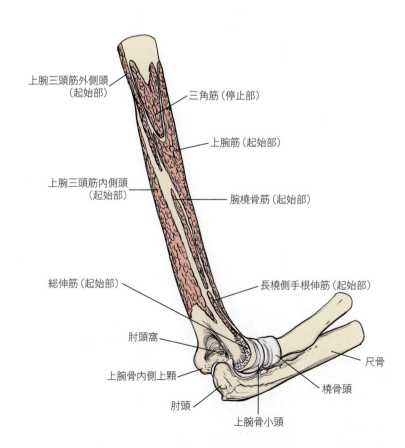

図 2-53　上腕骨後面の筋群の起始部
上腕骨後方の筋群の起始部を示すため筋群は完全に除去されている．

文 献

1. Henry AK. *Extensile Exposure*. 2nd ed. E&S Livingston; 1966.
2. Henry AK. Exposure of the humerus and femoral shaft. *Br J Surg*. 1924;12:84.
3. Thompson JE. Anatomical methods of approach in operating on the long bones of the extremities. *Ann Surg*. 1918;68:309.
4. Holstein A, Lewis GM. Fractures of the humerus with radial nerve paralysis. *J Bone Joint Surg Am*. 1963;45A:1382-1388.
5. Wagner M, Frigg R. *Internal Fixators*. Thieme; 2006.
6. Apivatthakakul T, Arpornchayanon O, Bavornratanavech S. Minimally invasive plate osteosynthesis (MIPO) of the humeral shaft fracture: is it possible? A cadaveric study and preliminary report. *Injury*. 2005;36:530-538.
7. Jiang R, Luo CF, Zeng BF, et al. Minimally invasive plating for complex humeral shaft fractures. *Arch Orthop Trauma Surg*. 2007;127:531-535.
8. Gardner MJ, Griffith MH, Dines JS, et al. The extended anterolateral acromial approach allows minimally invasive access to the proximal humerus. *Clin Orthop Relat Res*. 2005;434:123-129.
9. Zhiquan A, Bingfang Z, Yeming W, et al. Minimally invasive plating osteosynthesis (MIPO) of middle and distal third humeral shaft fractures. *J Orthop Trauma*. 2007;21:628-633.
10. McKee MD, Wilson TL, Winston K, et al. Functional outcome following surgical treatment of intra-articular distal humeral fractures through a posterior approach. *J Bone Joint Surg Am*. 2000;82:1701-1707.
11. Boyd HB, McLeod AC Jr. Tennis elbow. *J Bone Joint Surg Am*. 1973;55:1183-1187.
12. Ahmad Z, Siddiqui N, Malik SS, et al. Lateral epicondylitis: a review of pathology and management. *Bone Joint J*. 2013;95B:1158-1164.
13. Kim BS, Park KH, Song HS, et al. Ligamentous repair of acute lateral collateral ligament rupture of the elbow. *J Shoulder Elbow Surg*. 2013;22:1469-1473.
14. Kwon BC, Kwon YS, Bae KJ. The fascial elevation and tendon origin resection technique for the treatment of chronic recalcitrant medial epicondylitis. *Am J Sports Med*. 2014;42:1731-1737.
15. Jobe FW, Stark H, Lombardo SJ. Reconstruction of the ulnar collateral ligament in athletes. *J Bone Joint Surg Am*. 1986;68:1158-1163.
16. Conway JE, Jobe FW, Glousman RE, et al. Medial instability of the elbow in throwing athletes: treatment by repair or reconstruction of the ulnar collateral ligament. *J Bone Joint Surg Am*. 1992;74:67-83.
17. Benedikt S, Parvizi D, Feigl G, Koch H. Anatomy of the medial antebrachial cutaneous nerve and its significance in ulnar nerve surgery: an anatomical study. *J Plast Reconstr Aesthet Surg*. 2017;70:1582-1588.
18. Mughal M, Mathew P, Hastings H II. Iatrogenic injury to the ulnar nerve during primary repair of medial ulnar collateral ligament in complex elbow fracture dislocations. *J Hand Surg Eur Vol*. 2013;38:686-687.
19. Shao YC, Harwood P, Grotz MR, et al. Radial nerve palsy associated with fractures of the shaft of the humerus: a systematic review. *J Bone Joint Surg Br*. 2005;87:1647-1652.
20. Prodromo J, Goitz RJ. Management of radial nerve palsy associated with humerus fractures. *J Hand Surg*. 2013;38:995-998.
21. Leonello DT, Galley IJ, Bain GI. Carter CD Brachialis muscle anatomy: a study in cadavers. *J Bone Joint Surg Am*. 2007;89:1293-1297.
22. Iliaperuma I, Uluwitiya SM, Nanayakkara BG, Palhepitiya KN. Revisiting the brachialis muscle: morphology, morphometry, gender diversity and innervation. *Surg Radiol Anat*. 2019;41:393-400.
23. Last RJ. *Anatomy: Regional and Applied*. 6th ed. Churchill Livingstone; 1978.
24. Chaware PN, Santoshi JA, Patel M, Ahmad M. Surgical implications of innervation pattern of the triceps muscle: a cadaveric study. *J Hand Microsurg*. 2018;10:139-142.
25. Struthers J. On a peculiarity of the humerus and humeral artery. *Mon J Med Sci*. 1948;8:264.
26. Sutherland S. *Nerves and Nerve Injuries*. Williams & Wilkins; 1968.
27. Caetano EB, Neto Sabongi JJ, Vieira LA, et al. Struthers' ligament and supracondylar humeral process: an anatomical study and clinical implications. *Acta Ortop Bras*. 2017;25:137-142.

第 3 章

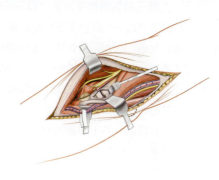

The Elbow

肘関節

1. 肘頭骨切り術を加えた肘関節への後方アプローチ …… 122
2. 肘頭骨切り術を加えない肘関節への後方アプローチ …… 127
3. 上腕骨遠位部に対する上腕三頭筋温存後方アプローチ …… 130
4. 肘関節への前内側アプローチ …… 132
5. 尺骨鉤状突起への後内側アプローチ …… 139
6. 肘関節への前外側アプローチ …… 142
7. 肘窩部への前方アプローチ …… 148
8. 橈骨頭への後外側アプローチ …… 154
9. 肘関節手術に必要な外科解剖 …… 158
   肘関節への内側アプローチに必要な外科解剖 …… 159
   肘関節への前外側アプローチに必要な外科解剖 …… 160
   肘窩部への前方アプローチに必要な外科解剖 …… 163
   肘関節への後方アプローチに必要な外科解剖 …… 163

第 3 章

　肘関節は，強靱な側副靱帯で連結されている蝶番関節である．重要な神経あるいは血管が関節の前面と後面を走っている．したがって，これらの神経，血管を傷つけずに関節にアプローチする場合には，外方か内方からになるが，肘関節の骨性形態から考えると関節を十分に展開するにはどうしても制約が加わる．一方，前方と後方からのアプローチは，関節の展開は広くなるが，重要な神経血管構造を損傷する危険性がある．

　この章で記述する肘関節への8つのアプローチの中で，肘頭骨切り術を加える後方アプローチは，関節腔をもっとも広く展開できる利点があり，とくに複雑な関節内骨折の内固定術の場合によく利用されている．肘頭骨切り術を加えない後方アプローチも肘関節を大きく展開できる進入法であり，人工肘関節全置換術で広く用いられている．それは人工関節の尺骨コンポーネントの固定には，肘頭に骨切りが行われていないほうが有利なためである．上腕三頭筋温存後方アプローチは上腕骨遠位部を良好に展開でき，関節部の単純骨折によく用いられる．前内側アプローチは肘関節内側の展開に有効であるが，内側上顆に骨切り術を加えることでさらに大きな展開が可能となる．しかし，骨切り線は関節面に及ぶことがあってはならない．このアプローチから上腕骨遠位部を展開することが可能であるが，主に肘関節の内方に病変部が限局している場合に用いられる．ここでは骨切り術を行うものと行わないものの2種類について述べる．後内側アプローチは主に尺骨鉤状突起の内固定術や内側側副靱帯の修復術に用いられる．前外側アプローチは肘関節腔外側を展開できる．このアプローチを近位に延長すれば，肩関節から上腕骨の全長にわたって展開することが可能となる．また遠位に延長すると，橈骨と手関節も展開できる．肘窩部への前方アプローチは肘関節前面を走る重要な神経血管束を展開，さらに尺骨鉤状突起の展開にも用いられる．橈骨頭への後外側アプローチは橈骨頭周辺部に何らかの外科的処置を加える場合に利用される．本アプローチには異なる筋間を進入する2種類のアプローチがあるので述べる．

　ここではまず各アプローチについて記し，その後それに必要な外科解剖を解説する．肘関節に外科的処置を行う場合に重要なことは，関節に近接して走っている神経血管束の解剖を十分に知っておくことである．それらの位置関係はどのアプローチにも大切である．個々のアプローチに必要な解剖学的概略の項も設けた．

1 肘頭骨切り術を加えた肘関節への後方アプローチ

　肘関節を構成する骨性構造を広く展開するにはもっとも優れたアプローチである[1〜3]．確実で，しかも安全なアプローチであるが，肘頭に骨切り術を加えなければならないのが最大の欠点である．骨切り線は関節面に及ぶので，後に内固定術が必須となる．このアプローチが利用されるのは，次の場合である．

- 上腕骨遠位端骨折の観血的整復・内固定[4,5]
- 肘関節内遊離体の摘出
- 上腕骨遠位端の偽関節手術

　肘関節に伸展拘縮がある場合には，このアプローチの一部を利用して上腕三頭筋の延長術が行われる．この場合には肘頭の骨切り術は不要である．

患者体位

　患肢を3〜5分間挙上し，上腕のできるだけ近位でターニケットを装着して駆血する．挿管ののち腹臥位で，術中，自由に呼吸が行えるように胸部と骨盤部に適当な枕を入れて手術台に固定する．上腕を90°外転させて手術台の上にのせる．そのさい，手術台より上腕部が持ち上がるように上腕に装着したターニケットの下には小さな砂囊をあてがい，肘関節が屈曲できるように前腕以下は手術台の外に出して下垂させておく（図3-1）．

ランドマーク

　尺骨近位端に肘頭を触れる．これは円錐状の骨隆起として突出している．

皮 切

肘関節後方に縦切開を加える．肘頭の上方約5cmのところから，上腕後面の正中線上を下行して，肘頭部の直上で外方にカーブをつける．肘頭の外側を通ったところで，さらに内方に方向を変えて皮下の尺骨表面の長軸上を下行する．肘頭先端を迂回するように皮切を加える第1の理由は，肘頭の骨切り部の内固定のさいに内固定金属と皮膚縫合線とを一致させないためであり，第2の理由は，術後に患者が肘をついて肘頭で体を支えるとき，皮膚縫合部での痛みを避けるためである（図3-2）．

internervous plane

このアプローチは，肘関節の伸展機構である上腕三頭筋を剥離するだけであるので，internervous planeは存在しない．橈骨神経が上腕三頭筋に分枝する部位は，後方アプローチの皮切よりもさらに近位である．

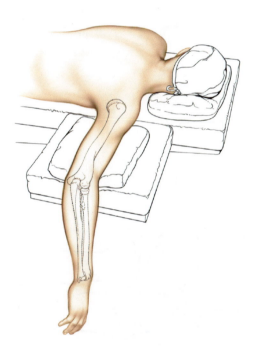

図3-1 肘頭骨切り術を加えた肘関節への後方アプローチ．患者体位
患者は手術台上に腹臥位として，呼吸による腹部の自由な動きを可能とすべく，胸部と骨盤部に適当な枕を入れて手術台に固定する．上腕を90°外転させて手術台の上にのせる．そのさい，手術台より上腕部が持ち上がるようにターニケットの下には小さな砂嚢をあてがっておく．肘関節が屈曲できるように前腕以下は手術台の外に出して下垂させておく．

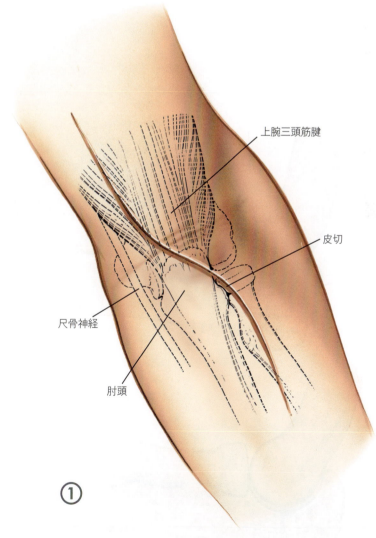

図3-2 肘頭骨切り術を加えた肘関節への後方アプローチ．皮切（右肘）

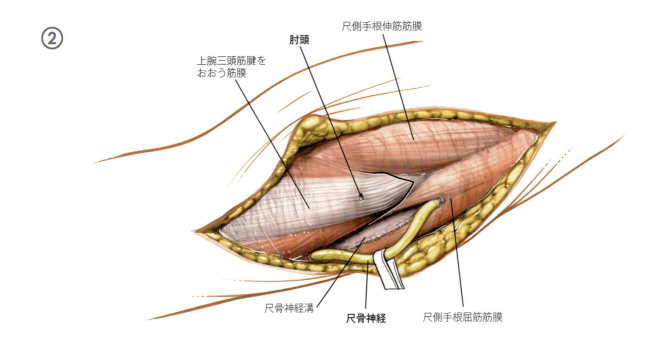

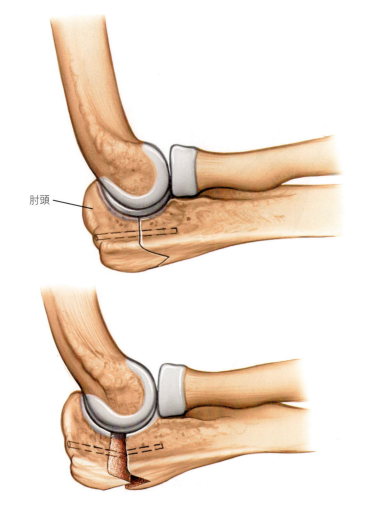

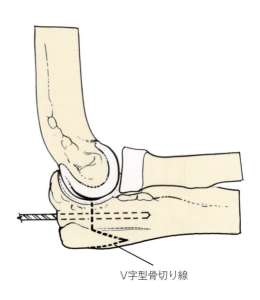

図 3-3　肘頭骨切り術を加えた肘関節への後方アプローチ．尺骨神経の剥離および肘頭の骨切り
尺骨神経をその走行床より剥離し，遊離させてテープをかけておく．再接合を容易にするため骨切りを行う前に，肘頭にドリルで孔をあけておく．

浅層の展開

皮切に一致して筋膜に正中切開を加える．上腕骨内側上顆の後方にある尺骨神経溝に尺骨神経を触れる．その直上の筋膜に切開を加えて神経を露出する．神経を完全に周囲から遊離させてテープをかけておくと，術中いつでも神経を確認できる（図3-3）．しかし，神経をテープで牽引することで神経損傷を起こすようなことがあってはならない．

肘頭の骨切り部の内固定にスクリューを使用する場合には，骨切り術を加える前に，肘頭のスクリューの刺入方向にドリルで孔をあけてタップを切っておく[6]．

オステオトーム（骨ノミ）で縦の刻み目をつけておくと，骨切り部を再接合するさいに正確に整復できる（👍 図3-3，挿入図）．

オシレーティングソー（振動骨鋸）を用いて，肘頭の先端から約2cmの位置でV字型の骨切りを行う．V字型の先端は遠位凸とする．V字型骨切りは再接合時の安定性が横方向の骨切りより優れている．骨切りがほぼ完了した時点で，オステオトーム（骨ノミ）にて骨切り面を開くようにして，残りの骨皮質に骨折を起こさせる．これにより骨切り面がジグザグになるので，再接合後の骨のかみ合わせに有利に働く（👍図3-3，挿入図）．

深層の展開

肘頭の骨切りが終了したら，その肘頭部の内外側に付着している軟部組織を剥離して，これに上腕三頭筋をつけたまま上腕の近位方向に反転し，上腕骨後面より上腕三頭筋を挙上する（図3-4）．上腕骨遠位端の後面が直視下に現れる．その内側と外側縁の軟部組織が付着している境界線に沿って骨膜下に切開を加えて剥離を進めていくと，上腕骨の遠位1/4の後面が露出する（図3-5）．しかし，ここまでの展開が必要な場合は実際にはまれである．骨折の観血的整復・内固定の場合には，骨に付着している軟部組織はできるだけ愛護的に扱い，剥離も最小限にすることが大切である．骨から軟部組織を広範に剥離することは骨片への血液供給と骨治癒を阻害する．

上腕骨の遠位1/4よりも近位に展開を進める場合には，橈骨神経を損傷しないように注意する．橈骨神経は

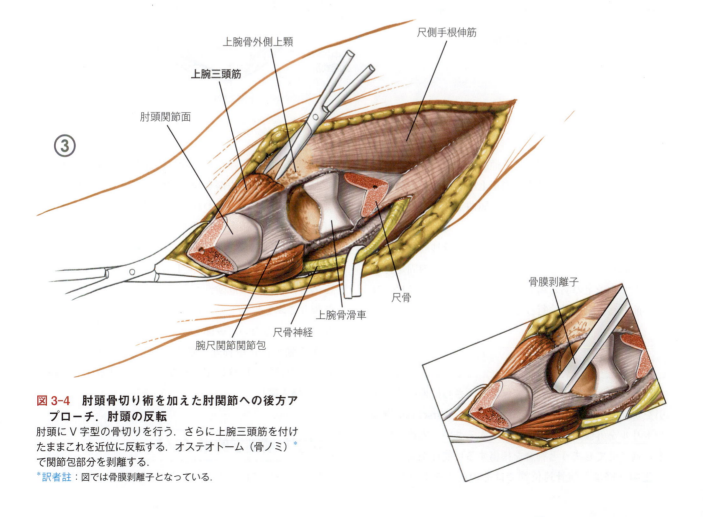

図3-4 肘頭骨切り術を加えた肘関節への後方アプローチ．肘頭の反転
肘頭にV字型の骨切りを行う．さらに上腕三頭筋を付けたままこれを近位に反転する．オステオトーム（骨ノミ）*で関節包部分を剥離する．
*訳者註：図では骨膜剥離子となっている．

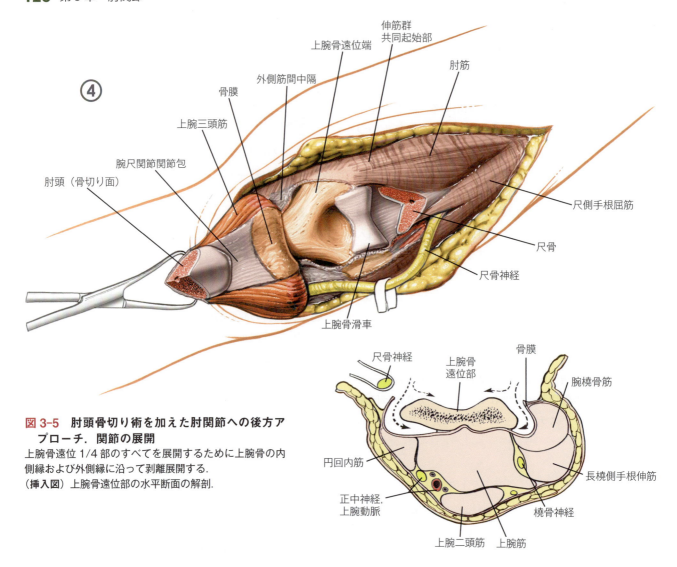

図 3-5　肘頭骨切り術を加えた肘関節への後方アプローチ．関節の展開
上腕骨遠位 1/4 部のすべてを展開するために上腕骨の内側縁および外側縁に沿って剥離展開する．
（挿入図）上腕骨遠位部の水平断面の解剖．

上腕部後方から外側筋間中隔を通過して上腕部前方に向かって走行する．前方構成要素を上腕骨前面から剥離する必要がある場合には，肘関節を屈曲させることにより前方構成要素の緊張をゆるめる．

以上の展開を行うさい，常に術野で尺骨神経をしっかりと確認しておくことが大切である．将来，内固定材料を抜去する予定のある場合ではとくに，閉創時に尺骨神経の前方移行術を常に行うことを推奨する医師もいる．

注意すべき組織

尺骨神経は最初に確認して保護し，さらに術中強く牽引を加えなければ損傷することはない．Kirschner 鋼線やドリルを外側から横方向に刺入するさい，内側骨皮質を貫通させてしまうと神経を損傷する可能性が高い．

正中神経は上腕骨遠位端ではその前方を走行している．前方の軟部組織を上腕骨遠位部から骨膜上で剥離しておかないと神経損傷を起こす危険がある．骨折症例でこの剥離展開はよく行われる．偽関節手術や骨切り術を行う場合には，確実に骨膜下で行うことで神経損傷を防止しなければならない（☞図 3-5，挿入図）．

橈骨神経は上腕骨の遠位 1/3 よりも近位部を展開する場合に損傷する危険性がある．具体的には外側上顆より握りこぶし幅以上の近位の展開を進める場合に注意しなければならない（☞図 2-48）．

上腕動脈は正中神経と並んで肘関節前方を走っている．正中神経と同様に損傷しないように注意する（☞図 3-5，挿入図）．

特別な解剖学的ポイント

閉創のさいには，骨切りした肘頭を正確に整復するこ

とに最大限の注意を払わなければならない．肘頭骨折の場合は，骨折部の不規則な凹凸によりジグソーパズルを合わせるようにできるので整復は容易である．しかし，骨切り術の場合には骨切り面は平坦であるので正確に整復することは容易でない（☞図3-3）．また，オシレーティングソーを使用すると約1～2mmの幅で骨を切除することになるので，骨切り部の解剖学的な整復は不能となる[7, 8]．

術野拡大のコツ

● 上下への拡大

近位への拡大 本アプローチを上腕骨の遠位1/3より近位まで拡大しようとすると，橈骨神経を損傷するおそれがあるため拡大できない（☞図2-47）．

遠位への拡大 尺骨の長軸に沿って皮切を遠位に延長すると，尺骨は全長にわたって露出される（☞第4章「4 尺骨へのアプローチに必要な外科解剖」）．

2 肘頭骨切り術を加えない肘関節への後方アプローチ

　肘頭骨切り術を行わない肘関節への後方アプローチは肘頭の骨格解剖を維持できる優れた進入法である[9]．このアプローチには種々の手技上のバリエーションがあるものの期待する手術効果は以下の共通項に集約される．すなわち上腕三頭筋の筋弁化，その肘頭の停止部，さらに肘筋の外側に起始する尺側手根屈筋上の筋膜を作製することである[10, 11]．
　後方アプローチを用いるのは次の場合である．
- 上腕骨遠位部骨折の観血的整復・内固定[4, 5]
- 人工肘関節全置換術
- 腫瘍切除術

患者体位

　手術台に側臥位とする．胸部，骨盤部と上腕にはパッドをあてて保護する（図3-6）．または腹臥位として，呼吸による腹部の自由な動きを可能とすべく胸部と骨盤部に適当な枕を入れて手術台に固定する（☞図3-1）．上腕を90°外転させ，上腕部の下には小さな砂嚢をあてがい．患肢を3～5分間挙上し，上腕のできるだけ近位でターニケットを装着して駆血する．肘関節が屈曲できるように前腕以下は手術台の外に出して下垂させておく．

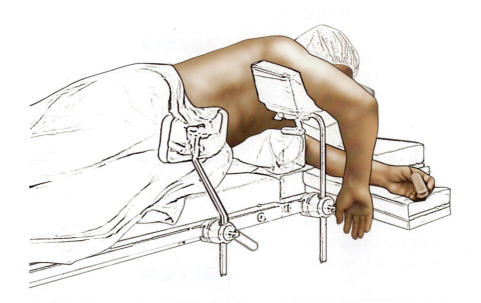

図3-6　肘頭骨切り術を加えない肘関節への後方アプローチ．患者体位
手術台に側臥位とする．上腕部はパッドがあてられた架台で支持される．患肢を挙上することで駆血し，上腕のできるだけ近位にターニケットを巻いておく．肘関節が屈曲できるように前腕はパッドがあてられた架台の外に出して下垂させておく．

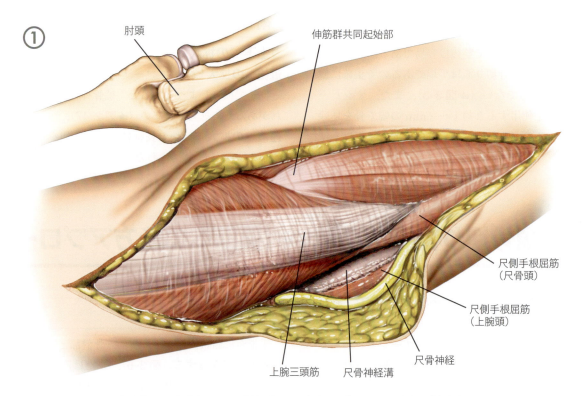

図 3-7 肘頭骨切り術を加えない肘関節への後方アプローチ．皮切（右肘）
肘関節後方部に 12 cm の縦切開を加える．皮切は肘頭突起の外側を通るようにゆるいカーブをつける．

ランドマーク

尺骨の近位端に尺骨の近位端に大きい骨性隆起である**肘頭突起**を触れる．それは円錐状でやや先が尖っている．**上腕骨内側上顆と外側顆**を触れるが，術中は，常に内側と外側の識別ができるよう注意を払う．

皮切

肘関節後方部に縦切開を加える．皮切は上腕の正中線上で肘頭の 12 cm 近位からスタートする．肘頭突起を外側によけるようにカーブをつけ，遠位側では皮下に触れる尺骨の表面に沿って 8〜10 cm のところで終わる．創縫合線が肘頭の先端を回り込むようにすることで，術後の創痕が肘頭上にこないようにする（図 3-7）．

internervous plane

このアプローチでは上腕三頭筋を尺骨停止部から骨片をつけた状態で剥離しているだけなので，真の internervous plane はない．上腕三頭筋への橈骨神経筋枝の進入部位はこの展開よりもかなり近位である．

浅層の展開

正中線上で深層の筋膜を切離する．上腕骨内側上顆後方にある尺骨神経溝に尺骨神経を触れる．その直上の筋膜に切開を加えて神経を露出する．神経を完全に周囲から遊離させてテープをかけておくと，術中いつでも神経を確認できる（☞図 3-3）．しかし，神経をテープで牽引することで神経損傷を起こすようなことがあってはならない．尺骨の尺側縁上に起始している尺側手根屈筋をおおっている筋膜を切離する．

深層の展開

後方アプローチでもっとも大切な要点は，最終的に上腕三頭筋を肘頭に再縫着できるように，十分な大きさと厚さをもった上腕三頭筋筋弁を作製することである．肘関節を約 30°屈曲位で，前腕筋膜，肘頭および尺骨の骨

2. 肘頭骨切り術を加えない肘関節への後方アプローチ　129

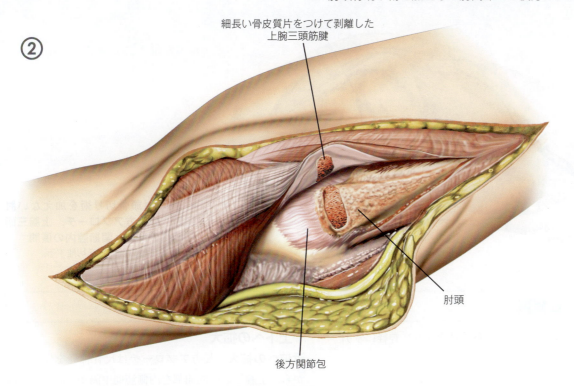

図 3-8　肘頭骨切り術を加えない肘関節への後方アプローチ．肘関節伸展機構の剥離
肘関節を約 30°屈曲位で，前腕筋膜，肘頭の薄い小皮質骨片と尺骨の骨膜は連続性を保った状態で，肘関節伸展機構を内側から外側方に反転する．

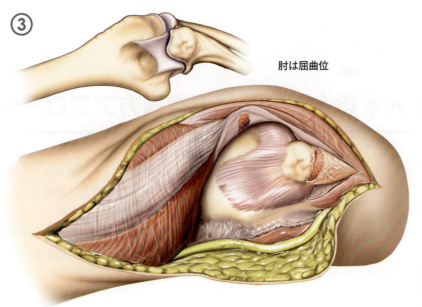

図 3-9　肘頭骨切り術を加えない肘関節への後方アプローチ．肘関節伸展機構の反転と関節包の展開
上腕三頭筋の内側縁で筋膜を切離する．肘関節伸展機構をすべて外側に反転しながら肘関節を 100°まで屈曲すると，関節腔内の視野が良好となる．

膜は連続性を保った状態で，肘関節伸展機構を内側から外側に反転する．前腕筋膜と上腕三頭筋の肘頭停止部の剥離は鋭的に行う．肘頭部の剥離は，先端が鋭なオステオトーム（骨ノミ）を用いて肘頭から薄い小皮質骨片を削り取りながら剥離する（図 3-8）．肘頭よりも近位では，上腕三頭筋の内側縁で筋膜を切離する（図 3-9）．後方関節包を切離し，肘関節伸展機構をすべて外側に反転しながら肘関節を 100°まで屈曲すると，関節腔内の視野が良好となる（図 3-10）．術者は肘関節内側を走行する尺骨神経の存在には常に注意を払う．

④

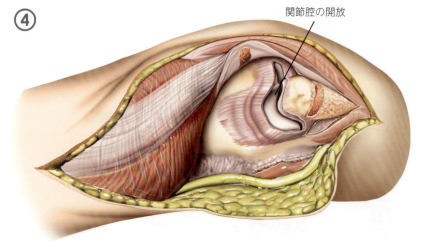

図 3-10 肘頭骨切り術を加えない肘関節への後方アプローチ．上腕三頭筋機構の反転と関節腔内の展開
肘頭の近位で後方関節包を切離する．

注意すべき組織

尺骨神経は常に損傷される危険性があり，神経に牽引がかからないよう注意する．

特別な解剖学的ポイント

上腕三頭筋腱を肘頭から剥離する場合に，上腕三頭筋腱に切り込んでしまわないようにして全層性に採取するよう最大限注意する．これは上腕三頭筋腱に肘頭の骨皮質の一部を付着させた状態で剥離すれば確実に予防できる．

術野拡大のコツ

●上下への拡大

近位への拡大　後方アプローチは尺骨神経を保護しながら，上腕三頭筋内側部を内側筋間中隔から剥離すれば容易に近位に拡大できる．

遠位への拡大　皮下に触れる尺骨縁に沿って皮切を遠位方向に拡大でき，肘・手関節伸筋群と手関節屈筋群の間に存在する尺骨を全長にわたって展開できる（👉第4章「3 尺骨骨幹部の展開」）．

3 上腕骨遠位部に対する上腕三頭筋温存後方アプローチ

　上腕骨遠位部に対する上腕三頭筋温存後方アプローチでは，上腕骨遠位骨幹端部や関節面を良好に展開できる．このアプローチの利点は伸展機構を損傷しないため，術後の肘関節可動域訓練を早期に開始できる点である[12, 13]．

　また，肘頭骨切り部の遷延癒合に関連するトラブルも回避できる．欠点は他の2つのアプローチに比較して関節面の視野が十分でない点がある．したがって本アプローチは上腕骨遠位骨幹端部骨折や関節面の骨折型が単純な関節内骨折で主に用いられる．

患者体位

　挿管された状態で腹臥位として，呼吸による腹部の自由な動きを可能とすべく胸部と骨盤部に適当な枕を入れて手術台に固定する．患肢を3〜5分間挙上し，上腕のできるだけ近位でターニケットを装着して駆血する．上腕を90°外転させ，上腕部を手術台より挙上すべく，ターニケットの下には小さな砂嚢をあてがう．肘関節が屈曲できるように前腕以下は手術台の外に出して下垂させておく（👉図3-1）．

ランドマーク

　尺骨の近位端に大きい骨性隆起である**肘頭突起**を触れる．それは円錐状でやや先が尖っている．

皮　切

　皮切は上腕部の正中線上で，上腕骨の中央と遠位1/3

3. 上腕骨遠位部に対する上腕三頭筋温存後方アプローチ　131

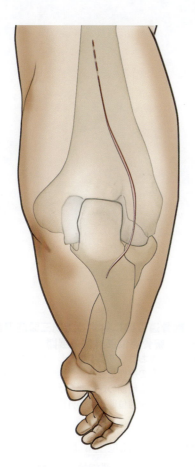

図 3-11　上腕骨遠位部に対する上腕三頭筋温存後方アプローチ．皮切（右肘）
皮切は上腕部の正中線上で，上腕骨の中央と遠位 1/3 の中間の位置から始まり，肘関節部では外側にカーブして尺骨の骨幹部に終わる．

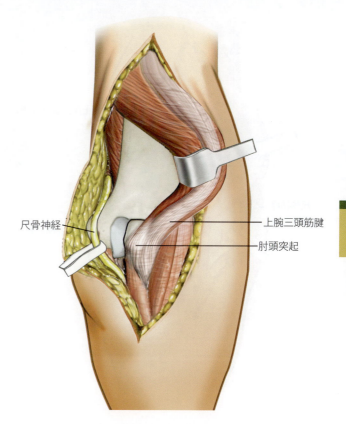

図 3-12　上腕骨遠位部に対する上腕三頭筋温存後方アプローチ．上腕骨遠位部内側の展開
上腕三頭筋の内側縁で筋膜を剥離し，内側筋間中隔から上腕三頭筋を剥離し，これを外側によることで上腕骨遠位部後面の内側部を展開できる．

の中間の位置から始まり，肘関節部では外側にカーブして尺骨の骨幹部に終わる（図 3-11）．

internervous plane

　上腕三頭筋は内側および外側筋間中隔より剥離される．上腕三頭筋への橈骨神経筋枝の進入部位はこの展開よりもかなり近位であるため，安全である．上腕三頭筋（橈骨神経支配）と上腕筋（筋皮神経支配）は内側および外側筋間中隔で分離されている．外側では腕橈骨筋と橈側手根伸筋長頭の一部の筋線維は外側筋間中隔の前面より起始する．両筋はともに橈骨神経支配であるため，外側の展開では真の internervous plane はない．

浅層の展開

　内側の皮弁を起こし，上腕骨内側上顆後方にある尺骨

神経溝に尺骨神経を触れる．その直上の筋膜に切開を加えて神経を露出する．神経を完全に周囲から遊離させてテープをかけておくと，術中いつでも神経を確認できる（👉図 3-3）．しかし，神経をテープで牽引することで神経損傷を起こすようなことがあってはならない．

深層の展開

　上腕三頭筋の内側縁で筋膜を切離し，内側筋間中隔から上腕三頭筋を剥離し内側の展開を進める．上腕三頭筋を外側によることで上腕骨遠位部後面の内側部を展開できる（図 3-12）．

　上腕三頭筋の外側縁をおおう筋膜を切離し，外側筋間中隔から上腕三頭筋を剥離し外側の展開を進める．遠位部分の展開では上腕骨顆上部外側の骨稜から肘筋の起始部をはずす．上腕三頭筋を内側によることで上腕骨遠位部後面の外側部を展開できる（図 3-13）．

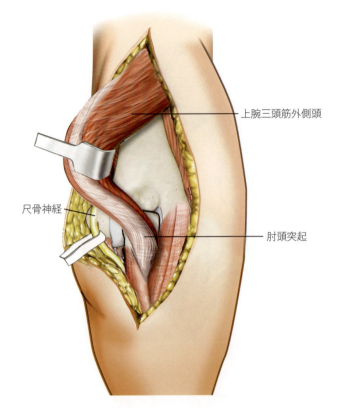

図 3-13　上腕骨遠位部に対する上腕三頭筋温存後方アプローチ．上腕骨遠位部外側の展開
上腕三頭筋の外側縁をおおう筋膜を切離し，外側筋間中隔から上腕三頭筋を剥離し外側の展開を進める．遠位部分の展開では上腕骨顆上部外側の骨稜から肘筋の起始部をはずす．上腕三頭筋を内側によせることで上腕骨遠位部後面の外側部を展開できる．

　上腕三頭筋下にガーゼを通し，同筋を内側および外側によせることで上腕骨骨幹端部全体を展開できる．
　後方関節包に横切開を加えて関節面を展開する．関節面の展開をよりよくするためには関節内脂肪組織を切除する．

注意すべき組織

　本アプローチでは常に**尺骨神経**は同定，保護されなければならない．同神経は上腕の遠位 1/3 で内側筋間中隔を貫通するため，上腕三頭筋の骨からの剥離は制限を受ける．

　橈骨神経は上腕の遠位 1/3 より近位に展開を進めない限り損傷されない．同部で橈骨神経は後方から前方に向かって外側筋間中隔を貫く．

術野拡大のコツ

● 上下への拡大
近位への拡大　尺骨・橈骨神経を損傷することなしに近位への拡大は不可能である．
遠位への拡大　皮下に触れる尺骨縁に沿って拡大可能であるが，臨床上このような拡大が必要となることはまれである．

4 肘関節への前内側アプローチ

　肘関節の内側部分の展開に適している[14〜16]．
　このアプローチで上腕骨の遠位 1/4 の前面の展開も可能である．本アプローチには上腕骨内側上顆部の骨切り術を加えるものと上腕骨顆上部内側から回内・屈筋群を部分的に剥離するという 2 つの手技上のバリエーションがある．術野を横切ることになる尺骨神経，正中神経や上腕動脈を損傷しないように注意する．内側アプローチは，次の場合に利用される．

- 関節遊離体の摘出（現在は多くの場合，鏡視下に行われる）
- 尺骨鉤状突起骨折の観血的整復・内固定（とくに肘関節の内側側副靱帯の修復を伴う症例）
- 上腕骨内顆および内側上顆骨折の観血的整復・内固定
内側アプローチでは，肘関節の外側部分の展開は不十

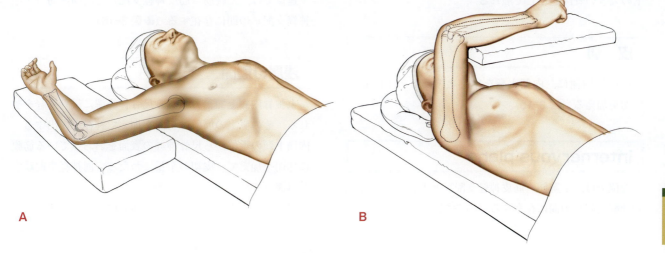

図 3-14　肘関節前内側アプローチ．患者体位
A：患者は手術台上で背臥位とし，患肢は手術台横の上肢台の上にのせる．上腕を外転し，肩関節を最大外旋させると上腕骨内側上顆が前方を向く．その肢位で肘関節を 90°屈曲する．
B：もしくは上腕を前方挙上して肘関節を屈曲することで，前腕が顔の前にくるようにする．

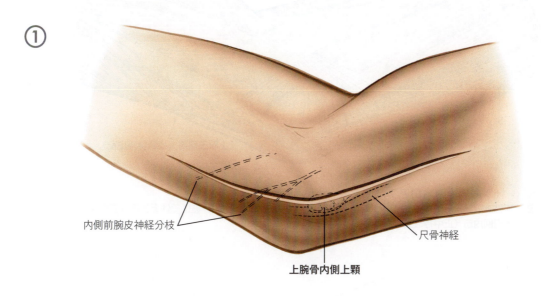

図 3-15　肘関節前内側アプローチ．皮切（右肘）
肘関節内側に，内側上顆を中心に皮切を加える．

分なので，それほど多くは用いられない．しかし，必要に応じて関節を脱臼させれば肘関節の外側部分の展開は可能である．

患者体位

患者は手術台上で背臥位とし，患肢は手術台横の上肢台の上にのせる（図 3-14A）．上腕を外転し，肩関節を最大外旋させると上腕骨内側上顆が前方を向くので，その肢位で肘関節を 90°屈曲するか，もしくは上腕を前方挙上して肘関節を屈曲することで，前腕が顔の前にくるようにする（図 3-14B）．この体位だと肘の内側の展開は容易であるが，十分な展開ができるように助手が前腕を適当な肢位に保持しなくてはならない．

患肢を 5 分間挙上して駆血するか，ソフトラバーバンデージで駆血して，ターニケットに圧をかける．

ランドマーク

上腕骨内側上顆は上腕骨遠位端内側部分に突出した皮

下の大きい骨隆起として触れる．

皮 切

肘関節内側に，内側上顆を中心とする 8 ～ 10 cm の皮切を加える（図 3-15）．

internervous plane

近位では，上腕筋（筋皮神経支配）と上腕三頭筋（橈骨神経支配）の間に存在する（図 3-16）．

遠位では，上腕筋（筋皮神経支配）と円回内筋（正中神経支配）の間に存在する（👍図 3-16）．

浅層の展開

上腕骨内側上顆後方にある尺骨神経溝に尺骨神経を触れる．その直上の筋膜に切開を加えて神経を露出する．内側上顆の近位から尺骨神経の表面をおおっている筋膜に切開を加えて，皮切の全長にわたって同神経を遊離する（図 3-17）．

円回内筋の上をおおう筋膜と前方の皮弁を一緒にして

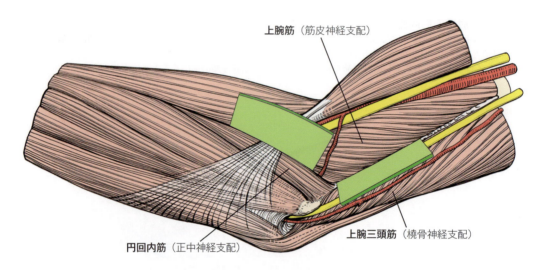

図 3-16 肘関節前内側アプローチ．internervous plane
近位では上腕筋（筋皮神経支配）と上腕三頭筋（橈骨神経支配）の間に，遠位では上腕筋（筋皮神経支配）と円回内筋（正中神経支配）の間に存在する．

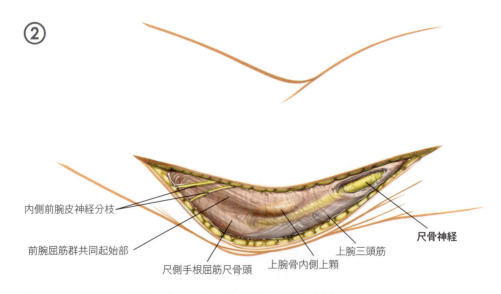

図 3-17 肘関節前内側アプローチ．尺骨神経の剥離，展開
浅層の外科的展開．皮切に沿って尺骨神経を遊離する．

よける．上腕骨内側上顆から起始する前腕浅層の屈筋回内筋群の共通起始部が確認できる（図3-18）．

ついで円回内筋と上腕筋の境界を確認する．このさい，正中神経が円回内筋の筋腹の中央部で同筋肉内に進入していくので，神経を損傷しないように注意する．円回内筋を愛護的に内側に分けて，上腕筋から剥離する（図3-19）．

深層の展開

内側上顆の骨切り術を行う場合には，尺骨神経を確実に下方によけなければならない．内側上顆を骨切りするさいには骨膜剥離子を内側側副靱帯下に挿入して，同靱帯が内側上顆起始部から剥離しないように注意しながら，内側上顆を骨切りして遠位に反転する．正中神経も

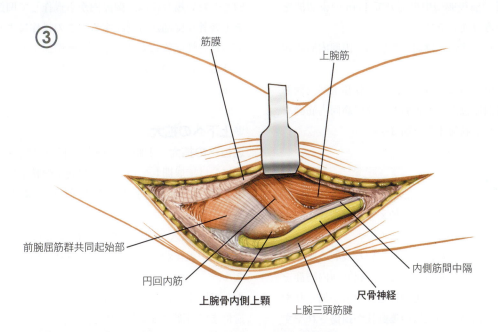

図 3-18　肘関節前内側アプローチ．回内・屈筋群の展開
皮弁に筋膜をつけたまま前方によけ，上腕骨内側上顆に起始する浅層屈筋群の共通起始部を展開する．

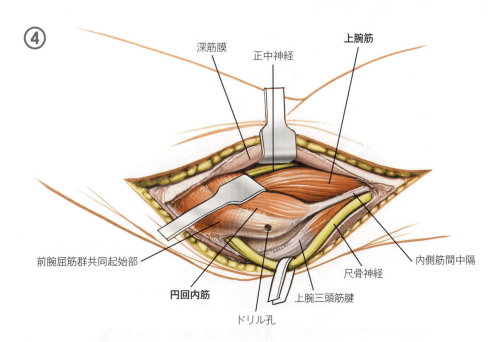

図 3-19　肘関節前内側アプローチ．円回内筋と上腕筋の分離
円回内筋と上腕筋の間より入る．円回内筋を内方によける．

しくは前骨間神経靱帯が強く牽引されないように注意する．前方によけられた上腕筋と後方によけられた上腕三頭筋の間で上方に展開を進める（図 3-20）．このように内側上顆骨切りで内側側副靱帯を損傷しないように注意する．同靱帯の損傷により肘関節外反不安定性を呈するからである．以上の操作で，肘関節の内側部が直視下に現れる．関節包の切離により関節腔が展開できる（図 3-21）．

屈筋回内筋群の前後幅の中央部分で 4 cm の縦切開を加える方法もある（図 3-22）．

内側上顆より長掌筋腱，橈側手根屈筋，円回内筋の起始部を剥離する（図 3-23）．

この展開を近位に延長するには，上腕骨顆上部内側および肘関節前方関節包から上腕筋および屈筋回内筋群を骨膜上で一塊として剥離する（図 3-24）．

注意すべき組織

尺骨神経は内側上顆に骨切りを加える前に剥離，同定保護しておく（👉図 3-19）．

上腕骨内側上顆と，それに起始している浅層の屈筋群をあまり強く遠位方向に牽引されたり，屈筋回内筋群を過度に牽引されたりすると，正中神経に牽引が加わりやすく，とくに円回内筋への複数の運動枝が損傷されやすい[17]．正中神経の主要な分枝である前骨間神経にも牽引が加わらないように注意する（👉図 3-20）．

術野拡大のコツ

● 深部への拡大

関節腔内をさらに広く観察したい場合には，肘関節の外反を強制すると内方の関節腔が拡大する．肘関節を脱臼させたい場合には，関節内から操作して関節包と骨膜を上腕骨遠位部から剥離する．この操作により尺骨近位部の可動性は著しくよくなる．肘関節を外側方向に脱臼させることができるようになり，関節腔の全貌を観察できる．

● 上下への拡大

近位への拡大　上腕三頭筋と上腕筋の境界面の間を上方に分けて展開していく．上腕筋を骨膜下に剥離して挙上すると，上腕骨遠位 1/4 の前面が露出する（👉図 3-21, 55）．

遠位への拡大　内側上顆と同部に起始している屈筋群は，正中神経からの分枝が牽引されない範囲内で反転できる．したがって，本アプローチでは尺骨鉤状突起に停止している上腕筋の全貌は観察できるが，尺骨をさらに遠位まで展開することはできない．

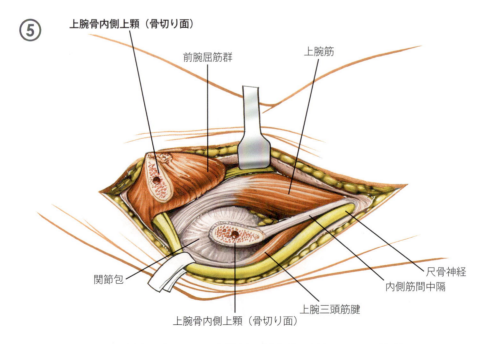

図 3-20　肘関節前内側アプローチ．上腕骨内側上顆の骨切りおよび反転
上腕骨内側上顆を骨切りし屈筋群をつけたままていねいに反転する．内側上顆とそれに付着する屈筋群を強く牽引すると，屈筋群への正中神経の分枝を牽引して損傷する危険性がある．

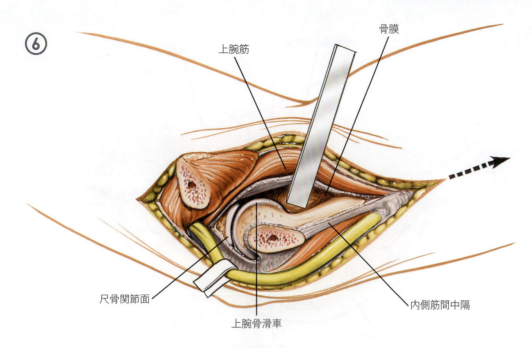

図 3-21 肘関節前内側アプローチ．関節腔の展開
関節内を展開するため，関節包と内側側副靱帯を切開する．

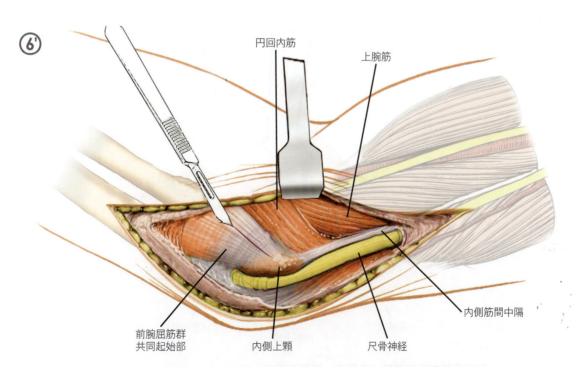

図 3-22 肘関節前内側アプローチ変法．回内・屈筋群に縦切
屈筋回内筋群に 4 cm の縦切開を加え，同筋群を分け入る．

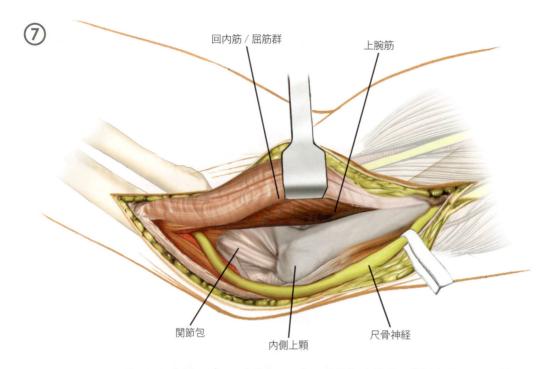

図 3-23　肘関節前内側アプローチ変法．一部の屈筋回内筋群の内側上顆からの剥離
内側上顆から長掌筋腱，橈側手根屈筋，円回内筋の起始部を剥離する．

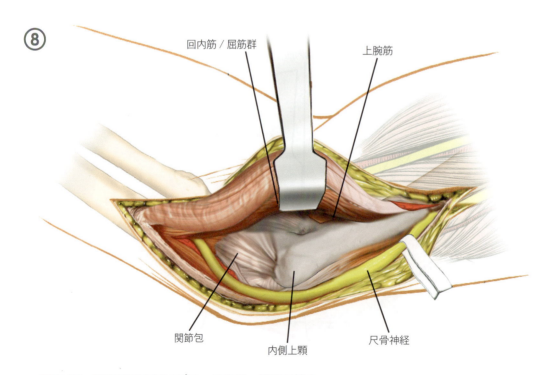

図 3-24　肘関節前内側アプローチ変法．展開の拡大
この展開を近位に延長するには，上腕骨顆上部内側の骨稜および肘関節前方関節包から上腕筋および屈筋・回内筋群を骨膜上で一塊として剥離する．

5 尺骨鉤状突起への後内側アプローチ

このアプローチは尺骨鉤状突起から尺骨近位部内側にかけての展開に大変有用である[18, 19]．

展開部位には尺骨神経が走っているので，損傷しないように注意が必要である．internervous plane を利用して術野を拡大することができない．しかし，尺骨鉤状突起の前内側部，肘関節内側側副靱帯，それに腕尺関節の尺骨滑車切痕内側縁の骨性隆起部（sublime tubercle）の展開に有用である．実際に後内側アプローチを用いるのは次の場合である．

- 尺骨鉤状突起骨折の観血的整復・内固定．この骨折が橈骨頭骨折，あるいは外側側副靱帯損傷を合併している場合は外側アプローチが用いられることが多い．
- 内側側副靱帯の修復．通常鉤状突起の固定を併用する．

患者体位

手術台に患者を側臥位に寝かせ，上腕をパッド付きの上肢台にのせる．上肢を挙上して上腕のできるだけ近位でターニケットを装着して駆血する．上肢は術中に肘の屈伸運動が可能な状態にしてパッド付きの上肢台にのせる（☞図 3-6）．この体位は，肘を屈曲すると上腕筋による牽引の力はゆるめられるので鉤状突起骨折の観血的整復・内固定の場合によく利用される．加えて，この肢位では，上肢に重力が加わって尺骨近位部の骨折の整復に有利に働く．

ランドマーク

尺骨上端に大きな骨性の**肘頭突起**を触れるとともに，上腕骨遠位の**内側上顆**と**外側上顆**を同定する．

皮切

肘関節の内側部に約 8 cm の弓状皮切，すなわち内側上顆のすぐ後方でやや近位より始まり前腕の内側部に沿って遠位に向かう皮切を加える（図 3-25）．

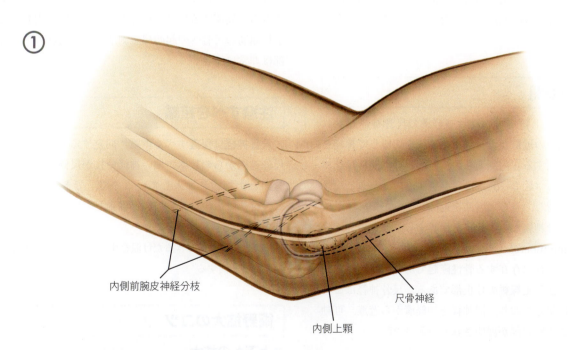

図 3-25　尺骨鉤状突起への後内側アプローチ．皮切（右肘）
肘関節の内側部，すなわち内側上顆の後方より始まり前腕の内側部に向かう約 8 cm の弓状皮切を加える．

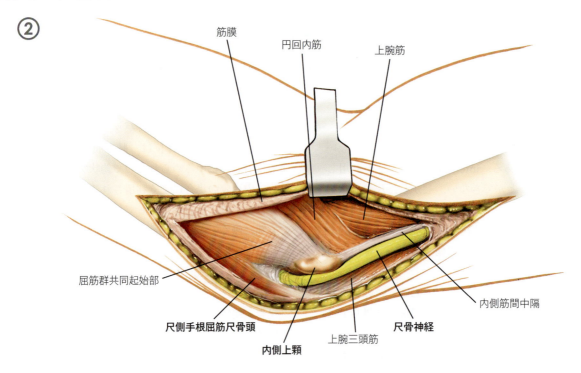

図 3-26 尺骨鉤状突起への後内側アプローチ．尺骨神経の剥離，展開
尺骨神経を内側上顆後方部分から尺側手根屈筋の上腕頭と尺骨頭の間の部分まで剥離，展開する．

internervous plane

このアプローチでは，浅層の展開に真の internervous plane を利用することはない．進入路はともに尺骨神経支配である尺側手根屈筋の上腕頭と尺骨頭の間を進入する．さらに尺骨神経支配の尺側手根屈筋と円回内筋深頭（正中神経支配；👉図 3-52）の間を展開して深部に進入する．

浅層の展開

上腕骨内側上顆後方の尺骨神経溝で尺骨神経を触れる．内側上顆の近位から神経上の筋膜を切離して神経を直視下に展開する．内側上顆の後方の神経溝から尺骨神経を遊離する（図 3-26）．尺側手根屈筋の上腕頭と尺骨頭の間を確認し，さらに展開を進めていくが，尺側手根屈筋への尺骨神経からの分枝を保護する．尺骨の骨性隆起（sublime tubercle）を同定する．これは鉤状突起の内側の関節辺縁に存在する骨性隆起であり，肘関節内側側副靱帯の前斜走線維の停止部である．尺骨神経はこの骨性隆起に接しており，同神経を神経溝から遊離，可動化するとこの隆起部が展開される（図 3-27）．

深層の展開

sublime tubercle のすぐ下方にある肘関節の内側側副靱帯の後斜走線維を同定する．必要があれば鉤状突起の内側面から軟部組織を剥離する（図 3-28）．骨折の場合には，たいていこの剥離はすでに生じている．鉤状突起をさらに展開するには，尺骨近位部より円回内筋と尺側手根屈筋の尺骨への起始部を剥離する．両筋のこの起始部は非常に小さい．

注意すべき組織

尺骨神経は保護すべく剥離，同定する（👉図 3-26）．尺骨神経からの数本の細い神経分枝が尺側手根屈筋の尺骨頭と上腕頭に進入しているので，できるだけ温存する．肘部管の中を尺骨神経と併走している細い血管に対しては結紮する*．

*訳者註：本来はできるだけ温存すべきであるが，必要があれば電気凝固する．

術野拡大のコツ

● 上下への拡大

近位に術野を拡大するには上腕三頭筋と上腕筋の間を

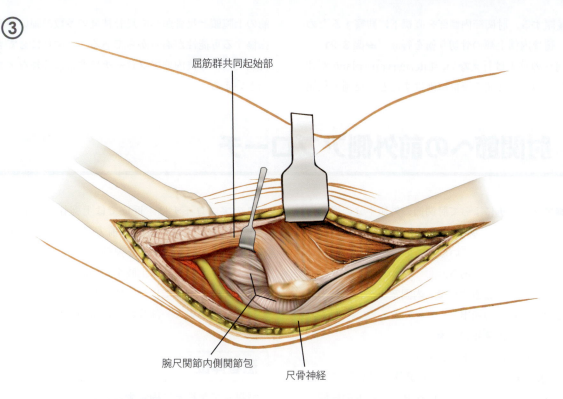

図 3-27　尺骨鉤状突起への後内側アプローチ．sublime tubercle の展開
尺側手根屈筋の上腕頭と尺骨頭の間を展開する．尺骨より尺骨神経を剥離し，sublime tubercle を展開する．

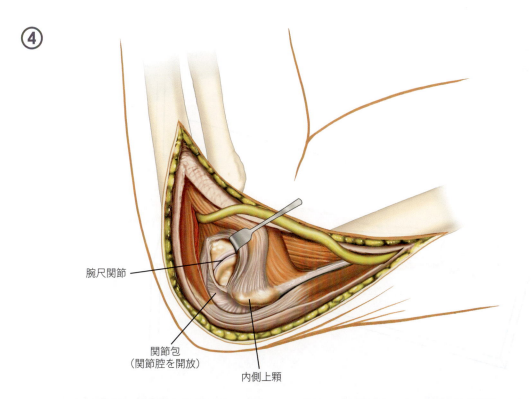

図 3-28　尺骨鉤状突起への後内側アプローチ．滑車切痕内側部および鉤状突起内側部の展開
尺側手根屈筋と円回内筋の尺骨付着部から剥離し，尺骨近位部（滑車切痕内側縁）および鉤状突起を展開する．

近位に展開する．肘関節内側部を直視下に観察するためには，上腕骨内側上顆の骨切り術を行う（👍 図3-21）．遠位方向への拡大は行えない．internervous plane が利用できないのは，展開を遠位に延ばすことで尺側手根屈筋の上腕頭と尺骨頭への尺骨神経の多数の細い神経枝を損傷する可能性があるからである．いずれにしても尺骨鉤状突起への後内側アプローチは非常に特殊なアプローチといえる．

6 肘関節への前外側アプローチ

　前外側アプローチによって肘関節の外側半分の展開が可能である．とくに上腕骨小頭および橈骨前面の近位1/3を展開するのに適している．このアプローチが用いられるのは，次の場合である．
- 上腕骨小頭骨折の観血的整復・内固定
- 橈骨近位部の腫瘍の摘出
- 上腕骨小頭無腐性壊死の手術
- 化膿性肘関節関節炎のドレナージ
- 後骨間神経の近位1/2と橈骨神経浅枝近位部の神経圧迫病変の手術（とくにFrohseアーケードの展開，さらに橈骨神経麻痺を合併した橈骨頭骨折の手術）
- 橈骨粗面からの上腕二頭筋腱の引き抜き損傷に対する手術
- 人工肘関節全置換術

　このアプローチは，近位では上腕骨への前外側アプローチ，遠位では橈骨への前方アプローチに延長できる．これらのアプローチを連続させることによって，肩関節から手関節までの上肢全長の展開も可能である．本アプローチのすべてについて述べる．通常は，病態に応じて展開が必要な一部分のみが用いられる．

患者体位

　背臥位で手術台に固定する．患肢は上肢台にのせる．患肢を3〜5分間挙上するか，ソフトラバーバンデージで駆血して，ターニケットに送気する（図3-29）．

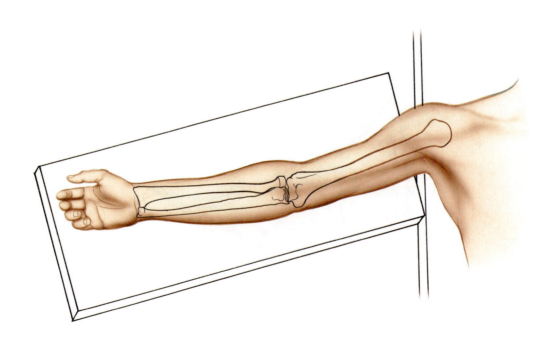

図3-29　肘関節前外側アプローチ．患者体位
手術台上で患者は背臥位とし，患肢は伸展して上肢台にのせる．

ランドマーク

腕橈骨筋は前腕の前外側部に筋腹が膨隆している一群の筋群の1つとして触れる．この筋群は3つの筋で構成されており，そのほかは短橈側手根伸筋と長橈側手根伸筋である．一番内側にあるのが腕橈骨筋である．

肘関節前面には強靱な索状物として**上腕二頭筋腱**を触知できる．

皮切

肘関節の前面に弓状の皮切を加える．肘関節屈側皮線（flexion crease）の上方5cmから始まる．上腕二頭筋の外側を下行し，肘関節部では屈側皮線に直交することを避けるため，皮切を内側に弯曲させる．前腕では腕橈骨筋の内側縁に沿って下行する．下方の皮切をどこまで延長するかは，橈骨の展開がどの範囲まで必要かによって決定する（図3-30）．

internervous plane

近位部では，上腕筋（筋皮神経支配）と腕橈骨筋（橈骨神経支配）の間に存在する．

遠位部では，腕橈骨筋（橈骨神経支配）と円回内筋（正中神経支配）の間に存在する（図3-31）．

浅層の展開

筋皮神経の感覚枝である外側前腕皮神経を同定しておく．この神経は上腕の遠位約5cmの部位で上腕筋と上腕二頭筋の間から筋膜を貫通して皮下に出て，上腕二頭筋腱の外側を下行する．この神経を外側の皮弁と一緒に外方*に引いておく（図3-32）．また同神経は，腕橈骨筋コンパートメント外にあって，橈骨神経浅枝より浅層を走っているが，橈骨神経浅枝はこのレベルではまだ腕橈骨筋コンパートメント内にある．

*訳者註：前腕部を展開する場合は"外方"に引くが，上腕遠位部を展開する場合はこの神経の走行を確認して皮弁とともに"内方"に引く．

ついで，腕橈骨筋の内側縁に沿って筋膜に切開を加える（☞図3-32）．肘関節のレベルで上腕筋と腕橈骨筋の間で橈骨神経を同定する．橈骨神経は両筋の間の深部を走行しているので，筋間を十分に拡げなければ神経を見つけることはできない．intermuscular planeは上腕筋をおおっている腕橈骨筋とともに斜めに走っている．術者の指で腕橈骨筋を外側に，上腕筋とその上を走る上腕二頭筋を内方に分けて，両筋の境界面を剥離展開する（図3-33）．

肘関節の前方関節包の外側部分を露出する．同組織を切離することで上腕骨小頭の観血的整復・内固定で十分な視野を確保できる[20]．

さらに遠位の構造を展開する必要がある場合には，橈骨神経の剥離を筋間に沿って3本の終末枝に分枝するまで遠位方向に進めていく．この3本の終末枝のうち後骨間神経は回外筋内に入り，橈骨神経浅枝（感覚枝）は腕橈骨筋におおわれて前腕を下行し，短橈側手根伸筋の運動枝は，分枝後ただちにこの筋内に進入する．同神経をこれより遠位に展開するには，腕橈骨筋（外側）と円回内筋（内側）の間を剥離していく．肘関節のすぐ遠位のレベルで，橈骨動脈から分枝した橈側反回動脈と腕橈骨筋に入る筋枝を結紮切断しておくことで，筋肉を十分移動させたり，前腕近位1/3で円回内筋上を下行している橈骨動脈を内方によけたりすることができる（図3-34）．

144　第3章　肘関節

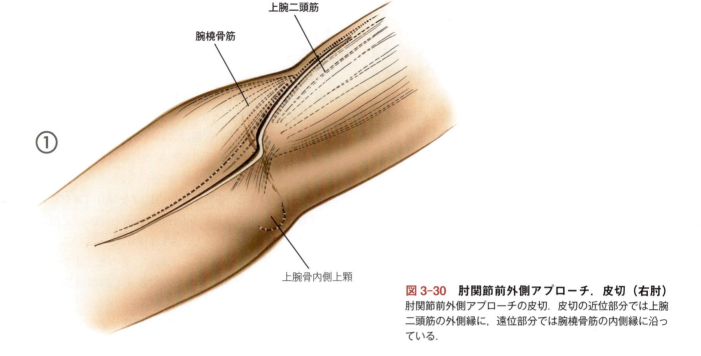

図 3-30　肘関節前外側アプローチ．皮切（右肘）
肘関節前外側アプローチの皮切．皮切の近位部分では上腕二頭筋の外側縁に，遠位部分では腕橈骨筋の内側縁に沿っている．

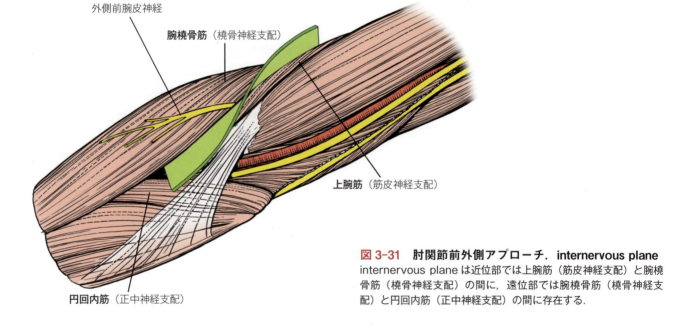

図 3-31　肘関節前外側アプローチ．internervous plane
internervous plane は近位部では上腕筋（筋皮神経支配）と腕橈骨筋（橈骨神経支配）の間に，遠位部では腕橈骨筋（橈骨神経支配）と円回内筋（正中神経支配）の間に存在する．

6. 肘関節への前外側アプローチ　145

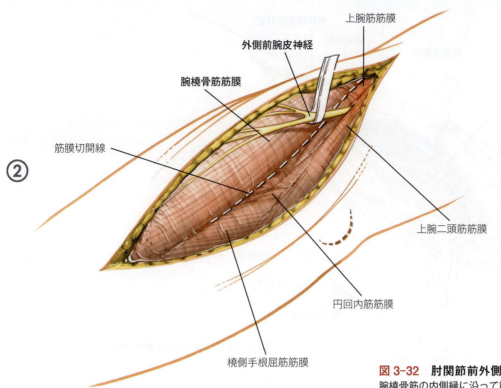

図 3-32　**肘関節前外側アプローチ．浅層の展開**
腕橈骨筋の内側縁に沿って筋膜に切開を加える．注意深く外側前腕皮神経を同定し，よけておく．

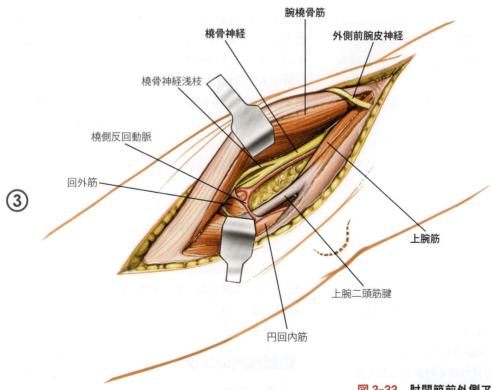

図 3-33　**肘関節前外側アプローチ．橈骨神経の確認**
腕橈骨筋と上腕筋の間を同定し，腕橈骨筋を外方に，上腕筋を内方によけ，橈骨神経を同定する．

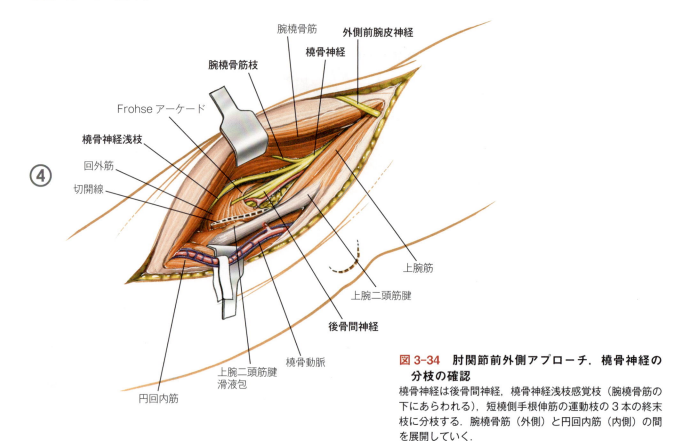

図 3-34 肘関節前外側アプローチ．橈骨神経の分枝の確認

橈骨神経は後骨間神経，橈骨神経浅枝感覚枝（腕橈骨筋の下にあらわれる），短橈側手根伸筋の運動枝の 3 本の終末枝に分枝する．腕橈骨筋（外側）と円回内筋（内側）の間を展開していく．

深層の展開

橈骨神経を外側に上腕筋を内側によせて前方関節包に到達し，これに縦切開を加えることで，上腕骨小頭や肘関節外側を展開できる（図 3-35）．

橈骨近位部を展開するには，前腕を最大回外して回外筋停止部が橈骨前面の直視下にくるようにする．回外筋は橈骨の上腕二頭筋腱停止部のすぐ外側に停止している．これを橈骨から骨膜下に全周性に剥離すると橈骨近位部が完全に露出する（👉図 3-35，挿入図，第 4 章「**1** 橈骨への前方アプローチ」）．

注意すべき組織

上腕筋と腕橈骨筋の間をしっかり剥離展開してから，両筋間で**橈骨神経**を同定する．橈骨神経は腕橈骨筋の筋膜に包まれて，この筋の後内側を走っている．橈骨神経を上腕骨遠位部もしくは肘関節のレベルで探し出すには，上腕筋と腕橈骨筋の間で見つけるのがもっとも確実である．

後骨間神経は，橈骨頚部を回りながら回外筋を貫通しているので損傷を受けやすい．神経損傷を防止するには，前腕を回外位にして，回外筋をその停止部で橈骨から切離する．回外筋の筋腹を切断して，橈骨を展開することはけっして行ってはならない（図 3-35，36；👉図 3-49，第 4 章「**1** 橈骨への前方アプローチ」）．

外側前腕皮神経を上腕筋と上腕二頭筋の間で同定すべきで，またこれを損傷しないように注意する．外側皮弁と一緒に外方*に引いて術野を拡大する（👉図 3-32）．

*訳者註：前腕部を展開する場合は"外方"に引くが，上腕遠位部を展開する場合はこの神経の走行を確認して皮弁とともに"内方"に引く．

橈骨動脈から分枝している**橈側反回動脈**を結紮切断しておくと，腕橈骨筋の移動が非常に容易になる．ここにはたくさんの動脈の分枝があるため，この操作は時間はかかるものの，結紮によって術後の出血やそれによる組織内圧の上昇が原因で発生する阻血性拘縮を防止できる（👉図 3-33，34）．

術野拡大のコツ

●上下への拡大

近位への拡大 この前外側アプローチにおいて，上腕筋と上腕三頭筋間の展開を近位に進めていくと，容易に

6. 肘関節への前外側アプローチ　147

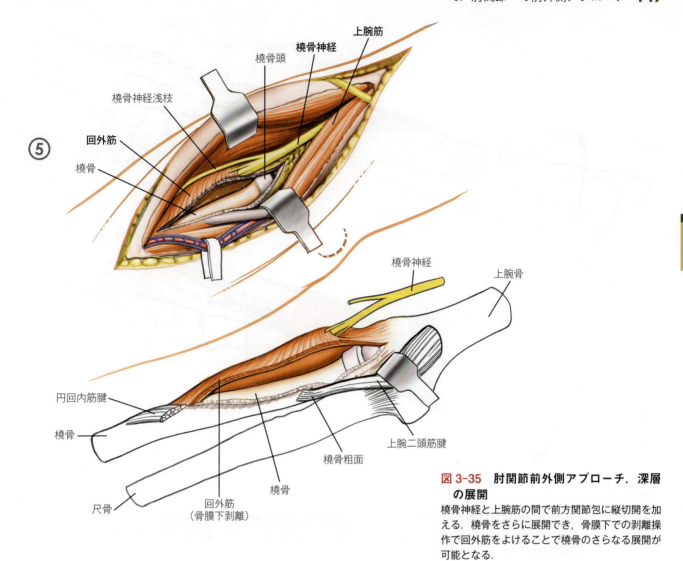

図 3-35　肘関節前外側アプローチ．深層の展開
橈骨神経と上腕筋の間で前方関節包に縦切開を加える．橈骨をさらに展開でき，骨膜下での剥離操作で回外筋をよけることで橈骨のさらなる展開が可能となる．

上腕遠位部の前外側アプローチへと拡大できる．橈骨神経が上腕骨外側上顆より握りこぶし幅だけ上方のレベルで，上腕骨後面から前下方に回って下行していることに注意する（👉第2章「4 上腕骨遠位部の前外側アプローチ」）．

遠位への拡大　この前外側アプローチにおいて，近位部では腕橈骨筋（橈骨神経支配）と円回内筋（正中神経支配）の間を，遠位部では腕橈骨筋（橈骨神経支配）と橈側手根屈筋（正中神経支配）の間を剥離展開することで，橈骨の前面を全長にわたって展開できる（👉第4章「1 橈骨への前方アプローチ」）．

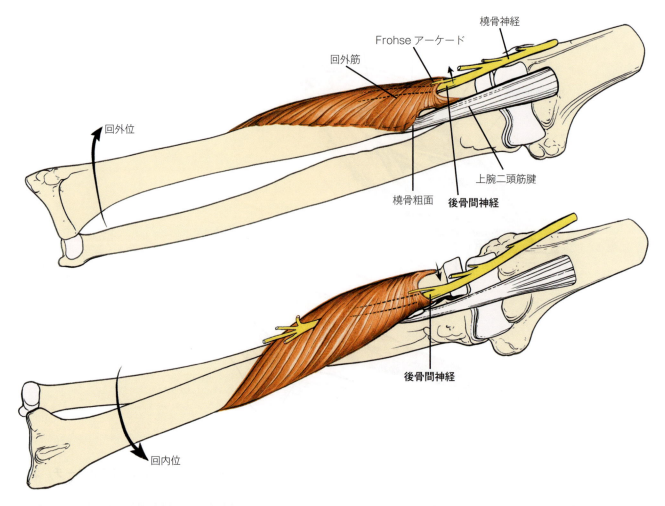

図 3-36　前腕回外位および回内位における後骨間神経の位置変化（短い矢印）
前腕を回外位にすることで後骨間神経は腕橈関節の切開線の外側に移動するし，また回外筋停止部への切開線からも離れるため，保護できる．

7 肘窩部への前方アプローチ

　肘関節の外科的アプローチとして前方アプローチが用いられることはまれではあるが，肘窩部で神経血管束を展開するには便利であり，次のような場合に用いられる．
- 正中神経損傷の修復
- 上腕動脈損傷の修復
- 橈骨神経損傷の修復
- 橈骨の上腕二頭筋結節部への二頭筋腱の再固定
- 上腕二頭筋腱断裂の修復
- 外傷後の前方関節包の拘縮の解離
- 腫瘍の切除

患者体位

　手術台上で背臥位とし，患肢は図 3-29 のごとくとする．患肢を 3〜5 分間挙上するか，ソフトラバーバンデージで駆血して，ターニケットに送気する．

ランドマーク

　腕橈骨筋は，前腕を回外したときに外側に膨隆してくる筋肉である．
　上腕二頭筋腱は，肘窩部の前面を下行する強靱な索状物として容易に触れることができる．

7. 肘窩部への前方アプローチ　149

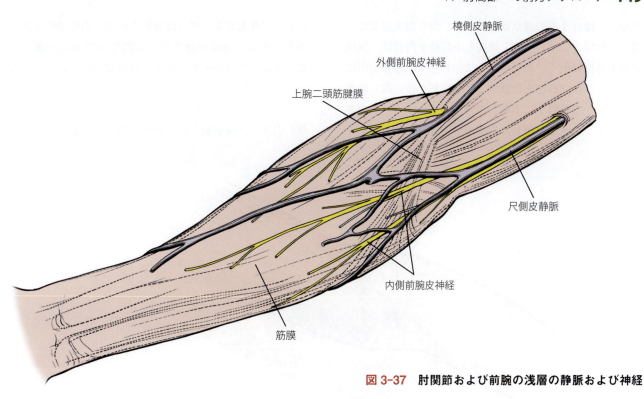

図 3-37　肘関節および前腕の浅層の静脈および神経

皮切

　肘関節前面にカーブした，いわゆる boat-race incision* を加える．皮切は，肘窩部の屈側皮線の 5 cm 上方から始まり，上腕二頭筋の内側縁に沿って下行する．さらに肘前面部を横切り，腕橈骨筋の内側縁を下行して終わる．皮切をこのようにカーブさせることにより，屈側皮線と直行するのを避ける（図 3-37, 38）．

*原書註：この言葉はイングランドのロンドンで行われるオックスフォード大学とケンブリッジ大学間のボートレース定期戦に由来する．プトニーからモルトレイクまでのボートコースは 3 ヵ所で大きくカーブしているところから，数個のカーブした皮切をこのように呼ぶことがある．

internervous plane

　遠位部では，腕橈骨筋（橈骨神経支配）と円回内筋（正中神経支配）の間に存在する（図 3-39）．
　近位部では，上腕筋（筋皮神経支配）と円回内筋（正中神経支配）の間に存在する．

浅層の展開

　皮弁は広く剥離し可動化する．皮切に一致した切開を筋膜に加えるが，この領域では肘関節をまたぐように皮下静脈が数本出てくるので（☞図 3-37），これらを結紮切断する．
　筋皮神経の感覚枝である外側前腕皮神経は保護しなければならない．この神経を確認するには上腕二頭筋腱と上腕筋の間を展開する．同神経はさらに前腕外側の皮下を下行する（図 3-40）．
　ついで上腕二頭筋腱膜（lacertus fibrosus）を確認する．同腱膜は上腕二頭筋腱からバンド状の線維性組織として起こり，前腕を内方に横切って浅層の前腕屈筋群近位部表面を斜めに下行する（☞図 3-40）．同腱膜を上腕二頭筋腱起始部近くで切離し，外側に反転する．上腕動脈がこの腱膜の直下を走っているので損傷しないように注意する（図 3-41）．
　上腕二頭筋腱の上を通過する橈骨動脈を確認する．橈骨動脈を上腕動脈からの分岐部まで近位に追跡する．上腕動脈の内側には，上腕静脈と正中神経が並んで走行している．一方，橈骨神経を確認するには上腕筋と腕橈骨筋の間を分ける．橈骨神経は肘関節の前面を走行する．
　これらの組織を確認し，それぞれの位置関係を頭に入れておくことが，肘窩部の手術がうまくいく秘訣である（☞図 3-41）．

深層の展開

　前方アプローチを神経血管束を露出するだけに用いる

のなら，深部までの剥離は必要ない．前方関節包まで展開したい場合には，上腕二頭筋と上腕筋を内側に，腕橈骨筋を外側に引く．前腕を最大に回外して，橈骨前面に停止している回外筋を確認する．回外筋を停止部で切離し，橈骨から骨膜下に剥離して外側に反転する．そのさい，レトラクターを橈骨近位部の外側部分に差し込まないように注意する．後骨間神経を圧迫する危険性があるからである．前述の操作で，肘関節包の前面が露出する．関節包に切開を加えると，肘関節前面を露出できる（👍図 3-44）．

尺骨鉤状突起部を展開したい場合には，円回内筋を内側に引き，上腕動脈と正中神経を内方で確認して，肘関

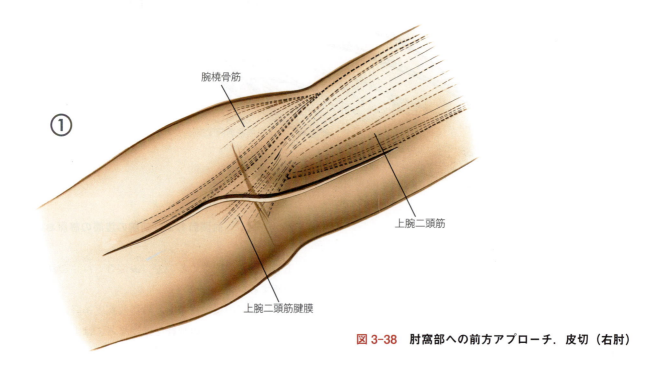

図 3-38 肘窩部への前方アプローチ．皮切（右肘）

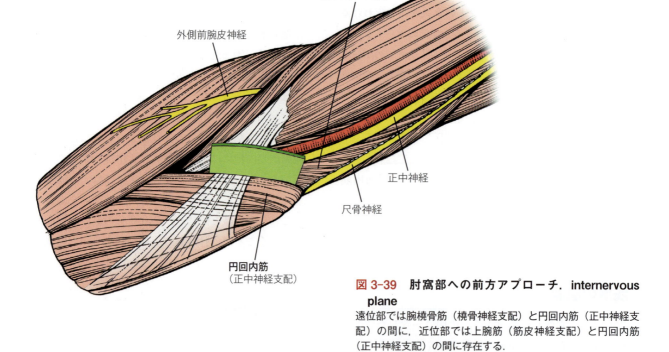

図 3-39 肘窩部への前方アプローチ．internervous plane
遠位部では腕橈骨筋（橈骨神経支配）と円回内筋（正中神経支配）の間に，近位部では上腕筋（筋皮神経支配）と円回内筋（正中神経支配）の間に存在する．

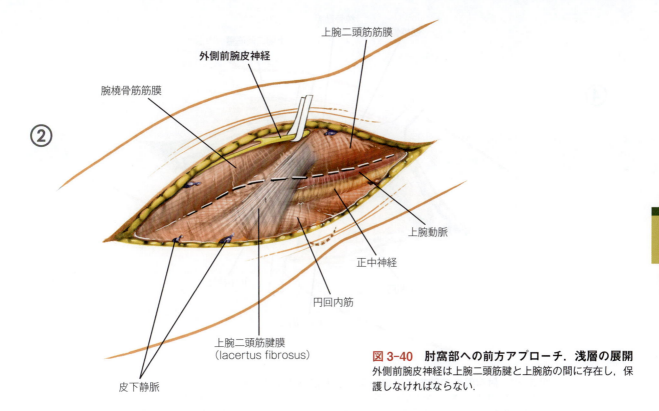

図3-40 肘窩部への前方アプローチ．浅層の展開
外側前腕皮神経は上腕二頭筋腱と上腕筋の間に存在し，保護しなければならない．

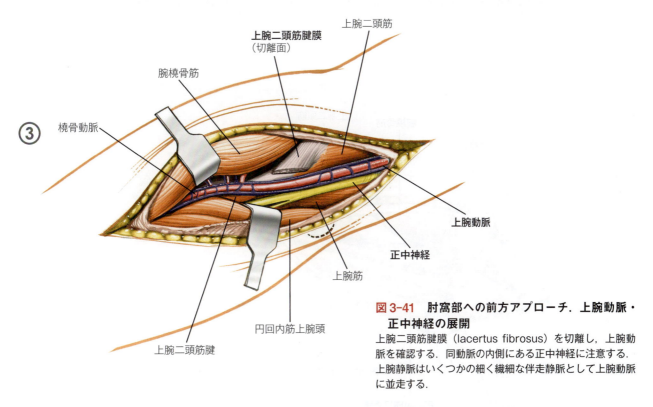

図3-41 肘窩部への前方アプローチ．上腕動脈・正中神経の展開
上腕二頭筋腱膜（lacertus fibrosus）を切離し，上腕動脈を確認する．同動脈の内側にある正中神経に注意する．上腕静脈はいくつかの細く繊細な伴走静脈として上腕動脈に並走する．

節を軽度屈曲位とすることで上腕動脈と正中神経の間に上腕筋の停止部を確認できる．
　正中神経と円回内筋を内方に，上腕動・静脈と上腕二頭筋を外方によける（図3-42)[21]．

注意すべき組織

　このアプローチでは肘窩部の神経血管束を非常に簡単に展開できる．しかし，注意しないとこれを損傷する可

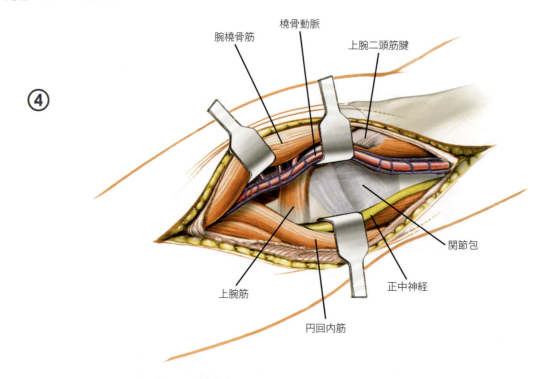

図 3-42　肘窩部への前方アプローチ．上腕筋停止部の確認
円回内筋を内側に引き，上腕動脈と正中神経を内側部で確認する．肘関節を軽度屈曲位とすることで上腕動脈と正中神経の間に上腕筋の停止部を確認できる．正中神経と円回内筋を内方に，上腕動・静脈と上腕二頭筋を外方によける．

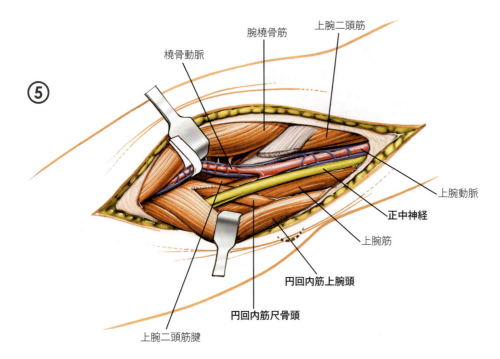

図 3-43　肘窩部への前方アプローチ．正中神経の露出
正中神経を円回内筋内に入るところまで追跡する．神経を露出する必要がある場合にはその表層側にある円回内筋を切離する．この切開は円回内筋の上腕頭と尺骨頭の間である．

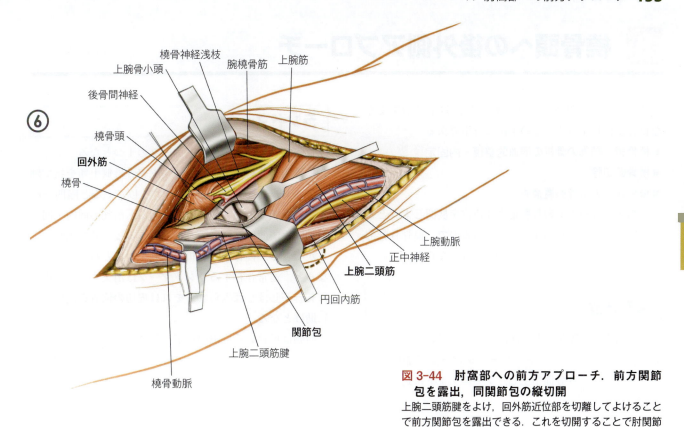

図 3-44　肘窩部への前方アプローチ．前方関節包を露出，同関節包の縦切開
上腕二頭筋腱をよけ，回外筋近位部を切離してよけることで前方関節包を露出できる．これを切開することで肘関節腔内に進入できる．

能性がある．重要なのは次の3点である．
1) 筋皮神経の感覚枝である**外側前腕皮神経**（☞図3-40）は上腕の遠位1/4位で深筋膜に切開を加えるさいに損傷されやすい．上腕部の上腕筋と上腕二頭筋の間でこの神経を探し出して，遠位まで追跡して温存する．
2) **橈骨動脈**は上腕二頭筋腱膜（lacertus fibrosus）の直下を走っている．腱膜を切離するときには動脈を損傷しないように注意する（☞図3-41）．
3) **後骨間神経**は，橈骨頚部を外側方向に回り込んで回外筋の筋層間を下行しているので，損傷する可能性がある．神経損傷を防止するには，前腕回外位で橈骨の回外筋停止部を切離すべきである（☞図3-35）．

術野拡大のコツ

●上下への拡大

このアプローチを上下に拡大することによって，神経血管束をさらに広範囲に展開することができる．
1) 正中神経
近位への拡大　上腕二頭筋の内側縁に沿って上方に展開を進める．この皮切と一致した切開を深筋膜に加える．上腕動脈が上腕二頭筋と上腕筋の間で深筋膜の直下に現れる．上腕動脈と並んで正中神経が走っている．
遠位への拡大　正中神経を円回内筋内に入るところまで追跡する．円回内筋を少しよけるだけで十分な露出が可能である．肘関節のレベルでは，正中神経の内側から数本の運動枝が屈筋回内筋群に分枝している．これらの運動枝を損傷しないように注意する．この皮切は円回内筋の上腕頭と尺骨頭の境界線に一致しており，この両頭間を分ける入ることで正中神経をさらに遠位まで追うことが可能となる（図3-43）．
2) 上腕動脈
正中神経と並んで走っている．正中神経と同様の方法で展開することができる（図3-44）．
3) 橈骨動脈
橈骨動脈を展開するには，円回内筋の表層を前腕の外側に向かう同動脈を遠位に追っていく．近位部では円回内筋と腕橈骨筋の間を，遠位部では橈側手根屈筋と腕橈骨筋の間を分けることによって，橈骨動脈を手関節のレベルまで追跡することができる．

8 橈骨頭への後外側アプローチ

橈骨頭への後外側アプローチ[22]は，以下に示すような橈骨頭に対するすべての手術に有用である．
- 橈骨頭・頸部の骨折の観血的整復・内固定[23,24]
- 橈骨頭切除
- 橈骨頭の人工骨頭置換術[25,26]

このアプローチで輪状靱帯より遠位を展開しようとすると後骨間神経を損傷する危険があるので，橈骨骨幹部近位部まで拡大することは避けなければならない．

患者体位

手術台上に背臥位とし，患肢を胸の上にのせて前腕を回内位とする[27]．ソフトラバーバンデージで駆血するか，患肢を3～5分間挙上し，ターニケットに送気する（図3-45）．

ランドマーク

上腕骨外側上顆がランドマークの1つとなる．

橈骨頭を確認するには，まず上腕骨外側上顆を指で触れてから，下方に2.5cmほどずらしてくると陥凹を触れ，橈骨頭はこの陥凹の深層にある．前腕の回内・回外運動で手関節伸筋群群の下に回旋する橈骨頭を触れることができる．橈骨頭に骨折があり，出血と腫脹が著明になると，通常存在するランドマークは消失する．骨折部に軋音がしばしばみられ，それは皮切の位置を決めるのに助けとなる．

肘頭は尺骨の近位端の皮下に触れる．

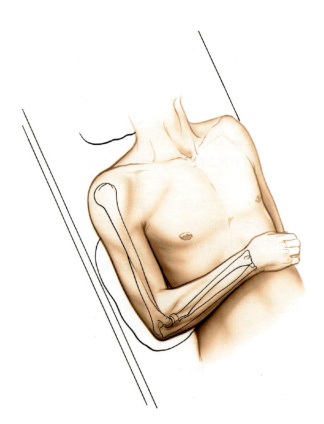

図3-45　橈骨頭への後外側アプローチ．手術台上での患者体位

8. 橈骨頭への後外側アプローチ

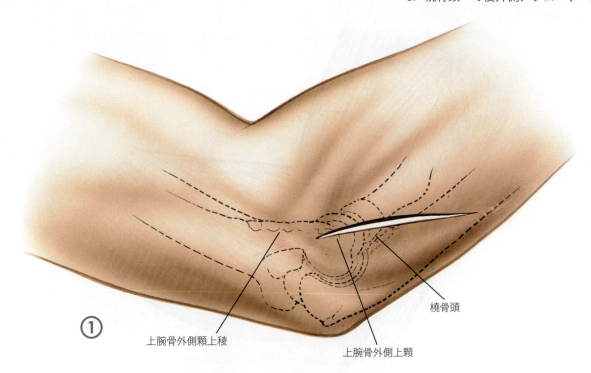

図 3-46　橈骨頭への後外側アプローチ．皮切（右肘）
上腕骨外側上顆部から内下方に向かう縦皮切を加える．

皮切

上腕骨外側上顆の後面から肘頭の 6 cm 遠位の尺骨後縁へと内下方に向かう，ゆるいカーブをつけた皮切を加える．

あるいは上腕骨外側上顆から，その遠位にある皮膚の陥凹部を越えて，橈骨頭にいたる約 5 cm の縦皮切を加えてもよい（図 3-46）．

internervous plane

2つの進入路が利用できる．1つは通常の肘筋（橈骨神経支配）と尺側手根伸筋（後骨間神経支配）の間である（図 3-47）．もう1つはともに後骨間神経支配である短橈側手根伸筋と総指伸筋の間（Kaplan interval）である．

浅層の展開

皮切に一致して深筋膜に切開を加える．肘筋と尺側手根伸筋は近位部では腱膜を共有しているため，両者の分離は遠位部で行うと容易である（図 3-48）．肘筋は外側上顆から起始しているので，起始部の一部を剥離する．

ついでレトラクターを用いて尺側手根伸筋と肘筋の間を拡大する（図 3-49）．

外傷の場合は，この部位にしばしば出血や挫滅がみられ，尺側手根伸筋と肘筋との間を探すのが困難な場合がある．この場合は上腕骨外側上顆を指で触れることは容易であるので，外側上顆から橈骨頭に向かって腱膜をまっすぐに分けるのが安全である．橈骨頭骨折には肘関節外側側副靱帯および伸筋群起始部の損傷を合併することが多い．そのため橈骨頭の展開はその筋膜の損傷部分から遠位に拡大できる．

深層の展開

前腕を最大回内位にすると後骨間神経は術野から遠ざかる（👉図 3-49，挿入図）．

肘関節の関節包に縦切開を加えると，上腕骨小頭，橈骨頭，輪状靱帯が直視下に観察される．橈骨神経が関節包の前外側部分の前方を走っているので，関節包の切開はあまり前方に寄りすぎないようにする．また，後骨間神経は回外筋を貫通して走っているため，輪状靱帯より遠位部を展開したり，術野を拡げるためにレトラクターをかけて前方や下方に強く引いたりすると，神経を損傷する危険がある（図 3-50）．

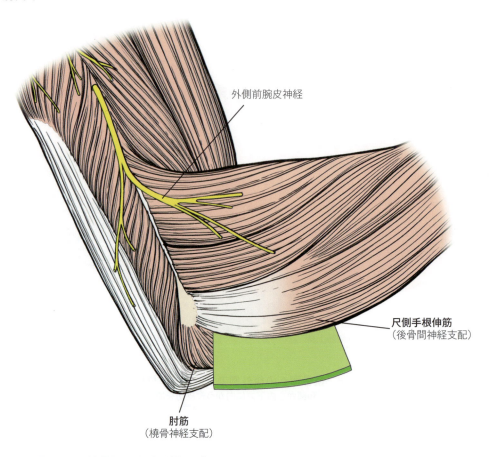

図 3-47　橈骨頭への後外側アプローチ．internervous plane
肘筋（橈骨神経支配）と尺側手根伸筋（後骨間神経支配）の間である．

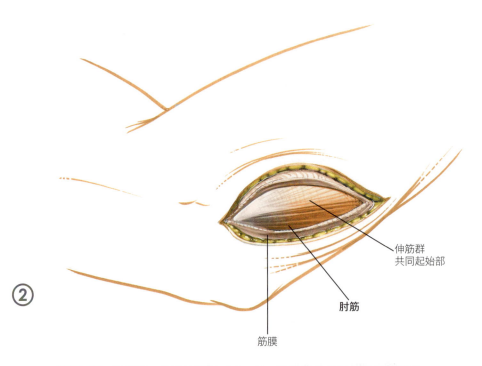

図 3-48　橈骨頭への後外側アプローチ．伸筋群の共同起始部の露出
遠位部で肘筋と尺側手根伸筋の間を見出す．近位部では両筋は腱膜を共有している．

8. 橈骨頭への後外側アプローチ

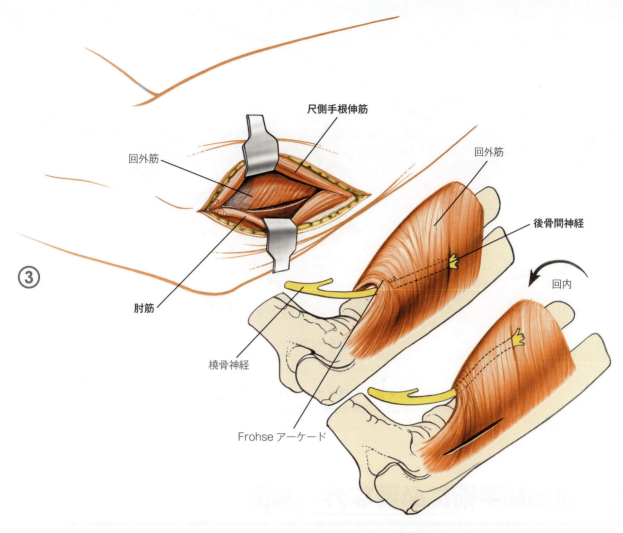

図 3-49　橈骨頭への後外側アプローチ．前腕の回旋による後骨間神経の位置変化
外側上顆から肘筋の起始部上方部の一部を剥離する．尺側手根伸筋と肘筋の間を分け入る．前腕を回内位に保持することによって神経は術野から遠ざかる．

注意すべき組織

　後骨間神経は輪状靱帯より近位で展開している限り損傷する危険はない．前腕を回内位に保持することによって神経は術野から遠ざかる（☞図 3-49，挿入図）．神経麻痺の発生を確実に防ぐためには，レトラクターを骨に直接あてること，そしてその位置に注意を払うことが重要である．後骨間神経は橈骨頸部では橈骨粗面の反対側の骨面に接して走っていることがあるので，レトラクターを橈骨粗面の反対側にかけるのは危険である[28]．

　橈骨神経は，肘関節包を前方からでなく外側から展開する限り損傷する危険はない．

術野拡大のコツ

● 深部への拡大

　上腕骨遠位部の外側半分を完全に展開するには，上腕骨外側顆上部の骨稜に沿って浅層を剥離していく．上腕骨の前面と後面を骨膜下に剥離して，上腕骨遠位端と上腕骨小頭を展開する．肘関節を内反すると，肘関節の外側部分をより広く展開できる．この拡大は肘関節外側部の骨折の内固定や関節遊離体の摘出に非常に有用である（☞第 2 章「4 上腕骨遠位部への前外側アプローチ」）．

● 上下への拡大

　このアプローチは上下方向のどちらにも拡大することはできない．

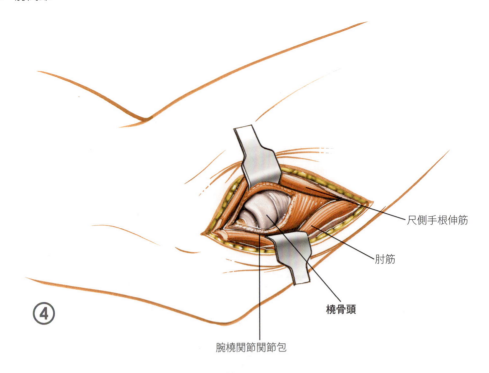

図 3-50 橈骨頭への後外側アプローチ．橈骨頭の露出
肘関節包を縦切し，上腕骨小頭や橈骨頭を展開する．

9 肘関節手術に必要な外科解剖

概 観

　肘関節は上腕骨遠位端と橈骨および尺骨の近位端とにより形成される蝶番（ginglymus）関節であり，近位橈尺関節とも連結している．
　上腕骨遠位端には2つの関節面がある．
1）上腕骨遠位端の外方の関節面である上腕骨**小頭**は橈骨頭との間で関節を形成している．その形状は半球状を呈しており，下方のみならず上方にも関節面を形成しているが，後方には関節軟骨は存在しない．上腕骨外側支柱（column）の後面にプレートを設置する場合，内側支柱にあてられるプレートよりも遠位に設置される．この内側プレートで遠位骨片を最大限とらえるためには上腕骨顆上部の内側骨稜に設置されなければならない．
2）上腕骨遠位端の内方の関節面である上腕骨**滑車**は尺骨と関節を形成している．糸巻きの形状を呈しており，滑車の関節面は上腕骨小頭の関節面より遠位に位置しているので，上腕骨遠位端の関節面には傾斜しており，これにより"carrying angle（肘外偏角）"を形成する．滑車は縦に中央がへこんで溝を形成している．その内側縁と外側縁は峰状に隆起しているが，内側の峰は鋭く突出しているのに対し，外側の峰は目立たず丸味を帯びている．
　上腕骨遠位端の2つの関節面，すなわち小頭と滑車の間には骨稜があり，これにより両者は二分されている．
　肘関節は強靱な内・外側側副靱帯で補強されている．前方および後方の靱帯としては，主に関節包の線維成分の肥厚した部分がそれにあたり，肘関節が蝶番関節として機能をするのを助けている．肘関節を構成する骨の形態と強靱な側副靱帯の存在を考えるとき，肘関節を十分に展開するには，軟部組織を広範に剥離する必要があることがよく理解できる．肘関節への外側および内側アプローチでは，剥離の範囲を拡大しない限り関節腔の観察範囲は限られている．一方，後方アプローチでは，関節腔のほぼすべてをより容易に展開できる．肘関節周囲に

は，以下の4つの筋群が存在する．
1) 前方には肘屈筋群があり，筋皮神経支配である．
2) 後方には肘伸筋群があり，橈骨神経支配である．
3) 内方には，上腕骨内側上顆より起始している屈筋回内筋群（手関節と手指の屈筋群，それに円回内筋）があり，正中・尺骨神経で支配されている．
4) 外方には，上腕骨外側上顆より起始している手関節と指の伸筋群と回外筋がある．橈骨神経と後骨間神経で支配されている．

これらの筋群の間には3つの筋境界面が形成されている．そのうち2つの筋境界面はinternervous planeとも一致しており，手術時にその間を分けて進入することができる．もう1つのinternervous planeは外方の筋群に存在する．以上の3つのinternervous planeについてもう少し詳しく説明する．

1) **前方**筋群（筋皮神経支配）と**外方**筋群（橈骨神経支配）の間に存在するもの．上腕筋と腕橈骨筋の間から進入する前外側アプローチに利用される（☞図3-31）．
2) **前方**筋群（筋皮神経支配）と**内方**筋群（正中神経支配）の間に存在するもの．上腕筋と円回内筋の間から進入する内側アプローチに利用される（☞図3-16, 39）．
3) 外方筋群に属する筋肉の中の，肘筋（橈骨神経支配）と尺側手根伸筋（橈骨神経の主要分枝である後骨間神経支配；☞図3-47）の間に存在するもの．橈骨頭に進入する場合の後外側アプローチに利用される．

外方筋群（腕橈骨筋）と後方筋群（上腕三頭筋）はともに橈骨神経によって支配されているため，両筋群の間のintermuscular planeは真のinternervous planeではない．しかし，橈骨神経は肘関節よりもかなり近位のレベルで両者の筋群に運動枝を分枝をしているため，このplaneは有用である．上腕骨遠位部への外側アプローチとしてよく利用されるこの偽のinternervous planeは，腕橈骨筋と上腕三頭筋の間にある（☞図2-31A）．

前腕部の内・外方筋群は肘窩と呼ばれる三角形の陥凹を形成している．肘窩の内側縁は円回内筋，外側縁は腕橈骨筋である．肘窩部の三角形の底辺は，上腕骨の内・外側上顆を結んだ線に一致する．

● **神経血管の解剖**

正中神経は肘関節前面の内側よりを下行している．肘窩部では神経の上を上腕二頭筋腱膜（lacertus fibrosus）がおおっている．正中神経は肘窩部の遠位では，円回内筋の2頭（上腕頭［浅頭］と尺側頭［深頭］）間に進入する．さらに浅指屈筋の深層を下行する（☞図4-11）．

橈骨神経は上腕筋と腕橈骨筋の間で肘関節前面を下行する．肘窩部の腕橈関節のレベルで後骨間神経と橈骨神経浅枝に分岐する．前者は回外筋を貫通し，後者は腕橈骨筋の下面に接して，前腕外側を下行する（☞図3-34）．

尺骨神経は上腕骨内側上顆後方にある尺骨神経溝を通って肘関節のレベルを通過する．この部位では神経を容易に触れることができる．さらに下行すると尺側手根屈筋の2頭（上腕頭と尺骨頭）に運動枝を出しながら両筋頭間を通過し，前腕前方コンパートメントに進入するが，この部で絞扼されることがある．ついで，深指屈筋の前面を下行し（☞図3-59），前腕の近位1/3で環指と小指の深指屈筋に運動枝を出す．

上腕動脈は正中神経の外側に並んで上腕筋の上を通って肘窩を下行する．さらに上腕二頭筋腱膜（lacertus fibrosus）の下を通過している．腱膜の上には尺側皮静脈が走っており，しばしば静脈注射に用いられる（☞図3-37）．瀉血が注射針でなく乱切刀により行われていた時代では，この部は経験の浅い外科医が好んで選んだ部位である．ここを用いる理由は，乱切刀使用時に痛みのため患者が腕を動かしても，上腕骨二頭筋腱膜がその下を走っている上腕動脈や正中神経が損傷されるのを防いでくれたからである．上腕動脈は肘窩の中央まで下行したところで2つの終末枝である橈骨動脈と尺骨動脈に分岐する．上腕動脈は上腕骨顆上骨折のさいに，正中神経とともに損傷を受ける危険がある（☞図3-41）．

橈骨動脈は肘窩部では上腕二頭筋腱の内側を下行する．下方では回外筋と円回内筋の停止部付近の表面を通って前腕を下行する．前腕近位部では腕橈骨筋が動脈の上をおおっている（☞図4-11）．

尺骨動脈は肘窩部遠位で円回内筋の尺骨（深）頭の下を通過する．上腕頭と尺骨頭の間を通過する正中神経とは，この部位で分かれることになる（☞図4-13）．

肘関節への内側アプローチに必要な外科解剖

上腕骨内側上顆に起始している屈筋群は，5つの筋から構成されている．扇状に拡がって前腕を下行する．
① 円回内筋（上腕頭）
② 橈側手根屈筋
③ 浅指屈筋（上腕頭）
④ 長掌筋
⑤ 尺側手根屈筋（上腕頭）

①～④の筋群は正中神経支配である．⑤の尺側手根屈筋は尺骨神経支配である．もっとも近位に位置する円回内筋は肘窩の内側縁を形成する．

内側アプローチでは，内側上顆の骨切り術を行った後，①～⑤の筋肉を下方に反転する．しかし，正中神経が円回内筋を貫通しているために，筋群の遠位方向への反転は制約を受け，反転可能な距離は実際にはわずかである（図3-51～55）．

肘関節への前外側アプローチに必要な外科解剖

上腕骨外側上顆とその上方の外側顆上部の骨稜からは2群の筋群が起始している（☞第4章「6橈骨への後方アプローチに必要な外科解剖」）．
1) 腕橈骨筋，長・短橈側手根伸筋の3つの筋からなる"mobile pad"と呼ばれる筋群
2) 伸筋群共同起始部（common extensor origin）から起始する4筋からなる筋群（総指伸筋，小指伸筋，尺側手根伸筋，肘筋）

肘筋は完全に肘関節の筋肉であるが，真の機能はまだ明らかではない．肘筋の遠位部では筋線維は尺骨の長軸にほぼ平行に走っており，肘関節の弱い伸展作用があると考えられる．近位部の筋線維は水平に走行するようになり，尺骨の外転と回旋作用がある．両者の作用が肘関節に同時に加わるが，肘関節運動にとってそれほど重要なものではない．筋電図で検索すると，肘筋は肘伸展時にもっとも活動している[29,30]．しかし，おそらく肘関節の他の筋肉は主動力筋として，肘筋は安定化機構として機能しているのであろう．これは肩関節における腱板を構成している諸筋の機能に類似している[31]．

肘筋は橈骨頭へのアプローチである後外側アプローチのときの目印として重要である．肘筋（橈骨神経支配）と尺側手根伸筋（後骨間神経支配）との間にinternervous planeが存在するからである．

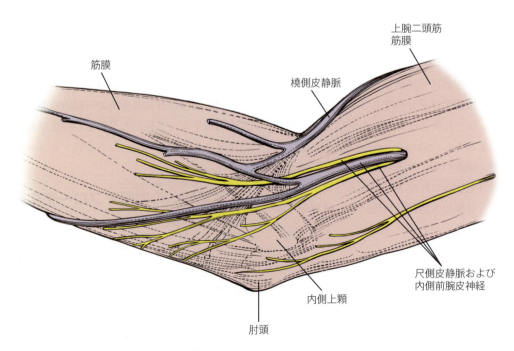

図3-51　肘関節内側面の表層解剖（右肘内側面）
肘関節の内側部．同部の感覚神経および静脈を示す．

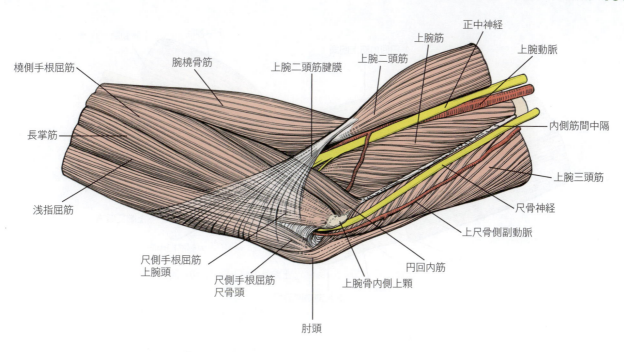

図 3-52　肘関節内側面の浅層解剖
上腕骨内側上顆部には前腕の5つの筋肉の屈筋群共同起始部（common flexor origin）がある．この5つの筋肉はすべて正中神経支配である．尺骨神経は尺側手根屈筋の上腕頭と尺骨頭の間を通る．正中神経は上腕二頭筋腱膜の下を走行する．

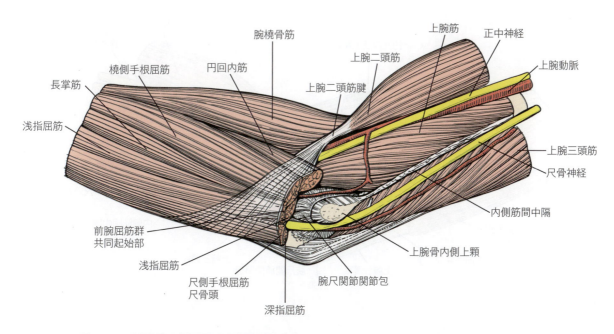

図 3-53　肘関節内側面の中間層解剖（1）
内側上顆を回り込み，その遠位で尺側手根屈筋と深指屈筋の筋間に入る尺骨神経を示すために屈筋回内筋群は除去されている．

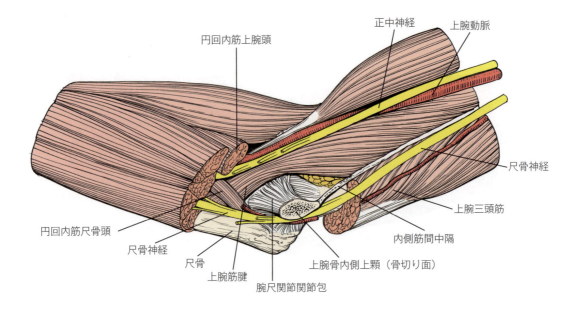

図 3-54　肘関節内側面の中間層解剖（2）
屈筋回内筋群はさらに除去し，上腕骨内上顆部を骨切りした図．遠位の前腕部では，尺骨神経は尺側手根屈筋と深指屈筋の筋間を走行し，正中神経は円回内筋の両頭間で上腕筋の上を走行する．

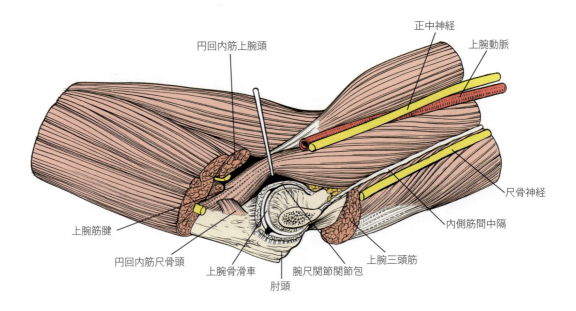

図 3-55　肘関節内側面の深層解剖
上腕筋を関節包から剥離挙上し，関節包を切開する．

肘窩部への前方アプローチに必要な外科解剖

肘関節前方には2つの肘関節を屈曲させる上腕筋と上腕二頭筋が並走するが，いずれも筋皮神経支配である．筋皮神経は，上腕部では上腕二頭筋と上腕筋の間を下行している．上腕二頭筋腱は，肘関節の前面にいたると外方に走行を変えて橈骨粗面に停止する．一方，上腕筋は内方に走行を変えて尺骨鉤状突起に停止する．

肘関節前方では，上腕二頭筋は扁平な腱となり，上腕筋の表面を下行する．やがてこの腱は腱の前面が外方を向くように回旋しつつ，橈・尺骨間を通過して橈骨粗面に停止する．腱の停止部の外側で，腱と橈骨粗面の前面の間には滑液包が存在する．

一方，肘関節前面を走行する上腕二頭筋腱からは，内下方にのびる線維成分からなる索状物が派生している．この線維性索状物は**上腕二頭筋腱膜**，あるいは **lacertus fibrosus** と呼ばれるもので，深筋膜の走行に沿って前腕を横切り，皮下の尺骨近位端後縁で終わっている．

また上腕二頭筋腱膜は，肘窩の一部をおおっており，その浅層を走る神経・血管と深層の神経・血管を区画している．浅層にある神経・血管としては尺側皮静脈，正中皮静脈，内側前腕皮神経があり，腱膜の深層には正中神経と上腕動脈が走行している．

正中神経，上腕動脈，上腕静脈の位置関係をみると，外側から VAN（Vein, Artery, Nerve［静脈，動脈，神経］）の順に並んでいると記憶するとよい．上腕二頭筋腱膜の直下に存在し，上腕二頭筋腱の内側を下行している（👍 図 3-43）．

肘関節への後方アプローチに必要な外科解剖

後方アプローチに必要な外科解剖については図 3-56 〜 59 を参照されたい．

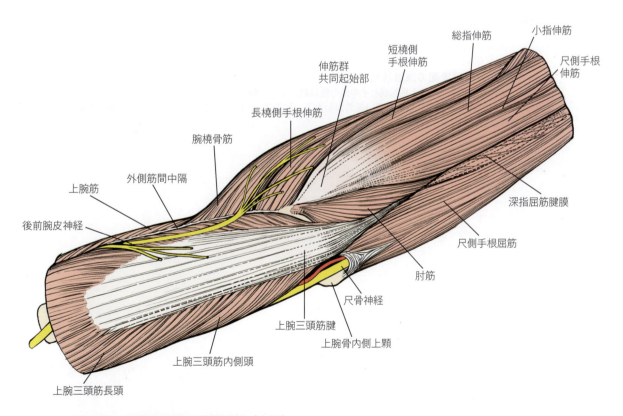

図 3-56　肘関節後面の浅層解剖（右肘）
上腕三頭筋の三角形の腱膜（aponeurosis）は，尺骨近位端の三角形の停止部に付着する．尺骨神経は肘関節後方の尺骨神経溝を走行する．後前腕皮神経は肘関節後方で（外側）筋間中隔上を横切る．

肘筋		
	起　始	上腕骨外側上顆および肘関節後方関節包
	停　止	肘頭外側部および尺骨後面
	作　用	肘関節伸展
	支配神経	橈骨神経

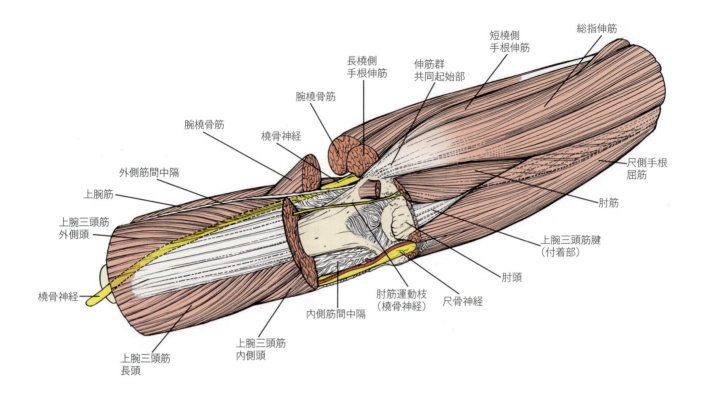

図 3-57　肘関節後面の深層解剖（1）
上腕三頭筋の遠位部，尺側手根屈筋とその他の屈筋群，それに伸筋群の膜腰部を除去した図．尺骨神経が尺側手根屈筋の2頭間に進入しているのがわかる．肘関節外側では橈骨神経が筋間中隔の前方で腕橈骨筋と上腕筋の間を走行している．

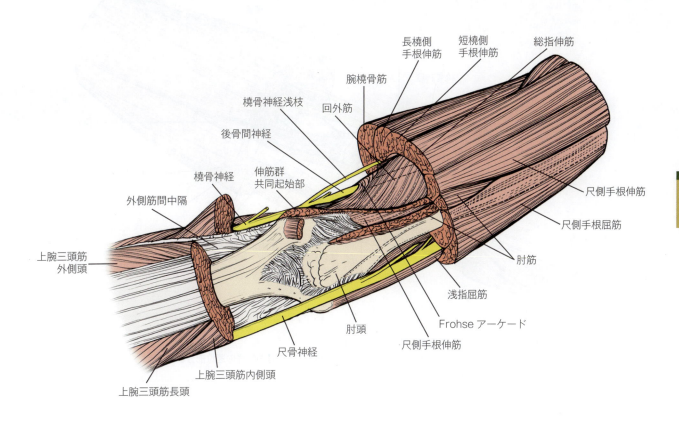

図 3-58　肘関節後面の深層解剖 (2)
肘筋の停止部，尺側手根伸筋の起始部，伸筋群共同起始部を示す．橈骨神経本幹は後骨間神経となってFrohseアーケードを通って回外筋に進入する．橈骨神経浅枝（感覚枝）は腕橈骨筋下面を下行する．尺骨神経は肘頭と上腕骨内側上顆の間の尺骨神経溝を通過したところで，尺側手根屈筋に数本の運動枝を分枝する．

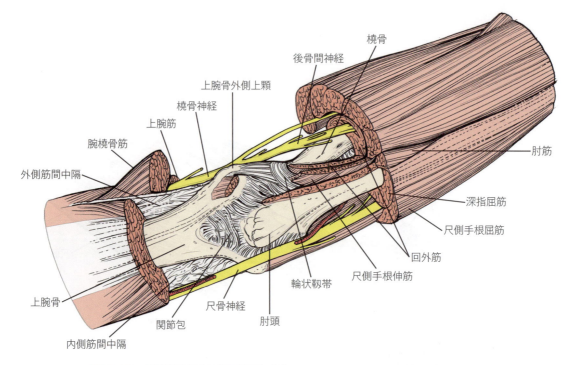

図 3-59 肘関節後面の深層解剖（3）
回外筋を除去すると，同筋の遠位部分を貫いて走行する後骨間神経の遠位部分と橈骨と上腕骨間にある輪状靱帯が明確に観察できる．

文 献

1. Cassebaum WH. Operative treatment of T and Y fractures of the lower end of the humerus. *Am J Surg*. 1952;83:265-270.
2. De Boer P, Stanley D. Surgical approaches to the elbow. In: Stanley D, Kay N, eds. *Surgery of the Elbow: Practical and Scientific Aspects*. Arnold; 1998.
3. Wei LB, Hu T, Liu J, An ZQ. Surgical treatment of intra-articular distal humeral fractures by using a combined medial and lateral approach: an anatomic study. *Orthop Surg*. 2019;11:524-529.
4. Muller ME, Allgower M, Willenegger H. *Manual of Internal Fixation*. Springer-Verlag; 1970.
5. Johansson H, Ollerud S. Operative treatment of intercondylar fractures of the humerus. *J Trauma*. 1971;11:836-843.
6. Jones TB, Karenz AR, Weinhold PS, et al. Transcortical screw fixation of the olecranon shows equivalent strength and improved stability compared with tension band fixation. *J Orthop Trauma*. 2014;28(3):137-142.
7. Fuller DA. Olecranon osteotomy with tension band wire repair. *J Orthop Trauma*. 2016;30(suppl 2):S15-S16.
8. Coles CP, Barei DP, Nork SE, et al. The olecranon osteotomy: a six-year experience in the treatment of intraarticular fractures of the distal humerus. *J Orthop Trauma*. 2006;20:164-171.
9. Bryan RS, Morrey BF. Extensive posterior exposure of the elbow: a triceps-sparing approach. *Clin Orthop Relat Res*. 1982;(166):188-192.
10. Wolfe SW, Ranawat CS. The osteo-anconeus flap: an approach for total elbow arthroplasty. *J Bone Joint Surg Am*. 1990;72:684-688.
11. Iselin LD, Mett T, Babst R, et al. The triceps reflecting approach (Bryan-Morrey) for distal humerus fracture osteosynthesis. *BMC Musculoskelet Disord*. 2014;15:406.
12. Erpelding JM, Mailander A, High R, et al. Outcomes following distal humeral fracture fixation with an extensor mechanism-on approach. *J Bone Joint Surg Am*. 2012;94:548-553.
13. Schildhauer TA, Nork SE, Mills WJ, Henley MB. Extensor mechanism-sparing paratricipital posterior approach to the distal humerus. *J Orthop Trauma*. 2003;17:374-378.
14. Campbell WC. Incision for exposure of the elbow joint. *Am J Surg*. 1932;15:65-67.
15. Molesworth HW. Operation for complete exposure of the elbow joint. *Br J Surg*. 1930;18:303-307.
16. Hotchkiss R, Kasparyan G. The medial "over the top" approach to the elbow. *Techn Orthop*. 2000;15:105-112.
17. Sukegawa K, Suzuki T, Ogawa Y, et al. Anatomical cadaver study of the Hotchkiss over-the-top approach for exposing the anteromedial facet of the ulnar coronoid process: clinical measurements and implications for protecting the median nerve. *J Hand Surg Am*. 2016;41:819-823.
18. Huh J, Krueger CA, Medvecky MJ, et al; Skeletal Trauma Research Consortium. Medial elbow exposure for coronoid fractures: FCU-split versus over-the-top. *J Orthop Trauma*. 2013;27:730-734.
19. Marchessault JA, Dabezies EJ. Posteromedial elbow approach for treatment of olecranon and coronoid fractures. *Orthopedics*. 2006;29:249-253.
20. Garg S, Sain A, Sharma V, et al. Functional outcome of a coronal shear fracture of the capitellum managed by Herbert screw fixation using the anterolateral surgical approach. *Cureus*. 2020;12:e6578.
21. Feng D, Zhang X, Jiang Y, et al. Plate fixation through an anterior approach for coronoid process fractures: a retrospective case series and a literature review. *Medicine (Balt)*. 2018;97:e12041.
22. Kocher T. *Textbook of Operative Surgery*. 3rd ed. In: Stiled HL, Paul CB, trans-eds. Adam and Charles Black; 1911.
23. Duckworth AD, McQueen MM, Ring D. Fractures of the radial head. *Bone Joint J*. 2013;95B:151-159.
24. Ruchelsman DE, Christoforou D, Jupiter JB. Fractures of the radial head and neck. *J Bone Joint Surg Am*. 2013;95:469-478.
25. Mackay S. Silastic replacement of the head of the radius in trauma. *J Bone Joint Surg Br*. 1979;61:494-497.
26. Swanson AB, Jaeger SH, Larochelle D. Comminuted fractures of the radial head: the role of silicone implant replacement arthroplasty. *J Bone Joint Surg Am*. 1981;63:1039-1049.
27. Strachan JC, Ellis BW. Vulnerability of the posterior interosseous nerve during radial head excision. *J Bone Joint Surg Br*. 1971;53:320-323.
28. Spinner M. *Injuries to the Major Peripheral Nerves of the Forearm*. 2nd ed. WB Saunders; 1978.
29. Traveille AA. Electromyographic study of the extensor apparatus of the forearm. *Anat Rec*. 1962;144:373-376.
30. Gleason TF, Goldstein WM, Ray RD. The function of the anconeus muscle. *Clin Orthop Relat Res*. 1985;(192):147-148.
31. Pereira BP. Revisiting the anatomy and biomechanics of the anconeus muscle and its role in elbow stability. *Ann Anat*. 2013;195:365-370.

第4章

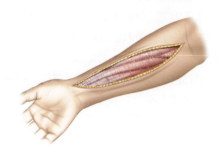

The Forearm

前腕

1. 橈骨への前方アプローチ ……………… 168
2. 前腕の前方コンパートメントの手術に必要な外科解剖 ……………… 175
3. 尺骨骨幹部の展開 ……………… 182
4. 尺骨へのアプローチに必要な外科解剖 ……………… 186
5. 橈骨への後方アプローチ ……………… 187
6. 橈骨への後方アプローチに必要な外科解剖 ……………… 193
7. 前腕コンパートメント症候群の治療におけるアプローチ ……………… 198
   - 前腕屈筋コンパートメントの減圧のための前方アプローチ ……………… 199
   - 前腕屈筋コンパートメントの減圧のための後方アプローチ ……………… 199
   - 前腕屈筋コンパートメントの減圧のための尺側アプローチ ……………… 204

第4章

　前腕を構成している橈骨と尺骨の外科解剖は著しく異なっている．尺骨はその全長にわたって皮膚の直下に存在する．他の組織を損傷することなく簡単に直接尺骨に進入することができる．一方，橈骨の近位 2/3 は筋肉の層で囲まれている．橈骨近位 1/3 では，後骨間神経が橈骨骨膜のすぐ近くで橈骨周囲を回って走行していることが，この部位のすべての手術をさらに複雑にしている．

　この章では，前腕への3通りの手術アプローチが述べられているが，いずれのアプローチでも橈骨あるいは尺骨全体を展開することは可能である．しかし，ほぼすべての場合で，各アプローチの一部分が利用される．**橈骨への前方アプローチ**は古典的なアプローチの1つで，広い術野が得られるが，後骨間神経を損傷しないためには骨膜下に橈骨を展開することが必要である．**橈骨への後方アプローチ**も筋間を利用したアプローチであるが，後骨間神経の走行を同定して保護することが必要である．**尺骨へのアプローチ**は，尺骨縁が皮膚の直下に存在するので，骨に直接到達することが可能である．この章では，橈骨への前方アプローチの外科解剖，尺骨へのアプローチ，それに前腕の後方コンパートメントの解剖について別々に述べる．後骨間神経はとくに重要であるので，この神経の走行については，橈骨の前方と後方の2つの解剖断面で説明する．前腕コンパートメント症候群に対する治療の章の最後では，前腕の屈筋と伸筋のコンパートメントの両方に影響を及ぼす3つのアプローチを記述する．

1 橈骨への前方アプローチ

　橈骨への前方アプローチは，橈骨全長を展開できる効果的で安全な進入法である．このアプローチを橈骨遠位掌側面の展開に用いることは可能であるが，手関節部骨折に対して掌側にプレートをおく場合には，別のアプローチが用いられることが多い（☞第5章「③橈骨遠位への掌側アプローチ」）．橈骨の近位 1/3 の展開では後骨間神経を損傷しないように注意する．この前方アプローチでは，回外筋を橈骨への停止部から骨膜下に剥離して，神経を保護することによって神経損傷を避けることができる．しかし，術野を拡大する場合には，レトラクターをあてる場所に細心の注意が必要である．なぜなら，後骨間神経は，橈骨頸部遠位では骨面に接触して走る場合があり，とくに橈骨粗面の反対側の橈骨後面にレトラクターをあてると，神経をレトラクターで骨に圧迫してしまうからである．前方アプローチを最初に記述したのは Henry であり，このアプローチは彼の名前で呼ばれることもある[1]．

　前方アプローチが利用されるのは，次の場合である．
- 骨折の観血的整復・内固定[2]
- 偽関節に対する骨移植・内固定
- 橈骨骨切り術
- 骨腫瘍の生検・治療
- 慢性骨髄炎の腐骨摘出
- 橈骨粗面の前方からの展開
- コンパートメント症候群の治療

　このアプローチによって橈骨を全長にわたって露出することができる．しかし，通常は必要に応じてアプローチの一部だけが利用される．

患者体位

　背臥位で患肢を上肢台にのせる．ターニケットに送気する前に，前腕の静脈血を完全に駆血しておかないことがコツである．前腕に静脈血を多少残しておくほうが手術のさいに血管を容易に識別できる．患肢は前腕を回外位にして上肢台の上にのせる（図 4-1）．

ランドマーク

　長く強靱な構造の**上腕二頭筋腱**が腕橈骨筋の内側縁に沿って，肘関節の前面を縦走している．

　また，**腕橈骨筋**もランドマークになる．この筋は長橈側手根伸筋と一緒に上腕骨外側顆上稜から起始しており，筋腹が膨隆している．前腕を回外位にすると，前述

の2筋と上腕骨外側上顆前面で総伸筋起始から起こる短橈側手根伸筋は，前腕外側を走行して移動性のある筋群（mobile wad）を形成する．

ついで**橈骨茎状突起**を触れる．これは前腕を回外位にすると，橈骨外側のもっとも遠位端に存在する骨性の突起である．

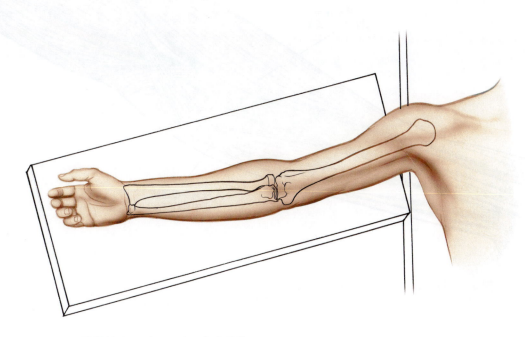

図 4-1　橈骨前方アプローチ．患者体位

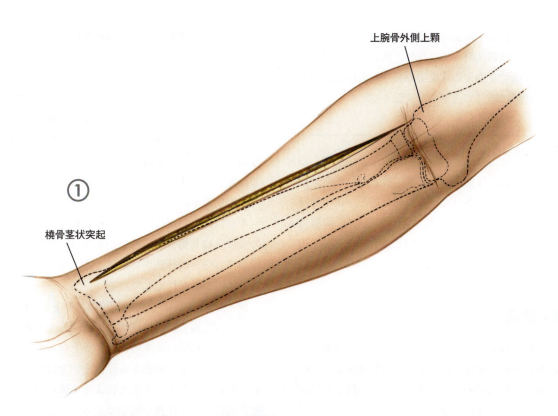

図 4-2　橈骨前方アプローチ．皮切（右腕）
肘窩部の屈側皮線のレベルで，上腕二頭筋外側縁に始まり，橈骨茎状突起にいたる前腕前面への直線状の皮切を加える．

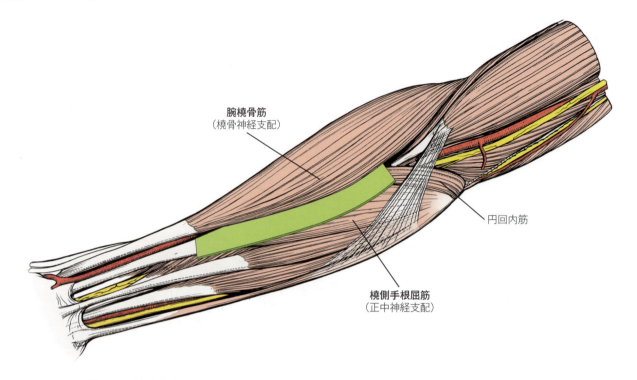

図 4-3　橈骨前方の internervous plane
腕橈骨筋（橈骨神経支配）および橈側手根屈筋（正中神経支配）の間に存在する．

皮切

肘関節前面を横走する屈側皮線（flexion crease）から上腕二頭筋腱の外側に沿って下行し，橈骨茎状突起に向かう直線状の皮切を加える．皮切の長さと部位は必要な橈骨の展開範囲に応じて決定する（図 4-2）．

internervous plane

前腕遠位部では，肘関節の近位部で橈骨神経から分枝している運動枝で支配されている腕橈骨筋と，正中神経支配の橈側手根屈筋の間に存在する（図 4-3）．前腕近位部では，橈骨神経支配の腕橈骨筋と正中神経支配の円回内筋の間に存在する．

浅層の展開

前腕の筋膜に皮切と一致した切開を加える．前腕を下行する腕橈骨筋の内側縁を同定する．前腕遠位部では腕橈骨筋と橈側手根屈筋の間に，また，より近位部では腕橈骨筋と円回内筋の間に筋境界面が形成される（図 4-4）．腕橈骨筋の内側縁は，前腕の全長にわたって筋境界面として識別できる．肘関節のレベルでは，腕橈骨筋の内側縁は前腕横幅のほぼ中央にまで達している．腕橈骨筋と橈側手根伸筋間を真の筋境界面と誤ってしまいやすいが，橈骨神経浅枝が腕橈骨筋の下面を走行しているのでこの神経が筋境界面を決めるよきガイドとなる．

前述の筋境界面を分けて進入する場合は，遠位から始めて近位に向かって行う．そのさい，腕橈骨筋の下面を走る橈骨神経浅枝を確認する．また，肘関節の直下で橈骨動脈から数本の動脈枝（橈側反回動脈）が腕橈骨筋に分枝しているので結紮切断する（図 4-5）．これらの血管はていねいに結紮しておく．血管を引き裂くと術後の血腫形成の原因となるからである．腕橈骨筋に分枝している血管は多い．この筋を橈骨に移動するには，すべての分枝を結紮切断する必要がある．それによって，腕橈骨筋の外側への移動が容易になる．なお，各動脈には通常 2 本の静脈が伴走している．

橈骨動脈は前腕中央部で腕橈骨筋の下を下行している．したがって橈骨動脈は皮切の内側縁近くを走っていることになる．動脈は 2 本の伴走静脈を伴っている．これらの静脈は，術前に前腕から駆血を完全に行わずに，多少の静脈血を残しておくことによって識別が容易になり，橈骨動脈の術中損傷を防止できる．このアプローチにより近位部と遠位部の深層の筋を十分に展開するには，この動脈を剥離して内方によせる必要がある（☞図 4-5）．

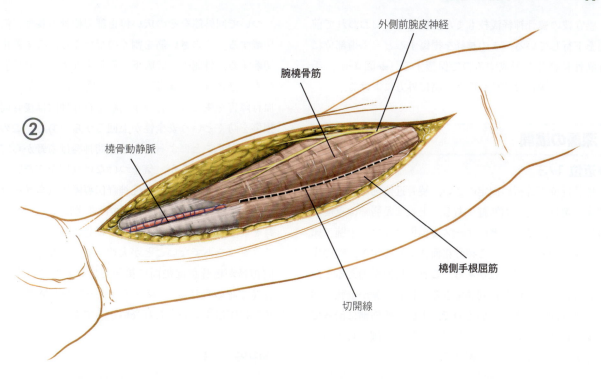

図 4-4　橈骨前方アプローチ．筋膜切開
腕橈骨筋と橈側手根屈筋の筋間の筋膜に切開を加えて展開する．

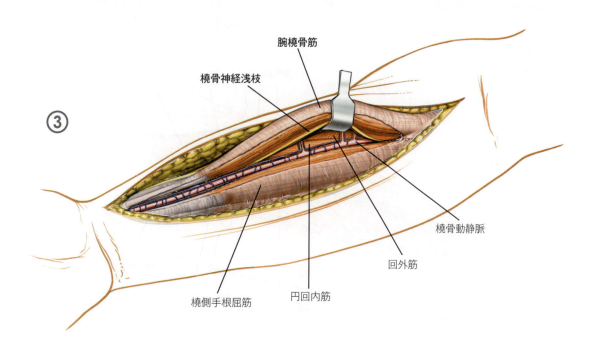

図 4-5　橈骨前方アプローチ．橈骨動脈および橈骨神経浅枝の確認
橈骨動脈から小動脈枝が腕橈骨筋に分枝している．動脈枝を結紮切断すると，腕橈骨筋の外方への移動が可能となる．橈骨神経浅枝を腕橈骨筋と一緒に外方に引く．

感覚枝の橈骨神経浅枝もまた腕橈骨筋におおわれて前腕を下行している．この神経を損傷すると，手術部位に有痛性神経腫を形成するので保護する（☞図4-5）．手術時には，神経は腕橈骨筋と一緒に外方によける．

深層の展開

●近位1/3

橈骨近位端骨折の固定のさい，橈骨近位部を安全に展開する鍵は上腕二頭筋腱にある．上腕二頭筋腱は重度の外傷でさえ，ほとんどのケースで損傷はない．上腕二頭筋腱をその停止部である橈骨粗面まで追跡する．腱のすぐ外側に小さな滑液包がある．これに切開を加えると，橈骨骨幹部の近位部に到達できる．橈骨動脈が上腕二頭筋腱の**浅内側**を走っているので，上腕二頭筋腱に沿って剥離を進める場合には，上腕二頭筋腱の**外側**から入って動脈の損傷を防止する（図4-6）．

橈骨の近位1/3は回外筋でおおわれている．後骨間神経が，この筋を貫通して前腕の後方コンパートメントに達している．

このアプローチで損傷するおそれがあるもっとも重要な組織の1つが後骨間神経である．前腕を最大回外することによって，神経は後外側に移動して術野から遠ざかる．同時に橈骨前面の回外筋停止部が術野に現れる（図4-7）．

ついで回外筋をその広い停止部で橈骨の長軸に沿って切離する．このさい筋を割くのではなく，必ず停止部で切離する．外側へと骨膜下に剥離を進めて，回外筋を橈骨から遊離する（☞図4-7）．骨膜上剥離でなく，骨の血行障害を生じうる骨膜下剥離を行う理由は後骨間神経損傷を防ぐという安全性が上回るからである．この筋を外側に引くことによって，後骨間神経は術野から完全に外れることになるが，気をつけなければならない．過度の牽引により神経の一過性神経伝導障害（ニューラプラキシア）を引き起こすと，回復は非常に遅く，約6～9ヵ月を要することになる．また，橈骨頚部の後面にはレトラクターをあてないことが大切である．なぜなら，後骨間神経が橈骨頚部後面に接触している場合（患者の約25％で認められる），レトラクターで後骨間神経を橈骨頚部に圧迫するかもしれないからである[3]．

●中央1/3

橈骨の中央1/3の前面は円回内筋と浅指屈筋でおおわれている．橈骨前面に到達するにはまず前腕を回内位とする．円回内筋の停止部である橈骨外側面が展開できるからである（図4-8；☞図4-6）．橈骨から円回内筋の停止部を切離し，この筋を内方に剥離する．骨折の正確な整復と固定が可能になるとともに軟部組織を温存できる．この操作によって，橈骨前面から浅指屈筋起始部の一部も同時に剥離される（図4-9）．

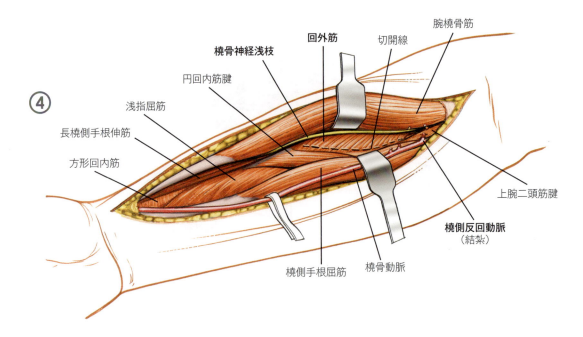

図4-6　橈骨前方アプローチ．筋間の展開
腕橈骨筋および橈側手根屈筋の深部には回外筋，円回内筋，浅指屈筋，そして前腕遠位部では方形回内筋がある．

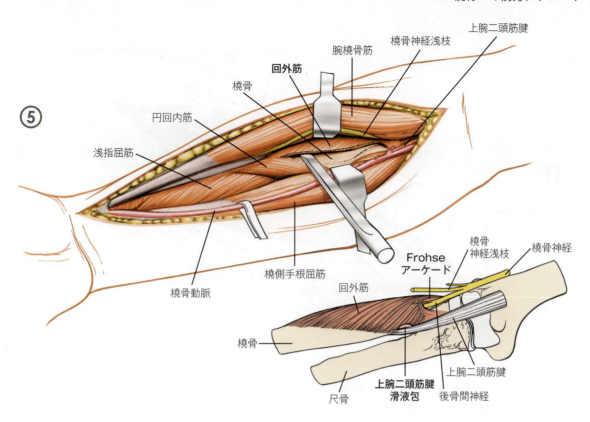

図 4-7　橈骨前方アプローチ．橈骨の露出
前腕を回外位にして回外筋停止部を切離し，外方に引く．後骨間神経は剥離せず，回外筋内にとどめる．橈骨神経は後骨間神経となり，Frohse アーケードを通って回外筋に進入する（**挿入図**）．前腕を回外位にすると神経は外方に移動し術野から遠ざかる．回外筋停止部の確認には，上腕二頭筋腱の外側に沿って進入し，上腕二頭筋腱と回外筋の間にある滑液包を目印とする．

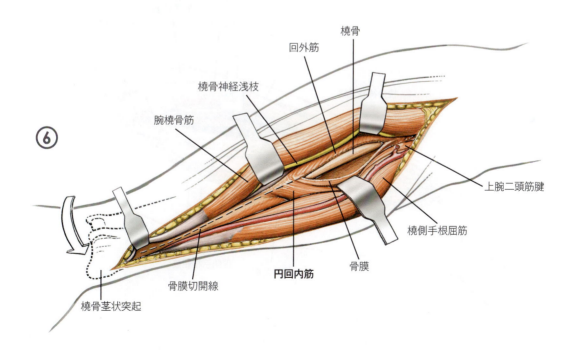

図 4-8　橈骨前方アプローチ．円回内筋の確認および切離
前腕を回内して，円回内筋を確認する．橈骨外側縁の停止部に沿って切離する．

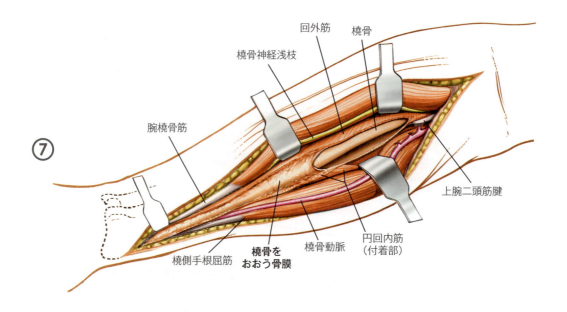

図 4-9 橈骨前方アプローチ．橈骨全長の展開（1）
橈骨の遠位部まで剥離を進めていくが，橈骨の骨膜は可能な限り温存しておく．

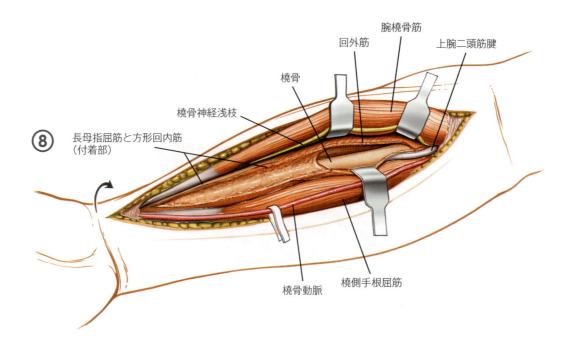

図 4-10 橈骨前方アプローチ．橈骨全長の展開（2）
前腕をわずかに回外位として，長母指屈筋と方形回内筋を骨膜上に剥離したところ．橈骨の展開は，骨膜切開を加えれば近位から遠位にいたる全長が露出できる．

● 遠位 1/3

　長母指屈筋と方形回内筋の2つの筋が橈骨の遠位1/3の前面から起始している．橈骨に到達するためには，前腕をやや回外位にして，方形回内筋と長母指屈筋の外側で橈骨外側面の骨膜を切開する．遠位方向に向かって骨膜下に剝離を進め，この2つの筋を内側に引いて持ち上げて橈骨を展開する（図4-10）．①方形回内筋の起始部を剝離して進入する方法と，②皮切と同じ場所で方形回内筋を分けて進入する方法があるが，どちらが臨床成績に優れているかについては結論が得られていない．①の進入法が，創閉鎖のさいに修復が良好で，浅層の腱と掌側のプレートの間に軟部組織を介在できるように思えるが，いまだ確認が得られてはいない[4, 5]．

注意すべき組織

　後骨間神経は，橈骨の頚部を回りながら回外筋を貫通して下行するので，損傷されやすい．神経の損傷を防止するコツは，橈骨から回外筋をその付着部で正しく切離することである．このさい，前腕を最大に回外すると，回外筋の付着部が術野に完全に現れる．この領域に広範な挫傷が加わっている例では，まず同定しやすい上腕二頭筋腱を同定する．この腱を滑液包が現れるまで遠位に向けて追っていく．これにより橈骨表面に到達することができる．湿った綿棒を用いて筋表面をていねいにこすっていくと回外筋の付着部が現れる．回外筋を骨膜下に剝離することによって，神経損傷の危険性は比較的少なくなる．それでも強い牽引を加えると，神経は一過性神経伝導障害を引き起こす（図4-7，挿入図，および図4-13）．

　橈骨神経浅枝は前腕では腕橈骨筋の下を下行する．移動性のある筋群（mobile wad）である腕橈骨筋，長・短橈側手根伸筋の3つの筋を外方に引くと橈骨神経浅枝は損傷されやすい（図4-5）．強く引くと橈骨神経浅枝は一過性神経伝導障害を生じやすくなる．それゆえ，神経に強い牽引が加わらないように注意を払うのはもちろんである．それとともに，術後早期に橈骨神経浅枝の支配領域に一過性の感覚異常が生じる可能性があることを，術前に患者に説明しておく必要がある．

　橈骨動脈は，前腕中央部では腕橈骨筋の下面を下行している．橈骨への前方アプローチで動脈を損傷する危険があるのは，次の2つの場合である．
1）腕橈骨筋を移動させるときに，動脈損傷の危険がある．動脈を確認して保護する必要がある．ターニケットに加圧したあとでは，橈骨動脈は想像以上に細くなっている．静脈血を前腕に少し残した状態でターニケットに加圧すると，橈骨動脈の2本の伴走静脈の識別が容易になって，動脈を確実に識別できる（図4-5）．
2）前方アプローチの近位端では，橈骨動脈は上腕二頭筋腱の内側を走っている．この部位で動脈を損傷する危険性があるが，腱の外側を温存することによって，動脈の損傷を避けることができる（図4-13）．

　橈側反回動脈は，肘関節から遠位のレベルで橈骨動脈から分枝している革ひも状の動脈である．この動脈群は，橈骨神経浅枝の前方と後方を通過する2群に分かれて，腕橈骨筋に分枝する．これらの反回動脈を結紮切断すると，橈骨動脈と橈骨神経の移動を容易にできる（図4-9，12）．

術野拡大のコツ

　前方アプローチによって橈骨の全長を完全に展開できる．遠位に拡大すると手関節への進入も可能である．また，肘関節と上腕骨に対する前外側アプローチに拡大できるが，実際に必要になることはほとんどない．

2　前腕の前方コンパートメントの手術に必要な外科解剖

概　観

● 筋

　前腕の前方には2つの筋群がある．第1群は mobile wad of three，すなわち腕橈骨筋と長・短橈側手根伸筋で，橈骨神経とその分枝が支配している．前腕回外位では前腕の外側縁を形成する．第2群は屈筋・回内群で，正中・尺骨神経により支配されている．

　屈筋・回内群は3層で配列している．**浅層筋群**は4つの筋肉からなり，上腕骨内側上顆の屈筋群共同起始部（common flexor origin）から起始し，前腕では扇状に広がる．4つの筋肉の名前を覚えるには，次のようにす

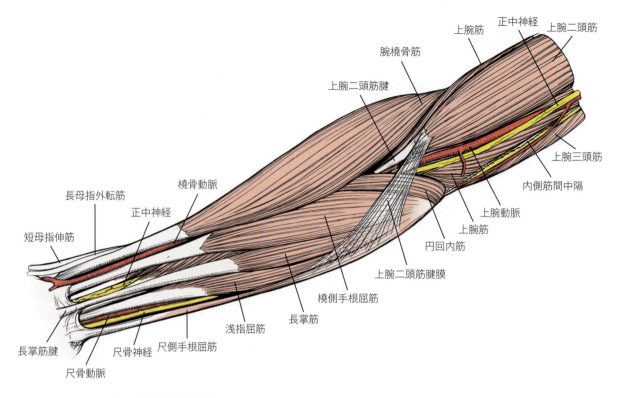

図 4-11　前腕の浅層解剖

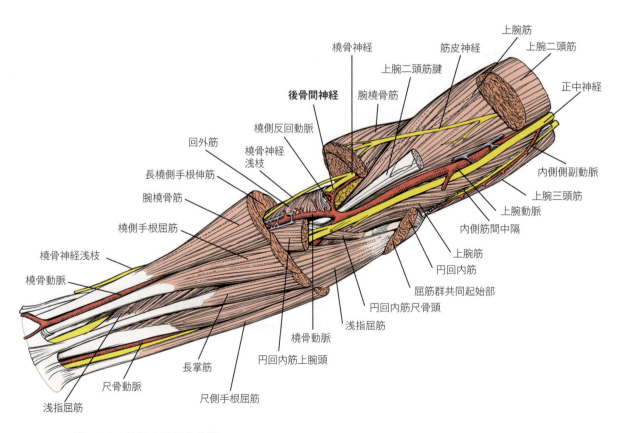

図 4-12　前腕の神経と血管
前腕浅層筋を取り除いて神経および血管を示す．正中神経は円回内筋の 2 頭間に進入している．
橈骨動脈からの小動脈枝と橈側反回動脈に注目する．

2. 前腕の前方コンパートメントの手術に必要な外科解剖

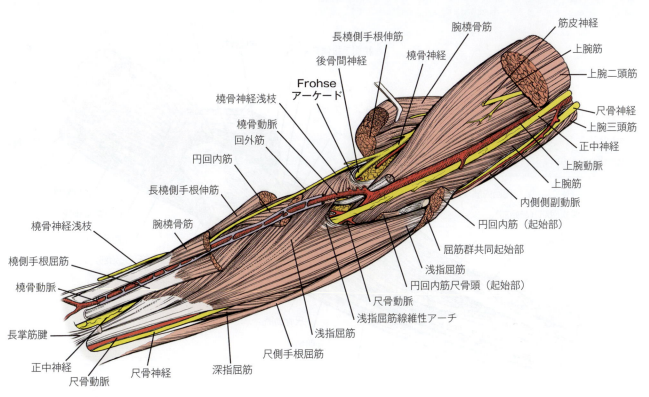

図 4-13 前腕の中間層解剖
前腕中間層と橈骨神経浅枝を示す．前腕近位部で正中神経が浅指屈筋の下に進入している．

橈側手根屈筋	起　始	上腕骨内側上顆の屈筋群共同起始部
	停　止	第2，第3中手骨基部
	作　用	手関節屈曲，橈屈
	支配神経	正中神経

ると容易である．上腕骨内側上顆に反対側の手の手根部をあてて，前腕の前面を手のひらでおおうようにする．この場合，母指の方向には円回内筋が走っており，示指は橈側手根屈筋，中指は長掌筋，環指は尺側手根屈筋の走行に一致する（図4-11，12）．

中間層は浅指屈筋からなる（図4-13）．

深層筋群は3つの筋で構成される．深指屈筋，長母指屈筋，方形回内筋である（第4の筋として回外筋も外科解剖の観点からは深層筋に入れてもよいが，屈筋ではないので除外される；図4-14）．

前腕の前方コンパートメントの外科解剖の要点は，手術のアプローチで用いられる3つの実際的なinternervous planeである．

1) **橈骨・正中神経の間の internervous plane**：腕橈骨筋と長・短橈側手根伸筋の mobile wad of three（橈骨神経支配）の中でもっとも内側に位置する腕橈骨筋と，屈筋・回内群（正中神経支配；☞図4-3）の中でもっとも外側に位置する橈側手根屈筋，円回内筋の間に形成される境界面である．

2) **正中・尺骨神経の間の internervous plane**：尺側手根屈筋（尺骨神経支配）と，屈筋群（正中神経支配；☞図5-32）の中でもっとも内側に位置する浅指屈筋との間に形成される境界面である．

3) **尺骨・後骨間神経の間の internervous plane**：尺側手根屈筋（尺骨神経支配）と，尺側手根伸筋（後骨間神経支配）との間に形成される境界面である（☞図4-19）．

第1の境界面は橈骨への前方アプローチ，第2の境界面は前腕における尺骨神経の展開，第3の境界面は尺骨へのアプローチに用いられる．

●神経および血管

前腕の前面の神経血管の構造は比較的単純である．前腕は橈骨神経浅枝，尺骨神経および正中神経によって枠組みされた構成を持つ．すなわち，**橈骨神経**浅枝は前腕の橈側を下行しており，前腕の遠位1/2では神経の内側を橈骨動脈が伴走する（☞図4-13）．**尺骨神経**は前腕の尺側を下行しており，前腕の遠位1/2では尺骨動脈

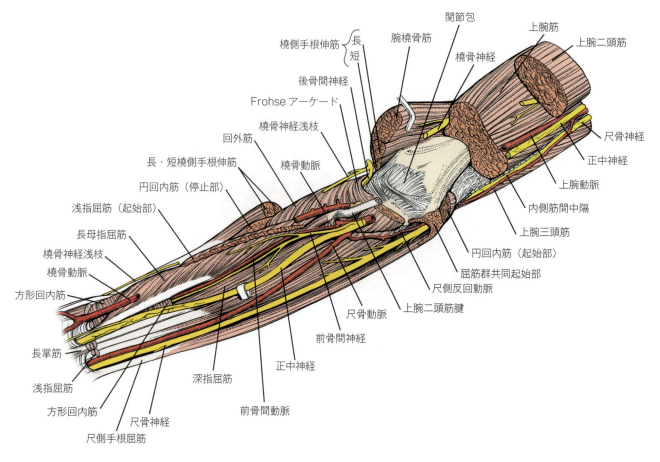

図 4-14　前腕の深層解剖
前腕深層では，尺骨神経，尺骨動脈，正中神経が深指屈筋の上を下行する．前骨間神経と前骨間動脈の走行に注意する．

が尺骨神経の外側を伴走する．一方，**正中神経**は前腕の正中を下行している（👉図 4-14）．

橈骨動脈と**尺骨動脈**は前腕を下行する動脈で，両者とも上腕動脈から分枝する．上腕動脈は，肘関節ではその前面正中線上に位置しており，正中神経がその内側を走っている．前腕近位部では，正中神経は尺骨動脈の浅層を交差している．この交差部位は円回内筋の筋腱移行部のレベルである（👉図 4-13）．正中神経の分枝である前骨間神経と，尺骨動脈の分枝である総骨間動脈からさらに分かれた前骨間動脈が前腕中央部の正中神経の深層を下行している（👉図 4-14）．

皮　切

前方アプローチの皮切は，前腕の皮膚割線に直交することになるので，瘢痕は肥厚する可能性がある．皮膚割線の方向にできるだけ近づけるように，皮切にはゆるやかなカーブをつけるようにする．このように配慮することで創縁に加わる緊張も緩和される．

浅層の展開—その注意すべき組織

●筋

前方アプローチで浅層を展開する場合には，近位では腕橈骨筋，長・短橈側手根伸筋の3筋（mobile wad of three）と円回内筋の間を，また遠位部では前述の3つの筋と橈側手根屈筋との筋境界面を進入する（👉図 4-11）．

腕橈骨筋と長・短橈側手根伸筋は，前腕の橈側に膨隆して触知され，橈骨神経に支配されている．これら3筋の起始の一部は伸筋群共同起始部（common extensor origin）となって上腕骨外側上顆から起始している（👉図 4-15, 16）．

腕橈骨筋の作用は，前腕回外位にあるときは回内運動を，回内位にあるときは回外運動に関与する．したがって，橈骨遠位端骨折に対して，整復後に最大回外位か最

2. 前腕の前方コンパートメントの手術に必要な外科解剖

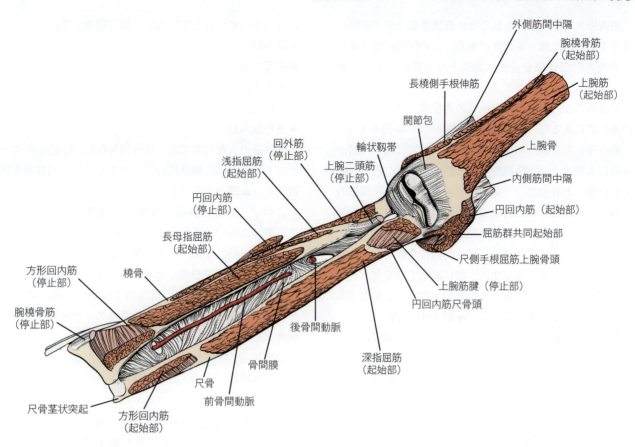

図4-15 前腕筋群の起始と停止
骨間膜の前面を前骨間動脈が下行している．

腕橈骨筋	起　始	上腕骨外側顆上稜の近位2/3
	停　止	橈骨茎状突起
	作　用	肘屈曲，前腕の回外，回内
	支配神経	橈骨神経
浅指屈筋	起　始	上腕骨内側上顆，肘関節内側靱帯，尺骨鉤状突起内側縁，鉤状突起から橈骨前縁にのびる線維性アーチ
	停　止	指中節骨掌側面
	作　用	PIP・MP・手関節の屈曲
	支配神経	正中神経
長母指屈筋	起　始	橈骨中央部前面
	停　止	母指末節骨
	作　用	母指の屈曲
	支配神経	前骨間神経
方形回内筋	起　始	尺骨遠位1/4の前面
	停　止	橈骨遠位1/4の外側面
	作　用	前腕の弱い回内運動
	支配神経	前骨間神経
長掌筋	起　始	上腕骨の屈筋群共同起始部
	停　止	手掌腱膜
	作　用	手関節の弱い屈曲運動
	支配神経	正中神経
深指屈筋	起　始	尺骨近位3/4の前面
	停　止	指末節
	作　用	DIP・PIP・MP・手関節の屈曲
	支配神経	正中・尺骨神経
尺側手根屈筋	起　始	上腕骨頭は上腕骨内側上顆の屈筋群共同起始部，尺骨頭は肘頭の内側縁，尺骨後縁の近位3/4
	停　止	鉤状骨と第5中手骨
	作　用	手関節の屈曲と尺屈，肘関節の弱い屈曲運動
	支配神経	尺骨神経

DIP：遠位指節間，MP：中手指節，PIP：近位指節間．

大回内位で前腕を固定されると，腕橈骨筋は変形を増強させる力として働く可能性がある．この作用が橈骨遠位端骨折の固定肢位を前腕中間位とする理由の1つである．

腕橈骨筋は，起始部が上腕骨の遠位端，停止部が橈骨の遠位端にある唯一の筋である（図4-15；図4-11）．

橈骨神経高位麻痺の回復において，最初に筋の収縮がみられる筋の1つが**長橈側手根伸筋**である．この筋の麻痺が回復した時点で，手関節の背屈を命じると手関節の橈側偏位が現れる．これは橈骨神経の分枝である後骨間神経がさらに遠位で尺側手根伸筋を支配しているためである．しかし，橈骨神経高位麻痺の回復を臨床的に，あるいは筋電図による電気生理学的に診断する場合，神経損傷部から一番近位にある支配筋の腕橈骨筋を検索するのがもっともよい方法である（図4-12，22）．

短橈側手根伸筋が働いて手関節が背屈する場合には，尺側や橈側への偏位は伴わない．この筋は，テニス肘（上腕骨外側上顆炎）のときに障害を受ける筋としても知られている．

●神経および血管

短橈側手根伸筋の起始部の腱様部が後骨間神経を圧迫して麻痺を発生させることについてはすでに述べた．

前腕前方コンパートメントの浅層を展開する場合には，腕橈骨筋の下にある橈骨動脈と橈骨神経浅枝を温存しなければならない．

1) **橈骨動脈**は肘窩部で上腕動脈から分岐する．橈骨動脈は近位で上腕二頭筋腱の内側の比較的浅い層に位置している．回外筋，円回内筋，長母指屈筋起始部の浅層を下行して橈骨遠位端の前面にいたると，その部位で拍動を容易に触れることができる（図4-13）．
2) **橈骨神経浅枝**は純粋な感覚神経である．前腕の外側で，回外筋，円回内筋，浅指屈筋の上を下行する．この神経を損傷すると，手背の橈側に感覚麻痺が発現する．しかし，神経が損傷された場合に実際に問題になることは感覚喪失ではなく，損傷部に有痛性神経腫が形成される可能性があることである．橈骨神経浅枝が橈骨動脈と伴走する範囲では，神経は動脈の橈側に位置している（図4-13，32）．

深層の展開－その注意すべき組織

橈骨前面を完全に露出するためには，次の5つの筋を橈骨から剥離する必要がある．橈骨の近位部から遠位方向に向かって付着している筋を順に列挙する．

- 回外筋
- 円回内筋
- 浅指屈筋
- 長母指屈筋
- 方形回内筋

回外筋の支配神経である後骨間神経は，Frohseのアーケードといわれる線維性のアーチをくぐって回外筋を貫通する（図4-12，13）[6]．

このアーチは回外筋の浅層筋の辺縁が肥厚したもので，膜性あるいは腱性である．この部位で神経が絞扼されると，前腕，手指，母指の伸筋群に完全または不全な麻痺あるいは機能不全が発現する．すなわち後骨間神経の絞扼性神経障害[7,8]の原因の1つは，Frohseのアーケードでの圧迫である．この線維性アーチを切離すれば麻痺は回復する[9〜12]．また，Frohseのアーケードでの後骨間神経の圧迫がこの一部に限局した痛みの原因ともなり，難治性"テニス肘"と診断されることがある（図4-13）[13]．

円回内筋の支配神経は正中神経である．正中神経は，円回内筋の上腕頭と尺骨頭の間を下行する（図4-12）．尺骨頭の部位や大きさや発達の程度には大きな個人差があるので，それにより正中神経が両頭間を走行するときに絞扼されることがあり，これを回内筋症候群（pronator syndrome）と呼ぶ．症状は手根管症候群に類似しているが，前腕の屈側近位端まで疼痛と感覚異常が及んでいることで区別する[14,15]．当然のことながら，円回内筋が収縮して神経にさらに圧迫が加わっても，回内筋症候群は発現する．この症候群の場合は母指球筋の筋力が低下する．しかし，前骨間神経で支配されている長母指屈筋，示・中指の深指屈筋と方形回内筋の筋力は減弱しない（図4-12）．

正中神経は**浅指屈筋**の起始部により形成される線維性のアーチをくぐり抜けて下行する．正中神経がこのアーチで絞扼を受けると，疼痛と正中神経麻痺が発現する（図4-13）[16]．浅指屈筋は手関節の少し近位のレベルで腱に移行している．この筋の筋腹は4つに分離しているので，4本の指を独立して屈曲させることができる点が深指屈筋腱と異なる点である．

橈骨骨幹部の前面を露出する場合には，浅指屈筋の起始部の一部を骨膜下に剥離する（図4-13，15）．

長母指屈筋は単独で母指の屈曲に働いている．橈骨に到達する場合には，橈骨から剥離しなければならない（図4-14，15）．

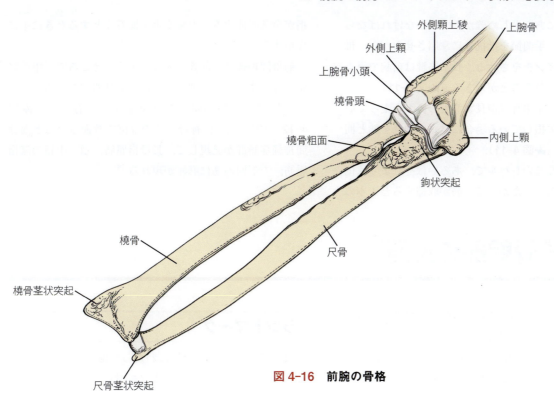

図 4-16　前腕の骨格

橈骨の遠位 1/4 を露出するためには，**方形回内筋**の付着部を骨膜下に剥離する（☞図 4-15）．前腕を最大回内位にすると筋肉が完全に弛緩するので，橈骨遠位端骨折の外固定は回内位にするべきであると主張する者もいる．しかし，橈骨遠位部の変形要因は方形回内筋のみではないことは明らかである．橈骨遠位部の骨折を整復したあとの理想的な外固定肢位については，まだ定説がない．この骨折の非観血的治療では整復後回外位で固定することを好む者が実際には多い（図 4-16）[17]．

注意すべき組織

橈骨神経の分枝である**後骨間神経**は，前腕の伸筋群の運動枝である．回外筋付着部の浅層筋と深層筋の間を貫通しているが，橈骨頸部では橈骨に直接接触している場合がある．そのため，不適切に設置されたプレートやレトラクターで神経が圧迫されることがある．回外筋を貫通したのち後骨間神経は，長母指外転筋の起始部の表面を通って骨間膜の上を手関節まで下行して，感覚枝を分枝する．後骨間神経は，上腕骨外側上顆に共通で起始している伸筋群（総指伸筋，尺側手根伸筋，小指伸筋）のほかに，前腕から起始する深層筋（長母指外転筋，短母指伸筋，長母指伸筋，示指伸筋）を支配している．

後骨間神経は，橈骨の近位 1/3 に進入しようとする場合に，たとえどのアプローチを選択したとしても損傷する危険がある．しかし，回外筋の付着部を橈骨から切離して骨膜下に遊離すれば，神経を保護することはできるけれども，橈骨の近位 1/3 にプレートをあてる場合には，橈骨に後方アプローチで進入して，神経を直視下に確認して温存することが，唯一の確実な方法である（☞図 4-32, 33）．

正中神経は，近位部では円回内筋の筋頭の間を貫通する．一方，尺骨動脈は両筋頭の下を通過している．円回内筋の遠位部では，正中神経は尺骨動脈と伴走して，浅指屈筋の起始部の線維性のアーチを一緒にくぐり抜ける．そのあと，正中神経は尺骨動脈と分かれて，前腕のほぼ正中線上を下行する（☞図 4-13, 14）．

正中神経は浅指屈筋腱と隣接して走っているので，ときに神経を示指の浅指屈筋腱と間違うことがある．神経を腱と鑑別する方法はその表面に動脈が存在するかどうかである．正中神経ではその表面を正中動脈が走っている．正中動脈は前骨間動脈の分枝であり，もともと胎生期初期に形成された動脈である（☞図 4-14）．

特別な解剖学的ポイント

長掌筋腱は遊離腱移植に用いられる腱である．欠損率は人口の 10% であるので，移植腱を必要とする場合は，

その有無を術前にあらかじめ確かめておかなければならない．それには，手関節を抵抗性に掌屈させながら，母指と小指の間でピンチをさせる．長掌筋腱は前腕で浮き上がってきて，触れることができる（☞図4-11）．

手関節部では，正中神経が長掌筋腱の直下を走っている．長掌筋腱が欠損している場合には正中神経を腱と間違うことがある（☞図4-11）．

深指屈筋は手関節のレベルで，あるいはそれより遠位で，腱に移行する．したがって，筋が収縮すると4本の指が全部屈曲する．力強く手を握ろうとするときに主に作用する．

前骨間神経は，前腕に入ってすぐのところで正中神経から分枝する．正中神経の本幹と前骨間神経は円回内筋の浅層頭の腱性起始部の下を並んで下行する（☞図4-12, 13）．前骨間神経がこの部位で絞扼されると前骨間神経症候群が発現して，長母指屈筋，示・中指の深指屈筋，方形回内筋に麻痺が現れる[18～20]．

3 尺骨骨幹部の展開

前腕でのアプローチの中で尺骨骨幹部の展開がもっとも簡単で，尺骨全長を容易に展開できる．アプローチは，尺側手根伸筋と尺側手根屈筋の間のinternervous planeを利用する．この2つの筋の腱膜は尺骨の皮下縁に付着している．アプローチでは，最初にこの骨縁が露出してくる．

尺側手根屈筋と尺側手根伸筋の間にはinternervous planeが存在するが，腱膜は1つなので，両者の筋腹の近位部ではその境界を明確にすることはなかなか困難である．通常は尺側手根伸筋の腱膜に切開を加えて，筋と腱膜を切り離して尺骨に進入する．

このアプローチが利用されるのは，次の場合である．
- 尺骨骨折の観血的整復・内固定
- 尺骨骨折の遷延治癒あるいは偽関節の治療
- 尺骨骨切り術
- 慢性骨髄炎の治療
- 尺側内反手（ulnar clubhand）の尺骨遠位部の線維性原基に対する治療[21]
- （Kienböck病における）尺骨延長術[22]
- （橈骨遠位端骨折の変形癒合例における）尺骨短縮術
- 前腕コンパートメント症候群の剝離における尺側アプローチ

患者体位

背臥位で手術台に固定し，前腕の尺骨皮下縁が展開できるように胸の上にのせる．患肢を3～5分間挙上するか，ソフトラバーバンテージで駆血して，ターニケットに送気する（図4-17）．あるいは肘関節90°屈曲位で上肢台におく．

ランドマーク

尺骨の皮下縁は，全長にわたって触れることができる．とくに近位1/3と遠位1/3で骨は触れやすい．

皮切

尺骨の皮下縁に沿って線状の縦切開を加える．皮切の長さは尺骨をどの範囲で露出する必要があるかによって決める．骨折の場合は，皮切の中心が骨折線にくるようにする（図4-18）．

internervous plane

尺側手根伸筋（後骨間神経支配）と尺側手根屈筋（尺骨神経支配）の間に存在する（図4-19）．

浅層の展開

皮切の遠位1/2から始まり，皮切に一致した切開を筋膜に加える．ついで尺骨皮下縁に沿って剝離を進めていく（図4-20）．尺骨の中央1/3は皮下に触れるが，骨に達するには尺側手根伸筋の筋線維の一部を割いて進入する．

肘頭部では，尺側手根屈筋と肘筋が展開を進めていくさいの境界面となる．肘筋は橈骨神経支配，尺側手根屈筋は尺骨神経支配なので，この境界面は同時にinternervous planeにも一致している．

深層の展開

骨折が骨膜の損傷を伴っている場合には，骨膜上での剥離を尺骨の屈筋側と伸筋側のいずれかの面で必要に応じて進めていく．軟部組織の剥離を最小限にとどめて骨折部への血行を温存する（図4-21）．

尺骨の近位1/5においては，尺骨へ到達するために，上腕三頭筋の停止部の一部を剥離することが必要になる．上腕三頭筋の停止部は非常に幅広で長く，肘頭の皮下面の骨膜に移行している．

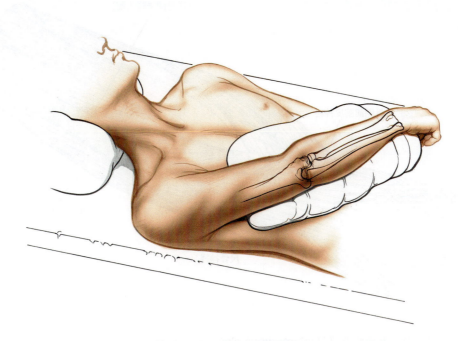

図4-17 尺骨骨幹部アプローチ．患者体位

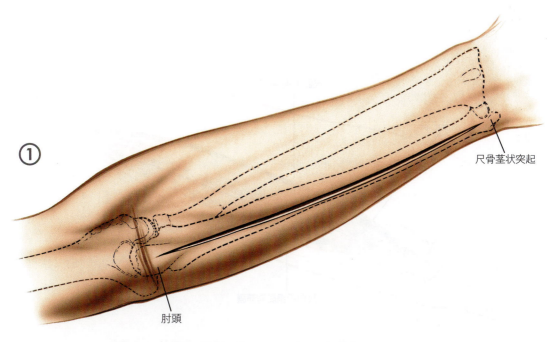

図4-18 尺骨骨幹部アプローチ．皮切（右腕）
尺骨後面に沿う縦切開を加える．

注意すべき組織

尺骨神経は，前腕では尺側手根屈筋におおわれながら，深指屈筋の表面を下行する．尺側手根屈筋を骨膜上で尺骨から剥離すれば，尺骨神経は損傷されることはない．しかし，間違って手術侵襲が筋肉内に加えられると，神経損傷の危険がある．とくに尺骨近位部へアプローチする場合は神経損傷の危険性が高い．尺骨の近位1/5では，筋の剥離を始める前に，尺骨神経が尺側手根屈筋の上腕頭と尺骨頭の間に進入する箇所を確認してお

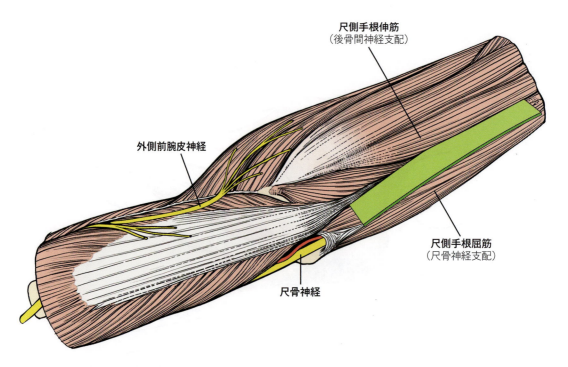

図4-19 尺骨骨幹部の internervous plane
尺側手根伸筋（後骨間神経支配）と尺側手根屈筋（尺骨神経支配）の間に存在する．

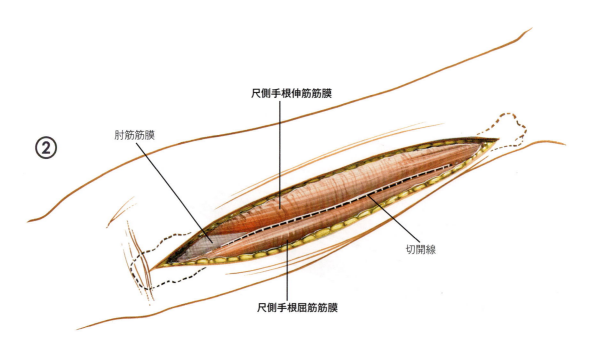

図4-20 尺骨骨幹部アプローチ．筋膜の切開
尺骨後縁に沿って筋膜に切開を加える．

くべきである（図4-22）．

尺骨動脈は，前腕では尺骨神経と並んで神経の橈側を下行する．したがって，尺側手根屈筋を骨膜上で剥離しないと動脈を損傷する危険がある（☞図4-21B）．

術野拡大のコツ

●深部への拡大

ここに記載されたアプローチによって尺骨の全長が良好に露出される．しかし，さらに術野を拡大していくことはできない．

●上下への拡大

このアプローチを尺骨遠位端よりさらに遠位に拡大していくことはできない．しかし，肘頭より近位に拡大して肘頭に骨切り術を行えば，肘関節の展開が可能となる．また，上腕骨後面の遠位2/3の露出も可能である．

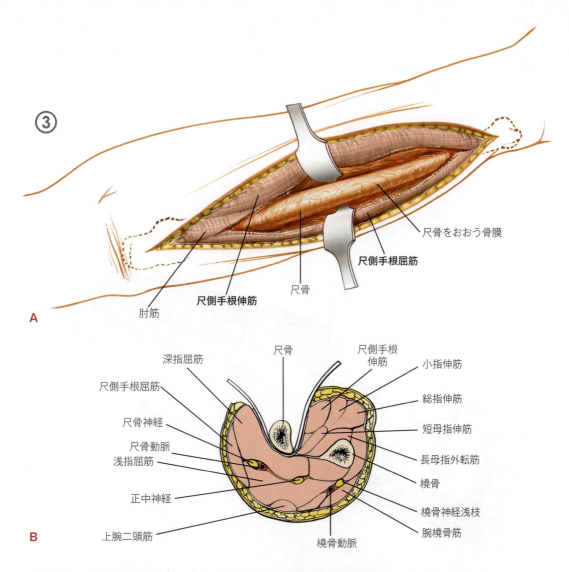

図4-21　尺骨骨幹部アプローチ．尺骨骨幹部の展開および横断面
A：尺骨は，その骨膜上を長軸方向および橈・尺側方向に剥離すると，全長にわたってその後面が露出される．
B：尺骨を骨膜上（epiperiosteal）で展開する限り安全で，尺側の筋群などが尺骨のバイタルを保護してくれる．

4 尺骨へのアプローチに必要な外科解剖

展開に必要な解剖学 —その注意すべき組織

尺骨へのアプローチでは，尺側手根屈筋（尺骨神経支配）と尺側手根伸筋（後骨間神経支配；👉図 4-22）を分ける．

尺側手根屈筋に尺骨神経から分枝している運動枝は，肘部で尺骨神経を除圧する場合に，尺骨神経の遠位への過度の移動を防止する働きをしている．尺骨神経の絞扼性神経障害についてはすでに記載した（👉図 3-49）[23, 24]．

尺側手根伸筋は，後骨間神経に支配されている筋群の中ではもっとも尺側に位置している．したがって，後骨間神経支配の筋群と尺骨神経支配の筋群の間には internervous plane が存在する．尺骨神経支配の筋群の中でもっとも内側にあるのが尺側手根屈筋である（👉図 4-19）．

尺骨神経は，深指屈筋と浅指屈筋の間に位置している．その上を尺側手根屈筋におおわれながら前腕の尺側を下行している．前腕において，尺側手根屈筋と環・小指の深指屈筋に運動枝を分枝している（👉図 4-14）．

尺骨動脈は，上腕動脈の終末枝である．前腕では円回内筋の深層頭の下を通り，ついで正中神経とともに浅指屈筋起始部の線維性アーチをくぐり抜ける．この部位では，尺骨動脈が正中神経の下に位置している（👉図 4-12〜14）．前腕の遠位 2/3 では，尺骨動脈は尺骨神経の外側に並んで深指屈筋の表層にあり，尺側手根屈筋におおわれて下行している．尺骨動脈から総骨間動脈の枝が出るが，この動脈はただちに前骨間動脈と後骨間動脈に分岐する．前骨間動脈は前腕の中央で，骨間膜の前面を下行する．後骨間動脈は骨間膜を貫通して，前腕の後方コンパートメントにいたって前腕を下行する（👉図 4-14）．

尺骨神経と尺骨動脈は，手術で浅層を展開していくとき，尺骨の屈筋側の軟部組織に間違って手術侵襲を加えると損傷する危険がある．

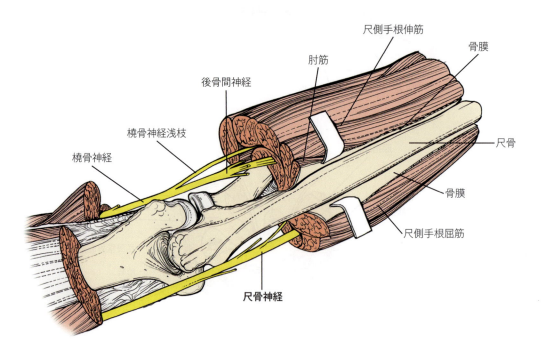

図 4-22 肘部における神経と骨格との関係（後方からみた図）
尺骨神経は尺骨の近位部の展開時に損傷しやすい．尺骨の近位 1/5 で筋を骨から剥離するときには，尺骨神経を前もって確認しておかねばならない．

5 橈骨への後方アプローチ

橈骨への後方アプローチは，橈骨骨幹部の背面を展開する場合に利用される[25]．このアプローチの要点は，橈骨のもっとも近位部を展開する前に，後骨間神経を完全に遊離してよけておくことである．そうすることによって，目的とする手術操作を加えている間，神経を直視下に観察して損傷を防止できる．後方アプローチが利用されるのは，次の場合である．

- 橈骨骨折の観血的整復・内固定．このアプローチによって橈骨の伸筋側（プレートを可能な限り設置すべき位置，すなわち橈骨に張力が加わる側）へ到達できる．
- 橈骨骨折の遷延治癒，偽関節の治療
- 後骨間神経の展開．後骨間神経の麻痺または難治性のテニス肘に対するFrohseアーケードでの神経の除圧[15]．
- 橈骨骨切り術
- 橈骨慢性骨髄炎の治療
- 骨腫瘍の生検と治療

患者体位

患者を背臥位で手術台に固定し，患肢を上肢台にのせる．前腕を回内位にして前腕の伸筋コンパートメントを上方に向ける．そうでなければ，前腕を回内位にして患者の胸の上におく（図4-23）．もし橈骨とともに尺骨も展開したい場合には，尺骨に対する皮切を新たに加えることによって尺骨に容易に到達することができる．どちらの体位を用いるにしても，患肢を3～5分間挙上するか，ソフトラバーバンテージで駆血してからターニケットに送気する．

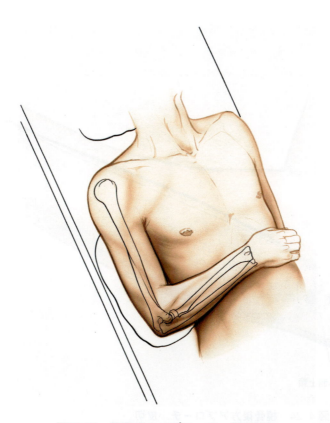

図4-23　橈骨後方アプローチ．患者体位

ランドマーク

遠位上腕にある肘頭の突起の外側に**上腕骨外側上顆**を触れる．明らかな骨性のランドマークであるが，上腕骨内側上顆に比べるといくぶん小さくてわかりにくい．

Lister 結節（背外側結節［dorsoradial tubercle］）は手関節の背面で，橈骨茎状突起から内方 1/3 の箇所に縦に細長い骨性の隆起（結節）として認められる．

皮　切

上腕骨外側上顆の前方から前腕の背面を通り，Lister 結節の尺側に向かう直線状の皮切を加える（図 4-24）．

通常は，目的とする手術に必要な展開範囲に応じて皮切の長さを決定する．骨折の場合には，皮切の中心に骨折線がくるようにする．イメージを用いることで皮切はさらに適切に決められる．

internervous plane

このアプローチには真の internervous plane は存在しない．近位部では，短橈側手根伸筋（回外筋の近位で後骨間神経により支配）と総指伸筋（前腕背側で後骨間神経により支配；図 4-25）の間に intermuscular plane が存在する．これらの筋群の起始部では腱膜は共通していて，各筋の腱膜の境界面には陥凹が認められる．

遠位部では，短橈側手根伸筋と長母指伸筋（ともに後骨間神経支配）の間に intermuscular plane が存在する．

浅層の展開

皮切に一致した切開を筋膜に加える．短橈側手根伸筋と総指伸筋の筋境界面を確認する．この境界面は遠位にいくほど明瞭になる．そして，両筋群の間からは長母指外転筋と短母指伸筋が顔を出している．前腕の近位部では，短橈側手根伸筋と総指伸筋の腱膜はともに共有している（図 4-26，27）．

短橈側手根伸筋と総指伸筋の間を分けて，近位の方向に進めていくと，橈骨の近位 1/3 が露出する．この部位では橈骨は回外筋でおおわれている．

短橈側手根伸筋と総指伸筋の間の分離を長母指外転筋と短母指伸筋のレベルよりもさらに遠位まで進めていく場合には，短橈側手根伸筋と長母指伸筋との間に形成される筋境界面を確認する．この筋境界面を分けて入ると，橈骨骨幹部に外側面が露出する（図 4-28，29）．

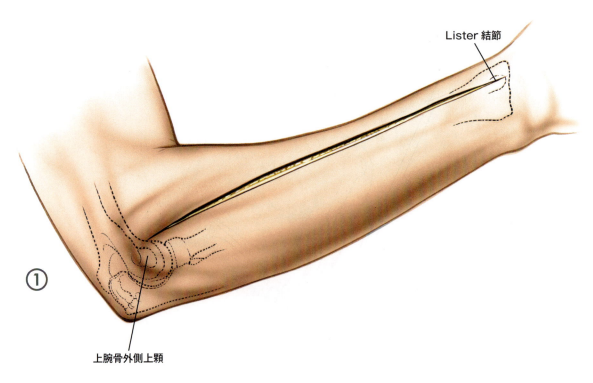

図 4-24　橈骨後方アプローチ．皮切
上腕骨外側上顆の前方から始まり，手関節の Lister 結節尺側にいたる．

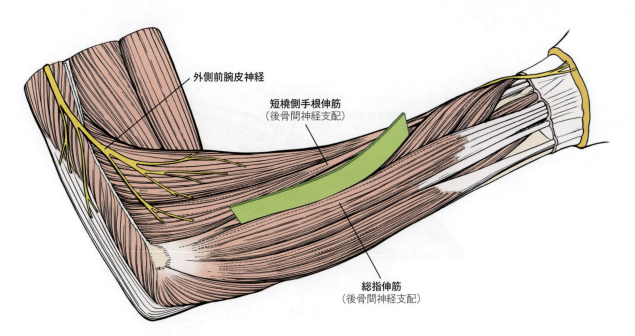

図 4-25　橈骨背側の intermuscular plane
短橈側手根伸筋（後骨間神経支配）と総指伸筋（後骨間神経支配）の間に存在する．

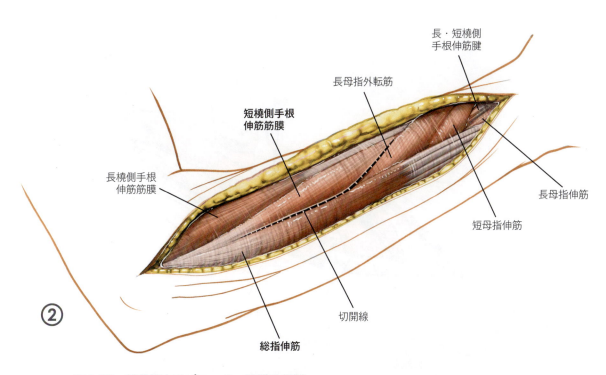

図 4-26　橈骨後方アプローチ．筋膜の切開
短橈側手根伸筋と総指伸筋の間で筋膜を切離して筋境界面を確認する．前腕遠位部では容易に筋境界面を確認できる．

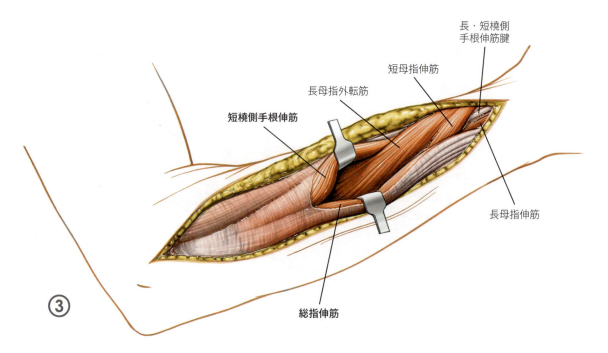

図 4-27　橈骨後方アプローチ．筋間の展開
短橈側手根伸筋および総指伸筋の筋境界面を展開する．

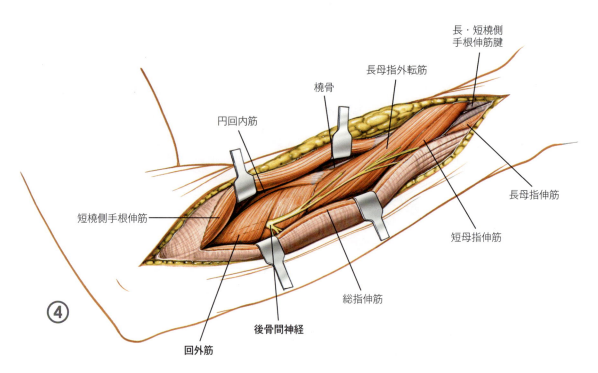

図 4-28　橈骨後方アプローチ．回外筋の展開および後骨間神経の確認
回外筋は短橈側手根伸筋および総指伸筋の下方にある．

深層の展開

●近位 1/3

橈骨の近位1/3の背面を回外筋がおおっている．回外筋の浅層筋と深層筋の間を後骨間神経が貫通している．後骨間神経は回外筋の遠位縁の約1cm近位から顔を出して，手関節，手指，母指の伸筋に運動枝を出す（👉図4-29）．

回外筋を貫通している後骨間神経を確認して温存するには，次の2通りの方法がある．

1) **近位から遠位への神経の遊離**（👉図4-29，挿入図）：短橈側手根伸筋の起始部と長橈側手根伸筋の起始部の一部を外側上顆から剥離して外側による．ついで後骨間神経を回外筋の近位縁の近位で触診して確認する．ついで回外筋内を近位から遠位に向かって注意深く剥離していく．そのさい回外筋への多数の運動枝を温存するように注意する．

2) **遠位から近位への神経の遊離**（👉図4-29）：回外筋の遠位縁の後骨間神経の出現箇所で神経を確認する．神経は回外筋の遠位縁の約1cm近位から現れる．ついで回外筋内を走行する神経を筋枝に注意しながら近位方向に向かって剥離していく．

後骨間神経を遊離して温存したところで，今度は前腕を最大回外位として橈骨前面を術野の中央にもってくる．回外筋の付着部を橈骨前面から切離して骨膜下に剥離すると，橈骨骨幹部の近位1/3が露出する（図4-30）．

●中央 1/3

橈骨の中央1/3では，長母指外転筋と短母指伸筋の2つの筋が橈骨背面を遠位橈側へ走っており，術野を遮っている．これらの筋肉の上下縁に切開を加えて遊離した状態にして橈骨から持ち上げる．遊離した筋を近位あるいは遠位方向によけることによって，必要とする橈骨を露出する（👉図4-30）．内固定術が必要な場合には，これらの筋群の下にプレートをすべり込ませる．この位置

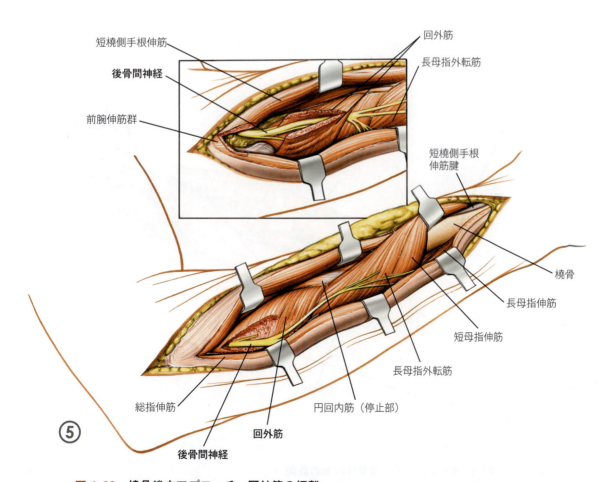

図4-29　橈骨後方アプローチ．回外筋の切離
回外筋は橈骨の近位1/3をおおっている．後骨間神経が回外筋内を通過している．筋肉内の神経を確認して温存する．**挿入図**は回外筋内の後骨間神経を示す．

にプレートをおくことは骨に加わる張力から考えて生体力学的に骨癒合にもっともよい位置であるが，その上を走行する腱への刺激が問題になるかもしれない．

● 遠位 1/3

短橈側手根伸筋と長母指伸筋の間を分けて入ると，橈骨の外側縁に直接アプローチすることができる（👉 図4-30）．

注意すべき組織

このアプローチの鍵となる**後骨間神経**を損傷しないで温存するには，2つの方法がある．

1) **後骨間神経を同定し温存する方法**：25％の患者では，後骨間神経が橈骨粗面の背側骨面に直接接触している[26]．プレートを橈骨近位の背面にあてる場合には，その下に神経を挟み込む危険がある[27]．回外筋内にある後骨間神経を同定し確保しておくことが，橈骨骨折のさいにプレートで神経を損傷しない唯一の確実な方法である（👉 図4-29）．

2) **後骨間神経を回外筋と一緒に温存する方法**：後骨間神経を回外筋内に包んだままにし，回外筋を橈骨前面から切離して橈側によける．この方法は橈骨前面を露出するための橈骨前面アプローチにしばしば利用される．橈骨背面の露出もこの方法で可能であるが，4人に1人の割合で後骨間神経は橈骨骨膜に直接接触して走っているので，回外筋を橈骨から剥離する前に，後骨間神経を筋肉から完全に遊離しておくのがもっとも安全な方法である（👉 図4-30）．また，橈骨近位部に加わった外傷の種類によって神経の位置が変わることにも注意する[28]．

術野拡大のコツ

● 深部への拡大

短橈側手根伸筋と総指伸筋の間の筋境界面を拡大するためには，短橈側手根伸筋の起始部を上腕骨外側上顆から確実に剥離しておく．

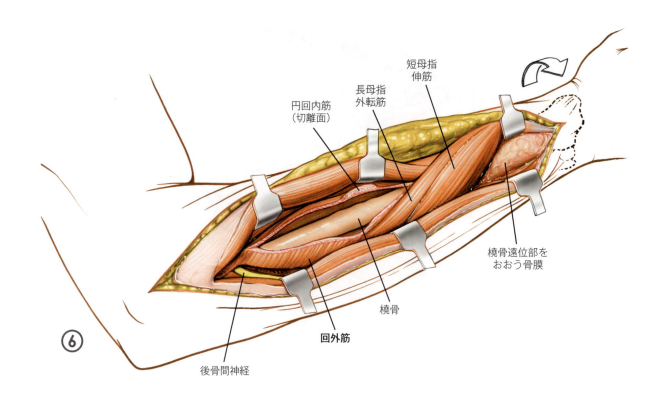

図4-30　橈骨後方アプローチ．橈骨骨幹部の展開
橈骨前面から回外筋停止部を剥離する．前腕を最大回外位にすると，回外筋停止部が術野の中央にきて，後骨間神経は皮切から遠ざかる．橈骨の遠位1/3では，短橈側手根伸筋と長母指伸筋の間を分けると橈骨外側面が露出する．

●上下への拡大

　橈骨への後方アプローチを遠位に拡大すると，手関節背面を展開できる（☛第5章「①手関節への背側アプローチ」）．近位に拡大すると上腕骨外側上顆を露出できる（☛第2章「⑤上腕骨遠位部への外側アプローチ」）．しかし，実際にはここまで術野の拡大が要求される場合は少ない．

6 橈骨への後方アプローチに必要な外科解剖

概観

前腕の背面には12の筋があるが，次の3群に大別される．

1) **腕橈骨筋，長・短橈側手根伸筋（mobile wad of three）**：前腕外側を走行する．これら3つの筋の起始部は上腕骨外側顆上稜から上腕骨外側上顆にかけて線状に広がっている．

2) **4つの浅層伸筋群**：上腕骨外側上顆から扇状に広がっている．前腕では，尺側から橈側に向かって，肘筋，尺側手根伸筋，小指伸筋，総指伸筋の順に並んでいる（図4-31, 32）．この筋層には1つのinternervous planeがあり，尺側手根伸筋（後骨間神経支配）と尺側手根屈筋（尺骨神経支配）の間に存在し，前腕の尺側にある（☛図4-19）．短橈側手根伸筋[29]（回外筋の近位で後骨間神経支配）と総指伸筋（前腕で後骨間神経支配）との間に存在するintermuscular planeは橈骨への後方進入に用いる．前腕でこのplaneを利用する場合は安全である．これは，短橈側手根伸筋が展開部位よりかなり近位で神経支配を受けているからである（☛図4-25）．

3) **5つの深層筋**：そのうち長母指外転筋，短母指伸筋，長母指伸筋の3筋は母指にいたる筋で，前腕を尺側から橈側に斜めに横切っている．長母指外転筋と短母指伸筋の2筋は橈骨の背外側を迂回して下行している．一方，残りの2つの深層筋は回外筋と示指伸筋である（図4-33）．

この領域で重要な神経は後骨間神経で，伸筋コンパー

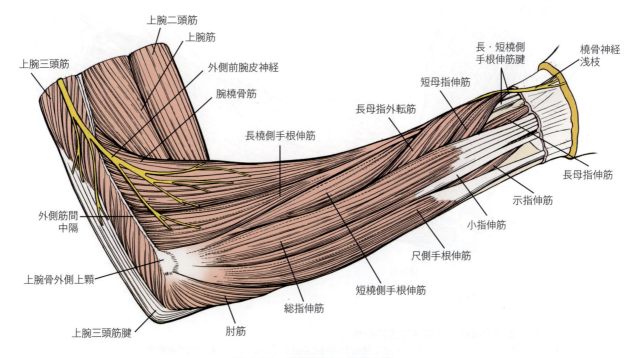

図4-31　前腕後面の浅層の筋

トメントの筋を支配している．後骨間神経は手術を左右する鍵となる解剖学的構造である．このコンパートメントにおける唯一の主たる血液供給路は後骨間動脈である．

ランドマーク

肘頭の外側に**上腕骨外側上顆**を骨性の突起として触れる．この突起は上腕骨内側上顆より小さい．この突起より上方にのびている上腕骨外側顆上稜は，上腕骨内側顆上からのびている骨稜よりも長く，三角筋粗面にまでのびている．上腕骨外側上顆は前腕伸筋コンパートメントの浅層筋の伸筋群共同起始部（common extensor origin）である．すなわち，短橈側手根伸筋，総指伸筋，小指伸筋と尺側手根伸筋のすべてが，共通した腱となり，上腕骨外側上顆の前面に付着している．一方，腕橈骨筋と長橈側手根伸筋は上腕骨外側顆上稜から起始している．

上腕骨外側上顆炎のさいにみられる圧痛部位は伸筋群共同起始部である．この疾患では手関節の伸展を命じて，それに抵抗を加えたときに伸筋群共同起始部に疼痛を再現できるのが特徴である．

後骨間神経が回外筋のFrohseのアーケードで圧迫を受けると，上腕骨外側上顆炎に類似の症状が発現することがある．この場合の圧痛は通常，後骨間神経の走行に沿ったより遠位部か，Frohseのアーケードの前方に認められる．両方の病態が同一患者に認められることがある[16]．

皮切

前腕後面に加える縦切開は，肥厚性の瘢痕を形成することがある．

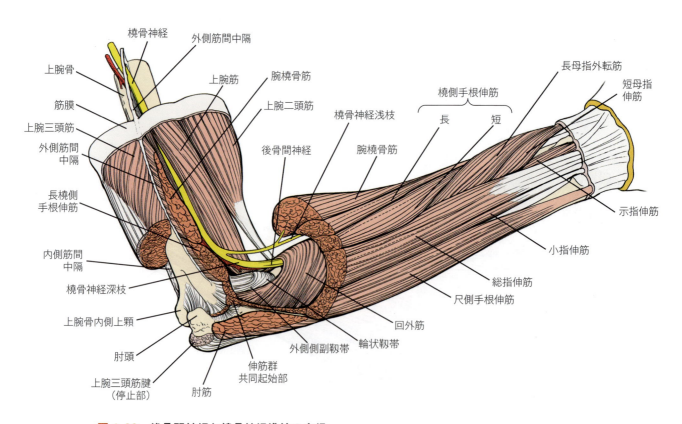

図 4-32 後骨間神経と橈骨神経浅枝の走行
Frohseのアーケードから回外筋に進入する後骨間神経と前腕の筋層間を下行する橈骨神経浅枝の走行を示すために，浅層の筋は取り除いてある．橈骨神経浅枝は感覚枝で，筋には分枝しない（☞図4-33）．

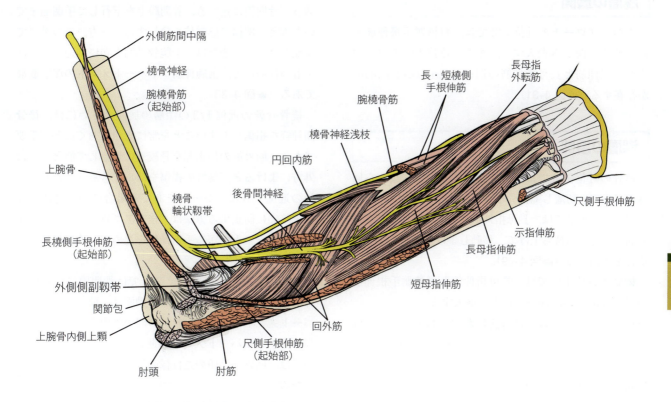

図 4-33 後骨間神経の走行と支配筋
後骨間神経は，回外筋を通過したのち，前腕後方コンパートメントの筋群に運動枝を分枝する．

尺側手根伸筋	起　始	上腕骨外側上顆の伸筋群共同起始部，尺骨後縁（尺側手根屈筋と共通の腱膜）
	停　止	第5中手骨基部
	作　用	手関節の伸展，尺屈
	支配神経	後骨間神経
総指伸筋	起　始	上腕骨外側上顆の伸筋群共同起始部
	停　止	指伸展機構
	作　用	指，手関節の伸展
	支配神経	後骨間神経

浅層の展開

このアプローチの近位1/2では，短橈側手根伸筋と総指伸筋の間から進入する．また，遠位1/3では，短橈側手根伸筋と長母指伸筋の間にintermuscular planeが存在する（☞図4-31）．

深層の展開

橈骨の近位1/3では，後骨間神経を保護しながら回外筋停止部を切離して橈骨を露出する（☞図4-32）．

橈骨の中央部では，長母指外転筋と短母指伸筋の2つの筋を橈骨から持ち上げて，移動しよけることによって橈骨を露出する（☞図4-29）．

橈骨の遠位1/3では，長母指伸筋と短橈側手根伸筋の間のintermuscular planeから進入する．

橈骨の近位1/3は，回外筋におおわれている．後骨間神経がこの筋を貫通して前腕の後方コンパートメントに達している（☞図4-32，33）．回外筋についての追加情報は，本章「1 橈骨への前方アプローチ」を参照すること．

注意すべき組織

後骨間神経は橈骨神経の分枝で，前腕後方コンパートメントの筋群の運動枝である．回外筋の浅層筋と深層筋の間を貫通している．橈骨頸部または橈骨骨幹部最近位端に直接接触して走っている場合もある．橈骨近位部の骨折の内固定を行うさいには，プレートのあて方が適切でないと，神経は骨とプレートの間に挟み込まれる．後骨間神経は回外筋を貫通したあと，長母指外転筋の上を通って骨間膜に達する．骨間膜上を下行して手関節までいたると，関節に感覚枝を分枝する．一方，この神経で支配されている筋群は，上腕骨外側上顆に共通の起始部をもつ伸筋群と，前腕伸筋コンパートメントの深層筋群である（☞図4-33）．

橈骨骨幹の近位1/3の深層の展開のさいには，後骨間神経を損傷しやすいことを常に念頭におくことが重要である．回外筋の停止部を骨膜下に剥離して筋と一緒に外方によけると，神経の損傷を防止できる．しかし，橈骨の近位1/3にプレートをあてる場合に神経麻痺の発生を確実に防止する方法は，後方アプローチで後骨間神経を直視下にみながら手術操作を進めていく以外にはない．

後骨間動脈は，前腕近位2/3では骨間膜に沿って後骨間神経と併走している．この動脈は，前腕の前方コンパートメントから橈骨と尺骨の間の骨間膜を貫通して前腕の伸筋コンパートメントに進入する（図4-34）．この動脈は，回外筋深頭の遠位縁の遠位で後骨間神経と一緒になる．

後骨間動脈は非常に細いので，手関節のレベルまで追うのはなかなか困難である．前骨間動脈から分枝している数本の動脈枝が，骨間膜を貫通して前腕後方コンパートメントへの血液を供給している．前腕の後方コンパートメントを走っている腱への血液の供給は豊富ではない．

橈骨への後方アプローチでは後骨間動脈が損傷されやすい．しかし，側副血行路が豊富なので，手が機能障害を引き起こすまでにはいたらない（図4-35）．

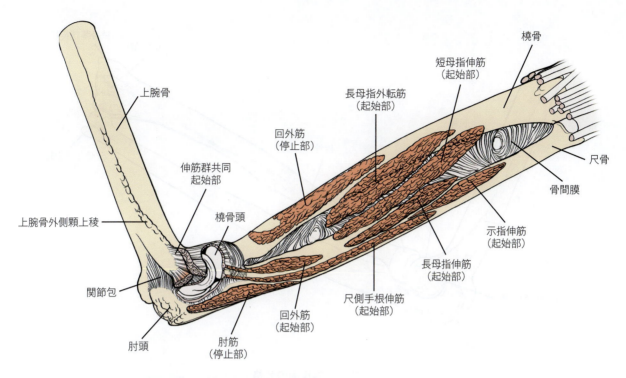

図4-34 前腕後面の筋群の起始および停止

長橈側手根伸筋	起　始	上腕骨外側顆上稜の遠位1/3, 外側筋間中隔
	停　止	第2中手骨基部
	作　用	手関節の伸展, 橈屈
	支配神経	橈骨神経
短橈側手根伸筋	起　始	上腕骨外側上顆の伸筋群共同起始部, 肘関節外側側副靱帯
	停　止	第3中手骨基部
	作　用	手関節の伸展, 橈屈
	支配神経	橈骨神経
回 外 筋	起　始	浅頭は上腕骨外側上顆, 肘関節外側側副靱帯, 尺骨回外筋稜, 深頭は尺骨回外筋稜とその後方の陥凹部
	停　止	橈骨前面
	作　用	前腕の回外, 肘関節の弱い屈曲運動
	支配神経	後骨間神経
長母指伸筋	起　始	尺骨中央1/3の後面, 骨間膜
	停　止	母指末節骨
	作　用	母指と手関節の伸展
	支配神経	後骨間神経
長母指外転筋	起　始	尺骨後面, 骨間膜後面, 橈骨中央1/3の後面
	停　止	母指中手骨基部
	作　用	母指の外転, 伸展
	支配神経	後骨間神経
短母指伸筋	起　始	橈骨と骨間膜の後面
	停　止	母指基節骨基部
	作　用	母指MP関節の伸展
	支配神経	後骨間神経
示 指 伸 筋	起　始	尺骨骨幹と骨間膜の後面
	停　止	示指総指伸筋腱の尺側で示指伸展機構
	作　用	示指の伸展
	支配神経	後骨間神経
小 指 伸 筋	起　始	上腕骨外側上顆の伸筋群共同起始部
	停　止	小指伸展機構
	作　用	小指の伸展
	支配神経	後骨間神経

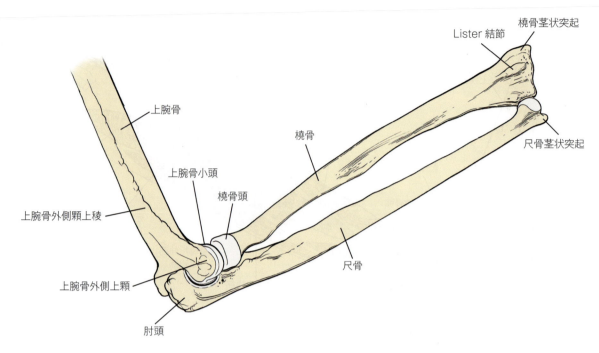

図4-35　前腕後面の骨格

7 前腕コンパートメント症候群の治療におけるアプローチ

前腕には強靱な筋膜で囲まれた筋コンパートメントが存在する．骨折やそれに関連した軟部組織損傷による出血で浮腫が続発するとコンパートメント内圧が上昇する．コンパートメント内圧が上昇するにつれて，コンパートメント内への静脈血の還流が減少し，圧が高くなるので筋への動脈血供給が抑制されて，筋肉は阻血の状態になる．阻血筋には浮腫が続発してコンパートメント内圧はさらに上昇する．この病態がコンパートメント症候群である．コンパートメント症候群は骨折がなくても起こりうることを知っておくことは大切である．ローラーに巻き込まれて前腕が圧挫損傷を受けるとコンパートメント症候群を起こす危険性は高い．慢性的な運動によるコンパートメント症候群が運動選手で報告され，ほとんどがボートの漕ぎ手のケースである．ほとんどの例で，運動の中止により症状は消失している[30]．

筋阻血時の疼痛は，他の損傷による痛みに比較して異常に強いのが特徴である．コンパートメント内圧が短時間内に減圧されないと，筋肉は不可逆的な壊死に陥り，コンパートメント内を貫通している神経は損傷される（Volkmann阻血拘縮）[31]．

症例によっては，動脈が閉塞して壊疽へと進行する．ここで留意しておくべきことは，前腕末梢で触知する脈拍の減弱はコンパートメント症候群の症状が進行するまで現れないことである．したがって，医師は脈拍の減弱が明らかになる前に減圧手術を行わなければならない．

前腕には4つのコンパートメントがある．

1) **浅前方コンパートメント**には，尺側手根屈筋，長掌筋，浅指屈筋，橈側手根屈筋，円回内筋，正中神経，尺骨神経が含まれる．

2) **深屈筋コンパートメント**には，指屈筋，長掌筋，長母指屈筋，方形回内筋，前骨間神経が含まれる．

3) **背側コンパートメント**には，指伸筋，小指伸筋，尺側手根伸筋，長母指外転筋，短母指伸筋，長母指伸筋，示指伸筋，後骨間神経が含まれる．

4) **外側コンパートメント**には，長・短橈側手根伸筋，腕橈骨筋（Henryのmobile wad of three），橈骨神経浅

枝が含まれる．

コンパートメント症候群に対する治療では，コンパートメント内圧を減じるべく，すべての罹患コンパートメントを圧迫する筋膜を切開しなければならない．

前腕屈筋コンパートメントの減圧のための前方アプローチ

前腕でもっともコンパートメント症候群が発症しやすいのは2つの前方コンパートメントである．前腕の全長にわたる浅筋膜と深筋膜を切離して減圧する．浅層と深層の両前方コンパートメントの圧が上昇している症例に対しては，後方コンパートメントからの減圧も加えなくてはならない．このように2方向からのアプローチが加えられる場合には，中央アプローチと尺側アプローチを選択する[32〜35]．

ランドマーク

●中央皮切

上腕骨遠位部では肘頭突起外側に**上腕骨外側上顆**，手関節部では橈骨遠位端の橈側面に**橈骨茎状突起**を触れる．

●尺側皮切

上腕遠位端の内側に大きな皮下の骨性突起として突出している**上腕骨内側上顆**と尺骨遠位端にある尺骨茎状突起を触れる．

皮 切

●中央皮切

上腕骨外側上顆の直下から橈骨茎状突起にいたる縦切開を加える（図 4-36A）．

●尺側皮切

上腕骨内側上顆の直下から尺骨茎状突起の約 1.5 cm 外側に向けて縦切開を加える（図 4-37）．

internervous plane

利用できる internervous plane は存在しない．中央からの進入では，長掌筋と橈側手根屈筋の間の深筋膜を切離する．両筋は正中神経支配である．

尺側からの進入では，尺側手根屈筋と浅指屈筋の内側面との間を利用する．

浅層の展開

●中央アプローチ

皮切に一致して筋膜を切離する．肘関節の下方に上腕二頭筋腱膜を確認し，注意深く切離して正中神経への圧迫を取り除く．長掌筋と橈側手根屈筋の筋境界面をていねいに拡げていく（図 4-36B）．

●尺側アプローチ

尺側手根屈筋の内側縁に沿って深筋膜を切離する（図 4-37B）．

深層の展開

●中央アプローチ

浅指屈筋の筋腹と遠位の筋腱移行部を確認する．その前面をおおう筋膜を注意深く切離する（図 4-36C）．

●尺側アプローチ

尺側手根屈筋と浅指屈筋の間から進入して，浅指屈筋を持ち上げる．そのさい，浅指屈筋の裏面の筋膜に密着して走っている正中神経は剥離せずにそのままとする．尺骨神経を周囲から剥離して浅指屈筋とともに移動可能な状態にする．そのさい，尺側手根屈筋に進入している尺骨動脈分枝を結紮切断する．浅指屈筋を挙上すると，方形回内筋，長母指屈筋，深指屈筋が現れる．これらの筋群はすべて外筋周膜（筋鞘）切開（epimysiotomy）による減圧の対象である（図 4-39）．

注意すべき組織

正中神経と尺側の神経血管束は広範な剥離作業のさいに損傷する危険がある．internervous plane が利用できないので正確な解剖学的知識が必要である．

前腕屈筋コンパートメントの減圧のための後方アプローチ

この後方アプローチの手術適応は限られている．

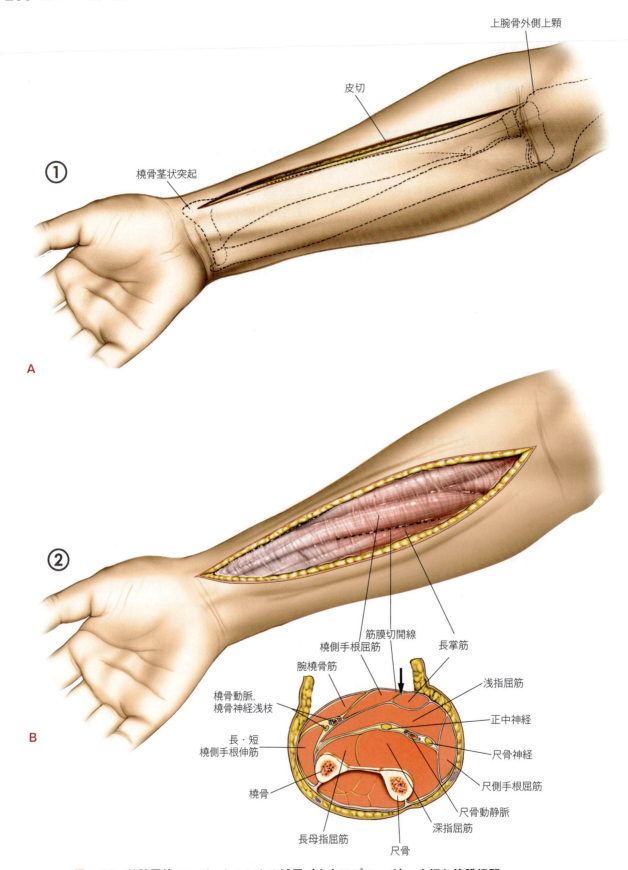

図 4-36 前腕屈筋コンパートメントの減圧（中央アプローチ）．皮切と筋膜切開
A：中央皮切．肘窩部の屈側皮線の外側から橈骨茎状突起までの縦切開を用いる．
B：筋膜切開．皮切を深部へと進め浅屈筋群をおおう筋膜を展開し，橈側手根屈筋の尺側縁で筋膜を切開する．

（次頁へつづく）

7. 前腕コンパートメント症候群の治療におけるアプローチ **201**

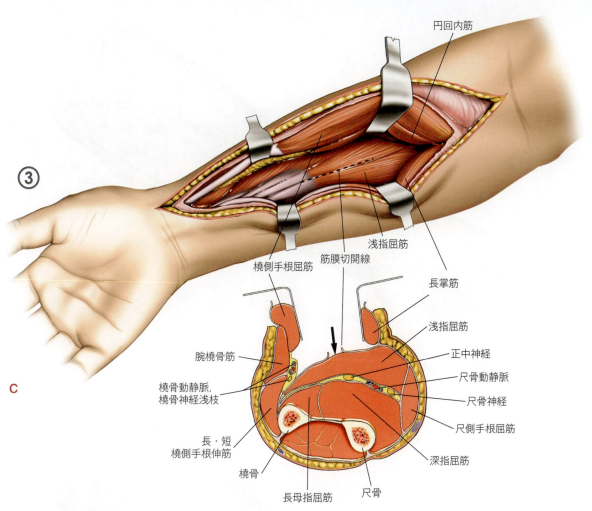

図 4-36 のつづき
C：浅指屈筋筋膜の切開．橈側手根屈筋と長掌筋を左右に引き，屈筋深層を除圧すべく浅指屈筋上の筋膜に縦切開を加える．

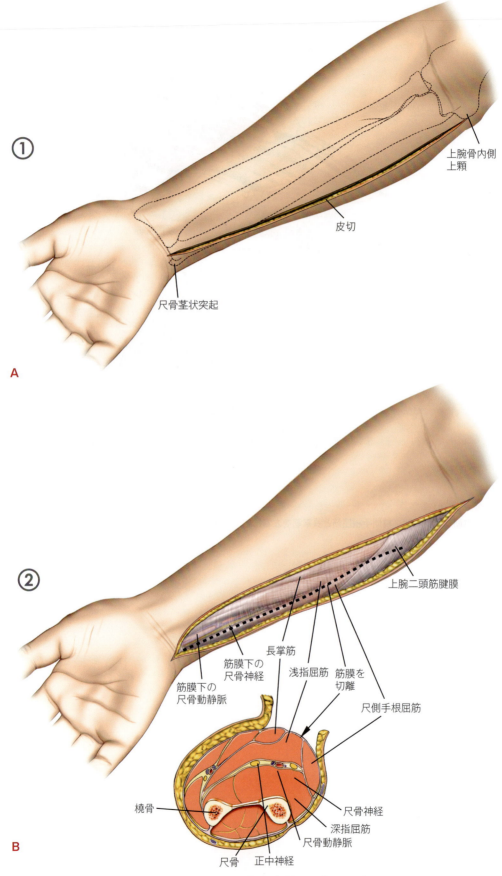

図 4-37　前腕屈筋コンパートメントの減圧（尺側アプローチ）．皮切と深層の展開
A：尺側皮切．上腕骨内側上顆から尺骨茎状突起までの縦切開を加える．
B：筋膜切開．総指屈筋の表面をおおう筋膜を切離して浅指屈筋の圧を減圧する．

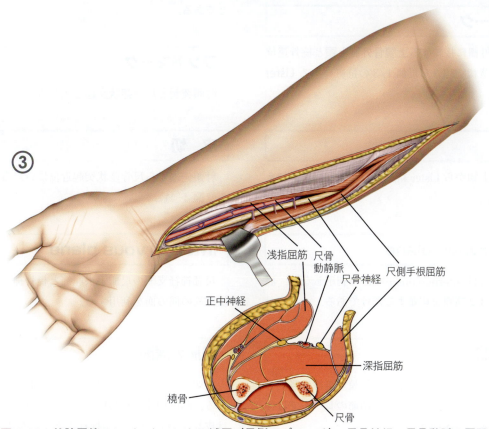

図 4-38 前腕屈筋コンパートメントの減圧(尺側アプローチ).尺骨神経,尺骨動脈の展開
浅指屈筋を橈側に反転して,尺骨神経,尺骨動脈を展開する.

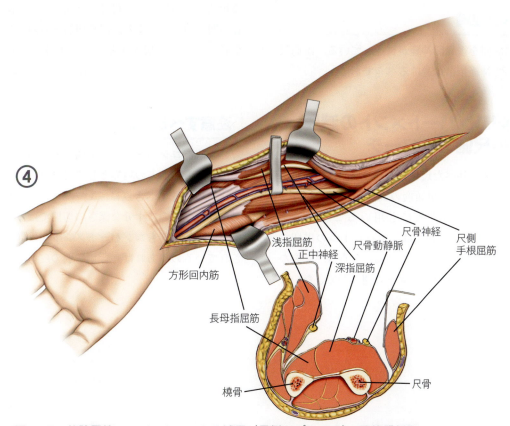

図 4-39 前腕屈筋コンパートメントの減圧(尺側アプローチ).深筋膜切開
深指屈筋をおおっている筋膜を展開し,尺骨神経と尺骨動脈の存在に気を配って,深指屈筋,長母指屈筋,方形回内筋などの各筋膜に縦切開を加える.

ランドマーク

肘頭突起の外側に接続する**上腕骨外側上顆**と橈骨遠位端背側の橈側茎状突起から尺側1/3の位置にある**Lister結節**を触れる.

皮　切

上腕骨外側上顆からLister結節にいたる縦切開を加える（図4-40A）.

internervous plane

この進入法ではinternervous planeは利用しない. 展開する場合には深筋膜を切離するだけである.

浅層の展開

皮切に沿って深筋膜を切離する. 筋膜切離縁を離開してコンパートメントを開放する. 手関節のレベルでは伸筋支帯は温存する（☞図4-40B）.

注意すべき組織

回外筋の筋層間を**後骨間神経**が貫通している. 深筋膜だけを切離して神経損傷は避けるべきである.

前腕屈筋コンパートメントの減圧のための尺側アプローチ

この章のはじめに述べた尺骨骨幹部の展開に用いるアプローチは, もっとも罹患頻度の高い3つの前腕コンパートメントの完全な開放にも用いることができる[35]. このアプローチの利点は, たった1つの皮切で完全な前腕の除圧ができることである. 欠点は, 必要なときに外側コンパートメントの完全な開放ができないことである.

ランドマーク

肘頭突起と尺骨茎状突起を触れる.

皮　切

肘頭先端から尺骨茎状突起近位にいたる縦切開を加える（図4-41）.

internervous plane

尺骨神経支配の尺側手根屈筋と橈骨神経支配の尺側手根伸筋の間の面を利用する.

浅層の展開

皮切に沿って尺側手根伸筋の上をおおう深筋膜を切離する. 筋膜切離縁を離開する（図4-42）. この筋膜切離は皮切全長にわたって行うことで, 後方（伸筋）コンパートメントが除圧される. 尺骨から尺側手根屈筋の筋膜起始部を切離する. 尺骨を掌側にして, 深指屈筋と尺骨の間の面を展開する. 深指屈筋をおおう筋膜を皮切に全長にわたって切開する. この手技で両方の前方コンパートメントは除圧される（☞図4-42, 挿入図）.

注意すべき組織

この前腕コンパートメント開放のための尺側アプローチは, 後方と前方の境界として尺骨を用いる. このアプローチの注意すべき点は, 3つのコンパートメントすべてを開放するのに十分な深さの切開ではないということである. 伸筋群もコンパートメント症候群の危険にさらされているのであれば, 背側に別の皮切が必要かもしれない.

7. 前腕コンパートメント症候群の治療におけるアプローチ　205

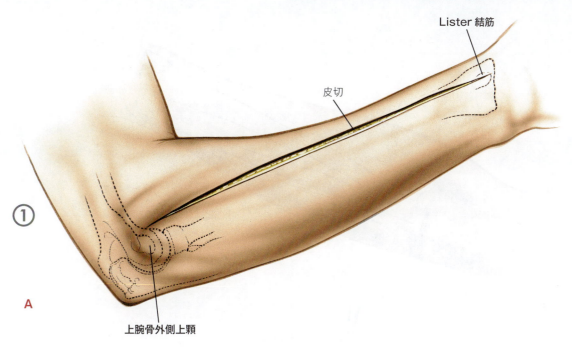

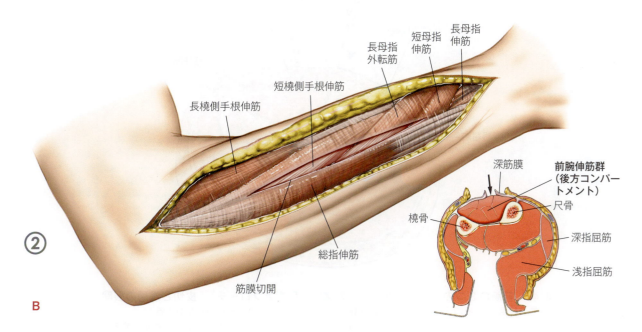

図 4-40　前腕後方コンパートメントの減圧
A：皮切．前腕後面で上腕骨外側上顆から Lister 結節にいたる縦切開を加えて後方コンパートメントを減圧する．
B：筋膜切開．皮切線に沿って前腕伸筋群をおおっている深筋膜を切離する．右下挿入図では，後方コンパートメントとともに前方コンパートメントの減圧も描かれている．

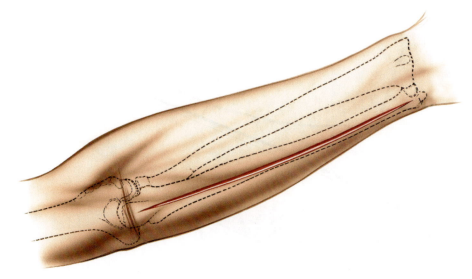

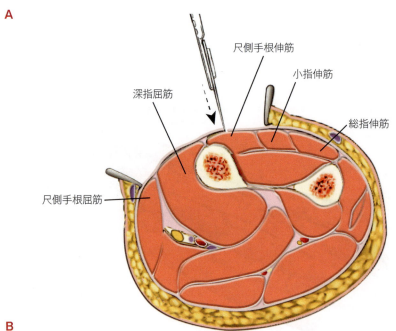

図 4-41 前腕の 3 つのコンパートメントの減圧（尺側アプローチ）．皮切と浅層の展開
A：尺骨の尺側縁に沿って肘頭先端から尺骨茎状突起の 1 cm 近位にいたる縦切開を加える．
B：皮切の全長にわたって尺側手根伸筋の筋膜を切って，後方（伸筋）コンパートメントへ進入する．後方コンパートメントが除圧される．尺側手根屈筋の筋膜を切開する．尺骨を掌側にして，深指屈筋をおおう筋膜を皮切の全長にわたって切開する．この方法で前腕の 3 つすべてのコンパートメントが減圧される．

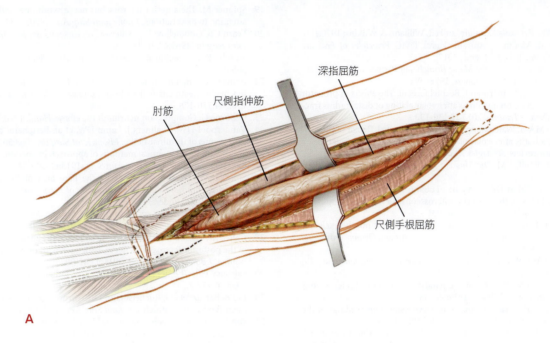

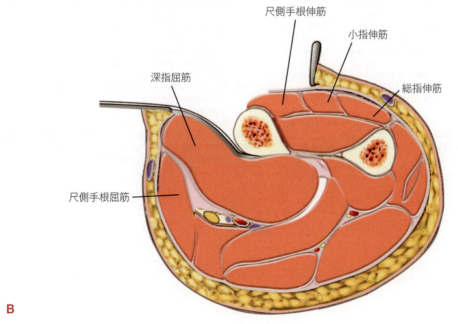

図 4-42 前腕の3つのコンパートメントの減圧（尺側アプローチ），皮切と深層の展開
皮切の全長にわたって尺側手根伸筋の筋膜を切って，後方（伸筋）コンパートメントへ進入する．後方コンパートメントが除圧される．尺側手根屈筋の筋膜を切開する．尺骨を掌側にして，深指屈筋をおおう筋膜を皮切の全長にわたって切開する．この方法で前腕の3つすべてのコンパートメントが減圧される．

文 献

1. Henry AK. *Extensile Exposure*. 2nd ed. Williams & Wilkins; 1970:100.
2. Buckley R, Moran C, Apivatthakakul T. *AO Principles of Fracture Management*. 3rd ed. Thieme; 2017.
3. Spinner M. *Injuries to the Major Branches of Peripheral Nerves of the Forearm*. 2nd ed. WB Saunders; 1978:195.
4. Hershman SH, Immerman I, Bechtel C, et al. The effects of pronator quadratus repair on outcomes after volar plating of distal radius fractures. *J Orthop Trauma*. 2013;27:130-133.
5. Mulders MAM, Walenkamp MMJ, Bos FJME, et al. Repair of the pronator quadratus after volar plate fixation in distal radius fractures: a systematic review. *Strategies Trauma Limb Reconstr*. 2017;12:181-188.
6. Frohse F, Frankel M. *Die Muskeln des Mensschlichen Armes*. Fisher; 1908.
7. Thomas SJ, Yakin DE, Parry BR, Lubahn JD. The anatomical relationship between the posterior interosseous nerve and the supinator muscle. *J Hand Surg*. 2000;25:936-941.
8. Clavert P, Lutz JC, Adam P, et al. Frohse's arcade is not the exclusive compression site of the radial nerve in its tunnel. *Orthop Traumatol Surg Res*. 2009;95:114-118.
9. Sharrard WJ. Posterior interosseous neuritis. *J Bone Joint Surg Br*. 1966;48:777-780.
10. Weinberger LM. Non-traumatic paralysis of the dorsal interosseous nerve. *Surg Gynecol Obstet*. 1939;69:358.
11. Capener N. Posterior interosseous nerve lesions: proceedings of the second hand club. *J Bone Joint Surg Br*. 1964;46:361.
12. Spinner M. The arcade of Frohse and its relationship to posterior interosseous nerve paralysis. *J Bone Joint Surg Br*. 1968;50:809-812.
13. Roles NC, Maudslet RH. Radial tunnel syndrome: resistant tennis elbow as a nerve entrapment. *J Bone Joint Surg Br*. 1972;54:499-508.
14. Solnitzky O. Pronator syndrome: compression neuropathy of the median nerve at level of pronator teres muscle. *Georgetown Med Bull*. 1960;13:232-238.
15. Kopell HP, Thompson WA. Pronator syndrome: a confirmed case and its diagnosis. *N Engl J Med*. 1958;239:713-715.
16. Omer GE, Spinner M, Van AL. *Management of Peripheral Nerve*. WB Saunders; 1997.
17. Sarmiento A, Latta LL. Colles' fractures: functional treatment in supination. *Acta Chir Orthop Traumatol Cech*. 2014;81:197-202.
18. Kiloh LG, Nekn S. Isolated neuritis of the anterior interosseous nerve. *Br Med J*. 1952;1:850-851.
19. Spinner M. The anterior interosseous nerve syndrome, with special attention to its variations. *J Bone Joint Surg Am*. 1970;54:84.
20. Fearn CB, Goodfellow JW. Anterior interosseous nerve palsy. *J Bone Joint Surg Br*. 1965;47:91-93.
21. Straub LB. Congenital absence of the ulna. *Am J Surg*. 1965;109:300-305.
22. Armistead RB, Linscheid RL, Dobyns JH, et al. Ulnar lengthening in the treatment of Kienböck's disease. *J Bone Joint Surg Am*. 1982;64:170-178.
23. Osborne G. Compression neuritis at the elbow. *Hand*. 1970:10-13.
24. Vanderpool DW, Chalmers J, Lamb DW, et al. Peripheral compression lesions of the ulnar nerve. *J Bone Joint Surg Br*. 1968;50:792-803.
25. Thompson JE. Anatomical methods of approach in operations on the long bones of the extremities. *Ann Surg*. 1918;68:309-329.
26. Spinner M, ed. The radial nerve—the bare area of the proximal radius. In: *Injuries to the Major Branches of Peripheral Nerves in the Forearm*. WB Saunders; 1972:80-89.
27. Davies F, Laird M. The supinator muscle and the deep radial (posterior interosseous) nerve. *Anat Rec*. 1948;101:243-250.
28. Calfee RP, Wilson JM, Wong AH. Variations in the anatomic relations of the posterior interosseous nerve associated with proximal forearm trauma. *J Bone Joint Surg Am*. 2011;93:81-90.
29. Salsbury CR. The nerve to extensor carpi radialis brevis. *Br J Surg*. 1938;26:95-97.
30. Liu B, Barrazueta G, Ruchelsmann DE. Chronic exertional compartment syndrome in athletes. *J Hand Surg Am*. 2017;42:917-923.
31. von Volkmann R. Veilletzungen und Krankenheiten der Berwegungsorgane. In: von Pithe F, Stuttgart BT, eds. *Handbuch der Allgemeinen und speziellen Chirurgs*. Verlag von Ferdinand Enke; 1882:234-920.
32. Whitesides TE, Heckman MM. Acute compartment syndrome: update on diagnosis and treatment. *J Am Acad Ortho Surg*. 1996;4:209-218.
33. Ronel DN, Mtui E, Nolan WB III. Forearm compartment syndrome: anatomical analysis of surgical approaches to the deep space. *Plast Reconstr Surg*. 2004;114:697-705.
34. Howard A, Slongo T, Schmittenbecher P. Compartment syndrome. AO Surgery Reference website. Accessed July 28, 2020. surgeryreference.aofoundation.org/orthopedic-trauma/pediatric-trauma/forearm-shaft/further-reading/compartment-syndrome
35. Ojike N, Alla S, Battista C, Roberts C. A single volar incision fasciotomy will decompress all three forearm compartments: a cadaver study. *Injury*. 2012;43:1949-1952.

第5章

The Wrist and Hand

手関節と手

1 手関節への背側アプローチ ……… 210	16 指間腔感染に対するドレナージ ……… 272
2 手関節背側の手術に必要な外科解剖 …… 220	17 指の指間腔の解剖 ……… 274
3 橈骨遠位への掌側アプローチ ……… 224	18 母指の指間腔の解剖 ……… 274
4 手根管と手関節への掌側アプローチ …… 228	母指内転筋 ……… 274
5 尺骨神経への掌側アプローチ ……… 234	第1背側骨間筋 ……… 274
6 手関節掌側の手術に必要な外科解剖 …… 238	動脈 ……… 274
7 指屈筋腱への掌側アプローチ ……… 248	19 腱鞘の感染 ……… 276
8 基節および中節部の指屈筋腱鞘への側正中アプローチ ……… 254	20 深手掌腔の感染 ……… 277
9 指節骨と指節間関節への背側アプローチ・256	21 内側腔(手掌中央腔)に対するドレナージ・279
10 指屈筋腱の手術に必要な外科解剖 ……… 259	22 外側腔(母指腔)に対するドレナージ …… 281
腱の血行 ……… 261	23 深手掌腔の手術に必要な外科解剖 ……… 284
11 舟状骨への掌側アプローチ ……… 262	外側腔(母指腔) ……… 284
12 舟状骨への背外側アプローチ ……… 265	内側腔(手掌中央腔) ……… 284
13 手における膿瘍ドレナージ ……… 269	24 橈側滑液鞘感染に対するドレナージ …… 284
理想的な手術の条件 ……… 269	25 尺側滑液鞘感染に対するドレナージ …… 287
14 爪周囲炎に対するドレナージ ……… 270	26 手の解剖 ……… 289
15 指腹腔感染(ひょう疽)に対するドレナージ・271	手掌 ……… 289
	手背 ……… 291

第5章

この章では，手関節と手への18のアプローチについて述べる．手関節に2つ，手関節の神経組織に2つ，指屈筋腱に2つ，舟状骨に2つ，指節骨および指節間関節に1つのアプローチで，手の敗血症のドレナージには9つのアプローチがある．

手関節への背側アプローチは，主として関節リウマチ，橈骨遠位端骨折の観血的整復・内固定，および手根骨の手術に用いられ，橈骨遠位への**掌側アプローチ**は，橈骨遠位端骨折の内固定に用いられる．**手根管への掌側アプローチ**は，主に手根管とその周辺組織の展開，ときに骨折の内固定に用いられる．これらのアプローチに必要な解剖については各章で述べる．

指屈筋腱への掌側アプローチは，手の外傷でもっともよく用いられる．このアプローチは指神経と血管をよく展開できる．指屈筋腱鞘への**側正中アプローチ**は，指神経血管束と指節骨骨折の治療に用いられる．この章では，これら2つのアプローチに続いて指屈筋腱の手術に必要な外科解剖を述べる．

舟状骨への背側および掌側アプローチは，骨への血管供給についての短い記載とともに述べる．

手の感染は日常臨床でしばしば認められる．しかし，早期診断と抗菌薬の経静脈投与で大部分は治療できるが，ときに後遺症を生じないために外科的治療を必要とすることがある[1, 2]．

ドレナージの仕方については，手における排膿の一般原則の紹介とともに述べる．外科的処置を必要とする感染の中では，爪周囲炎とひょう疽がもっとも多い．

本書のいずれの章でも外科的アプローチは解剖に関連して記述するが，手においては創の大部分は計画された皮切によるものでなく，外傷によることが多い．したがって，手の解剖の概略を簡潔に復習することは個々の外傷によって発生する損傷を解釈するのに肝要である．臨床所見は正確な組織損傷の診断に大切であるが，基礎となる解剖学的知識は治療上のあらゆる可能性を見出すために必須であり，重大な損傷を見落とすリスクを最小限にできる．たとえば，指神経は動脈のすぐ掌側にあるので，動脈性出血があればほとんどの場合は指神経損傷と関連している．指の動脈性出血は，そのとき感覚障害が完全麻痺でなく軽度の感覚異常のみのようにみえても，外科医に指神経損傷の可能性を示唆しており，簡単な診察では見逃してしまうことがある．

したがって手の解剖に関して明瞭で完全な知識が得られるよう，各アプローチごとでなく本章の最後にまとめて手の局所解剖について述べる．

1 手関節への背側アプローチ

背側アプローチは手関節部背面を通るすべての伸筋腱の展開に適している．また手関節や手根骨の背面，中手骨基部背面の展開にもよい．次のような場合に用いられる．

- 関節鏡ではできない滑膜切除[3]，関節リウマチの伸筋腱の修復，手関節の背側の安定化[4, 5]
- 手関節の固定[6, 7]
- 良性あるいは悪性腫瘍に対する橈骨遠位端の切除
- 中手骨背側脱臼，橈骨関節内背側唇骨折，経舟状骨月状骨周囲脱臼を含む橈骨遠位端および手根骨の骨折，手根骨脱臼[8]．アプローチの選択は治療する骨折の解剖学的な状態による．遠位橈骨の中央・橈側列への進入法を記載する．遠位橈骨への背側のプレートは，プレート上を走行する伸筋腱群を損傷する原因となる[9]．とはいえ，最近のプレートのデザインでは，伸筋腱の損傷が生じることは少なくなっている[10]．そのため，橈骨遠位端骨折に対するプレート固定には，通常掌側アプローチが用いられる[11, 12]．
- 近位手根列切除[13〜15]

患者体位

背臥位で前腕を回内して上肢台上におく．ソフトラバーバンテージによる駆血ののちターニケットに送気す

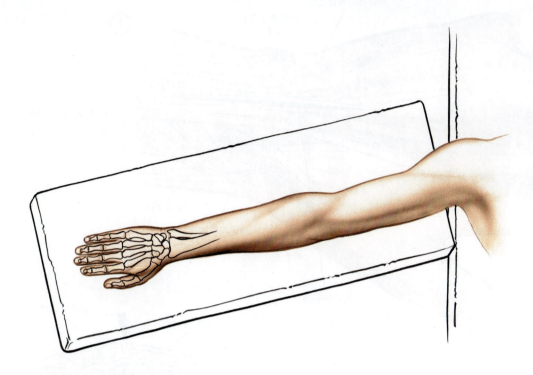

図 5-1 手関節背側アプローチ．患者体位
背臥位とし，前腕は回内位にする．

る（図 5-1）．

ランドマーク

橈骨外側最下端に**橈骨茎状突起**を触れる．
尺骨遠位端背面に尺骨茎状突起を触れる．

皮　切

手関節の近位 3 cm に始まり，遠位 5 cm に終わる 8 cm の縦皮切を，橈骨および尺骨の茎状突起の中央，手関節背面上に加える．皮切は，もし必要ならば延長も可能である（図 5-2）．
手関節背面の皮膚には，しわやたるみがあるので，皮切が主要な皮線と直交しても瘢痕拘縮は生じない．

internervous plane

各伸筋はともに後骨間神経支配であるので，ここには真の internervous plane は存在しない．しかもこれらの筋は肘関節またはその直下のレベルで神経支配を受けているので，その筋間の進入は安全に行うことができる．

浅層の展開

皮切に沿って皮下脂肪を切離すると，手関節背面で，6 つのコンパートメントに入っている腱を被覆している伸筋支帯が現れる（図 5-3）．

深層の展開

深層の展開は以後の術式に従い，次のように行う．4 つの手技について述べる．

●観血的滑膜切除

第 2 コンパートメントにある長・短橈側手根伸筋上の伸筋支帯を切開する．このコンパートメントは Lister 結節の橈側にある．他のコンパートメントに達するには，伸筋支帯の下面と手根骨とを結ぶ隔壁を尺側方向に次々と鋭的に切離し，尺側の 4 つのコンパートメントを開放する．さらに橈側の第 1 コンパートメントの支帯を切離する．なお，関節リウマチの場合の創閉鎖のときに，この伸筋支帯を腱の下で縫合すると，重度に変形した骨による腱の摩耗を防ぐことができる（図 5-4）．

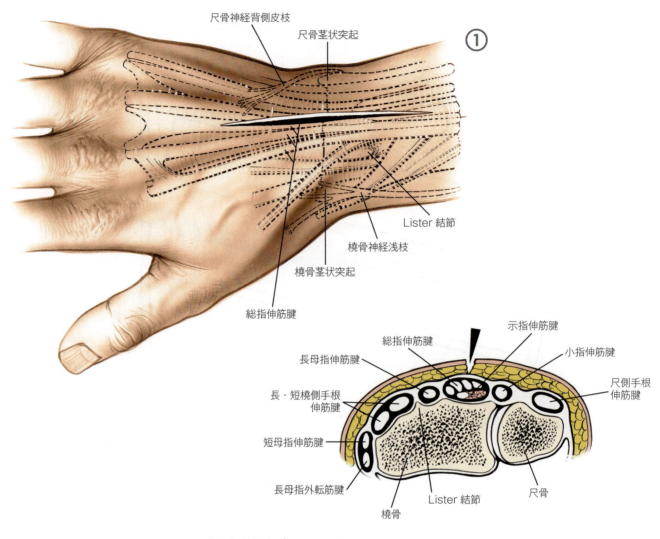

図 5-2　手関節背側アプローチ．皮切
右下図は橈骨遠位部の横断面における伸筋コンパートメント（☞図 5-13）を示している．

●橈骨遠位端中央部の展開

　Lister 結節を触れて，長母指伸筋腱を同定する．伸筋支帯をカーブ状に切開し，第3伸筋コンパートメントを開放する．血管ループを用いて愛護的に長母指伸筋腱を橈側に引き，第4伸筋コンパートメントを骨膜下に剝離すると橈骨遠位中央部が露出される．もし関節内に進入する必要がある場合には，手関節包を小さく横切開する．この手技は，橈骨遠位端の打ち抜き骨折を間接的に持ち上げて整復できないときに適応となる．長母指伸筋腱の下層に伸筋支帯をおき縫合すると，腱とその下のプレートとの間の摩擦を予防できる（図 5-5）．

●橈骨遠位端橈側部の展開

　皮弁を愛護的に橈側に引き，第1コンパートメントの伸筋支帯を展開する．短母指伸筋と長母指外転筋の腱を触り，両筋の筋腱移行部で伸筋支帯を切開する．2つの腱を橈側に引くと，橈骨遠位端橈側部が展開される（図 5-6）．このアプローチは橈側部の橈側側へは到達できるが，橈側部の関節面には到達できない．関節面に到達するには次の違った方法で可能である．

1) 第1コンパートメントが含まれていれば，切開を骨膜下に尺側へ延長し，第2コンパートメントを橈骨遠位端から展開する（図 5-7）．
2) 第3コンパートメントが含まれていれば，切開を骨膜下に橈側へ延長し，第2コンパートメントを橈骨遠位端から展開する（図 5-8）．

●手関節の完全展開

　この皮切は，手関節固定術に用いられ，骨折の整復や固定には用いられない．総指伸筋と固有示指伸筋腱の第

1. 手関節への背側アプローチ　213

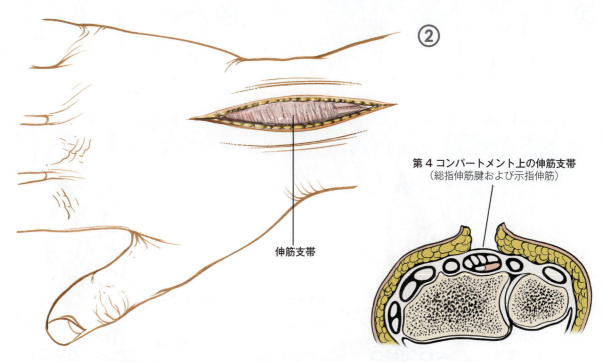

図 5-3　手関節背側アプローチ．伸筋支帯の露出
皮弁を分けると深部に伸筋支帯がみえてくる．右図は総指伸筋腱と示指伸筋の走る第 4 コンパートメントへのアプローチの横断面である（☞図 5-13）．

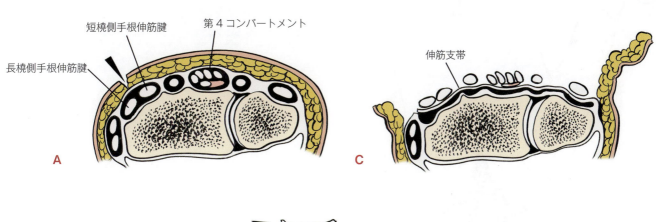

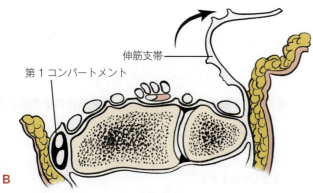

図 5-4　手関節背側アプローチ．手関節滑膜切除
A：滑膜切除のときは，まず**第 2 コンパートメントの切開**を行う．
B：伸筋支帯を手根骨と関節包に連結する隔壁を橈側から尺側に向かって次々に切り，すべてのコンパートメントを開く．
C：各コンパートメントは開いたままにして，伸筋支帯を伸筋腱と橈骨，尺骨の遠位端との間に敷くことによって，伸筋腱を保護する．

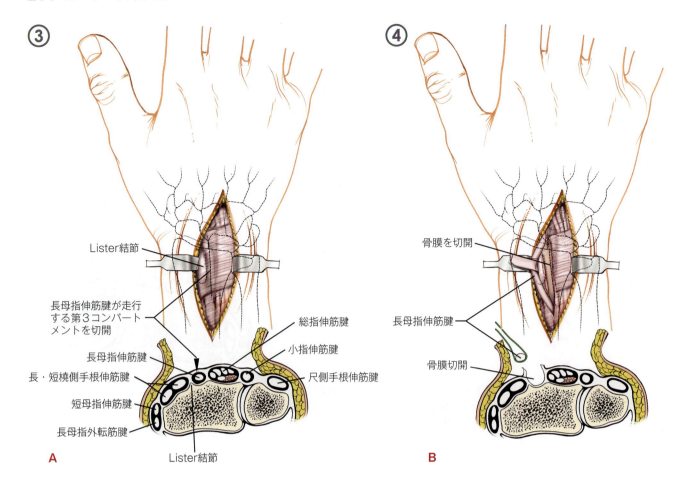
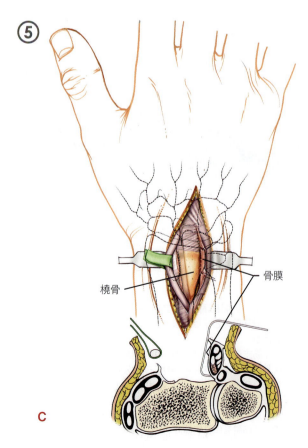

図 5-5　手関節背側アプローチ．橈骨遠位の中央部と月状骨の展開
A：長母指伸筋腱をおおう伸筋支帯を切開する．
B：長母指伸筋腱を橈骨遠位から挙上する．
C：第 4 コンパートメント内の伸筋腱を橈骨遠位背側面から骨膜下に剥離して挙上する．

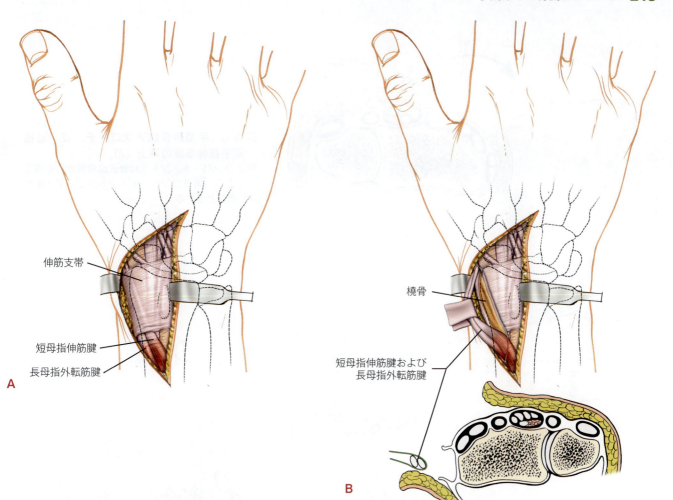

図 5-6 手関節背側アプローチ．とくに橈骨遠位橈側の展開の場合
A：第1コンパートメント上の支帯を開くと，短母指伸筋腱と長母指外転筋腱が現れる．
B：短母指伸筋腱と長母指外転筋腱をよけると，橈骨遠位橈側が現れる．

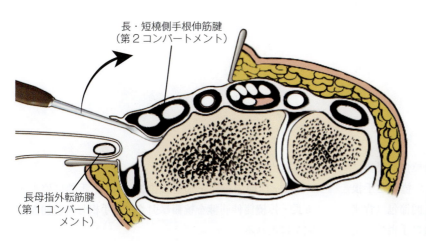

図 5-7 手関節背側アプローチ．長・短橈側手根伸筋腱の挙上（1）
第2コンパートメントを橈骨遠位から骨膜下に挙上し，第1コンパートメントから手関節橈側関節面に到達する．

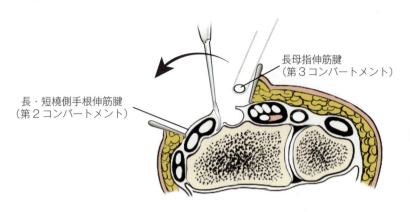

図 5-8 手関節背側アプローチ．長・短橈側手根伸筋腱の挙上（2）
第2コンパートメントを橈骨遠位背側から骨膜下に挙上し，第3コンパートメントから手関節橈側関節面に到達する．

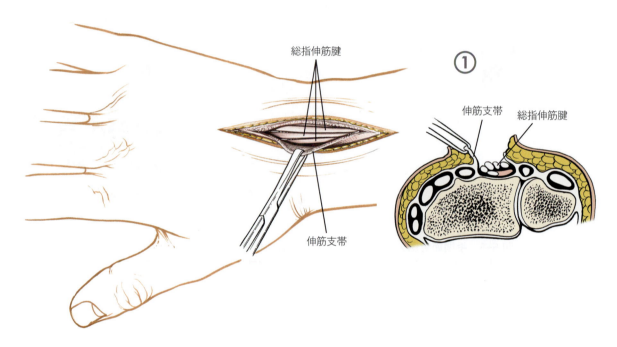

図 5-9 手関節背側アプローチ．手関節の完全展開（1）．総指伸筋腱の展開
第4コンパートメント上の伸筋支帯を開くと，総指伸筋腱が現れる．

4コンパートメントを切開する．伸筋腱を橈側，尺側に引き，橈骨と関節包を展開する（図5-9）．橈骨と手根骨の背側関節包を縦切開する（図5-10）．関節包（背側橈骨手根靱帯）を切開して橈骨遠位端および手根骨を完全に露出する（図5-11, 12）．

Lister結節の橈側を通過し第2，第3中手骨に停止する長・短橈側伸筋腱を橈側に引くと，手根骨の背側面が完全に現れる．

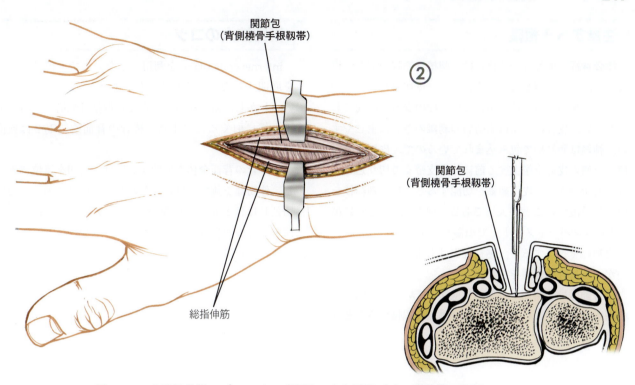

図 5-10　手関節背側アプローチ．手関節の完全展開（2）．関節包の切開
総指伸筋腱と示指伸筋腱を鉤で引くと，関節包（背側橈骨手根靱帯）が現れるので，これを切開する．

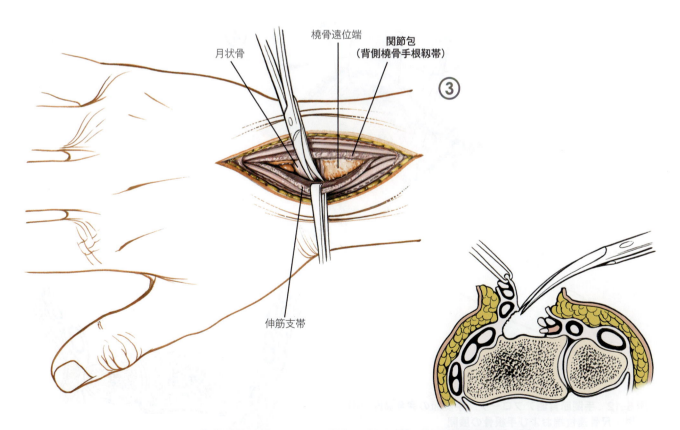

図 5-11　手関節背側アプローチ．手関節の完全展開（3）．橈骨遠位端の露出
関節包（背側橈骨手根靱帯）と伸筋腱を橈骨背側から挙上すると，橈骨遠位端のほぼ背側全体が展開される．

注意すべき組織

橈骨神経（橈骨神経浅枝）は，腕橈骨筋腱の下から現れ，手関節の背側を通り手背にいく．皮切を尺骨神経背側皮枝支配の皮膚と橈骨神経浅枝支配の皮膚との間におくとよい．皮枝の損傷は脂肪層の剥離のさいに生じやすい．神経は脂肪層で包み込まれているので，皮切ののち橈・尺側の皮弁を挙上する前に伸筋支帯まで切り込むほうが安全である．皮下組織を切開するときは，神経枝を同定し愛護することが大切である（図5-13）．とくに第2伸筋コンパートメント上で損傷しやすい．

皮神経を損傷すると，感覚脱失はあまり問題にならないが，有痛性神経腫を生じうる．

橈骨動脈は手関節の外側部を横切っている．手関節部の剥離を骨膜下に行っている限り動脈を損傷することはない．

術野拡大のコツ

internervous plane を利用できないので，橈骨すべてを展開するために皮切を近位に拡大することはできない．しかし，術野を斜めに走る長母指外転筋と短母指伸筋を横に引くことにより，橈骨の背面遠位1/2は展開できる．

中手骨の背面全体を展開するには，皮切を遠位に延長し，伸筋腱を鉤で分ける（しかし実際にはこのような皮切延長はほとんど必要ない）．このアプローチは，手関節を広く展開でき，伸筋トンネルの6つのコンパートメントに容易に達することができる．

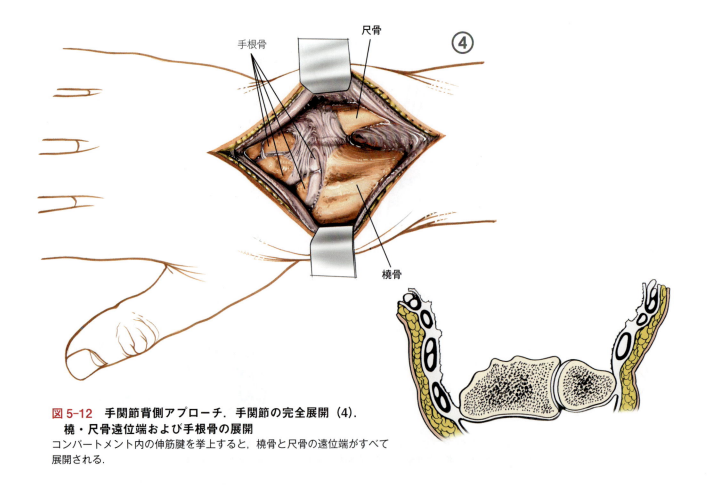

図 5-12 手関節背側アプローチ．手関節の完全展開（4）．橈・尺骨遠位端および手根骨の展開
コンパートメント内の伸筋腱を挙上すると，橈骨と尺骨の遠位端がすべて展開される．

1. 手関節への背側アプローチ　219

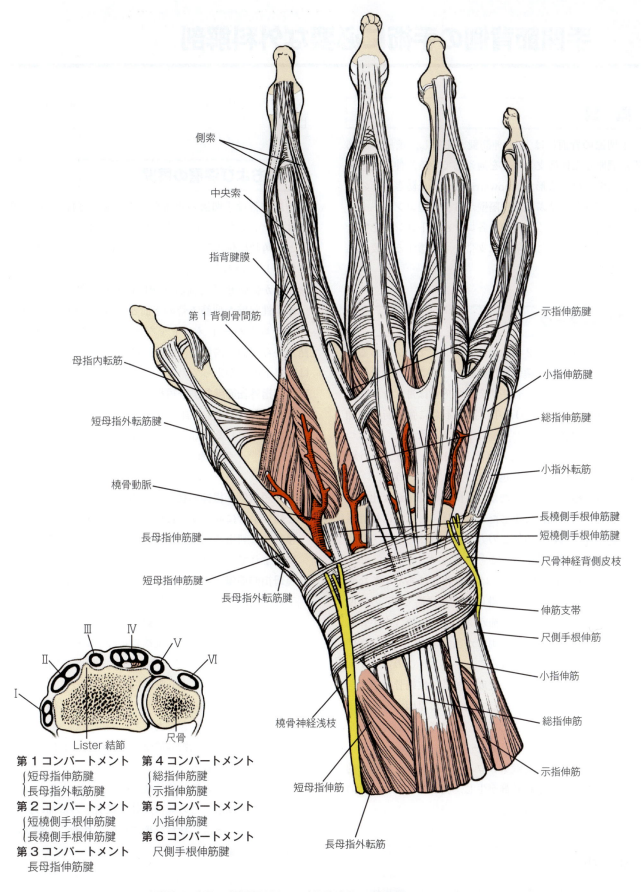

図 5-13 手関節と手指の背側解剖および前腕遠位の断面図
（挿入図）前腕遠位背側には伸筋支帯下の隔壁が6つの腱コンパートメントを構成する．

2 手関節背側の手術に必要な外科解剖

概観

手関節の背面には12の伸筋腱が走行し，前腕の深筋膜が肥厚した伸筋支帯の下を通過している．伸筋支帯はこれら腱の弓づる形成（bowstringing）を防ぎ，その下面と前腕骨とを結ぶ線維性隔壁が6個の腱コンパートメントを構成している．術中に各コンパートメントを完全に開放するには，この隔壁は支帯から切離する必要がある（図5-13）．

ランドマーク

手関節の背面には2つの骨性のランドマークがある．橈骨の外側遠位端は**橈骨茎状突起**で，ここに腕橈骨筋腱が停止する．また，橈骨茎状突起の内側は舟状骨と関節を形成する（図5-14A）．手関節に不意に強い衝撃が加わり橈屈を強制されると，橈骨茎状突起は舟状骨にぶつかり，舟状骨を骨折させる（図5-14B）．そうでなければ，その力は橈骨茎状突起骨折を引き起こしうる．

舟状骨が癒合しなかったり，手関節の関節症変化が橈骨舟状骨間の橈側縁に生じたときには，しばしば橈骨茎状突起切除が行われる．この方法は，舟状・有頭・月状骨関節固定をあわせて行うことがある[16]．

Lister 結節（背橈側結節）は橈骨背側にある小さな骨性隆起である．長母指伸筋腱はその遠位端で45°の角度でその走行を変える．手関節が過伸展し，第3中手骨基部がLister結節に接近して両骨が衝突すると，長母指伸筋腱が挟み込まれ圧挫されることがある．このことが転位のない，あるいは転位が軽度な橈骨遠位端骨折のときに，ときおり腱があとになって断裂する原因である．また，腱はたとえ正常にみえても，外傷時には血行障害を生じている可能性がある（図5-14C）[14, 17]．

手関節外傷後に伸筋腱第3コンパートメントの局所的なコンパートメント症候群が生じ，腱が障害されるということを示唆する者もいる[18]．

皮切

皮線を横切り手関節背面をほぼ垂直に走る縦皮切は，著明な瘢痕を形成する．しかし，この部の皮膚は余裕があるので，皮切が主要な皮線と直交しても関節拘縮は生じない．

浅層および深層の展開

伸筋支帯は手関節の背面を斜めに横切る幅2cmの線維性バンドである．橈側は橈骨の前外側に，尺側は豆状骨と三角骨に付着している（もし伸筋支帯が橈骨と尺骨に付着していると，支帯は線維組織であるため30％ぐらいしか伸張せず，前腕の回内，回外ができなくなる）．

線維性隔壁が伸筋支帯の下面と手根骨を結び，6つの伸筋のコンパートメントをなす（図5-15）．橈側（外側）から尺側（内側）にかけ，このコンパートメントには，以下の腱が走っている．

1) **長母指外転筋腱および短母指伸筋腱**：これらは橈骨の外側にあり，この線維骨性のトンネルの中で絞扼されて炎症を生じるとde Quervain病（狭窄性腱鞘炎）を生じる[19]．手関節の橈側列にプレートをおく場合にはこのコンパートメントを切離する必要がある．

2) **長・短橈側手根伸筋腱**：これらは，Lister結節の橈側を経て手背に向かう．長橈側手根伸筋腱はしばしば腱移行術に利用される．これらの腱は別々の滑膜性腱鞘に包まれている．

3) **長母指伸筋腱**：この腱は，Lister結節の尺側を通って手背に向かう．骨折や関節リウマチのときなどに断裂を生じることがある．この腱が手関節背側で斜方向に走行することは，橈骨遠位端骨折のプレート固定のさいに大きな問題となる．すなわち，腱への刺激とプレートによる摩擦により腱断裂が起こりうることがある．同じような問題は，程度の差こそあれ，他の伸筋腱全体にも考慮すべきである[20]．

4) **総指伸筋腱および示指伸筋腱**：示指伸筋はしばしば腱移行術に用いられる．

5) **小指伸筋腱**：この腱は遠位橈尺関節の上にある．

6) **尺側手根伸筋腱**：この腱は尺骨茎状突起の基部の近くを走行する．ときに腱移行術に用いられることがある（図5-16；図5-15）．

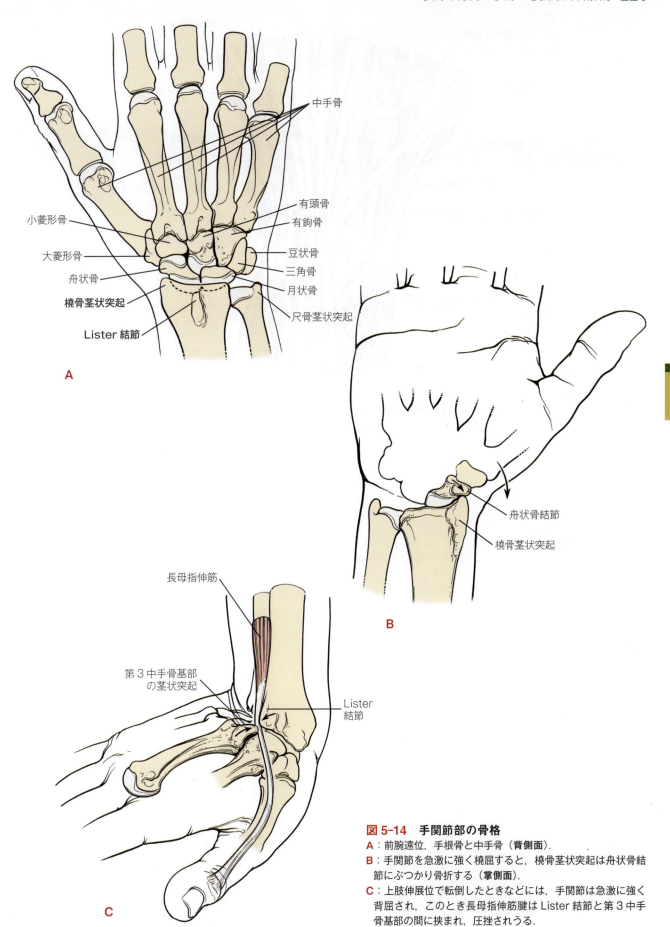

図 5-14 手関節部の骨格
A：前腕遠位，手根骨と中手骨（**背側面**）．
B：手関節を急激に強く掌屈すると，橈骨茎状突起は舟状骨結節にぶつかり骨折する（**掌側面**）．
C：上肢伸展位で転倒したときなどには，手関節は急激に強く背屈され，このとき長母指伸筋腱は Lister 結節と第 3 中手骨基部の間に挟まれ，圧挫されうる．

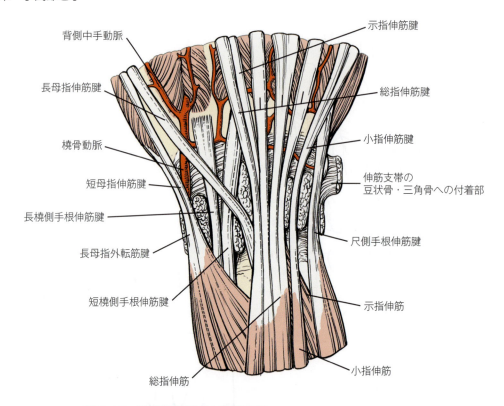

図 5-15　手関節背側面の浅層解剖
伸筋支帯は取り除いてある．伸筋支帯の尺側は三角骨と豆状骨に付着する．

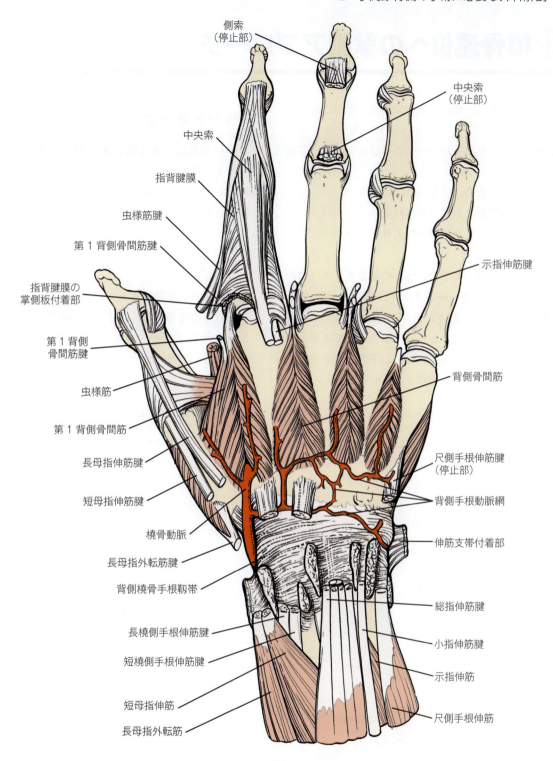

図 5-16　手関節と手指背側面の深層解剖
背側橈骨手根靱帯を示すために伸筋腱は取り除いてある．橈骨動脈が第 1 背側骨間筋に入り，背側手根血管網に分枝を出している．示指の伸展機構には第 1 背側骨間筋と第 1 虫様筋が大いに関与している．

3 橈骨遠位への掌側アプローチ

このアプローチは，橈骨遠位の掌側面の展開に最適である．近年ロッキング・プレートが用いられるようになってから本アプローチは橈骨遠位端骨折の治療に多用されている．
このほかには，次のような場合に用いる．
- 橈骨遠位の偽関節に対する骨移植術
- 橈骨変形癒合に対する橈骨遠位の骨切り術[21, 22]
- 腕橈骨筋の剝離術[23]

このアプローチは，橈骨骨幹部への前方アプローチの遠位部に類似している（☞第3章「肘関節」）が，橈骨動脈と腕橈骨筋間からではなく，橈骨動脈と橈側手根屈筋の間から進入する．したがって，橈骨遠位部の展開は尺骨寄りとなるので，遠位橈骨および手関節の中央部に達するには，橈骨動脈を橈側によける必要はない．

患者体位

患者を背臥位にして，上肢台上で手掌が上を向くように前腕を回外位とする．ソフトラバーバンテージを用いる（図5-17）．

ランドマーク

橈骨外側端にある**橈骨茎状突起**を触れる．その尺側で，太く移動性の少ない**橈側手根屈筋腱**を触れる．手関節のレベルで，この腱は長掌筋腱の橈側にあり，拍動が触れる橈骨動脈の尺側にある．

皮切

橈側手根屈筋腱の直上に，手くび皮線から前腕掌側面にかけて縦皮切をおく．皮切線の長さは，骨折の性状と固定に使うプレートの長さに関係する．通常7cmで十分である（図5-18）．

internervous plane

正中神経支配の橈側手根屈筋と橈骨神経支配の腕橈骨筋の間にある．

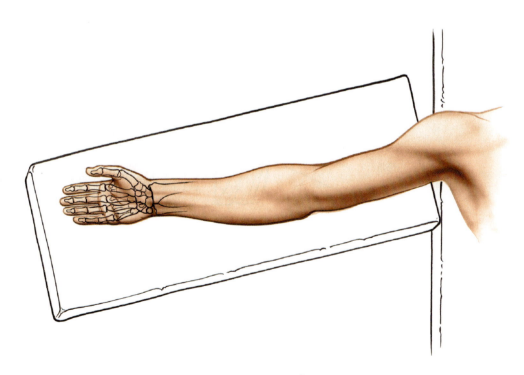

図5-17　橈骨遠位への掌側アプローチ．患者体位

浅層の展開

皮切に沿って皮下脂肪を切り，橈側手根屈筋腱上の深筋膜を切開する（図5-19）．橈側で橈骨動脈を，尺側で橈側手根屈筋腱を確認し，この間に方形回内筋の筋膜をみる（図5-20，21）．

深層の展開

橈骨遠位の掌側面は方形回内筋で被覆されている．同部への到達法にはいくつかの方法があるが，そのうち3手技について述べる．機能回復は最小侵襲手技がわずかに早いが，長期成績についてはいずれの方法がよいかわかっていない[24〜26]．

1) **筋の完全剥離**：橈骨茎状突起の直下に橈骨前外側部への方形回内筋の停止部を確認し，これを鋭的に剥離する．ついで橈骨遠位端の前面への筋停止部を剥離し，三角筋弁として持ち上げる．この筋弁をプレート固定後縫合することにより，前面にあてたプレートによる術後の浅層指屈筋群の圧挫を予防することができる．

2) **最小侵襲手技**：橈骨前面の方形回内筋停止部を確認し，鋭的に剥離する．外側停止部には手をつけず骨の前面を露出する．この方法は，軟部組織を痛めず骨折部を展開できる．スクリューは筋に小切開を加えて刺入する[27]．

3) **従来の方法**：皮切線に沿って方形回内を二分して，骨の前面から剥離する．この方法は，より破壊的で初期回復を遷延させ，筋の修復は不可能に近くなる（図5-22）．

注意すべき組織

橈骨動脈は創の外側にあり，手術中に傷つけるおそれがある．常に確認し，保護するように気をつける．付近には伴走静脈叢があり，それらは駆血下では動脈に比べむしろ見つけやすい．

正中神経とその掌側皮枝[28]はアプローチの尺側にあり，橈側手根屈筋の橈側で操作する限り安全である．もし展開に迷って，尺側方向に向かってしまうとすれば，方形回内筋を骨膜下に剥離して正中神経を保護しないと，神経損傷の危険性が高くなる．

術野拡大のコツ

皮切は近位あるいは遠位に拡大できる．近位へは，橈側手根屈筋に沿って延長する．正中神経支配の長橈側手根屈筋と橈骨神経支配の腕橈骨筋との間のinternervous planeを分けてゆき，方形回内筋の近位縁を確認する．

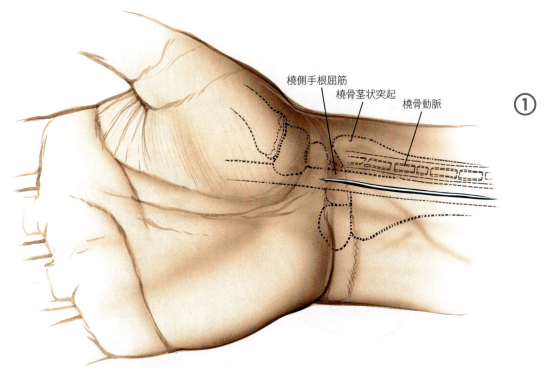

図5-18　橈骨遠位への掌側アプローチ．手関節掌側の切開
橈側手根屈筋腱の上を手くび皮線まで5〜7cm切開する．

遠位への展開には手関節包の切開と橈側手根屈筋腱に沿った剥離により行う．切開線の最遠位にある舟状骨結節を触知し，舟状骨の関節面を直視して手関節包を開放する（👉本章「11 舟状骨への掌側アプローチ」）．

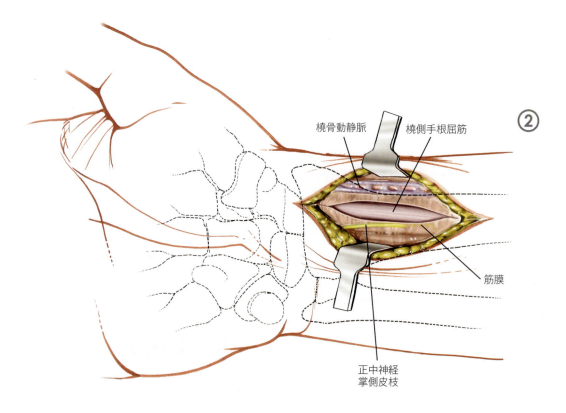

図 5-19　橈骨遠位への掌側アプローチ．筋膜の切開
橈側手根屈筋腱上の筋膜を切開すると，創の橈側に橈骨動脈が見える．

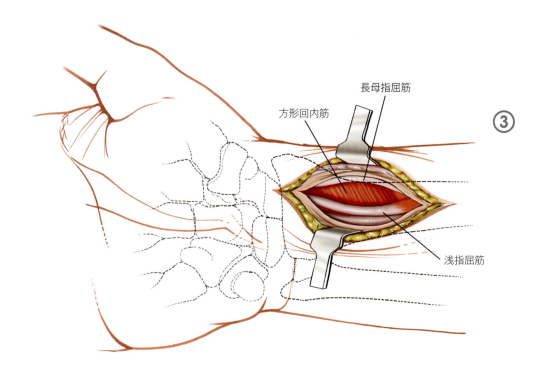

図 5-20　橈骨遠位への掌側アプローチ．方形回内筋の確認
橈側手根屈筋腱を尺側に避けると，方形回内筋が現れる．

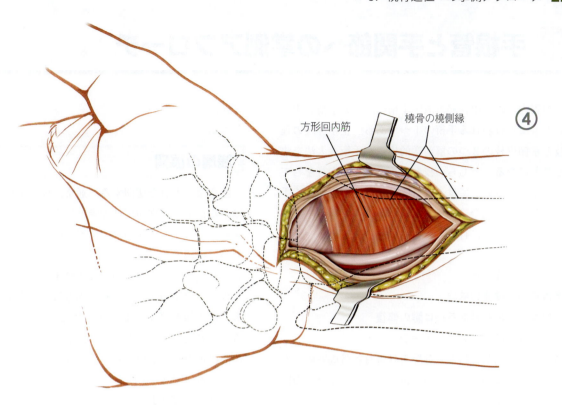

図 5-21　橈骨遠位への掌側アプローチ．方形回内筋の展開
橈骨遠位掌側面を展開するには，方形回内筋を切離する．

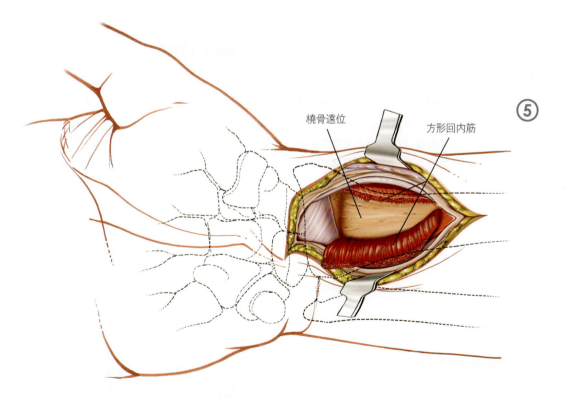

図 5-22　橈骨遠位への掌側アプローチ．橈骨遠位掌側面の展開
皮切に沿って方形回内筋を切離すると，橈骨遠位掌側面が現れる．なお，方形回内筋の修復は困難である．

4 手根管と手関節への掌側アプローチ

　手根管内での正中神経の除圧手術は，手の手術の中でもっともよく行われる手術の1つである．正中神経の運動枝と掌側皮枝の2つの解剖学的構造が手術進入法を決めることになる．どちらの枝も予測できない走行をしている．手術にさいしては，盲目的には行うべきでなく手根管を直視下に完全に開放することが大切である．切開は次のような場合に行う．
- 正中神経の除圧[29, 30]
- 屈筋腱の滑膜切除
- 手根管内の腫瘍の摘出
- 手根管内での神経あるいは腱の修復
- 手掌中央腔の感染のドレナージ
- 橈骨の掌側剥離骨折および経舟状骨月状骨周囲脱臼を含む橈骨遠位部と手根骨の骨折・脱臼に対する観血的整復・内固定[8]

患者体位

　背臥位で，手掌が上を向くように前腕を回外位とする．ソフトラバーバンテージを用いる（👉図5-17）.

ランドマーク

　母指球をめぐる**母指球皮線**と手関節上に近位**手くび皮線**がある．**長掌筋腱**は手くびの掌側面を二分し，その延長は手根管を二分する．この腱は指のつまみ動作を行わせたうえで手関節を掌屈させると，容易に確認できる．

皮切

　母指球皮線の尺側縁で手掌近位1/3から手くび皮線まで弓状に切開する．創治癒の観点から母指球皮線への進入は行わない．ここから尺側に曲げて手くび皮線を横切らない（図5-23）.

internervous plane

　ここには internervous plane は存在しない．アプローチは解剖学的に行い主要な神経を確認，剥離，温存する．正中を横走する短母指外転筋や短掌筋の一部を除いて筋は切離しない．

浅層の展開

　注意深く皮膚を切開する．通常，橈側手根屈筋の尺側にある正中神経掌側皮枝の走行は人により異なることを記憶しておく．この神経の位置にはとくに注意し，ていねいに切開する（👉図5-23）．脂肪層を切離すると浅掌筋膜が現れ，皮切線と同様に切離する．

　カーブ状に切開した皮膚を内方に反転すると，屈筋支帯（横手根靱帯；図5-24）への長掌筋の停止部が現れる．この腱を尺側に引くと，長掌筋腱と橈側手根屈筋腱の間に正中神経が現れる．正中神経はより長掌筋に近接している（図5-25）.

　先端が鈍で平坦な器具（McDonald 切開用器具など）を屈筋支帯と正中神経の間から手根管に挿入する（図5-26）．神経を保護した上で屈筋支帯を注意深く切開する．母指球筋への運動枝を損傷しないよう注意して神経の尺側で支帯を全長にわたって切離する（図5-27）.

深層の展開

　正中神経の運動枝を確認する．通常，この運動枝は正中神経が手根管から出たすぐその前橈側から分枝する．運動枝は橈側上方へ曲がり，短母指外転筋と短母指屈筋の間から母指球内に入る．しかし，ときに運動枝が手根管内で分枝し，屈筋支帯を貫通し母指球に入ることがある．こうしたまれな場合には，運動枝そのものの圧迫が解除されなければ症状は完全に改善しない（👉図5-27）.

　このアプローチで手関節の掌側に達することはまれである．しかし，このアプローチを用いる場合には手根管内で正中神経を遊離可動な状態とし，運動枝が牽引されないよう正中神経を橈側によける．次に，屈筋腱を遊離可動な状態とし，手根管内でよける（図5-28）．手関節掌側関節包を縦に切ると手根骨の掌側面が現れる．切開を近位へ拡げると，手関節の掌側および橈骨遠位部が展開される（図5-29）．橈骨の遠位掌側面に達するもっとも便利なアプローチは，橈骨遠位への前方アプローチ，または橈骨への前方アプローチの遠位部分である（👉第4章「前腕」）.

4. 手根管と手関節への掌側アプローチ　229

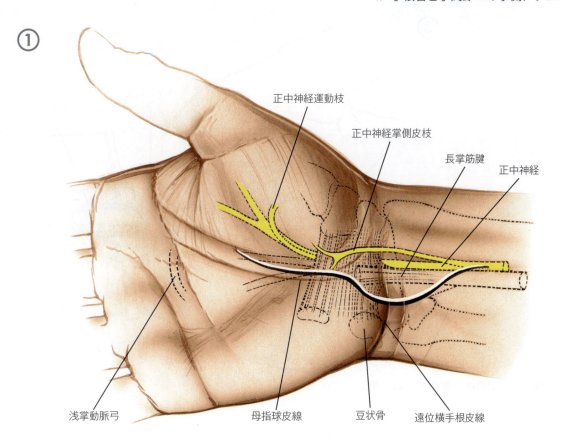

図 5-23　手根管と手関節への掌側アプローチ．皮切
正中神経掌側皮枝の損傷を避けるために，皮切は長掌筋腱の尺側へ迂回させる．

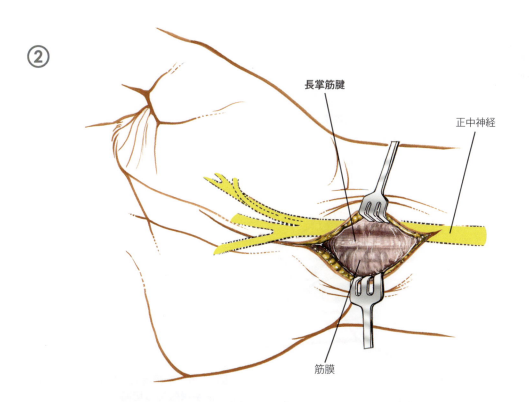

図 5-24　手根管と手関節への掌側アプローチ．長掌筋腱の展開
皮膚を引くと，筋膜と長掌筋腱がみえる．

230 第5章 手関節と手

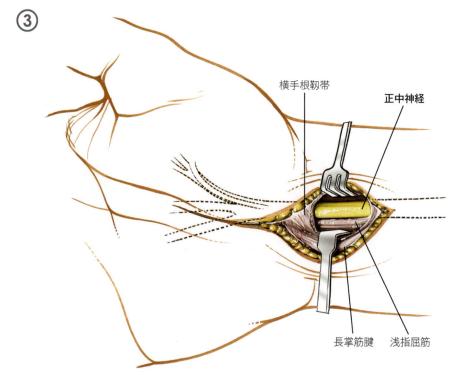

図5-25 手根管と手関節への掌側アプローチ．
正中神経の確認
筋膜を切り，長掌筋腱を尺側に引くと，手根管に入る正中神経が現れる．

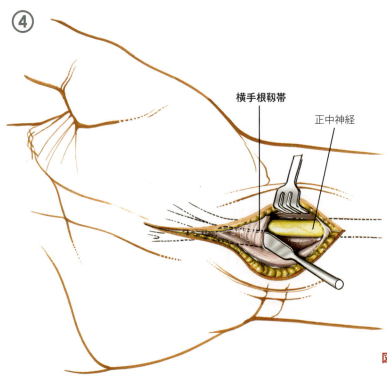

図5-26 手根管と手関節への掌側アプローチ．
横手根靭帯の切開（1）
横手根靭帯を切るときには，正中神経を損傷しないよう，靭帯の下にスパーテルを挿入する．

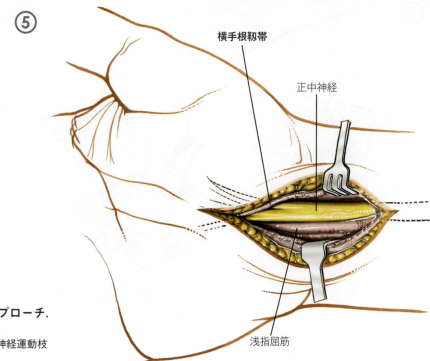

図 5-27　手根管と手関節への掌側アプローチ．横手根靱帯の切開（2）
横手根靱帯の切離は，母指球筋にいく正中神経運動枝を損傷しないよう，神経の尺側で行う．

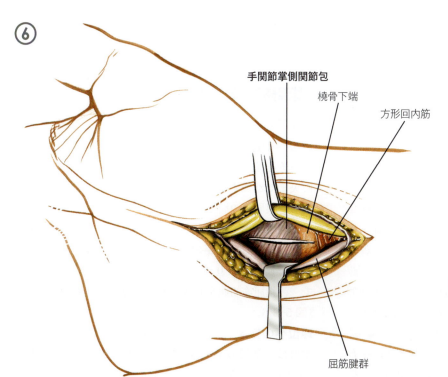

図 5-28　手根管と手関節への掌側アプローチ．関節包の展開および切開
正中神経を橈側に，屈筋腱群を尺側に引くと，橈骨遠位部と関節包が現れる．手根骨を展開するために関節包に切開を加える．

⑦

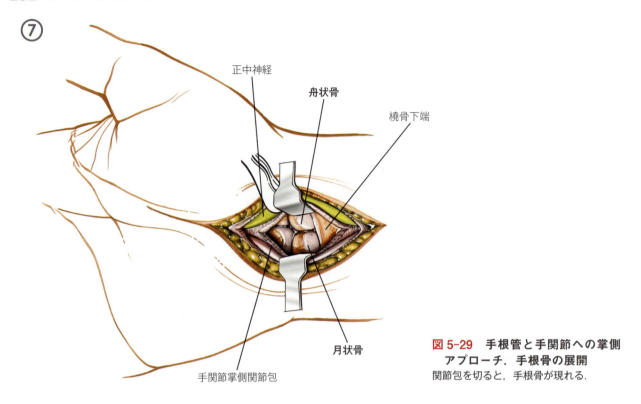

図 5-29　手根管と手関節への掌側アプローチ．手根骨の展開
関節包を切ると，手根骨が現れる．

注意すべき組織

　正中神経掌側皮枝は，手関節の5 cm近位で分岐し，屈筋支帯までは橈側手根屈筋腱の尺側を走る．皮切を前腕尺側に弯曲しないと，この神経を損傷するおそれがある（👉図5-23）．

　母指球筋を支配する**正中神経運動枝**にはかなりの解剖学的な破格がある．正中神経の尺側で手根管の切開を行っていれば，この神経を損傷する危険は少ない（👉図5-41，本章「6 手関節掌側の手術に必要な外科解剖」）．

　浅掌動脈弓は，母指を最大に外転したレベルで手掌を横走している．手術器具を遠位にやや深く押し込み，屈筋支帯を盲目的に切ると，この動脈弓を損傷する可能性がある．屈筋支帯を注意深く，全長にわたって直視下に切れば，この動脈弓を損傷することはない（👉図5-23，41）．屈筋支帯切離のための最小侵襲アプローチは，これらの解剖学的構造を関節鏡視下に確認の上で安全に行うことができる．

術野拡大のコツ

●上下への拡大
近位への拡大　正中神経の展開のためには，このアプローチを拡大することは可能である．皮切を前腕の前面中央まで延長する（図5-30）．前腕の深筋膜を長掌筋と橈側手根屈筋の間で切開する．橈側手根屈筋を橈側へ，長掌筋を尺側へ引くと，前腕の遠位2/3で，浅指屈筋筋腹が現れる（図5-31）．正中神経は浅指屈筋の深層を走り，筋膜により浅指屈筋の後面に固定されているので，浅指屈筋筋腹を筋鈎で引くと神経も一緒に移動する（図5-32）．

遠位への拡大　皮切を指を含め掌側のジグザグ皮切にすれば，掌側の全組織を完全に展開することができる（👉本章「7 指屈筋腱への掌側アプローチ」，図5-47）．

4. 手根管と手関節への掌側アプローチ　233

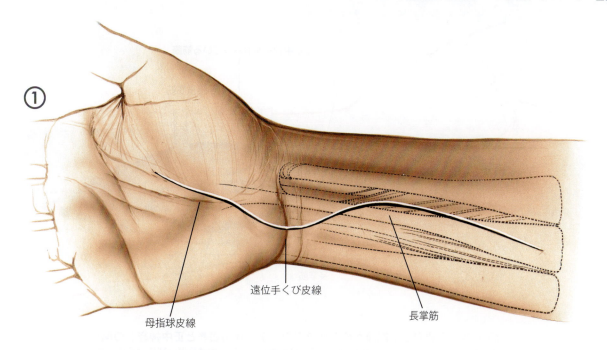

図 5-30　手根管と手関節への掌側アプローチ．皮切の延長
前腕遠位と正中神経の展開には，手関節の切開を近位に延長する．

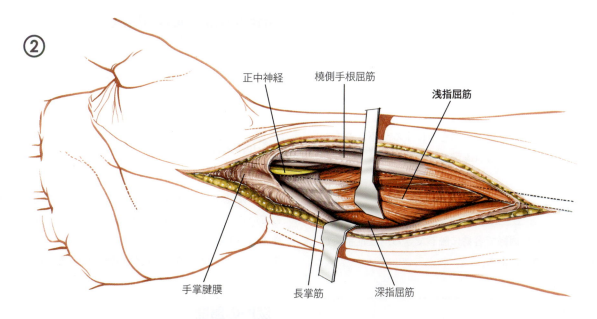

図 5-31　手根管と手関節への掌側アプローチ．浅指屈筋・腱の展開
長掌筋と橈側手根屈筋間で筋膜を切ると，浅指屈筋の筋腹と腱が現れる．

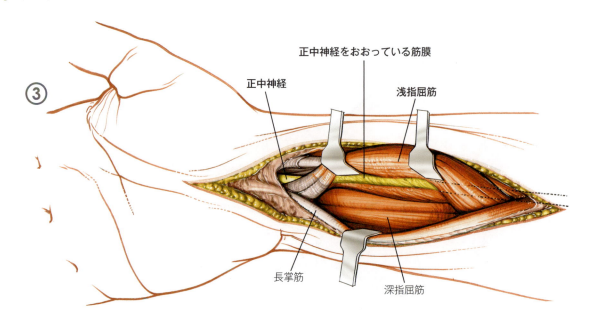

図 5-32 手根管と手関節への掌側アプローチ．浅指屈筋と正中神経との関係
浅指屈筋を橈側に引くと，後部筋膜を経て筋に付着している正中神経が一緒に動くのがわかる．

5 尺骨神経への掌側アプローチ

手関節部での尺骨神経の展開には掌側アプローチが用いられる．この皮切は，Guyon 管[31, 32]で尺骨神経が圧迫されているときに，これを開放するために用いられる．また，外傷のさいの神経の展開にもよい．このアプローチを近位にのばせば，前腕における尺骨神経の展開が可能である．

患者体位

背臥位，前腕回外位で，手掌を上にする．駆血ののちターニケットに送気する（👍図 5-17）．

ランドマーク

小指球は手の尺側縁で容易に触診できる．近位手くび皮線は手関節の上にある．

皮 切

皮切は，小指球の橈側縁に始まり，手関節を斜め約60°に交差する弓状皮切とする．さらに前腕遠位掌側にのばすと，皮切長は約 5〜6 cm となる（図 5-33）．

internervous plane

ここには internervous plane は存在しない．このアプローチは解剖学的切開であり，尺骨神経と尺骨動脈を温存できる．

浅層の展開

皮切線に沿って切開を深め，尺側手根屈筋腱を創の近位端で確認する（図 5-34）．多くの場合，切開面に近接している尺骨神経掌側皮枝を同定し，損傷しないよう注意する．筋膜を橈側縁で切り，腱を遊離し，筋と腱を尺側に引くと，尺骨神経と尺骨動脈が現れる（図 5-35）．

深層の展開

神経と動脈を遠位に向かってたどり，それらをおおう

5. 尺骨神経への掌側アプローチ　235

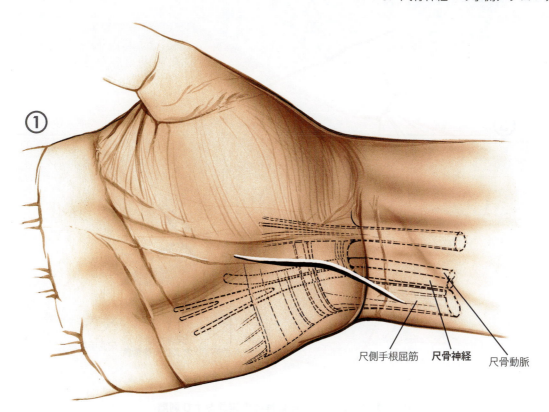

図 5-33　尺骨神経掌側アプローチ．皮切
Guyon管内における尺骨神経展開の皮切を示す．

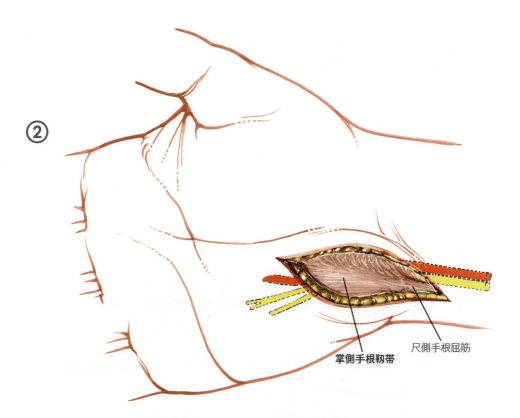

図 5-34　尺骨神経掌側アプローチ．掌側手根靱帯の露出
掌側手根靱帯は深掌側筋膜と尺側手根屈筋の腱線維と連続している．

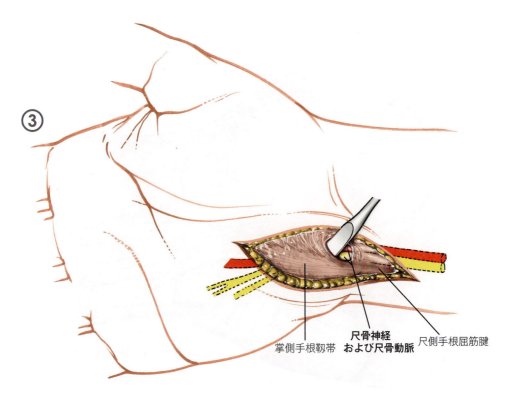

図 5-35　尺骨神経掌側アプローチ．尺骨神経の確認および剥離
掌側手根靱帯を展開し，これを切るときは，前もって尺骨神経を剥離展開してヘラで保護する．

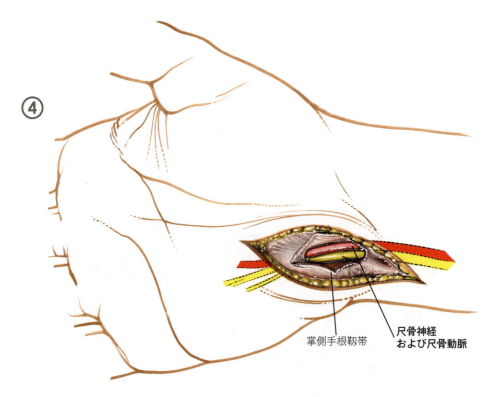

図 5-36　尺骨神経掌側アプローチ．Guyon 管の開放
Guyon 管の直上部を切ると尺骨神経と尺骨動脈が現れる．

線維組織の掌側手根靱帯を切離する．このとき尺骨神経と尺骨動脈を損傷しないようにとくに注意する．靱帯を切離すると，手関節を横切る尺骨神経が現れ，Guyon管の圧迫は解除される（図 5-36）．

注意すべき組織

尺骨神経は次のような2つの操作のときに損傷を受けやすい．
1)浅層の展開にさいし，尺側手根屈筋を尺側に引くために，その橈側で筋膜を切離するとき．
2)深層の展開にさいし，掌側手根靱帯を切るとき．
この2つの操作に注意すれば，神経は安全である．

術野拡大のコツ

●上下への拡大

近位への拡大　前腕の前面を近位に前腕中央まで縦に皮切を拡大する（図 5-37）．筋膜を皮切に沿って切り，尺側手根屈筋の橈側縁を確認する．尺側手根屈筋（尺骨神経支配）と浅指屈筋（正中神経支配）の間を近位に展開して，尺側手根屈筋を尺側によけると，尺骨神経が現れる．この皮切では，尺骨神経が尺側手根屈筋両頭間を通るほぼ肘関節の高さまで展開することができる（図 5-38）．神経を長い距離を展開するときは，できる限り神経に進入する多くの微小血管を温存する．

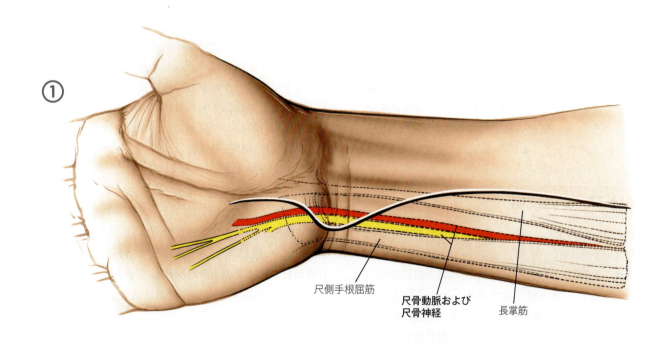

図 5-37　尺骨神経掌側アプローチ．前腕における尺骨神経展開のための皮切

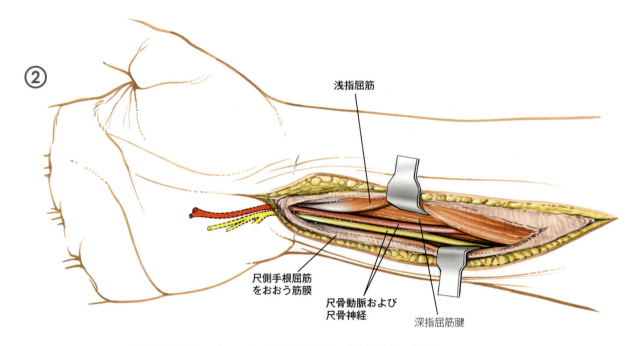

図 5-38　尺骨神経掌側アプローチ．尺骨神経および尺骨動脈の展開
尺側手根屈筋と浅指屈筋の間を分けると，深層に尺側手根屈筋筋腹の下を走行する尺骨神経と尺骨動脈が現れる．

6　手関節掌側の手術に必要な外科解剖

概　観

　手関節と手掌の浅層から深層の展開は図 5-39 〜 44 に示している．
　手根管は手根骨の掌側にある線維骨性のトンネルである．その底面は手根骨掌側の深いへこみとなり，天蓋は屈筋支帯で形成されている（👉図 5-39）．尺骨神経は屈筋支帯の上を走り，独自の線維骨性トンネルの Guyon 管に取り囲まれている（👉図 5-40）．

ランドマークと皮切

　屈筋支帯が付着する以下の4ヵ所はいずれもよく触知できる（図 5-45A）．
1) **豆状骨**：手関節の尺側縁に位置し，尺側手根屈筋腱内にある可動性のある種子骨である．ときに職人などが，軟らかい木材や皮に釘を打つとき，金槌の代わりにこの骨が用いられた．歴史的にはこの目的で豆状骨を用いた靴職人に疲労骨折が生じた．コンタクト・スポーツの選手でこの新鮮骨折が報告されており[33, 34]，

豆状三角骨関節症では手関節尺側痛を生じることがある[35]．
2) **有鉤骨鉤**：豆状骨の少し遠位橈側にある．これを触れるには，検者の母指指節間関節を豆状骨の上におき，指先を母・示指間に向けると，有鉤骨の鉤は母指先のすぐ下にあるのがわかる．鉤は軟部組織の層の下にあるので，その輪郭を触れるには強く押しつける必要がある．尺骨神経の深枝が鉤の上を走るので，骨折のときに一過性神経伝導障害（ニューラプラキシア）が生じることがある[36]．
3) **大菱形骨稜**：手根骨の橈側にあって，第1中手骨と関節をなす．稜を触知するには，大菱形骨と第1中手骨間を他動的に動かすことにより，大菱形骨掌側の突出した塊りとして触れる（👉図 5-45A）．
4) **舟状骨結節**：この小さな突起は，手関節掌側で橈骨遠位端のすぐ遠位で容易に触れることができる（👉図 5-44, 45A）．
　屈筋支帯は，橈側では橈側手根屈筋腱が通る大菱形骨の溝を越えて同骨に付着し，この溝はトンネルとなる．その中を橈側手根屈筋腱が走り，第2，第3中手骨基部

に付着する（👍図 5-44, 45A）．

浅層の展開－その注意すべき組織

屈筋支帯の浅層を以下の3つの組織が走行している（👍図 5-39）．

1) **長掌筋腱**：長掌筋は特別な機能のない退化した筋である．その腱はしばしば移植腱として利用される．欠損している人がいるので，術前に腱の存否を確かめておくことが大切である．この筋の形成不全の頻度は集団によってばらつきが大きい．もっとも高い頻度はトルコの一部地域で60％に及ぶ．米国の頻度は白人で15％と見積もられている[32, 37]．この腱は，手根管内ステロイド注射のときの解剖学的なランドマークにもなる．指をピンチ動作しながら患者の手関節に抵抗を加えつつ掌屈してもらうと，長掌筋腱が存在するときは容易に触知することができ，その橈側により太い橈側手根屈筋腱を触れる．この2本の腱の明確な間隙が，手根管への針刺入部である．45°の角度で，注射針を遠位背側方向に刺入する．手根管は拡がりうるので，注射時抵抗があれば，それは針先が屈筋支帯の中にとどまっていたり，手根管内の腱に刺入されたままであることを示している．手根管内に正しく刺入されていれば，注入は抵抗なく行える．

2) **正中神経掌側皮枝**：この神経の走行は主に4通りある（👍図 5-39）[28, 38, 39]．

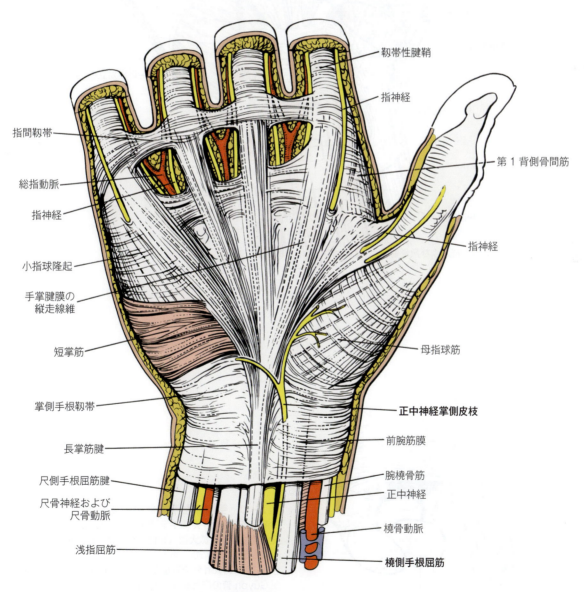

図 5-39　手関節と手掌部の浅層解剖
正中神経掌側皮枝の走行に注意したい．手掌腱膜の縦走線維は長掌筋腱と連続している．

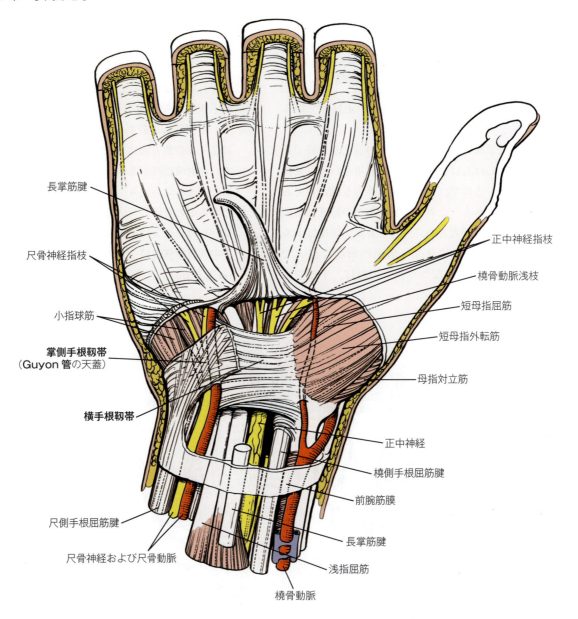

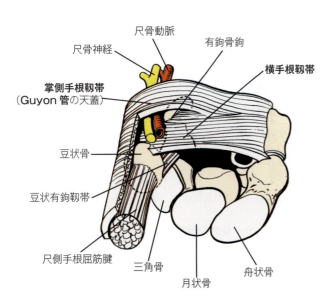

図5-40　手関節と手掌部の中間層解剖（1）
横手根靱帯を示すため手掌腱膜と筋膜は反転してある．前腕筋膜と尺側手根屈筋腱拡大部（掌側手根靱帯）は，Guyon管の天蓋となるが，そのままにしてある．
（挿入図）Guyon管を近位から遠位に向けてみたもの．横手根靱帯がGuyon管の床となり，天蓋は掌側手根靱帯で，前腕筋膜と尺側手根屈筋腱が肥厚したものである．内側は豆状骨，外側は有鉤骨鉤である．

a) 通常は手関節の近位5cmの部位で分岐し，屈筋支帯と交差するまでは橈側手根屈筋腱の尺側に沿って走る．まれに屈筋支帯の中に入り込み，固有のトンネル内を走ることもある．
b) 屈筋支帯と交差するところで，神経は内側と外側の2本に分岐する．外側枝のほうが太く，両者とも母指球の皮膚感覚を支配する．
c) ときおり正中神経から直接2本の枝が分岐し，別々に走行することがある[40]．
d) ときに手根管内で分枝し，屈筋支帯を貫いて母指球の皮膚にいく．
e) まれにこの神経が欠損して，橈骨神経，筋皮神経，尺骨神経などの枝により代償されることがある[40]．

3) 前述の通り，皮切は前腕遠位を尺側にカーブさせて神経を損傷しないようにする．またこの神経には，種々の走行異常があることにも注意する．神経を損傷すると有痛性神経腫を形成するので，前腕遠位掌側での結合組織の横切開はすべきでない（まれであるが，この神経の圧迫障害の例が報告されている[41, 42]）．

4) **尺骨神経および尺骨神経掌側皮枝**[43]：尺骨神経は尺側手根屈筋におおわれて前腕遠位掌側を走る（☞図5-40）．尺骨動脈がその橈側にある．尺側手根屈筋腱は，豆状骨，ついで靱帯を介して有鉤骨と第5中手骨に停止している．手関節のすぐ近位で，動脈と神経が尺側手根屈筋腱の下から現れ，屈筋支帯（横手根靱帯）の上を通る（☞図5-40）．

このレベルでの解剖学的配列は，ANTと覚えるとよい．すなわち正中側が動脈（Artery）で，その尺側に神経（Nerve），そして尺側手根屈筋腱（Tendon）である（☞図5-40）．

掌側皮枝は前腕から起こり，75%の人では尺骨動脈の外側を走行するが，前腕掌側の筋膜を貫き，手くび皮線上にくる．手掌部ではほとんどの場合，浅掌側アーチの表面を走行するので，Guyon管内での尺骨神経の除圧にさいし損傷される危険性がある．

手関節部の裂創のときには神経がもっとも損傷を受けやすい．尺側手根屈筋腱，尺骨動脈，尺骨神経の合併損傷は，顔面を守るために手を前に出して窓ガラスを突き破ったときなどに生じることが多い．

尺骨神経が屈筋支帯を横切る部位では，神経は前腕筋膜の続きである厚い線維組織の掌側手根靱帯におおわれている．ここでトンネルが形成され，Guyon管と呼ばれる．4つの境界があり，その底面は屈筋支帯（横手根靱帯）で，内側は豆状骨，外側は有鉤骨，天蓋は掌側手根靱帯（前腕筋膜の遠位部）である（☞図5-40）．

豆状骨の近くでは尺骨神経は2本の枝に分かれる．浅枝は，短掌筋に枝を送ったのち小指と環指尺側1/2の感覚を支配する．深枝は，母指球筋と橈側2個の虫様筋を除く内在筋のすべてに分枝する（☞図5-41〜43）．

深層の展開－その注意すべき組織

●正中神経

正中神経は前腕遠位では浅指屈筋の深層を走っている．しかし手関節部では浅層にきて，長掌筋腱と橈側手根屈筋腱の間を走り，さらに手根管を通って手掌内に入る（☞図5-40）．

手根管内で，正中神経は深指屈筋腱と長母指屈筋腱よりも浅層にあり，尺側に浅指屈筋腱がある．そして屈筋支帯の遠位端で内，外2本の枝に分かれる（☞図5-41, 42）．

1) **内側枝**：環指橈側と中指，中指と示指尺側にいく感覚枝を送る．
2) **外側枝**：示指橈側と母指内外側へ感覚枝を送り，また通常，運動枝（反回枝）を分枝する（☞図5-41）．このことは，手根管開放のときに外科的目印になると同時に，重大な術中損傷を起こさないよう注意すべき点となる．

運動神経は母指球筋に分布するが，その走行には7つの破格がある[41, 44]．

1) **代表的な走行（患者の50%）**：手根管の遠位端橈側で，正中神経の掌側から分枝する．神経は橈上方に回って，短母指屈筋と短母指外転筋の間から母指球筋に入る．運動枝の位置は，示指と中指の指間腔から下ろした垂線と第1指間腔橈側部と有鉤骨鉤を結んだ線（Kaplanの基本線）から推測することができる．すなわち，この2つの線の交点が運動枝が母指球筋に入る部位の目印となる（☞図5-45B）[45]．
2) **患者の30%にみられる破格**：手根管の中で，正中神経の前面から分枝し，手根管内では本幹に伴走して屈筋支帯の末端で曲がり，短母指屈筋と短母指外転筋の間から母指球筋に入る．
3) **患者の20%にみられる破格**：手根管の中で，正中神経の前面から分枝して橈側に走り，屈筋支帯を貫いて，短母指屈筋と短母指外転筋の間から母指球筋に入る[46]．

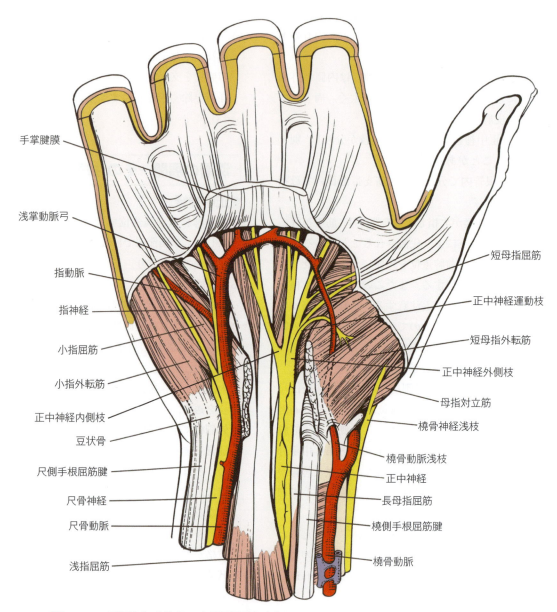

図 5-41　手関節と手掌部の中間層解剖（2）
浅掌動脈弓がみえるよう手掌腱膜と横手根靱帯は取り除いてある．正中神経は深指屈筋腱の浅層で，浅指屈筋腱と同じレベルにある．母指球筋へいく正中神経運動枝がみえるが，その本幹からの分岐には変異が多い．

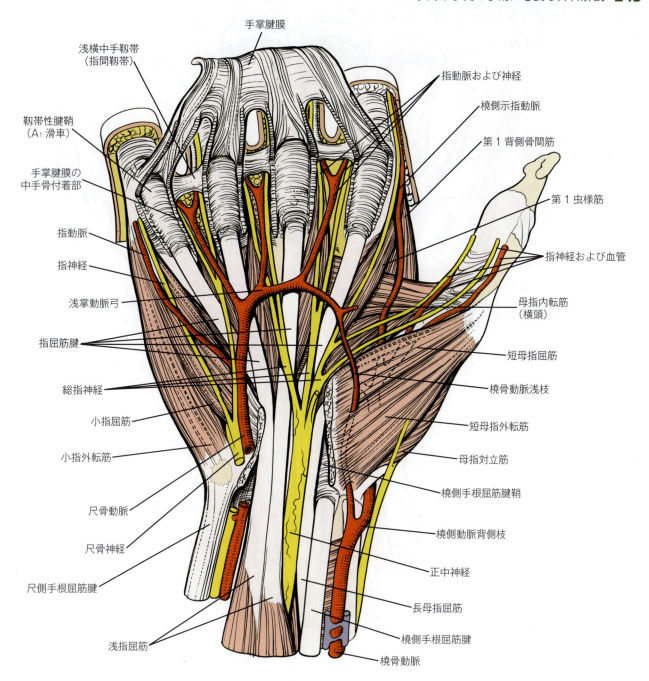

図 5-42 手関節と手掌部の中間層解剖（3）

手掌腱膜を指屈筋腱鞘の付着まで反転し，その手根骨に向かう垂直に走る線維は切離してある．浅掌動脈弓，母指球筋および小指球筋とともに屈筋腱と神経の全貌がみえる．指神経と血管は指間靱帯の深部（背側）を走っている．

短母指屈筋	起　始	屈筋支帯
	停　止	母指基節の橈側縁
	作　用	母指MP関節の屈曲
	支配神経	浅頭：正中神経（運動枝あるいは反回枝），深頭：尺骨神経
短母指外転筋	起　始	屈筋支帯と舟状骨結節
	停　止	母指基節基部の橈側
	作　用	母指MP関節の外転，母指基節の回旋
	支配神経	正中神経（運動枝あるいは反回枝）

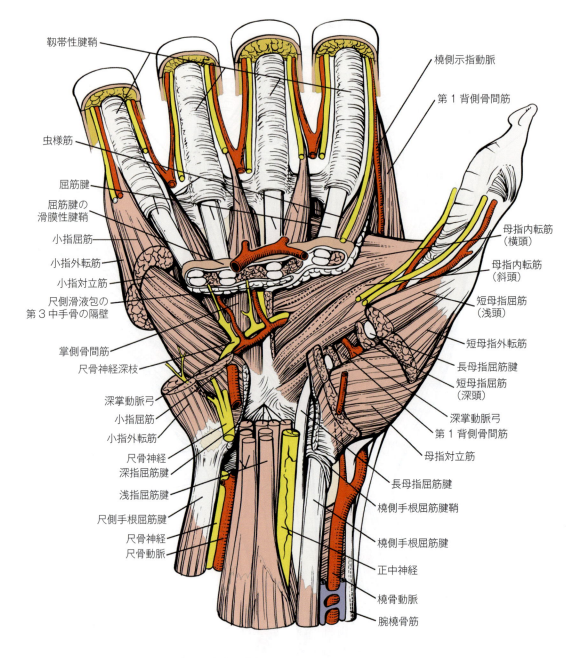

図 5-43 手関節と手掌部の深層解剖 (1)

この図では母指球筋と小指球筋の一部を取り除いてある．尺骨神経は小指外転筋と小指屈筋の起始部の間を走る．母指球部では，長母指屈筋腱が短母指屈筋の2頭の間に挟まっているのがわかる．また指屈筋腱の一部も取り除いてある．浅掌動脈弓は腱の浅層を走り，深掌動脈弓は腱のすぐ下層にある．屈筋腱とその腱鞘，小指側の骨間筋と母指側の母指内転筋など深部内在筋の下面に潜在した腔がある．中指の屈筋腱の下面から生じた隔壁が腔を2つに分けている．さらに遠位では，浅横中手靱帯は取り除いてあるが，深横中手靱帯の浅層あるいは掌側を走る虫様筋と指血管がよくわかる．

母指内転筋	起始	斜頭は第2, 第3中手骨, 小菱形骨, 有頭骨. 横頭は第3中手骨の掌側縁
	停止	母指基節基部の尺側に種子骨を経て停止
	作用	母指の内転，対立
	支配神経	尺骨神経深枝
母指対立筋	起始	屈筋支帯
	停止	第1中手骨橈側縁
	作用	第1中手骨の対立
	支配神経	正中神経（運動枝あるいは反回枝）

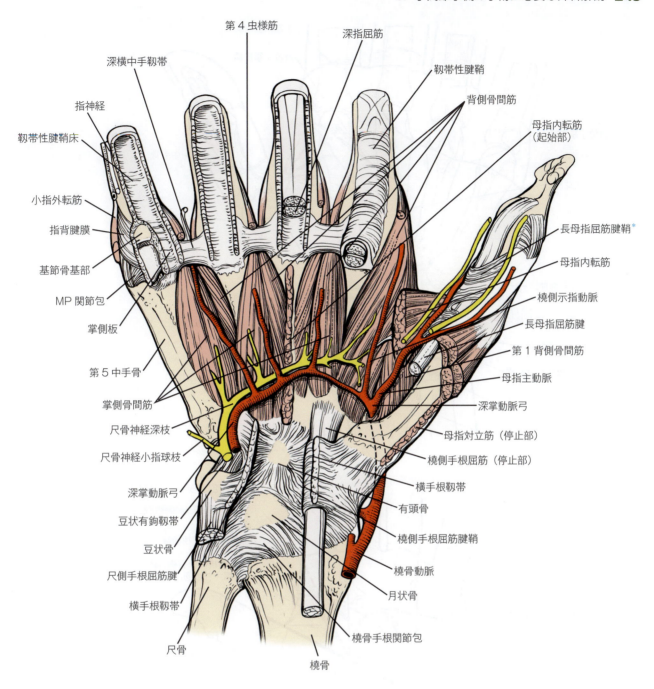

図 5-44　手関節と手掌部の深層解剖（2）
手掌の最深部を示す．深掌動脈弓は屈筋腱の深部で骨間筋の浅層にあり，すべての骨間筋を支配する尺骨神経の深枝（運動枝）と一緒に手掌を横切っている．遠位では深横靱帯の深部（背側）を骨間筋が走っている．深横中手靱帯は第5中手骨でみられるように掌側板に付着する．母指滑車*と指神経の関係は図のようになる．

*訳者註：母指滑車とは長母指屈筋腱の靱帯性腱鞘のことである．

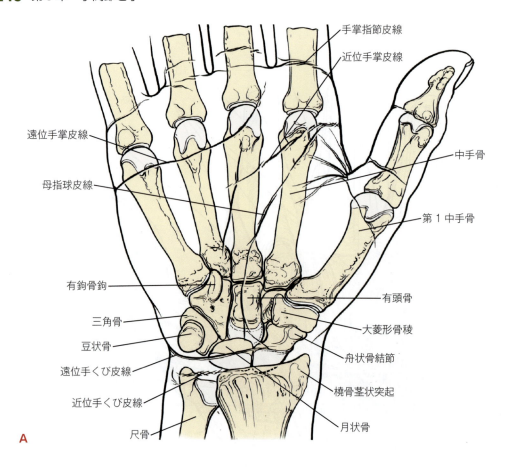

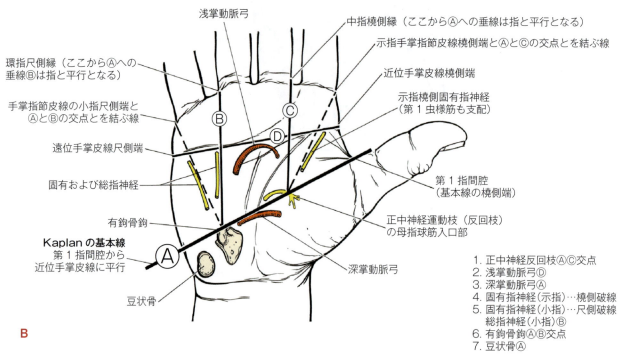

図 5-45　手の骨と皮線，基本線

A：手関節，手掌，中手骨群と皮線との関係を示す．中手骨頚部は遠位手掌皮線と同じ高位にある．遠位手くび皮線は，豆状骨の近位部から舟状骨結節の近位部に走り，掌側手根靱帯の近位レベルを示す．近位手くび皮線は橈骨手根関節に相当する．

B：手の骨，皮線と重要な動脈，神経の位置関係を示す．Kaplan の基本線は母指球筋への正中神経運動枝の分枝部に一致する．

4) **まれな破格**：正中神経の尺側で起こり[47]，手根管内で本幹と交差し，屈筋支帯末端で曲がり，母指球筋に入る．また，屈筋支帯を貫いてその前面を走ることもある[48]．
5) **その他のまれな破格**：手根管の中で正中神経の前面から分枝し，屈筋支帯の末端でこの枝は橈側に曲がり，屈筋支帯の上にくる．さらに支帯の遠位部をほぼ真横に横切って母指球筋に入る．
6) **きわめてまれな破格**：複数の運動枝のあるもので[49]，それぞれの枝は前述の種々の走行を別々にとることがある．
7) **正中神経の高位分岐**：これもきわめてまれな破格である[50]．神経が前腕で内・外側枝に分枝する．母指球枝は外側枝から分枝するが，普通のように手根管で分枝したり，橈側で屈筋支帯を貫いてくることもある．

これらのすべての破格は神経の展開にさいし常に念頭におく必要がある．手根管を正中神経の尺側から開放するときには，運動枝が尺側にない限りこれを損傷することはない．きわめてまれな破格のある患者では大きな短掌筋がみられることが多く，アプローチにさいし，その破格に注意を払う必要がある[51]．

● **浅指屈筋**

手根管の中では2層に分かれ，中・環指の浅指屈筋腱が浅層に，示・小指の腱が深層を走る．この配列は，複数の腱損傷のときに正確な腱の同定に役立つ（☞図5-40，43）．

● **深指屈筋**

浅指屈筋腱の深部にある．示指にいく腱は分離しているが，他の3つの腱は，手根管を通るときは互いに部分的に癒合していることがある（☞図5-43）．

● **長母指屈筋**

橈側手根屈筋腱の深部にあり，深指屈筋腱と同じ深さで，手根管の中のもっとも橈側面を走る（☞図5-43）．

● **橈側手根屈筋**

屈筋支帯を貫き，大菱形骨溝を通り，第2，第3中手骨の基部に停止する．この腱は手根管の中は通らない（☞図5-44）．

7 指屈筋腱への掌側アプローチ

掌側アプローチは靱帯性腱鞘内の屈筋腱をもっともよく展開できる[51]．指の内外両側にある神経血管束もよく展開できる進入法である．この皮切は，種々の高位の外傷の状況に合わせて，手掌に始まり，手関節の掌側から前腕の前面に延長することができる．また，皮膚裂傷がある場合，外科的皮切線とつなぐことができることも大きな利点である．次のようなときに用いられる．

- 屈筋腱の展開と修復
- 指神経と血管の展開と修復
- 膿のドレナージのための靱帯性屈筋腱腱鞘の展開
- 靱帯性屈筋腱腱鞘内腫瘍の摘出
- Dupuytren拘縮における手掌腱膜の切除

患者体位

背臥位とし，上肢を外転し上肢台の上にのせる．上肢台の高さを術者に合わせる．右利きの医師のときは，術者は患肢の尺側に座ることが多い．ソフトラバーバンテージとターニケットの使用，および十分な照明は必要不可欠である（👍図 5-17）．

ランドマーク

3つの皮線が指を横切っている．**遠位指節皮線**は遠位指節間（DIP）関節のすぐ近位，**近位指節皮線**は近位指節間（PIP）関節のすぐ近位，**手掌指節皮線**は中手指節（MP）関節のかなり遠位にある．掌側のジグザク皮切はこの皮線を考慮に入れて，その間を対角に走らせる（図 5-46）．

皮 切

皮切の前にメチレンブルーでデザインするとよい．ジグザグの角は互いにおおよそ90°になるようにする（指横皮線に90°でもよい）．鋭角になると先端が壊死になることがある（図 5-47A）．あまり背側まで切ると，皮弁を起こすときに神経血管束を損傷する可能性がある（図 5-47B）．この基本的なジグザグ皮切のデザインは，創のあるときは臨機に変化させる（図 5-48）．

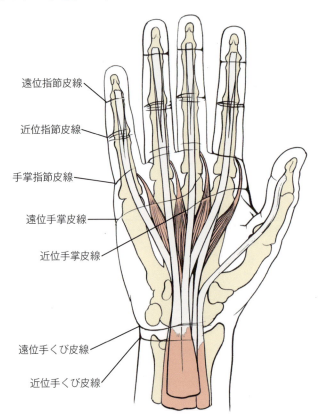

図 5-46　皮線と手の腱，関節との相関関係

7. 指屈筋腱への掌側アプローチ　249

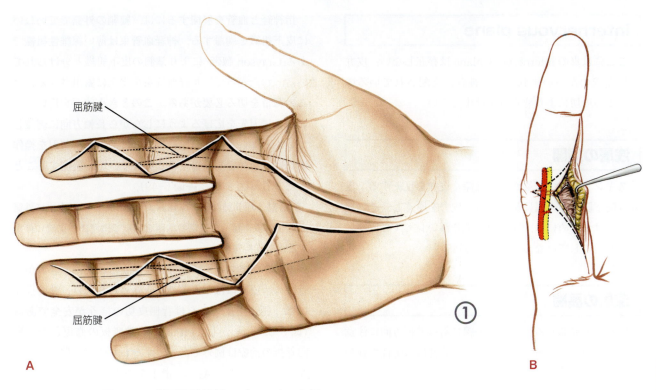

図 5-47　指屈筋腱掌側アプローチ．皮切
A：手掌と指における屈筋腱の展開に用いるジグザグ皮切．
B：皮切が外側あるいは内側に片寄ると神経血管束を損傷する可能性がある．

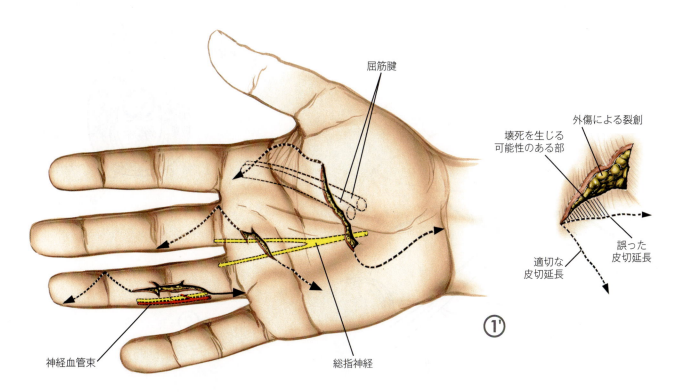

図 5-48　指屈筋腱掌側アプローチ．開放創がある場合の皮切
ジグザグ皮切は，創のあるときはこれと適合させて組織を展開する．（挿入図）皮切を創に合わせるとき，皮切の角の壊死を防ぐためには約 90°の角度をもたせるようにする．

internervous plane

ここには真の internervous plane は存在しない．皮弁は切開線の左右いずれかの指神経に支配されているので，この皮切により感覚脱失は生じない．

浅層の展開

スキンフックで先端から注意深く皮弁を反転する．皮弁は皮下脂肪と一緒に挙上する．皮弁を厚くし，その壊死を避けるためには，屈筋腱鞘より浅いレベルで広範に皮弁を起こしてはならない（図 5-49）．

深層の展開

屈筋腱を展開するには，中央線に沿って縦方向に注意深く皮下組織を切る（図 5-50）．屈筋腱は靱帯性の腱鞘内にある．

指神経と血管を展開するには，腱鞘の外側でていねいに皮下組織を剥離する．神経血管束は薄い線維性組織である Grayson 靱帯*により掌側の皮下組織と分けられている．したがって，神経血管束を完全に露出させるにはこの靱帯を切る必要がある．このとき小剪刀を用いてていねいに刃先を広げるようにしながら長軸方向に剥離していくとよい．この剥離は指神経に沿って小剪刀を操作すれば，指神経を損傷することなく，広く展開することができる（図 5-51；👉 図 5-49）．

*訳者註：屈筋腱腱鞘の掌側面より起始し，ほぼ水平に外側を走り，指神経・血管束の掌側を通って指側面の皮膚に停止する皮膚支持靱帯．

この掌側アプローチで骨を展開することはできるが，骨傷の治療にはほとんどの場合勧められない．骨の操作には，側正中皮切または背側皮切のほうが安全である（図 5-52）．しかし，PIP 関節の掌側板の修復とその脱臼骨折の治療は例外である．すなわち関節の掌側表面に達するには，C_1, A_3, C_2 滑車を切離する．腱ひもに注

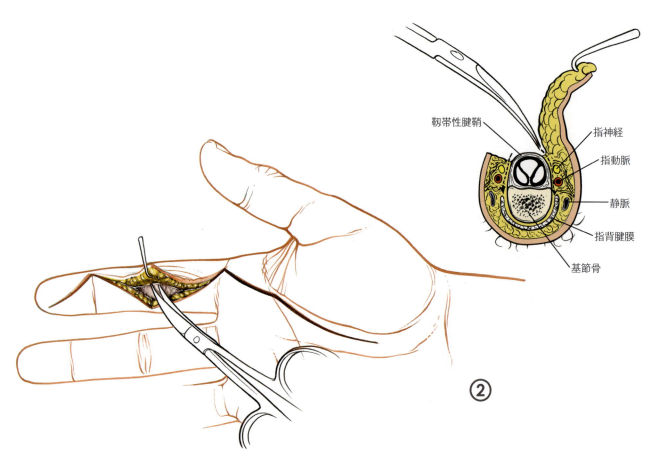

図 5-49　指屈筋腱掌側アプローチ．厚い皮弁の造成と挙上
腱鞘の近くでは小剪刀を用いて剥離すれば，外側に位置する神経血管束を損傷することはない．
Grayson 靱帯は描かれていない．

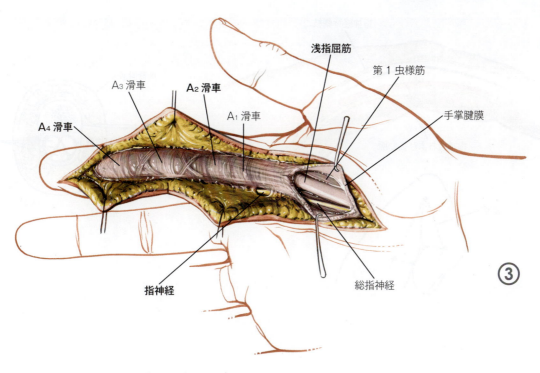

図 5-50　指屈筋腱掌側アプローチ．屈筋腱の展開
縦に屈筋腱を展開する．指神経は腱の側方にある．A_2滑車とA_4滑車は大切に残す．

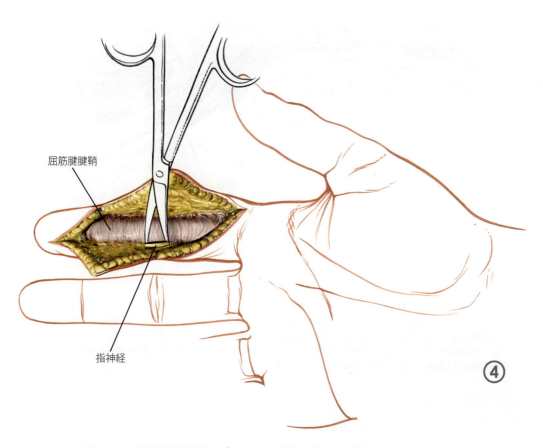

図 5-51　指屈筋腱掌側アプローチ．神経血管束の保護
神経血管束を同定し，保護する．

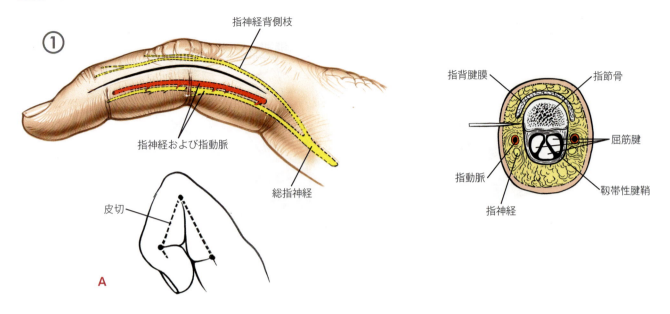

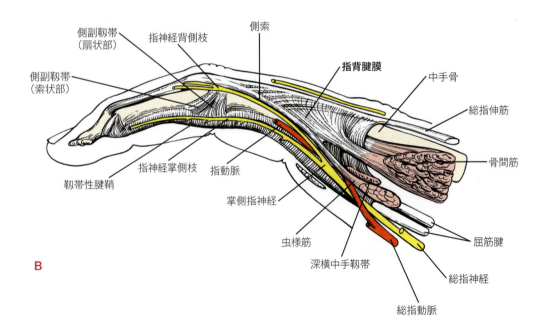

図 5-52　指屈筋腱鞘側正中アプローチ．皮切と側方解剖
A：指の側正中切開の皮切．皮切は掌側に向け走る固有（掌側）指神経と総（掌側）指神経の背側枝との間におく．（**挿入図**）指を屈曲させて，指節皮線の背側端をつないでもよい．
B：指の側方解剖．背側枝と掌側枝とに分かれる総指神経の分岐に注意する．屈筋腱鞘と固有（掌側）指神経との関係，指伸展機構の虫様筋と骨間筋の停止などにも気をつける．

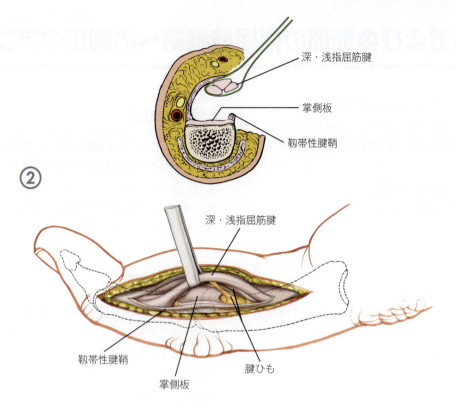

図 5-53　指屈筋腱鞘側正中アプローチ．滑車の切離
屈筋腱と掌側板の展開のために，C₁，A₃，C₂ 滑車は切離してある．

意して屈筋腱を血管ループでていねいに引くと，掌側板が露出される．創の閉鎖の前に滑車を確実に再建する（図 5-53）．

靱帯性屈筋腱鞘を切開して腱を操作するとき，骨の掌側表面の骨膜を切ると，腱鞘内に癒着を生じてしまう．その結果，指の機能が障害されるので，最大限そうならないよう十分注意を払う必要がある．

注意すべき組織

皮膚を背側に広く展開すると，**指神経や血管**を損傷するおそれがある．

皮弁は鋭角に切ってはならず，創閉鎖がうまくいくようにていねいに扱うほか，壊死を生じさせないよう十分に厚く剥離する（👍図 5-48）．創閉鎖の前にターニケットを解除し，止血を確実に行う．

術野拡大のコツ

● 近位への拡大

ジグザグ皮切を掌側に進め，母指球皮線と平行に弯曲する皮切とする．これは手掌，手関節掌側，前腕前面の展開に用いられる．この皮切の要点は，皮線と直角に交差しないことで屈曲拘縮の発生を予防し，十分な角度をもった皮弁を起こすことである（👍図 5-48）．

8 基節および中節部の指屈筋腱鞘への側正中アプローチ

　このアプローチは指屈筋腱や神経の展開に通常用いられる．切開側の神経血管束に達するのは容易であるが，この皮切を手掌に延長することは難しい．次のようなときに用いられる．
- 指骨骨折の観血的整復・内固定
- 靱帯性腱鞘および屈筋腱の展開
- 神経血管束の展開

患者体位

　背臥位とし，上肢台上に上肢伸展位とする．十分な照明およびソフトラバーバンテージとターニケットは必要不可欠である（👉図 5-17）．

ランドマーク

　近・遠位指節皮線が皮切の鍵となる．この皮線は指の内側から外側面に走り，掌側面よりやや背側面の近くに終わる．
　皮線は指が著しく腫脹したり，完全伸展位で突き指すると，消失することがある．このときには，指の側面でしわのある背側皮膚と円滑な掌側皮膚の境を皮切部とすればよい（👉図 5-52）．

皮　切

　近位指節皮線の背側端から始めて，指の側面に縦の皮切を加える．皮線背側端のすぐ背側で，遠位は DIP 関節まで皮切を進め，さらに爪の側縁にまでいく．皮切は正側面というよりわずかに背側寄りにおく（👉図 5-52）．他の方法としては，指を屈曲して近・遠位指節皮線の背側端を連続させるのもよい．

internervous plane

　ここには筋間隙はないので真の internervous plane は存在しない．神経支配は背側および掌側指神経の 2 つによる．皮切線は両者の間にあるので感覚鈍麻は生じない．

浅層の展開

　皮切に沿って皮下組織を切り，掌側皮弁を起こす．PIP 関節部の脂肪組織はきわめて薄いので，関節を切開しないように気をつける．指の正中に向かい剥離を進め，掌側方向にわずかに角度をつける．主な神経血管束は掌側の皮弁に含まれる（図 5-54）．

深層の展開

　このアプローチを腱の展開，修復に用いる場合には屈筋腱の靱帯性腱鞘を縦切する（図 5-55）．腱が損傷されているときには指神経も損傷されていることが多く，その場合には掌側皮弁の中から神経血管束を展開する（図 5-56）．
　骨の手術の場合には，屈筋腱鞘停止部の背側寄りで指骨骨膜を展開し，骨膜上（epiperiosteal）で伸筋腱を背側に持ち上げる．骨膜は可能な限り温存する．屈筋腱周囲での出血は後に腱癒着を生じうる（図 5-57）．

注意すべき組織

　皮切が掌側に片寄ると，**掌側指神経**を損傷する危険がある．このアプローチは常に指節皮線のすぐ背側から始める．そのようにすれば神経を損傷することは少なくなる（👉図 5-52A）．
　掌側指動脈は，指神経とともにその背側を走っているので，アプローチが掌側に寄りすぎると損傷されることがある（👉図 5-52）．

術野拡大のコツ

　対側の神経血管束を出すために靱帯性腱鞘の周囲を剥離する．しかし，その視野は掌側ジグザグ皮切で得られる視野ほど良好ではない．

8. 基節および中節部の指屈筋腱鞘への側正中アプローチ　255

図 5-54　指屈筋腱鞘側正中アプローチ．屈筋腱鞘の露出
神経血管束を皮弁とともに剥離して，屈筋腱鞘を露出する．

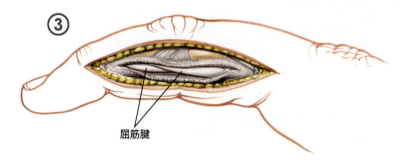
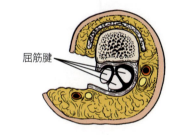

図 5-55　指屈筋腱鞘側正中アプローチ．屈筋腱の露出
靱帯性腱鞘を縦に切開すると腱が現れる．

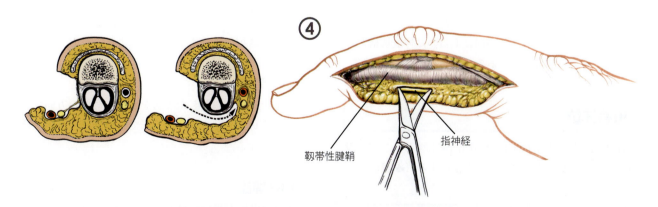

図 5-56　指屈筋腱鞘側正中アプローチ．神経血管束の展開
長軸方向の剥離により，神経血管束を掌側皮弁の中にみることができる．腱鞘を
ていねいに剥離する．神経血管束の展開は手掌部まで行うことができる．

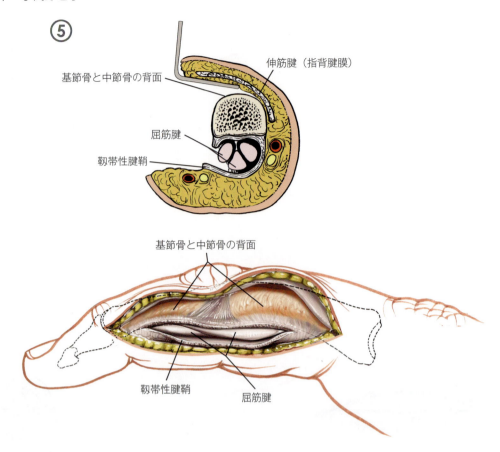

図 5-57 指屈筋腱鞘側正中アプローチ．骨背面の露出
骨背面を展開するには，骨膜上（epiperiosteal）で伸筋腱を剥離する．

9 指節骨と指節間関節への背側アプローチ

このアプローチは，しばしば指節骨と指節間関節の骨折，脱臼骨折の整復，固定に用いられる．掌側あるいは外側皮切に比べ，皮膚と骨の間にあるのは伸展機構だけなので，骨の展開は容易である．

患者体位

背臥位とし，手術台上に前腕回内位とする．ソフトラバーバンテージとターニケットを使用する（👉図5-1）．

ランドマーク

指を他動的に屈曲して，指の3関節の位置を確認する．

皮　切

皮切の選択は，治療する病態による．

● MP 関節

関節上に軽度弯曲した皮切をおく．弯曲の方向はどちらでもよいが，基本的には示指では橈側凸，小指では背尺側凸とする．

● PIP 関節

2つの皮切が用いられる．1つは関節の真上の直線皮切であり，このとき皮弁作製は行うべきでない．もう1つは関節の真上の弯曲した皮切であり，皮膚と腱との癒

着が生じにくい．示指橈側と小指尺側のPIP関節部では弯曲した皮切を避ける．

●中節骨

骨折部を中心として軽度の弯曲あるいは直線皮切をおく．その位置と長さは病態による．この皮切の長所と欠点はPIP関節と同じである（👉図5-58）．

internervous plane

この部にinternervous planeはない．背側の皮膚は橈・尺両側の神経に支配されているので，感覚異常は生じない．

浅層の展開

背側静脈の縦走枝を損傷しないよう鈍的に切開を深部へと進める．皮膚と皮下組織を一体として持ち上げ，伸展機構を展開する．

深層の展開

MP関節高位で伸筋腱を中央で切開すると，MP関節包と基節骨の遠位端が現れる．または，総指伸筋腱の尺側で指背腱膜腱帽を切離する．どちらかのアプローチで背側関節包を縦切して関節に入る（図5-59）．

PIP関節高位で，軽度弯曲した縦切開を中央索と側索の間に加える．関節包を縦切して関節に入る（図5-60）．

中節骨とDIP関節高位で停止腱と指三角靱帯を縦切する（図5-61）．

注意すべき組織

弯曲皮切を用いる場合には，皮下を剥離しないように気をつける．皮弁が壊死しないよう皮膚と皮下組織を分けない．

術野拡大のコツ

このアプローチは通常拡大できない．特別な病態の治療に用いられる．

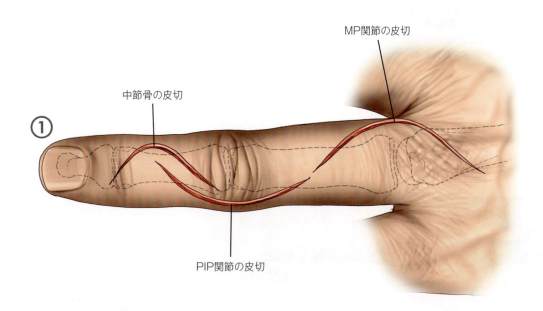

図5-58　指節骨と指節間関節への背側アプローチ．皮切
MP関節，PIP関節，中節骨の展開のための皮切．

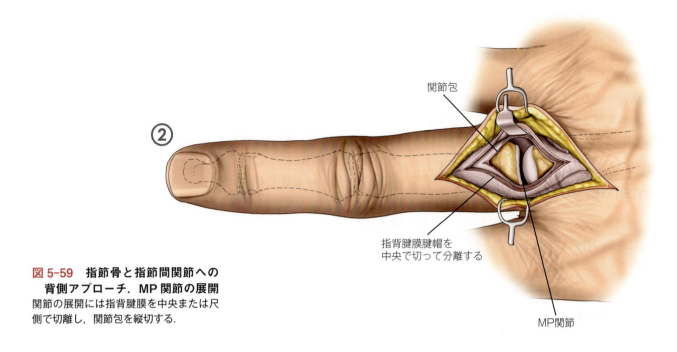

図 5-59 指節骨と指節間関節への背側アプローチ．MP 関節の展開
関節の展開には指背腱膜を中央または尺側で切離し，関節包を縦切する．

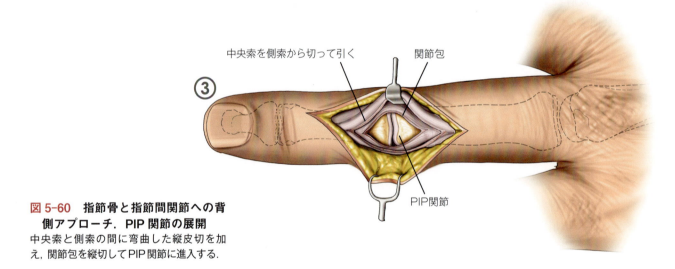

図 5-60 指節骨と指節間関節への背側アプローチ．PIP 関節の展開
中央索と側索の間に弯曲した縦皮切を加え，関節包を縦切して PIP 関節に進入する．

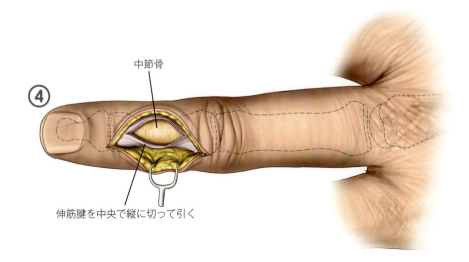

図 5-61 指節骨と指節間関節への背側アプローチ．中節骨の展開
中央で伸筋腱を縦切すると，直下に中節骨が露出する．

10 指屈筋腱の手術に必要な外科解剖

ここでは指屈筋腱の解剖についてのみ述べる．手掌解剖の全般的な記述については，本章「6 手関節掌側の手術に必要な外科解剖」を参照されたい．

概　観

指屈筋腱の解剖は屈筋腱損傷の治療と予後にとって重要な鍵となる．人体の中でこの部ほど解剖と病理と治療とが明瞭に関連性を持つ部分はない．腱の構造，血行，および周辺の組織との特殊な関係はいずれも損傷と修復の病態と関連がある．

指屈筋腱の解剖は解剖学的ランドマークによって5つの区域に分けられる．腱が切断されたときは，この区域によって異なった治療法が行われる．ここではMilfordが提唱した区域，すなわち第1〜5区域の解剖について近位から遠位の順に説明する（図5-62）[52]．

●第5区域

ここは前腕の屈側で，屈筋支帯と手根管より近位である（図5-62）．この区域には手掌部を経て指に向かって走る9本の腱がある．各指にはそれぞれ2本の腱，すなわち浅指屈筋腱と深指屈筋腱とがあるが，母指は1本のみで長母指屈筋腱である．

第5区域の腱は硬い管の中は走行せず，前腕遠位部で滑膜性腱鞘によって包み込まれている．この部での腱の修復の成績は一般に良好であり，独立した指屈曲ができるようになる．

●第4区域

ここでは腱は手根管内を走る．8つの腱は手根管内で共通の滑膜性腱鞘に包まれている．

この区域での腱の修復の予後は割合よいが，骨線維性のトンネル内を腱が走るために第5区域ほど良好ではない．手根管は腱修復のときは開放するが，それでも術後に癒着を生じやすい．

●第3区域

ここは虫様筋起始部に相当する．虫様筋は手掌を走る深指屈筋腱から起始する．橈側の2つの虫様筋は示指と中指の深指屈筋腱の橈側から起始する単頭の筋である．

尺側の2つの虫様筋はそれぞれ環・小指と中・環指の深指屈筋腱から起始する2頭筋である．虫様筋腱は，MP関節の橈側に沿って走り，指背腱膜に入る．またMP関節の屈伸回転軸の掌側を通るので，この関節には屈筋として働き，同時に指節関節の伸筋としても働く（図5-43）．

この区域における腱断裂では常に虫様筋の損傷を伴う．ほとんどの外科医は虫様筋の修復を勧めない．これは，修復により筋緊張が強くなると，MP関節の屈曲拘縮を生じ，指節間関節の屈曲が不能となる内在筋優位の手（intrinsic plus hand）となるからである．

●第2区域

遠位手掌皮線から中節中央までを指し，ここでは各指とも浅・深指屈筋の2本の腱が靱帯性腱鞘の中を走っている．

靱帯性腱鞘は中手骨頭（遠位手掌皮線）のレベルから末節骨まで存在し，骨に付着することにより腱の弓づる形成（bowstringing）を防いでいる．

腱鞘の肥厚するところは一定している（図5-63）．滑車作用で腱の滑走方向を規制している．滑車には輪状および十字状と2つの型がある．

輪状滑車は1個の線維性バンド（輪）により形成され，十字滑車は2本の交差する線維性のひもで構成されている．輪状滑車は釣りに使うリール竿のリングと同じように作用する．このリングがないと竿がたわんだときに釣り糸が竿から離れてしまう．このことを弓づる形成という．指では滑車がないと患指の可動域と力が減少してしまう．輪状滑車には，次のようなものがある．

1) A_1 滑車：MP関節上にある．ばね指のときには，これを切開する．
2) A_2 滑車：これは基節骨の近位端にある．弓づる形成を防ぐためには可能な限り温存しなければならない．
3) A_3 滑車：これはPIP関節上にある．
4) A_4 滑車：これは中節骨の中央にある．これも弓づる形成の予防のため，温存しなければならない．

十字滑車は屈曲機能にさいしては，あまり関係がない．次のものからなる．

1) C_1 滑車：基節骨の中央にある．
2) C_2 滑車：中節骨の近位端にある．

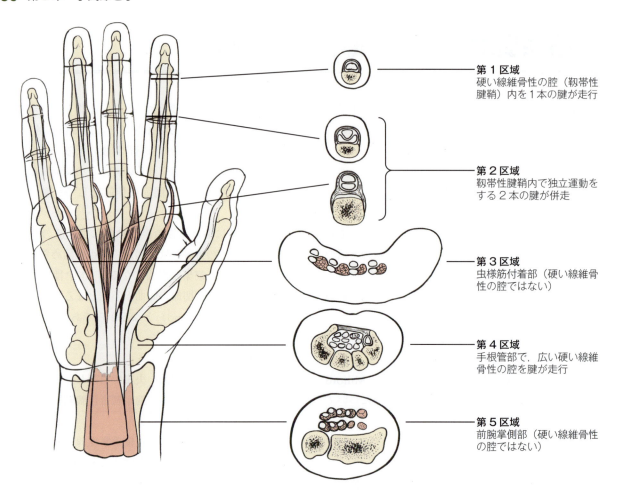

図 5-62　手関節から指尖部にわたる指屈筋腱の区域（Milford による）

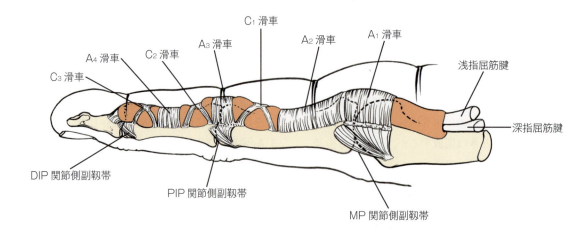

図 5-63　滑　車
側方からみた輪状および十字滑車．指屈側にみる皮線，関節面および滑車の相関関係に注目すること．

3) C_3 滑車：中節骨の遠位端にある．

　2本の屈筋腱は，浅指屈筋腱を上方に，深指屈筋腱を下方にして，靱帯性腱鞘の中に入る．基節骨高位で，浅指屈筋腱は2本に分かれ，深指屈筋腱の周囲を螺旋状に回り，下層で両者は合体し，一部は交差する（腱交差）．さらに深指屈筋腱の下層を1本の腱のようにして走り，中節骨の基部に停止する．このように浅指屈筋腱は深指屈筋腱の滑走床の一部となっている．深指屈筋腱は末節骨の基部に停止する（👉図 5-79）．線維骨性腱鞘の中において，屈筋腱は腱ひも（vincula）という滑膜ひだからの血行により栄養されている（図 5-64）．

　屈筋腱は伸縮性のない線維骨性の管（靱帯性腱鞘）の中にあり，正常な機能のためには2本の腱が互いに独立して滑走する必要があることから，第2区域における腱断裂後に完全な機能を回復することはきわめて困難なことである．2本の腱の間のわずかな癒着でも指の機能を損なうことを銘記すべきである[53]．

　この部位での修復は，すべての区域の中でもっとも予後が悪い[54]．Bunnell は "no man's land" と命名している[55]．

● 第1区域

　この部は浅指屈筋腱停止部より以遠で，深指屈筋腱が靱帯性腱鞘の中を単独で走っている．この部の断裂修復の成績は第2区域よりはよいが，第3〜5区域よりは悪い．

腱の血行

　靱帯性腱鞘内では，屈筋腱は2層の滑膜に包まれている（👉図 5-64, 挿入図）．腱はそれぞれその血行を指骨の掌側から起こる動脈から受けている．これらの血管は腱ひもの中を走る．2本の腱ひもが次のようにして各腱の中に入っている．

1) 深指屈筋腱
　a) 短い腱ひもは末節の腱停止部付近から腱に入る．
　b) 長い腱ひもは基節骨高位で二分した浅指屈筋腱の間から腱に入る．

2) 浅指屈筋腱
　a) 短い腱ひもは中節骨の腱停止部付近から腱に入る．
　b) 長い腱ひもは2本存在し，基節骨掌側から二分した腱のそれぞれに入る．

　新鮮屍体を用いた造影剤を注入する微小血管造影法により，常にこのような血管分布ではないことがわかっている．両腱にいく長い腱ひもは中・環指では欠損することがあり，もし存在していても浅指屈筋腱にいく長い腱ひもは片側または両側の腱停止に入り，深指屈筋腱のそれは浅指屈筋腱停止部高位から生じている[56]．

　これらの変異は腱鞘内の屈筋腱を展開するときには気をつけなければならない．腱の血行面から考えると，なるべく腱ひもは温存することが必要である．腱ひもにはいくぶん運動機能があり[57]，そのためときに急性腱損傷が見逃されることがある．

　他の研究によると，屈筋腱の掌側は，大部分が血管はなく，その栄養は主として滑液に依存している．したがって，腱の縫合にさいしては，掌側で縫合するとその血行をあまり阻害しないと考えられる[58]．

ランドマークと皮切

　手外科における決定的な目印は皮線で，これは筋膜が皮膚についているところである．皮線は主として4本の大きなものがある．遠位手掌皮線は，おおよそ MP 関節の掌側に一致し，A_1 滑車に相当する．手掌指節皮線は A_2 滑車に相当する．近位指節皮線は PIP 関節に一致する．母指球皮線は母指球を形どっている（👉図 5-46, 62, 63）*．

*訳者註：母指球皮線は図 5-46 には描かれていない．いわゆる生命線である．

　指の神経支配は2ヵ所から行われる．掌側は掌側指神経により，背側は橈骨神経と尺骨神経の背側神経による．また，示・中・環指の遠位 1 1/2 の指節（末節と中節の遠位 1/2）は掌背側ともに掌側指神経による．母指の背側は主として橈骨神経支配であり，小指の背側は尺骨神経に支配される．これらの解剖学的関係から，屈筋腱鞘への側正中アプローチは感覚障害を生じない（👉図 5-52）．

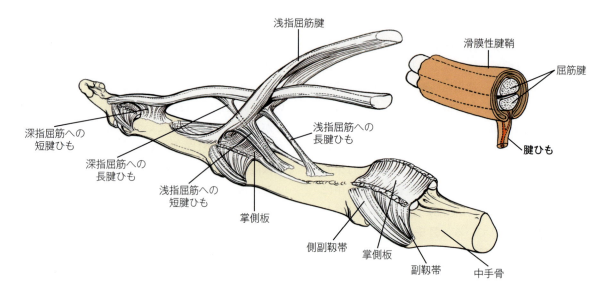

図 5-64　腱ひも
長・短腱ひもは屈筋腱の主たる血行を支配している．腱ひもと滑膜性腱鞘との関係に注意する（**挿入図**）．

11 舟状骨への掌側アプローチ

掌側アプローチは舟状骨を十分に展開することができる[59]．橈骨神経浅枝や舟状骨近位1/2の背側血行を損傷しない利点がある．しかし，術野に近い橈骨動脈には注意しなければならない．また，背側アプローチよりも術創による瘢痕は少ない．次のようなときに用いられる．
- 舟状骨偽関節に対する骨移植
- 舟状骨近位1/3の摘出
- 橈骨茎状突起の摘出．単独あるいは上記「舟状骨近位1/3の摘出」の手術とともに行われる．
- 舟状骨骨折の観血的整復・内固定．この場合には，舟状骨の背外側アプローチとともに行われることが多い[60, 61]．

患者体位

背臥位で，手術台上に腕をおく．手関節掌側面を上に前腕回外位とする．ソフトラバーバンテージとターニケットを使用する（☞図 5-17）．

ランドマーク

手くび皮線のすぐ遠位掌側で舟状骨結節を触れる．
橈側手根屈筋腱は手関節レベルでは長掌筋腱の橈側にあり，ついで舟状骨と交差して橈骨動脈拍動の尺側で第2，第3中手骨基部に停止する．

皮　切

手関節掌側に約2〜3 cmの縦あるいは弯曲した皮切を加える．皮切は舟状骨結節上に始まり，橈側手根屈筋腱と橈骨動脈間に進める（**図 5-65**）．

internervous plane

真のinternervous planeは存在しない．単に正中神経支配の橈側手根屈筋腱を避ければよい．

浅層の展開

皮切に沿って筋膜を切り，創の外側（橈側）で橈骨動脈を確認する（図 5-66）．橈骨動脈を外側皮弁とともに外側に引く．舟状骨結節に近接して走行する橈骨動脈浅掌側枝が術野と交差する場合には，これを結紮する．橈側手根屈筋腱を同定し，遠位に向け剥離し，その表層にある屈筋支帯を切る．遊離化した橈側手根屈筋腱を内側に引くと手関節の橈掌側面が現れる（図 5-67）．

深層の展開

舟状骨の上の手関節包を斜めに切ると，舟状骨の遠位 2/3 が現れる．舟状骨結節から橈骨遠位の掌側縁まで切開を進める．舟状骨近位端を安定化する掌側靱帯は可能な限り温存する．この前面は関節面ではない．舟状骨の近位 1/3 を展開するには，手関節を最大に背屈させるとよい（図 5-68）．

注意すべき組織

橈骨動脈が創の外縁の近くにあるので，剥離のときに損傷するおそれがある．前もって同定しておくとよい．橈骨動脈の浅掌側枝が術野を横切っているので，術後血腫形成を防ぐために結紮する．

術野拡大のコツ

この皮切は，通常ある程度は拡大することができる．近位に向かい，橈側手根屈筋腱に沿って皮切を延長し，方形回内筋の遠位縁を剥離すると橈骨遠位端が展開され，ここから移植骨片採取が可能となる．また，必要ならば橈骨茎状突起の切除も可能である．

舟状骨を露出させるコツは手関節を強く背屈することである．これにより，偽関節が生じやすい舟状骨近位端が展開できる．骨折部が発見しにくいときは，小さなマーカーを術野につけて X 線撮影をするとよい．骨移植はこの展開により十分に行えるが，スクリュー固定を行うときには背側および掌側皮切を必要とすることがある[62]*．

*訳者註：通常 Herbert スクリューの固定は，掌側皮切で行う．

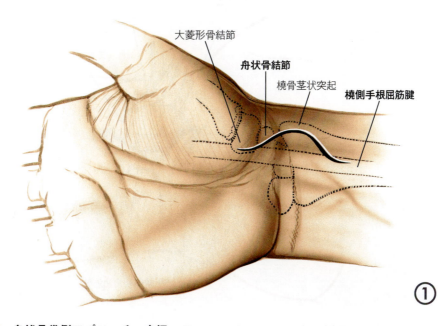

図 5-65　舟状骨掌側アプローチ．皮切
皮切は舟状骨結節部に始まり，遠位および近位に拡げる．近位への拡大は橈側手根屈筋腱と橈骨動脈の間で進める．

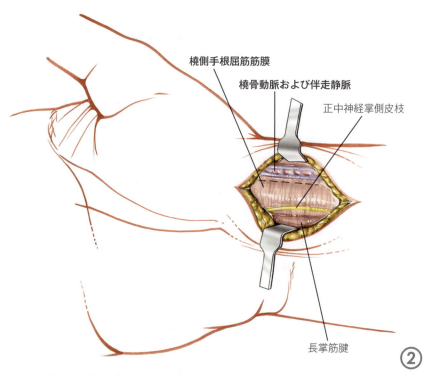

図 5-66　舟状骨掌側アプローチ．筋膜の切離と橈骨動脈の確認
橈骨動脈と橈側手根屈筋腱の間で筋膜を切る．

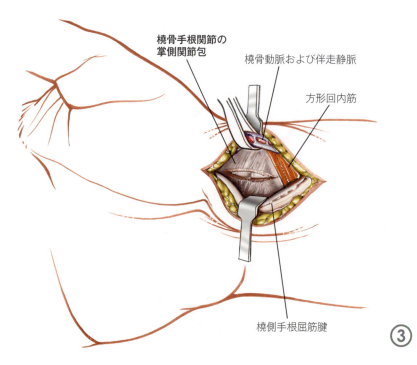

図 5-67　舟状骨掌側アプローチ．手関節包の展開
橈骨動脈と皮弁を外側に，橈側手根屈筋腱を内側に引くと，手関節包の橈掌側面が現れる．

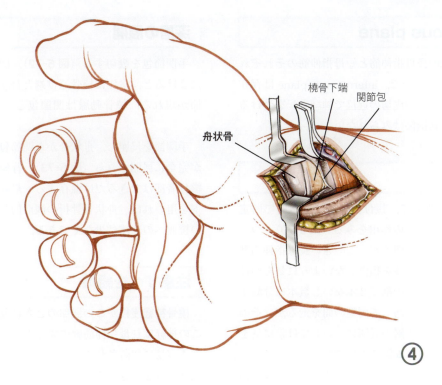

図 5-68 舟状骨掌側アプローチ．舟状骨の展開
関節包を切り，手関節を背屈させると，舟状骨の近位 1/3 が展開される．

12 舟状骨への背外側アプローチ

　舟状骨に対する展開がよく安全に行えるアプローチである．しかし，欠点として橈骨神経浅枝を損傷する危険性があり，また舟状骨の背側血行を阻害する可能性がある[63]．次のようなときに用いられる．

- 舟状骨偽関節の骨移植
- 癒合しなかった舟状骨近位骨片の摘出
- 上記2つの手術にさいし，橈骨茎状突起を切除するとき
- 舟状骨骨折の観血的整復・内固定．とくに近位端の骨折のときである[64]．この場合には，掌側アプローチとともに行われることが多い[62]．
- 舟状月状骨靱帯の完全断裂の修復

患者体位

　背臥位とし，上肢台上で肘を伸展，前腕を回内させ，手関節の背外側を上にする．ソフトラバーバンテージとターニケットを用いる（☞図 5-1）．

ランドマーク

　橈骨茎状突起は，解剖学的肢位では手の直横にある．この肢位で茎状突起を触れ，そのまま回内する．

　嗅ぎたばこ窩（anatomic snuff box）は小さなへこみで，橈骨茎状突起のすぐ遠位，やや背側にある．舟状骨はこの嗅ぎたばこ窩の床にある．手関節を尺屈させると舟状骨が橈骨茎状突起の下から出てきて，触診が可能になる．橈骨動脈の拍動は，嗅ぎたばこ窩の床で触れ，ちょうど舟状骨の上端にあたる．

　第1中手骨は，嗅ぎたばこ窩とMP関節の間に触れる．

皮　切

　軽く弯曲したS型皮切を，嗅ぎたばこ窩上に加える．皮切は第1中手骨基部に始まり，嗅ぎたばこ窩の近位約3cmまでとする（図 5-69）．

internervous plane

後骨間神経支配の長母指伸筋と短母指伸筋のそれぞれの腱の間に皮切をおくので，internervous planeは存在しない．両筋ともにこの皮切の近位で神経支配を受けるため，ここでの神経損傷はみられない．

浅層の展開

長母指伸筋腱を背側で，短母指伸筋腱を掌側で同定し，腱を牽引して母指への作用をみる（図5-70）．ついで2本の腱の間で筋膜を開くが，このさい長母指伸筋腱の浅層にある橈骨神経浅枝を損傷しないように気をつける．橈骨神経は通常，この部で2本ないし数本に分岐する．各分枝は腱の浅層にあって両腱の間を走るが，その走行には変異が多く，浅層の展開にさいしては常に気をつけなければならない（☞図5-69, 70）．

ついで腱を剥離し，長母指伸筋腱を背尺側に，短母指伸筋腱を掌側に引く．骨の上で創の下端を横走する橈骨動脈を確認する（図5-71）．手関節の背面で長橈側手根伸筋腱を探し，長母指伸筋腱とともに背尺側に引くと，手関節の背外側が展開される．

深層の展開

手関節包を縦切する（図5-72）．関節包を背側と掌側によけると，掌側に橈骨遠位端と舟状骨近位端の間の関節が現れる．橈骨動脈は関節包と一緒に橈掌側によける．

手関節を尺屈し，舟状骨から関節包を剥離すると関節が完全に展開される（図5-73）．背側稜で骨への軟部組織付着部はできるだけ温存する．最新の手術器具のガイドを用いれば，舟状骨骨折の観血的整復・内固定のさいの橈側への剥離は少なくできる．

注意すべき組織

橈骨神経浅枝がこの展開のときに危険にさらされる．この神経は長母指伸筋腱のすぐ上にあり，腱を剥離するとき容易に切断されやすい．神経を損傷すると，手背の触覚鈍麻を引き起こし，やっかいな神経腫を生じる．

舟状骨近位柱の血行は**橈骨動脈背側手根枝**支配である（図5-74）．この枝は関節包切開で損傷される危険性があるので，可能な限り温存する．

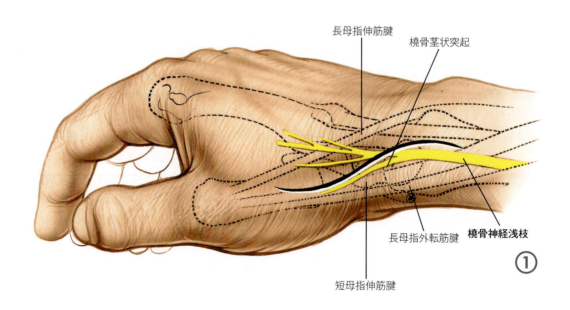

図5-69　舟状骨背外側アプローチ．皮切
ゆるく彎曲したS字型の皮切を嗅ぎたばこ窩の上に加える．橈骨神経浅枝はこの皮切の直下で交差する．

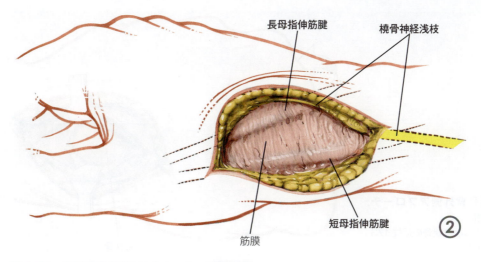

図 5-70　舟状骨背外側アプローチ．筋膜切開
橈骨神経浅枝を求め，これを背側皮弁とともに背側に引く．背側で長母指伸筋腱を，掌側で短母指伸筋腱を求め，この両腱の間で筋膜を切る．

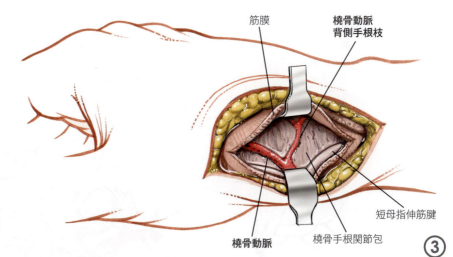

図 5-71　舟状骨背外側アプローチ．橈骨動脈の確認
長母指伸筋腱を背側に，短母指伸筋腱を掌側に引く．橈骨動脈とその背側手根枝を損傷しないように注意して剥離する．

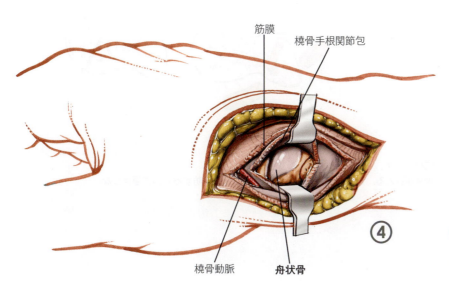

図 5-72　舟状骨背外側アプローチ．関節包の切開
関節包を切ると舟状骨が現れる．

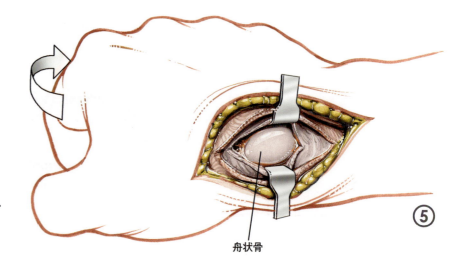

図 5-73　舟状骨背外側アプローチ．舟状骨の展開
手関節を尺屈させると舟状骨の近位 1/3 が完全に展開される．

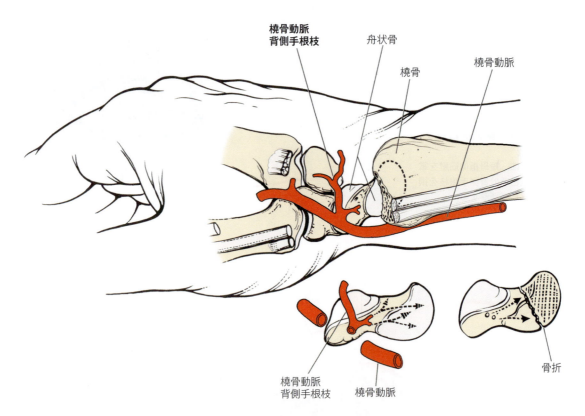

図 5-74　舟状骨背外側アプローチ．舟状骨への血管支配
舟状骨にいく血管の大部分は背側から入る．これらの枝は，近位骨片の壊死を予防するために温存しなければならない．

13 手における膿瘍ドレナージ

手の感染症に罹患すると，長期にわたり仕事に支障をきたし，また永続的な手の機能障害を生じることがある[65]．近年は早期治療や抗生物質療法により著しく本症は減少している．しかし，薬剤常用者の間で，麻薬の静注または皮下注が増加している昨今では，重篤な感染症が再び増加している．

手の感染症の外科的治療の要点は次の通りである．
1) 感染病巣を正確に把握する．個々の感染は感染部位の解剖によって特徴的な症状を示す．
2) 手術（ドレナージ）の時期を決定する．外科的ドレナージの時期は治療成績に大いに関係する．あまり早期に切開すると，単なる結合組織炎の切開となり，むしろ炎症を拡大させる要因となる[66]．逆に長期間膿が腱の周囲などに貯留すると，膿周囲の組織は不可逆性の変化を生じてしまう．

外科的処置の適切な時期を決定することは困難である．一般に，膿瘍の主な身体的徴候は，炎症部位に波動性のある腫瘤を認めることとされている．しかし，手における膿瘍の大多数は小さく，見つけにくい．それに加えて，膿はしばしば脂肪の多い組織の中にある．体温で脂肪それ自体にも波動性が生じて膿瘍の徴候によく似て紛らわしい．膿の存在を示唆する徴候は下記のようなものである．
1) 膿は皮下に存在する．
2) 炎症が長くなればなるほど膿が貯留していることが多い．24時間以内の感染では膿はない．
3) 古典的には，患者が手の疼痛のため一晩中眠れないようなときは，膿が形成されている可能性が高い．
4) 指を軽度他動伸展することにより指や手掌に疼痛を生じるときは，腱鞘に感染があり，排膿する必要がある．

上記指標の4) は腱鞘感染の徴候で，Kanavel[67]が記載した急性化膿性腱鞘炎の4つの主徴の1つで，そのほかに次の3つの徴候がみられる．
- 腱鞘に沿う腫脹
- 触診のさいの圧痛
- 患指の屈曲変形

これらの指標に従っても，手に膿があるかどうかを決めるのは容易でない．膿瘍の存在が疑わしい場合には，上肢を挙上位として抗生物質の静注や温浴を行ったりして，頻回に再検診する．炎症の徴候が急速に改善されれば手術を回避できる．

理想的な手術の条件

1) 麻酔は全身麻酔か指神経ブロックを用いる．炎症のある部での局所麻酔は効果がないばかりか，筋膜腔の感染を拡大することがある．
2) 上肢にターニケットを使用する．このさい機械的圧迫による感染拡大を防ぐためには，上肢をソフトラバーバンテージで駆血してはならない．上肢を3分間挙上してからターニケットを加圧する．
3) 手の膿をよく観察するためには，十分な照明が必要である．とくに伴走する神経血管束を損傷しないように注意する．
4) 手の膿瘍のドレナージは，他の部位の排膿とは異なる．おおざっぱな膿瘍の切開は絶対に行ってはならない．
5) 切開後は創を開放しておく．
6) 術後は，MP関節80°屈曲，PIP・DIP関節10°屈曲の機能的肢位で，背側または掌側装具，または両者によって手を固定する．この肢位では，各関節の側副靱帯の長さは最大となり，固定による拘縮を生じにくい．
7) 術後は上肢を挙上する．炎症症状が消退し始めるまで抗生物質の静注を続行する．症状が沈静したら，ただちに患手の運動を開始させる．さらに積極的にリハビリテーションを行うが，これらの経過は数ヵ月間に及ぶことが多い．

主要な感染部位は以下の8ヵ所である．その中でとくに頻度の高いのは最初の3つである．
- 爪周囲炎
- 指腹腔感染（ひょう疽）
- 指間腔感染
- 腱鞘感染
- 深手掌腔感染
  i) 外側腔（母指腔）
  ii) 中央腔（手掌中央腔）
- 橈側滑液鞘感染
- 尺側滑液鞘感染
- 骨髄炎，化膿性関節炎

次にそれぞれの部位へのアプローチについて述べる．

14 爪周囲炎に対するドレナージ

爪周囲炎（paronychia）は爪郭の感染症で，手感染症の中でもっとも多く，**黄色ブドウ球菌**によることが多い[68]．

本症は日常しばしばみられるが，とくに美容師によくみられる．これは客の毛髪が爪のつけ根の表皮（cuticle）と爪の間に刺さるためと思われる．またササクレを抜くために甘皮を傷つけることが多いともみられる．

膿により表皮が腫大しているのはよく経験する．炎症は両側いずれにも生じ，爪下に拡大することがある．

患者体位

背臥位とし，上肢台上で上肢伸展位とする（☞図5-17）．

皮切

爪郭の両側あるいは片側に短い縦皮切を加える（図5-75A）．

internervous plane

ここには internervous plane は存在しない．この部の皮膚は指の左右からくる感覚神経により重複支配されているので，脱神経は生じない．

浅層の展開

爪基部に切開を加えて皮弁を挙上し，表皮と爪の間の膿を排出する．膿が爪の下に拡がっているときは，その拡がりや爪の浮き上がりの程度によるが，爪基部の一角ないしは爪半分を切除する（☞図5-75B，C）．ときに爪と平行に表皮軟部組織に切れ込みを入れると，膿を排出することができる（☞図5-75D）．

注意すべき組織

爪床を損傷すると，新しく生えてくる爪は軽度ではあるがでこぼこになり，変形する．

術野拡大のコツ

このアプローチはこれ以上拡げることはできない．

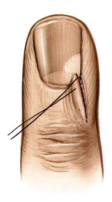 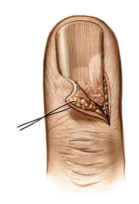 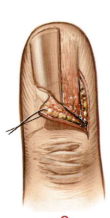 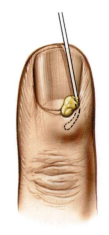

A　　　　　B　　　　　C　　　　　D

図5-75　爪周囲炎のドレナージの切開
A〜D：爪基部における膿排出の皮切（爪周囲炎）．

15 指腹腔感染（ひょう疽）に対するドレナージ

ひょう疽（felon）は手の感染症の中でもっとも頻繁にドレナージを要する．通常，それ自体は軽微な傷である指腹への刺創により生じる．感染が浅層のときは通常指腹の掌側に皮膚壊死を生じる．感染が深層に及ぶと末節骨の骨髄炎を生じやすい[2]．

この部のドレナージには，感染の深さにより2つの方法がある．
1) 指腹先端の掌側に膿瘍があれば（通常これが多い），小切開を掌側面の外側に加え，膿瘍腔に斜めに入る．中央皮切は有痛性瘢痕を生じるので避ける．
2) 膿瘍が深いときの外科的処置は以下の通りとなる．

患者体位

背臥位とし，手を上肢台にのせる．

皮　切

指末節の側方に直線切開を加え，爪に近接して指先へ広げる．皮切はDIP関節を越えてはならない．近位に寄りすぎると指神経を損傷し，有痛性神経腫を生じるか，化膿性関節炎を生じる危険性がある．

皮切は遠位指節皮線より背側で遠位でなければならない（図5-76）．また，爪の先端の角より先に進めてはならない．ピンチにさいし有害となる瘢痕を作らないよう，母指の尺側，示指と中指の橈側の切開は避ける．

internervous plane

背側皮神経と掌側指神経の枝によって支配される皮膚の間から進入するので，ここにはinternervous planeは存在しない．

浅層の展開

末節の指腹には，末節骨と掌側の皮膚をつなぐ多くの線維性隔壁があり，房（loculi）を形成している．感染は容易にいくつかの小房に進入する．これらをすべてドレナージするには，皮切は末節の掌側で指の反対側まで指腹に交差しつつ横に深く切らなければならない．しかし，皮膚を貫通してはならない（👉図5-76）．遠位にメスを進め，骨から線維性隔壁の起始部を剥離する．近位は遠位指節皮線より1cm遠位までにとどめる．そうしないと屈筋腱鞘を損傷し，そこに感染を引き起こすおそれがある．DIP関節に進入しないように気をつける．

注意すべき組織

皮切が近位に片寄ると**指神経**を損傷し，感覚鈍麻は生じないが有痛性神経腫を生じることがある．

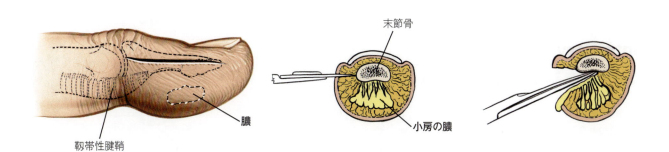

図5-76　指腹腔感染（ひょう疽）のドレナージの切開
排膿を適切に行うためには，隔壁を切らなければならない．

皮切が近位に片寄りすぎると，**深指屈筋腱**腱鞘を損傷することがある．

特別なポイント

末節骨と皮膚との間にある線維性隔壁は膿を貯留するのに最適の場所である．したがって，小房のすべてを開放することが適切なドレナージの条件となる．深部にある膿瘍の治療に失敗すると末節骨の骨髄炎を併発する．

術野拡大のコツ

このアプローチは通常拡げることはできない．

16 指間腔感染に対するドレナージ

手掌の4つの指間のいずれか1つに膿が生じる指間腔感染の頻度は高い．指間背側の皮膚は掌側よりも薄いので，膿瘍は背側で明らかになる．特徴的なことは，著明な浮腫が手背にみられ，罹患指間の2本の指は哆開していることである（図5-77）．

指間腔は手掌の虫様筋トンネルを経て手掌と連絡しているので，指間腔感染を放っておくと，感染は虫様筋トンネルから手掌にかけて拡大する．

患者体位

背臥位で，上肢台を用いる．全身麻酔あるいは腋窩神経ブロック，または腕神経叢ブロックを行い，ターニケットの加圧前の3分間，上肢を挙上する（☞図5-17）．

皮　切

横および縦と2つの皮切がある．手の掌側で罹患指間腔の中央を縦に切開する縦皮切と，指間腔の輪郭の約5mm近位での指間腔の輪郭に沿った横皮切である（図5-78）．

internervous plane

ここには internervous plane は存在しない．

浅層の展開

鈍的剥離により注意深く深部に入る．指神経や血管が皮切直下にあり，横方向の切開で深く切りすぎるとこれらを損傷しやすい．膿瘍腔は通常皮下にあるので，追加の切開はほとんど不要である．

注意すべき組織

指間部の2本の**指神経**は，この横皮切により損傷を受けやすい．適切な駆血と十分な照明のもとに繊細な手術器具を用いて確実な手術をする必要がある．注意して皮膚を切開すれば，神経を損傷することはない．

指間における縦皮切は神経血管束の損傷を避けるのにはよいが，その瘢痕が指間の2本の指の開排を著しく障害するおそれがある．

術野拡大のコツ

このアプローチは通常拡大することはできない．前述のドレナージで不十分ならば，膿瘍の著しい部位に第2の背側皮切を加えることを勧める．

16. 指間腔感染に対するドレナージ 273

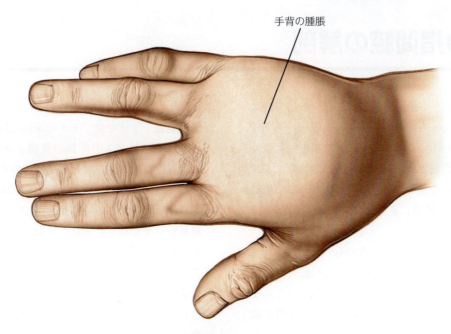

図 5-77 指間腔感染．臨床像
通常，手背に著明な浮腫が認められ，罹患部の2本の指は哆開するのが特徴．

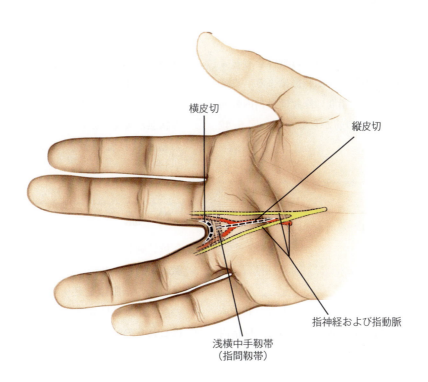

図 5-78 指間腔感染のドレナージ．皮切
掌側皮膚に縦皮切または弯曲した横皮切を加える．
横皮切では指関節の指神経（2本）を愛護する．

17 指の指間腔の解剖

　4本の手指（示指〜小指）の間にある3つの指間腔は意外に長く（約2cmもある），指間部皮膚縁からMP関節まで広がっている．この中に，浅・深横中手靱帯，指神経と血管，骨間筋と虫様筋の腱を含んでいる．これらの組織の間には疎な線維性脂肪組織があり，この組織は感染により容易に膿瘍に置き換えられる（図 5-79；👉図 5-42）．

　指間腔における重要な組織は，次のものである．

1) **浅横中手靱帯**（natatory ligament）：この靱帯は手掌の皮膚直下にあり，指間の遊離縁を支えている．また，指神経と血管の浅層（掌側）を走り，手掌腱膜に付着している．
2) **指神経および血管**：浅横中手靱帯の直下にあり，神経は動脈の掌側にある．
3) **虫様筋腱**：手掌中央で4本の深指屈筋腱から起始している．その腱はMP関節の橈側を通って基節骨背側の指背腱腱膜に停止する．指間腔の感染は虫様筋腱に沿って近位に拡がり，手掌に入る（👉図 5-81）．
4) **深横中手靱帯**：この強い靱帯はMP関節の掌側板（掌側靱帯）をそれぞれ連結している．浅横中手靱帯より3〜4cm近位にある．虫様筋腱は神経血管とともにこの掌側を走る（👉図 5-79）．
5) **骨間筋腱**：中手骨に起始し，基節骨高位で指背腱膜に停止する．この腱は，虫様筋腱が深横中手靱帯の掌側を走るのに対し，背側を走る（👉図 5-79）．

18 母指の指間腔の解剖

　母指は他の指に比べ，きわめて大きな可動性を有している．この可動性は指間腔の解剖学的特徴による．ここには浅・深横中手靱帯はなく，指間の隆起は母指内転筋横頭と第1背側骨間筋の2つの筋からなる（👉図 5-42〜44）．

母指内転筋

本章の中の手掌の解剖に関する項を参照．

第1背側骨間筋

　第1背側骨間筋は骨間筋の中でもっとも大きな筋である．第1，第2中手骨の相対する面から起始し，母指内転筋の深部（背側）を通り，示指背側の線維性の伸筋腱腱膜に停止する．母指間腔はこの筋腹によって占められている．患者にピンチをさせ，指間をつまむと筋萎縮の状態がよくわかる．骨間筋は尺骨神経支配のため，この動作は尺骨神経疾患のテストに用いられる（👉図 5-13）．

動　脈

　橈骨動脈の2本の分枝である橈側示指動脈と母指主動脈が指間腔の2つの筋の間から出てくる．橈側示指動脈は示指の橈側縁を走り，母指主動脈は母指に達し，2本の手掌指動脈に分かれる．指間腔中央でのアプローチではこれらの動脈を損傷することはない（👉図 5-44）．

18. 母指の指間腔の解剖 275

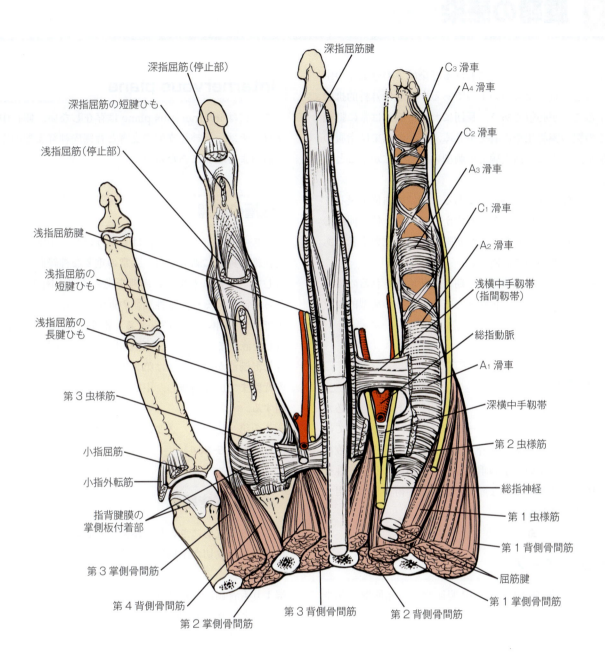

図 5-79 指間腔の解剖（右手掌側）
神経血管束は，浅横中手靱帯（指間靱帯）の深部あるいは背側を走り，深横中手靱帯の掌側を走る．虫様筋は神経血管束と一緒に深横中手靱帯の掌側を走る一方，骨間筋は靱帯の背側を走る．

19 腱鞘の感染

屈筋腱の滑膜性腱鞘内における感染は手の感染症の中でもっとも重症なものの1つである．早急に外科的排膿をすることが必須であり，長期にわたる感染は常に腱鞘とその腱の線維化や癒着を生じる．腱鞘の感染は指腹の感染や，とくに屈曲皮線での刺創によって拡がることが多い．

診断は臨床症状から容易である．指は屈曲位を呈し，著明に腫脹し圧痛がある．わずかの指の自・他動伸展でも著しい疼痛を生じる．これが腱鞘感染の主要症状である．これに基づいて診断する．

本症は浅層の指感染症が早期に診断治療されるので以前ほど多くはないが，依然として整形外科の典型的な救急疾患である[69,70]．

患者体位

背臥位で上肢台を用いる．ターニケットの装着は必須だが，ソフトラバーバンテージで巻き上げて駆血してはならない．麻酔は全身麻酔か伝達麻酔（上腕または腋窩ブロック）がよい．手の重要な構造を損傷する危険性を最小限にするよう十分な照明と繊細な手術器具を使用する（👉図5-17）．

ランドマーク

遠位手掌皮線はおよそMP関節掌面と屈筋腱の靱帯性腱鞘の近位端に相当する．

また，**遠位指節皮線**はDIP関節と靱帯性腱鞘の遠位端を示している．

皮　切

遠位手掌皮線のすぐ近位で，感染している屈筋腱上に小さな横皮切を加える．皮切は1.5～2cmの長さでよい（図5-80）．

腱鞘内に混濁した滲出液がたまっているときには，通常第2皮切が必要である．すなわち，中節の末端で，近位指節皮線と遠位指節皮線の背側端を結んだ線，すなわち側正中の皮切を加える（👉図5-80A）．

internervous plane

ここにはinternervous planeは存在しない．側正中アプローチは，指神経支配の皮膚と背側皮神経支配の皮膚のおおよそ境界にあたる．

浅層の展開

モスキート鉗子の先を拡げるようにして手掌腱膜の縦走線維を鈍的に剥離する．手掌の重要な神経血管束と交差しないでこれと平行に剥離を進める（👉図5-80B）．さらに深く入ると靱帯性腱鞘の近位端に達し，このレベルで近位滑車（A_1）がみえる．滑車を縦に切ると，混濁した液やまれではあるが膿が出てくる（👉図5-80C）．もし混濁液が出たときは第2皮切を加え，指神経や血管の背側まで広く剥離し，中節骨の末端で靱帯性腱鞘を切開する．

この第2切開は，必要に応じて灌流を行うのに大切である（👉図5-80A）[71]．

注意すべき組織

これらの皮切にさいし，**指神経と血管**の損傷に気をつける．指の皮切が掌側に片寄ると，神経血管束を損傷するおそれがある．皮切が近位および遠位指節皮線の背側端よりも背側にあれば安全である（👉図5-80，本章「8　基節および中節部の屈筋腱腱鞘への側正中アプローチ」）．

掌側皮切が神経血管束と直交すること，および神経血管束が手掌腱膜の直下にあることから，皮切をやや雑に過大に加えると，これらを損傷しやすい．手掌腱膜の線維をその走行に沿って鈍的に剥離すれば神経損傷は避けられる．

術野拡大のコツ

このアプローチはあまり拡大することはできない．橈側または尺側滑液包の感染のときには別々の皮切が必要である．

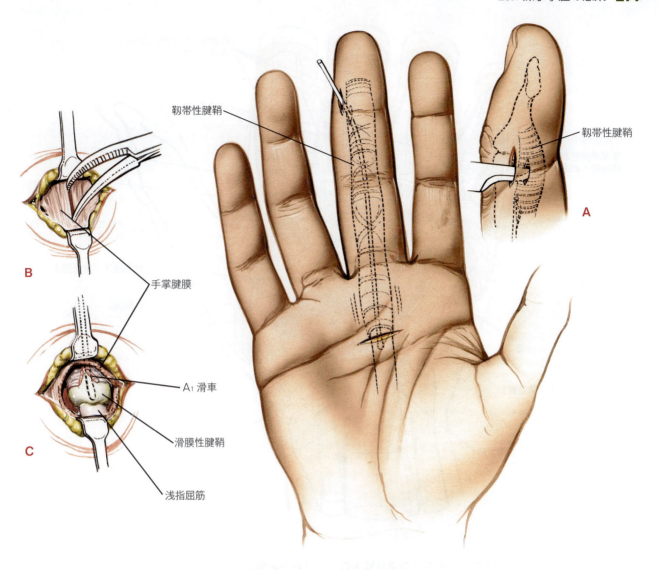

図 5-80 屈筋腱鞘感染．皮切と A₁ 滑車切開
罹患屈筋腱上で，遠位手掌皮線のすぐ近位に，小さな横皮切を加える．
A：第 2 皮切が必要な場合には，中節の末端の側正中部に加える．
B：手掌腱膜の線維を縦に分離する．
C：A₁ 滑車を切ると滑膜性腱鞘が現れるので，これを開放する．

20 深手掌腔の感染

　この部の感染はきわめて重症で，しばしば手の機能を喪失することがある．通常，感染部は屈筋腱や虫様筋の深層で，中手骨と母指内転筋，骨間筋の浅層にある．
　手掌中央部の隔室は，中指屈筋腱周囲の筋膜から生じ，第 3 中手骨につく筋膜の隔壁によって二分されている．この隔壁の外側部は母指腔，内側は手掌中央腔と呼ばれる．ただし，**母指腔**という呼称はややもすると母指球筋によって占拠された腔と混同されやすいことから，

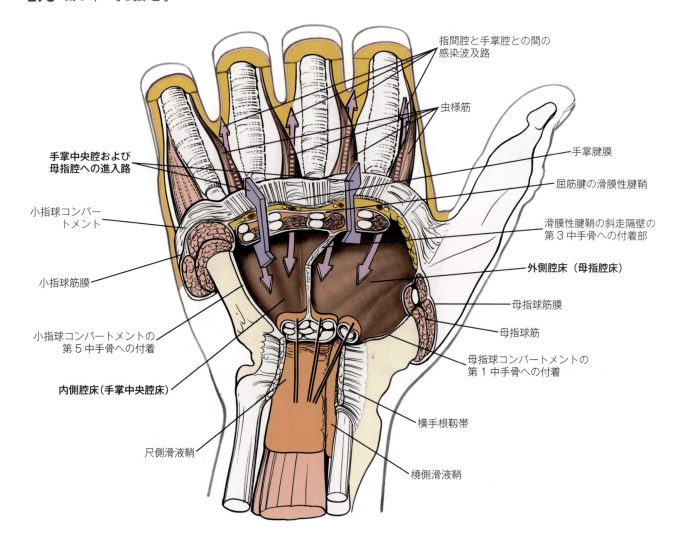

図 5-81 深手掌腔の解剖と感染巣拡大の方向（右手掌側）
手掌の中央コンパートメント内には，屈筋腱下面と骨間筋，母指内転筋上面との間に潜在した深部腔がある．この深手掌腔は，内側腔（手掌中央腔）と外側腔（母指腔）とに分けられる．この腔を分ける斜走隔壁は，中指屈筋腱の周囲結合組織から生じ，第3中手骨の掌側についている．指間腔に生じた感染は，虫様筋に沿って進み，この2つの腔に広がる可能性がある．

本書では便宜上，母指腔を**外側腔**，手掌中央腔を**内側腔**と呼ぶこととした（図5-81；👍図5-43）．

内側腔（手掌中央腔）の感染は局所の疼痛，圧痛，手掌の腫脹を生じる．中指と環指は自動運動が不能となり，他動的に動かすと激痛を生じる．手は著しく腫大し，ふくらんだゴム手袋のようになる．

外側腔（母指腔）の感染も内側腔と同様の症状を呈するが，母指と示指がその可動性を失う．

深手掌腔感染は手外科領域においてもっともまれな疾患である．しかし，最近本症が少しずつ増えているのは，主として麻薬常用者の数が増加しているためと考えられる．手における他の感染症に比べ，本症は高熱を伴う全身疾患の原因となりうる．

21 内側腔（手掌中央腔）に対するドレナージ

皮 切

遠位手掌皮線の近位に沿い，腫脹した手掌の直上に弯曲した横皮切を加える．皮切の長さは排膿する膿瘍の大きさにより決定する（図 5-82）．

internervous plane

ここには internervous plane は存在しない．

浅層の展開

皮切線が指神経を横切るので，皮切は注意深く行う．創遠位端で鈍的に手掌腱膜を剥離し，環指屈筋腱を同定する．腱の橈側縁で鈍的に内側腔に入る（図 5-83〜85）．

注意すべき組織

小・環指の**指神経**が手掌腱膜の直下を走り，皮切と交差する．この神経を完全に展開するまでは手掌腱膜を横切してはならない（👉図 5-84）．

指動脈は指神経に伴走するので注意が必要である．このため，手掌腱膜を切離する前に指動脈を同定しておく．

術野拡大のコツ

この皮切は，ドレナージのためのもので，通常これ以上拡げることはできない．

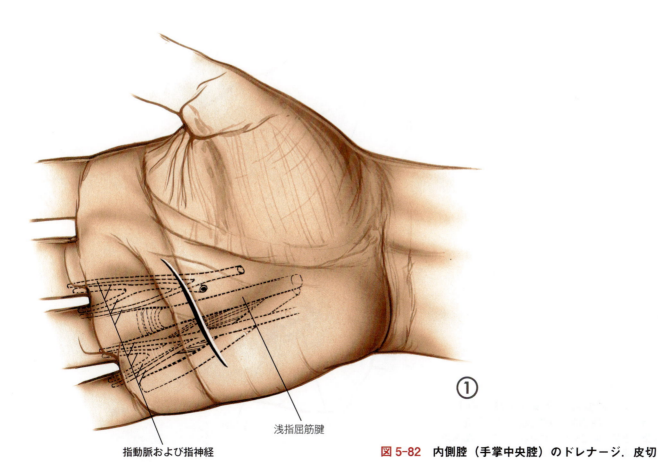

指動脈および指神経　　浅指屈筋腱

図 5-82　内側腔（手掌中央腔）のドレナージ．皮切

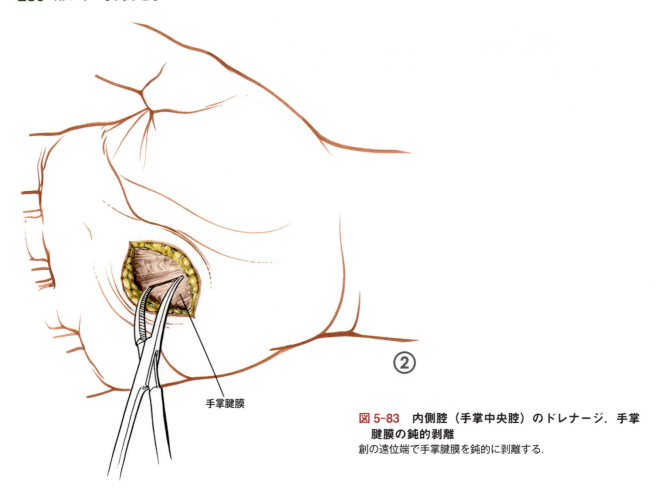

図 5-83 内側腔（手掌中央腔）のドレナージ．手掌腱膜の鈍的剥離
創の遠位端で手掌腱膜を鈍的に剥離する．

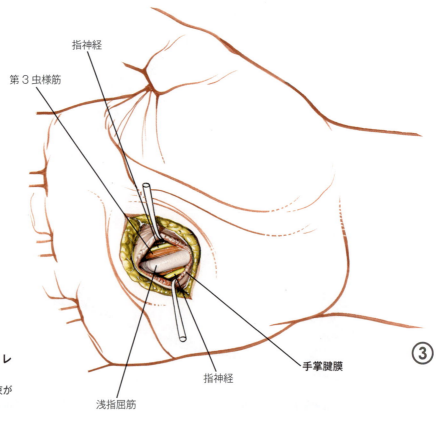

図 5-84 内側腔（手掌中央腔）のドレナージ．屈筋腱と神経血管束の同定
環指屈筋腱を同定する．腱の両側に神経血管束が平行に走り，橈側に虫様筋がみえる．

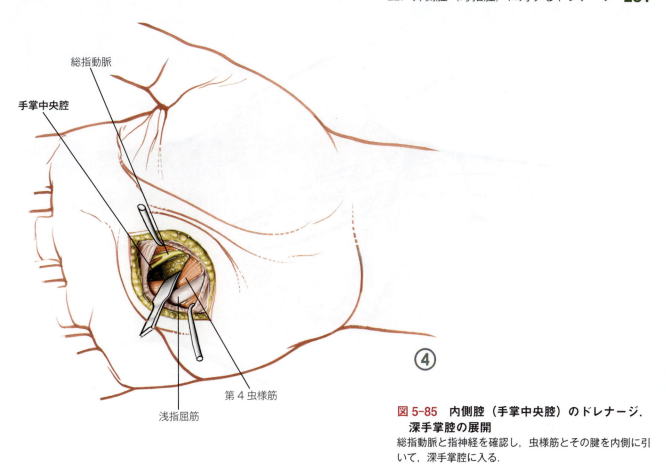

図 5-85 内側腔（手掌中央腔）のドレナージ．深手掌腔の展開
総指動脈と指神経を確認し，虫様筋とその腱を内側に引いて，深手掌腔に入る．

22 外側腔（母指腔）に対するドレナージ

皮切

母指球皮線の尺側で，約 4 cm の弯曲した皮切を加える（図 5-86）．

internervous plane

ここには internervous plane は存在しない．

浅層の展開

示指の指神経を同定，温存したのち，皮切に沿い深層に入り，示指の浅指屈筋腱を同定する（図 5-87，88）．この腱の深部に外側腔があるので，鈍的剥離により進入する（図 5-89）．

注意すべき組織

示指への**指神経**が皮切のすぐ下にあるので，手掌腱膜を切るときにこれを損傷しないようにする．

母指球への運動枝が手根管を出た正中神経の深層面から分岐する．この運動神経の本幹からの分岐には変異が多いので注意が肝要である．この神経は屈筋支帯の末端で鉤のように曲がって筋に入る．皮切の近位端でこの枝を求めれば損傷することはない（☞図 5-41）．

282 第5章 手関節と手

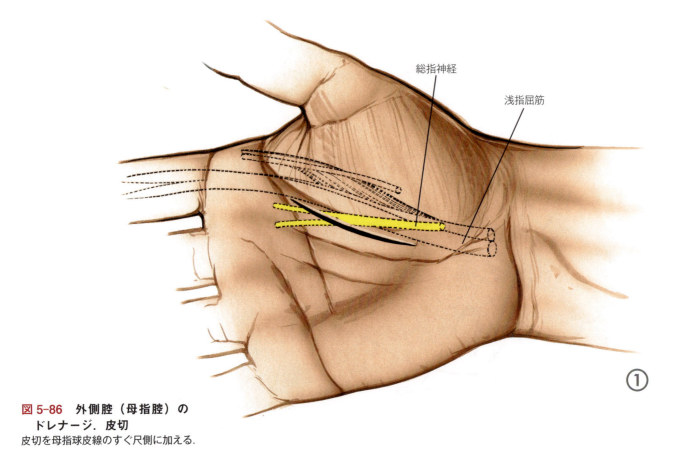

図 5-86 外側腔（母指腔）の ドレナージ．皮切
皮切を母指球皮線のすぐ尺側に加える．

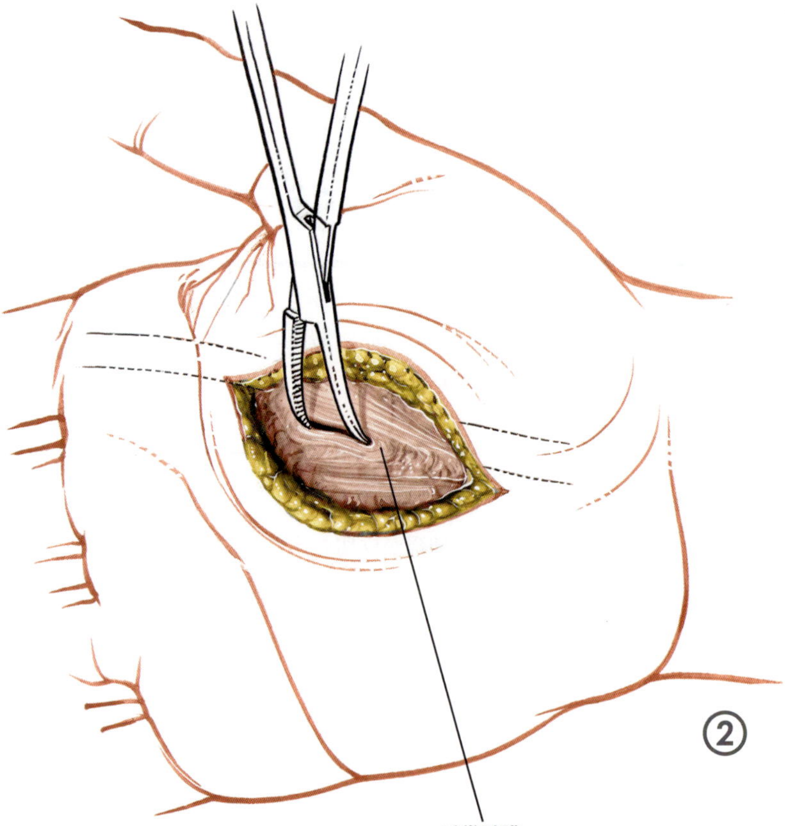

図 5-87 外側腔（母指腔）のド レナージ．手掌腱膜の同定と鈍 的剥離
示指屈筋腱の上で，手掌腱膜を同定し， 皮切に沿って拡げる．

22. 外側腔（母指腔）に対するドレナージ

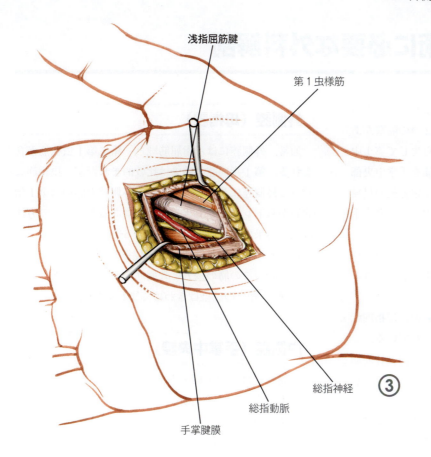

図 5-88 外側腔（母指腔）のドレナージ．示指屈筋腱の確認
神経血管束は示指屈筋腱の両側にあり，虫様筋は橈側にみられる．

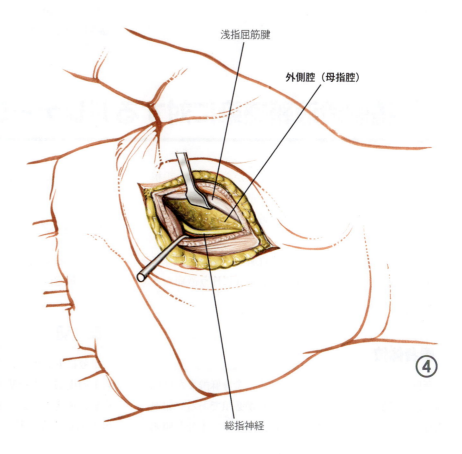

図 5-89 外側腔（母指腔）のドレナージ．外側腔進入
示指屈筋腱と虫様筋を橈側に引き，鈍的剥離によりその下の外側腔に入る．

23 深手掌腔の手術に必要な外科解剖

　手掌は中手骨に付着する線維性隔壁によりいくつかの腔に分けられる．とくにここには大きな2つの隔壁がある．すなわち，**母指球隔壁**は手掌腱膜から生じて第1中手骨に停止し，母指球を構成する3つの筋を手掌中央部と分離している．一方，**小指球隔壁**は，手掌腱膜の尺側から生じ，第5中手骨に停止し，小指球の3つの筋を手掌中央部から分離している（☞図 5-43，81）．

　このように手掌は，母指球コンパートメント，小指球コンパートメント，中央コンパートメントの3つのコンパートメントに分けられる．

　中央コンパートメントには，各指の屈筋腱，母指内転筋，指神経と血管，浅・深掌動脈弓が含まれている．

　中央コンパートメントの中で，屈筋腱の下面と骨間筋と母指内転筋の上面の間に**潜在性の深部腔（深手掌腔）**が存在する．この深手掌腔は，中指屈筋腱周囲の結合組織から生じ，第3中手骨掌側に停止する**斜走隔壁**により，内側腔（手掌中央腔）と外側腔（母指腔）とに分けられる[72]．この斜走隔壁は，深手掌腔の感染を臨床的に2つのはっきり別の腔に分類する解剖学的基盤となっている[67]．

外側腔（母指腔）

　通常，外側腔には示指屈筋腱と一緒に第1虫様筋が含まれる．第1指間腔の感染は比較的まれだが，虫様筋に沿って外側腔に及ぶことがある．外側腔の感染は第1指間腔からドレナージできる可能性はあるが，前述の方法ほどの効果は期待できない（☞図 5-86〜89）．

　この腔は母指内転筋の前方に位置している．また第2の潜在腔がこの筋の後方と骨間筋の前方にあるが，この"後内転筋腔"の感染はきわめてまれである[73]．

内側腔（手掌中央腔）

　内側腔には，中・環・小指の屈筋腱（腔の掌側境界）とともにそれらから起始する第2〜4虫様筋が含まれる．深部の境界は，骨間筋と第3，第4中手骨である．このように中・環指，および環・小指の間の指間腔の感染は，理論的にはこの内側腔に拡大することが考えられる（☞図 5-81）．内側腔はこれらの指間から排膿することもできるが，直接ドレナージするほうが効果的である（☞図 5-82〜85）．

24 橈側滑液鞘感染に対するドレナージ

　長母指屈筋腱は，末節骨の腱停止部から，手掌，手根管を経て前腕の屈筋支帯のすぐ近位部までの間，滑膜性腱鞘に包まれている．この腱鞘の近位部が橈側滑液鞘として知られている（図 5-90）．

　この腔の感染は，他の指の滑膜性腱鞘の感染と同様に母指の紡錘状の腫脹，指の自・他動伸展に伴う激痛などの臨床症状により診断される．

患者体位

　背臥位とし，手を上肢台にのせる．全身麻酔または伝達麻酔（腋窩または上腕ブロック）が必須である．駆血操作は行わないでターニケットに送気する．十分な照明を用いる（☞図 5-17）．

ランドマーク

　母指指節皮線は母指の指節間関節に一致し，母指の靱帯性腱鞘遠位端のすぐ近位にあたる．

皮　切

　十分にドレナージするには2つの皮切が必要である．第1の皮切を母指基節の外側で指節皮線の背側端に小さく縦に加える（図 5-91）．ついで第2皮切を，母指球隆起の内側（運動枝に気をつける），または手関節掌側

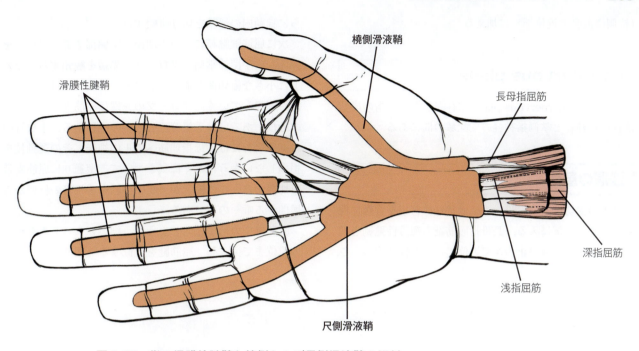

図 5-90　指の滑膜性腱鞘と橈側および尺側滑液鞘の解剖

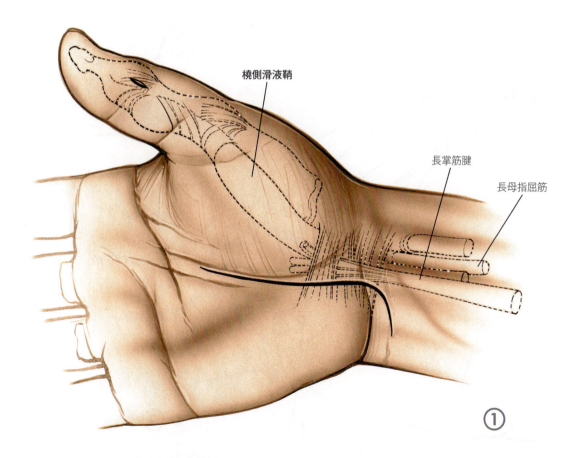

図 5-91　橈側滑液鞘感染のドレナージ．皮切
完全に排膿するには2ヵ所に皮切を加えるとよい．遠位の第1の皮切は母指基節の外側で，指節皮線の背側の小さな縦皮切である．第2の皮切は，手関節掌側の母指球隆起内側に始まり，橈側滑液鞘の端まで加える．正中神経と母指球への運動枝を損傷しないように注意を払う．

（橈側滑液鞘の近位端）に加える．

internervous plane

ここにはinternervous planeは存在しない．指の皮切は背側指神経と掌側指神経の支配域の間にある．

浅層の展開

第1の皮切に沿い，母指の橈側神経血管束を背側に保ちつつ創の深部に入る．長母指屈筋腱の靱帯性腱鞘を同定し，末節骨の腱停止のすぐ近位でこれを縦切する．さらに腱鞘内の滑膜を切り排膿する．

次に屈筋腱腱鞘に沿い手関節の掌側部までプローブを挿入し，手関節掌側にプローブの先端を触知する．その上に小さな縦切開を加え，プローブの端に向け注意しながら剝離していく．プローブの先端は屈筋支帯の近位端の近位，あるいは手根管そのものの中にある．手根管内にある場合には，母指球筋への正中神経とその運動枝を損傷しないようにとくに気をつけて，型通りに屈筋支帯を切離する．この場合が，正中神経を手根管の橈側から展開する唯一の例である．

腱鞘感染の治療と同じように，細いカテーテルを腱鞘の遠位まで挿入し，屈筋腱を灌流する（図5-92）．

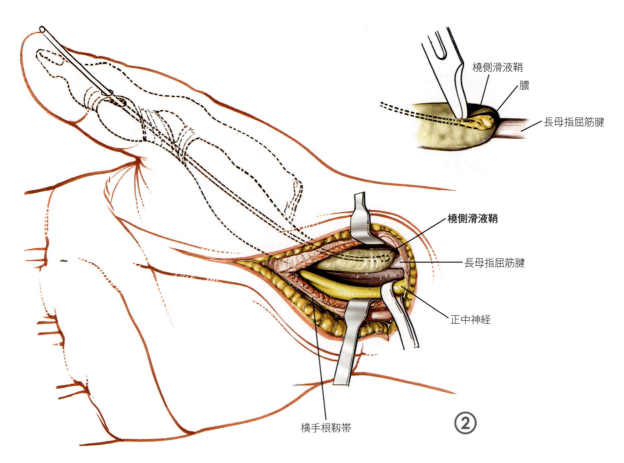

図5-92 橈側滑液鞘感染のドレナージ，展開および切開
長母指屈筋腱の靱帯性腱鞘を同定し，末節骨の腱停止のすぐ近位で縦に切開する．排膿のため滑膜を切り，腱鞘に沿ってプローブを近位へ挿入する．手関節高位で，挿入プローブ先端の上で小さな縦切開を加えれば排膿できる．

注意すべき組織

母指の側正中切開が掌側に大きくずれると，**橈側の神経血管束**を偶発的に損傷することがある．

特別なポイント

手関節部では，挿入されたプローブの先端上を盲目的に深部に向けて切り込んではいけない．さもないと正中神経とその運動枝や掌側皮枝を損傷するおそれがある（☞本章「6 手関節掌側の手術に必要な外科解剖」）．

術野拡大のコツ

このアプローチは局所的にも広範囲にも拡大できない．

25 尺側滑液鞘感染に対するドレナージ

小指屈筋腱の滑膜性腱鞘は，末節骨の腱停止から手関節の掌側，屈筋支帯の入口部まで存在する．また，示・中・環指の屈筋腱も手根管内ではこの滑膜層に包まれている．この滑膜腔の遠位は環・中・示指の屈筋腱から虫様筋が起始するところまでであり，これは尺側滑液鞘として知られている（☞図 5-90）．

小指の滑膜性腱鞘の感染は尺側滑液包の感染を生じる．臨床所見は，小指の腱鞘炎と同様で，自・他動伸展にさいし著しい疼痛を生じる．これに加え，疼痛は他の指を伸展するときに手掌に放散する．尺側滑液鞘は深部に存在するので，しばしば診断が困難である．手のとくに背側に浮腫が生じてくる特徴である．手掌は全体的に腫れるが，手掌のへこみは通常失われない．激しい圧痛があり，手関節を動かせなくなる．

患者体位

背臥位で，上肢台を用いる．駆血操作は行わない．全身麻酔または伝達麻酔（腋窩または上腕ブロック）下に行う．

ランドマーク

小指の遠位指節皮線はDIP関節に相当し，小指の靱帯性腱鞘遠位端のすぐ近位にあたる．

皮切

中節遠位端で小指尺側に小さな側正中皮切を加える（図 5-93，挿入図）．皮切は近位および遠位指節皮膚線の背側端を結んだ線よりも背側で行う．ついで，第2の皮切を手関節高位で小指球の外側面に縦に加える．

internervous plane

ここには internervous plane は存在しないが，皮切は背側指神経と掌側指神経の支配域の間におく．

浅層の展開

皮切に沿い，神経血管束の背側で深部に入る．靱帯性腱鞘を同定し，縦に切開を加える．ついで滑膜を切り排膿する．ここからプローブを腱に沿わせ，手関節掌側，屈筋支帯近位端までゆっくり挿入する．

プローブ先端部で，注意して皮膚に縦切開を加え，層々に剥離していく．プローブは屈筋支帯の近位端まで進める．しかし，手根管内にあることもあり，その場合にはその下にある正中神経を損傷しないように注意して，屈筋支帯をていねいに切離する．プローブの先端が前腕まできているときは，小指の浅指屈筋腱に近接している尺骨神経と動脈を損傷しないように気をつける（☞図 5-93）．

他の腱鞘の感染の場合も，同じく細いカテーテルを遠位から挿入し，持続的または間欠的に腱鞘を灌流する．

注意すべき組織

指の皮切が掌側に片寄ると小指尺側の**指神経**を損傷する危険がある．また，指血管も指神経に伴走している．

術野拡大のコツ

このアプローチは局所的にも広範囲にも拡大できない．

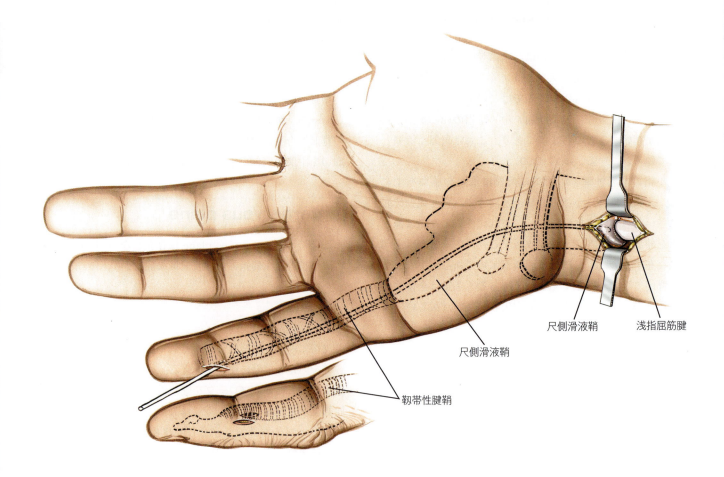

図 5-93 尺側滑液鞘感染のドレナージ
小指中節の遠位端尺側に小さな側正中皮切を加える．第2皮切を手関節高位で小指球隆起の外側に縦に加える．プローブを小指の靱帯性腱鞘下に遠位から近位に向け挿入し，その近位端でプローブ先端の上を切開すれば，そこが尺側滑液鞘の近位端である．

26 手の解剖

次に述べる正常な手の2つの特徴を知っていると，手の損傷にさいして，その病態を把握しやすい．

1) 手には自然の**安静肢位**（natural resting position）がある．安静時に指はそれぞれ平行で，MP関節とIP関節は軽度に屈曲位をとる．各指はそれぞれ少しずつ異なった回旋位をとる．すなわち示指から小指にかけて末節掌側面が母指に対立するために，回旋していることからわかる．この回旋の程度の異常が，指骨や中手骨骨折の転位の判定に有用である．指の屈曲の程度は，示指から小指にかけて次第に強くなる．これは筋力のバランスによるもので，もし1つの要素が失われたり欠損すると手の安静肢位は変化する．新鮮外傷によって屈筋腱が切断されると指は伸展したままになる．このような異常な安静肢位は腱損傷の存在を示唆していることがしばしばある．

2) **筋バランス**を理解することから，手の慢性疾患のときの手の肢位を説明することができる．内在筋が麻痺する尺骨神経損傷で，受傷後長期間経過している場合には，手は筋のバランス失調から異常な肢位を呈する．内在筋は，正常ではMP関節を屈曲し，PIP・DIP関節を伸展するが，内在筋機能の欠如によりMP関節は伸展し，PIP・DIP関節は屈曲し，いわゆる尺側鉤爪手が生じる．

手　掌

● 皮　膚

手掌と指の掌側の皮膚は硬い構造をしており，手掌皮線と指の指紋は特徴的なものである．皮膚は，強靱な線維で手掌腱膜と強固に結合しているので，ほとんど伸縮性がない．この線維は皮下脂肪を小房に分け，相当な圧にも抵抗できるようになっている．皮膚に可動性がないため，たとえ小さな皮膚欠損でも閉鎖することが難しく，**V-Y前進皮弁**や皮膚移植などの形成的処置が必要になる．

掌側皮膚の血行はきわめてよく，やや長く基部が遠位にある皮弁でも壊死に陥らないことが多い．しかし，皮切にさいしては，三角皮弁の頂点は60°以上の角度とし，遠位に基部をおく皮弁はできるだけ避けたほうがよい．

屈曲拘縮を防ぐには，皮切は手掌皮線と直交してはならない．手掌皮線上を切ること自体は問題ないが，皮膚の創縁がめくれ込んで創が閉じにくくなる．皮切の多くが手掌皮線に平行におかれるのはこのためである．

● 手掌腱膜

手掌腱膜は手掌の皮下にある強靱な線維組織である（☞図5-39）．これは長掌筋腱の連続で，屈筋支帯の遠位端で拡がり，母指球と小指球の間の手掌中央部分をおおっている．中手骨の遠位1/3のレベルでは，4つのバンドに分かれて，それぞれの指に向かっている．これらのバンドは遠位手掌皮線高位で，基節骨基部にいくものと，靱帯性腱鞘につくものとの2つに分かれている（☞図5-42）．

手掌の神経と血管は手掌腱膜の直下にあり，深層面とほぼ接触している．Dupuytren拘縮の患者では手掌腱膜が肥厚し，拘縮した線維性組織が指神経と血管の周囲全体に増殖し，包み込んでいる[74]．

母指球と小指球筋をおおう筋膜は，母指と小指が大きな可動性を持つため，中央部分に比べその厚みは薄い．

手掌腱膜は外側と内側縁で第1，第5中手骨と連結している．その結果，手は3つのコンパートメントすなわち母指腔，小指腔および手掌腔に分けられる．また，手の遠位部でも手掌腱膜と中手骨間には強い連結がみられる（☞図5-42）．

手掌の筋膜と厚い手掌の皮膚は，手掌への膿と浮腫の水平面の広がりを妨げている．膿は深層構造へ広がる傾向がある．手背の皮膚はゆるく，深層構造と連結していないので，浮腫は手背で顕著である．

● 母指球筋

母指球隆起は，短母指外転筋，短母指屈筋，母指対立筋と3つの小さな筋からなる（☞図5-42，43）．いずれも短母指外転筋と短母指屈筋の間から母指球筋内に入る正中神経の運動枝によって支配されている．

また，短母指屈筋の深頭は尺骨神経に支配されている．この二重神経支配があるため，正中神経の完全麻痺のときでも厚い短母指屈筋深頭が萎縮せず，母指球隆起は完全に平坦とならない．

母指の3つの小さな筋は2層の配列をなす．浅層は短

母指外転筋と短母指屈筋で，前者は後者より橈側にある．深層は母指対立筋であり，大菱形骨と鞍状関節をなす第1中手骨を回旋させる．母指が他の指と対立できることは，サルの手に比べ，ヒトの手が構造的に優っている大きな特徴のうちの1つである．この運動は複雑で，数個の筋を必要とする．短母指外転筋は母指を外転し，母指対立筋は回旋する．これに母指を屈曲することで対立運動が完成する．短母指外転筋はこの中でもっとも重要な筋である．正中神経が麻痺すると対立運動が不能となり，その結果，手はいわゆる猿手（ape hand）となる．

●小指球筋

小指球隆起は小指外転筋，小指屈筋，小指対立筋の3つの筋からなる．これらの筋はすべて尺骨神経に支配され，母指球筋と同様の配列をしている．浅層は小指外転筋と小指屈筋で，小指外転筋が尺側にある．深層は小指対立筋である．これらの筋はともに手掌が作るくぼみを深くする．母指に比べ小指には真の対立運動はほとんどみられない（☞図5-42，43）．

小指球隆起の浅層に短掌筋がある．これは尺骨神経浅枝が支配する唯一の筋である．

●神経および血管

手掌の第2層には，神経と血管がある（☞図5-41，42）．

浅掌動脈弓は，主として尺骨動脈からなる動脈弓である．これは橈骨動脈の浅掌側枝につながり完成するが，この血管はときおり欠損することがあり，このときは動脈弓は不完全なものになる．4つの**掌側指動脈**は動脈弓から生じ遠位に向かう．もっとも尺側の動脈は小指尺側に分布するが，他の3本の総指動脈は指間部で2本に分かれ，隣接した指に入る．

手掌では，指とまったく反対に動脈弓が神経の浅層にあること，および母指と示指橈側はこの動脈弓からその分枝を受けていないことに注意したい．

指神経は浅掌動脈弓のすぐ深部にある．尺骨神経は屈筋支帯の遠位端で浅枝と深枝に分かれ，浅枝は尺側1½の指の感覚を司る．正中神経は母指球への運動枝を分枝したのち，内外2つの感覚枝に分かれる．内側枝は環指橈側と中・示指尺側の感覚を，外側枝は示指橈側と母指全体の感覚を司る．

●長指屈筋腱

手掌の第3層の組織は長指屈筋腱群である．浅指屈筋腱は深指屈筋腱の上を走行する．各指の深指屈筋腱から虫様筋が起始し，MP関節の橈側を通って基節骨背側の指背腱膜に入る．虫様筋の尺側2個は隣接する深指屈筋腱から2頭をもって起こり，尺骨神経の支配を受ける．虫様筋の橈側2個は単頭で正中神経の支配を受ける．

●深掌動脈弓

深掌動脈弓は総指屈筋腱の深部にあって手掌における第4層をなす（☞図5-43，44）．この動脈弓は，母指内転筋の斜頭と横頭の間を通って手掌に入る橈骨動脈の終枝と尺骨動脈の深枝からなる．この高位で，尺骨動脈とともに全骨間筋を支配する尺骨神経深枝が走っている．

●手掌における深部筋

母指内転筋と骨間筋が手掌におけるもっとも深部の筋である（☞図5-44）．

骨間筋には背側と掌側の2つの群がある．背側骨間筋は中手骨の隣接面から2頭をもって生じ，基節骨に停止するので，指を中指中央から外転することができる．

掌側骨間筋は3個あり，背側のそれよりも小さい．それぞれ1個の中手骨から起始し，基節骨基部に停止するので，中指に向け内転する作用を有する．

骨間筋はいずれも尺骨神経深枝に支配される（骨間筋の機能は"PAD"と"DAB"と覚えるとよい；掌側は palmar interossei adduct，背側は dorsal interossei abduct である[75]）．

●他の組織

手掌の2つの構造，すなわち尺骨神経深枝と橈骨動脈は，層の概念からはみだした走行をする．両者の手関節から手にいたる走行は，それ以外の構造物の機能と密接にかかわり合う．

橈骨動脈は橈骨遠位部ではその掌側にあるが，手背に向かい長母指外転筋と短母指伸筋腱の下を通り，嗅ぎたばこ窩にある舟状骨上の手背に到達する．ついで，掌側に戻るため，手掌の最深層である第1背側骨間筋の2頭間を貫く．ここで橈側示指動脈と母指主動脈の2本の枝を分枝し，それぞれ示指と母指の血行を支配する．主要動脈幹は母指内転筋の2頭間を通り，深部筋の浅層を通って深掌動脈弓を形成する．

尺骨神経は，Guyon管を経て屈筋支帯の浅層で手に入り，浅枝と深枝に分かれる（☞図5-40）．浅枝は指神経を分岐し，浅掌動脈弓と同じ層にある．深枝は手掌の層を貫いて下行し，小指対立筋起始の頭部間を通り，橈

骨動脈と同じ層で骨間筋上へ達し，すべての骨間筋，2個の尺側虫様筋，母指内転筋2頭，3個の小指球筋と短母指屈筋深頭を支配する（図5-43, 44）．

手背

手背の解剖は手掌に比べ単純である．皮膚は掌側に比べ薄く，指屈曲のために可動性に富む．皮下組織は脂肪がほとんどなく静脈が多く走っており，静脈還流は手背を通して行われている．これは物を握ったときにその圧で静脈が圧迫されることがないようにするためである．手背の皮膚血行は掌側に比べ少ないので，遠位に基部をおく逆皮弁は壊死に陥りやすい．

橈側3½の指の背側の感覚は中節中央までは橈骨神経浅枝の終枝に支配され，これらの指の遠位は掌側指神経の枝による正中神経支配である．

尺側1½の指の背側は尺骨神経支配であり，近位1½の指節は尺骨神経の背側枝，遠位1½の指節は尺骨神経の枝（掌側指神経）に支配されている．

このことを臨床的に応用すると，末節は爪床を含め掌側指神経の周辺の局所麻酔により麻酔をすることができる．

手背にある腱は総指伸筋腱のみである．MP関節のすぐ近くで，3本の斜走線維（腱間結合）により結合している．そのため1本の腱が切れても，その近位への退縮はある程度軽減される．個々の総指伸筋腱はMP関節上を走行しているが，その深層部は関節包背側と連結している．この部の腱はさらに幅広くなり，基節背側で3本の索に分かれる．その中央索は中節骨基部に停止する．他の2本の側索は骨間筋と虫様筋の腱と合流して，幅広い指背腱膜あるいは指背腱膜腱帽を形成し，中手骨骨頭と基節基部を包み込む．指背腱膜腱帽は両側で，MP関節の掌側板に強固に癒合している．それぞれ両側の骨間筋は一部基節骨に停止するが，他は指背腱膜腱帽に合流する．この割合は指によって異なる．虫様筋腱はすべて指背腱膜腱帽に停止する（図5-13, 15, 43）．

手背の内在筋膜は，中節骨の背側で横走する指三角靱帯により互いに結合している．総指伸筋からの2本の側索が外側に向け走行し，最終的に末節骨基部に停止する．虫様筋と骨間筋は掌側から指背腱膜に停止するので，指のMP関節を内・外転するばかりか屈曲し，DIP関節とPIP関節を伸展する．したがって，それぞれ伸展した指は独立して屈曲することができる．

中央索や指三角靱帯の断裂はPIP関節の屈曲変形を生じる．このとき2本の側索はPIP関節の掌側に移動し，屈筋として働き，2本の側索の間はいわゆる"ボタンの穴"になる．この変形はボタン穴変形として知られている．

文献

1. Dimitrios FA, Syngouna S, Fandridis E, et al. Infections of the hand: an overview. *EFORT Open Rev*. 2019;4:183-193.
2. McDonald LS, Bavaro MF, Hofmeister EP, Kroonen LT. Hand infections. *J Hand Surg Am*. 2011;36:1403-1412.
3. Shim JW, Park MJ. Arthroscopic synovectomy of wrist in rheumatoid arthritis. *Hand Clin*. 2017;33:779-785.
4. Kessler I, Vainik K. Posterior (dorsal) synovectomy for rheumatoid involvement of the hand and wrist: a follow up study of sixty-six procedures. *J Bone Joint Surg Am*. 1966;48:1085-1094.
5. Kulick RG, Defiore JC, Straub LR, et al. Long term results of dorsal stabilization in the rheumatoid wrist. *J Hand Surg Am*. 1981;6:272-280.
6. Wagner ER, Elhassan BT, Kakar S. Long-term functional outcomes after bilateral total wrist arthrodesis. *J Hand Surg Am*. 2015;40:224-228.
7. Mackenzie IG. Arthrodesis of the wrist in reconstructive surgery. *J Bone Joint Surg Br*. 1960;42B:60-64.
8. Montgomery S, Rollick N, Kubik J, et al. Surgical outcomes of chronic isolated scapholunate interosseous ligament injuries: a systematic review of 805 wrists. *Can J Surg*. 2019;62:199-210.
9. Jakubietz MG, Gruenert JG, Jakubietz RG. Palmar and dorsal fixed-angle plates in AO C-type fractures of the distal radius: is there an advantage of palmar plates in the long term? *J Orthop Surg Res*. 2012;7:8.
10. Spiteri M, Ng W, Matthews J, et al. Three year review of dorsal plating for complex intra-articular fractures of the distal radius. *J Hand Surg Asian Pac Vol*. 2018;23:221-226.
11. Leixnering M, Rosenauer R, Pezzei C, et al. Indications, surgical approach, reduction, and stabilization techniques of distal radius fractures. *Arch Orthop Trauma Surg*. 2020;140:611-621.
12. Matschke S, Wentzensen A, Ring D, et al. Comparison of angle stable plate fixation approaches for distal radius fractures. *Injury*. 2011;42:385-392.
13. Jorgensen EC. Proximal row carpectomy. *J Bone Joint Surg Am*. 1969;51:1104-1111.
14. Crabbe NA. Excision of the proximal row of the carpus. *J Bone Joint Surg Br*. 1964;46:708-711.
15. Garcia BN, Lu CC, Stephens AR, et al. Risk of total wrist arthrodesis or reoperation following 4-corner arthrodesis or proximal row carpectomy for stage-II SLAC/SNAC arthritis: a propensity score analysis of 502 wrists. *J Bone Joint Surg Am*. 2020;102:1050-1058.
16. Klausmeyer MA, Fernandez DL, Caloia M. Scaphocapitolunate arthrodesis and radial styloidectomy for posttraumatic degenerative wrist disease. *J Wrist Surg*. 2012;1:47-54.
17. Noordanus RP, Pot JH, Jacobs PB, Stevens K. Delayed rupture of the extensor pollicis longus tendon: a retrospective study. *Arch Orthop Trauma Surg*. 1994;113:164-166.
18. Lepage D, Tatu L, Loisel F, et al. Cadaver study of the topography of the musculotendinous junction of the finger extensor muscles: applicability to tendon rupture following closed wrist trauma. *Surg Radiol Anat*. 2015;37:853-858.
19. Ahuja NK, Chung KC. Fritz de Quervain, MD (1868-1940): stenosing tendovaginitis at the radial styloid process. *J Hand Surg Am*. 2004;29:1164-1170.
20. Ring D, Jupiter JB, Brennwald J, et al. Prospective multicenter trial of a plate for dorsal fixation of distal radius fractures. *J Hand Surg Am*. 1997;22:777-784.
21. Schurko BM, Lechtig A, Chen NC, et al. Outcomes and complications following volar and dorsal osteotomy for symptomatic distal radius malunions: a comparative study. *J Hand Surg Am*. 2020;45:158.e1-158.e8.

22. Andreasson I, Kjellby-Wendt G, Fagevik-Olsén M, et al. Long-term outcomes of corrective osteotomy for malunited fractures of the distal radius. *J Plast Surg Hand Surg*. 2020;54:94-100.
23. Ma T, Zheng X, He XB, Guo KJ. The role of brachioradialis release during AO type C distal radius fracture fixation. *Orthop Traumatol Surg Res*. 2017;103:1099-1103.
24. Mahmood A, Cheung GC. The importance of pronator quadratus repair in the treatment of distal radius fractures with volar plating. *Hand (N Y)*. 2014;9:129.
25. Tosti R, Ilyas AM. Prospective evaluation of pronator quadratus repair following volar plate fixation of distal radius fractures. *J Hand Surg Am*. 2013;38:1678-1684.
26. Mulders MAM, Walenkamp MMJ, Bos FJME, et al. Repair of the pronator quadratus after volar plate fixation in distal radius fractures: a systematic review. *Strategies Trauma Limb Reconstr*. 2017;12:181-188.
27. Itoh S, Yumoto M, Kanai M, et al. Significance of a pronator quadratus – sparing approach for volar locking plate fixation of comminuted intra-articular fractures of the distal radius. *Hand (N Y)*. 2016;11:83-87.
28. McCann PA, Clarke D, Amirfeyz R, Bhatia R. The cadaveric anatomy of the distal radius: implications for the use of volar plates. *Ann R Coll Surg Engl*. 2012;94:116-120.
29. Phalen GS, Gardner WJ, Lalonde AA. Neuropathy of the median nerve due to compression beneath the transverse carpal ligament. *J Bone Joint Surg Am*. 1950;32:109-112.
30. Doyle JR, Carroll RE. The carpal tunnel syndrome: a review of 100 patients treated surgically. *Calif Med J*. 1968;108:263-267.
31. Brianna L, Maroukis BS, Ogawa T, et al. Guyon canal: the evolution of clinical anatomy. *J Hand Surg Am*. 2015;40:560-565.
32. Fadel ZT, Samargandi OA, Tang DT. Variations in the structure of the Guyon canal. *Plast Surg (Oakv)*. 2017;25:84-92.
33. Rettig AC. Hamate and pisiform fractures in the professional football player. *Hand Clin*. 2012;28(3):305.
34. O'Shea K, Weiland AJ. Fractures of the hamate and pisiform bones. *Hand Clin*. 2012;28:287-300.
35. Stahl S, Stahl S, Calif E. Latent pisotriquetral arthrosis unmasked following carpal tunnel release. *Orthopedics*. 2010;33:673.
36. Rouhart F, Fourquet I, Tea SH, et al. Lesion of the deep branch of the ulnar nerve caused by fracture of the hook of the hamate. *Neurophysiol Clin*. 1990;20:253-258.
37. Ioannis D, Anastasios K, Konstantinos N, et al. Palmaris longus muscle's prevalence in different nations and interesting anatomical variations: review of the literature. *J Clin Med Res*. 2015;11:825-830.
38. Xu X, Lao J, Zhao X. How to prevent injury to the palmar cutaneous branch of median nerve and ulnar nerve in a palmar incision in carpal tunnel release, a cadaveric study. *Acta Neurochir (Wien)*. 2013;155:1751-1755.
39. Ozcanli H, Coskun NK, Cengiz M, et al. Definition of a safe-zone in open carpal tunnel surgery: a cadaver study. *Surg Radiol Anat*. 2010;32:203-206.
40. Sonderland S. *Nerves and Nerve Injuries*. Williams & Wilkins; 1968.
41. Spinner M. *Injuries to the Major Branches of Peripheral Nerves in the Forearm*. WB Saunders; 1978:215.
42. Stellbrink G. Compression of the palmar branch of the median nerve by atypical palmaris longus muscle. *Handchirurgie*. 1972;4:155-157.
43. Tubbs RS, Rogers JM, Loukas M, et al. Anatomy of the palmar branch of the ulnar nerve: application to ulnar and median nerve decompressive surgery. *J Neurosurg*. 2011;114:263-267.
44. Al-Qattan MM. Variations in the course of the thenar motor branch of the median nerve and their relationship to the hypertrophic muscle overlying the transverse carpal ligament. *J Hand Surg Am*. 2010;35:1820-1824.
45. Kaplan EB. *Functional and Surgical Anatomy of the Hand*. JB Lippincott; 1953.
46. Johnson EK, Shrewsbury MM. Anatomical course of the thenar branch of the median nerve – usually in a separate tunnel through the transverse carpal ligament. *J Bone Joint Surg Am*. 1970;52:269-273.
47. Entin MA. Carpal tunnel syndrome and its variants. *Surg Clin North Am*. 1968;48:1097-1012.
48. Mannerfelt L, Hybrinette CH. Important anomaly of the thenar branch of the median nerve. *Bull Hosp Joint Dis*. 1972;3:15-21.
49. Graham WP III. Variations of the motor branch of the median nerve at the wrist. *Plast Reconstr Surg*. 1973;51:90-92.
50. Lanz V. Anatomical variations of the median nerve in the carpal tunnel. *J Hand Surg Am*. 1977;2:44-53.
51. Bruner JM. The flexor tendons in the hand. *J Bone Joint Surg Am*. 1973;53:84.
52. Milford L. The hand. In: Edmonson AS, Crenshaw AH, eds. *Campbell's Operative Orthopaedics*. CV Mosby; 1980.
53. Chinchalkar SJ, Larocerie-Salgado J, Suh N. Pathomechanics and management of secondary complications associated with tendon adhesions following flexor tendon repair in zone II. *J Hand Microsurg*. 2016;8:70-79.
54. Furlong R. *Injuries of the Hand*. Little, Brown & Co; 1957.
55. Bunnells S. The early treatment of hand injuries. *J Bone Joint Surg Am*. 1951;33:807-811.
56. Ochiaai N, Matsui T, Miyaji N, et al. Vascular anatomy of flexor tendon: I. Vincular system and blood supply of the profundus tendon in the digital sheath. *J Hand Surg Am*. 1979;4:321-330.
57. Stewart DA, Smitham PJ, Gianoutsos MP, et al. Biomechanical influence of the vincula tendinum on digital motion after isolated flexor tendon injury: a cadaveric study. *J Hand Surg Am*. 2007;32:1190-1194.
58. Lundborg G, Myrhage R, Rydevik B. The vascularization of human flexor tendons within the digital synovial sheath region: structural and functional aspects. *J Hand Surg Am*. 1977;2:417-427.
59. Russe O. Fracture of the carpal navicular. *J Bone Joint Surg Am*. 1960;42:759-768.
60. Ghoneim A. The unstable nonunited scaphoid waist fracture: results of treatment by open reduction, anterior wedge grafting, and internal fixation by volar buttress plate. *J Hand Surg Am*. 2011;36:17-24.
61. Wu F, Ng CY, Hayton M. The authors' technique for volar plating of scaphoid nonunion. *Hand Clin*. 2019;35:281-286.
62. Herbert TJ, Fisher WE. Management of the fractured scaphoid using a new bone screw. *J Bone Joint Surg Br*. 1984;66:114-123.
63. Taleisnik J, Kelly PJ. The extraosseous and interosseous blood supply of the scaphoid bone. *J Bone Joint Surg Am*. 1966;48:1125-1137.
64. Kawamura K, Chung KC. Treatment of scaphoid fractures and nonunions. *J Hand Surg Am*. 2008;33:988-997.
65. Fowler JR, Ilyas AM. Epidemiology of adult acute hand infections at an urban medical center. *J Hand Surg Am*. 2013;38:1189-1193.
66. Robins RHC. Infections of the hand. *J Bone Joint Surg Br*. 1952;34:567-580.
67. Kanavel AB. *Infections of the Hand: A Guide to the Surgical Treatment of Acute and Chronic Suppurative Processes in the Fingers, Hands, and Forearm*. 7th ed. Lea & Febiger; 1939.
68. Shafritz AB, Coppage JM. Acute and chronic paronychia of the hand. *J Am Acad Orthop Surg*. 2014;22:165-174.
69. Monstrey SJ, van der Werken C, Kauer JM, Goris RJ. Tendon sheath infections of the hand. *Neth J Surg*. 1985;37:174-178.
70. Dailiana ZH, Rigopoulos N, Varitimidis S, et al. Purulent flexor tenosynovitis: factors influencing the functional outcome. *J Hand Surg Eur Vol*. 2008;33:280-285.
71. Nevasier RJ. Acute infections. In: Green DP, Hotchkiss RN, Pederson WC, eds. *Green's Operative Hand Surgery*. 4th ed. Churchill Livingstone; 1999:1033.
72. Flynn JE. Clinical and anatomical investigations of deep fascial space infections of the hand. *Am J Surg*. 1942;55:467-475.
73. Lannon J. The posterior adductor and posterior interosseous spaces of the hand. *S Afr Med J*. 1948;22:283.
74. Dupuytren G. Permanent retraction of the fingers produced by an affection of the palmar fascia. *Lancet*. 1834;2:222.
75. Last RJ. *Anatomy Regional and Applied*. 6th ed. Churchill Livingstone; 1978.

参考文献

Jupiter JB, Ring DC. *AO Manual of Fracture Management: Hand and Wrist*. Thieme; 2005.

McAuliffe JA. Combined internal and external fixation of distal radial fractures. *Hand Clin*. 2005;21:395-406.

第6章

The Spine

脊椎

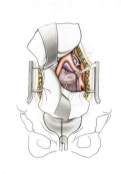

腰椎
1. 腰椎への後方アプローチ ……………… 294
2. 腰椎への後方最小侵襲アプローチ ……… 299
3. 腰椎への後方アプローチに必要な外科解剖 ‥ 302
4. 腰椎への前方（経腹膜）アプローチ …… 306
5. 腰椎への前方（後腹膜）アプローチ …… 314
6. 腰椎への前方アプローチに必要な外科解剖 ‥ 318
7. 腰椎への前側方（後腹膜）アプローチ …… 325

頚椎
8. 下位（C3～C7）頚椎への後方アプローチ ‥ 334
9. 下位頚椎への後方アプローチに必要な外科解剖 ‥ 341
10. 上位（C1～C2）頚椎への後方アプローチ ‥ 347
11. 上位頚椎への後方アプローチに必要な外科解剖 ‥ 352
12. 頚椎への前方アプローチ ……………… 353
13. 頚椎への前方アプローチに必要な外科解剖 ‥ 359

胸椎
14. 胸椎への後側方アプローチ（肋骨横突起切除術） ……………………………… 365
15. 開胸による胸椎への前方アプローチ …… 370

胸腰椎／脊柱側弯症
16. 脊柱側弯症に対する胸腰椎への後方アプローチ ‥ 380
17. 胸腰椎への後方アプローチに必要な外科解剖 ‥ 386
18. 肋骨切除のための後側方アプローチ …… 392
19. 肋骨骨折に対する固定のためのアプローチ ‥ 395
20. 筋肉を温存した後側方からの肋骨プレートのためのアプローチ ………………… 395
21. 肋骨のプレート固定のさいの腋窩アプローチ ‥ 399

第6章

　脊椎の解剖は部位によって様相を異にする．頚椎は小型で，可動性に富むが，胸椎部では肋骨が付着しているため可動性は小さい．腰椎部とくに下位腰椎での可動性は胸椎部に比べて大きいが，頚椎部の動きよりも小さい．脊椎における病的変化は主にこの可動性の大きい頚椎部と腰椎部に多発し，しばしば外科的治療の対象となる．

　脊椎に対し前方あるいは後方から自在にアプローチするためには，前方，後方各要素の病的変化を理解することが重要である．たとえば椎体の感染巣，椎体骨折あるいは椎体腫瘍には，しばしば前方アプローチが適応される．脊柱には各種の前方アプローチがあるが，ここではすべての脊柱前方要素への到達が可能な基本的アプローチについて述べることとする．

　後方アプローチは頻繁に用いられる．正中後方アプローチはもっとも一般的で脊髄や椎間板も含めたすべての脊椎後方要素への到達の基本である．

　整形外科の外傷医は，集中治療室にいる同僚の一般外科医からフレイルチェストの患者の肋骨固定をするように要求されることが増えている．2つのアプローチが報告されており，このうちの1つが胸椎に対する外側アプローチである．しばしば脊椎の一部を固定する手術が必要となる．腸骨は骨移植をするための最適な部位である．これらの外科的アプローチの詳細は第7章「骨盤と寛骨臼」に記載した．

腰　椎

1　腰椎への後方アプローチ

　後方アプローチは腰椎部ではもっとも一般的なもので，馬尾や椎間板のみならず脊椎後方要素（棘突起，椎弓，椎間関節，椎弓根など）を展開し，十分に上下に拡大することができる．

　後方アプローチは，次のような場合に用いられる．
- 椎間板ヘルニアの切除[1]
- 脊髄神経（根）の展開[2]
- 脊椎固定[3,4]
- 腫瘍摘出[5]

患者体位

　次の2つの体位のいずれかで行う．

　腹臥位とし，両側に2本の長枕を挿入する．これによって腹部圧迫を低下させ，直接下大静脈および脊髄硬膜外静脈叢の血液うっ滞を防止する．肩は90°以上の外転位をとらせないこと，および上腕神経叢への緊張を避けるため，軽く前方屈曲位とすべきである．肘部では尺骨神経，手関節部では正中神経を保護するため，注意深く枕子をあてる．頭頚部はリラックスした中間的姿勢とし，術後，眼球圧迫による失明を避けるため頭部を前屈しすぎないよう十分注意する．術後に起こる失明は血液灌流の障害，眼圧上昇によるものである．

　除圧を目的とした後方アプローチでは，椎弓間の距離を広めにとるよう至適な股屈曲の肢位で手術を行う．固定術のさいは正しい腰椎前弯になるよう体位を調整する（図6-1A）．

　一方，側臥位の場合，股および膝は適度な屈曲位とする．手術部位によっては体位を調整するが，手術台をジャックナイフ状に折れば椎間腔をやや広めに保つことができる．この体位の有利な点は術者が座位で行えること，および血液が術野から自然に流れ出ることである（図6-1B）．

　いずれの体位においても，深部を十分に照明できる冷光源ヘッドランプを用いる．

ランドマーク

　棘突起は容易に触知できるが，左右の**腸骨稜**を結ぶ線上はおよそL4/L5椎間に相当する．正確な高位決定に

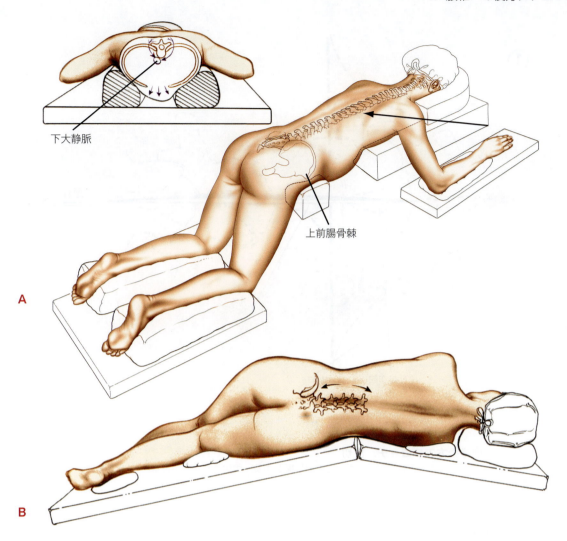

図 6-1　腰椎後方アプローチ．患者体位
A：腹臥位，または B：患側を上にした側臥位．

は棘突起に針を刺入し，X 線撮影を行うか，または術中仙椎の位置を確認する．

皮切

手術を行う部位の上下棘突起に及ぶ正中縦切開とする．その長さは展開する脊椎の数によって決定する（図 6-2）．

internervous plane

両側の傍脊柱筋（脊柱起立筋）間，つまり正中矢状面がこれにあたる．これら筋群は腰神経の第 1 背側枝によって分節性に支配されている．

浅層の展開

正中縦皮切線上で棘突起に達するまで切開を加える．傍脊柱筋の棘突起からの骨膜下剥離は Cobb エレベーターまたは焼灼器を用いて 1 椎ずつ行う（図 6-3）．これを棘突起先端から椎間関節にいたるまで行う．成長期の患者では棘突起先端は軟骨性アポフィジス（apophysis）でおおわれているので，これを正中線上で左右に二分してから行うと骨膜下の展開がより容易となる（図 6-4）．

この展開をさらに側方まで拡げようとするときには，下関節突起から上関節突起にまたがる椎間関節包を剥離する．そのコツは下関節突起から上関節突起の乳様突起に向かって内から外へ進めることである．横突起まで展開する必要がある場合には，さらに上関節突起の外前方へ向けて剥離を進める（☞図 6-4）．

296　第6章　脊椎

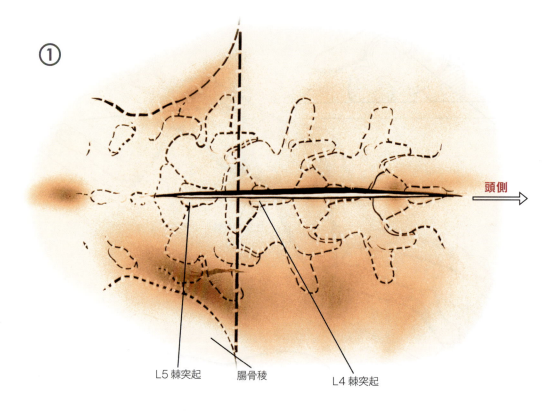

L5棘突起　腸骨稜　L4棘突起

図 6-2　腰椎後方アプローチ．皮切
手術レベルにおける上・下棘突起に沿った正中縦切開とする．両腸骨稜を結ぶ線は，L4/L5椎間レベルにほぼ相当する．

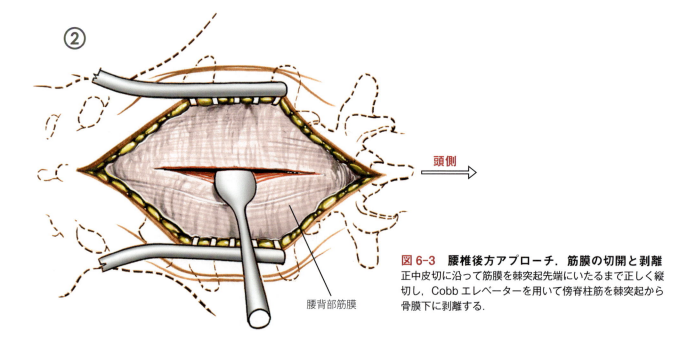

腰背部筋膜

図 6-3　腰椎後方アプローチ．筋膜の切開と剥離
正中皮切に沿って筋膜を棘突起先端にいたるまで正しく縦切し，Cobbエレベーターを用いて傍脊柱筋を棘突起から骨膜下に剥離する．

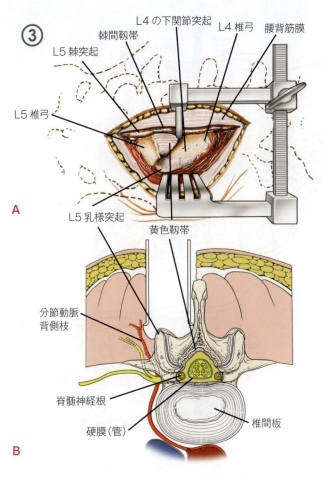
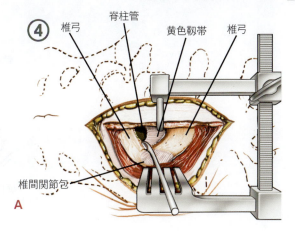
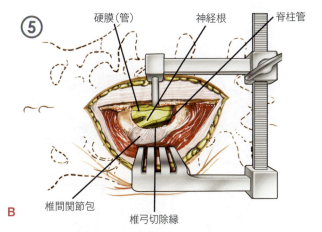

図 6-4 腰椎後方アプローチ．椎弓の展開
A：椎間関節がみえるまで 1 椎ずつ傍脊柱筋を剥離する．
B：椎間関節包を除去するときには，さらに側方まで剥離を進める．側方への展開では，分節動脈の背側枝からの出血に注意する．

図 6-5 腰椎後方アプローチ．椎弓間開窓と脊柱管内の視認
A：黄色靱帯は開窓を行うべき下位椎弓の上縁に沿ってまずメスで横切し，さらに鋭匙で切除する．
B：開窓後の図．黄色靱帯と硬膜外脂肪の下には，青白色の硬膜をみる．神経根の確認．硬膜外静脈叢に注意する．

深層の展開

　黄色靱帯の除去は，椎弓上縁の起始部ではまずメスで，椎弓下縁の付着部では鋭匙などを用いて行う．硬膜外脂肪組織の直下には青白くみえる硬膜が存在する．注意深く硬膜および神経根を正中側に向けて鈍的剥離していく（図 6-5 ～ 8）*．

*訳者註：椎間板ヘルニアに対する後方手術での神経根排除は，安全のため原則として正中側に排除すべきである．

注意すべき組織

　各神経根は愛護的に扱わなければならない．開創部の側方をより広めに展開するほど神経根の確認は容易となり，神経根の正中側への排除と椎間板の露出がしやすくなる．もし，より広い展開の必要があるときには，手術すべき椎弓の下縁を広めに切除する*．

*訳者註：あるいは上下椎のそれぞれ下縁，上縁を展開する．

　椎間関節に近接して横突起間を背側に向かって通過する血管は，傍脊柱筋を栄養する血管で分節性に存在する．これら**分節動脈の背側枝**は，傍脊柱筋を側方へ展開していくときしばしば損傷し出血する．止血には十分な焼灼凝固が必要である．また，**腰神経後枝**も分節性に傍脊柱筋を支配しており，これが分節動脈背側枝と並行していることに注意する．しかし，いずれも分節性の支配であるため，1 ないし数本が焼灼されても，傍脊柱筋は阻血や完全な脱神経に陥ることはない（☞ 図 6-4）．

　脊柱管の腹側および神経根周辺に存在する**脊柱管内静脈叢**からの出血は，椎間板後方部を展開するさいにしばしば起こりうる（☞ 図 6-7）．この止血にはゼルフォームまたはトロンビンに浸したオキセル綿を用いる．Malis バイポーラーでの焼灼を行うときは，神経根に対

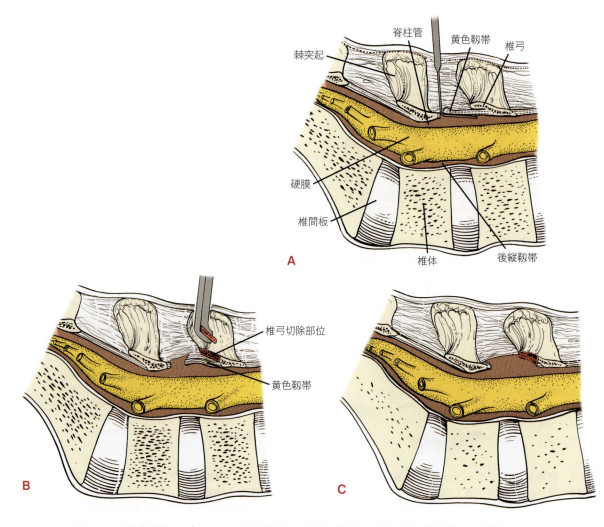

図6-6　腰椎後方アプローチ．黄色靱帯の切除と椎弓の部分咬除（開窓）の手順
A：黄色靱帯の切開部から小剥離子を硬膜外腔の頭側へ向けて挿入し，スペースを確かめる．
B：Kerrison鉗子により椎弓下半分を咬除する．黄色靱帯はこの下半分の脊柱管内面に付着している．
C：残余の椎弓と黄色靱帯を切除する．

する熱の影響を十分考慮すべきである．

　椎体前方に位置する腸骨動静脈の損傷は，髄核摘出のさい，ロンジュールで前方線維輪や前縦靱帯を破ってしまう場合[*]に起こりうる[6]（☞図6-21）．

[*]訳者註：後方から行う椎間板切除術に起こりうる内臓損傷はL4/L5椎間で最多で大血管損傷（動静脈瘻形成，裂傷など）が，L5/S1椎間では腸管損傷が生じうるとの報告がある．

関節の一部も切除することがある．神経根や硬膜の無理な排除を行うよりも安全確保のために骨切除を十分に行うことが大切である．創の展開が困難な場合には，背筋の排除を容易にするため上下に隣接する椎弓での筋剥離を追加する．

　後方椎体間固定術や横突起間固定（後側方固定術）などを行う場合には，椎間関節を越えて可能な限り前側方へと進み，横突起を触知できるまで展開を行う（☞図6-4）．

術野拡大のコツ

●深部への拡大

　硬膜，神経根や椎間板を十分に展開するためには，椎弓の上下縁の骨切除（開窓）を追加する．このとき椎間

●上下への拡大

　正中線上での皮膚切開および脊柱後方の腰背筋の剥離を行う．これによってC1から仙椎にいたる全脊柱に拡げることが可能である．

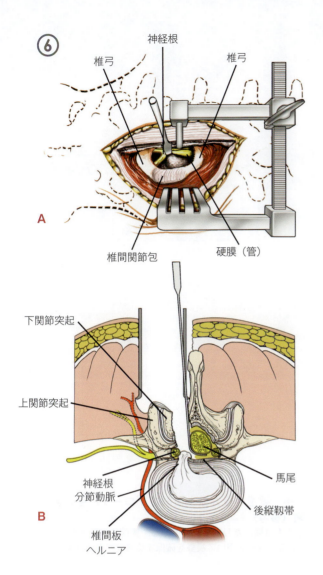

図 6-7 腰椎後方アプローチ．神経根・硬膜の排除とヘルニアの展開
A：神経根と硬膜を慎重に正中側へ向けてゆっくりと移動させ，椎間板後面を展開する．
B：椎間板脱出ヘルニアの場合の硬膜排除とヘルニア腫瘤による神経根のインピンジメントを描出した水平断像．

2 腰椎への後方最小侵襲アプローチ

　腰椎への後方最小侵襲アプローチは近年，単レベルの椎間板または神経根障害に対しては，従来の後方手術に代わりつつあるものである．最小侵襲アプローチは術後疼痛の軽減，入院期間の短縮，早期復職など有利な点がある．しかし技術の修得を要し，硬膜の損傷のリスクも高い[7]．
　画像診断の進歩により，あらかじめ局所病態を正しく把握しておくことが可能となってきている．
　主な適応は次の通りである．
- 椎間板切除[8]
- 神経根除圧

患者体位

　X線透視可能な手術台に，腹部を圧迫することのない腹臥位とし，四肢には枕子をあてる．

ランドマーク

　棘突起を触知し，X腺透視で目的とする椎間板レベルを確認する．

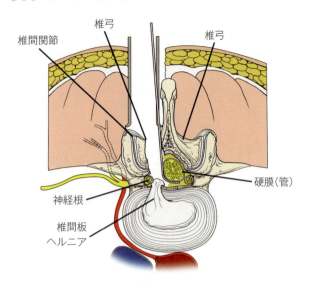

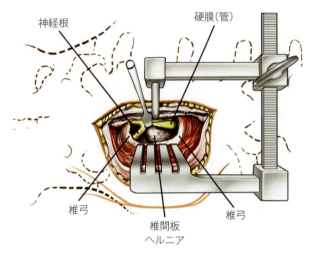

図 6-8 腰椎の後方最小侵襲アプローチ．手術部位全体図（参考）
皮切は 1 椎間あたり約 3 cm である．実際には手術顕微鏡と円筒型レトラクターを用いて視野を確保する必要がある（☞図 6-9）．

皮切

棘突起から約 1 cm 側方で，1 椎間あたり 3 cm 程度の小縦切開とする．

internervous plane

このアプローチでは，いわゆる脊柱起立筋，すなわち神経の分節支配を受けている仙棘筋群の筋線維を分けるので問題はない．

浅層の展開

皮下脂肪組織および脊柱起立筋膜にいたる小切開を加える．

深層の展開

●経腰背筋アプローチ

大きめの鈍針を用い，目的とする椎弓の椎間関節の内側寄りを目がけて刺入し，X 線透視で先端の位置を確認する．これをガイドにして大きめの円筒型レトラクターを設置し，椎弓縁，黄色靱帯，さらに神経根を直視する[9]．この過程では高速ドリルまたは鋭匙などを用いる．できる限り鏡視下に細心の止血を施すことが大切である．脊柱管の外側塊（lateral recess）を除圧するには，椎間関節突起の内側切除を加える．神経根を正中側へ寄せ，ヘルニア腫瘤を展開する（図 6-9）．

●経骨膜下アプローチ

目的とする腰椎局所を X 線透視で確認する．棘突起側方 3 cm の部位に小切開を加え，脊柱起立筋を棘突起

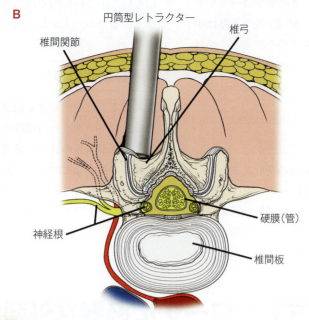
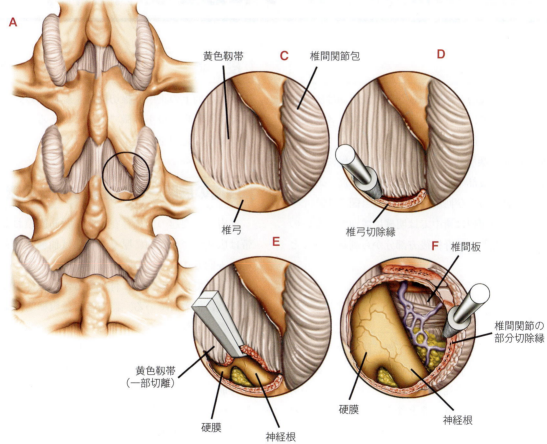

図 6-9　腰椎の後方最小侵襲アプローチ．術野と手順
A：X線透視によるレベルの確認．目的とするレベルの正中から2cm側方に進入路を定める．
B：1～2cmの筋膜の縦切開．脊柱起立筋は鈍的にダイレーターを使って分け，最後に円筒型レトラクターを設置する．その先端は，上下椎弓縁の交差点，すなわち外側は椎間関節，内側には黄色靱帯がみえる位置とする．
C：上下開窓部にあたる椎弓はエアドリルで薄くする．
D：黄色靱帯を正中側へ排除もしくは切離する．Kerrison鉗子による椎弓下縁を咬除する．
E：脊髄硬膜を露出するため，黄色靱帯を除去または内側へ反転し排除する．
F：硬膜および神経根を内側（正中側）へ寄せ，ヘルニア腫瘤を展開する．内椎骨（硬膜外）静脈叢に十分注意する．

骨膜下に剥離し椎弓縁を切除する．このアプローチやテクニックは従来法と同じであるが，軟部組織の損傷は小さくなる．椎弓展開ののち，手術顕微鏡を装着し，椎弓を高速ドリルで削って薄くする．黄色靱帯はロンジュールなどで除去するか，内側へ引き寄せる（☛図 6-9E）．

注意すべき事項

円筒型レトラクターの正確な位置決めが肝要である．アプローチがずれないようX線コントロールは不可欠である．経腰背筋アプローチにおいて，鈍針の棘入点が正中側へ寄りすぎると，円筒型レトラクターが挿入困難となる．手術台を傾けるのも一法だが，よい手術は行いにくい．小さい展開では出血によって術野が容易に見えなくなるため，入念な止血操作がとくに重要である．

術野拡大のコツ

異なる部位の病変部も観察する必要があるときには，円筒型レトラクターの位置を変えるか，角度を変える．たとえば椎間板の脱出，側方ヘルニアあるいは反対側の脊柱管の除圧などの場合である．必要に応じてよりサイズの大きいレトラクターに変更する．腰椎前弯が強い症例では，レトラクターの角度を少し変えるだけで，隣接椎間にも到達しやすくなる．

3 腰椎への後方アプローチに必要な外科解剖

概　観

腰背部の筋群は浅層と深層からなる．浅層筋は広背筋で，これは腋窩後壁における最強の筋であり，各棘突起に起始し上腕骨の結節間溝に停止している．

外科的に重要な深層筋は傍脊柱筋群で，2層に区分される．すなわち，浅部の仙棘筋群（脊柱起立筋）および深部にある多裂筋および回旋筋群である（図 6-10）．

これら各筋群の配列は術中では明確に識別できないので，実際には一塊として脊椎後方部分から剥離することになる．

ランドマーク

腰椎の**棘突起**は厚く，その先端下部は団子状でやや尾側に向かっており，傍脊柱筋を左右に二分している．成長期の患者では棘突起先端には軟骨性アポフィジスがあり，これを正中で縦割二分すると傍脊柱筋は骨膜下に容易に剥離できる．

腸骨稜の後方部は正中線に対して45°の角度をなしている．数種の筋群が，この腸骨稜またはその内面に起始あるいは付着しているが，腸骨稜は皮下に触知することが可能である．外見上観察または触知できる腰仙部の陥凹は，上後腸骨棘の部位に一致する．この両側の**上後腸骨棘**を結ぶ線はS2上を通る．また，左右の**腸骨稜**上縁を結ぶ線はL4/L5棘突起の間を通る（図 6-11）．

皮　切

棘突起列上の正中直線切開は，縫合部の張力が小さければ手術瘢痕は最小軽微であるといえる．正中では主たる皮神経は正中を交差することはない．

浅層の展開－その注意すべき組織

皮膚と棘突起の間に存在する腰背筋筋膜および棘上靱帯は広範かつ相対的に厚く，筋膜は仙棘筋群を包んでいる（☛図 6-10）．この筋膜は頚椎部にまでのびて項靱帯に移行して頚椎棘突起に付着するが，遠位の腰椎部では腸骨稜に付着している．側方部では腹横筋および広背筋の腱膜の基部に結合している．

棘上靱帯は各棘突起間を連結し，棘突起と腰背筋筋膜との付着部に密に結合している（☛図 6-10）．

背筋群の椎弓からの剥離は一塊として行う．それは筋群の解剖学的構造にあるのみではなく，その血管支配を考慮するからである．

大動脈から分岐した分節動脈は各椎体の外周に沿って後方へ走り，椎弓根直下の部位で2つの枝に分かれる．1つは脊髄を栄養し，1つは太く背側に向かって走り傍脊柱筋群を栄養する（図 6-12）．後方アプローチにさいしては，この分節動脈背側枝は横突起間で椎間関節に近接して現れ，損傷するとかなり出血する．また傍脊柱筋内において，まれならず非常に血管に富む領域を形成す

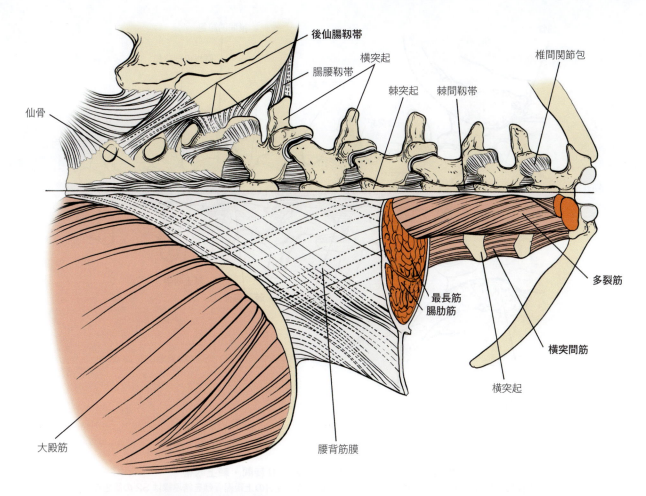

図 6-10 腰仙部の筋群と靱帯群
仙棘筋群（脊柱起立筋）は，腰仙部においては多裂筋，最長筋および腸肋筋からなっている．横突間筋はさらに深い．後仙腸靱帯にも注目する．

る．正中には大きな血管はなく，また安全領域があり，このことから可能な限り展開は正中で行うべきである（☞図 6-12）．

深層の展開―その注意すべき組織

深層組織の中で黄色靱帯はもっとも重要なものである．この靱帯は椎弓の上縁に起始し，上位椎弓下縁の脊柱管内面に広く付着している（図 6-13）．各分節に存在する左右の黄色靱帯は正中で接しているが，この部では結合していない．ゆえに黄色靱帯と硬膜外脂肪との間に到達するには，この正中部分がもっとも容易であるが，これら靱帯の付着する状況から，黄色靱帯はまず下位椎弓の上縁背面からメスまたは鋭匙で切離し始めるのがよい（☞図 6-5A）．

もっとも注意すべき組織は硬膜である．すなわち，黄色靱帯を切離したら，その間隙から薄めのスパーテルを硬膜外腔に挿入し，硬膜の安全を確保しなければならない（☞図 6-6A）．硬膜外静脈叢から出血が起こると，硬膜や神経根がみえなくなる．硬膜外静脈叢は壁が薄く破れやすいので，バイポーラーで焼灼するか，出血したらガーゼなどで圧迫止血する．

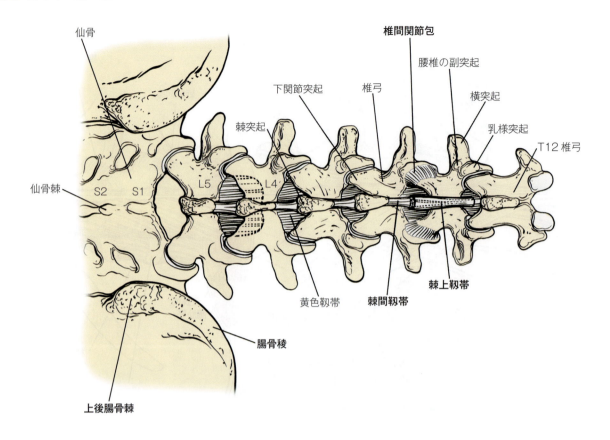

図 6-11　腰仙部の骨格と椎間関節包，黄色靱帯および棘間・棘上靱帯
両側の腸骨稜を結ぶ線は，およそ L4/L5 棘突起間を通る．左右の上後腸骨棘を結ぶ線は S2 の高さを示唆する．

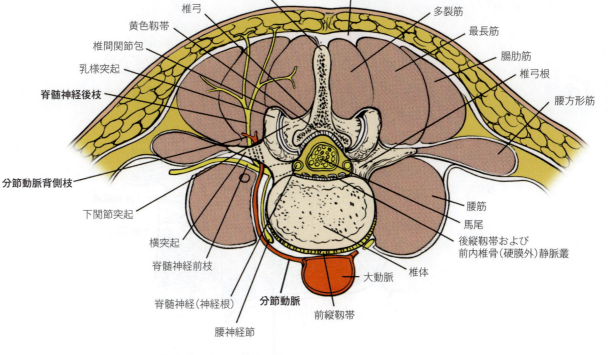

図 6-12　L3/L4 椎間高位での水平断面図
大動脈から分岐した分節動脈は，各椎体の周りを取り巻くように背側へ走り，椎弓根に接しつつ少し上行し，この部で2枝に分かれる．一方は脊髄へ，他方は傍脊柱筋を栄養する．後者の背側枝は太く，横突起間を通り上椎間関節突起の近くを通過するので，後方展開の際には注意を要する．また，この分節動脈背側枝と脊髄神経後枝とは互いに伴行するように走っている．

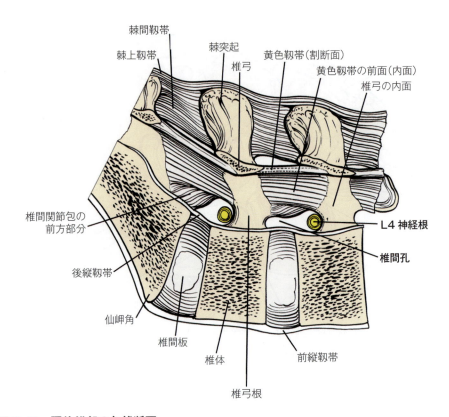

図 6-13　腰仙椎部の矢状断面
黄色靱帯および棘間・棘上靱帯の起始と停止に注意する．神経根は椎弓根の下縁に沿って走っている．

4　腰椎への前方（経腹膜）アプローチ

　前方経腹膜アプローチは，通常 L5/S1 椎間の脊椎固定に用意されたものであるが，L4/L5 椎間固定にも適応される．後者の場合，大血管を排除しなければならない．このアプローチは理念として単純であるものの，まれに実施する場合には精通した一般外科医の援助を受けるのがよい[8, 10]．

　このアプローチは脊椎カリエスやプロステーシス（人工椎間板など*）の設置などにも応用されるほか，近年では経腹膜内視鏡手術にも関係するものでもあるが，詳細は述べない．

*訳者註：原書に記載はないが，日本語版で加筆した．

患者体位

　背臥位*とし，切開を加えるべき腹部および採骨すべき腸骨稜を含めて術野を広く確保する（図 6-14）．尿道バルーンカテーテルの設置を行う．また術後深部静脈血栓の予防策として，弾性圧迫ストッキングの装用あるいはこれに血栓予防薬の併用が検討される場合もある．

*訳者註：最下位腰椎椎間（L5/S1）への到達では，膝下に低めの枕を挿入し，膝，股を軽く屈曲位とすると腰椎前弯を軽減でき，腰仙椎部はやや見やすくなる．

ランドマーク

　臍の高さは肥満の程度によって異なるが，通常 L3/L4 椎間板高位にほぼ相当する．

　腹部の下極を知るには，**恥骨結合**の上縁を触知するよりも，その外側上縁に存在する恥骨隆起を触知するほうが確かである．

4. 腰椎への前方（経腹膜）アプローチ

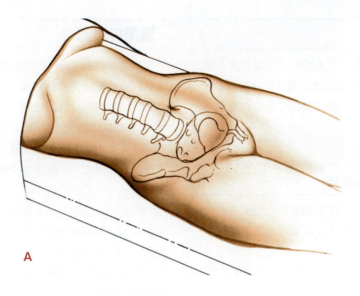

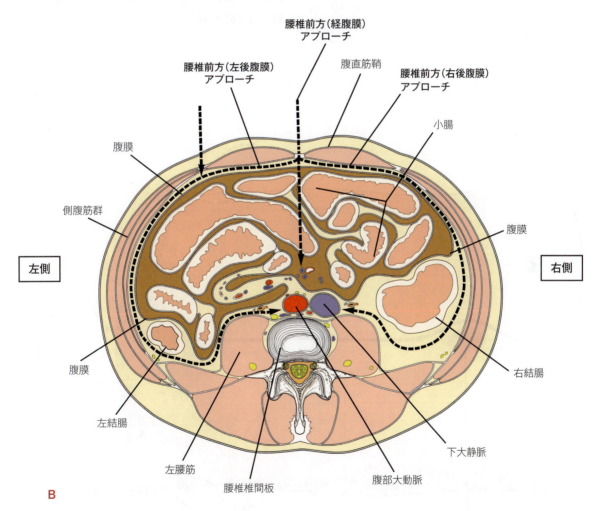

図 6-14　腰椎への3つの前方アプローチ
A：背臥位（手術体位）．
B：経腹膜アプローチ，左後腹膜アプローチ，および右後腹膜アプローチがある．

皮 切

臍直下から恥骨結合の少し上までの正中縦切開とする．臍よりも上位へ切開線を延長する場合には臍の2～3cm頭側位にとどめ，通常，臍の部分ではその左側を迂回弯曲させる（図6-15）．

internervous plane

腹筋は左右独立して第7～12肋間神経の支配を受けている．腹壁正中線は左・右腹筋の間にあるinternervous planeである．皮切は剣状突起から恥骨結合まで延長することが可能である．

浅層の展開

皮膚切開線上で皮下脂肪を分け腹直筋鞘前葉を露出する．腹直筋鞘前葉の縦切開は切開線の下半分から始め*（図6-16），左・右腹直筋を用手的に分離し腹膜を露出する（図6-17）．腹膜をピンセットで注意してつまみ上げ，メスで小切開を加え（図6-18），内臓に注意しつつ上下に切り開く．下腹部では膀胱壁を破らないよう注意する．

*訳者註：下腹部では左右の腹直筋が互いに近接している．ゆえに白線の幅がやや広い臍下2～3cmくらいのところから始め，下方へ向かうのが妥当であろう．

これらの操作では腸管保護のために左の示指と中指を腹腔内に挿入し，頭側に向かって正中白線内で切開し開腹する（図6-19）．

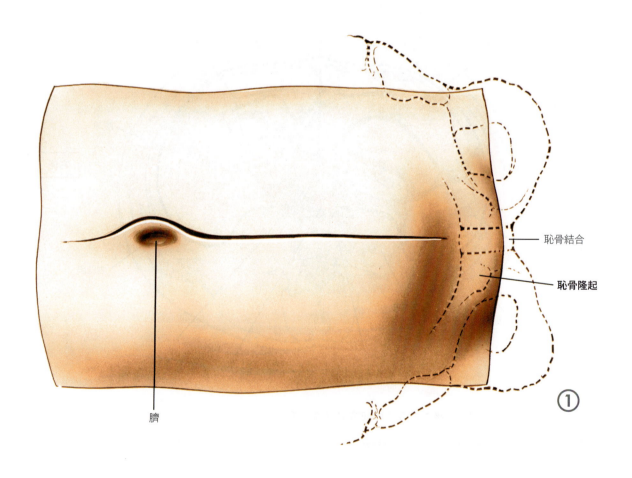

図6-15 腰椎前方（経腹膜）アプローチ．腹部正中皮切
臍下から恥骨結合上縁部までの正中直線切開．頭側への延長は臍の左側を迂回させる．

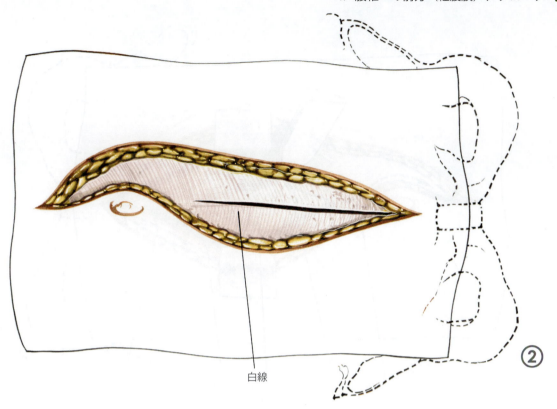

図 6-16　腰椎前方（経腹膜）アプローチ．腹直筋鞘前葉の正中切開
前葉の正中を見定めて切開する．

白線

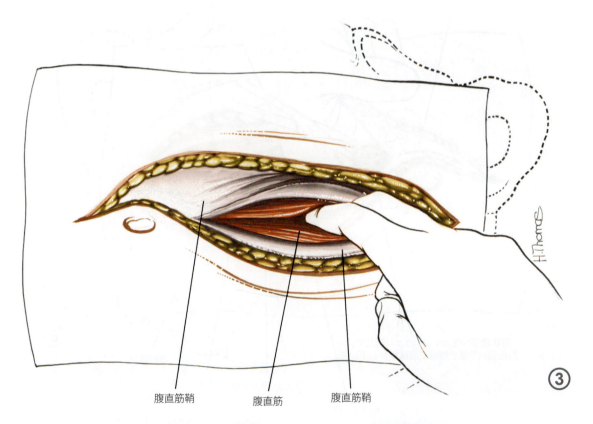

腹直筋鞘　腹直筋　腹直筋鞘

図 6-17　腰椎前方（経腹膜）アプローチ．左・右腹直筋の分離
用手的に正中で左右の腹直筋を分けると，腹直筋鞘後葉と腹膜をみる．

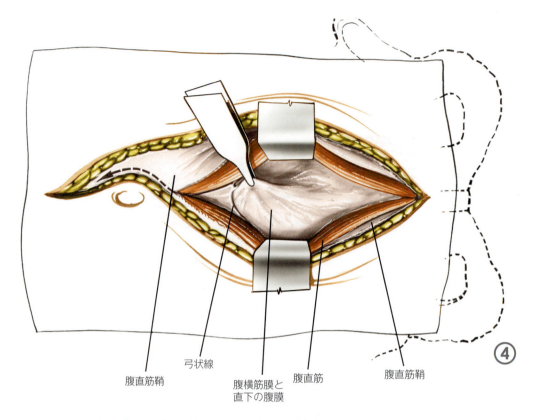

図 6-18　腰椎前方（経腹膜）アプローチ．腹膜切開
無鉤ピンセットで腹膜を軽くつまみ上げ，上下に切開する．

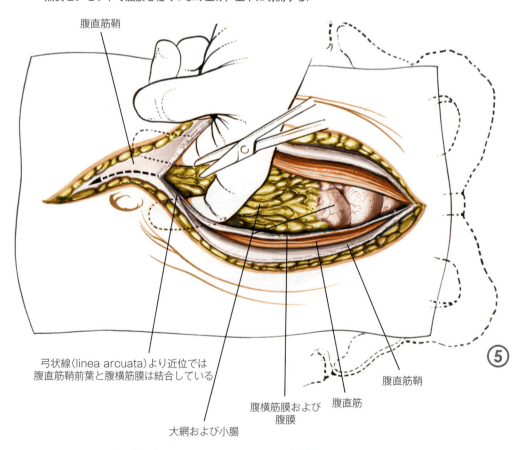

図 6-19　腰椎前方（経腹膜）アプローチ．開腹
2本の指を腹腔内へ挿入し腹壁を挙上しながら，白線（linea alba）を正中線上で切離する．

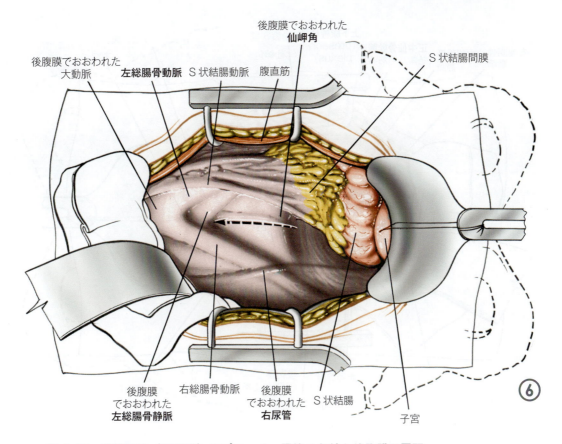

図6-20 腰椎前方（経腹膜）アプローチ．腸管の収納と後腹膜の展開
開腹用レトラクター（Balfourレトラクター）を装着し，これを把持して腹壁を持ち上げつつ手術台を頭側30°低位に手術台を傾ける．静かに腸管を上腹腔へ向けて収納する．後腹膜の直下には，大動脈分岐部，左・右総腸骨動静脈および仙岬角などが透見される．後腹膜の切開は正中直線切開とする（点線矢印）

深層の展開

　開腹用レトラクター（Balfourレトラクター）をかけ腹壁を左右に，膀胱は下方へ排除する（図6-20）．次に手術台を頭側約30°低くし（Trendelenburg体位），腸管を上腹部へと押しやる．腸管の逸脱を防ぐため，大型の湿性ガーゼで腸管をおおう．ガーゼを強く腹腔内へ挿入することは，血管の圧迫につながるので好ましくない．女性の場合，ときに子宮を1-0絹糸で前方へ引き出しレトラクターに結びつけておくこともある．

　仙岬角前面と腹膜との間に生理食塩水数mLを浸潤させる．これはこの部の後腹膜剥離展開を容易にさせ，この部に走行する上下腹神経叢を確認しやすくするための操作である．L5/S1椎間板の展開では腹膜は正中縦切開とし，その直下を走る正中仙骨動脈を結紮切離しなければならない．このアプローチでは尿管は術野の側方に現れる．

　この操作において大切なのは，目撃されたすべての細い神経も温存することである．仙岬角は指で触知するか，針をL5/S1椎間板に挿入してX線コントロールで決定する．通常L5/S1椎間板前面は大動脈分岐点の少し下方にあるので，その場合には大血管を剥離移動することなく椎間板を展開することは可能である＊（図6-21，22）．

＊訳者註：大動静脈分岐の位置とL5/S1椎間板の位置関係は，個々の例で多少異なる．もっとも注意しなければならないのは下大静脈の分岐部の位置である．これが低位で，L5/S1椎間板前面に総腸骨静脈がおおいかぶさっている場合には，きわめて慎重に取り扱う必要がある．L5椎間板の正中展開が無理なときには，左上行腰静脈を結紮離断（図6-29，46の訳者註）して，左総腸骨動静脈を正中側に慎重に引き寄せて椎間板前面を展開するのが安全である．L5の脊椎すべり症ではとくに注意すべきである．

　L4/L5椎間板の手術では大きめの展開が必要であり，大動静脈分岐部が著しく高位でない限り，大動静脈を右側へ排除して展開することが必要である．腹膜切開はS

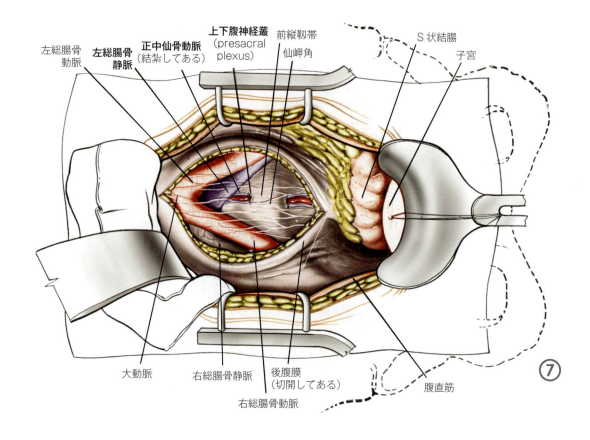

図 6-21　腰椎前方（経腹膜）アプローチ．L5/S1 椎間板の展開（1）
後腹膜を開くと，大動脈分岐，左・右総腸骨動脈，その直下に左総腸骨静脈および仙岬角をみる．正中仙骨動静脈は結紮する．これら仙岬角や大動脈の前面に広く分布する上下腹神経叢が現れる．

状結腸間膜の基部で行い，大動脈，総腸骨動静脈を右側へ，そして左尿管は左側に排除する．これら分岐部と血管の排除は，愛護的に鈍的に行う．そのさい L4，L5 における左分節動脈を確認し，必要があれば結紮する．このようにして大血管群を右側へ排除すると L4/L5 椎間板前面が少しずつ露出される．しかし，十分な広さの展開は必ずしも簡単ではない．すなわち，高率に静脈血栓症の合併が報告されていること，尿管は仙腸関節のあたりで総腸骨動静脈と交差しているので損傷しないよう注意すること，および無理な尿管の排除は術後，尿管の阻血性狭窄の原因となるので，十分に愛護的に扱う．

L4/L5 椎間板に到達する他の方法として，血管分岐部の下から頭側へ向かうアプローチもある．すなわち，左・右総腸骨動脈を剥離し，これにテープをかけ，次に総腸骨静脈を末梢から分岐部にかけて剥離しテープをかけ，静かに引き上げるようにして L4/L5 椎間板に到達する*．これら大血管の操作では術後静脈血栓の発生の危険性があるので，きわめて慎重に行う（👉図 6-22）．

*訳者註：この方法は L5 椎体の亜全摘や，L4〜S1 間 strut graft などを挿入するような場合には，展開法の 1 つとして用いられるであろう．大血管の処理には十分な経験と特段の配慮が要求される．

注意すべき組織

上下腹神経叢は性機能に不可欠かつ重要な神経である．L5/S1 レベルでの本神経叢の損傷は，男性では射精障害（逆行性射精）の原因となる．また，仙椎骨盤腔の下部での損傷はインポテンスをきたしうる．したがって剥離は十分な注意のもとに，鈍的に行わなければならない．仙骨前面における切開はすべて正中で行うのを原則とし，それは上下腹神経叢を無傷性に側方へ排除するの

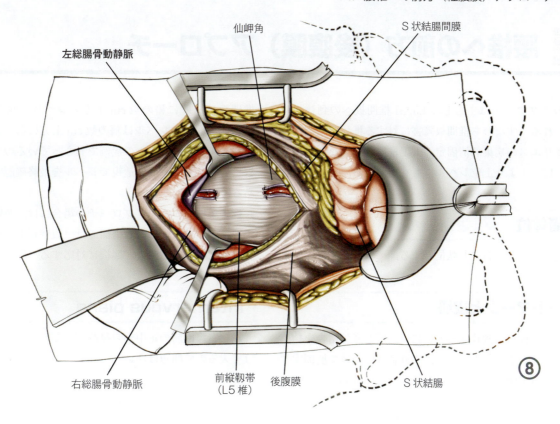

図 6-22　腰椎前方（経腹膜）アプローチ．L5/S1 椎間板の展開（2）
とくに総腸骨静脈を愛護しつつ，この部の大血管を慎重に排除すると，L5/S1 椎間板をおおう白色で光沢のある前縦靱帯が現れる．

に必要な長さとする．このとき神経叢周辺に生理食塩水を浸潤させることは，神経叢のよりよい確認と温存に役立つ（ 図 6-21，34）[11～13]．

正中仙骨動脈は L5/S1 椎間の展開にさいして出血の原因となりうるので結紮を必要とする（ 図 6-21）．

大動脈および**下大静脈**はともに分節動静脈によって椎体に係留されている形になっている．椎体・椎間の展開にさいして 1～2 本の分節動静脈を結紮切離すると，大血管の側方排除はやりやすくなる（ 図 6-12）．万一この分節動脈を切断してしまうと，大動脈から直接出血しているようにみえ，非常に止血が困難となる．一般に静脈壁は薄く弱い．無理な排除操作やゆさぶりは静脈血栓を招くので最小限とする．

尿管はとくに L4/L5 椎間を展開する場合，経腹膜アプローチでは側方へ排除する．尿管は無鉤鑷子で軽くつまむと蠕動を示す（ 図 6-34）．

術野拡大のコツ

●深部への拡大

腸管を上腹部へ収納することは十分な展開野を得る鍵である．また，頭側への術野拡大には大血管の移動を注意深く行う（ 図 6-20，22）．

●上下への拡大

このアプローチは理論では剣状突起レベルにまで拡げることは可能であるが，上位の腰椎椎間板の展開はほとんどが後腹膜アプローチを用いる．

5 腰椎への前方（後腹膜）アプローチ

このアプローチは主としてL5/S1椎間板への到達に用いられる．すなわち椎間板障害に対する椎体間固定，脊椎カリエスの病巣郭清固定，人工椎間板挿入などであるが，L5/S1より上位レベルにも有用である．

患者体位

透視可能な手術台に背臥位とする．

ランドマークと皮切

L5/S1椎間板へ到達するときには，臍と恥骨結合を結ぶ中点をランドマークとする．より仙椎へ向けて展開するには，正中皮切を下へ延長することになる．L4/L5椎間板は一般に臍の数cm下方のレベルに相当する．L3/L4椎間板のレベルは臍の数cm上方にあたる．椎間板レベルの高さは個々の症例で異なっているので，椎間板に切開を入れる前に透視でレベルを最終確認すべきである．

仮に単椎間のみのアプローチの場合には，腹壁横切開でもよい．単ないし複数椎間では，腹壁正中縦切開もしくは前側腹壁斜切開など臨機に対応する（図6-23）[14]．

internervous plane

左・右腹直筋の正中から後腹膜すなわち腹膜外腔を分けて入るので問題はない．

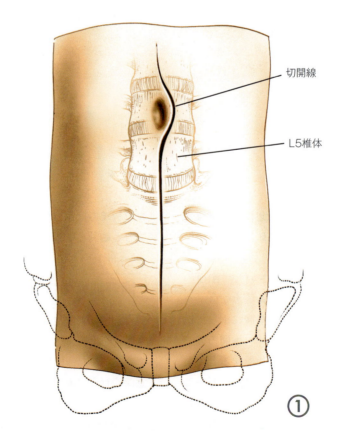

図6-23 腰椎前方（後腹膜）アプローチ．皮切と脊椎との位置関係
腹部の皮膚切開は縦切開のほか，横切開，斜切開も可能で，これらのアプローチはL3/L4，L4/L5椎間板へはもっとも到達しやすい．L5/S1椎間板への到達には主に皮切部の下方から進入することになる．

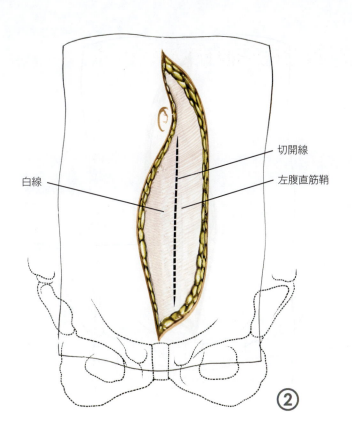

図 6-24　腰椎前方（後腹膜）アプローチ．
左腹直筋鞘前葉の縦切開
左右前鞘の線維交差（白線）をよく観察し，左腹直筋鞘前葉を白線に沿って縦切開する．

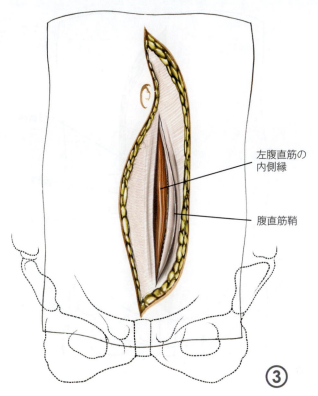

図 6-25　腰椎前方（後腹膜）アプローチ．
腹直筋内側縁の確認
腹直筋は内側で縦に展開する．

浅層の展開

　左腹直筋鞘前葉の正中寄りで縦皮切を加える（図6-24, 25）．腹直筋の正中縁を確認して前葉を縦に切開し腹直筋を挙上するようにして，腹直筋鞘後葉および弓状線を展開する（図6-26）．そのさい下腹壁動脈に注意しつつ，腹直筋と腹膜との間を指で左側へ向けて剥離する．L5椎体の近位部も展開の目標とする場合には，弓状線にも切開を加える（図6-27）．

深層の展開

　左下腹部へ向けて腹膜の用手的剥離を進めていくと，後腹膜脂肪を触知し，まもなく大腰筋が露出される．大腰筋前面を下行する陰部大腿神経の枝および正中寄りには総腸骨動脈を触れる．この時点で，至適な大きさの鉤を腸管にかける（図6-28）．尿管は腹膜に接して現れ，多くは腹膜とともに右側へ排除される．総腸骨動脈の下には，総腸骨静脈が隠れている．この静脈は左側では総腸骨動脈と交差するように走っており，損傷しないよう十分な注意と認識が不可欠である．きわめて易損性が高いからである．L5/S1椎間板および仙岬角前面における粗性結合組織の中には正中仙骨動静脈が存在し，鈍的剥離とともに必要があれば結紮切離する（図6-29）．これらの静脈は分離したり，左腸骨静脈から移動させたりするためにクリッピング，焼灼，または結紮が必要となる．

　L4/L5椎間板を展開する場合には大腰筋と総腸骨動静脈との間を上方へ向けて分けていくが，そのさいに現れる上行腸腰静脈を確認し，結紮切離しておく[15]＊．

＊訳者註：上行腸腰静脈の処理は大切な安全対策の1つであり，むしろL5/S1椎間板の展開においてとくに必要になる場合が多い（☞図6-29，46 の訳者註）．

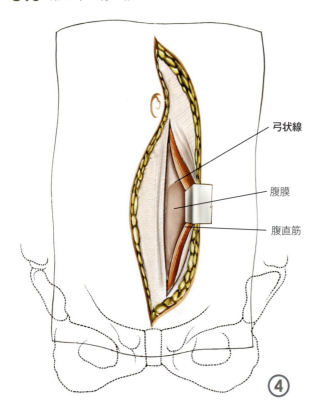

図6-26 腰椎前方（後腹膜）アプローチ．弓状線の確認
左腹直筋を持ち上げるようにして腹膜と弓状線を見定める．

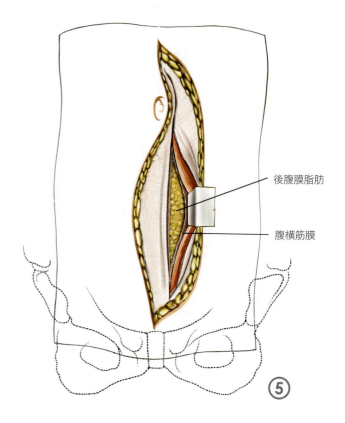

図6-27 腰椎前方（後腹膜）アプローチ．後腹膜への到達
用手的に左側へ腹膜外へ剝離を進める．このさい，腹直筋の後面を縦に走る上腹壁血管にも注意する．L5椎体の上半分を含めて広めに展開する場合には，白線の切離を加える．

注意すべき組織

腰仙椎部の前面に広がる**上下腹神経叢**は男性の性機能にとってきわめて重要な神経である．この部ではとくに鈍的・愛護的に排除する．バイポーラー焼灼はやむを得ないときのみに限定する．

交感神経幹は腰筋と椎体との間の深部にあるが，とくにL5椎展開のさいに発見されやすい．

L5/S1椎間板の展開では，**正中仙骨動脈**は結紮切離を要する（☞図6-21）．

大動脈および下大静脈は，それらから分岐する**分節腰動静脈**によって椎体に係留されている．したがって，L4/L5椎間板や椎体を無理なく展開するには，分節血管を結紮切離するのが基本である（☞図6-12）．結紮は入念に行う．事実，これら血管が万一切断されると，大動脈に穴が開いたように噴出し，止血はきわめて困難となる．また，総腸骨静脈の剝離や排除には，血管壁の脆弱さからみても格段の注意を払わなければならない．静脈系の損傷は塞栓の原因にもなるので，排除操作は最小にとどめるべきである．

尿管は，この後腹膜アプローチでは，普通は腹膜とともに簡単に移動排除される．尿管の確認は先端が鈍なピンセットで機械的刺激を与えると蠕動を示す．

術野拡大のコツ

この後腹膜アプローチではT11〜S1までの展開が可能である．そのコツは大動脈と下大静脈を排除するための分節動静脈の結紮と切離を必要に応じて行うことである．

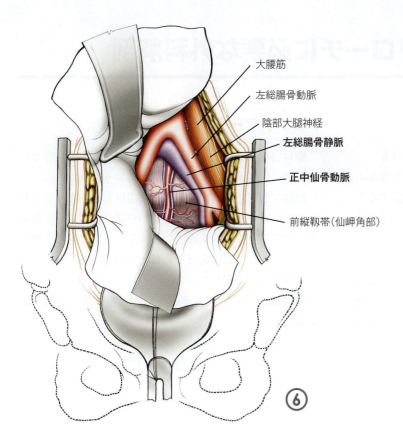

図6-28 腰椎前方（後腹膜）アプローチ．下位腰椎・腰仙椎部への到達

後腹膜へ用手剥離を進めていくと，まもなく後腹膜脂肪が現れる．腹膜とともに腸管全体を単純に正中側へ引き寄せるようにすると大腰筋が現れる．大腰筋前面には，大切な陰部大腿神経の枝が下行している．大腰筋の内側には総腸骨動脈が存在する．

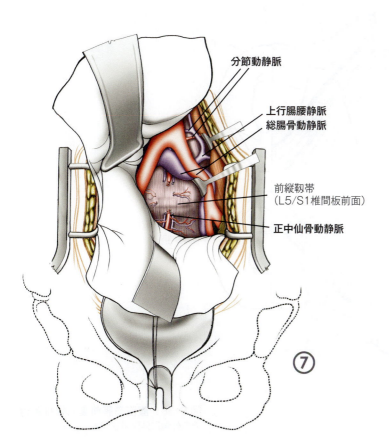

図6-29 腰椎前方（後腹膜）アプローチ．L5/S1椎間板の展開*

椎体椎間板，仙岬角の前面をおおう粗鬆結合組織は上下腹神経叢を含んでおり，これを鈍的に排除して，正中仙骨動静脈を結紮する．

*訳者註：L5/S1椎間板の展開野では，とくに左総腸骨静脈の位置（分岐の低位も含む）や太さに個体差があり，正中からの椎間板展開が困難な例がある．このときには，総腸骨静脈の外側から分岐する左上行腸腰静脈（予想以上に太い）を結紮切離し，左総腸骨静脈を正中方向へ寄せて展開していくのが安全かつ一般的である．

6 腰椎への前方アプローチに必要な外科解剖

概観

腰椎前方アプローチは3つのステップに分かれる．

第1は開腹における浅層解剖で，正中白線は上腹部において明瞭である．下腹部における白線を切開すると左・右腹直筋が出現する．これを正中で用手的に分けると薄弱な腹直筋鞘後葉と腹膜が現れる．

第2は腸管の上腹部への収納である．

第3は深層解剖で，L4/L5およびL5/S1椎間板前面の後腹膜臓器または組織（大動脈，下大静脈，総腸骨動静脈，分節動脈，尿管および上下腹神経叢）に対する操作である．

ランドマーク

臍は白線上にあり，おおよそ剣状突起と恥骨結合との中ほどに位置する．肥満体ではそれより低位である．

白線は腹部正中にあり，上腹部では左右の腹直筋は互いに離れているので，この部での白線の切開は腹直筋を露出することなく直接腹膜に達することができる．臍より下方の部位では白線はそれほど明瞭でなく，左・右腹直筋は互いに近接している．

恥骨結合は可動域こそ小さいが可動関節である（図6-30）．

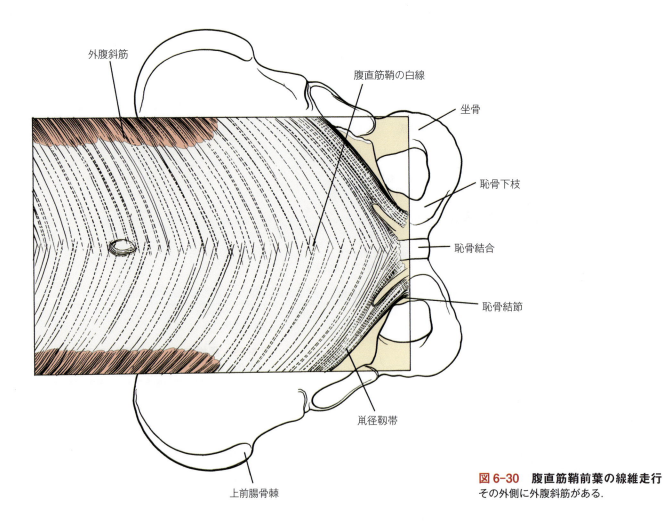

図6-30 腹直筋鞘前葉の線維走行
その外側に外腹斜筋がある．

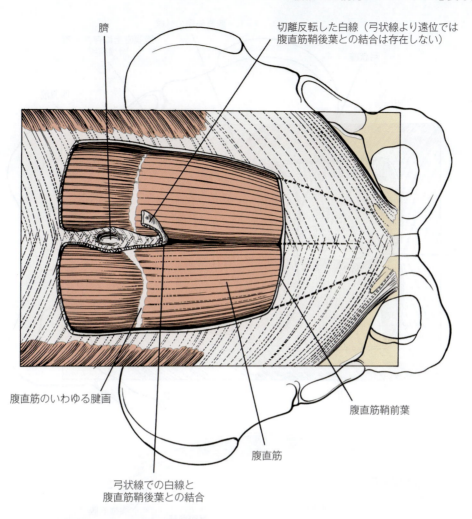

図 6-31　腹直筋およびその筋鞘の構造
腹直筋鞘前葉の一部を取り除いてある．弓状線の部分では，白線は腹直筋を包み，明確に左右に二分している．それより遠位部では，筋は左右に明確には分離されていない．また，弓状線より近位部では，白線の線維は腹直筋鞘後葉と連なっている．すなわち，腹直筋鞘後葉は弓状線（☞図 6-32）から始まっている．

皮　切

　腹部正中切開は，臍の部位では臍の左側を迂回させる．この部での皮膚は可動性があり，わずかな瘢痕で治癒する．臍下での皮膚張力線は山型をなし，正中ではV字型に交差している．

　腹壁皮膚は剣状突起高位では，T7 髄節の支配，鼠径部では T12 髄節の支配を受け，これらの神経は正中では交差することはない．ゆえに正中切開では神経は切断されることはない．

浅層の展開 — その注意すべき組織

　腹直筋は腹壁の全長に及ぶ扁平な筋で，上半分は白線によって左右に区画されている．臍より上の部分での腱膜は3要素から構成されている．すなわち内腹斜筋腱膜が分かれて腹直筋を包み込むこと，外腹斜筋腱膜が腹直筋鞘前葉を形成すること，および腹横筋腱膜が腹直筋鞘後葉を作ることである．腹直筋鞘後葉の下縁は弓状線（semicircular fold of Douglas）*として知られる．これに対し，臍下ではこれら3つの腱膜はすべて腹直筋鞘前葉に収斂し，後葉はきわめて菲薄である（図 6-31，32）．

*訳者註：Douglas 線とも呼ばれる．腹直筋鞘後面の弓状線をさす．

　したがって腹直筋鞘と白線の切開においては，腹壁正中切開線の上半分では直接腹膜に達するが，下半分では腹直筋に到達することを意味する（図 6-33；☞図 6-32）．

　下腹壁動脈は腹直筋鞘後葉直下を上行し腹直筋の下半分を栄養する．正中切開で入る場合にはこれを損傷することはないが，腹直筋剥離のさいこれを損傷したときには結紮しても支障はない．

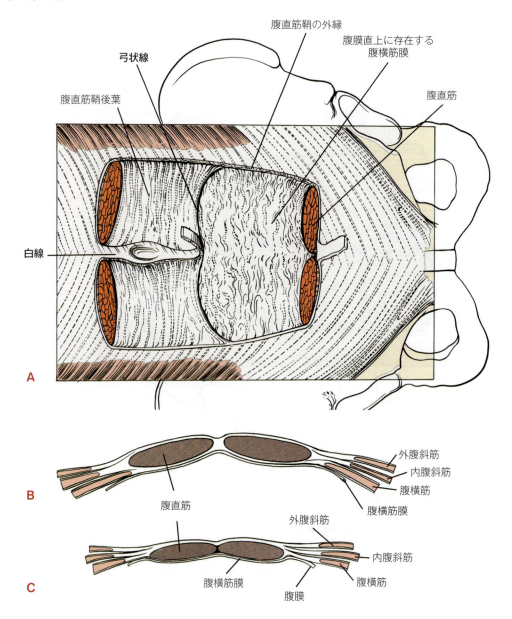

図 6-32　腹壁の腱膜構造（筋鞘を含む）
A：腹直筋鞘後葉は臍の少し下方で終わる．この部を弓状線と呼ぶ．白線は腹直筋鞘後葉に連続していて，腹直筋を左右に分けている．
B：弓状線より近位での腹壁横断面図．腹直筋は前葉と後葉の筋鞘によって包まれていて，この部分では左右の腹直筋は白線によって隔てられている．
C：弓状線より遠位での腹壁横断面図．この部分では，腹直筋鞘は前面のみである（前葉）．後葉に代わって腹横筋膜および腹膜がある．

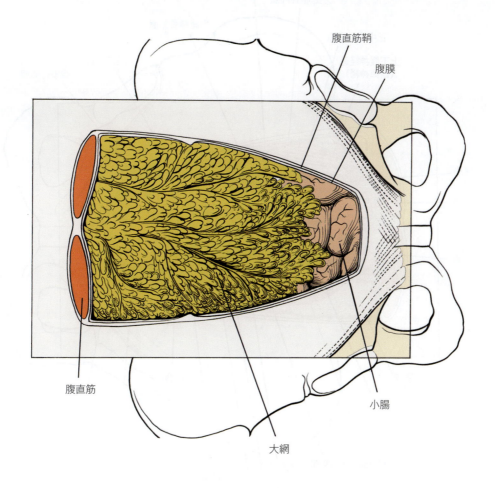

図 6-33 腹直筋を含め腹壁を一部切除したところ
腹膜と腹部内臓を示す．

深層の展開—その注意すべき組織

L4/L5 椎間板展開における深層の処置は，大動脈および下大静脈の可動性を得ることにある．大動脈は L4 椎体前面において左・右総腸骨動脈に分岐し（図 6-34），さらにほぼ S1 椎体のレベルで内・外腸骨動脈に分かれる．内腸骨動脈は内側に位置する．

下位腰椎部における大動脈と下大静脈は，それから分枝する分節動静脈によって係留されている．ゆえに大動静脈を排除し移動させるには，これら分節血管を結紮切離する場合もある（☞図 6-12）．L4/L5 椎間板への到達は，大動脈の左側からアプローチするのが妥当である．

これは大動脈壁が，下大静脈に比べ筋層に富み強靱なためである．正中仙骨動脈は大動脈分岐部から発し，仙岬角そして仙椎の正中を下行する（図 6-35）．L5/S1 椎間板は左・右総腸骨動脈の作る逆 V 字型の領域にあるが，この分岐部のレベルはさまざまで，ときには L5/S1 椎間板展開のさいに剥離排除しなければならないことがある．

この逆 V 字型領域において，左総腸骨静脈は左総腸骨動脈の下から右寄りに存在する．したがって L5/S1 椎間板を左アプローチで展開する場合には，まず血管壁が薄弱な総腸骨静脈をいかに無事に剥離移動させるかが重要となり，格段の注意が必要である（☞図 6-34,

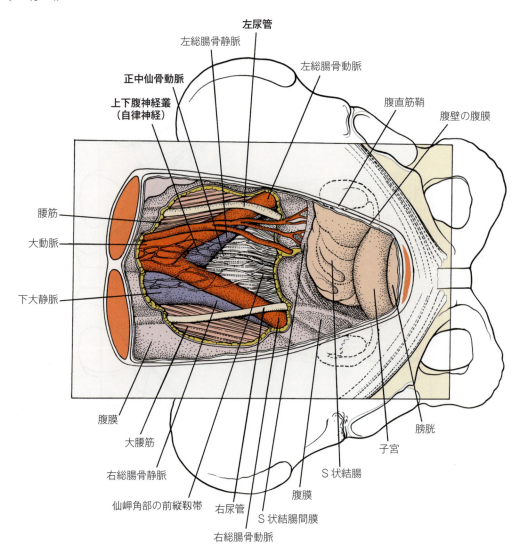

図 6-34　腰仙部後腹膜の図
内臓を上腹腔へ収納し，腹膜を広めに取り除いたところ．大血管とその分枝，尿管および上下腹神経叢を示す．

35)．

　仙骨前面には広くびまん性に神経叢が存在している．L5/S1 椎間板の前面におけるこれら神経叢は T11～L3 からの交感神経幹を介する交感神経線維を含む上下腹神経叢の一部と大動脈周囲の神経叢より構成されている．これらの神経叢の損傷は，男性では射精障害（逆行性射精）を招く．さらに遠位部では，陰茎勃起に重要な骨盤神経（S2, S3, S4）からの副交感神経線維を含む．ゆえに前方アプローチによる仙椎下半分の展開や直腸遠位あるいは前立腺などの手術においては，とくに危険なものとして注意を要する（☞**図 6-34, 35**)[16]．

　尿管は大腰筋前面の後腹膜に接して下行し，総腸骨動脈が仙腸関節裂隙と近接するあたりで後腹壁の腹膜に固定されている．したがって L5/S1 椎間板への正中からの到達では問題はないが，L4/L5 椎間板展開の場合には尿管に可動性をもたさねばならない場合もある（**図 6-36**；☞**図 6-35**)．

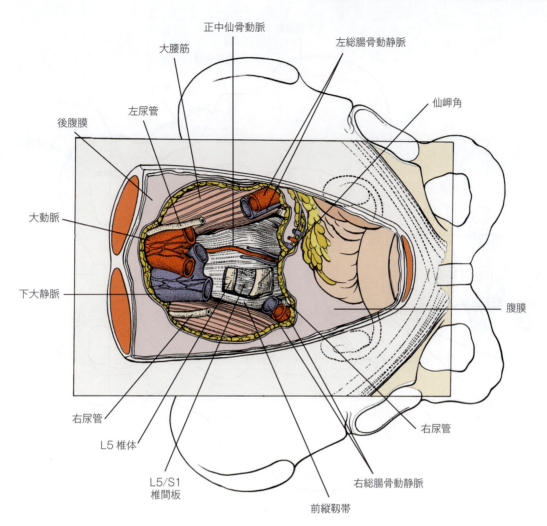

図 6-35　L5/S1 椎間板および仙岬角前面の図（☞図 6-34）

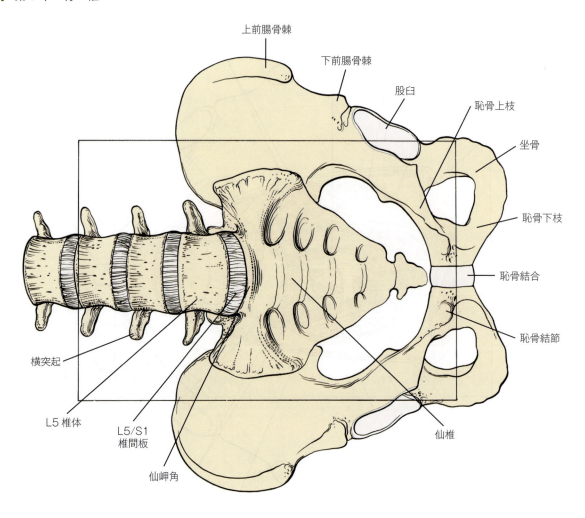

図 6-36 骨盤および腰仙椎の骨格（前面）

7 腰椎への前側方（後腹膜）アプローチ

後腹膜路による腰椎への前側方アプローチは，経腹膜アプローチと比べいくつかの利点を有する．第1に，本法はL1から仙椎までの全域に到達可能であること（経腹膜路ではL4椎より頭側はむしろ困難），第2に，腰筋膿瘍などの感染症の場合，腹腔内への感染拡大の防止や術後イレウスの危険性が最小限で排膿が可能であることである．しかし，L5/S1椎間板に対しては後腹膜における血管の解剖学的配列状況からみて，やや到達は難しいともいえる．

後腹膜アプローチの適応は，次のごとくである．
- 脊椎固定術
- 腰筋膿瘍のドレナージと椎体感染巣の搔爬
- すべての高位での椎体切除とその骨移植
- 椎体針生検が不可能または危険な場合での生検
- 脊椎プロステーシスの挿入

患者体位

手術側が上になる約45〜90°の半側臥位とする．股関節と肩の部位に砂嚢を挿入するか，腎摘出用固定装具（kidney rest brace）で患者を固定する．体位の傾きの微調整は手術台で行う．この斜めの体位は腹部臓器を手術側の反対側に移動させるのにも意味があるほか，腸腰筋を伸張させないためにも有利である（図6-37）．手術の準備やドレープをかける前に，アプローチすべき脊椎レベルを透視を用いて適切に確認することが重要であ

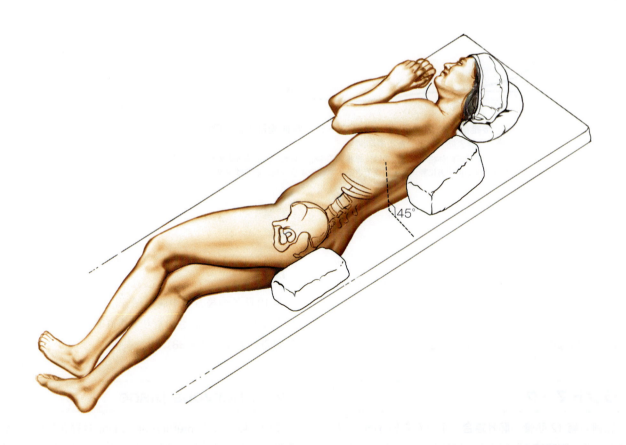

図6-37　腰椎前側方（後腹膜）アプローチ．患者体位
進入側（左側）を上にした45°斜位とする．

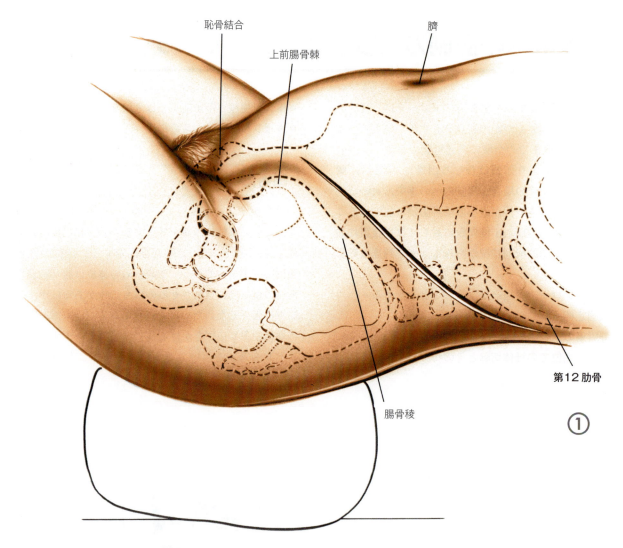

図 6-38　腰椎前側方（後腹膜）アプローチ．左側腹部の斜切開
第12肋骨から腹直筋外縁にいたる斜切開*．
*訳者註：やせ型標準的体格の日本人では，単椎間の手術の場合，左腹直筋の外側縁を含む 10〜15cm 程度の斜切開で腰椎椎体の前側方に無理なく到達できる．本図のような長い切開は普段，用いない．

る．
　このアプローチでは術者の判断と，大動脈サイド（左側）または下大静脈サイド（右側）から行うべきかによって，左側臥位あるいは右側臥位が選択される．十分な広さの術野を確保しドレーピングを広めに行う．

ランドマーク

　患側の**第12肋骨**，**恥骨結合**，正中から約5cm側方のあたりに**腹直筋の外縁**などを触知し，ランドマークとする．

皮　切

　第12肋骨の後方で中間の部分に始まり，臍と恥骨を結ぶ線上の中間の高さあたりで腹直筋外縁にいたる側腹斜切開とする（**図 6-38**）．

internervous plane

　この斜切開には internervous plane は存在しない．外腹斜筋，内腹斜筋および腹横筋はともに分節性の神経支配であり，これらを皮膚切開線上で切離するので問題はない（**図 6-39**）．

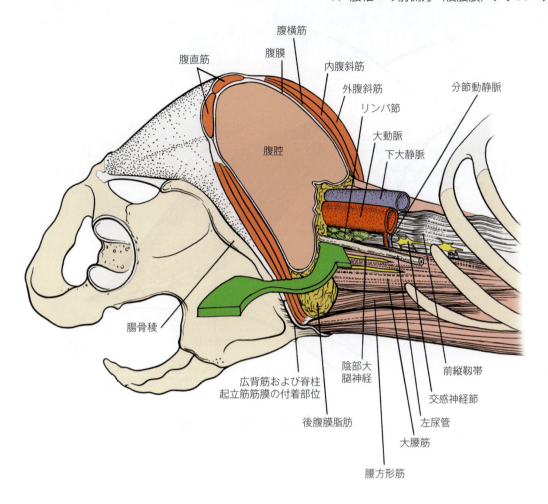

図 6-39　**腰椎前側方（後腹膜）アプローチ．下位腰椎部への到達経路（緑矢印）***
腹筋群と腹部内臓は除去してある．

*訳者註：この左到達路は後腹膜アプローチの標準的な経路で，左大腰筋の前面を越えて脊椎や椎間板に到達する．左尿管は腹膜とともに排除移動される．

浅層の展開

　皮下の皮下脂肪組織を分け外腹斜筋膜の筋膜を露出する．外腹斜筋膜を展開し，筋線維走向に沿って切開を行う．外腹斜筋の筋線維も筋線維走向に沿って分離する．筋肉質の患者では臍レベルの下に外腹斜筋の筋腹がみられることがある．筋は線維方向に分ける（図 6-40）．
　ついで，内腹斜筋もまた皮膚切開線に平行に切離を行う．切離線は筋線維と直交する．この場合，多少の部分的脱神経は起こりうるが，閉創のさい正しく縫合すれば，術後腹壁ヘルニアの発生は問題にならない（図 6-41）．内腹斜筋の直下には腹横筋が存在し，これも同一線上で切離を行って後腹膜腔に到達する（図 6-42, 43；👍図 6-47, 48）．
　後腹膜脂肪と腰筋筋膜との間を用手的に剥離を進め（図 6-44），静かに腹膜とともに内臓を正中側へ排除する（図 6-45）．quadrant（展開される四角形の領域）は左下または右上のいずれか，展開の必要に応じてどちらからでも可能で，切離を進めていくのがよい．Deaver 型レトラクターをかけて腹膜と内臓を右側上方へ引いていく．このとき尿管は腹膜に接しているので，腹膜とともに排除することになる．

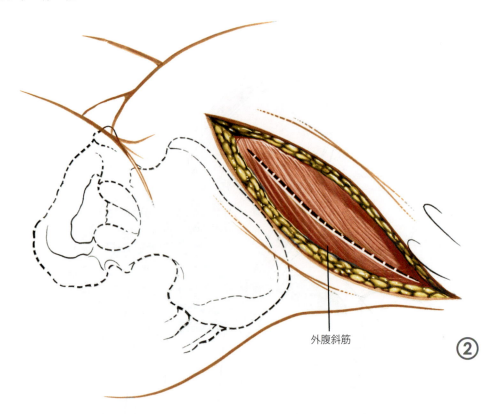

図 6-40　腰椎前側方（後腹膜）アプローチ．外腹斜筋の切開線
皮切および筋線維に沿って行う．

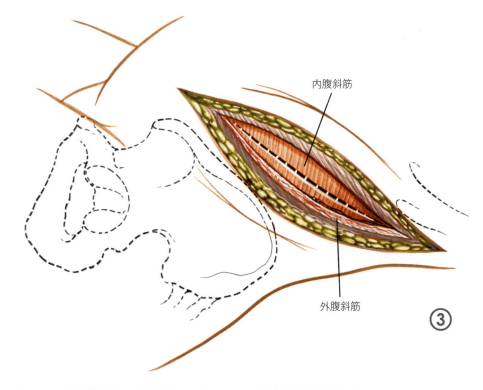

図 6-41　腰椎前側方（後腹膜）アプローチ．内腹斜筋の切開線[*]
筋線維と直角に，皮切と平行に切開する．
[*]訳者註：展開する大きさやレベルによっては内腹斜筋は筋肉の走行に分けてもよい．

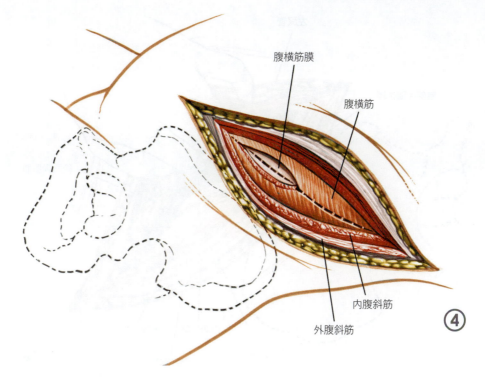

図 6-42　腰椎前側方（後腹膜）アプローチ．腹横筋の切離[*]
[*]訳者註：まず腹壁前方部のあたりで，腹横筋とその筋膜に小切開を加え，示指を後腹膜へ挿入して腹膜を腹横筋から剥離し，腹膜を保護しつつ腹横筋を電気メスで切離する．

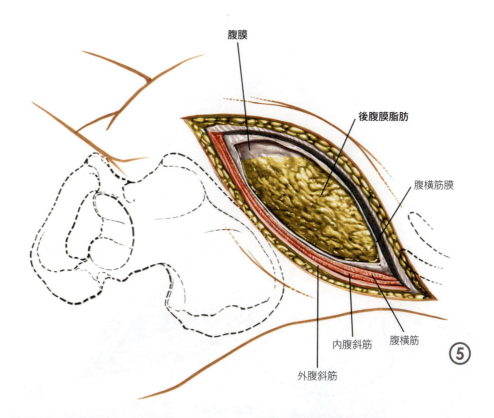

図 6-43　腰椎前側方（後腹膜）アプローチ．腹膜と後腹膜脂肪の確認
腹膜は切開の前方部分（腹直筋外縁の近傍）でまず確認し，後側方へ用手的に剥離を進めると脂肪組織が現れる．

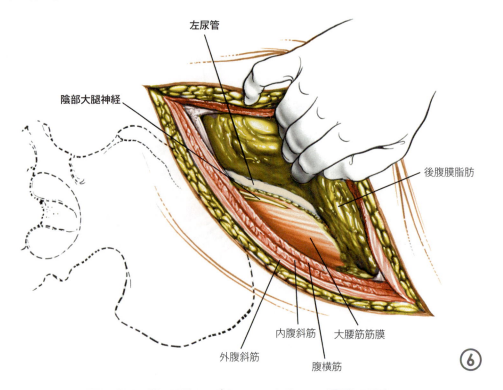

図 6-44　腰椎前側方（後腹膜）アプローチ．腹膜および腸管の排除
用手的に後腹膜脂肪と腹膜を右側へ向かって引き寄せる*．さらに排除を進めると，大腰筋筋膜が露出する．指先は椎体椎間板の前側方に到達する．
*訳者註：この用手剥離においては，むしろ後腹膜脂肪は後側方部にとくに多量にあるため，できるだけ腹壁側に残すように行うべきである．腹部内臓器は前方に落ちているので通常はみることはない．

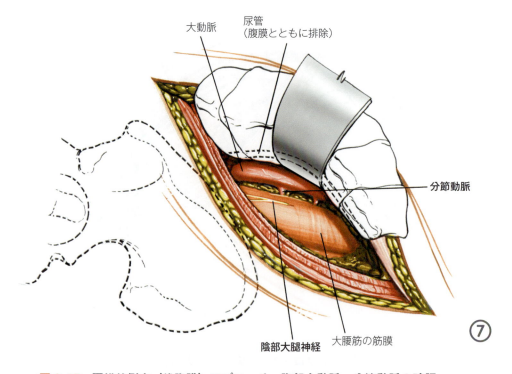

図 6-45　腰椎前側方（後腹膜）アプローチ．腹部大動脈，分節動脈の確認
腹部内臓器を穏やかに前方内側に移動させる．

7. 腰椎への前側方（後腹膜）アプローチ

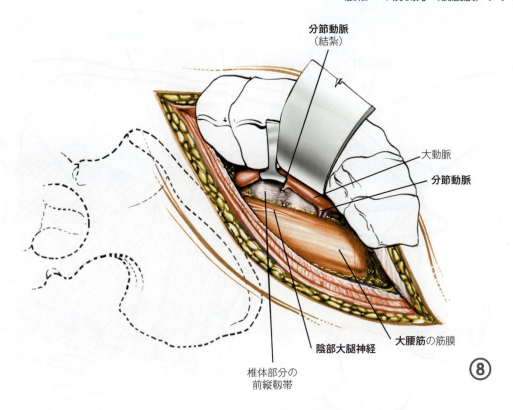

図 6-46 腰椎前側方（後腹膜）アプローチ．分節動静脈の結紮と大動脈の右方排除
分節動静脈を結紮切断すると大動脈の移動が容易となり，椎体椎間板前面がより広く展開できる*.
*訳者註：このアプローチでL5/S1椎間板を展開するときには左総腸骨動静脈の外側から進入するほうがより安全である．そのためには，上行腸腰静脈（この図にはないが，かなりの太さがある）を結紮切離する必要がある（☞図6-29）．

深層の展開

椎体展開にさいしては，大腰筋内へ侵入しないよう大腰筋膜を確認する．大腰筋膿瘍が存在する場合には，この時点で触知可能であり，そのときは大腰筋の側方から指で大腰筋自体を分け，膿瘍を貯める腔に達する．

椎体前面の展開において，大動脈，下大静脈はレベルごとに分節動静脈によって固定されているので，これら大血管の可動性を得るには，両者の分節動静脈を別々に結紮切離する．誤って損傷したり結紮がはずれたりして出血させないよう注意すべきである（図6-46～49）．

レベル確認には椎体あるいは椎間板に針を刺入してX線コントロールを行う．

注意すべき組織

傍脊椎交感神経幹は大腰筋内側の椎体側方に存在する．

陰部大腿神経は大腰筋の前内側の筋膜に沿って下行しており，確認しやすい．温存に努める（☞図6-45, 49）．

腰分節動静脈を結紮することは出血を防止する意味でも必要な場合もある（☞図6-46）．

下大静脈は過度の牽引排除のさいに損傷される危険があり，とくに右側アプローチではリスクは大である．これが左側からアプローチする理由でもあり，術者は静脈の愛護に細心の注意を払う．

大動脈は拍動により確認はきわめて容易であり機械的損傷に強い（☞図6-49）．

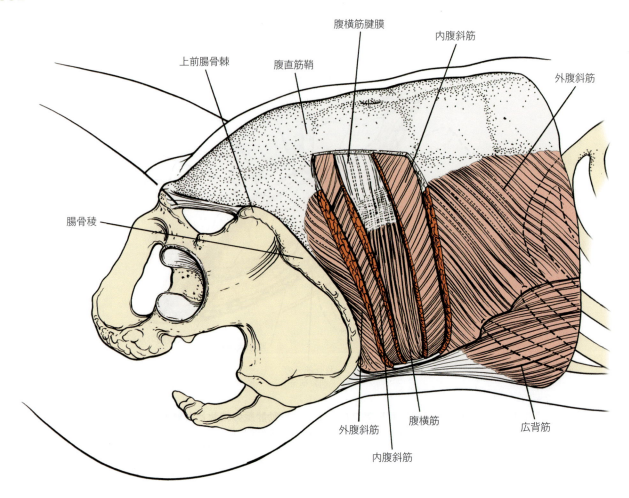

図 6-47　側腹壁を構成する筋群の線維走向

　尿管は腹膜と大腰筋膜との間で大腰筋の内側寄りを下内方へ向かって下行し，むしろ腹膜とわずかに結合しているので，腹膜とともに排除される．尿管か否かの判定には，機械的に刺激を与えると蠕動を起こすことをみればよい（👍図 6-49）．

術野拡大のコツ

●深部への拡大
　肺外科で用いる自在レトラクターの使用は術野展開と保持の鍵で，良好な上下への開創を可能にする．もし，目的とする椎体の展開が十分でなければ，広背筋や腰方形筋などの切離を追加しつつ剥離展開を背側へ拡げていく．

●上下への拡大
　この斜切開は一般に下位腰椎に対しては限界がある．上位腰椎部ではさらに皮切を上方へのばすことは可能である．しかし，肋骨切除を必要とするなど，胸膜や腎と接近するのでやや面倒である．十分な経験がなければ，一般外科医の協力のもとに行うべきである．

7. 腰椎への前側方（後腹膜）アプローチ

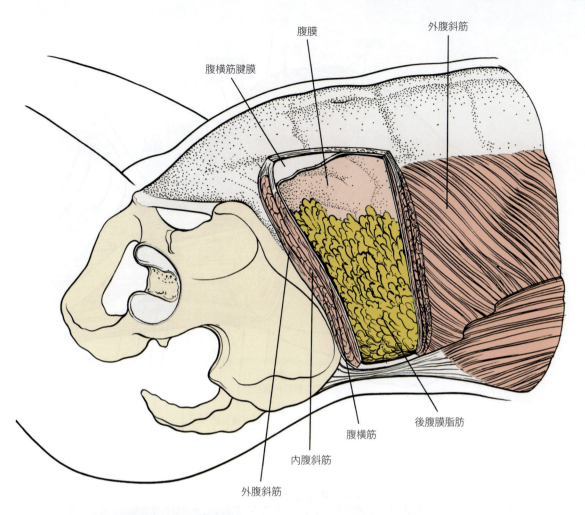

図 6-48　展開路となる後腹膜のイメージ
内・外腹斜筋および腹横筋を部分切除したところ．前方部には腹横筋腱膜と腹膜，側方から背部にかけては比較的多量の後腹膜脂肪が存在する．

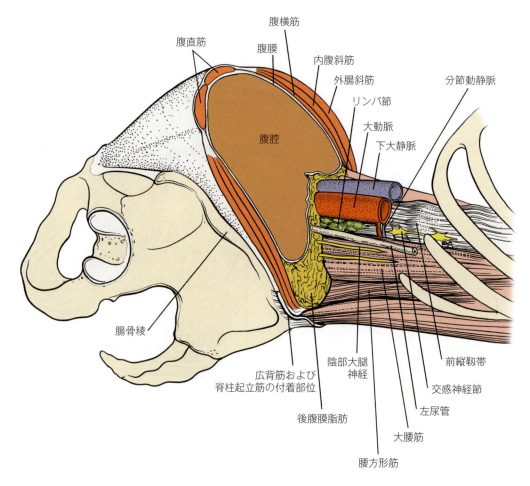

図 6-49　腸骨稜レベルでの椎体周辺の主な器官
腸骨稜の高さで腹部の筋群や腹部内臓器を取り除いたところ．腸腰筋と大動脈の位置関係を確認する．この間隙には交感神経幹と椎体前面がある．

頚　椎

8　下位（C3〜C7）頚椎への後方アプローチ

　頚椎後方アプローチは，頚椎後方要素の全域を展開できる点でもっとも繁用されている．次の場合に用いられる．
- 頚椎後方固定術[17]
- 脊柱管拡大術（椎弓切除術，椎弓形成術）
- 腫瘍病変
- 椎間関節脱臼の治療[18,19]
- 神経根の展開
- ヘルニア腫瘤の切除
- 頚椎脱臼骨折の観血的整復・内固定

患者体位

　腹臥位，頚部を軽く前屈位に保持する．これには特殊な頭部固定器（Mayfield 型など）ないしはドーナツ型パッドを用いる．これらは頭頚部姿勢の微調整，眼球圧迫の危険を防ぎ，麻酔医の気道の管理にも有利である（図 6-50）．
　別な体位として，座位で頭部を保持する．この体位は静脈からの出血を少なくするという利点はあるが，空気塞栓の危険がある．

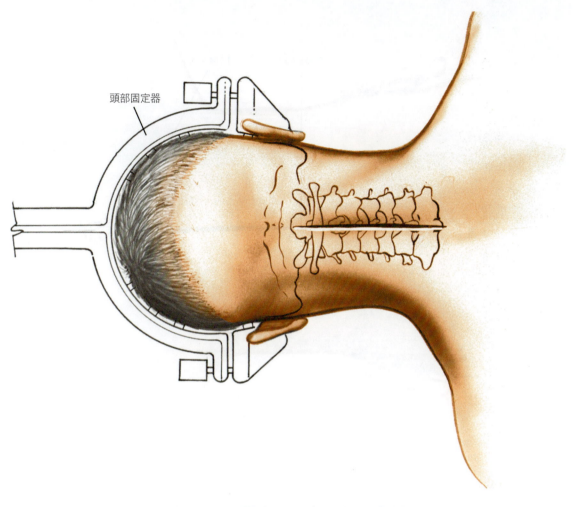

図 6-50　下位頚椎後方アプローチ．患者体位

照明は重要であり，冷光源ヘッドランプまたは顕微鏡照明などを併用するとよい．

ランドマーク

棘突起は椎弓のランドマークである．すなわち C2 棘突起，C7 および T1 棘突起はともに顕著な大きさをもち，十分触知可能である．術中 C7，T1 を識別しかねることがあるので，あらかじめ病変部またはその近辺の棘突起に針を刺入し X 線撮影を行うのがよい．まれに目的とする椎弓を正確に判断できない場合もあるので，第2のマーカーを C7 棘突起に挿入しておくこともある．頚椎の椎間関節や椎弓間の間隙などは狭く小さいため，不必要な部位まで切除してしまう可能性もあるので X 線像を十分参照する．

皮切

正中直線切開（図 6-51）とするが，正中であることの指標として，棘突起に刺入した針をマーカーとする．項部の皮膚は厚く，前頚部の皮膚と比べ可動性が少ないので，術後瘢痕はやや目立つが，頭髪で隠れる．

internervous plane

正中線上の矢状面が internervous plane である．傍脊柱筋群は左右それぞれに分節性の神経支配を受けている．

浅層の展開

皮切線上で正確に棘突起先端まで切り開く．正中線を

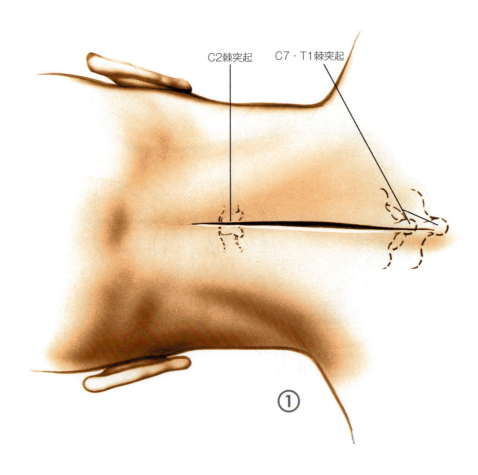

図 6-51　下位頚椎後方アプローチ．正中切開
病変部を皮切の中央に正中縦切開とする．

またいで静脈叢が交差しているので，多少の出血を生じる．焼灼止血を行う（図 6-52, 53）．

　傍脊柱筋は，骨膜下に椎弓から片側または両側性に剥離する．後方固定術の場合は両側に，ヘルニア摘出の場合は片側性でよい．筋剥離には余計な筋損傷を起こさぬよう Cobb エレベーターや焼灼を用い（図 6-54），必要に応じて椎弓，椎間関節まで剥離を行う（図 6-55, 56）．椎間関節の間を走る分節動脈の背側枝は必要であれば焼灼する．

　一般にこれら展開は安全であるが，正中からずれてしまうとかなりの出血をきたすので即座に焼灼止血する．また，椎弓の展開にさいし脊椎披裂がある場合には脊髄損傷を起こさぬよう十分注意しなければならない．

深層の展開

　椎弓間における黄色靱帯を確認して，まず椎弓上縁に沿ってメスを用いて横切し，神経剥離子を正中から硬膜外腔へ挿入して，硬膜を保護しつつ黄色靱帯を除去する．椎弓切除は両側あるいは片側性いずれにおいても，その直下に青白色の硬膜が露出するまで行う．ついで，椎体や椎間板後方，ヘルニアがあればそれを確認する（図 6-57, 58）*．このさい硬膜外静脈叢からは，かなりの出血をきたすことがあり，とくに前内椎骨（硬膜外）静脈叢からの出血はきわめて止血しにくい．

*訳者註（警告）：頚髄や胸髄の硬膜はいかなる場合においても，不用意に正中側へ圧排するようなことは絶対禁忌である．やむを得ないときには，脊髄モニターを併用し安全操作を確認しつつ手術を行う．

8. 下位（C3～C7）頚椎への後方アプローチ

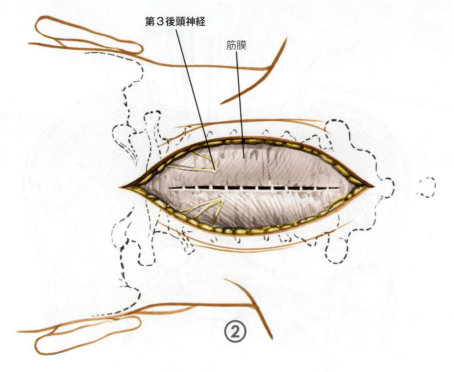

図 6-52　下位頚椎後方アプローチ．筋膜の切離
第3後頭神経の位置に注意する．

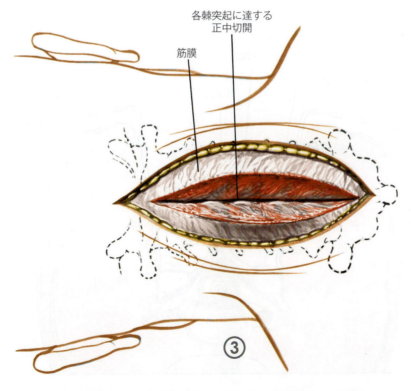

図 6-53　下位頚椎後方アプローチ．項靱帯の正中縦割
棘突起先端にいたるまで正中面で縦割する．

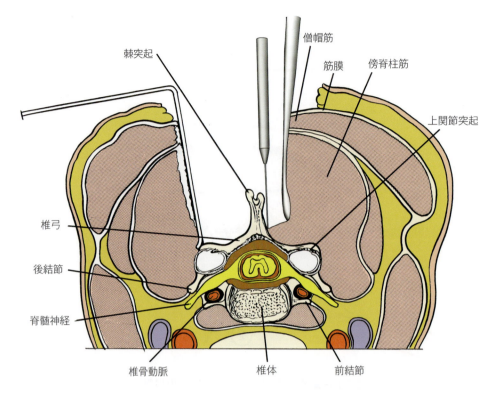

図 6-54　下位頸椎後方アプローチ．椎弓展開の水平断面図
必要に応じ傍脊柱筋を片側または両側性に骨膜下に剥離する．椎骨動脈は椎間関節のかなり前方に位置している．

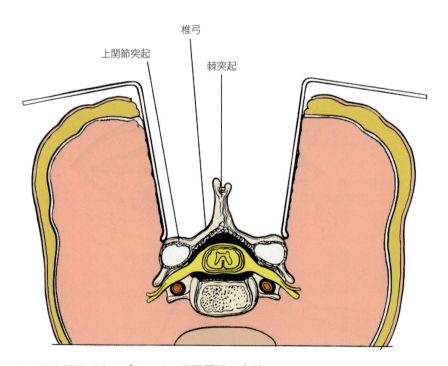

図 6-55　下位頸椎後方アプローチ．椎弓展開の完了

8. 下位（C3〜C7）頸椎への後方アプローチ

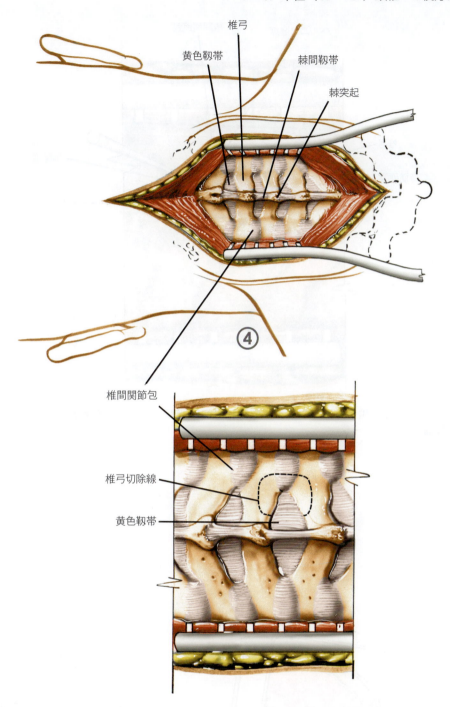

図 6-56　下位頸椎後方アプローチ．椎弓・黄色靱帯の展開と部分椎弓切除（椎弓間開窓）
エアドリルと小型 Kerrison 鉗子を用いて，上位椎弓の尾側の部分，ついで下位椎弓の頭側部分を椎間関節の内側の一部を含めて切除し開窓する．

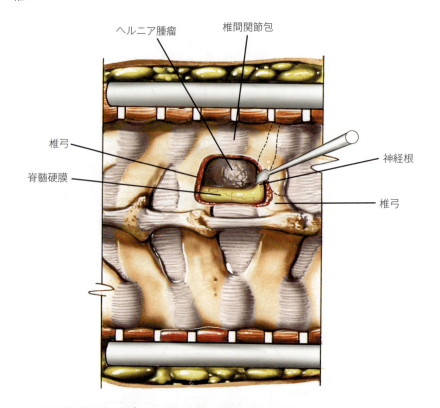

図6-57 下位頸椎後方アプローチ．部分椎弓切除（開窓）による頸椎椎間板ヘルニア腫瘤の展開イメージ
部分椎弓切除で不十分な場合には全椎弓切除を行う．

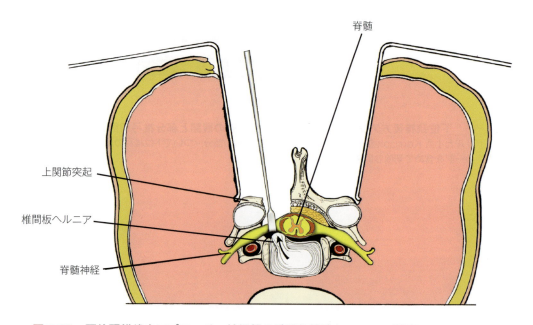

図6-58 下位頸椎後方アプローチ．神経根の愛護的排除とヘルニア腫瘤

注意すべき組織

脊髄と神経根の不用意な排除は絶対に避けねばならない．十分な両側性椎弓切除を行うことは，これら神経要素の圧迫障害を最小限にする1つの条件でもある．神経根の排除操作は術後の神経根の癒着の点からみて最小限にとどめ，静かに行うべきである．神経根を展開するには，まれならず椎間関節の一部を切除しなければならないことがある．

頸神経根の後枝は，傍脊柱筋と項部皮膚感覚を支配するが，この手術ではそれほど危険ではない．仮に後枝を焼灼したとしても，臨床的にはそれほど問題になることはない．

頸部脊柱管内静脈叢は，よく発達しかつ血管壁は菲薄である．排除操作で容易に著しい出血を生じうる．Malisのバイポーラー焼灼器で焼くことがもっとも効果的といえる．

傍脊柱筋には**分節性の血行支配**があり，その背側枝は椎間関節を越えて剥離するさい，損傷されうる．電気焼灼を用いて止血するとき傍脊柱筋の収縮をみる．傍脊柱筋の血管支配は豊富なので問題はない．棘突起などの栄養血管孔から出血する場合もある．骨ろう（ボーンワックス）や焼灼で比較的容易にコントロール可能である．

椎骨動脈は，横突起中の横突孔内を通過しているので横突起を展開するときでも露出することはない．しかし，横突起が感染や腫瘍あるいは外傷によって破壊されている場合には，横突孔内へ侵入しないよう十分注意する（☞図6-54，62）．

術野拡大のコツ

●深部への拡大

展開を拡大するには皮切の延長と椎弓の露出をさらに進める．側方への拡大では，C1およびC2を除いて筋群の十分な側方排除のもとに椎間関節を越えて横突起に達する．当然，椎弓切除も上下に追加し，脊髄，神経根の必要な展開野を得る．

●上下への拡大

正中切開では，頭側は頭蓋骨，尾側は尾骨まで延長は可能である．もちろん常に展開は正中線上で骨膜下に行う．

9 下位頸椎への後方アプローチに必要な外科解剖

概　観

後頸部を構成する傍脊柱筋群は頭尾側方向に走向し，分節性の支配を受けている．これら筋群の個々についての解剖や，層がどのようになっているかを知ることは有意義であるが，実際の正中アプローチではそれらを損傷することはほとんどない．

ランドマーク

頸椎**棘突起**はC2～C6までは先端が二股に分かれている．C2はもっとも大きい棘突起を有しC3, 4, 5は比較的小さい．**C7**の棘突起は厚く二股に分かれておらず，1つの結節をなしている．C7棘突起は容易に触知可能である（☞図6-63A）．

C7を除く他のすべての棘突起は後下方を向き，傍脊柱筋群の付着部となっている．

皮　切

項部の皮膚は前頸部のそれに比べ厚く，直接筋膜と結合している．縦切開は皮膚張力線と直交するから手術瘢痕は厚くなりやすい．しかし創自体は治癒しやすく，また頭髪で隠れるため美容上の問題は少ない．

浅層の展開

項靱帯は頭蓋からC7棘突起にいたる弾性線維組織で，各棘突起に中隔線維を送り，左・右傍脊柱筋を二分している．この中隔はヒトでは痕跡的であるが，四足獣では頭支持筋を補強するためよく発達している．この項靱帯は棘上靱帯と発生学的に相同で，正中縦切開がこれら靱帯内で行われる限り安全である（☞図6-63B）．

項頸部の筋群は3層からなる．**浅層**は僧帽筋で，正中項線の上部および各棘突起に起始し頸部の全域をおおっ

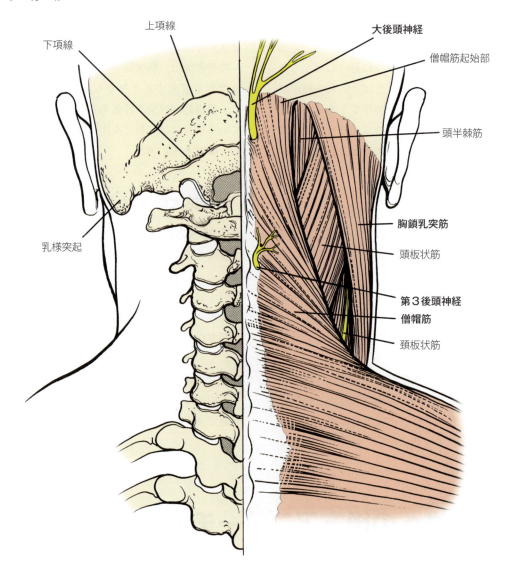

図 6-59　項頸部の浅層解剖
浅層筋は僧帽筋および胸鎖乳突筋からなる．その下の中間層は頭板状筋である．

ている．僧帽筋は上肢帯筋そのもので，腰椎部における広背筋と対応するものである（図 6-59）．

中間層としての頭板状筋は比較的大きく扁平で，C7棘突起，項靱帯の尾側半分および T1〜T3 棘突起に起始し，頭蓋に停止する（図 6-60）．

深層は浅，中および深部の 3 つに分けられる．すなわち浅部は頭半棘筋で，これは頭板状筋直下にあって比較的大きい（起始部は頸椎横突起，停止部は頭蓋である）．深層の中間部は頸半棘筋で構成され，T1〜T5，または T6 までの各棘突起に起始し，頸椎棘突起間の正中に停止する．もっとも深部は多裂筋および短・長回旋筋群である（図 6-61）．

頸部の椎弓は内側から外側へ向かって約 45°の角度で傾斜し，椎間関節にいたる．椎間関節面は前額面をなしている（図 6-62B，63）．

椎弓展開の過程においては大きな脊椎披裂がない限り，脊柱管を損傷することはない．しかし Cobb ラスパトリウムのような大きな剥離子を用いることが重要かつ

9. 下位頸椎への後方アプローチに必要な外科解剖

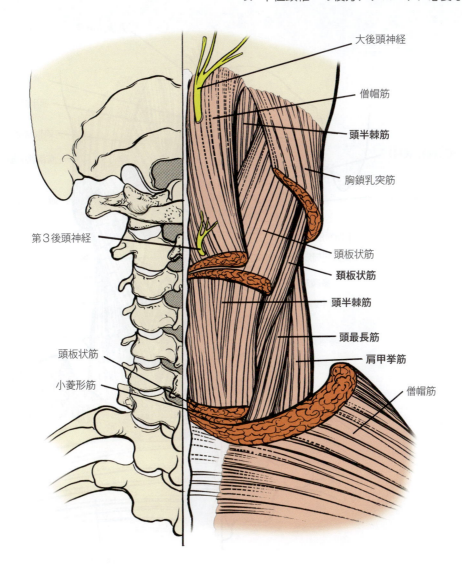

図 6-60　項頸部の中間層解剖
浅層筋と頭板状筋の一部を切除してある．その下には，中間層をなす頭半棘筋，頭最長筋，頸板状筋が存在し，もっとも外側には肩甲挙筋がある．

安全である（☞図 6-54）．

深層の展開－その注意すべき組織

　黄色靱帯は各椎弓を連結しかつ椎弓間隙を埋めている．レベルごとに左右1対をなし，正中部では微小な間隙を作って二分されている．この靱帯は下位椎弓縁の先端に起始し，1つ上位の椎弓内面約1/3に停止している．各黄色靱帯は正中から椎間関節包に向かって側方へ拡がっている．脊髄は黄色靱帯の直下に位置している．したがって黄色靱帯の切離は，脊髄をおおう組織（外層の硬膜，中間層のくも膜，内層の軟膜）を損傷しないよう慎重を期する．

　後縦靱帯は各椎体後面の脊柱管内に存在し，全脊柱管に及ぶ．この靱帯は各椎体と椎間板に付着し，頸椎部ではもっとも幅が広い．後縦靱帯の表面には弁を持たない静脈叢が存在し，出血の原因となるため焼灼止血する．

　深層展開のさいの重要組織は椎骨動脈である．この動脈は横突孔内を上行し中脳を栄養する．椎弓の過激なデコルティケーション（皮質骨の削開）は椎骨動脈の後壁を損傷する危険がある．横突起が病変に含まれている場合にはとくに危険である．椎骨動脈損傷が万一起こった場合，修復を試みることなく，まずは充填圧迫で止血すべきである．そして多くの場合，最終的には止血はコントロールされるが，まれには血管修復または結紮が必要になることがある（図 6-64；☞図 6-63）．

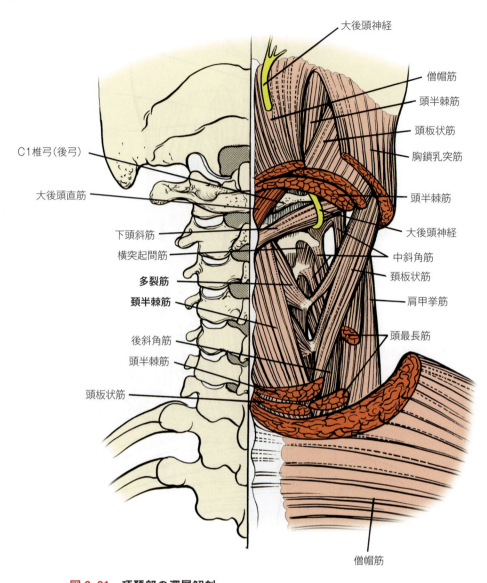

図 6-61 項頸部の深層解剖
中間層である頭半棘筋を切除してある．最深部は頸半棘筋と多裂筋である．

9. 下位頚椎への後方アプローチに必要な外科解剖 **345**

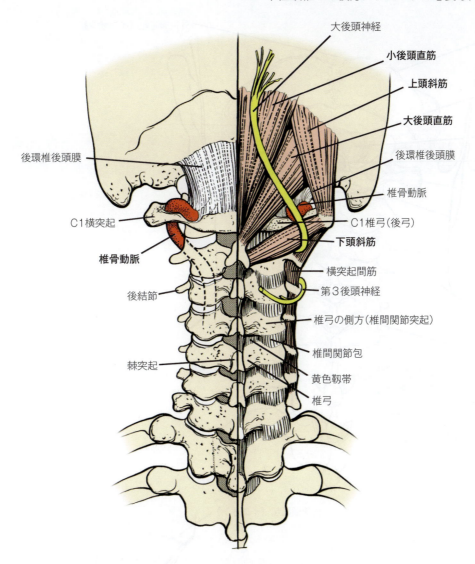

図 6-62 後頭下三角（suboccipital triangle of the neck）を構成する筋と重要組織
大・小後頭直筋および上・下頭斜筋がそれである．椎骨動脈は C2 以遠では椎間関節の前方を通過して C1 横突孔に入って C1 椎弓の上面を外から内へ向けて走行する．

大後頭直筋	起　始	軸椎棘突起上で腱様に起始
	停　止	後頭骨の下項線側方でその直下
	作　用	頭部を同側に回旋しつつ伸展
	支配神経	後頭下神経（C1 背側枝）
小後頭直筋	起　始	環椎後弓結節に腱様に起始
	停　止	後頭骨の下項線および大後頭孔（C1 後弓から発した筋線維のみ）
	作　用	頭伸展
	支配神経	上に同じ
下頭斜筋	起　始	軸椎棘突起先端
	停　止	環椎横突起の下後方
	作　用	環椎の回旋と同側への頭回旋
	支配神経	大後頭神経（C2 背側枝）
上頭斜筋	起　始	環椎横突起の上面
	停　止	上・下項線間の後頭骨で，頭半棘筋の外側
	作　用	頭伸展と側屈
	支配神経	大後頭神経（C2 背側枝）

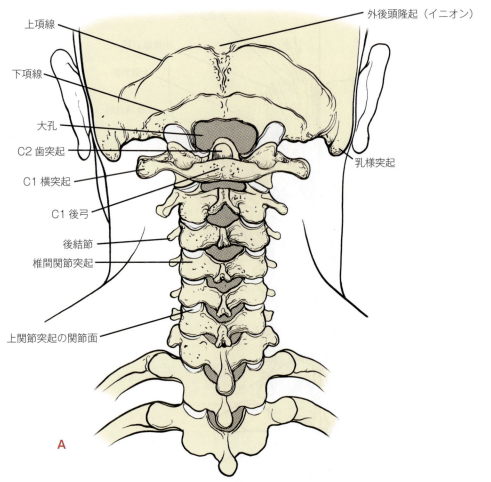
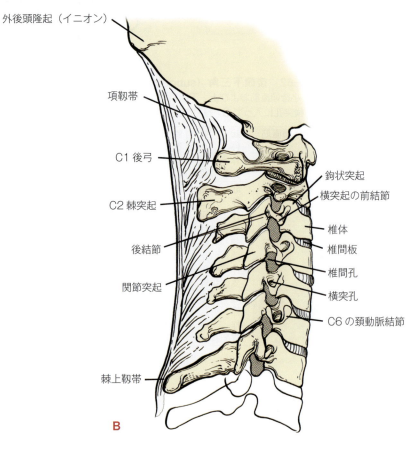

図 6-63 頸椎の骨格
A：後面，B：側面

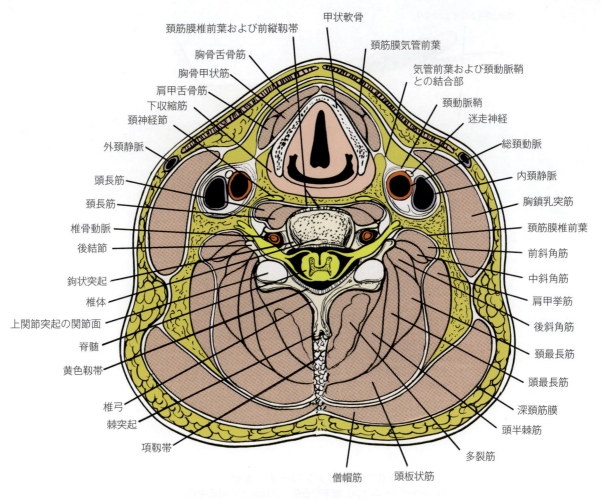

図 6-64　頸の水平断面図（C5 レベル）
椎骨動脈は神経根のすぐ前方に位置している．

10　上位（C1～C2）頚椎への後方アプローチ

　C1（環椎）およびC2（軸椎）への後方アプローチは基本的に頚椎その他の部位と変わりないが，解剖と機能の点で多少特徴を異にしており，別個に議論されている．このアプローチは，次の場合に用いられる．

- 脊椎固定[20]
- 除圧椎弓切除
- 腫瘍病巣の治療
- C1またはC2椎骨骨折の固定

患者体位

　腹臥位でC1椎弓と後頭骨の間を開大するように頭頚部を前屈位とする（☞図6-50）．

ランドマーク

　外後頭隆起（イニオン）を上項線の正中に触知する．C2棘突起は上位頚椎部では最大であるが，わずかな抵抗として触れる程度である．C1は棘突起を有さず，触知はできない．

皮　切

　外後頭隆起から始まる6～8cmの正中切開とする

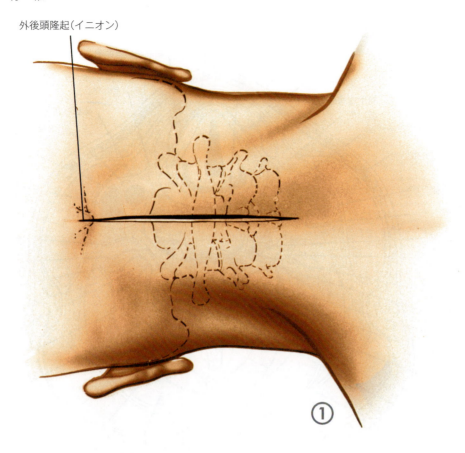

図 6-65　上位頸椎後方アプローチ．皮切
外後頭隆起（イニオン）直下から6〜10 cm程度の正中切開をおく．

（図 6-65）．

internervous plane

傍脊柱筋は上位頸椎の神経後枝によって左右別々に支配されているので，正中線はそれ自体 internervous plane で，下方にのびている．

浅層の展開

正中皮切線上に頸筋膜，項靱帯を縦割するが，まずC2棘突起近辺に達する（図 6-66, 67），ついで切開を下方へ延長しC3あたりまでのばしてから，C1結節，さらに外後頭隆起の展開へと進む．

C1およびC2後方部分からの傍脊柱筋剥離は慎重に行う（図 6-68）．できるだけ大きなラスパトリウム（大型のCobbエレベーターなど）を用いることによって，脊柱管内への不慮の進入を防ぐ．またC1/C2間の椎間関節は，C2/C3間のそれよりも約2.5 cm前方に位置することに注目しつつ，後頭骨まで展開していく．必要であればC1後弓の上縁も展開する（☞図 6-68）．

深層の展開

C1/C2間の黄色靱帯（後環軸靱帯）および後頭骨環椎間に存在する後環椎後頭膜を，必要な場合に限り部分的に切除する（図 6-69）．通常，この膜の切除は，C1/C2間に骨移植固定を行うときにC1後弓にワイヤーを

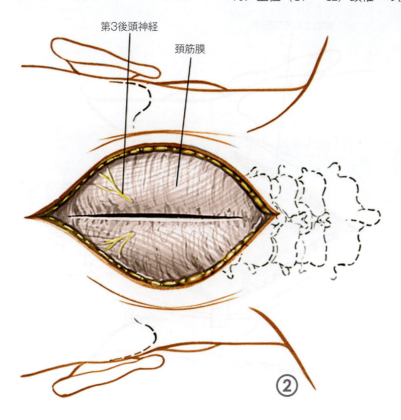

図 6-66 上位頸椎後方アプローチ．頸筋膜および項靱帯の切開

通す場合に必要となる．この靱帯を切除してしまうと脊髄を被覆する硬膜はおおいを失ってしまう．

注意すべき組織

非腫瘍性病変であれば，C1，C2 高位では椎弓と硬膜間にはかなりのスペースがあり，**脊髄**を排除しなければならないことはまれである．この脊髄の排除はきわめて危険であり，呼吸麻痺による死を招くことがあるため，基本的に排除は避けるべきである．

大後頭神経（C2 背側枝）および**第 3 後頭神経（C3 背側枝）**の 2 つの神経は，ともに術野に現れる（👉図 6-59，62）．これらは後頭部皮膚感覚の大部分を支配する脊髄後枝の分枝で，側方から上行しているので，正中アプローチでは損傷することはない．側方へ脊椎を展開する場合には注意を要する．

椎骨動脈は術野に現れる．椎骨動脈は椎横突孔を出て環椎後頭関節のすぐ背側に接して内側へ走り，後環椎後頭膜の外角を貫通して脊柱管内を経て頭蓋内へ入る．椎骨動脈はアプローチのさいに同部位で損傷される危険性があるので注意を要する（👉図 6-62）．

術野拡大のコツ

●深部への拡大

近位への展開では，傍脊柱筋を剝離し頭蓋骨に達する．遠位への展開には，C3 に付着する筋を剝離する．

●上下への拡大

遠位への展開は原則として正中で行う．理論的には尾椎まで拡げることができる．

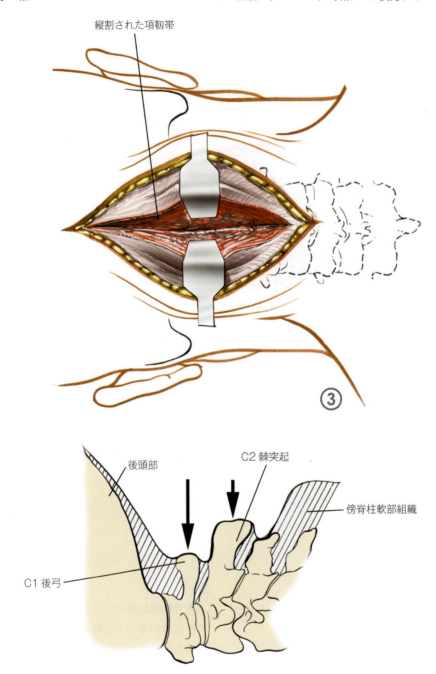

図 6-67　上位頸椎後方アプローチ．頸筋膜および項靱帯の切離
項靱帯の切離では，できるだけ正確に正中矢状面に C2 棘突起にいたるまで縦割する．
C1 後弓は，C2 棘突起先端（短い矢印）よりかなり前方で深い位置にある（長い矢印）．

10. 上位（C1〜C2）頸椎への後方アプローチ

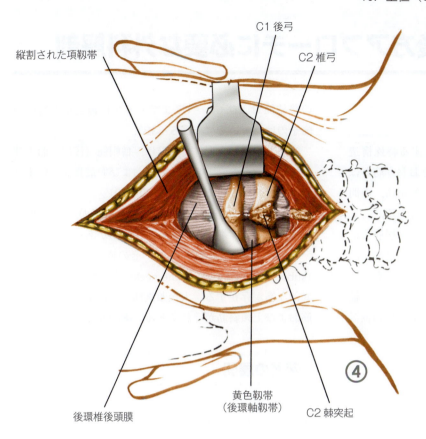

図 6-68 上位頸椎後方アプローチ．
C1，C2 椎弓の展開
後頭骨の一部を含めて大型の Cobb エレベーターを使って骨膜下に筋を剥離する．

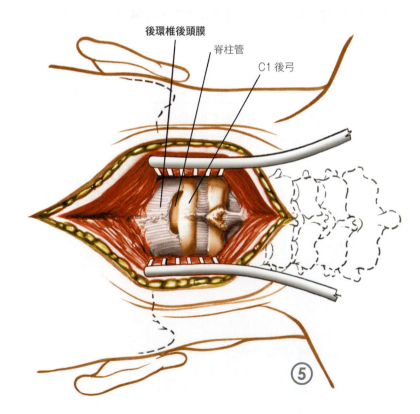

図 6-69 上位頸椎後方アプローチ．
後環椎後頭膜の切開または部分切除
これは，後頭環軸椎間の後方固定術にさいしてワイヤリングのために行われる．

11 上位頸椎への後方アプローチに必要な外科解剖

概観

C1およびC2は上位頸椎運動を可能とする特殊構造を持つ．他の脊椎部位と同様にC1，C2をおおう筋群は3層からなる．その外層は上肢帯筋として僧帽筋，中間層は傍脊柱筋（頭板状筋および頭半棘筋）である．

深層は独特の形状を持つ筋群である．この深層筋群は4対の小さな筋群で，環軸関節の持つ特異的な運動に関与している．これら深層は手術にさいしてもっとも危険な部位である．すなわち椎骨動脈（かなり深部だが，横突孔を通過し術中直視することは不可能である）の位置関係を十分知っておくことが肝要である．

ランドマーク

C2棘突起は大きく塊状で二峰性の先端をなし，頸半棘筋，多裂筋および深層筋群の停止部となっている．これに反し，環椎には筋の起着はほとんどない．C2椎弓はその大きな棘突起を支持すべく十分に発達している．

外後頭隆起（イニオン）は後頭骨の中心に位置するいぼ状の大きな隆起で，上項線を左右に二分している．上項線は後頸部筋群の停止部と頭蓋とを分けている（☞図6-63）．

皮切

血管支配が豊富なこと，張力があまりかからないため創はよく治癒する．美容上も頭髪に隠れるので問題はない．

浅層の展開

項靱帯は外後頭結節からC7棘突起間にあって，環椎の後結節およびC2～C7までの各頸椎棘突起先端に中隔をのばしている（☞図6-63B）．

浅層，中間層を形作る筋群は，僧帽筋（浅層）および頭板状筋，その直下の頭半棘筋および頭最長筋（いずれも中間層筋）である（☞図6-59，60）．

頭板状筋は胸椎棘突起に起始し，頭蓋底部に停止する．その下に環椎に付着する頸半棘筋がある．

これら筋群を剥離すると，その直下に後頭下三角（suboccipital triangle of the neck）を形成する4つの特異的な筋が存在する．大後頭直筋，小後頭直筋，下頭斜筋および上頭斜筋がそれである（☞図6-62）．

深層の展開

環椎は棘突起を有しないためリング状にみえ，とくに深く展開しないと現れてこない（☞図6-63B）．

環軸膜および後環椎後頭膜は，脊髄後面をおおう靱帯組織で黄色靱帯と相同である．C1～C2における脊柱管はとくに広く，これにより大きな可動性を有することができる．

後頭下三角の外側から出る2つの重要な皮神経として大後頭神経（C2背側枝）および第3後頭神経（C3背側枝）がある（☞図6-59，62）．また，後頭下三角においては椎骨動脈がもっとも重要である．これは中脳の主支配動脈で各横突孔内を上行し，環椎の横突孔を出て，環椎後頭関節の背側を内側に向けて走行する．そして後環椎後頭膜の外角を貫通して脊柱管内へ入る．よって後環椎後頭膜の切除にあたっては，きわめて危険性の高い部位なのである（☞図6-62）．動脈とともに走行するのがC1の神経後枝（後頭下神経）である．この神経は4つの特殊な筋群（大後頭直筋，下頭斜筋，上頭斜筋，小後頭直筋）を支配し，環軸関節と環椎後頭関節の動きをコントロールしている．

12 頚椎への前方アプローチ

前方アプローチにより C3〜T1 の椎体椎間板の前面さらに各椎骨の鈎状突起まで展開が可能であり，適応は次の通りである．

- 椎間板ヘルニアの切除[21]
- 椎体間固定（☞第 7 章「1 採骨のための腸骨稜への前方アプローチ」）
- 鈎状突起および椎体の骨棘切除
- 腫瘍切除と骨移植
- 脊椎炎の治療
- 椎体，椎間板の生検
- 膿瘍のドレナージ
- 頚椎骨折の観血的整復・内固定

反回神経は前方アプローチでもっとも重要かつ危険な組織である．左反回神経は気管と食道との間溝を上行し喉頭にいたるもので，その本幹は迷走神経で，左側は大動脈弓で反回する．右側は右鎖骨下動脈で反回して気管に沿って上行する．下位頚椎の右側においては外側から内側へ向かって走り気管を支配するので，右側進入は左側進入より危険性は高い．これが左側アプローチを多くの術者が好む理由でもある．一方，アプローチ側を単純に病変の位置にしたがって決定する術者もいる．

患者体位

背臥位で肩甲背部に小さな砂嚢や枕子を挿入することで頚部を軽く伸展位とする．頭部は術野の反対側に軽く回旋することで，アプローチが容易となる（図 6-70）．術後頭蓋牽引が必要であれば，装置をつけておく．手術台は約 30°頭側高位とし，静脈性出血の減少をはかる．両上肢は体幹の脇につけておく．

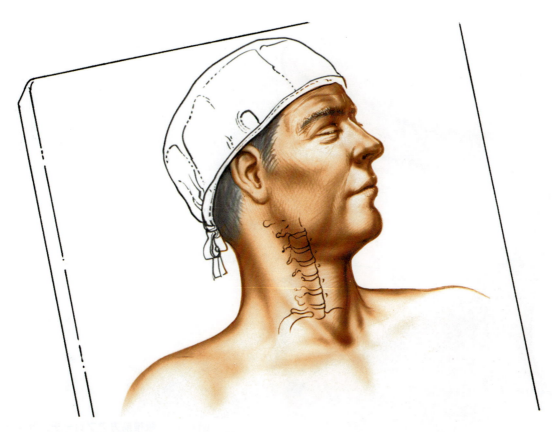

図 6-70　頚椎前方アプローチ．患者体位
背臥位で両肩甲骨間背部に枕子または砂嚢を挿入して，適度に頚を伸展位にし，顔面を軽く反対側へ向ける．

ランドマーク

椎体レベル判定のため，いくつかのランドマークがある．

- 硬口蓋…………環椎の前弓レベル
- 下顎骨の下縁……C2～C3
- 舌骨……………C3
- 甲状軟骨………C4～C5
- 輪状軟骨………C6
- 頚動脈結節………C6

これらを目印として，切開レベルを決定する（**図 6-71**；☞**図 6-82**）．ただしX線で場所は確認しなければならない．

胸鎖乳突筋は乳様突起から胸骨に向けて斜めに走る．触知しやすくするためには，頚部を側屈回旋させる．

頚動脈は胸鎖乳突筋前縁上を指で後外側に向けて圧迫を加えつつ，その拍動を触知する．

頚動脈結節（Chassaignac's tubercle）はC6横突起前方に頚動脈を触知したのち，その直下近傍に大きな骨性隆起として触知しうる[22]．

皮 切

頚椎病変が限局性であれば，そのレベルに応じて皮膚皺襞に沿った横切開を行う．斜め皮切は正中から胸鎖乳突筋の後縁あたりまでの展開を可能とする．これらの皮切は美容上非常に有利である（☞**図 6-71**）．

internervous plane

浅層ではinternervous planeは存在しないが，皮膚切開自体も，広頚筋切離も問題はない．広頚筋は頚部の上方から下ってくる顔面神経（第7脳神経）で支配されている．

深層では胸鎖乳突筋（脊髄副神経支配）といわゆる頚部帯状筋群（C1，C2およびC3の神経支配）との間にinternervous planeがある（☞**図 6-74**，**水平断面図**）．

さらに深層では左・右頚長筋の間にもinternervous

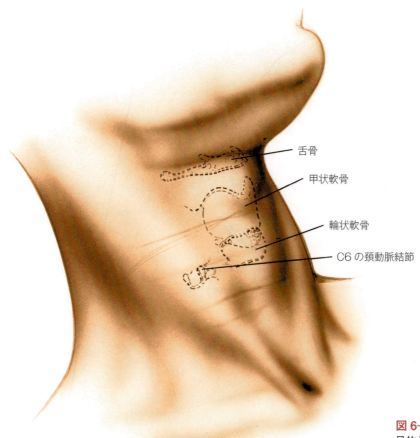

図 6-71　頚椎前方アプローチ．ランドマーク
目的とする頚椎レベル近くの皮膚皺襞またはそれに沿って横切開を加える．

plane がある．頚長筋は左右別々に C2 〜 C7 の神経支配を受けている（☞図 6-76，水平断面図）．

浅層の展開

皮膚および広頚筋は，ともに血管に富むのでエピネフリン（アドレナリン）加生理食塩液をあらかじめ浸潤させる術者もいる．

広頚筋膜は皮切線上で横切し（図 6-72），ついで広頚筋を線維走向に沿って縦に指で分離するか，メスで横切する．胸鎖乳突筋の前縁を確認し，そのすぐ前方で深頚筋膜を切開する（図 6-73）．用手的に静かに胸鎖乳突筋を側方へ排除し，胸骨舌骨筋および胸骨甲状筋を気管，食道とともに正中側へ引き寄せる．

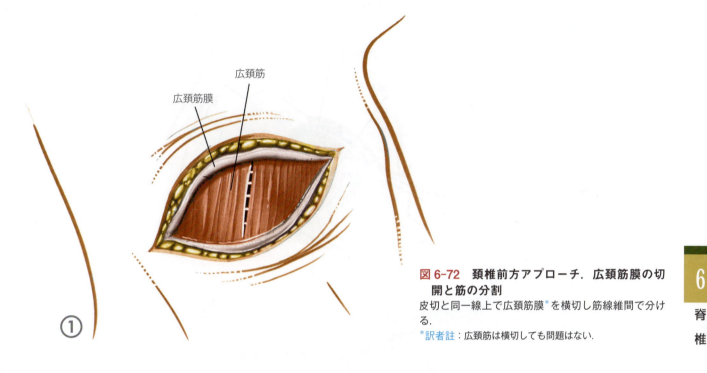

図 6-72 頚椎前方アプローチ．広頚筋膜の切開と筋の分割
皮切と同一線上で広頚筋膜*を横切し筋線維間で分ける．
*訳者註：広頚筋は横切しても問題はない．

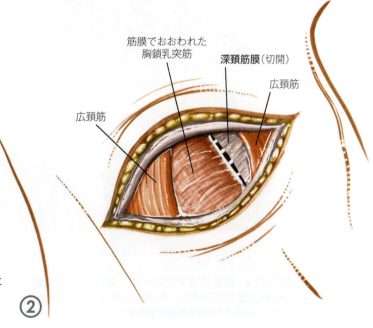

図 6-73 頚椎前方アプローチ．深頚筋膜の切開
胸鎖乳突筋の前縁を確認し，それに沿って深頚筋膜を縦に切開する．

頚動静脈および迷走神経を含む頚動脈鞘は，この過程で必要があれば露出する（図 6-74）．

頚動脈拍動を触知し，頚動脈鞘の内側縁と前頚部の臓器（甲状腺，気管，食道）との間を展開して，頚筋膜気管前葉を頚動脈鞘の内側縁の近傍で切開する．頚動脈鞘は胸鎖乳突筋とともに外方へ排除する（図 6-75）．

頚動脈からは頚部臓器への2本の動脈すなわち上・下甲状腺動脈が分岐している．これらの甲状腺動脈はC3〜C4の上位を展開しようとするとき視野に現れ，展開の進展が妨げられることがある．必要があれば，上・下

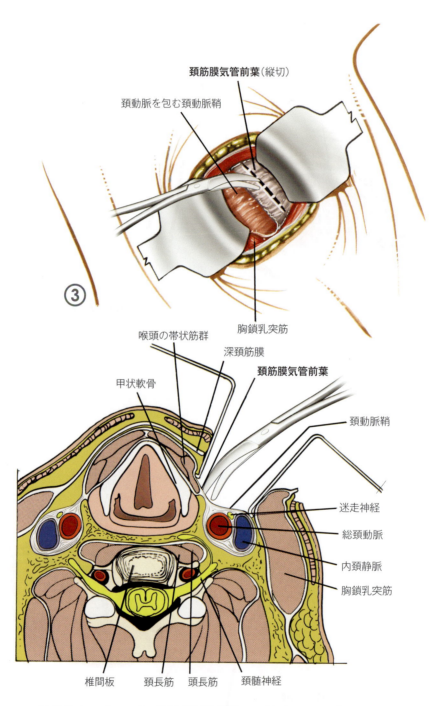

図 6-74　頚椎前方アプローチ．頚筋膜気管前葉の切開（C3〜C5）
胸鎖乳突筋を軽く外側へ，喉頭部のいわゆる頚部帯状筋群と甲状腺は正中側へ排除する．頚動脈鞘の内側で，頚筋膜気管前葉を縦に切開する．

の動脈の1つまたは両者を結紮することもある．
　頚筋膜気管前葉が切離されたら，食道を注意深く対側へ引いていく．
　この操作によって頚長筋および頚筋膜椎前葉でおおわれた頚椎椎体をみることができる．前縦靱帯は椎体・椎間板前面で白く光ってみえる．交感神経幹は頚長筋前面で椎体の側方付近に存在する（☞図6-77）．

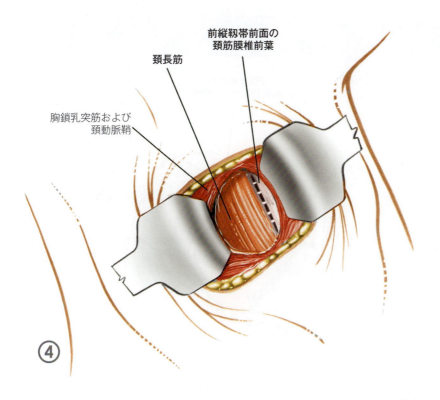

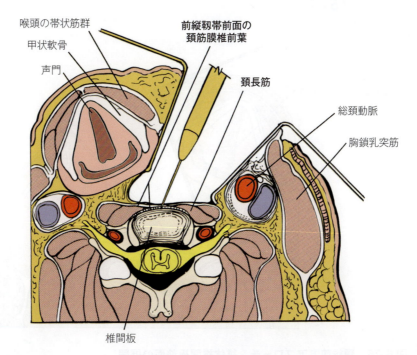

図6-75　頚椎前方アプローチ．頚筋膜椎前葉の展開と頚長筋の排除
胸鎖乳突筋と頚動脈鞘を外側へ，帯状筋群，気管，食道および甲状腺は正中側へ引く．頚長筋は正中で縦に切開する．

深層の展開

頚筋膜椎前葉を正中線上で必要な範囲に電気メスで切開し（👉図6-75，水平断面図），前縦靭帯とともに骨膜下に頚長筋を左右に分けて，椎体前面を展開する（図6-76）．高位確認には針刺入による側面X線コントロールを行う．椎体・椎間板展開保持のための自在レトラクターの爪は正確に長頚筋下に入っていることがきわめて大切で，反回神経，食道および気管も保護されていることを確認する．

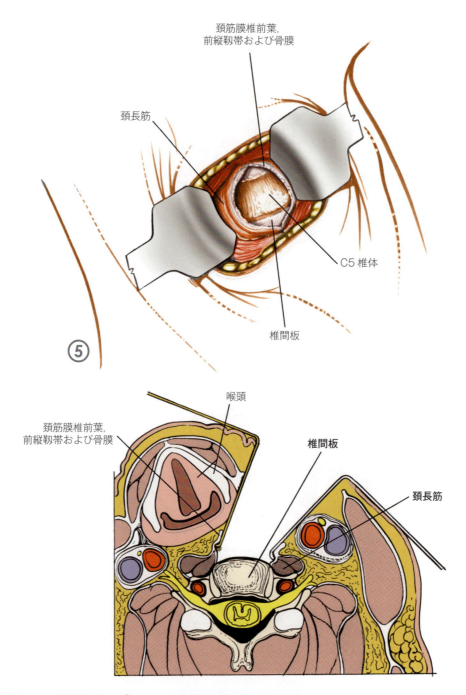

図 6-76　頚椎前方アプローチ．椎体椎間板前面の展開*
頚長筋を骨膜下に剥離して互いに側方へ排除する．椎体の前方を展開する．
*訳者註：頚長筋の排除と保持は，専用の自在レトラクターを使う．大切なことはレトラクターのブレードの爪を確実に頚長筋の内縁下にかけることである．

注意すべき組織

反回神経の損傷は，最深層の展開のさいに起こりうるので，レトラクターの爪を正確に頚長筋内縁下にかけることが大切である（☞図 6-79）．

交感神経と星状神経節もまた損傷や刺激される場合があり，Horner 徴候の原因となる．

これを防ぐには頚長筋を骨膜下に正中から側方へ剥離し，横突起までは露出しないことである（☞図 6-75，80）．

頚動脈鞘は胸鎖乳突筋の前縁で保護されているが，この部にレトラクターをかけてはならない．もし側方へ強く排除する必要がある場合には，助手に丸味のある鉤を手で持たせ，柔らかく引かせる（☞図 6-74，水平断面図，図 6-79）．

椎骨動脈は横突起外側寄りの横突孔の中を通過する．アプローチが正中からずれてしまった場合を除いては，椎骨動脈を確認しようとしてはならない（☞図 6-76，水平断面図，図 6-81）．

下位頚椎前方を展開するとき，下甲状腺動脈が術野を横切る場合がある．万一それを切断してしまったときは，断端が頚動脈鞘に向かって引き込まれてしまい結紮止血が難しくなる（☞図 6-80）．

レトラクターの不適切な装着によって**食道**および**気管**を損傷することがある．レトラクターが頚長筋下にかからなければ，丸味のある鉤で助手に引かせる（☞図 6-76，水平断面図）．

術野拡大のコツ

● 深部への拡大

側方へ拡げる場合には，頚長筋の骨膜下剥離をさらに拡げる．交感神経幹を損傷しないために，側方へ剥離しすぎないよう注意する．

● 上下への拡大

このアプローチでは拡大することができず限界がある．

13 頚椎への前方アプローチに必要な外科解剖

概観

頚椎前方アプローチの外科解剖を理解するためには，頚部には3つの筋膜層があることを熟知することが必要である．最浅層は**深頚筋膜**が胸鎖乳突筋および僧帽筋を包む層で，頚部の全周をとり囲むが，後方は項靱帯に結合している．この深頚筋膜を胸鎖乳突筋前縁に沿って縦切すると，胸鎖乳突筋といわゆる帯状筋群が分離できる．最浅層組織は，広頚筋（古い panniculus carnosus 筋層の遺残または皮膚筋）および外頚静脈からなる．外頚静脈はアプローチのさいに分離し温存する（図 6-77，78）．

次の層は**頚筋膜気管前葉**で，可動性の組織間隙の膜の層である．これは帯状筋を包み舌骨から胸郭に及んでいる（☞図 6-78）．そのキーポイントは総頚動静脈と迷走神経を包んでいる頚動脈鞘との関係である．この気管前葉は頚動脈鞘と帯状筋群とを連結している（図 6-79；☞図 6-77）．したがって，アプローチは頚筋膜気管前葉と頚動脈鞘の内側から進入しなければならないので，頚動脈鞘は外側へ，頚部の正中に位置する臓器は内側へ排除されることになる．上・下甲状腺動脈は，これら頚動脈鞘から出て気管前葉内を正中に向かって走る．まれに視野拡大にさいして，これらを切離しなければならないことがある（図 6-80，81）．ただし上咽頭神経が上甲状腺動脈と並行しているので，これは温存しなければならない．

頚筋膜の最深層は**頚筋膜椎前葉**である．これは強靱な膜で，椎体・椎間板，頚長筋の前面をおおう．その表面には頚部交感神経幹があり，頚長筋の外側前面あたりに縦に走っている（☞図 6-77）．

ランドマーク

頚動脈結節は C6 横突起の前結節が肥厚したもので，他の部位のそれに比して，格段に大きく術中容易に触知できる（C7 には前結節はない）．この C6 の前結節は前

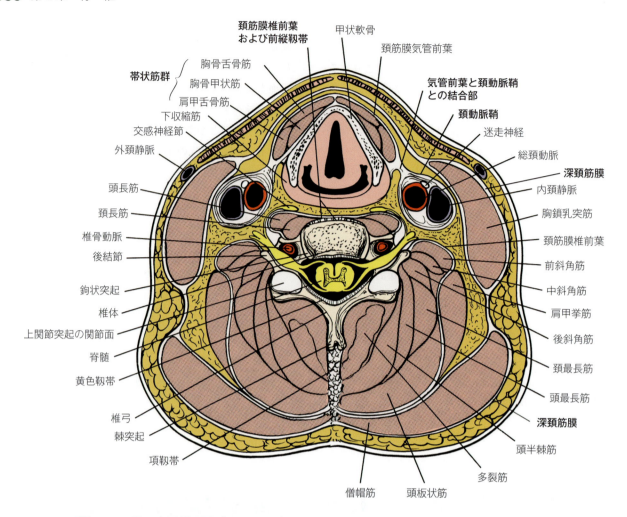

図 6-77 頚の水平断面図（C5 レベル）
深頚筋膜，気管前葉と椎前葉に注目する．また，気管前葉と頚動脈鞘との関係にも留意する．

方アプローチのランドマークとしてきわめて重要である（図 6-82）．

輪状軟骨は，甲状軟骨のすぐ下方で容易に触れることができる．これは気管全周を取り囲む唯一の軟骨で，C6 椎体のランドマークにもなる（☞図 6-71，78）．

胸鎖乳突筋は，乳様突起と胸骨，鎖骨間に斜走し，これを外側に排除するにはその前縁で深頚筋膜を切離する必要がある．この筋の支配神経は副神経で，分枝は筋の後外側から筋内へ入っている．したがって前側方アプローチでは，これを損傷することはない．しかし側方アプローチを行う場合には，副神経（僧帽筋をも支配している）を損傷する危険がある（☞図 6-78）．

皮 切

理想的には皮切は皮膚溝に平行であるべきである＊．頚の前下方の皮膚溝は横に走って皮膚敏襞をなしているので，この部分での横切開は好都合である．前頚部の皮膚は薄く，粗な皮下組織および浅頚筋膜とは粗な結合を持つため，可動性に富み，皮膚の排除はきわめて容易である．

＊訳者註：皮切は美容の観点からも横切がよい．2 椎体までの椎体切除はこの皮切で手術が可能である．それ以上の長さのアプローチになるさいは胸鎖乳突筋の走行に合わせて斜め切開とする．

浅層の展開—その注意すべき組織

広頚筋は線維走行に沿って分ける＊．この筋は主に顔面神経の枝で支配されており，容易に麻痺は生じない．機能としてはあまり重要でなく，むしろ美容上の問題から入念に縫合するのがよい．

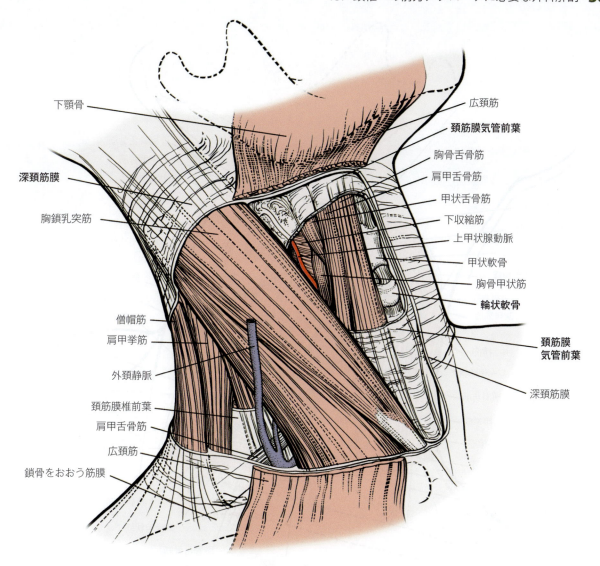

図 6-78　頸の筋膜（右側）
この図では広頸筋とその筋膜は切除されている．深頸筋膜は胸鎖乳突筋を包み込んでいて，頸筋膜気管前葉は喉頭の帯状筋群と甲状腺を包んでいる．

*訳者註：通常，下位の前頸部では皮切線と同程度の長さに広頸筋を横切しても大きな問題は起こらない．

　胸鎖乳突筋前縁において深頸筋膜を縦に切開すると，頸動脈鞘が出現する（☞図 6-74，**水平断面図**）．頸動脈鞘内の総頸動脈は，甲状軟骨の上縁あたりで内・外頸動脈に分かれる．また，この鞘には内頸静脈および迷走神経が含まれている（☞図 6-79）．頸動脈鞘と気管，食道などとの間を分けると，あとはきわめて容易に鈍的展開が可能となる．しかし，食道は脆弱であるので排除は慎重に行わなければならない．

深層の展開－その注意すべき組織

　頸長筋はC1～T3にいたる椎体表面をおおい，上下端は細く，中間部は幅広い．椎体を露出するにはこれらを広く剥離することが必要である*が，分節性の神経支配を後外方から受けているので脱神経を起こすことはない．しかし，頸長筋の前側方には頸部交感神経幹と多数の神経節があり，温存に努める（☞図 6-77，80）．

*訳者註：頸長筋を側方に排除するさいは分節動脈からの出血をみることがある．止血薬や電気メスで入念に止血する．

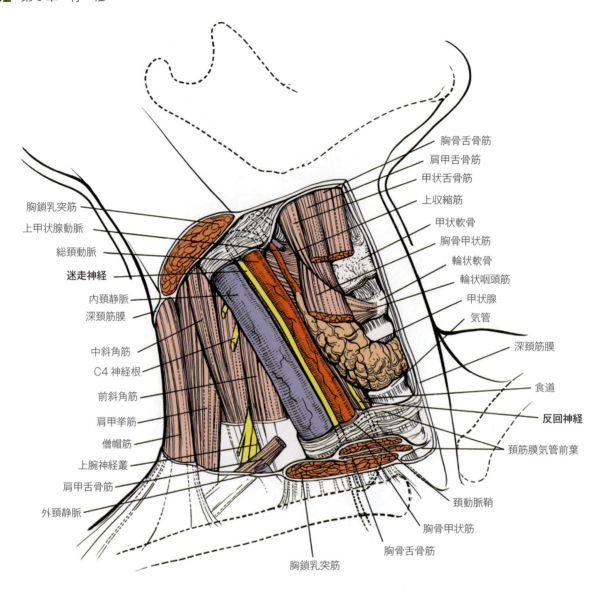

図 6-79 頚の主な血管，神経，甲状腺など（右側）
胸鎖乳突筋，喉頭の帯状筋群および頚筋膜気管前葉は取り除いてある．甲状腺，甲状軟骨，気管および迷走神経の分枝である右反回神経の走り方に注意する．

● 反回神経

　左右の反回神経はともに迷走神経の枝である．左側は頚動脈鞘の中を胸郭まで下行し，大動脈弓で反回し，気管と食道との間を上行し喉頭を支配する．右側の反回神経は同様に頚動脈鞘内を下行し，右鎖骨下動脈で反回し再び上行するが，反回するレベルは左側のそれよりも高い．さらに右反回神経はまれに破格があり，高い位置ですでに頚動脈鞘を離れて甲状軟骨のレベルで術野を横切ることがある（☞図6-80，81）．したがって左側進入のほうが好まれる．いずれにせよ，正しいレトラクターのかけ方（ブレードの爪を正確に左・右頚長筋にかける）がきわめて大切である．反回神経の損傷は非常に重大である．反回神経麻痺は発声障害や運動後の息切れを引き起こしうる．

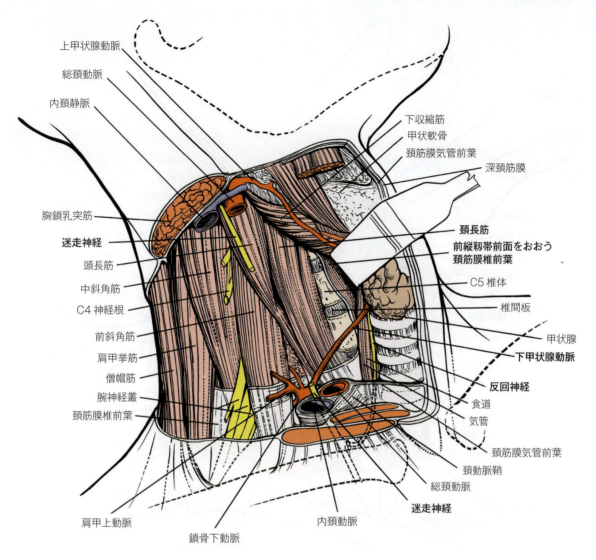

図 6-80 頚の深層解剖（右側）（1）
喉頭およびその構成組織を排除すると，頚長筋，斜角筋および頚筋膜椎前葉が現れる．交感神経幹は頚長筋の外側縁に沿っている．反回神経は気管と食道との間を上行する．

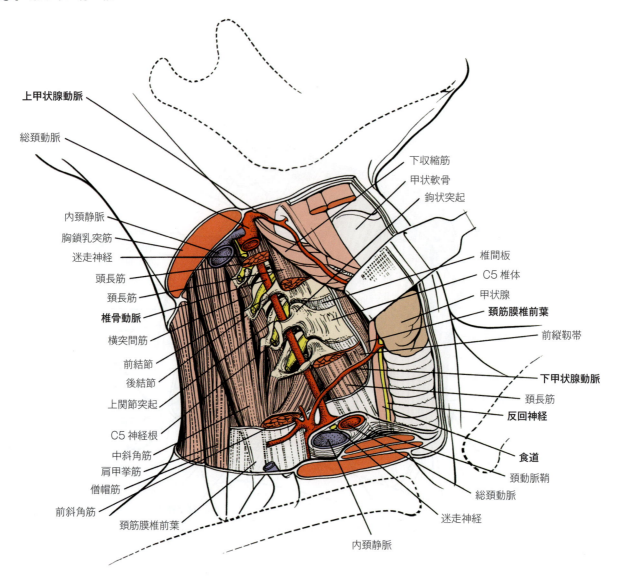

図 6-81　頸の深層解剖（右側）(2)
椎骨動脈は神経根の直前を通過し横突孔内を通る．上・下甲状腺動脈の走り方に注目する．

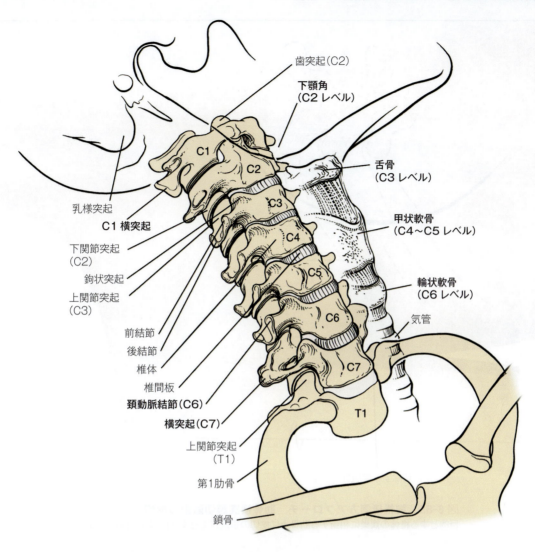

図 6-82　頸椎骨格とランドマーク

胸椎

14 胸椎への後側方アプローチ（肋骨横突起切除術）

　このアプローチは元来，胸椎カリエスによる排膿のために開発されたものである．その最大の利点は胸腔を開かないことにあるが，開胸による手術よりも展開野ははるかに狭い．したがってハイリスクの患者での小範囲展開には適している．また，このアプローチは，脊柱管の全周性除圧のさいに後方・後側方アプローチと合併して用いられうる．

- ドレナージ[23, 24]
- 椎体生検
- 部分的な椎体切除
- 限られた範囲の椎体間固定
- 脊髄に対する前側方除圧
- 腫瘍の摘除

患者体位

　腹臥位で長枕を体幹の両側に挿入し，胸郭圧迫を防ぐ．胸郭の側方まで，十分広くドレープをかける（☞図6-101）．

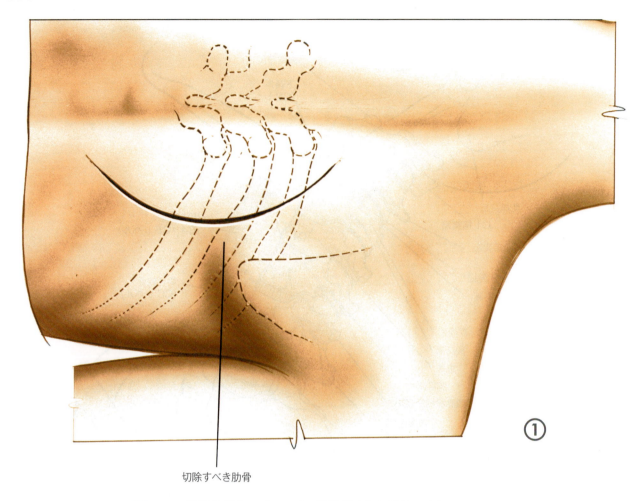

切除すべき肋骨

図 6-83　胸椎後側方アプローチ．肋骨横突起切除術の皮切
目的とする椎体の病巣に相当する肋骨上に皮切の頂点がくるように弧状切開とする．

ランドマーク

亀背形成があればその部分をランドマークとして使用することは可能であるが，棘突起に針を刺入し，側面X線コントロールをするのがよい．このさい胸椎の棘突起は長く，直下椎の高位にまで垂れ下がっているのでレベル誤認のないよう注意する．

皮　切

正中より約8cm側方で，10～13cmの弯曲皮切とする．皮切の頂点は切除すべき肋骨に一致させる（図6-83）．

internervous plane

このアプローチには真のinternervous planeは存在しない．このアプローチでは僧帽筋を分けて傍脊柱筋を切離するが，傍脊柱筋は分節性の神経支配を受けているため，容易に脱神経は生じない．僧帽筋は脊髄副神経の支配である．

浅層の展開

皮切に沿って皮下脂肪と筋膜を切離し，僧帽筋を横突起先端近くまで線維に沿って分ける．直下には傍脊柱筋がある（図6-84）．

肋骨の露出には，しばしば出血をきたすので電気焼灼を多用するのが有用である（図6-85）．

深層の展開

肋骨に付着する筋群を，注意深く骨膜下にすべて剥離する．この骨膜剥離は肋骨上縁では内（近位）から外（遠位）へ，下縁では外から内へ向けて行い，全周性に剥離していく（図6-86）．正中線から約6～8cmのと

ころで肋骨を切離し，近位端を持ち上げながら余剰の筋や肋横突靱帯をはずし，ねじるようにして肋骨頭とともに引き抜く（図6-87，88）．このとき膿瘍があれば排膿をみる．

横突起に付着する筋組織をすべて除去したのち，横突起基部をロンジュールを用いて咬除する．これは視野をより広くするために必要な操作である（☞図6-88，水平断面図）．

胸膜外に注意深く指を挿入し，壁側胸膜を椎体から剥離する．この操作では，疾患（結核性脊椎炎など）に

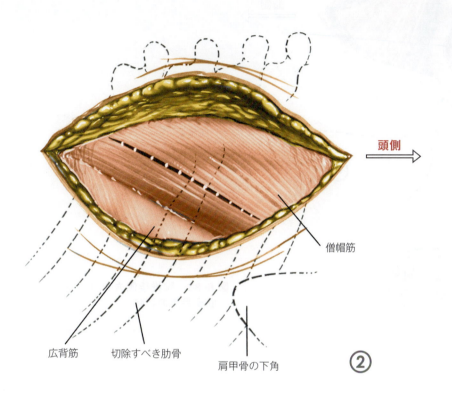

図6-84　胸椎後側方アプローチ．僧帽筋線維の分離
僧帽筋筋膜を皮切に沿って切開し，筋は筋線維間で分ける．

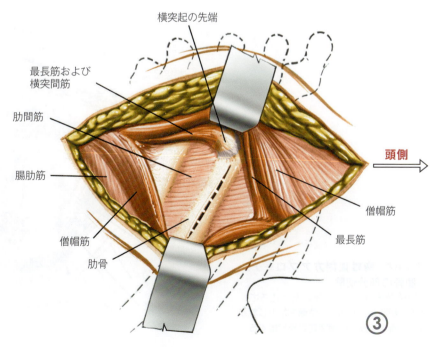

図6-85　胸椎後側方アプローチ．肋骨骨膜の切開
肋骨は横突起が出るまで展開する．

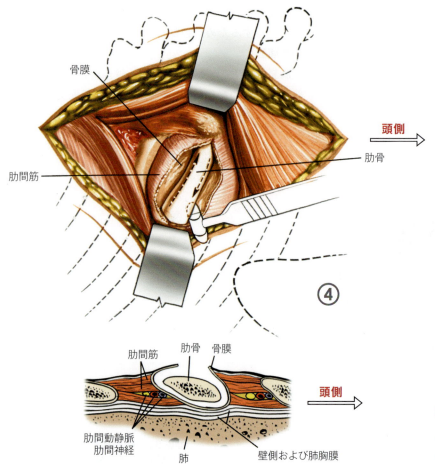

図 6-86 胸椎後側方アプローチ．肋骨骨膜の剥離*

*訳者註：骨膜の剥離は図中矢印のように，"上は上から下へ，下は下から上へ"の原則に従う．

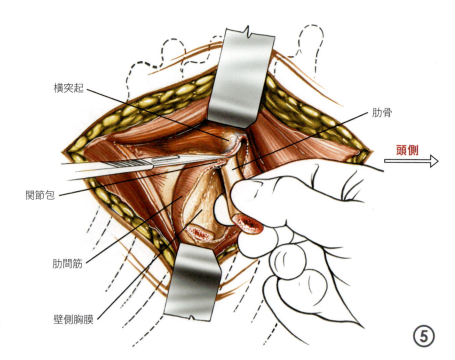

図 6-87 胸椎後側方アプローチ．肋骨の部分切除
正中線から 6〜8cm 離れたところで，肋骨を切断し，断端の近位側を挙上しながら，付着する筋と肋横突靱帯を切離する．

14. 胸椎への後側方アプローチ（肋骨横突起切除術）　369

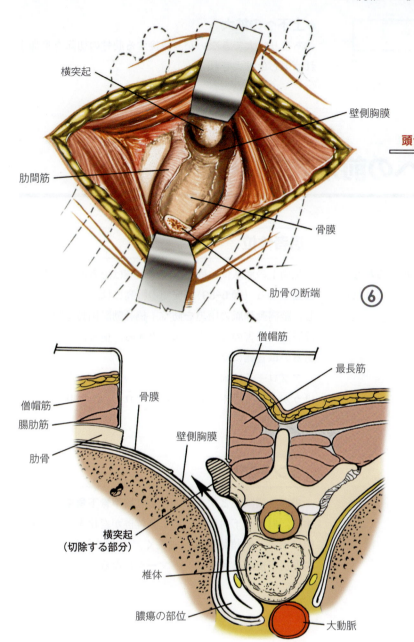

図 6-88　胸椎後側方アプローチ．肋骨の除去，横突起の部分切除
ねじりを加えながら肋骨の近位端がうまく除去されると，結核性膿瘍が存在すれば，ただちに排膿をみる．深部の視野を拡げるには，横突起の切除を追加する．

よっては壁側胸膜は肥厚しているので，むしろ安全であるが，胸腔内へ指が入らないよう慎重に行う．これで開胸することなく椎体・椎間板を直接触知または露出することができる．

注意すべき組織

椎体を広めに露出する場合，椎間孔や脊柱管に偶然に入ってしまうことがある．万一，**硬膜**を損傷したのであれば髄液瘻防止のため修復を要する．

肋間動脈は肋骨を除去するさいに損傷することがある．肋間動静脈は肋骨の下縁直下を走るので，切断したときは結紮する（☞図 6-94）．

壁側胸膜は感染症の場合しばしば肥厚しているが，アプローチのさいの肋膜剥離は罹患椎体の前側方から始め，必ず鈍的に行う．そのさい，空気の吸引音を聴取した場合，または胸膜を損傷した場合は**気胸**を生じるので，閉創に先立ち胸腔ドレーンを設置する．

術野拡大のコツ

● 深部への拡大

　背筋群がよく発達し，展開を妨げるような場合には傍脊柱筋を横切する．

● 上下への拡大

　あまり拡大できないが，隣接する肋骨の切除を追加すれば少しは拡大される．

15　開胸による胸椎への前方アプローチ

　開胸による前方アプローチはT2～T12にわたる広い領域の展開に絶対的価値を有するが，本アプローチは侵襲が大きいという理由から，それほど多くは用いられない．本法をまれにしか行わない外科医であれば，これに慣れた胸部外科医とともに行うべきである[25～27]．

　次のような場合に適応がある．
- 胸椎カリエスなどの脊椎感染症の治療[28]
- 椎体前方固定術
- 椎体腫瘍の切除骨移植再建術
- 脊柱側弯症の矯正
- 亀背の矯正
- 脊椎骨切り術
- 脊髄前方除圧
- 椎体生検

患者体位

　患側上の側臥位に固定する．上肢は患者の頭側方向へ移動させる（図6-89）．健側の腋窩には，パッドを挿入し，腋窩動静脈の圧迫を防ぐ．橈骨動脈拍動を触知し，静脈還流障害の有無もチェックする．術者は患者の腹側あるいは背側に立つ．

　アプローチは両側どちらからでもよいが，右側進入のほうが大動脈弓や大動脈を避けられるのでより簡便である．

ランドマーク

　患者を側臥位とすることにより**肩甲骨下角**をまず触知する．肩甲骨下角は体位により位置が変化することを念頭におく．**胸椎棘突起**（細長く，下方に向かっている）や**乳房下皮膚皺襞**もランドマークになる．

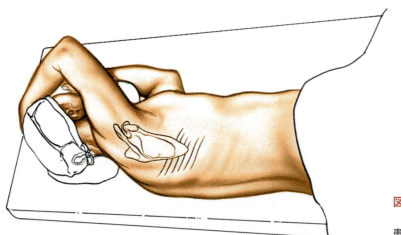

図6-89　開胸による胸椎前方アプローチ．患者体位
患側を上にした側臥位または半側臥位，上肢は無理のない挙上位とする．

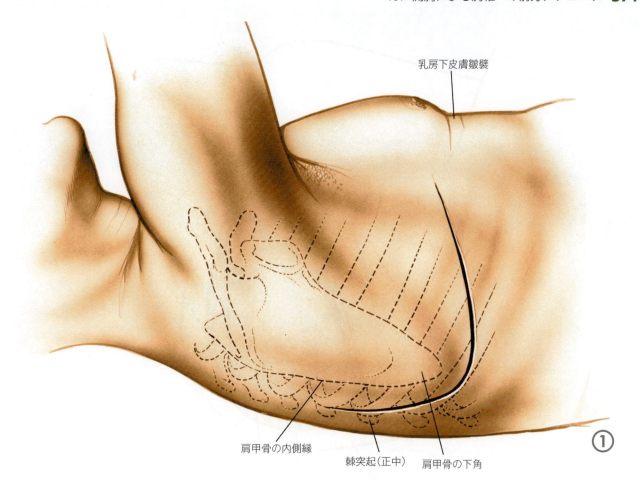

図 6-90 胸椎前方アプローチ．開胸の皮切
皮切はまず，肩甲骨下角から約 2 横指下方に加え，前方は乳房下皮膚皺襞に向けて，後方へは後上方へ向けて切開を進める．この切開線の頂点はおよそ第 7 肋骨のところに該当する．

皮切

　肩甲骨の下角から約 2 横指下位に始まり，乳房下皮膚皺襞に向けて前方へ切開する．後方へは肩甲骨の内縁中ほどの高さまで，肩甲骨と棘突起の中間あたりまで切開を加える．この切開は，通常第 7 ～ 8 肋骨の上を通る（図 6-90）．

浅層の展開

　広背筋を皮切に沿って後方へ向かって切離する（図 6-91）．ついで前鋸筋を同一線で肋骨にいたるまで切離する（図 6-92）．これによって肩甲骨は挙上可能となり，さらに正中側の筋群を切離して肋骨を出す（図 6-93）．まれに菱形筋の後方部分を切離しなければならないこともある．出血が問題となるが，焼灼止血で対応する（👉図 6-98，99）．

　開胸は肋間から入る場合と，切除した肋骨下から入る場合とがある．肋骨切除は良好な展開野を得るほかに，切除した肋骨は移植骨として利用される．

　開胸のレベルは，目的とする脊椎病巣の位置によって決める．病巣が T10 ～ T12 のような低位でなければ，通常第 5 肋間（第 5・第 6 肋骨間）から入る．これは**進入部が肩甲骨の下に隠れ，術後の肩甲骨弾発を防ぎうる**からである．T10 ～ T12 の病巣に対しては，第 6 肋間進入とする．このほうが下位椎体に対してよりよい展開がしやすい．しかし，肩関節の可動性とともに仮骨を形成し，肩甲骨の弾発現象を起こす可能性がある．

　肋骨間のアプローチでは電気焼灼をしながら肋骨を切除する．開胸の場合，胸壁軟部組織を肋骨の上縁で骨膜

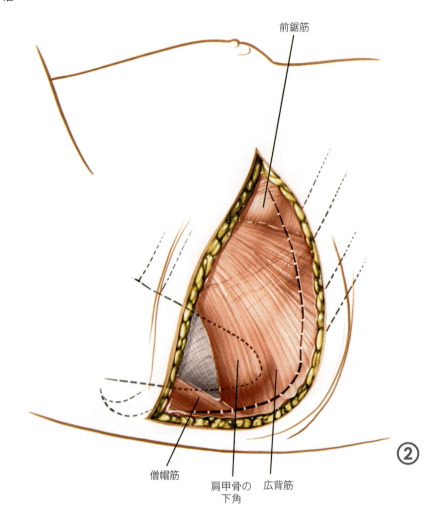

図6-91　胸椎前方アプローチ．広背筋の切離

を切り，その線で胸腔内へ進入する．この進入路では，肋間動静脈および神経は肋骨の下縁にあるので，肋骨を切除することは温存するより安全である（図6-94；☞図6-93）．展開をさらに拡大するには，近位または遠位の肋骨（通常は第5肋骨）に付着する筋を骨膜剥離子で剥離し，肋骨の3/4程度をできるだけ後方，すなわち基部近くで切除する（図6-95）．

いずれのアプローチでも開胸器をかけ肋骨間を開大していく．開大は筋を伸長させながら緩徐に行う．傍脊柱筋の切離はほとんど必要ない．とくに創縁の後方部分では確実な止血を行う．

深層の展開

開胸後，麻酔医に肺を虚脱させるよう伝え，静かに肺を前方へ寄せ，湿性パッドでおおう．その直下は後縦隔である．そしてあらかじめ食道内に挿入したカテーテルを触知し，食道の位置を確かめ，壁側胸膜を食道の側方で縦切開すれば，食道は容易に前方へ排除され，椎体前面を展開することができる（図6-96）．食道は指で簡単に剥離移動が可能で，これに2本のPenroseドレーンをかけて前方へ排除しておく．肋間動静脈が術野に現れるので，1ないし数本を必要限度内で結紮切離する（図6-97）が，必要を超えた数の結紮は避けるべきである．そ

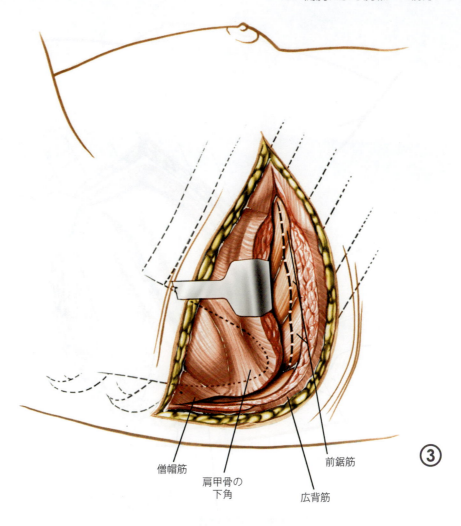

図 6-92　胸椎前方アプローチ．前鋸筋の切離

れは脊髄血行に影響を与えかねないからである．脊髄血行に影響を持つ肋間動脈を椎体基部のところで2本以上同時に結紮すると，まれに脊髄阻血を惹起する可能性がある．この点，右側からの椎体展開は，左・右肋間動脈を結紮するときのような脊髄阻血のリスクは大きくなく，また右側開胸においては大動脈を排除することも不要であるなど，安全かつ容易である（図6-100B）．

注意すべき組織

肋間動静脈はアプローチの2つの時点で損傷されやすい．すなわち，肋骨切除のとき（血管は肋骨の直下を走っている），および胸腔内での椎体展開のときである．後者の場合，あらかじめ血管を確実に結紮切離しておく（☞図6-94，100A）．

術後の微小無気肺を防ぐため，約30分ごとに麻酔バッグを加圧し肺をふくらませる．閉胸に先立ち，肺が完全に拡張していることを確認する．

術野拡大のコツ

● 深部への拡大

十分な広さの開胸が得られなければ，直下位の肋骨切除を追加する．

● 上下への拡大

切開は拡大できないが，このアプローチではT2〜T12までは到達可能である．下位胸椎部では，横隔膜の一部を切離することが必要な場合もある．この場合，L1横突起上において，横隔膜弓状靱帯付着部を切離する．なお，この領域では胸壁と腹腔両方にまたがるので，リスクはより大きくなる．横隔膜の縫合は必ず行う．

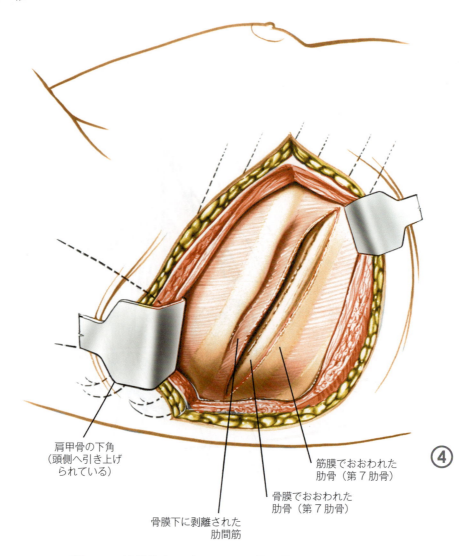

図 6-93 胸椎前方アプローチ．肋骨の展開
肩甲骨を引き上げつつ肋骨骨膜を肋骨の上縁寄りで切開を加える．

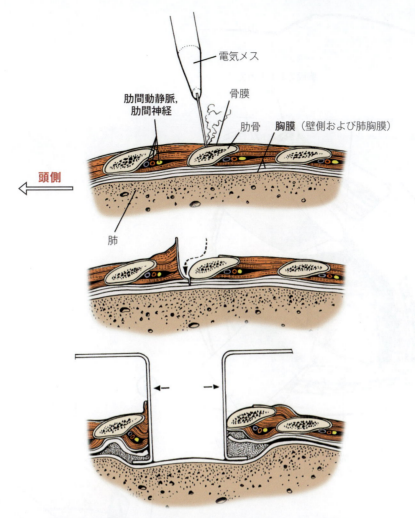

図 6-94 肋骨骨膜の剥離と肋間神経血管束との位置関係
肋間神経血管束は肋骨下縁の陰に隠れている．これらを温存するため，骨膜切開はやや肋骨上縁寄りで行う．

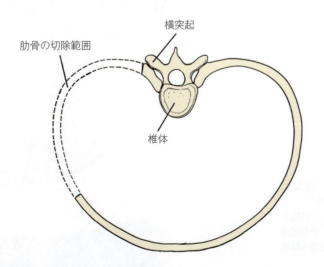

図 6-95 開胸における肋骨切除の範囲
より広い視野を要するときには，肋骨基部を含めて3/4の範囲を切除する．

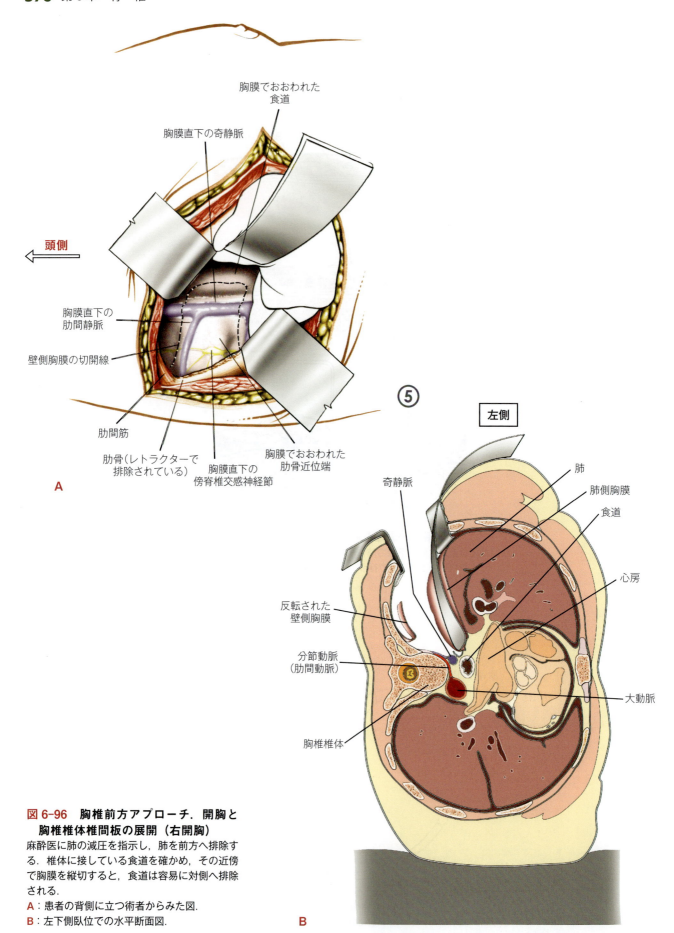

図 6-96 胸椎前方アプローチ．開胸と胸椎椎体椎間板の展開（右開胸）
麻酔医に肺の減圧を指示し，肺を前方へ排除する．椎体に接している食道を確かめ，その近傍で胸膜を縦切すると，食道は容易に対側へ排除される．
A：患者の背側に立つ術者からみた図．
B：左下側臥位での水平断面図．

15. 開胸による胸椎への前方アプローチ 377

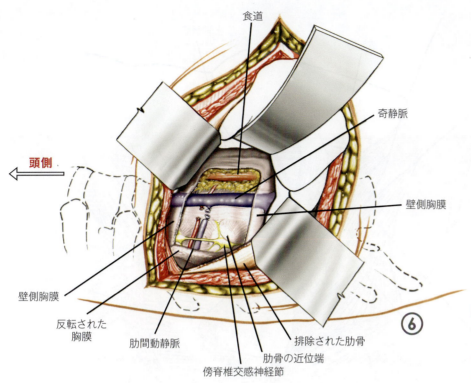

図6-97 胸椎前方アプローチ．食道の排除，肋間動静脈の結紮切離と椎体椎間板の展開
食道を愛護しつつ対側へ，肋間動静脈は椎体側面で個別に結紮切離する．

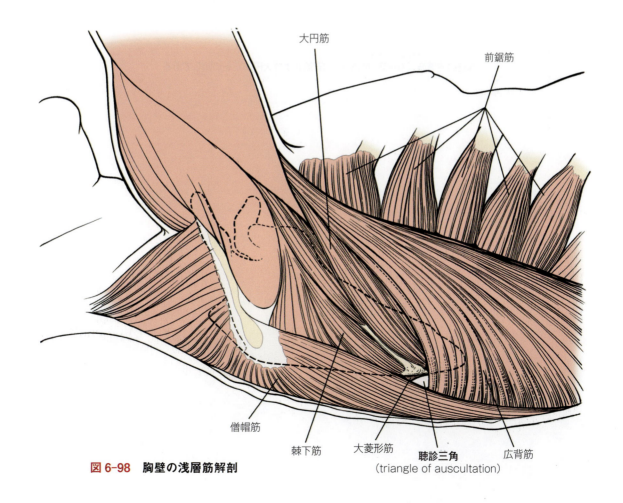

図6-98 胸壁の浅層筋解剖

378 第6章 脊 椎

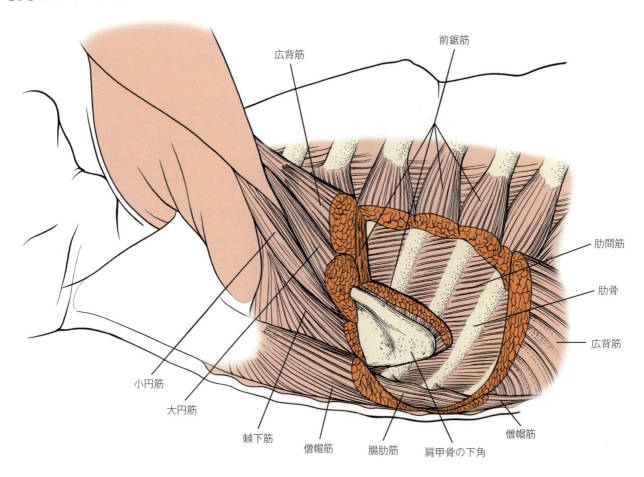

図 6-99 胸壁の深層筋解剖
胸壁の浅層筋（僧帽筋，前鋸筋，広背筋および大円筋）を切除してある．

15. 開胸による胸椎への前方アプローチ 379

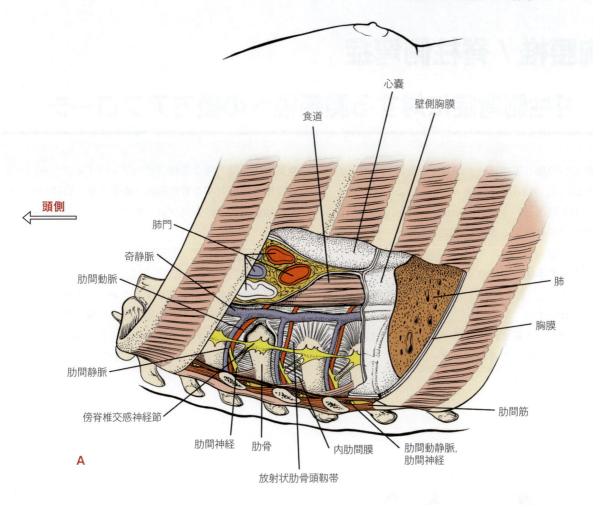

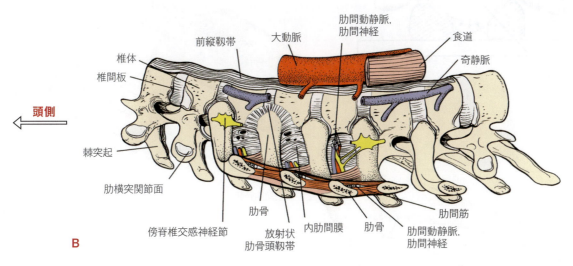

図 6-100　胸椎周辺の解剖（右側）
A：肋骨，肺，壁側胸膜を除去し，食道，奇静脈，肋間動脈および肋間神経の位置関係を示す．
B：胸椎の前外側の解剖の詳細を示した図である．奇静脈と食道は椎体に接している．胸椎柱の展開には，これらを愛護しつつ排除する．

胸腰椎／脊柱側弯症

16 脊柱側弯症に対する胸腰椎への後方アプローチ

胸腰椎部への後方アプローチがもっとも多用されるのは，脊柱側弯症の矯正手術である[29〜31]．このアプローチは，正中矢状面という1つのinternervous planeの中で，椎体後部を展開することが可能である．
次の場合に用いられる．

- 脊柱側弯症の手術（☞本章「18 肋骨切除のための後側方アプローチ」，第7章「2 採骨のための腸骨稜への後方アプローチ」）
- 脊椎後方固定（広範または分節固定；☞第7章「2 採骨のための腸骨稜への後方アプローチ」）
- 後部脊椎の腫瘍切除
- 局所の展開を伴う生検（オープンバイオプシー）
- 脊椎骨折に対する脊椎固定（☞第7章「2 採骨のための腸骨稜への後方アプローチ」）

患者体位

胸郭と腹部の圧迫を防止するために，2本の長枕の上に腹臥位に寝かせる．この長枕は脊椎静脈叢，下大静脈のうっ滞を防ぐため上前腸骨棘が確実に枕にのり，腹壁が手術台から離れるよう十分な長さのものとする（図6-101）．

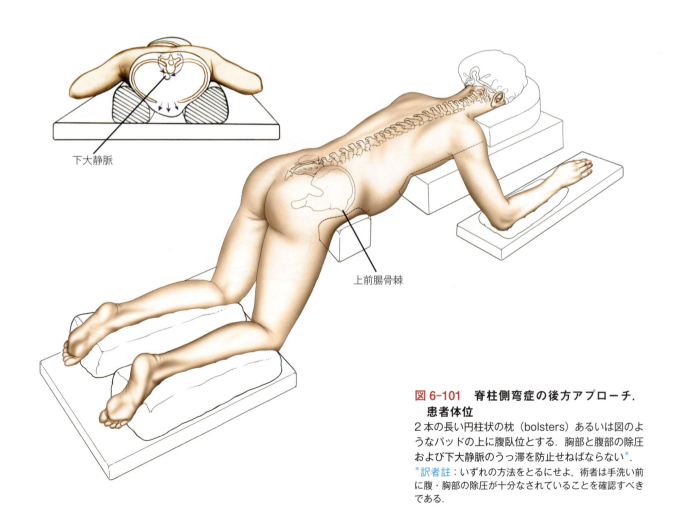

図 6-101 脊柱側弯症の後方アプローチ．患者体位
2本の長い円柱状の枕（bolsters）あるいは図のようなパッドの上に腹臥位とする．胸部と腹部の除圧および下大静脈のうっ滞を防止せねばならない*．
*訳者註：いずれの方法をとるにせよ，術者は手洗い前に腹・胸部の除圧が十分なされていることを確認すべきである．

ランドマーク

殿部正中皮膚溝（殿溝）とC7, T1棘突起は正中であることの指標である．殿溝はみえるように透明なドレープでおおう．C7, T1棘突起は切開レベルを決定する1つの指標である．

皮切

C7, T1棘突起および殿部正中皮膚溝を結ぶ2点間に直定規をあて，それに沿って円刃刀で切開する（図6-102）（しばしば棘突起は脊柱の回旋とともに正中線からずれているが，美容上の理由から切開線は正中線に沿うようにすべきである）．

internervous plane

傍脊柱筋はすべて髄節ごとの脊髄神経後枝によって左右別々に支配されているので，正中切開面はそれ自体が真のinternervous planeである．

浅層の展開

それぞれのレベルの棘突起を触知する．皮膚切開ののち，各棘突起の位置と回旋による偏位の具合を確かめ各棘突起直上に1つずつメスを加え骨膜下に剥離する．小児では軟骨性アポフィジスを正確に二分し，Cobbエレベーターを用いて左右に分離していく（図6-103）．

深層の展開

傍脊柱筋を骨膜下に棘突起先端から，椎弓へと剥離を進める（図6-104）．胸椎部においては，傍脊柱筋の走向と棘突起の傾斜を念頭に尾側から頭側方向へ向けて筋剥離を行う（図6-105）．

レトラクターをかけたのち，短回旋筋の剥離は，Cobbエレベーターを用いて棘突起基部から椎弓横突起に向けて行い，椎弓全体を露出する（図6-106, 107）．

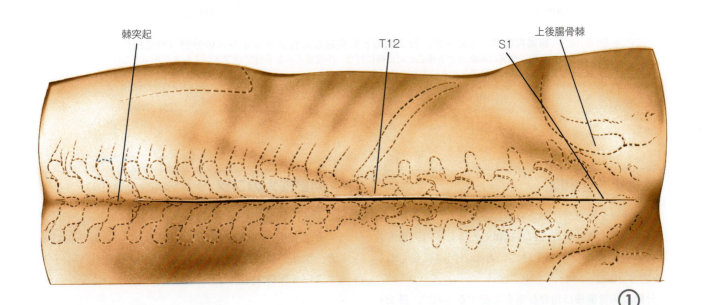

図6-102　胸腰椎後方アプローチ．正中直線皮切

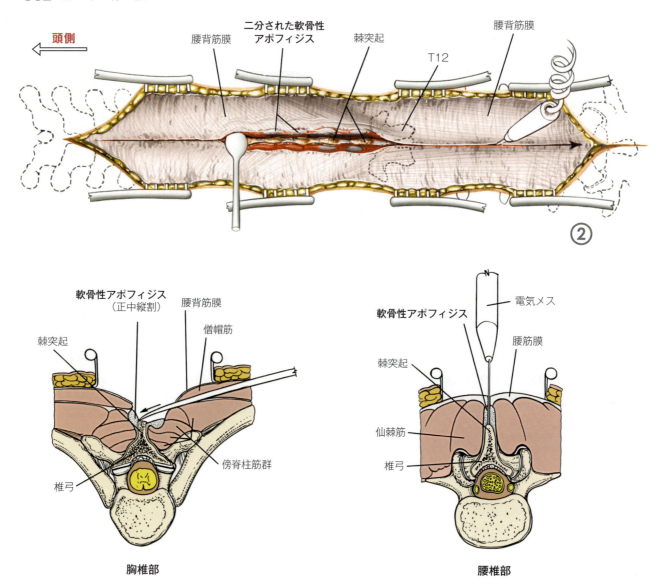

図 6-103 胸腰椎後方アプローチ．棘上靱帯と棘突起軟骨性アポフィジスの分割（小児期）
棘上靱帯の縦切開は棘突起の直上で1椎ごとに正確に行う．小児期での軟骨性アポフィジスもまた正中で二分し，Cobbエレベーターで骨膜とともに左右に分けていく．

注意すべき組織

横突起間から背側に出る**脊髄神経後枝**は，椎間関節に接して通過する．仮にこれを損傷したとしても，傍脊柱筋は多髄節性の支配を受けているので問題は生じない（☞図6-106B，111）．

分節動脈背側枝は傍脊柱筋を栄養するもので，横突起露出にさいして出血しうるため焼灼止血が必要となる．また，これは脊髄神経後枝と近接していることを念頭におく（☞図6-106B，111）．

術野拡大のコツ

● 深部への拡大

左右側方への術野拡大は，横突起まで剥離を拡げるが，緊張が強ければ上下各1椎の展開を追加し，レトラクターで保持する．

● 上下への拡大

腰背筋群の血管・神経支配からみて，頚椎から尾椎まで全脊椎レベルに拡大できる．

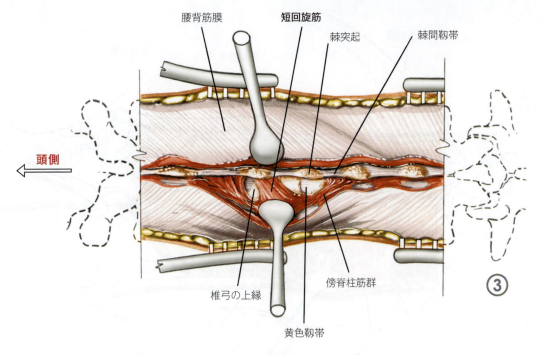

図 6-104 胸腰椎後方アプローチ．傍脊柱筋群の骨膜下剥離

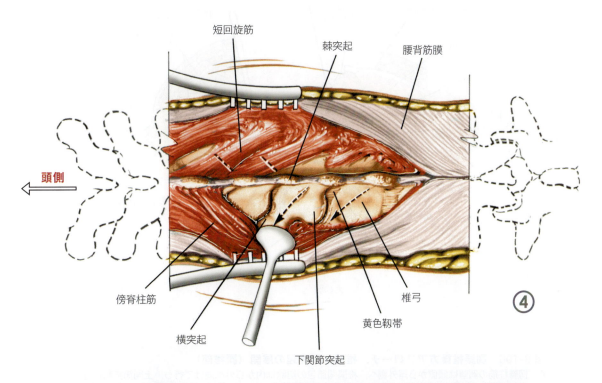

図 6-105 胸腰椎後方アプローチ．回旋筋群の剥離と椎弓，横突起の展開（胸椎部）
胸椎での傍脊柱筋群の骨膜下剥離は，棘突起の下方傾斜に従って行うべきである．ただし，短回旋筋については Cobb エレベーターを用いて棘突起基部から椎弓の外縁に向けて剥離する（点線矢印）．

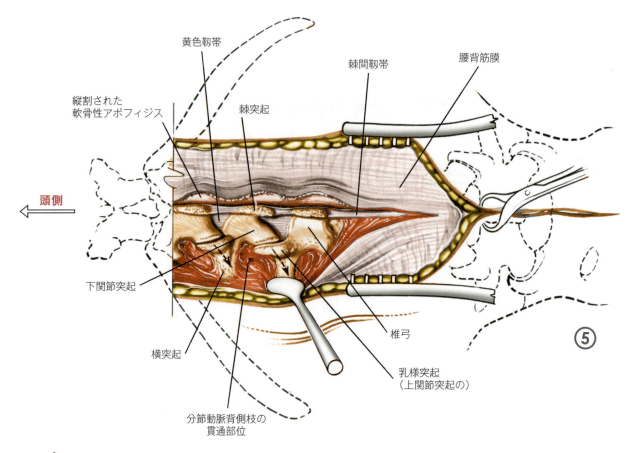

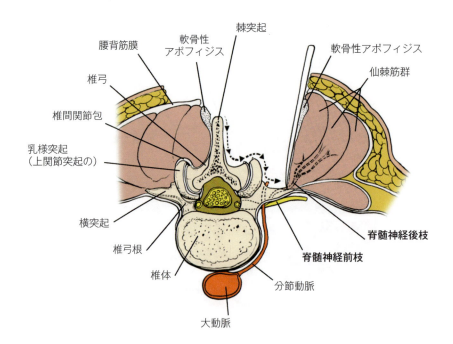

図 6-106 胸腰椎後方アプローチ．椎弓，横突起の展開（腰椎部）
A：傍脊柱筋の剥離は頭側から尾外側へ，椎間関節包の切除は内から外へ向けて行う．上関節突起に付随する乳様突起を越えたら，横突起に向かって外下方へ剥離を進める．横突起間から出てくる分節動脈背側枝への焼灼止血の準備をしておく．
B：腰椎の横突起は乳様突起よりはるか前方深く，そして下方に位置していることを念頭におく．

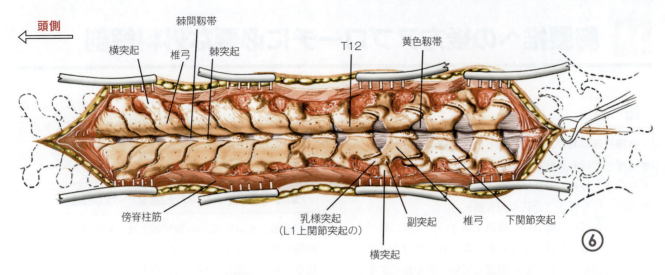

図 6-107　胸腰椎後方アプローチ．術野展開の完了（胸椎〜腰椎）

特別なポイント

　手術レベルの正確な判定法として，まず第12肋骨を確認してから，その直下椎であるL1横突起を確かめることである．すなわち，第12肋骨は可動性があること，L1横突起は強固に触知され圧迫を加えても動かないこと，第12肋骨は横突起より長く棒状であることなどが区別の参考となる（👉図 6-100）．具体的には第12肋骨を触知したら，すぐ近くの椎間関節を確認する．T12の下関節面は腰椎部の関節のように矢状面の関節構造をなしている．これに反し，T12の上関節面は前額面をなしている（👉図 6-110）．これら関節面の向きの違いや，第12肋骨，L1横突起などは正確なレベル決定の指針である．他の方法として，針を腰椎棘突起に刺入しX線コントロールを行ってもよいし，皮切を拡大し仙骨を確認してもよい．

　腰椎部における傍脊柱筋の棘突起および椎弓からの剥離操作は，頭尾側方向あるいは尾頭側方向のどちらからでもよい．椎間関節包の除去や横突起の展開には，Cobbエレベーターとともに約1/2インチ幅のオステオトーム（骨ノミ）を併用するのが効果的である（👉図 6-106B）．

17 胸腰椎への後方アプローチに必要な外科解剖

概　要

胸腰椎部における背筋は以下の3層構造をなす．
- 浅層：上肢を脊椎につなぎとめているいわゆる係留筋
- 中間層：呼吸補助筋
- 深層：傍脊柱筋（脊柱の固有筋）

これら各層は後部脊柱を展開するさい，実際には明らかに区別することはできないが，これらを区分する理念は局所解剖がいかに手術に関連しているかを意味するものである．

浅層筋はさらに2層に区別できる．すなわち，最浅層は僧帽筋と広背筋，その下層は大・小菱形筋からなる．

中間層筋としては上・下後鋸筋で，これは小型で棘突起に起始し，肋骨体部に停止している（呼吸補助筋）．

深層筋は仙棘筋（いわゆる脊柱起立）と深部にあって斜めに走る半棘筋，多裂筋および回旋筋群からなる．

浅層筋（係留筋）は末梢神経支配で，僧帽筋は脊髄副神経支配，菱形筋はC5からの菱形筋枝，広背筋は長胸神経の支配である．いずれも正中進入では損傷されることはない．

中間層筋（呼吸補助筋）は脊髄神経の前枝支配で，これも後方正中進入では損傷されない．

深層筋は脊柱の固有筋で胸髄および腰髄神経後枝の支配を髄節性に受けている．通常手術では支配神経は損傷されないが，過度な側方展開のさいには一部損傷されることがある．

ランドマーク

C7, T1棘突起はこの領域では最大のもので，（T1のほうがやや大きいが）わずかに背尾側方向への傾きを持ち，触知は容易である．L5棘突起も大きいが，L5単独の触知だけではレベルの分別はできない．**殿溝**は殿筋の左右の間隙によって形成され，容易に観察できる．

皮　切

背部皮膚は厚く，その切開面には張力はあまりかからないため，手術創は一般に細く線状に治癒する．腰椎部および胸椎部の皮膚は，骨盤からの採骨や肋骨展開などのさいに皮下を剥離しても創は良好に治癒する．採骨部に生じる皮膚の陥凹は，皮下脂肪を十分つけて剥離する限り発生しない．

浅層の展開―その注意すべき組織

胸椎棘突起は腰椎部の棘突起と比べ細いが，より多くの筋が棘突起先端に直接起始している．したがって展開はきわめて正確に，棘突起正中からずれないよう入らなければならない．胸椎部では，僧帽筋および菱形筋の付着部でとくに出血しやすい．腰椎部では，比較的血管に乏しい腰背筋膜があるので出血はそれほどではない（図6-108）．回旋度が強い脊柱側弯症では，凸側の傍脊柱筋群が棘突起に1つの塊りとなっておおいかぶさるように隆起しているため，不用意に剥離を行うと出血しやすい．

中間層の展開

背部の深層は表層部と深部からなる．表層部には仙棘筋（脊柱起立筋）があり，縦に走行している．腰椎部では一塊となっており，胸椎部では3つのユニットに分かれる．すなわち内側から外側にかけて棘筋，最長筋および腸肋筋である（☞図6-108, 111）．

深層のより深いところを構成する層は表層部，中間部，深部の3層に分かれる．表層部は3つの筋より構成される．外側には腸肋筋が仙骨と腸骨稜の内側から起こり，末梢側の6つの肋骨に付着している．その筋肉は肋骨筋および頸肋筋として上方にのびている．中間部には胸最長筋，頸最長筋があり，仙骨に起始し横突起から肋骨の間の溝に入り込む．表層部の中間の筋は脆弱な脊柱筋で棘突起の脇を走行する．

中間層にも3つの筋肉が存在する．多裂筋（椎弓から棘突起に走行する），半棘筋（約5椎にわたるスパンを持ち，横突起から棘突起に停止），肋骨挙筋（横突起から肋骨にわたる筋群）である．

もっとも深層部分にも隣接する分節にスパンを持つ3つの筋がある（図6-109, 110）．棘間筋は棘突起の近接部に付着する．横突間筋は横突起に付着する．もっとも大切なものは短回旋筋群であり，これらは内から外側

へ向かって角度をもって走向し，筋の末梢側はより外側に位置している．筋の走行と付着する部位の角度があることによって，胸椎部では筋を頭側と末梢側へ容易に分けることが可能である（👉図6-105，110）．加えて，胸椎では腰椎に比較して棘突起が末梢方向へのびているため，傍脊柱筋を棘突起から容易に剥離することができる（腰椎の棘突起はまっすぐに立っており，その椎体におおいかぶさっている）（👉図6-105，110）．

横突起はそれ自体，筋肉を上位部分と下位部分に分けている．横突起はT12からT1に行くにしたがって大きくなる．

中間層の外科アプローチでは，外側にある呼吸補助筋である中間層の筋肉の損傷を避ける．

胸椎部と腰椎部で対になっている神経後枝は，とくに横突起間の筋肉の剥離のさいに損傷されうる．傍脊柱筋は多重の神経支配を受けているため，1つや2つの神経後枝を損傷しても筋の脱神経は起こらない．しかし過度な外側への筋排除や止血のための焼灼操作によっては，傍脊柱筋の脱神経は起こりうる．

分節動脈背側枝は胸・腰部いずれにおいても大動脈に端を発し，横突起間から背側へ向かう脊髄神経後枝に伴行して出てくる．これらの血管は，傍脊柱筋の主栄養動脈であり，出血のさいには，術後出血が起こる可能性があり，確実な止血操作が不可欠である．このときも筋阻血は起こらない（図6-111；👉図6-105，106B）．

深層の展開

腰椎椎間関節とその関節包は胸椎部の椎間関節に比べ，大きく後方へ突出している．これは本来，関節突起が大きいほかに，腰椎部では乳様突起が上関節突起についているためである．腰椎椎間関節面は矢状面をなしている（👉図6-111B）．椎間関節包自体は白色で光沢があり，黄色から白色を呈する黄色靱帯に連続している．

胸椎部では，椎間関節は前後に扁平でより小さく前額面をなしている（👉図6-111A）．したがって関節包を除去するさい，関節は破壊されやすい．

黄色靱帯は椎弓の上縁から始まり，直上椎弓の内面に付着している．靱帯の直下には脂肪組織と青色から白色を呈する硬膜がある．硬膜の損傷では修復を要する（👉図6-11，13）．

腰神経根はカップ状の上関節突起にきわめて近接しているので，関節症性変化とくに関節の内側においては神経根を圧迫しうる．椎間孔拡大術（foraminotomy）の開窓においても，神経根と上関節突起の形態と位置関係を知れば，神経根は安全である．当然，上関節突起の内側の切除には，直下にある神経根を保護すべきである（👉図6-111B）．

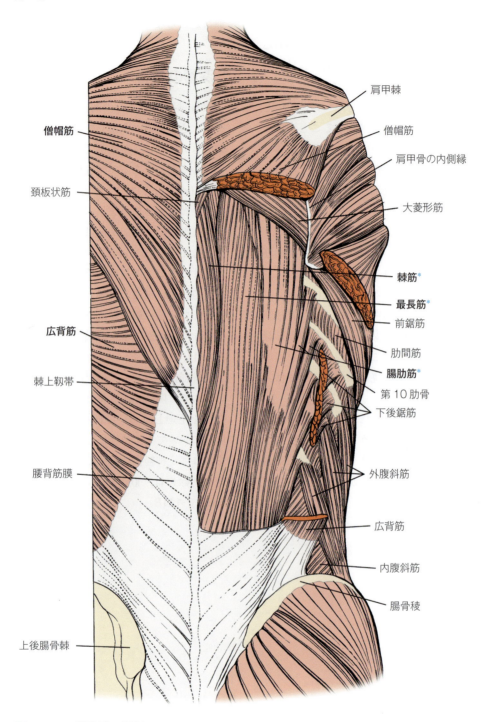

図 6-108　背筋群の解剖
左半分は浅層筋（僧帽筋，広背筋と腰背筋膜），右半分は深層筋（棘筋，最長筋および腸肋筋）である*．
大菱形筋は浅層筋に属するが，肩甲骨内縁に停止している．

*訳者註：この3つの深層筋（棘筋，最長筋および腸肋筋）を総称して仙棘筋と称し，脊柱起立筋とも呼ばれる．

僧帽筋	起　始	C1を除くすべての頚椎棘突起と上項線およびT1〜T12棘突起．頚椎棘突起とは項靱帯を介して間接的に結合している
	停　止	頭側1/3を占める上部線維は側方を通過して鎖骨の外側1/3の後壁と上縁に，中間線維は外方へ横走して肩峰上を通り，肩甲棘の上縁に，下部線維は上外方へ向かって肩甲棘の下縁に停止する
	作　用	肩甲帯の固定
	支配神経	脊髄副神経；第11脳神経

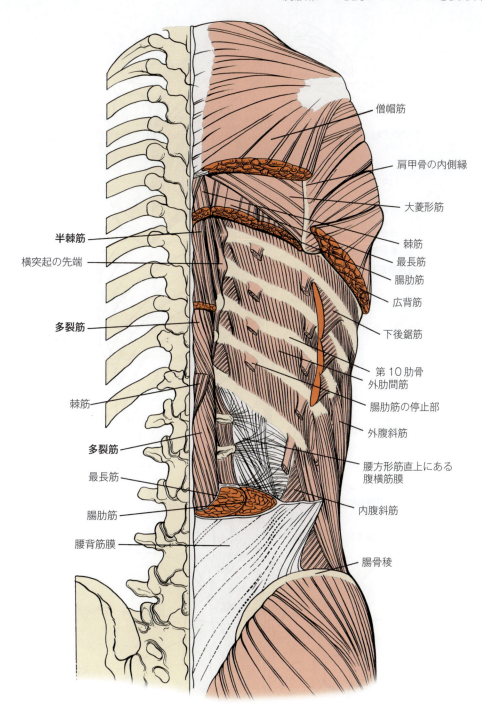

図 6-109　背筋群の深層解剖（1）
仙棘筋（棘筋，最長筋および腸肋筋），すなわち脊柱起立筋を切除した図である．深層は半棘筋および多裂筋からなる．横突間筋に注意する．腸肋筋は肋骨の辺縁に付着していることにも注意すること．

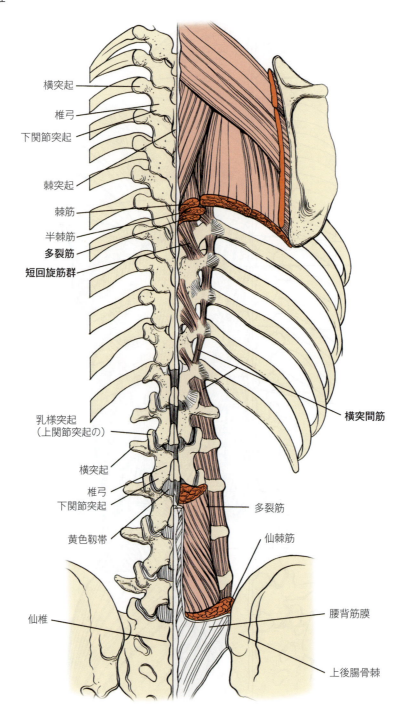

図 6-110　背筋群の深層解剖（2）
もっとも深層にあるのは短回旋筋および横突間筋である．

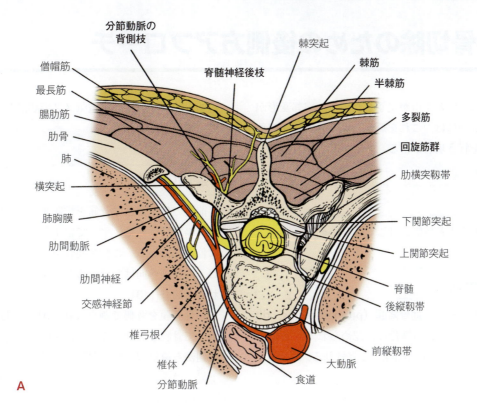
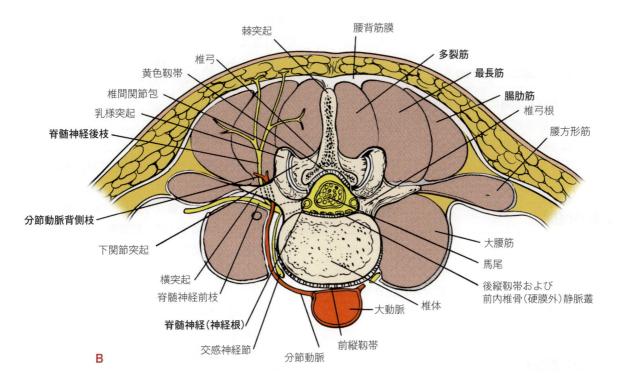

図6-111　胸椎レベルおよび腰椎レベルでの水平断面図
A：胸椎レベル．胸椎レベルでの背筋群は表層および深層筋の層状構造が明らかなことが特徴である．
B：腰椎レベル．これに反し腰椎レベルでは多裂筋，最長筋および腸肋筋は一塊として存在し，区画は明確でない．なお，腰椎部の上関節突起は腰神経根に近接している．

18 肋骨切除のための後側方アプローチ

脊柱側弯症に対する手術が完了したのち，胸郭変形がとくに著しい場合には，これを矯正するため肋骨隆起部での肋骨切除を行う場合がある．

患者体位

側弯症に対する患者体位と同じである（☞図6-101）．

ランドマーク

最良のランドマークは**肋骨隆起**（prominent ribs, rib hump）であり，多くは右側背部に認められる．しばしば肋骨の鋭い隆起は"razorback"と呼ばれる．

皮切

側弯に対して加えた正中直線皮切とする（☞図6-102）．

internervous plane

僧帽筋と広背筋との間に存在する．僧帽筋は副神経支配，広背筋は長胸神経支配である．また，深層筋である仙棘筋を構成する腸肋筋は髄節支配であって，これらを縦に分ける限り脱神経は生じない．

浅層の展開

肋骨隆起に向かって皮下を十分剥離し，側方へ排除する．これは肋骨隆起の最突出部を越えるまで行い，正中からは約12 cm側方を目安とし，肋骨隆起全体を展開する（図6-112）．

中間層の展開

僧帽筋線維はT12棘突起の高さまで下内方に向かって走向しており，かつその外側縁が丸味を帯びて分厚いことからこの筋であることがわかる．剥離はその外縁に沿って行い，筋を内側へ引き寄せる．広背筋線維の内側部とその腱膜は，僧帽筋の直下をほぼ直角に走っている．広背筋は下位6つの胸椎棘突起および腰背部筋膜に起始を持つ．広背筋を電気メスで切離し，これを外側へ排除する（☞図6-112）．

深層の展開

前述の僧帽筋と広背筋を排除すると腸肋筋が露出される．腸肋筋は体軸に平行で扁平な腱を有し，肋骨の下縁に停止している．これを肋骨隆起の頂点付近で縦に分離し，内外側へ向けて分けると，切除すべき肋骨が露出される（図6-113）．

肋骨骨膜を背側で割を入れ，Alexander肋骨剥離子を用いて骨膜を剥離する．この剥離は，肋骨の上縁では正中側から遠位側（外肋間筋と肋骨が交わるところ）へ，下縁では逆に遠位側から正中側へ向けて行う．この骨膜下での剥離法を行えば，遊離された肋間筋内にある神経血管束の損傷を防ぐことができる（図6-114）．

また，これら骨膜下剥離において，肺胸膜を胸壁から遠ざけ保護するため，麻酔医に一時呼吸を停止させるよう依頼してから行う．胸膜の前方部分ではとくに注意を払う．

注意すべき組織

肋間神経血管束は肋骨下縁の血管神経溝に沿って走る．骨膜下に剥離がなされないと，これらを損傷し，肋間動脈の焼灼止血を余儀なくされ，胸壁の感覚障害を残す原因となる（☞図6-114，断面図）．

胸膜の損傷は，**気胸**の原因となりうる．気胸が生じた場合，閉創直前に胸腔ドレーンを設置することを計画する．

肋骨の切除近位端を背部正中切開創と連絡させてしまうと，**血胸**を生じる原因となる．これは後方脊椎固定を施したときなどには，そこからの出血が胸腔に流入することによる．その危険が少しでもあれば，胸腔ドレーン挿入を準備する．

肋骨切除端部における**皮膚**は癒着し，陥凹を起こすことがある．これを防止するには，皮下組織を十分寄せ，かつ広背筋と僧帽筋の筋膜を互いに縫合することである．

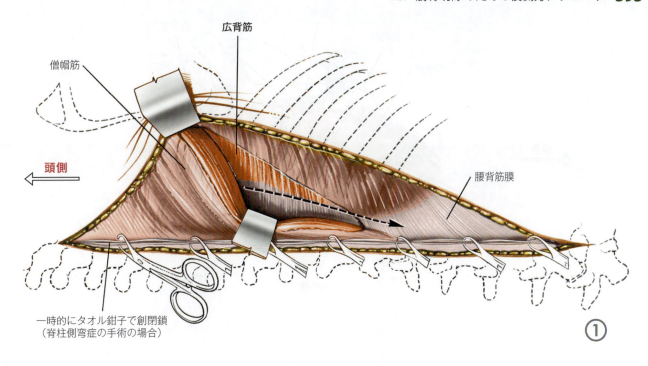

図 6-112　肋骨切除のための後側方アプローチ．僧帽筋の排除と広背筋の切離
僧帽筋の丸味を帯びた外縁を見届け，これを正中に引き寄せると，正中側が薄い腱膜となった広背筋が現れる．この腱膜部を線維に直角に切離する（点線矢印）．

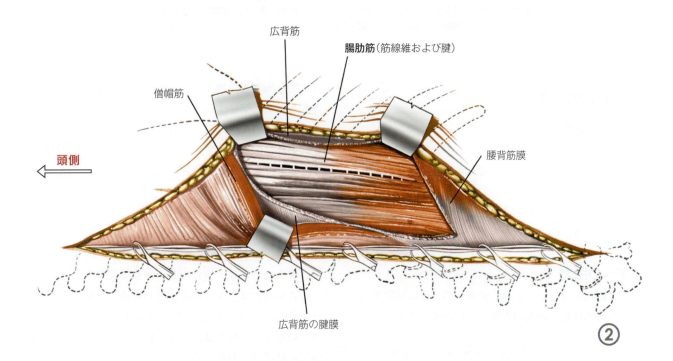

図 6-113　肋骨切除のための後側方アプローチ．広背筋の排除と腸肋筋の分割
切開を加えた広背筋を外側へ引くと，直下に現れる腸肋筋を線維に沿って分ける．

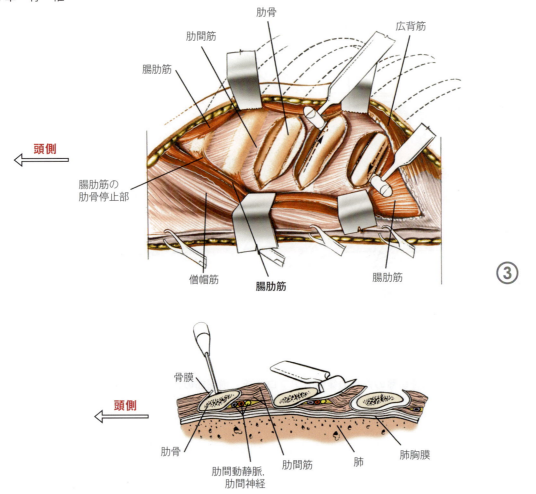

図 6-114　肋骨切除のための後側方アプローチ．肋骨の展開
二分した腸肋筋を内または外方へ排除すると肋骨が現れる．肋骨骨膜の切開剝離は上図の矢印方向に剝離子を動かして行い，肋間筋とともに前方へ遊離させる．

術野拡大のコツ

●深部への拡大

　肋骨隆起の全貌を展開する．肋骨を十分近位側で切離するには，大菱形筋の遠位部を切離すると肋骨は広く展開される．
　遠位側においては，腸肋筋の筋腹を仙棘筋から分離する必要も生じる．

●上下への拡大

　皮切は延長できない．どの肋骨をどの範囲に切除するかを決めるのは肋骨隆起の大きさと広がりによる．

特別なポイント

　切除すべき肋骨の範囲は，最大変形部位のすぐ遠位から可能な限り近位側まで行うが，肋骨頚部や肋骨骨頭は切除しない．切除すべき肋骨の遠位端部は前方へ落ち込み，隆起の消失をみるが，近位側は肋横突靱帯と肋椎靱帯によって固定されているため，形は変わらない．これが肋骨をできるだけ近位側で切る理由である．肋骨近位端が長めに残ると，背側に突出し依然として変形を残す結果となる．
　4本以上の肋骨切除は，交感神経性胸水（sympathetic effusion）貯留の原因となりうる．万一，胸水貯留が危惧される場合には，胸腔ドレーンを挿入する．
　肋骨断端には，骨ろうを充填し血液漏出を防ぐ．骨ろうを使用しても，肋骨再生には影響を及ぼさない．なお，切除された肋骨は，マッチ棒のように細片とし脊椎固定の移植骨に利用する．
　椎体が肋骨直下にまで著しく回旋している症例では，肋骨隆起の十分な矯正は得られにくい．

19 肋骨骨折に対する固定のためのアプローチ

肋骨骨折の固定はしばしば外科的治療の対象となる．適応は以下のごとくである．
- 集中治療室にいる，多発外傷とフレイルチェストを有し，手術によって死亡率が軽減し集中治療室から早く退出できる可能性がある患者[32〜34]
- 肋骨の後方部分の骨折によりフレイルチェストを有している患者[35]

第1，2肋骨は強い筋群によっておおわれている．これと固定されていない第11，12肋骨は呼吸にはほとんど関わっていない．よって肋骨固定の対象となるのは第3〜9の肋骨骨折の場合である．

たくさんのアプローチの方法が報告されている．このうち2つの通常アプローチ，すなわち筋肉を温存した後側方からの肋骨プレートのためのアプローチと，肋骨前方部分の固定のためのアプローチを記載する．

20 筋肉を温存した後側方からの肋骨プレートのためのアプローチ

胸郭に対するプレート固定にはさまざまなアプローチがあるが，筋肉を温存したアプローチは第4〜8肋骨への後方からのものとしてもっとも簡単で安全性に優れる[36]．

患者体位

患部を上にして手術台に側臥位とする．圧を逃すようなマットレスやテーブルトップのパッドを使用することを推奨する．下肢は股関節と膝関節をやや屈曲位として，両側の足の間には枕を入れる．腎臓固定具または砂嚢を使い患者を固定し，股関節の間に安全に抑制帯をあてがう．頭部は枕ないしは頭のサポートをするもので固定し，耳は圧迫しないように注意する．アプローチする側の上肢は患者の頭部や手台の上で動かせるようにする（図6-115）．

腋窩の血管や神経叢を圧迫しないように，胸郭と手術台の間には腋窩枕を置いておく．体位を取った後で橈骨動脈の拍動を確認する．また，上肢には静脈のうっ血が生じていないことを確認する．術者は患者の背側に立つ．

ランドマーク

患者は側臥位で**肩甲骨の先端**を触知する．肩甲骨はよく動く骨であり，患者によって先端の位置は異なることに留意する．**胸椎の突起部分**を触知する．これらは長く細い．肩甲骨の先端，胸椎の突起部分，そして広背筋のおよその位置を把握しておく．一般に肩甲骨の下極は第7胸椎椎間の位置にあることを覚えておいたほうがよい．

皮切

皮切の長さや位置はさまざまであり，アプローチすべき肋骨によって異なる．棘突起と肩甲骨内側の中間部の縦皮切を設ける，すなわち肩甲骨の下端から上位10 cmあたりから始め，尾側に広げる．尾側部はどの肋骨にアプローチするかによって異なる．典型的には，肩甲骨下極の1.5ないし2 cm下方に皮切をおくと第5〜8肋骨が展開できる[36]．皮切はほぼ縦であるが，下方半分はどの肋骨にアプローチするかによって異なるが，やや外側にカーブさせる（図6-116）．

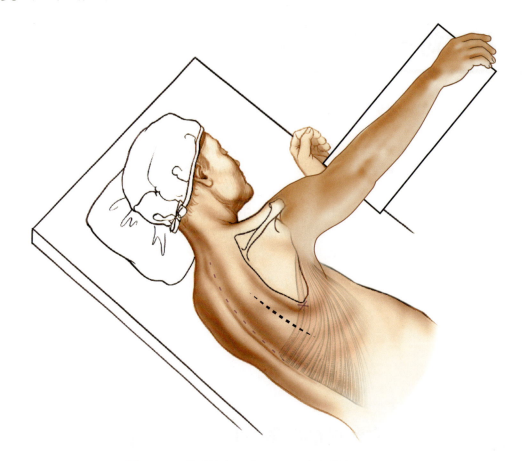

図 6-115 肋骨後方アプローチ．患者体位
肩甲骨の先端と胸椎の棘突起を触れる．肩甲骨の先端は第 7 肋間に相当する．

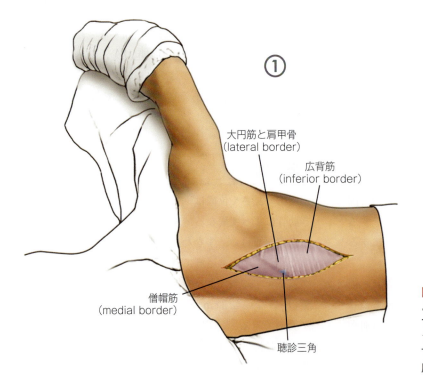

大円筋と肩甲骨
(lateral border)

広背筋
(inferior border)

僧帽筋
(medial border)

聴診三角

図 6-116 肋骨後方アプローチ．皮切
どの肋骨や何本の肋骨にアプローチするかによって皮切の長さは異なる．肩甲骨の下端から上位 10 cm あたりから始め，尾側に広げる．肩甲骨下極 2 cm 下方に皮切をおくと第 5～8 肋骨が展開できる．

internervous plane

このアプローチでは僧帽筋の筋間の internervous plane を使う．僧帽筋は副神経と C3, 4 神経根の枝によって支配されている．広背筋は，腕神経叢の後束の枝である胸椎背側枝に支配されている．

浅層の展開

皮切の後，筋膜におおわれている僧帽筋と広背筋を展開して深部に達する．できるだけ術後の皮下液体貯留を防ぐために皮膚のフラップを持ち上げるようにする．聴診のさいに用いる三角部分（auscultation triangle）を確認する（図 6-117）．この部分は，僧帽筋が上内側部，広背筋が下部，肩甲骨が外側部，これらから形成されている．筋間を入ると胸郭後方部分に直接アプローチできる[36]．

深層の展開

auscultation triangle の真ん中部分で疎性結合組織を剥離する．その後，指を使って肋骨と僧帽筋と広背筋の間の層を展開していく．広背筋は容易に胸郭側から持ち上げることができ，奥にある肋骨に到達できる（図 6-118）．骨折した肋骨の先端で手袋を損傷しないように気をつける．第 4〜9 肋骨であれば，僧帽筋や広背筋を牽引することによって適切な整復や固定は可能となる．

肋骨をさらに展開したい場合は，より前方側に広背筋を割いて展開する．前鋸筋は鈍的に分けることによって肋骨のより前方のアプローチが可能となる（図 6-119）．

注意すべき組織

ときに肋骨骨折は**肋間動静脈**から活発な出血をみることがある．肋骨を徒手整復しようとするとまた出血が起こる．

通常，フレイルチェストを起こしている患者は術前から胸腔内にチューブを入れられていることが多い．手術を開始する前，また創を閉じる前に胸腔内に入っているチューブが機能していることを確認すべきである．術中は 30 分ごとに麻酔科に**肺**の換気を依頼すべきである．これは術後の無気肺を予防するためである．創閉する前には，肋骨周囲での固定のためのドリルの使用は，胸膜を損傷し空気漏れを生じる可能性があるため，新たな気胸が生じていないかや，気胸があったとすればそれが増悪していないかを確認すべきである．

術野拡大のコツ

●深部への拡大

背部の皮膚は厚く弾力がないので肋骨骨折の治療には皮切の正確な位置決めが必要である．必要に応じて皮切は広げる．

●上下への拡大

近位へのアプローチは数 cm 広げることは可能であるが，僧帽筋によって妨げられる．しかし，第 3, 第 4 肋骨への展開のため僧帽筋を筋の走行に沿って割いてもよい．下方へのアプローチについては，図 6-90 で示したごとく肋骨の前方部分の骨折へ到達するため，前方へのカーブした皮切を用いる．

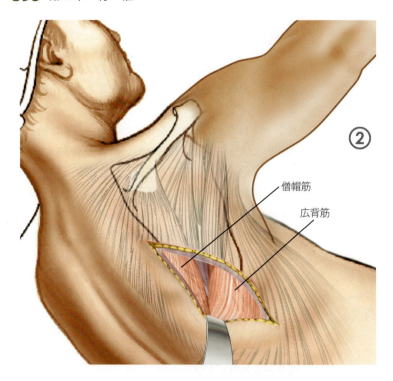

図 6-117 肋骨後方アプローチ．筋の展開
聴診のさいに用いる三角部分（auscultation triangle）を確認する．この部分は，上部が僧帽筋と肩甲骨の椎骨側，広背筋が外側部である．

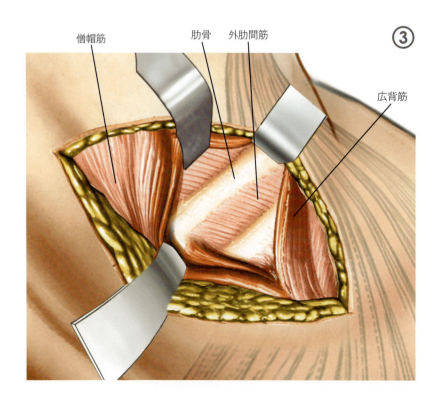

図 6-118 肋骨後方アプローチ．肋骨の展開（1）
広背筋と僧帽筋を鈍的に分けると肋骨が展開される．

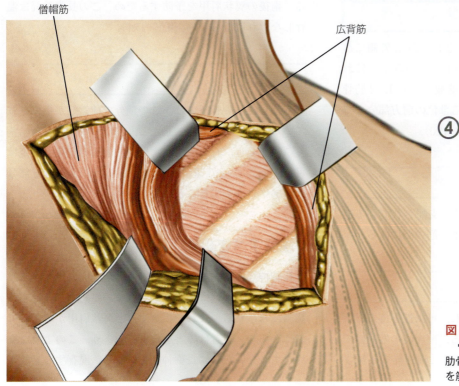

図 6-119 肋骨後方アプローチ．肋骨の展開（2）
肋骨をより前方に展開したければ，広背筋を筋腹を筋の走行に沿って分ける．

21 肋骨のプレート固定のさいの腋窩アプローチ

　腋窩アプローチは中腋窩線を通りもっとも単純で安全性が高い．多くの文献にも記載されている一般的な骨折のアプローチである．

患者体位

　患部を上にして手術台に側臥位とする．圧を逃すようなマットレスやテーブルトップのパッドを使用することを推奨する．下肢は股関節と膝関節をやや屈曲位として，両側の足の間には枕を入れる．腎臓固定具または砂嚢を使い患者を固定し，股関節の間に安全に抑制帯をあてがう．頭部は枕ないしはサポートをするもので固定し，耳は圧迫しないように注意する．アプローチする側の上肢は患者の頭部や手台の上で動かせるようにする．
　腋窩の血管や神経叢を圧迫しないように胸郭と手術台の間には腋窩枕を置いておく．体位を取った後で橈骨動脈の拍動を確認する．また，上肢には静脈のうっ血が生じていないことを確認する．術者は患者の腹側または背側に立つ．
　両側の肋骨骨折を固定しなければいけない場合は，患者を背臥位とする．

ランドマーク

　患者を側臥位とするならば，**肩甲骨の先端**と**肩甲骨の外側縁**を触れる．肩甲骨はよく動く骨であり，患者によって先端の位置は異なることに留意する．一般に肩甲骨の下極は第7胸椎間の位置にあることを覚えておいたほうがよい．患者を背臥位とするのであれば，両側の**中腋窩線**を腋窩の前方部分と後方部分の間で確認しておく．

皮　切

カーブした皮切を肩甲骨外縁の約1〜2cm外側におく．皮切の開始点は腋窩で腋毛の生えている下部におき，中腋窩線を通り肋骨の固定が必要となる1，2肋骨下部まで広げる．肋骨骨折している部位の前方部分までカーブした皮切で拡大する[36]（図 6-120）．

internervous plane

internervous plane は胸椎背側枝に支配されている広背筋と長胸神経に支配されている前鋸筋の間にある．

浅層の展開

広背筋の上方部分の境界を確認し，可動性を持たせ下部方向に牽引すると前鋸筋がみえる．前鋸筋の外側縁で中腋窩線を垂直に縦方向に走行する長胸神経を確認する．術後の翼状肩甲を予防するため，この長胸神経は温存しなければならない（図 6-121）．

深層の展開

転位した肋骨骨折では，この部分で前鋸筋が損傷されていることがよくある．しかし，筋は用手的に容易に割くことができ，行おうと思えば肋骨骨折の整復と固定は可能である[36]．外側斜筋を損傷しないように前方部分からアプローチすることは難しい（図 6-122）．

注意すべき組織

長胸神経は前鋸筋の表層を垂直に縦方向に走行する．血腫があると同定は困難かもしれない．長胸神経は中腋窩線にみられる．これを損傷すると翼状肩甲が起こる可能性があり，患者は障害を被ってしまう．このような麻痺を生じないために長胸神経を確認し，温存する必要が

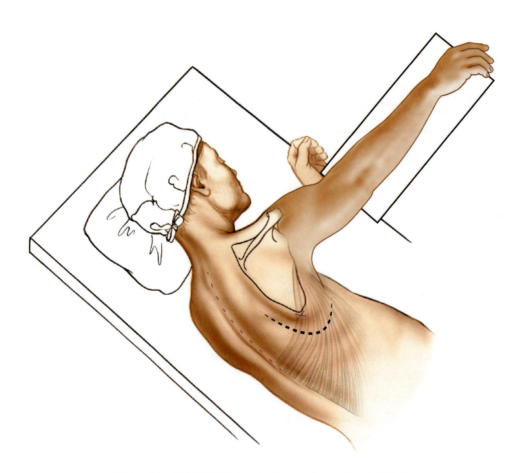

図 6-120　肋骨骨折固定のためのアプローチ．患者体位

21. 肋骨のプレート固定のさいの腋窩アプローチ　401

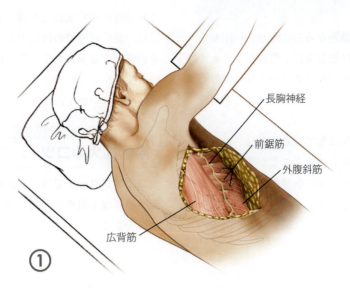

図6-121　肋骨骨折固定のためのアプローチ．筋の展開（1）
カーブした皮切を肩甲骨外縁の約1〜2cm外側におく．皮切の開始点は腋窩で腋毛の生えている下部におき，肋骨の固定が必要となる肋骨直上まで広げる．

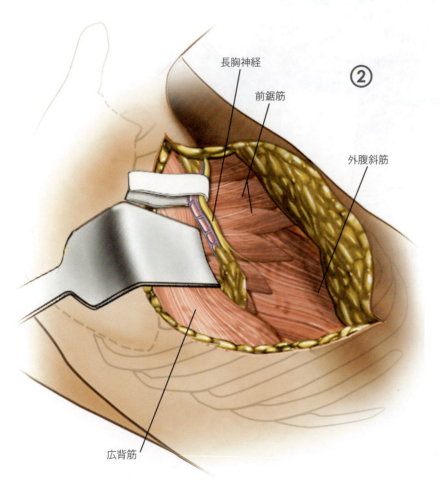

図6-122　肋骨骨折固定のためのアプローチ．筋の展開（2）
広背筋の外側縁を持ち上げると下部に前鋸筋と長胸神経を観察する．

ある.

ときに肋骨骨折は**肋間動静脈**からおびただしい出血を伴うことがある.この出血は肋骨を徒手整復しようとすると再び起こりうる.肋間動静脈は肋骨の下部に位置していることを念頭におく.止血のために焼灼する準備をする(図6-123).

通常フレイルチェストを起こしている患者は,術前から胸腔内にチューブを入れられていることが多い.手術を開始する前,また創を閉じる前に胸腔内に入っているチューブが機能していることを確認すべきである.術中は30分ごとに麻酔科に肺の換気を依頼すべきである.

これは術後の無気肺を予防するためである.創閉する前には,肋骨周囲での固定のためのドリルの使用は,胸膜を損傷し空気漏れを生じる可能性があるため,新たな気胸が生じていないかや,気胸があったとすればそれが増悪していないかを確認すべきである.

術野拡大のコツ

このアプローチでは,胸郭をすべての方向から観察するために皮下組織を展開しない限り,術野を拡大することはできない.

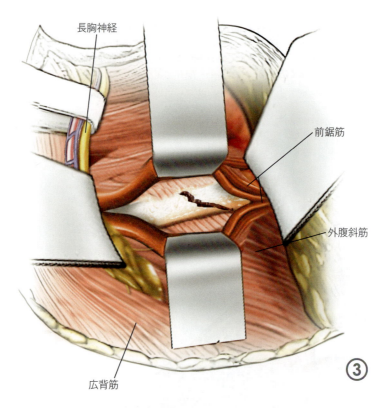

図6-123 肋骨骨折固定のためのアプローチ.肋骨の展開
肋骨の骨折部に達し,前鋸筋の筋腹を分ける.この展開は,すでに折れた骨によってなされていることがあることに注意する.

文 献

1. Mixter WJ, Barr JS. Rupture of the intervertebral disc and involvement of the spinal cord. *N Engl J Med*. 1934;211:210-215.
2. Seimon L. *Low Back Pain: Clinical Diagnosis and Management*. Appleton-Century-Crofts; 1983.
3. Hibbs RA. An operation for progressive spinal deformities. *NY State J Med*. 1911;93:1013-1016.
4. Goldstein CL, Macwan K, Sundararajan K, Rampersaud YR. Perioperative outcomes and adverse events of minimally invasive versus open posterior lumbar fusion: meta-analysis and systematic review. *J Neurosurg Spine*. 2016;24:416-427.
5. Rothman HR, Simeone FA. *The Spine*. WB Saunders; 1975.
6. Holscher EC. Vascular complication of disc surgery. *J Bone Joint Surg Am*. 1948;30:968-970.
7. Rasouli MR, Rahimi-Movaghar V, Shokraneh F, Moradi-Lakeh M, Chou R. Minimally invasive discectomy versus microdiscectomy/open discectomy for symptomatic lumbar disc herniation. *Cochrane Database Syst Rev*. 2014;9:CD010328.
8. Foley KT, Smith MM. Microendoscopic discectomy. *Tech Neurosurg*. 1997;3:301-307.
9. Sacks S. Anterior interbody fusion of the lumbar spine: indications and results in 200 cases. *Clin Orthop Relat Res*. 1966;44:163-170.
10. Michele AA, Krueger FJ. Surgical approach to the vertebral body. *J Bone Joint Surg Am*. 1949;31:873-878.
11. Steers WD. Neural pathways and central sites involved in penile erection: neuroanatomy and clinical implications. *Neurosci Biobehav Rev*. 2000;24:507-516.
12. Hershlag A, Schiff SF, DeCherney AH. Clinical review retrograde ejaculation. *Hum Reprod*. 1991;6:255-258.
13. Brau SA. Mini-open approach to the spine for anterior lumbar interbody fusion: description of the procedure, results and complications. *Spine J*. 2002;2:216-223.
14. Jasani V, Jaffray D. The anatomy of the iliolumbar vein: a cadaver study. *J Bone Joint Surg Br*. 2002;84:1046-1049.
15. de Groat WC. Anatomy and physiology of the lower urinary tract, spinal cord injury. *Urol Clin North Am*. 1993;20:383-401.
16. Rogers WA. Treatment of fracture dislocation of the cervical spine. *J Bone Joint Surg*. 1942;24:245-258.
17. Holdsworth FW. Fractures, dislocations and fracture dislocations of the spine. *J Bone Joint Surg Br*. 1963;45:6.
18. Willard DP, Nicholson JT. Dislocations of the first cervical vertebra. *Ann Surg*. 1941;113:464-475.
19. Robinson RA, Smith GW. Anterolateral cervical disc removal and interbody fusion for cervical disc syndrome. *Bull Johns Hopkins Hosp*. 1955;96:223-224.
20. Hoppenfeld S. *Physical Examination of the Spine and Extremities*. Appleton-Century-Crofts; 1976:107.
21. Capener N. The evolution of lateral rhachotomy. *J Bone Joint Surg Br*. 1954;36:173-179.
22. Wilkinson MC. Curettage of tuberculous vertebral disease in treatment of spinal caries. *Proc R Soc Med*. 1950;43:114-115.
23. Burch BH, Miller AC. *Atlas of Pulmonary Resections*. Charles C Thomas; 1965:8.
24. Cook WA. Trans-thoracic vertebral surgery. *Ann Thorac Surg*. 1971;12:54-68.
25. Richard J, Zhang F, Bellabarba C, Lee MJ. Treating thoracic-disc herniations: do we always have to go anteriorly? *Evid Based Spine Care J*. 2010;1:21-28.
26. Hodgson AR, Stock FE, Fang HS, Ong GB. Anterior spinal fusion: the operative approach and pathological findings in 412 patients with Pott's disease of the spine. *Br J Surg*. 1980;48:172-178.
27. Hoppenfeld S. *A Manual of Concept and Treatment*. JB Lippincott; 1967:96.
28. Winter RB. *Congenital Deformities of the Spine*. Grune & Stratton; 1983.
29. Moe J, Winter RB, Bradford LJ. *Scoliosis and Spinal Deformities*. WB Saunders; 1978.
30. Keim H. *The Adolescent Spine*. Grune & Stratton; 1976:159.
31. Harrington PR. Treatment of scoliosis: correction and internal fixation by spine instrumentation. *J Bone Joint Surg Am*. 1962;44:591-610.
32. Coughlin T, Ng J, Rollins K, Forward DP, Ollivere BJ. Management of rib fractures in traumatic flail chest: a meta-analysis of randomized controlled trials. *Bone Joint J*. 2016;98-B:1119-1125.
33. Walters S, Craxford S, Russel R, et al. Surgical stabilization improves 30-day mortality in patients with traumatic flail chest: a comparative case series at a major trauma centre. *J Orthop Trauma*. 2019;33:15-22.
34. Schuurmans J, Goslings J, Schepers T. Operative management versus nonoperative management of rib fractures in flail chest injury: a systematic review. *Eur J Trauma Emerg Surg*. 2017;43:163-168.
35. Dehghan N, Mah J, Schemitsch E, Nauth A, Vicente M, McKee MD. Operative stabilization of flail chest injuries reduces mortality to that of stable chest wall injuries. *J Orthop Trauma*. 2018;32:15-21.
36. Taylor B, French B, Fowler T. Surgical approach for rib fracture fixation. *J Orthop Trauma*. 2013;27:e168-e173.

第7章

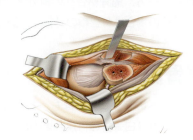

The Pelvis and Acetabulum

骨盤と寛骨臼

1 採骨のための腸骨稜への前方アプローチ …………………………………………… 407
2 採骨のための腸骨稜への後方アプローチ …………………………………………… 410
3 恥骨結合への前方アプローチ …………… 413
4 仙腸関節への前方アプローチ …………… 416
5 仙腸関節への後方アプローチ …………… 420
6 骨性骨盤へのアプローチに必要な外科解剖 ………………………………………… 424
7 寛骨臼への腸骨鼡径アプローチ ………… 425
8 寛骨臼への腸骨鼡径アプローチに必要な外科解剖 …………………………………… 435
9 寛骨臼への前方骨盤内アプローチ ……… 443
10 寛骨臼への前方骨盤内アプローチに必要な外科解剖 ………………………………… 450
11 寛骨臼への後方アプローチ ……………… 453

第7章

骨　盤

　骨盤は骨の複合体であり，それぞれの骨は靱帯によって結合されている．すなわち1対の無名骨が，前方では恥骨結合によって，後方では仙腸関節で仙骨の体部と結合している．寛骨（innominate bone）の内外面は多くの筋におおわれており，また腹腔内臓器もあり，骨盤への到達は困難なように感じるが，骨盤には皮下に出ている部分（腸骨稜）があるため，ここから進入すれば安全に到達できる．

　この章では5種類のアプローチについて記述する．それぞれは皮下に骨が露出した部分を通って進入する方法である．このうち前方および後方からの腸骨稜へのアプローチは，ほとんどの場合が自家骨移植での採骨に使われる．一方，恥骨結合への前方アプローチや仙腸関節への前方および後方アプローチが使われることは少なく，多くの場合は骨盤輪の骨折で，観血的整復・内固定をするときに用いられる．

寛骨臼

　寛骨臼へのアプローチはもっとも複雑かつ厄介で，しかも必要に迫られることの多いものである．このアプローチは寛骨臼骨折の再建手術の目的にもっとも頻繁に用いられる．寛骨臼への各アプローチはそれぞれ到達できる寛骨臼の部分が決まっているので，寛骨臼の骨折型に応じて正しいアプローチを選択することがきわめて重要である（図7-1）．そのためにはX線撮影とコンピュータ断層撮影（CT）を駆使して，骨折の正しい形態把握が必要である[1〜3]．経験の乏しい術者には骨モデルの使用はとくに有用である．

　腸骨鼡径アプローチは寛骨臼の前柱および内壁を展開する方法である．さらにこのアプローチで仙腸関節から恥骨結合までの骨盤内壁面をみることができる．しかし，寛骨臼の後柱や後壁には到達できない（👉図7-21）．

　後方アプローチは寛骨臼の後柱，後壁およびドームを展開できる方法である．このアプローチでは前柱のごく限られた部分にも到達できるが，寛骨臼内壁には到達できない（👉図7-39）．

　腸骨鼡径アプローチに必要な外科解剖は，アプローチに関する記述のすぐ後に載せている．後方アプローチに必要な外科解剖は第8章「7 股関節および寛骨臼への後方アプローチに必要な外科解剖」に記載した．

　以上の各アプローチによって展開できるのは，それぞれ寛骨臼のある部分に限定されているので，複雑な形態変化のある寛骨臼骨折に対しては，2種類以上のアプローチが必要となる場合がある．

　ほとんどの寛骨臼骨折は極端に大きい外力が作用した結果発生する．そのために組織は挫滅されており，筋層間を分けることがしばしば困難である．骨折片をコントロールして整復することも困難であるので，解剖学的に整復して安定した内固定を行うためには特別な器具が必要である．しかし，救急処置としてこれらのアプローチの実施を迫られることはまれである．寛骨臼骨折はまれなものであり，骨折の解剖を理解することも難しく，高度な手術手技が要求される．寛骨臼骨折の再建手術の成績は骨片をいかに正しく整復したか否かに大きく依存する．ゆえに寛骨臼に対する手術は可能ならば，数多くの患者を集めることができるセンターで，熟練した外科医によって行われるべきである[4]．

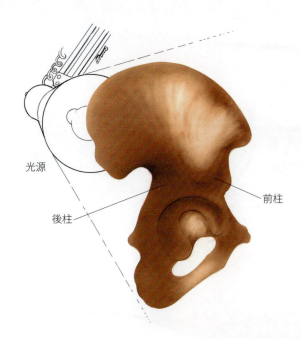

図 7-1 寛骨臼の前柱と後柱
前柱と後柱の解剖を理解しやすくするために，片側骨盤を光源の前に立ててみた透かし像．前柱と後柱は厚いので，薄い腸骨翼中央部とのコントラストの差によって明瞭に識別できる．

1 採骨のための腸骨稜への前方アプローチ

腸骨稜前方からの移植骨採取は整形外科領域でよく行われている[5]．腸骨稜は皮下にあり，そこから皮質骨，海綿骨の両者を容易かつ安全に採取できる．脊椎をはじめ，身体のどの部分へも骨移植が可能である．また，この腸骨稜の内外板を含めた骨採取も可能で，とくに頭部あるいは頸部の再建のための移植骨としても利用できる．一方，脊柱側弯症のように脊椎後方固定を行おうとする場合には，通常腸骨稜の後方部分から採取して骨移植を行う．

患者体位

背臥位にする．通常移植骨採取は主たる手術と平行して行われるため，骨採取部分は主たる手術部位とは別にドレーピングを行う．すべての長管骨骨折の観血的整復・内固定術にさいして，この移植骨採取の準備をしておくことが望ましい．このさい，骨採取を行うほうの殿部の下に小さな枕をおいて腸骨稜を浮かし内方に傾けると，アプローチがより容易となる．

ランドマーク

皮下に触れる**上前腸骨棘**がもっとも重要なランドマークである．ここから腸骨稜を触知し始めて，腸骨がもっとも厚い部分，すなわち腸骨結節（iliac tubercle）まで触知する．**腸骨結節**は腸骨を前方部と後方部に分ける分岐点となり，この部分の腸骨にもっとも多量の皮質骨，海綿骨が存在し，よい移植骨材となる．

皮切

皮切の長さは採取する移植骨の大きさに応じて調節する．大きな移植骨を採取する場合は，腸骨結節の直上を中心として，腸骨稜に沿って 8 cm の皮切を加える（図7-2）．

internervous plane

腸骨稜に起始または停止するどの筋も，この切開線を横切ってはいない．したがって，腸骨稜は真の internervous plane ということになる．

腸骨前方からの移植骨採取によって影響を受ける筋は，大腿筋膜張筋，小殿筋および中殿筋である．これらの筋は，腸骨前方の外板から起始しているためである．これらの筋は上殿神経の支配を受けている．腹筋も腸骨稜から起始しているが，髄節ごとの神経支配を受けている．

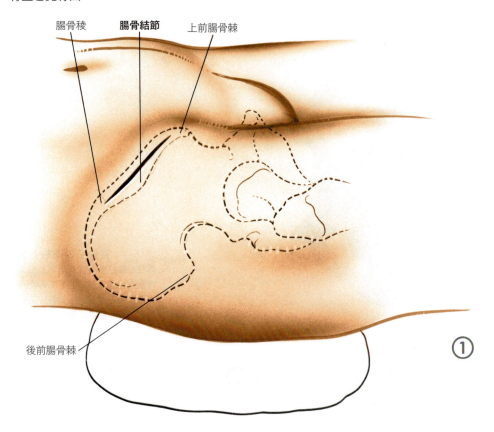

図 7-2　腸骨稜前方アプローチ．皮切
腸骨結節を中心として，腸骨稜の上に8cmの皮切をおく．

浅層の展開

皮下を展開し，腸骨稜を確認する．メスで腸骨稜の表面に切開を加える（図 7-3）．小児では，腸骨稜は無血管の軟骨性アポフィジスとなっている．この場合，筋をつけたまま軟骨性アポフィジスを開き，その後 Cobb エレベーターを用いて筋を腸骨から剥離する．成人では軟骨性アポフィジスは存在しない．

この腸骨稜の切開はけっして上前腸骨棘の上にまで達しないように注意すべきである．もしこれが守られないと，鼡径靱帯が上前腸骨棘からはずれてしまい，その結果，鼡径ヘルニアを起こすことがある．

深層の展開

ついで，腸骨の内外面のいずれかで，付着筋を剥がす．まずメスで腸骨稜近くで腸骨に達するまで切開線を加える．メスは腸骨稜に沿って強く押しあてて切る（図 7-4）．

腸骨稜の下方では腸骨はかなり薄くなっており，骨膜下に筋を正しく剥離することが大切である．剥離が腸骨表面からはずれるとトラブルのもととなるので注意を要する．腸骨稜の辺縁から腸骨表面に到達したあとは，Cobbエレベーターのような鈍的な器具で筋の剥離を進める．筋肉は容易に骨から剥がれる．別の方法として，腸骨翼とそれをおおう筋の間にガーゼを挿入する方法もある．先の鈍な器具を使用しつつガーゼによって軟部組織を保護すると同時に，筋の剥離も行える．このあとは，皮質骨海綿骨を含んだ薄い板状の骨を腸骨の内外いずれかの面から採取したり，または内外板を含めた一塊の骨としても採取できる．海綿骨のみを採取する場合には，腸骨稜に沿って骨稜皮質をノミでアーチ状に残した骨稜部をはね上げて行うのも一法である．直下に現れる海綿骨は，腸骨稜の皮質下に比較的多量に存在する．

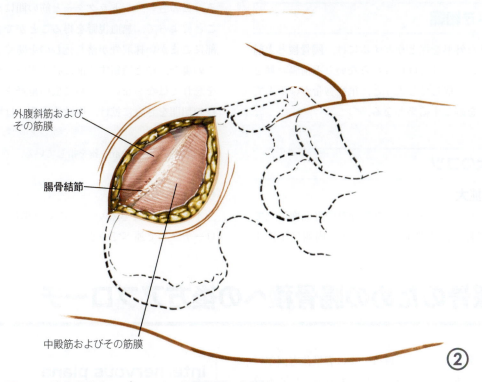

図 7-3 腸骨稜前方アプローチ．軟部組織の切開
切開部を開き，腸骨稜を確認する．ついで腸骨稜をおおっている軟骨組織を切開して骨にいたる．

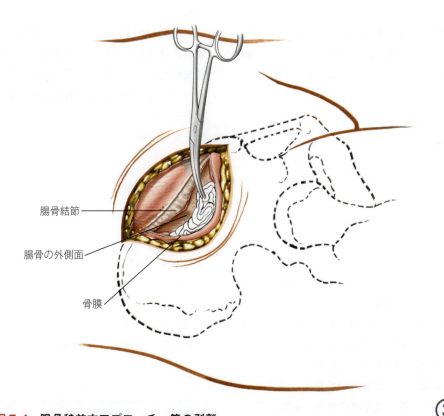

図 7-4 腸骨稜前方アプローチ．筋の剥離
中殿筋，小殿筋の起始部を腸骨外面から骨膜下に剥離する．Cobb エレベーターあるいはガーゼ綿球などを用いるとよい．

注意すべき組織

骨盤の正常な外形を保とうとするには，**腸骨稜**と**上前腸骨棘**の温存に心がけなければならない．上前腸骨棘を含めて移植骨を採取してしまうと，鼠径靱帯がゆるんで鼠径ヘルニアを起こす結果となる．

術野拡大のコツ

●**深部への拡大**

先端が尖ったレトラクター*を腸骨翼の外側面に立てて中殿筋を排除し，内側面では腸骨筋を内側に圧排する．このさい，レトラクターと筋の間にガーゼを入れることによって，無血視野を得ることができ，また創の深部にこまかい採取骨が落ち込むのを防ぐこともできる．この場合，創を閉鎖する前に必ずガーゼを取り出すことを忘れてはならない．さらに広い術野を得るには，腸骨稜の切開をさらに拡げ，中殿筋あるいは腸骨筋の剥離を追加する．

*監訳者註：Hohmann鉤を指している．

●**上下への拡大**

本来は拡大できない．ここでは単に腸骨採取のアプローチとして述べている．

2 採骨のための腸骨稜への後方アプローチ

腸骨稜後方からの移植骨採取は，主に脊椎後方固定のさいに移植骨の補填が必要なときに行われる．皮質海綿骨も他の部位での固定や再固定に応じて用いられる．

患者体位

胸郭や腹壁の呼吸運動が制限されないように，縦長のボルスター（長枕）の上に腹臥位にする．ドレープは殿裂の部分から上後腸骨棘が十分みえるよう広めにかける（👍図6-101）．

ランドマーク

殿部上方の皮膚のくぼみに**上後腸骨棘**を触知する．ついで，ここから外側に腸骨稜を触知する．

皮切

上後腸骨棘を中心として，腸骨稜に沿って約8cmの斜切開を加える（図7-5，挿入図）．

脊柱側弯症や腰椎手術の場合には，正中皮膚切開を仙骨に達するまで延長しておき，皮膚および厚い皮下脂肪層を外側に引く．すなわちHibbsレトラクターで引きながら，皮膚皮下組織を弁状に腰背部筋膜から剥離し，上後腸骨棘および後方の腸骨稜を展開する（👍図7-5）．

internervous plane

腸骨稜に起始，または停止するいずれの筋も，腸骨稜を横切っていない．したがって，腸骨稜の外縁は真のinternervous planeということになる．中殿筋，小殿筋，大殿筋が腸骨外側面から起始している（中殿筋，小殿筋は上殿神経の支配，大殿筋は下殿神経の支配）．傍脊柱筋も腸骨稜から起始しているが，神経根から分節状に神経支配を受けている．広背筋も腸骨稜から起始しているが，この筋の近位から長胸神経の支配を受けている．したがってこの切開では腸骨稜の外縁から少々ずれても，筋を支配する神経を切断することはない．

浅層の展開

皮下組織を切開し，腸骨稜に達する．小児では軟骨性アポフィジスをみる．それを腸骨稜の走行に沿って縦に分割する．割面からの出血はない．成人では，軟骨性アポフィジスはすでに骨化しており，腸骨稜と癒合している．

ついで，Cobbエレベーターを用いて腸骨稜の内外両側からアポフィジスあるいは筋を剥離し，腸骨を露出する．

注意すべき組織

数本の**殿皮神経**（cluneal nerve）が，腸骨稜を横切っ

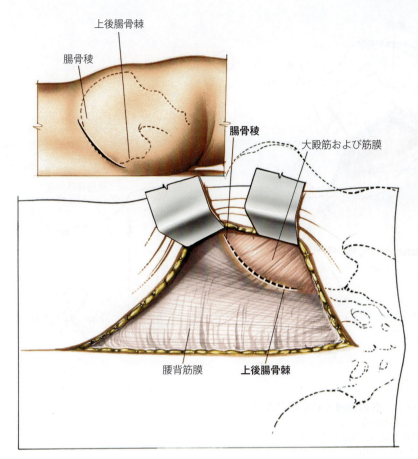

図7-5 腸骨稜後方アプローチ．皮切
腰椎の後方手術に併用する場合は，腰椎に対する正中切開線を遠位に延長し，皮膚を外側に引いて，腸骨稜および上後腸骨棘をおおっている軟部組織を剝離し，腸骨に到達する．
この腸骨稜の切開の長さは，上後腸骨棘を中心として腸骨稜に沿って8cm以下にとどめる（挿入図）．

て走行している．この神経の損傷を避けるためには，上後腸骨棘からの腸骨稜前外側への切開線の長さを8cm以下にする．これらの神経は殿部の皮膚の感覚を支配するものであり，L1，L2，L3神経根後枝に由来している．しかし，これらの神経が万一，損傷されてもとくに問題を起こすほどではない．

深層の展開

後部腸骨面から，筋を十分な広さに剝がせば，大きな移植骨も採取できる．腸骨稜から腸骨外側面を露出するときには，常に骨膜下に行うように注意すべきである．後方の筋剝離は，上後腸骨棘から1.5cm遠位部まで進めると，この部分には隆起した後殿筋線を触知しみることができる．この隆起を越えて骨膜下に剝離を進めるとその向こう側まで達する．ただし，後殿筋線を越えるとき，骨膜下でなく殿筋内に進行しやすいので方向を間違

えてはならない．筋を外側に引き視野を得るのには，Taylor鈎が使いやすい．この殿線は，大殿筋と中殿筋の起始部を分けている（すなわち，この線の後方から大殿筋が，前方から中殿筋が起始している；図7-6）．

注意すべき組織

可能性は低いが，骨採取のときに**坐骨神経**を損傷することがある．創が深すぎて坐骨切痕に達しているときに起こりやすい．想定する切骨線を上後腸骨棘から手術台に対して垂直とし，すべての手術操作をこの線から頭側で行っていれば，坐骨切痕さらには，坐骨神経を完全に避けることができる．大きな移植骨が必要である場合には，採骨の前に坐骨切痕を触知しておくことが必要である（☞図7-6B）．

内腸骨動脈（下腹動脈*）の枝である**上殿動脈**は，坐骨切痕を通って骨盤外に出る．この部分では，梨状筋の

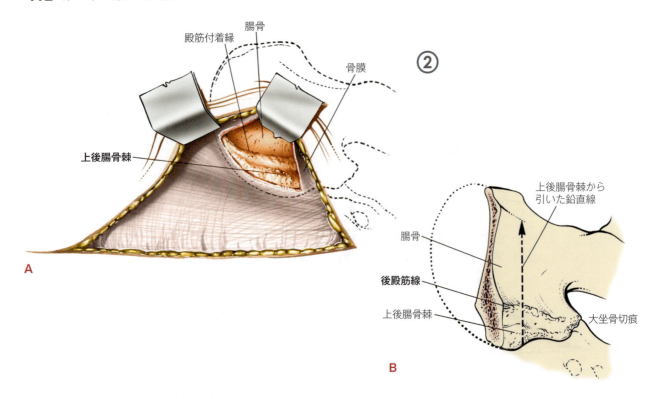

図7-6 腸骨稜後方アプローチ．筋の剥離と骨切除の方向
A：腸骨稜の後方部分から骨膜下に筋を剥離する．
B：上後腸骨棘付近から腸骨外側面を進み，隆起した殿筋線を触知する．ここでは骨膜下をまず昇るように進み，この隆起線を越えてからその向こうの面へ下るように進む．このさい方向を間違って，筋内に入らないようにする．上後腸骨棘から手術台への鉛直線を想定し，その線の尾側に入らないようにすれば，坐骨切痕や切痕を通る組織を傷つけることはない．

すぐ近位部で骨に接して走行している．したがって坐骨切痕のすぐ近くで採骨しようとすると，この血管が切れ，近位断端が骨盤腔内に引っ込んでしまうことがある．またこの血管の枝は殿筋線の前に沿って中央部分を走行し，腸骨稜の骨を栄養する．したがって採骨にさいして，この血管が骨面からの出血の源となる．この骨からの止血には，骨ろうを用いる．

*訳者註：原書記載の「下腹動脈（hypogastric artery）」は混乱を招くため不要と思われる．

坐骨切痕を温存する．この切痕部分を形成している厚い骨を破壊すると，骨盤の安定性が失われるからである．この切痕のより近位でいわゆる骨盤（false pelvis）から骨を採取する限り，骨盤の力学的安定性は損なわれることはない（☞図7-6B）．

術野拡大のコツ

●深部への拡大

先端に爪がある直角に曲がったTaylor鉤を骨に固定して，剥離した殿筋を排除すると広い術野が得られる．さらに広い術野を得るには，腸骨稜の切開をさらにのばして，殿筋を腸骨外側面から剥離すればよい．鍵穴からのぞくような操作にはならない．

●上下への拡大

この術式では皮切を拡大できない．本来これは，腸骨の後方部分の外側皮質を含んだ海綿骨を採取するための方法だからである．内側の皮質骨の採取も可能かもしれないが，前方（すなわち深部の）腸骨内側面からの軟部組織の剥離は避けるべきである．

3 恥骨結合への前方アプローチ

恥骨結合への前方アプローチは，ほとんどの場合は恥骨結合離開，あるいは恥骨上肢の骨折の症例に観血的整復・内固定を行うさいに使われる．そのほか，同部の腫瘍の生検，慢性骨髄炎の治療に用いられることもある．

恥骨結合が大きく離開している症例では，泌尿器の合併損傷を伴っていることが多いので，手術の前に泌尿器科学的な評価を行っておくことが望ましい．手術前に尿道カテーテルを挿入すべきである．膀胱が緊満しているとアプローチの大きな障害になる．

患者体位

背臥位にする．

ランドマーク

極度の肥満患者でなければ，**恥骨上枝**および**恥骨結節**を体表から触知できる．恥骨結合離開の患者では，**恥骨結合**にギャップを触知できる．

皮 切

恥骨結合を中心として，約1cm近位に皮線に沿って15cmほどの弯曲した横切開を加える（図7-7）．

internervous plane

このアプローチでは internervous plane は使えない．腹直筋は髄節ごとの支配を受けているので，脱神経に陥ることはない．

浅層の展開

皮膚切開線と同一線で皮下脂肪を切開する．さらに深く進んで腹直筋鞘の前面にいたる（図7-8）．切開線を遠位から近位に横切っている浅下腹壁動静脈を確認し，これを結紮し切離する．ついで腹直筋の筋鞘を恥骨結合の1cm近位で横切する．これによって2つの腹直筋が露出される（図7-9）．恥骨結合離開の患者では多くの

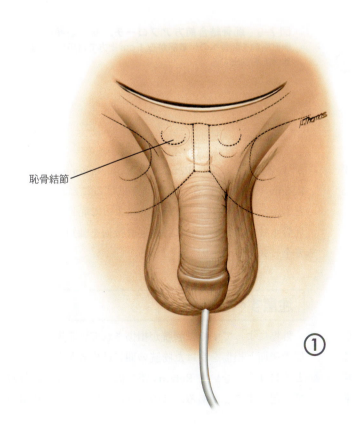

図7-7 恥骨結合前方アプローチ．皮切
恥骨結節を皮下に触知し，恥骨結合部上縁から1cm近位側に恥骨結合を中心とし，皮膚割線に沿って皮膚切開を加える．

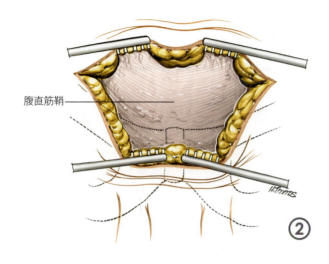

図7-8 恥骨結合前方アプローチ．腹直筋鞘への到達
皮膚切開線の下の皮下脂肪を切開し，腹直筋鞘にいたる．

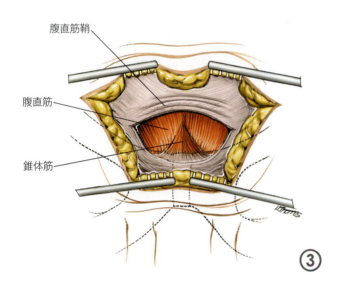

図7-9 恥骨結合前方アプローチ．腹直筋鞘の切離
腹直筋鞘を恥骨への付着部から1cm上方で横切し，腹直筋と錐体筋を露出する．

場合，この筋のうちの1つは，すでに恥骨結合からはずれている．残っている筋は恥骨への付着部から数mm上方で切離する．

深層の展開

腹直筋の断端近位を上方に鉤で引いて，恥骨結合および恥骨稜を露出する（図7-10）．恥骨結合後面の展開は，指で鈍的に膀胱を後面に押して骨から剥離する．恥骨結合後面の触知はスクリューの正しい方向を確認するのに有用である．膀胱損傷による癒着を伴っていない場合には，この剥離は容易である．膀胱損傷のために癒着があるときには，Retzius腔（preperitoneal space of Retzius）と称されるこの隙間を拡げることが難しいこともある（図7-11）．この操作によって恥骨結合および恥骨上枝の露出を十分に行い恥骨後面を触知できれば，安全にスクリュー固定ができる．

注意すべき組織

外傷によってすでに**膀胱**が損傷されている場合には，恥骨後面と損傷を受けた膀胱の間には癒着がある．このときに注意しないとRetzius腔を拡大する操作で膀胱破裂を起こすことがある．このように泌尿器の合併損傷が

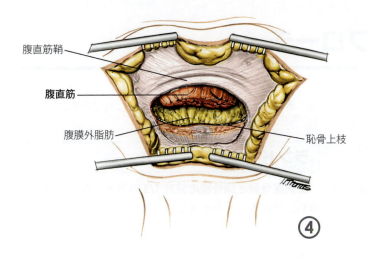

図 7-10 恥骨結合前方アプローチ．腹直筋の横切
恥骨付着部から1cm離して，腹直筋を横切し，切離した筋を頭側に鉤で引いて恥骨の上縁がみえるようにする．

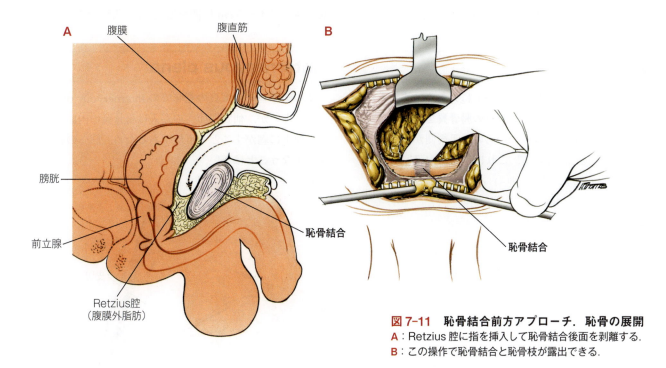

図 7-11 恥骨結合前方アプローチ．恥骨の展開
A：Retzius 腔に指を挿入して恥骨結合後面を剥離する．
B：この操作で恥骨結合と恥骨枝が露出できる．

ある患者に内固定を行う場合には，経験豊かな泌尿器科医と一緒に手術するのが最善の方策である．

術野拡大のコツ

●深部への拡大
この部位では皮下脂肪がかなり多いため，肥満の患者の場合は皮切および皮下切開を左右に拡大して，深部の視野を拡げる．

●上下への拡大
皮膚切開を側方へ拡大すれば恥骨上枝全体のみでなく，寛骨臼前方および腸骨内壁まで露出させることは可能である（☞本章「⑨寛骨臼への前方骨盤内アプローチ」）．

4 仙腸関節への前方アプローチ

仙腸関節への前方アプローチは安全かつ信頼性の高い進入方法であり，関節面を横切って前方で正確にプレート固定ができる．またこの方法では腸骨翼の内面も露出できるので，腸骨の骨折を合併しているような症例ではその内固定も同時に行うことが可能である．逆説的であるが，仙腸関節は骨盤輪のもっとも後方に位置しているにもかかわらず，前方から進入したほうが後方から行うよりも広い視野が得られ，操作しやすい．理論的には後方からの進入のほうがよいように思われがちであるが，仙腸関節の形態からみて，前方進入のほうが優れている．すなわち前方から到達すれば関節部分は平坦で扱いやすいが，後方からの場合には後方の腸骨が関節におおいかぶさっているので操作しにくい．

患者体位

背臥位とする．手術側の殿部の下に大きめの枕を入れて，腸骨稜を挙上させる．反対側の腸骨翼を手術台に接続した支持器で固定支持したのちに，手術側が挙上する方向に手術台を20°傾ける．これは，骨盤内臓器を反対側へ落し込んで術野を得やすくするためである．

ランドマーク

上前腸骨棘と腸骨稜の前方1/3の部分は皮下にあり，容易に触れることができる．

皮切

上前腸骨棘から7cm後方（ほぼ腸骨結節部に相当する）から切開を始め，腸骨稜の直上を進み，上前腸骨棘にいたる．ここから鼠径靱帯の方向へ内下方へ弯曲させ，さらに4～5cm切開を延長する（図7-12）．

internervous plane

このアプローチは真の意味でのinternervous planeとはならないが，仙腸関節への進入は腸骨翼の内面から筋を骨膜下に剥がすことで可能であるため，筋への神経支配も損なうことはない．

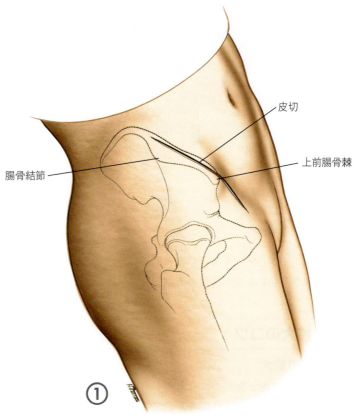

図7-12　仙腸関節前方アプローチ．皮切
上前腸骨棘から7cm後方で皮膚切開を始め，腸骨稜に沿って弯曲した皮膚切開を加える．上前腸骨棘から前側に曲げて鼠径靱帯に沿って5cm切開する．

4. 仙腸関節への前方アプローチ

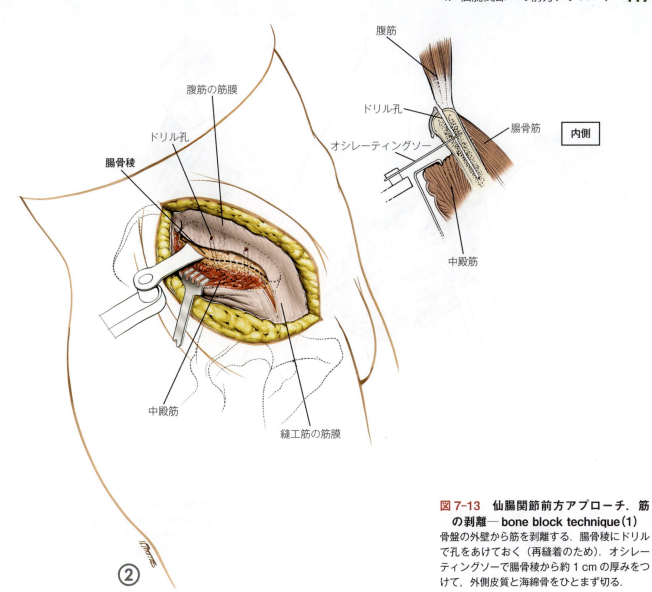

図 7-13　仙腸関節前方アプローチ．筋の剥離— bone block technique (1)
骨盤の外壁から筋を剥離する．腸骨稜にドリルで孔をあけておく（再縫着のため）．オシレーティングソーで腸骨稜から約1 cmの厚みをつけて，外側皮質と海綿骨をひとまず切る．

浅層の展開

皮切と皮下組織の切開を進めて腸骨稜に達する．腸骨翼から腸骨筋を剥離していくには2つの方法がある．

●bone block technique

皮下組織の切開を進めて殿筋，大腿筋膜張筋の腸骨稜外縁起始部の筋膜を露出する．次に腸骨稜前方1/3の骨膜に切開を加え，腸骨外面に付着している筋を腸骨稜から下方へ約1 cm剥離する．切離した腸骨稜の再接合を容易にするため，あらかじめ腸骨稜にドリルで縦に数個の孔をあけておき，オシレーティングソー（振動骨鋸）で腸骨稜から1 cm下方の線で腸骨稜に沿って骨を横切する．内側の皮質は残すようにしておく（図7-13）．ついでオステオトーム（骨ノミ）で腸骨内側骨皮質に割を入れると，腸骨稜と上前腸骨棘は一塊として内側へ移動できる（図7-14）．

●soft tissue release only

上前腸骨棘のすぐ後ろのところから腸骨筋を剥離して腸骨翼の深部に達する．最初は鋭的に剥離し，その後ガーゼを用いて鈍的剥離とする*．

*監訳者註：アプローチとしてはより一般的である．

深層の展開

腸骨内壁には腸骨筋が起始している．これを鈍的に剥離する．bone block techniqueを用いた場合，切離した腸骨稜の骨片の上前腸骨棘には鼡径靱帯が付着しているので，腸骨筋の剥離を進めて深部に進入するにつれて，

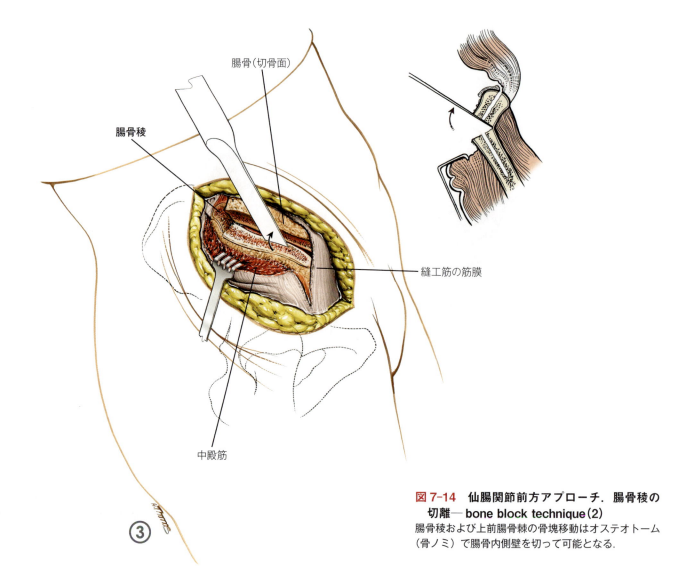

図7-14 仙腸関節前方アプローチ．腸骨稜の切離──bone block technique(2)
腸骨稜および上前腸骨棘の骨塊移動はオステオトーム（骨ノミ）で腸骨内側壁を切って可能となる．

この骨片を内側へ移動させる．この移動のためには，大腿筋膜張筋と縫工筋の一部の筋線維を切離することも必要である（図7-15）．外側大腿皮神経が上前腸骨棘の約1 cm内下方を通っているので，やむを得ずこの神経を犠牲にしなければならないこともありうる．

腹膜との境界面にはまったく侵襲せずに，骨盤内面から厳密に腸骨筋の筋剥離を行い，その下の仙腸関節を展開する（図7-15）．剥離して進入する距離はかなり短い．腸骨筋を腸骨内壁から剥離するときに何本かの腸骨への栄養血管を切断することがあるが，骨からの出血は骨ろうで止める．

L4, L5神経根と腰仙骨神経幹が仙腸関節の約1.5 cm内側で仙骨表面を走行している．したがって，仙腸関節から内側に1.5 cm以上は剥離を進めてはいけない．通常の3.5 mmプレートを使用する場合，内側スクリューホールは1つのみで，もし2つあけると神経を損傷する可能性がある（図7-15，挿入図）．

骨片をつけて腸骨筋を腸骨内壁から剥離すると，創をとじるときに，この骨片をスクリューで腸骨に固定すれば腸骨筋はもとの解剖学的位置に戻り，腸骨筋と腸骨の間に死腔を作ることはない．骨片の腸骨稜の再固定を確実に行わないと，機能障害，美容上の形態異常，慢性疼痛が残存したり，血腫形成の危険性が増加する．

注意すべき組織

外側大腿皮神経は，切離骨片を内側に移動させるときに切断しなければならないことがある[6]．これにより大腿外側に感覚麻痺を残すことがある．これらの外側大腿皮神経は圧排により一過性神経伝導障害（ニューラプラキシア）を生じることはまれでなく，患者には術後大腿外側の感覚障害を生じたり，ときには永続することがあ

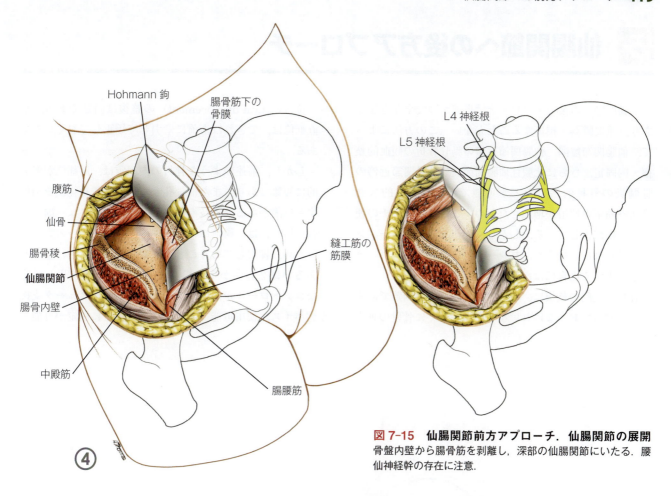

図 7-15 仙腸関節前方アプローチ．仙腸関節の展開
骨盤内壁から腸骨筋を剥離し，深部の仙腸関節にいたる．腰仙神経幹の存在に注意．

ることを説明しておく必要がある．

L4，L5 神経根と**腰仙神経幹**が仙腸関節の約 1.5 cm 内側で仙骨表面を走行しており，あまり内側に手術器具やプレートをあてると神経が障害される．この神経根の存在はこのアプローチの内側の限界を示している．

仙骨神経根が仙骨孔から出るところで損傷を受けることがある．したがって進入は仙骨孔を越えないようにする．このアプローチで通常，仙骨神経根を目視することはないが，以下の2つの過程で損傷する可能性があるので注意する．Hohmann 鉤のような先の尖ったレトラクターを内側に使用するとき，先端が仙骨孔に入らないように十分気をつける．また，仙腸関節の前面を固定するプレートの内側縁が仙骨神経根と干渉しないようにする．このためには，慎重に術前計画を立て，何本のスクリューが安全に仙骨に挿入できるか確かめる必要がある．多くの例では，1本のスクリューしか挿入できない．

腸骨からの腸骨筋の剥離操作で，比較的太い**栄養血管**が引き裂かれることがあるが，これは圧迫または骨ろうによって止血できる．

術野拡大のコツ

●深部への拡大

逆説的であるが，もっとも後方にある仙腸関節を十分に展開するには，前方の切開剥離を大きくすることが重要である．すなわち切離骨片の上前腸骨棘を鼠径靱帯につけたまま十分に内側に移動させること（bone block technique）で，仙腸関節を十分な視野に入れることができる．

●上下への拡大

このアプローチをさらに拡大すれば拡張した腸骨鼠径アプローチとなり，寛骨臼前方部分へも到達できる（☞本章「7 寛骨臼への腸骨鼠径アプローチ」）．

5 仙腸関節への後方アプローチ

　仙腸関節への後方アプローチは単純かつ安全な方法であり，重要臓器を損傷することもない．この方法によって，仙腸関節離開，仙腸関節近傍の腸骨骨折の観血的整復・内固定，さらに化膿性仙腸関節炎，仙腸関節近傍の骨髄炎の外科的治療などが可能である．経皮的スクリュー固定の使用が増加したため，このアプローチの使用頻度は減少している．しかし，適切な術中イメージングが得られない場合や，プレート固定など他のテクニックを使用する場合にはなお有用である．

　骨折や脱臼の整復は，このアプローチでは困難であることは知っておかなければならない．とくに骨盤の垂直転位（vertical displacement）の整復は困難である．垂直転位は，できれば術前に牽引して矯正しておくべきである．

　しかし，前述のような骨折の内固定は，同部位が形態的に複雑であり，また仙腸孔から出てくる神経根を損傷する危険があるため技術的に難しい．スクリュー固定を行う場合には，術前に模型を使ってスクリューの方向を確かめ，練習しておくことが重要である．術中は1方向あるいは2方向からのCアームイメージを使用し厳密なコントロールが必要である．また，コンピュータ支援デバイスが使用可能であれば，より安全に固定が可能と

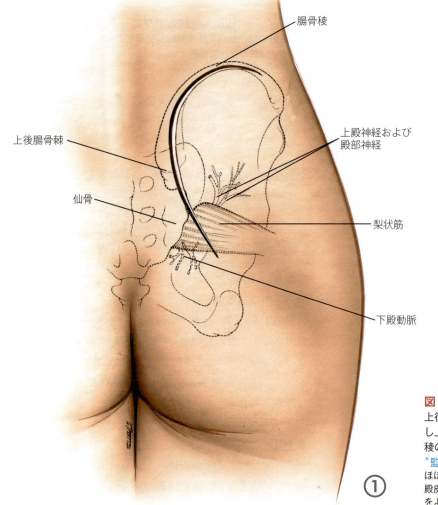

図7-16　仙腸関節後方アプローチ．皮切
上後腸骨棘の3cm遠位外側から皮膚切開を開始し上後腸骨棘を通り，腸骨稜に沿って進み，腸骨稜の頂上部分までとする*．
*監訳者註：この図には記されていないが，腸骨稜のほぼ中央部の後方寄りには，殿部皮膚感覚枝である上殿皮神経（L1，2，3神経根由来の3本）が腸骨稜上をよぎっている．

5. 仙腸関節への後方アプローチ

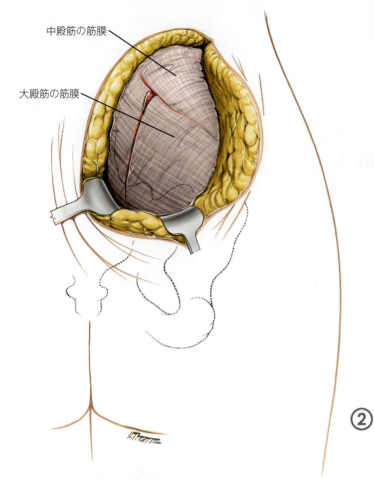

図 7-17 仙腸関節後方アプローチ．殿筋膜の展開
皮下脂肪層を切割し，脂肪層を含む皮弁を反転し，大殿筋，中殿筋をおおっている筋膜を露出する．

（中殿筋の筋膜／大殿筋の筋膜）

なる．

患者体位

胸郭，骨盤を支持し，また胸郭，腹壁の呼吸運動を阻害しないよう縦長のボルスター（長枕）の上に腹臥位とする．肛門周囲の汚染部位を確実に隔離するよう注意深くドレープをかける．

ランドマーク

皮下の**腸骨稜後方部**および**上後腸骨棘**を触知しておく．

皮切

上後腸骨棘から遠位3cm，外側3cmの点から上後腸骨棘を通り，腸骨稜の上を経て，腸骨稜の頂上部にいたるまでの皮切を加える（図 7-16）．

internervous plane

このアプローチに使える internervous plane は存在しない．すなわち大殿筋と中殿筋の一部は起始部から切離しなければならないが，これらの筋に入る神経血管束は温存される．

浅層の展開

皮切後，皮下組織を切開して進む．前方では，細い皮神経である上殿皮神経を切断することがある．しかし，この神経切離による臨床上の問題は少ない．腸骨稜表面の外側縁にいたり，大殿筋の筋膜を露出する．ついで大殿筋起始部を腸骨稜からはずし，慎重に下外側へ引く

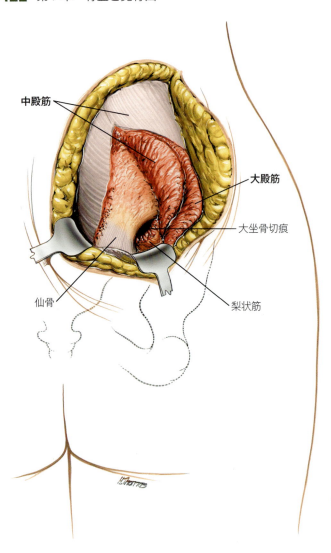

③

図 7-18 仙腸関節後方アプローチ．筋の剥離
大殿筋，中殿筋を腸骨翼の外面から剥離し，反転させる．

（図 7-17）．この反転した大殿筋には，注意すべき重要な血管および神経が深層から入っている．まず骨盤内の下殿動脈からの複数の枝がある．この血管が骨盤内から梨状筋に沿って出て大坐骨切痕を通り，筋内に入る．また，さらに下殿神経が梨状筋の下で大坐骨切痕から骨盤外に出て大殿筋に入る．これらの血管，神経を温存するように注意する．このため大殿筋の下方への剥離には限界がある．大殿筋の反転によって，中殿筋および梨状筋がみえてくる．

深層の展開

中殿筋を腸骨外側面から注意深く剥離する．中殿筋の裏面から入る神経血管（上殿動静脈，上殿神経）があるので筋を大きく挙上しないほうがよい（図 7-18）．外傷症例の場合には，仙腸関節の離開や骨折を直視下にみることはできても，その整復はきわめて難しい．整復の状態をみるためには梨状筋の起始部の一部を大坐骨切痕部からはずし，ここから切痕内に指を入れて，仙腸関節の前面を触知しながら評価するとよい．うまく整復されていれば関節の前面は平滑である（図 7-19）．

注意すべき組織

下殿神経は深層より大殿筋に入る神経であり，あまり下方に大殿筋を引くとこの神経が損傷される．

上殿神経も同様に中殿筋に入る神経である．これが腸骨外側の展開を制限しており，中殿筋を腸骨翼から広範にはずして前方へ強く引くと，この神経が損傷される．

このアプローチでは**仙骨神経根**を損傷することはない

が，仙腸関節を固定するスクリューの位置が悪いと損傷の可能性がある．正確なX線コントロールが必須である．

上および下殿動脈は前述の神経と併走しており，その損傷の危険もある．損傷すると止血困難となるので，大坐骨切痕部を操作したりドリリングする場合は細心の注意が必要である．

術野拡大のコツ

●深部への拡大
この進入路については，深部への拡大はできない．

●上下への拡大
皮膚切開を前方に拡げ，大殿筋，中殿筋をさらに腸骨からはずせば拡大は可能である．ただし，この方法は，広範な腸骨翼や腸骨の骨折に対する方法である．この場合は前方アプローチのほうがよりよく展開できることを知っておくべきである（☞本章「7 寛骨臼への腸骨鼠径アプローチ」「8 寛骨臼への腸骨鼠径アプローチに必要な外科解剖」）．

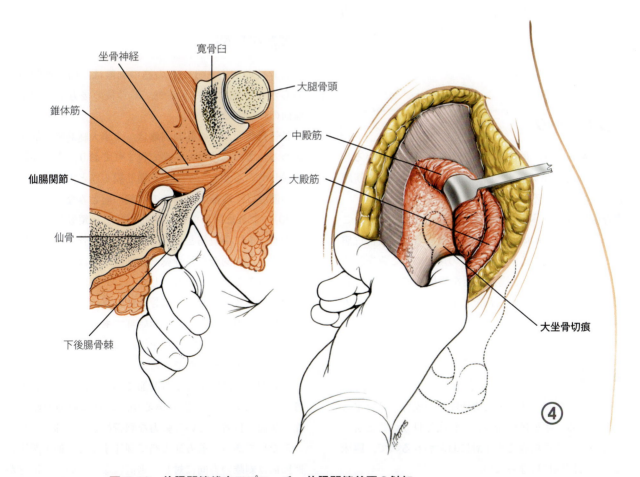

図7-19　仙腸関節後方アプローチ．仙腸関節前面の触知
仙腸関節周辺の骨折や関節離開などの整復状況の確認には，梨状筋の起始部の一部をはずし，指を大坐骨切痕に入れて仙腸関節の前面を触診する．

6 骨性骨盤へのアプローチに必要な外科解剖

概　観

　この章で述べた骨盤への手術アプローチでは，いずれも骨性骨盤が皮下に露出している部位を通って進入している．したがって深部への進入は，筋の骨膜下剥離で重要臓器を避けて進入できるのできわめて安全ということになる．しかし皮下への骨露出部を通ってより深い部分に進入する場合には，より多くの筋の剥離が必要となり，手術野は狭くなる欠点がある．そのため，それぞれの進入路で到達できる部位は限られている．すなわち進入路を大きく拡大することは不可能であり，骨盤の限られた部位への到達に用いられる．

　寛骨の2つの皮下に近い部分から進入が可能である．腸骨稜からは内腹斜筋，腹横筋が起始し，外腹斜筋が停止している．腸骨翼自体は2群の筋群によって内外から挟み込まれており，外側には殿筋群と大腿筋膜張筋，内側には腸骨筋がある．恥骨結節，恥骨上枝には腹直筋が付着している．したがって恥骨上縁部を露出するには，この筋をはずす必要がある．

ランドマーク

　上前腸骨棘には，鼡径靱帯と縫工筋が停止している．腸骨稜の前方1/3からは外腹斜筋，腹横筋，大腿筋膜張筋が起始している．

　腸骨稜の後方も体表から触知可能な部分であり，ここからは外腹斜筋が起始している．**上後腸骨棘**は殿部皮膚のへこみで認知できる．この左右の皮膚のへこみを結ぶ線はS2のレベルで，仙腸関節面を横切っている．恥骨結節は鼡径靱帯内側の付着部位であり，また恥骨体の外側端である．

皮　切

　すべてのアプローチでの皮膚切開は，皮線にほぼ平行となっている．手術創の瘢痕は，幅広く目立つこともある．しかし，この場合でも下着におおわれるので，臨床上ほとんど問題にはならない．

浅層の展開

　この章で触れたすべてのアプローチでは，浅層での切開は皮下の骨表面に達するまでの切開である．腸骨稜に達する操作は，単に皮下脂肪の切開のみであるが，恥骨結合に達するには腹直筋前鞘を切開する．この部では，腹直筋前鞘は3つの腹筋の筋膜からなる強い線維性の膜で，腹筋の3層（内・外腹斜筋および腹横筋）の筋鞘が腹直筋鞘に収束している．

　腹直筋の近位部分はこの筋鞘におおわれている．臍から2cm遠位で筋鞘の背側には，内腹斜筋と腹横筋の腱膜が停止しており，腹壁の3層が筋鞘を構成するため純粋な腹直筋筋鞘は前方のみである．これは腹直筋の前を強固におおっており，この修復は容易である（☞図7-9）．

深層の展開

　腸骨稜の前方1/3からの筋の剥離は，内・外側面どちらからも安全にできるが，腸骨稜の後方1/3では外側面のみである．

　腸骨外側面からの筋の剥離は，まず大腿筋膜張筋から始める．この筋は厚い筋膜で包まれており，大殿筋膜と連続している．したがって大腿筋膜張筋と大殿筋およびその筋膜は，殿部の解剖での外側の層とみなしうる（図7-20）．これは，肩での三角筋の状態と類似している．この層の下に中殿筋と小殿筋があり，腸骨翼から起始している．この両者を腸骨翼から剥離すれば，ほぼ腸骨翼全体をみることができる．しかし，大腿直筋が股関節の表面に一部残っており，腸骨全体の露出とはならない．

　腸骨翼の内面は腸骨筋の起始部である．この筋の剥離は安全な操作であり，これを深部にまで行えば小骨盤腔の縁まで達することができる．

　仙腸関節は滑膜を有する関節でありながらその動きがほとんどないのは奇異であるが，これは仙腸関節の前面，後面に付着している強力な靱帯によって補強されているためである．前方進入路で到達すると，仙腸関節の関節面は剥離の方向に対して垂直になっている．後方から仙腸関節に進入した場合では，腸骨稜の後方部分が仙腸関節におおいかぶさっており，仙腸関節面は剥離の方

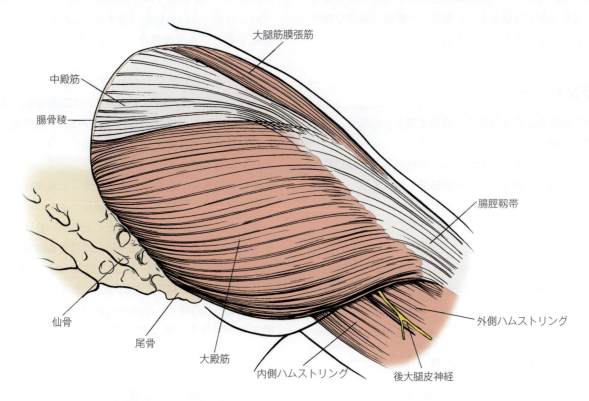

図 7-20　股関節後面の浅層解剖
大殿筋，中殿筋および大腿筋膜張筋がある．

大殿筋	起　始	腸骨の後殿筋線およびその後上方部分，仙骨後面下部，尾骨側方部，および中殿筋筋膜
	停　止	大腿筋膜張筋の腸脛靱帯，殿筋粗面
	作　用	下肢を伸展外旋させる
	支配神経	下殿神経

向に対して斜めである．したがって後方からアプローチして仙腸関節をスクリューで固定しようとする場合には，この傾斜角度を十分に考慮しておくことが大切である．

恥骨結合は滑膜関節ではなく二次性線維軟骨による結合で，その上縁は，腹直筋を切離すれば容易に到達可能である．恥骨結合の後方には疎な結合組織からなる間隙（Retzius 腔）がある．この Retzius 腔は膀胱と恥骨結合の間に位置しており，この恥骨結合の後面をたどれば骨盤底の筋にいたることができる．

7　寛骨臼への腸骨稜径アプローチ

　腸骨稜径アプローチを用いると仙腸関節から恥骨結合にわたっての骨盤内面を展開できる（図 7-21）．このアプローチでは寛骨臼の前面と内面もみることができるので，寛骨臼の前柱骨折に対する展開として適しており[7]，後柱へのスクリューの刺入も可能である．この切開においては大腿動静脈や大腿神経のみならず，男性では精索，女性では円索も展開する．整形外科医は通常この部位の手術を行っていないので，初めて行う場合は一般外科医ないしは，経験十分な骨盤外傷チームと共同で手術するのがよいであろう．さもなければ，この手術を実際に行う前に，屍体を使ってのアプローチを修得しておくべきである．

患者体位

　背臥位で，大転子を手術台の辺縁にくるような位置と

する．これによって，殿部の脂肪や筋を術野の後方に落とし込むことが可能となる．膨満した膀胱は視野を阻害するので，尿道カテーテルを入れておく．

ランドマーク

術者の指を遠位から近位へ移動するようにして，**上前腸骨棘**を触診する．

術者の4指を大転子上にあて，母指を鼠径皮線に沿って斜め下方に移動させて，**恥骨結節**を触れる．

皮　切

上前腸骨棘の上後方5cmから始まり，軽く弯曲した前方斜切開を加える．恥骨結節の上1cmを通り，正中線まで内方へ切開を進める（図7-22）．

internervous plane

ここには真のinternervous planeはない．筋，神経および血管を骨盤内壁から遊離して持ち上げることが，このアプローチの基本である．

浅層の展開

皮下脂肪を切開して，外腹斜筋腱膜を露出する（図7-23）．切開の外縁に外側大腿皮神経（1本ではなく数本の枝に分かれている場合が多い）が現れる．ほとんどの例ではこの神経を切離する必要がある．浅鼠径輪から上前腸骨棘まで外腹斜筋腱膜を線維走行に切開する（図7-24）．この段階で，男性では精索，女性では円索が現れるが，注意深く遊離してスリングをかけておく（図7-25）．展開を内方へ進め，腹直筋筋鞘の前葉を切開して，腹直筋を露出する．

深層の展開

恥骨結合の上方1cmの高さで，腹直筋を横切する（図7-26）．恥骨結合後面と膀胱の間，すなわちRetzius腔を指で鈍的に剥離する（☞図7-11）．

鼠径管の後壁を形成している内腹斜筋と腹横筋線維の鼠径靱帯付着部を1～2mm残して切離する．これは後の縫合を行いやすくするためである（図7-27）．深鼠径輪に近くなったら慎重に展開を進めなければならない．

深鼠径輪の内縁には下腹壁動静脈が鼠径管後壁を横切っているので，これを結紮切断する．この部位を不注意に剥離すると，止血困難な大量出血を招く可能性がある（図7-28）．

この段階で脂肪層におおわれた腹膜が現れる．ガーゼを使って腹膜を上へ押し上げると，大腿動静脈，大腿神経および腸腰筋が展開される（図7-29）．血管鞘とともに大腿動脈と大腿静脈を一緒に遊離し，ゴムスリングをかけて保護しておく．

腸骨翼の内面から腸骨筋を剥離する．最初は鋭的な切離が必要だが，骨盤内は鈍的に剥離できる．

腸恥筋膜は，腸骨筋の表面をおおう厚い筋膜層でこれが腸骨筋の表面を走る大腿神経と外腸骨動静脈の血管束との間を区分している（☞図7-27A，B）．この腸恥筋膜は恥骨に強固に結合しており，これを切離して，骨盤内壁，寛骨臼内側とquadlilateral plate*が展開できる．股関節を屈曲して筋の緊張をとき，腸腰筋とその上に乗っている大腿神経に第2のスリングをかける．これを外側に，血管束を内側に優しく排除する．筋をおおう筋膜を切開し，筋との間を剥離する（図7-30）．そして筋膜を直視下に恥骨まで切開し，寛骨臼内側と恥骨上枝に到達する（図7-31）．

*訳者註：日本語の適切な訳語がないので，そのままとする．

ここまでの操作によって，3つの窓（window，視野）が確保される．外側の窓は，腸腰筋の外側で腸骨内面および仙腸関節前面が展開できる（☞本章「4 仙腸関節への前方アプローチ」）．中央の術野は，腸腰筋の内側と大腿動静脈の間では，いわゆるquadrilateral plateが展開できる．内側の窓からは，大腿動静脈の内側で恥骨上枝と恥骨結合が展開できる．内側の術野を十分展開するには，術者は患側の反対側に移動して，手術台を傾けるとよい（☞本章「4 仙腸関節への前方アプローチ」）．

多くの患者では，閉鎖動静脈と下腹壁動静脈との吻合（corona mortis，死冠）や，閉鎖動静脈と外腸骨動静脈との吻合が恥骨後方に存在する．これらの吻合を不注意に損傷すると止血困難になる．手術台の対側に立てばよく観察できる．これを同定して血漿切断すれば血管束を動かしやすくなる（図7-32）．

注意すべき組織

大腿神経は鼠径管の下層で腸腰筋の上を走っている．この神経を引きのばすと大腿四頭筋の麻痺を起こすの

7. 寛骨臼への腸骨鼡径アプローチ

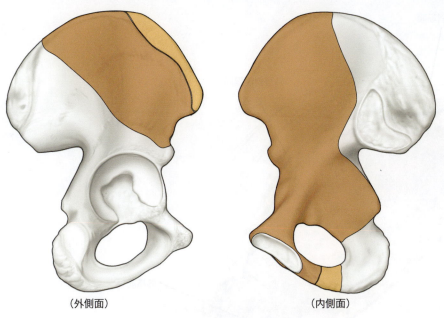

図 7-21　腸骨鼡径アプローチで展開できる領域
腸骨鼡径アプローチでは寛骨臼前柱と内面を展開できる．さらに仙腸関節から恥骨結合までの骨盤内面にも到達できる．暗褐色の部分は，直視できる骨の範囲であり，淡褐色の部分は触知できる骨の範囲を示す．

（外側面）　　　　　　　　（内側面）

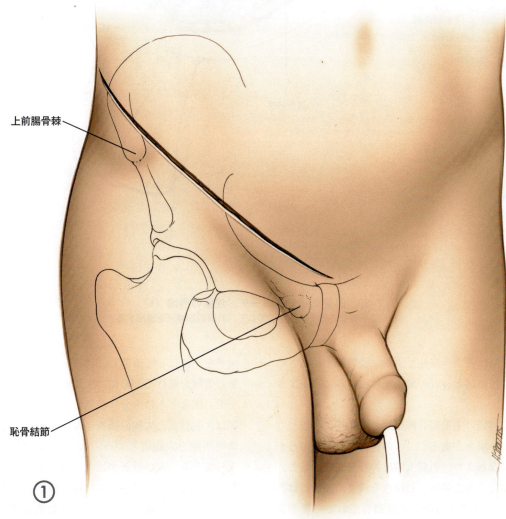

上前腸骨棘

恥骨結節

①

図 7-22　腸骨鼡径アプローチ．皮切
上前腸骨棘の上後方 5 cm から始まり，軽く弯曲した前方切開を加える．恥骨結節の少し上を通り，切開を正中線までのばす．

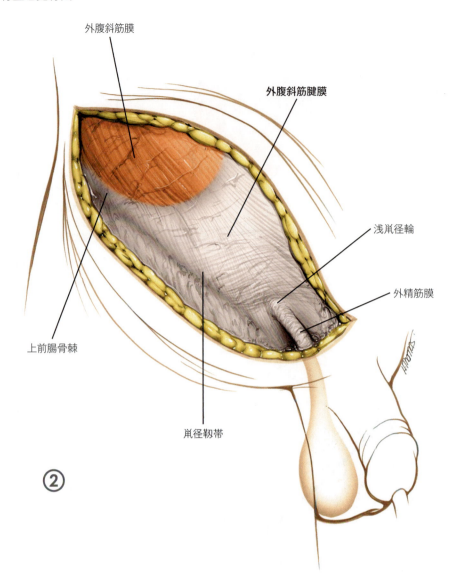

図 7-23　腸骨鼡径アプローチ．浅層の展開（1）
皮切に一致して皮下脂肪を切開して，外腹斜筋腱膜を露出する．

で，過牽引を避けるように注意する．股関節を屈曲させることにより腸腰筋と神経の緊張を緩和することができる．

外側大腿皮神経は上前腸骨棘周囲の展開時に切離しなければならない場合があるが，この神経をよけることができるならばなお良い．外側大腿皮神経を切離すると，大腿外側の限定された領域にしびれを残す．患者には，この可能性についてあらかじめ説明しておく必要がある．

大腿動静脈は鼡径靱帯の下を走っているが，大腿鞘といわれる漏斗形の線維膜でおおわれている．動脈と静脈を個別に遊離するのではなく，大腿鞘でおおわれたまま両者を一緒にして遊離し，スリングをかける．静脈血栓症の危険を避けるために，大腿動静脈にかけたスリングを引っ張るときは十分に注意しなければならない．大腿鞘は大腿動脈と大腿静脈を包んでいるが，大腿静脈の内側の空隙を大腿管という．大腿管には排出リンパ管が入っており，大腿静脈が拡大するときは必要なスペースとなる．またこのスペースには大腿ヘルニアが出てくるので，大腿鞘を遊離するさいには念頭におかなければならない．

下腹壁動脈が術野の内側から深鼡径輪の方向へ交差している．より深層に到達するためには，この血管を結紮する必要がある．このアプローチの内側部の展開を進め

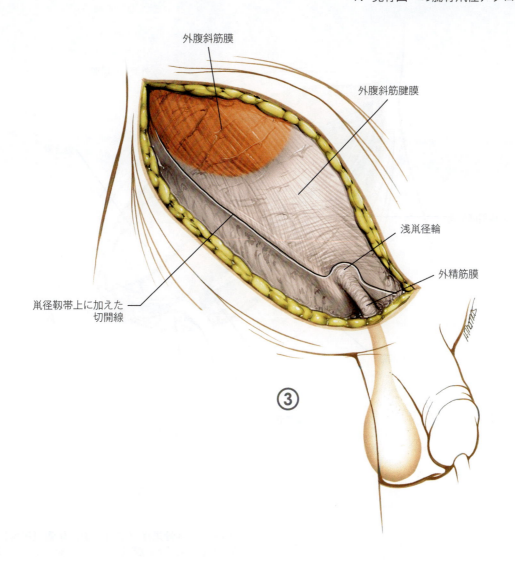

図 7-24　腸骨鼠径アプローチ，浅層の展開（2）
浅鼠径輪から上前腸骨棘まで外腹斜筋腱膜を切開する．

るときに**下腹壁静脈**を損傷する可能性がある．大腿静脈側から引きちぎられることが多い．大出血を起こして，静脈欠損部を縫合する必要に迫られる．患者によっては，閉鎖動静脈と下腹壁動静脈との吻合（corona mortis，死冠）あるいは閉鎖動静脈と外腸骨動静脈との吻合が恥骨後方に存在することがある[5, 6, 10]．

これを内側の窓（window，視野）から観察し，もし存在すれば結紮して血管操作中の不意の出血を防止する．もし損傷すると corona mortis からの大出血を生じる．

精索は輸精管と精巣動脈を内包している．これは容易に移動できるが，この進入路での操作中や創閉鎖時にはていねいに扱い，睾丸への血行障害を防ぐ必要がある．

膀胱は恥骨結合の背部から容易に動かせる．前柱の遠位部分，とくに恥骨上枝に転位した骨折があると，膀胱損傷や癒着を生じている可能性があることに注意する．

術野拡大のコツ

●上下への拡大

このアプローチは近位に拡大して仙腸関節を展開できる．皮膚切開を腸骨稜に沿って後方に拡大する．骨に達するまで鋭的に切開し，腸骨筋起始部を鈍的に剝離する．腸骨筋を圧排して腸骨内壁と仙腸関節を展開する（☞図 7-30）．

このアプローチは遠位へは拡大できない．

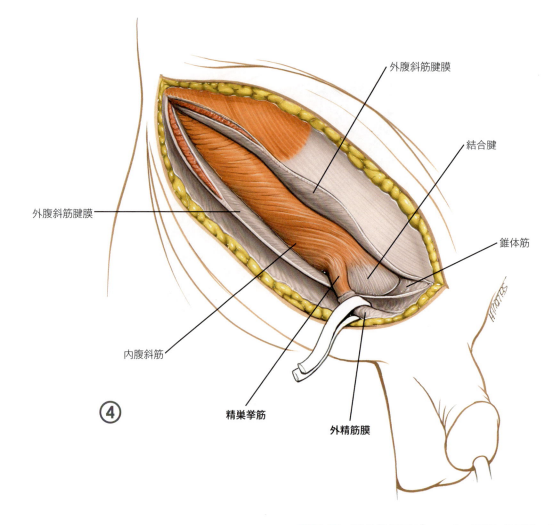

図 7-25 腸骨鼠径アプローチ．精索（円索）の遊離
精索あるいは円索を遊離してスリングをかける．この下に鼠径管の後壁がある．

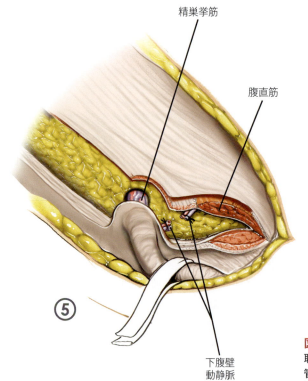

図 7-26 腸骨鼠径アプローチ．深層の展開（1）
恥骨結合の上方 1 cm の高さで，腹直筋を横切る．鼠径管の後壁を形成する筋肉を分割する．

7. 寛骨臼への腸骨鼠径アプローチ　431

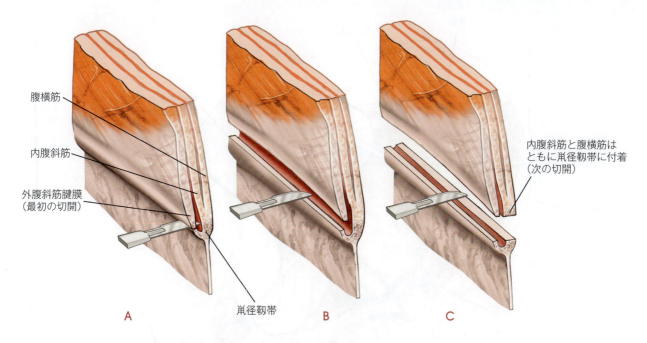

図7-27　鼠径靱帯の構成図
A：鼠径管を開けるには，外腹斜筋の筋膜をまず切開する．
B：鼠径管を開く．内腹斜筋と腹横筋は鼠径靱帯から起こっており，そこに外腹斜筋腱膜が巻き込むように入っている．
C：内腹斜筋と腹横筋を鼠径靱帯の共通付着部から2mmほど残して切離する．腹膜外腔に達する．

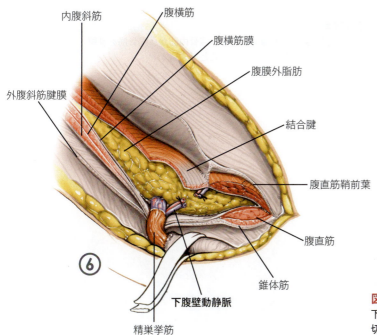

図7-28　腸骨鼠径アプローチ．深層の展開（2）
下腹壁動静脈を結紮切離する．鼠径管後壁の筋群を完全に切離する．

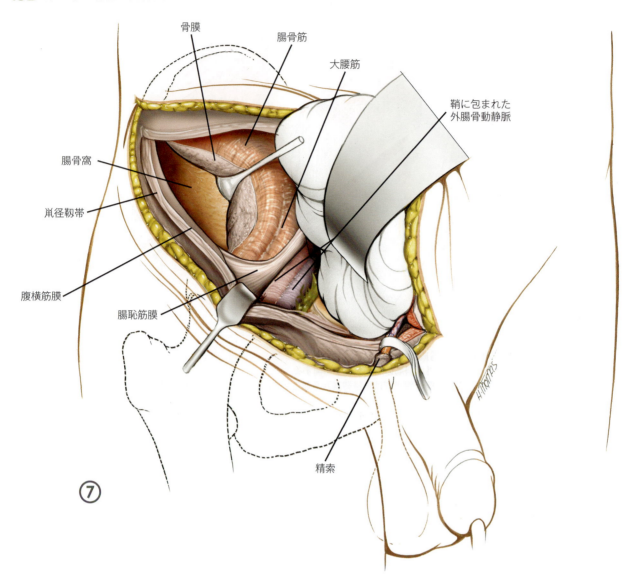

図 7-29 腸骨鼠径アプローチ．深層の展開（3）
ガーゼ綿球を使って腹膜を上へ押し上げると，外腸骨動静脈が展開される．腸骨内面から腸骨筋を剥離する．筋群を包んでいる腸恥筋膜が外腸骨動静脈の血管鞘を区分していることに注目．

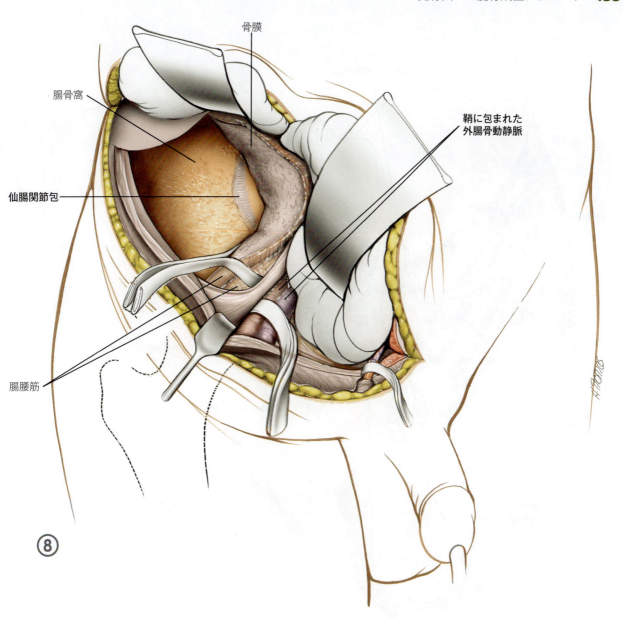

図7-30 腸骨鼠径アプローチ．深層の展開（4）
外腸骨動静脈鞘にスリングをかけ，腸腰筋と腸恥筋膜との間を展開する．
深部の腸恥筋膜に達するまで，深めに腸腰筋にスリングをかける．

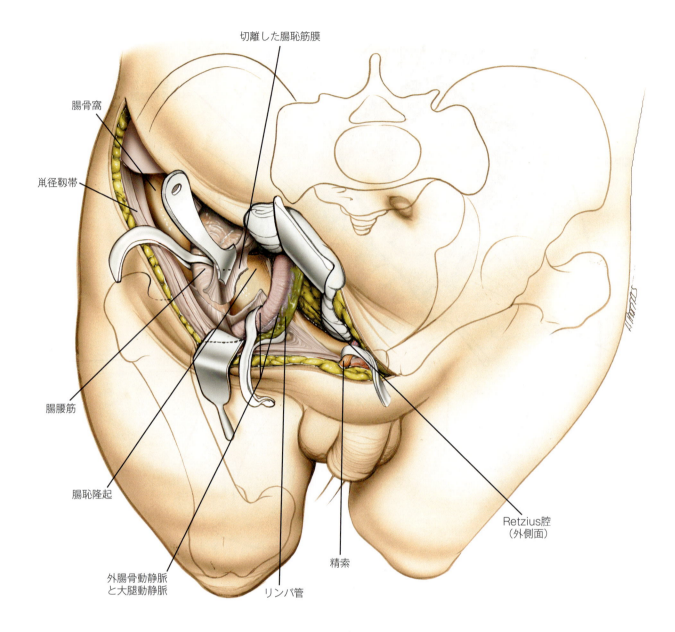

図7-31 腸骨鼠径アプローチ．展開された骨盤内腔俯瞰図
腸恥筋膜を切離して寛骨臼内側に到達する．腸腰筋を外側に，外腸骨動静脈と大腿動静脈の鞘を内側に排除すると寛骨臼内側がみえる．逆に血管鞘を外側に排除すると恥骨上枝がみえる．腸腰筋を内側に引くと腸骨内面および仙腸関節がみえる．

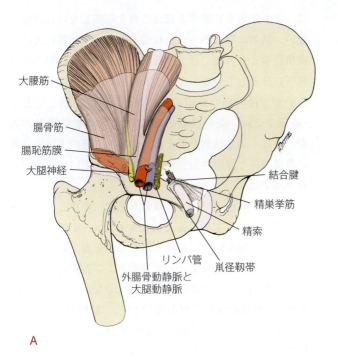
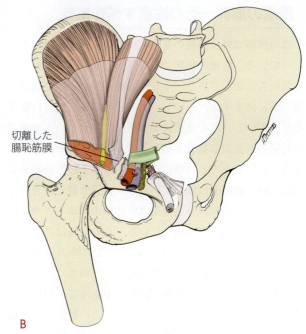

図7-32　腸骨鼡径部における神経および脈管
A：腸恥筋膜は腸骨筋の表面をおおう厚い筋膜で，腸骨筋の上を走る大腿神経と，外腸骨動静脈および大腿動静脈とを区分している．
B：腸恥筋膜を切開すると寛骨臼内側に到達できる．

8 寛骨臼への腸骨鼡径アプローチに必要な外科解剖

概　観

　この腸骨鼡径アプローチに関する外科解剖は，便宜上2つに分けて考えられよう．
1) **上前腸骨棘の外側方および後方部分**：腸骨稜と腸骨翼に起始ないし停止している筋群を骨膜下に遊離することがこの展開法の一部である．
2) **上前腸骨棘の内側方および前方部分**：鼡径管とその近傍の外科解剖がこのアプローチでは重要である．この領域の障害はほとんど常に鼡径ヘルニアや大腿ヘルニアと関連するので，一般的に整形外科医にはなじみの少ない部位である．ゆえに潜在的に危険性を伴う．

ランドマーク

　上前腸骨棘は2つの重要な構造物の付着部である．すなわち縫工筋の起始は上前腸骨棘であり，鼡径靱帯の外側の付着部も上前腸骨棘である．
　腸骨稜の前方1/3は，次の3つの筋の起始部である．
1) 外腹斜筋は前腹壁の最浅層の筋である．これは腸骨稜前半部の外側縁に付着している．
2) 内腹斜筋は前腹壁の中間層の筋である．これは腸骨稜前半部の中ほどに起始している．
3) 大腿筋膜張筋は腸骨稜前半部の外側縁に起始している．
　恥骨結節は男性では精索，女性では円索におおわれているので，容易に触れないものである．

皮　切

　概ね皮線に沿って弯曲した切開を加える．この切開を延長すると，かなり広範囲に瘢痕が残ることがあるが，たいていは衣服に隠れる．

浅層の展開―その注意すべき組織

この展開は外腹斜筋の筋膜と腹直筋鞘の切開から成り立っている．腹壁の浅層である外腹斜筋は，下位8本の肋骨から起始している．そして筋線維状の形態で腸骨稜前半部に停止する．しかし，上前腸骨棘から前方は腱膜となっている．この腱膜は恥骨結節に付着し，正中部では対側の外腹斜筋腱膜と結合して，腹直筋鞘前葉を形成する．したがって，外腹斜筋線維の分割と腹直筋鞘の切開は，同じ展開面に属している．上前腸骨棘と恥骨結節との間においては，外腹斜筋は骨に停止することなく腱膜として鼠径靱帯に停止している．この腱膜は溝を形成するように後方にカールしている．この溝の自由縁では，内腹斜筋と腹横筋の一部が起始している．

恥骨結節の直上には腱膜に割れ目があって，男性では精索，女性では円索が通過している．この割れ目が浅鼠径輪である（図7-33）．外腹斜筋の筋膜を切開すると鼠径管が開かれる．鼠径管は浅・深鼠径輪間を斜めに通じている筋間の隙間である．鼠径管内には，男性では精索，女性では円索が入っている（図7-34）．

腹直筋は筋膜鞘に包まれている．しかしこのアプローチにおける下方すなわち恥骨結合に近い領域では，筋鞘の後葉が欠損しているが，腹直筋鞘前葉には内腹斜筋と腹横筋からの筋膜線維も含まれている．

精索には栄養動脈を伴った精管と精巣動静脈が含まれている．これらの構造物は腹壁を通って外に出るので，通過する腹壁各層の組織で被覆されている（図7-35）．ここでは腹横筋膜が内精筋膜といわれる薄い被膜として精索をおおっている．精索が腹横筋と内腹斜筋を通過する部位では精巣挙筋という層でおおわれている．さらに精索が浅鼠径輪のところで外腹斜筋を通過する部位では，外精筋膜という薄膜でおおわれている．女性における円索も同じく，これら3被膜によって包まれている．浅層の展開時に，精索も円索も容易に鼠径管の中で遊離することができる．

深層の展開―その注意すべき組織

精索が遊離されると鼠径管の後壁がみえる．鼠径管の外側半分では，外腹斜筋腱膜のカールした自由縁に内腹斜筋と腹横筋の起始となる腱膜が付着している．これらの線維が精索の上にアーチを作って接合し，結合腱を形成する．結合腱は精索の後壁に接しつつ，恥骨稜に停止している．鼠径管の内側半分の後壁は結合腱であるため に，より深層を展開するにはこれを切開しなければならない．精索は腹腔から深鼠径輪を通って鼠径管に入る．深鼠径輪より外側では，内腹斜筋と腹横筋の筋鞘が鼠径靱帯に付着しているので，これらも切開しなければならないが，後の縫合修復のため筋鞘の一部を残しておく（☞図7-35）．深鼠径輪の内側には下腹壁動脈があるが，これも通常結紮を要する．これらの筋の下層には薄い腹横筋膜と腹膜外脂肪層があり，その下には腹膜がある（図7-37）．

このアプローチでは，鼠径管を完全に開放してしまうので鼠径ヘルニアの発症を防止するため，1層ごとにこれらの構造物を慎重に修復することが重要である．

大腿神経，大腿動脈，大腿静脈および腸腰筋が鼠径靱帯の下を通って，腹部から大腿部へつながっている（図7-36）．腸骨筋は腸骨窩から起こり，鼠径靱帯の外側部の下を通っている．大腰筋は腰椎の前面から起こり，鼠径靱帯の中央部の下を通っている．これら2つの筋の間を大腿神経が走っている．大腿神経は腸腰筋と緊密な関係にあるので，腸腰筋を遊離するときは筋の過剰な牽引を避けなければならない．腸恥筋膜として知られる厚い筋膜が大腰筋や腸骨筋をおおっている．これが恥骨の奥に付着しているので骨盤内腔に到着するには，これを切離する必要がある．この筋膜は腸腰筋と血管束を区分している（☞図7-29）．大腿動脈と大腿静脈は，大腿神経の内側を通って大腿部に入る．これらの血管は腹部から出てくるさい，腹膜外の筋膜から発した線維膜層を伴っていて，これを大腿鞘と呼ぶ．大腿鞘内の静脈の内側には，大腿管と呼ばれる空隙がある．大腿管の中にはリンパ管が通っており，下肢からの静脈還流量が増加したときに静脈が拡大できる空隙を提供している．

しかし，大腿管は大腿ヘルニアの発生部位でもある．大腿動脈と大腿静脈は共通の膜鞘に包まれているため，両者一緒に遊離しなければならない．大腿静脈を分離して遊離すると，静脈血栓を起こす可能性がある．

膀胱はRetzius腔によって恥骨から分離されている．この腔はきわめて粗な組織で占められており，膀胱および男性では前立腺がある．前立腺も恥骨から容易に遊離できる．しかし，骨折の場合は周辺に病的癒着が起こっていることもあるので，偶発的な膀胱損傷を避けるためには慎重な操作が必要である．膀胱が膨満していると，安全にこの部位を展開することは不可能である．術前に膀胱カテーテルを挿入しておくことが肝要である（図7-38）．

8. 寛骨臼への腸骨鼠径アプローチに必要な外科解剖

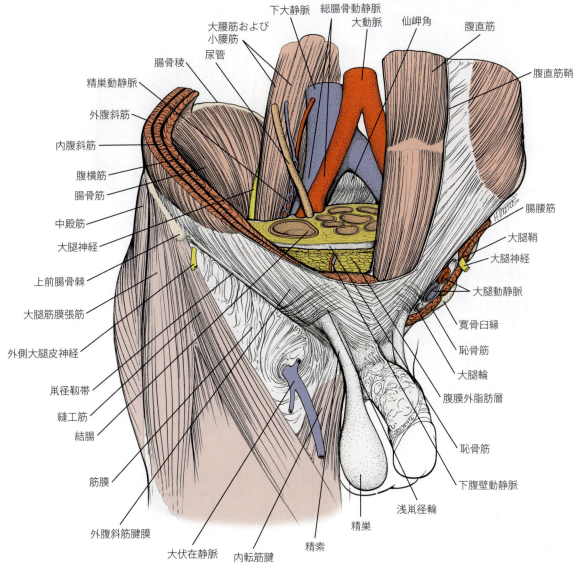

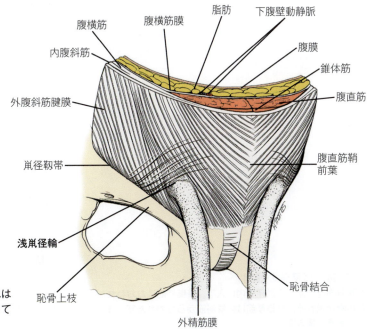

図7-33　鼠径部の浅層解剖
恥骨結節の直上には外腹斜筋腱膜の割れ目がある．これは浅鼠径輪といわれ，男性では精索，女性では円索が通っている（挿入図）．

438 第7章 骨盤と寛骨臼

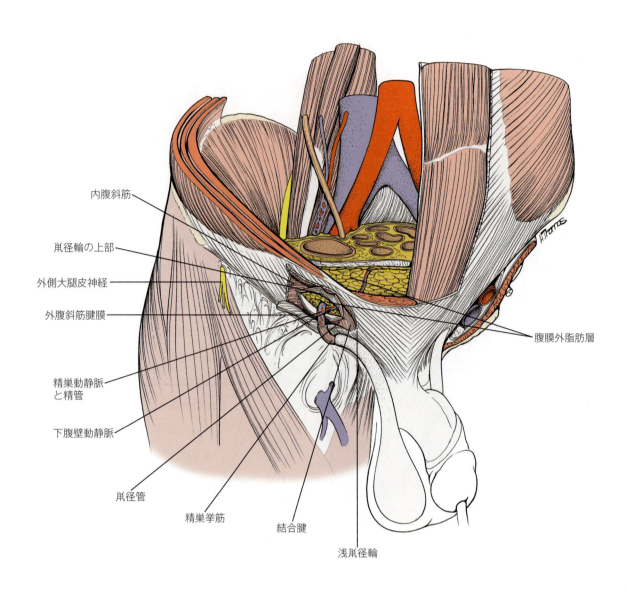

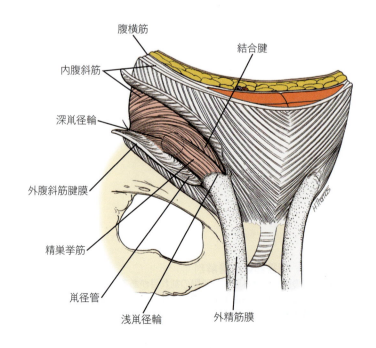

図7-34 鼡径管の展開
外腹斜筋を切開して鼡径管内に入る．精巣挙筋におおわれた精索が現れる．精巣挙筋は内腹斜筋から分かれた筋の1つである（挿入図）．

8. 寛骨臼への腸骨鼡径アプローチに必要な外科解剖

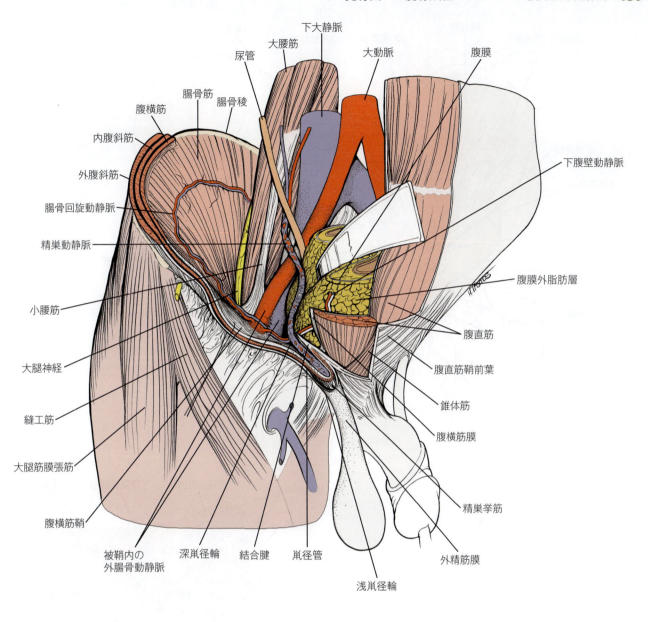

図 7-35 精索の遊離
精巣は胎生期に腹壁を通って体外へ出るので，精巣と排出管はこれらが通過する各層からの線維によっておおわれている．外腹斜筋は外精筋膜に，内腹斜筋と腹横筋は精巣挙筋に，腹横筋筋膜は内精筋膜に移行する．精索をよけると，結合腱によって形成された鼡径管後壁が展開される（挿入図）．

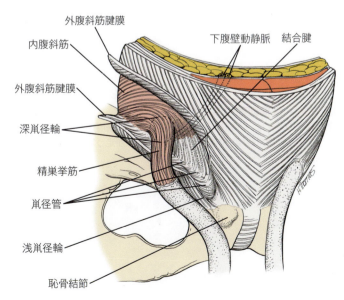

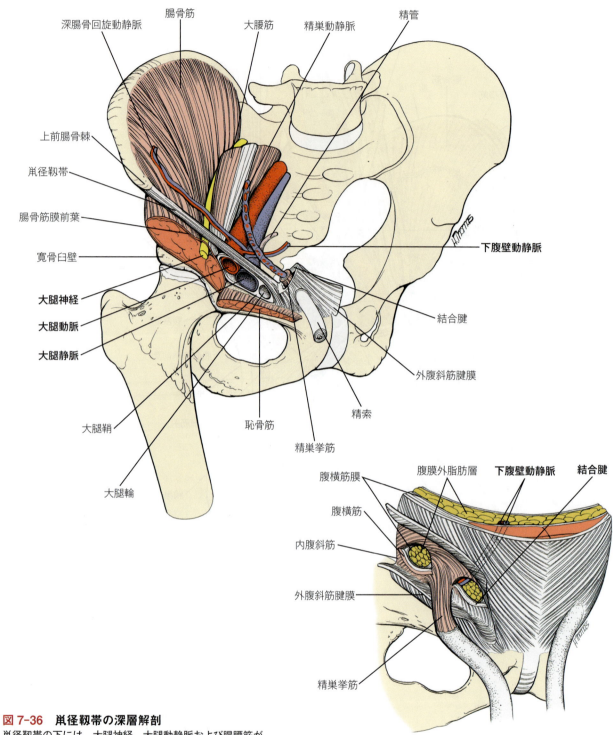

図 7-36 鼠径靱帯の深層解剖
鼠径靱帯の下には，大腿神経，大腿動静脈および腸腰筋が通っている．深鼠径輪の内側には下腹壁動静脈が走っている（**挿入図**）．

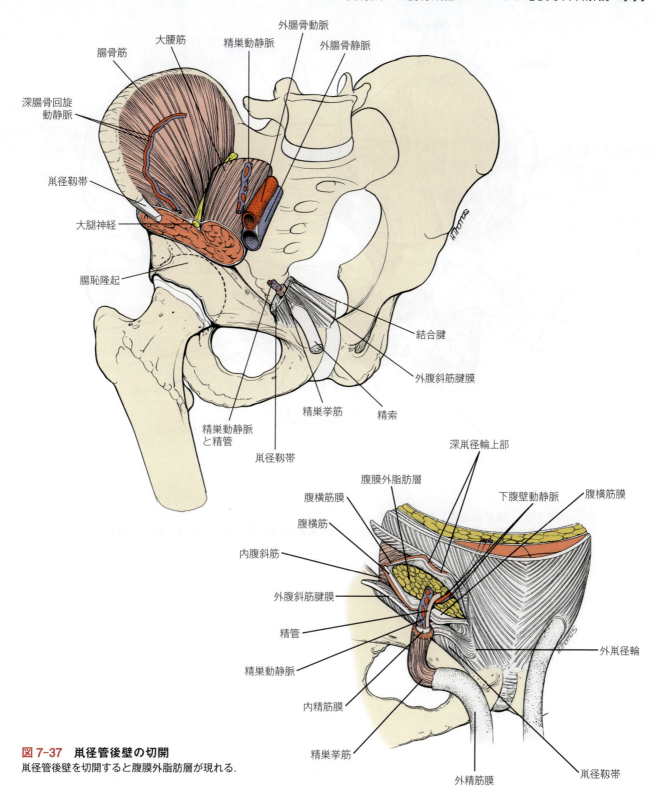

図 7-37 鼡径管後壁の切開
鼡径管後壁を切開すると腹膜外脂肪層が現れる.

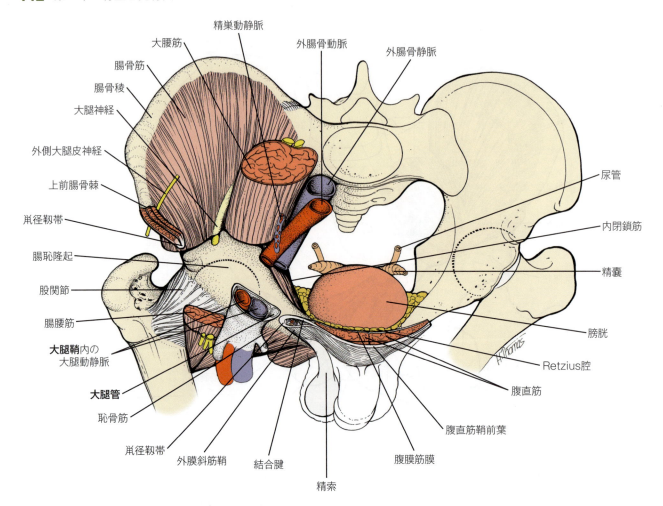

図 7-38　寛骨臼内面と腸骨鼡径部
腸腰筋と大腿鞘をよけることによって，寛骨臼内面を展開できる．恥骨上枝の内面は，膀胱を慎重に遊離することによってのみ展開できる．

9 寛骨臼への前方骨盤内アプローチ

概 観

このアプローチは1975年にStoppaによって最初に記載され，当時鼠径ヘルニアの治療に使われた[11]．

ついでHirvensalo[12]とCole[13]によって寛骨臼骨折に適用された．このアプローチは寛骨臼の前柱全体を展開できるので，多くの施設では主として腸骨鼠径アプローチに変わって採用されるようになった．前柱の骨片をより容易に展開することができ，腸骨鼠径アプローチよりも出血が少なく，手術時間の短縮になり[14]，合併症も少ないと考えられる[15]．このアプローチは骨盤のquadrilateral surface[16]*を直視でき，後柱の内面にも到達できる（図7-39）．

*訳者註：日本語の適切な訳語がないので，そのままとする．

このアプローチでは閉鎖神経・血管束とL5神経根を傷つける可能性がある．恥骨上行枝の後面の剥離展開では，そこを垂直に走行するcorona mortis（死冠）を同定し，結紮する必要がある．

この操作を誤ると内腸骨動静脈からの止血困難な大出血を生じる可能性がある．

患者体位

透視可能な手術台に患者を背臥位におく．手術中は常に膀胱が空になるよう尿道カテーテルを留置する．手術中に徒手整復操作ができるよう大腿骨に牽引用ピンを使

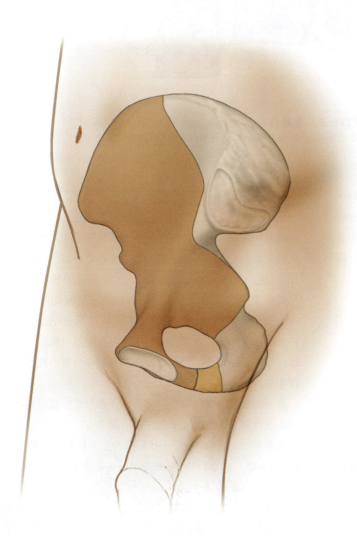

図7-39 寛骨臼への前方骨盤内アプローチ．寛骨臼の解剖学的位置
このアプローチは前柱全体だけでなくquadrilateral surfaceを直視でき，後柱の内面にも到達できる．

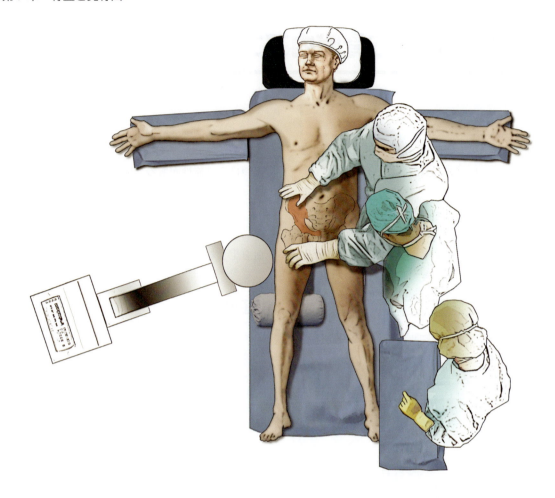

図 7-40　寛骨臼への前方骨盤内アプローチ．患者体位
患肢の膝の下に長枕を入れ，股関節を屈曲させ腸腰筋の緊張をゆるめる．術者は患側の反対側に立つ．

用してもしなくてもよいが，骨盤と患肢の消毒とドレーピングを行う．患肢の膝の下に長枕を入れ，股関節を屈曲させ腸腰筋と前方の神経血管の緊張をゆるめる．術者は患側の反対側に立ち，Cアームは患側から入れる（図7-40）．

ランドマーク

大転子を触りながら母指を鼠径部に沿って内方に移動させ，斜め下方に**恥骨結節**を触れる．

皮切

恥骨結合の直上で10 cmの弯曲したPfannenstiel切開を加える（☞図7-7）．

浅層の展開

皮膚切開線に沿って皮下脂肪と浅筋膜を切開する．腹直筋をおおっている深筋膜を展開するために上方を弁状（flap状）に挙上する（図7-41）．腹直筋の筋膜を触診して中央の白線を確認し，これに沿って縦切開を加える．この切開は臍から恥骨までの間で約10 cmの長さにすべきである（☞図7-41）．適切な深部の視野の確保は，皮膚切開の長さではなく，腹直筋の分離の長さに依存する．

直下の腹膜を傷つけないように注意して，腹直筋の背側より腹膜をやさしく剥離する（図7-42）．

恥骨結合の後面にガーゼを挿入して膀胱を圧排し，Retzius腔，すなわち"retropubic space（恥骨後腔）"を展開する（☞図7-11A）．

癒着などがあって膀胱に損傷を与えない限り，この展開は容易である．腹直筋は2ヵ所，すなわち内側は恥骨

9. 寛骨臼への前方骨盤内アプローチ　445

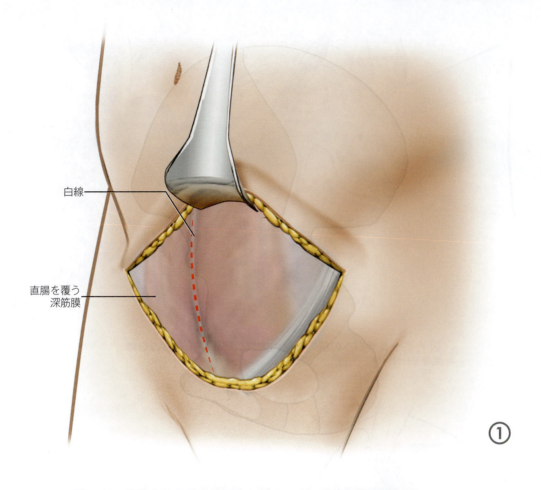

図7-41　寛骨臼への前方骨盤内アプローチ．白線の縦切開
白線を臍から恥骨まで縦切開する．腹直筋の両側筋腹を確認して外側へていねいに圧排する．

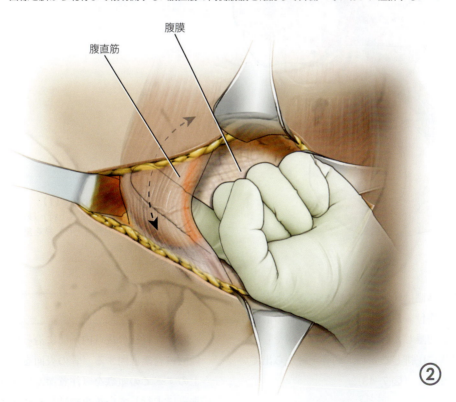

図7-42　寛骨臼への前方骨盤内アプローチ．腹直筋筋膜の剥離
腹直筋の2つの筋腹を圧排し，下の腹膜を腹直筋の背側より剥離する．

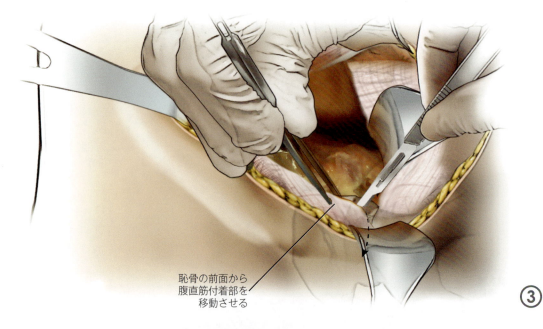

恥骨の前面から
腹直筋付着部を
移動させる

③

図 7-43　寛骨臼への前方骨盤内アプローチ．腹直筋の切離
恥骨上行枝の前面と上面から腹直筋を切離する．

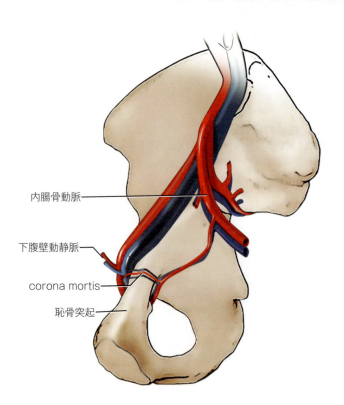

内腸骨動脈

下腹壁動静脈

corona mortis

恥骨突起

図 7-44　corona mortis（1）
corona mortis は，恥骨（上行）枝の内面を走行する変異のある血管束である．恥骨（上行）枝を垂直に走行するすべての血管を同定し結紮する．

結合の前面から，外側は恥骨稜の上縁から立ち上がっている．患側の腹直筋付着部は，恥骨結合と恥骨の前面から出ている線維を切離して腹直筋の可動性を増やしていく．腹直筋を外側に圧排しながら，恥骨上縁から出ている線維を切離していく（図7-43）．

深層の展開

恥骨上行枝の後（内）面に沿ってガーゼでていねいに鈍的に剥離展開する．骨の表面を走行している下の筋膜上のすべての組織を（注意深く）観察する．骨に対して垂直に走行している組織は，まず間違いなく血管（coro-

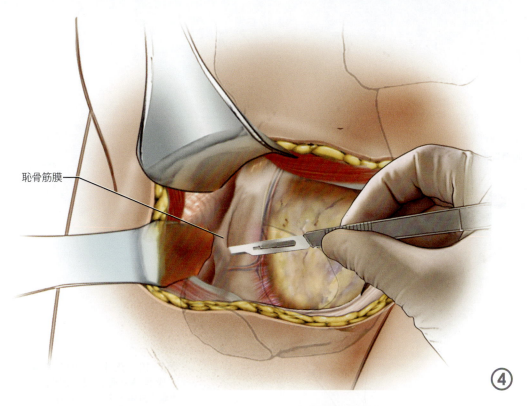

図 7-45　寛骨臼への前方骨盤内アプローチ．腸恥隆起起始部の展開
恥骨上行枝の骨に接したまま，上面と前面から恥骨筋の起始部線維を鋭的に切離する．

na mortis, 死冠）である．corona mortis は閉鎖動静脈と外側腸骨動静脈を吻合している血管束であるが，変異が多い．下腹壁動脈との吻合など，多くの変異が報告されている．外科医はすべての患者でこの血管束があると仮定するほうが安全で，よく観察してこれを結紮する必要がある．この操作を誤ると，体幹の血管損傷と大出血を生じ，止血のためのガーゼパッキングが必要になる（図 7-44）．

恥骨上行枝の上前面の恥骨筋起始部の線維を鋭的に切離する．骨に沿って外側へ切離を進め，恥骨上行枝の上縁で腸恥隆起の起始部（内縁）を展開する（図 7-45）．

この操作によって腸恥隆起筋膜を切開することで，大骨盤から小骨盤腔へ到達できる．骨と腸骨筋の間を骨に沿って外側へ剥離する．外腸骨動静脈は腸骨筋の上にあり，この段階では筋肉によって保護される．この切開は仙腸関節の外側に到達するまで継続できる．これで前柱全体が展開されプレート固定を行うことができる（図 7-46）．

もし，quadrilateral surface の展開が必要であれば，まず閉鎖神経を同定する．この神経は quadrilateral surface をおおっている内閉鎖筋の上を走行している．内閉鎖筋表面から閉鎖神経を剥離して，骨折の整復や固定時に圧排できるようにする．骨膜剥離子を使用して，quadrilateral surface から骨膜と内閉鎖筋を持ち上げる（図 7-47）．

患者の中には，内腸骨動脈の分岐点がより遠位にあることに注意する．このような患者では，quadrilateral surface の後方部分を安全に展開できない（図 7-48）．

大坐骨切痕まで骨に沿って剥離を続ける．これで後柱の内側は大坐骨切痕から坐骨棘まで観察できるようになる．大坐骨切痕へのレトラクターの使用は注意する必要がある．股関節は屈曲位なので坐骨神経はやや緊張しており，大坐骨切痕へのレトラクターの挿入で圧迫損傷を受けやすい．大坐骨切痕部の骨折があると下殿動脈が損傷している可能性があり，骨折の整復操作で出血が始まることがある．造影 CT を行う場合は，大坐骨切痕部の血管外漏洩の徴候がないかを確認する．

注意すべき組織

閉鎖神経は寛骨臼の quadrilateral surface を展開中は危険な状態である．この神経は通常内閉鎖筋の表面を結合織におおわれて走行している．時間をかけて，神経に緊張をかけず内側にも外側にも動かせるようにする．整

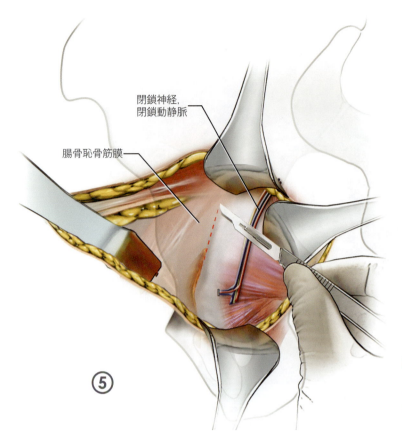

図7-46　寛骨臼への前方骨盤内アプローチ．腸骨筋と骨の間の展開
剥離を外側へ進め，腸骨筋と骨との間を展開する．内閉鎖筋は閉鎖動静脈，閉鎖神経がquadrilateral surfaceをおおっている．

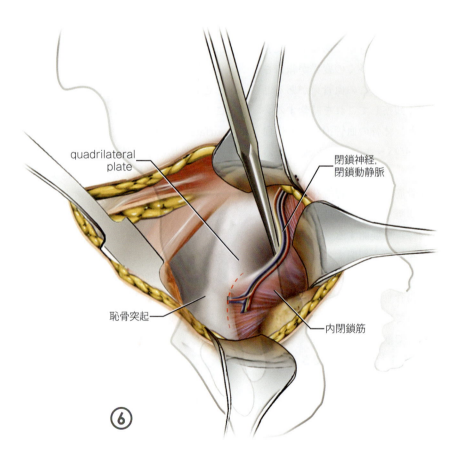

図7-47　寛骨臼への前方骨盤内アプローチ．quadrilateral surfaceの展開
quadrilateral surfaceから内閉鎖筋が持ち上げられた．

9. 寛骨臼への前方骨盤内アプローチ

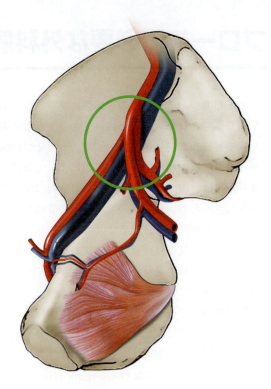
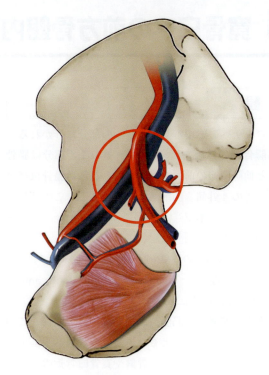

剥離可能　　　　　　　　　　　　　剥離危険

図 7-48　quadrilateral surface の剥離
内腸骨動脈の分枝がかなり遠位部であると，quadrilateral surface の後方部分の剥離展開は危険であることに注意する．

復鉗子を使用したり，後柱へのプレート挿入は神経の両側で操作が必要になる．

　corona mortis は恥骨上行枝の内面でほとんどの患者で存在する，変異が多い吻合血管束である．通常この血管束は閉鎖動静脈と外側腸骨動静脈を吻合しているが，多くの種類の他の吻合が報告されている．すべての患者で，恥骨上行枝の後面を垂直に走行している吻合血管束があると仮定するのが安全である．この血管を同定し結紮する前に，骨の表面から軟部組織を剥がそうとしてはいけない．不注意による血管損傷は，たいてい元の動脈からの剥離により生じ，出血は大量で止血困難になる．

術野拡大のコツ

●深部への拡大

　レトラクターの位置を修正することで展開はよくなる．外腸骨動脈と大腰筋は先端鋭の Hohman 鈎で圧排できる．レトラクターが腸骨翼からずりおちるのを防ぐために，Kirschner 鋼線を腸骨翼に刺入して固定する．曲げられるレトラクターを膀胱や閉鎖神経の圧排に使用する．さらにこれを仙骨前面に挿入することもできる．

●上下への拡大

　腸骨翼内面を展開して術野を拡大する．これは腸骨鼡径アプローチの第1の開創部と仙腸関節への前方アプローチと同じである．

10 寛骨臼への前方骨盤内アプローチに必要な外科解剖

概観

アプローチへの応用解剖学は2つの部分に分かれる．

1) **上前腸骨棘の外後方**[*]：アプローチのこの部分は腸骨内板と仙腸関節の前面を展開する．これは腸骨鼡径アプローチの「外側」開創部と同じである．この部分の解剖の詳細は，本章「8 寛骨臼への腸骨鼡径アプローチに必要な外科解剖」に記載されている．

[*]訳者註：上前腸骨棘の「やや近位外側」を意味していると思われるが，原書では "lateral and posterior to the antero-superior iliac spine" と記載されている．

2) **恥骨後腔，腸骨恥骨筋膜，閉鎖筋・神経・血管**：この部分のアプローチはもともと再発性の鼡径ヘルニアの治療で記載されたもので，骨盤や寛骨臼骨折の治療を専門としない術者には解剖に馴染みがない．このアプローチは危険性があるので，経験をつんだ術者かその直接指導の下でのみ試みられるべきである．屍体解剖での研修は解剖を理解するのに非常に有用である．Thiel法による保存か新鮮凍結屍体の使用を強く推奨する．従来の保存方法では，このアプローチの理解に必要な組織界面を十分に展開できない．

ランドマーク

恥骨結節は，男性では精索，女性では円靱帯でおおわれており，容易に触知できる．

皮切

皮膚の皺にあわせたカーブした切開を加えるが，傷痕は大きくなりがちである．幸いほとんど衣服に隠れる．

浅層の展開－その注意すべき組織

浅層の展開は，腹直筋の同定と白線に沿った分離からなる．適切な深部視野の確保は皮膚切開の長さではなく，腹直筋の分離の長さに依存する．

腹直筋は2ヵ所，すなわち内側は恥骨結合の前面から，外側は恥骨稜の上縁から小さい腱で立ち上がっている．筋肉を外側に圧排するためには，両方の付着部を切離する必要がある．内側の起始部は恥骨結合前面のかなり下方までのびていることに注意する．かなり剥離したとしても完全な筋切離になっていない．2つの筋肉は端から端まで横たわっていて，白線によって分けられている．白線は，腹壁を構成する3つの筋肉のすべての腱膜が合わさった強い線維組織である．恥骨結合の上ではこの組織は非常に細く，見るよりも容易に触れることができる．この高位では腹直筋は白線の後方で互いに接している．白線は臍の高位より上では広がっており，腹直筋は上方で胸郭に付着する．

腹直筋のすぐ後ろは腹膜であり，通常容易に後方に剥離できる．以前に腹部手術を受けていたり骨盤外傷があると，腹膜と腹直筋の癒着があるので注意する．膀胱は恥骨とRetzius腔，すなわち "retropubic space（恥骨後腔）" で隔てられている．ここは非常に薄い組織で膀胱と，男性では前立腺がある．前立腺は恥骨後方から容易に動かすことができる．しかし，骨折の場合はこの部分の異常な癒着があるかもしれないので，医原性膀胱破裂を生じないよう十分注意する必要がある．膀胱が満杯では安全にこの部に到達できないので，術前に尿道カテーテルを挿入することは必須である（👍図7-38）．

深層の展開－その注意すべき組織

深層の展開の最初の段階は，恥骨後方の吻合血管，すなわちcorona mortis（死冠）の同定と処置である．屍体解剖での調査では約半数存在しているとされているが，多くの骨盤外科医はほぼすべての例で存在すると感じている[8〜10, 17, 18]．corona mortisは閉鎖動静脈と外側腸骨動静脈，または下腹壁動脈を吻合している血管束である（図7-49）．この吻合は通常動脈であるが，静脈や動静脈両方のこともある．下腹壁動脈の恥骨枝が太くなり下行して閉鎖孔に達し閉鎖動脈と入れ替わる場合も観察されているし，腸骨静脈とつながった肥大した恥骨静脈が閉鎖静脈と入れ替わることもある．

corona mortisの解剖学的変異は多いが，ほぼすべての血管が恥骨上行枝後面を垂直に走行する．それゆえに，垂直方向に横切っている組織はすべて血管と考えて結紮すべきである．

恥骨筋は恥骨上行枝に上面とその下の狭い部分から出

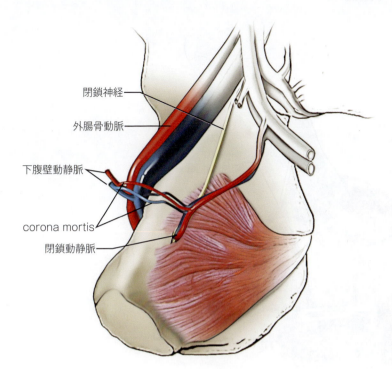

図 7-49　corona mortis（2）
corona mortis は恥骨上行枝の背面にある，変化の多い血管吻合である．この例では下腹壁動静脈と閉鎖動静脈との吻合を示している．

ている．この筋は遠位後方に走り大腿骨骨幹の近位端に付着する．この筋は腸腰筋もおおう腸骨恥骨筋膜に被覆されている．恥骨筋の恥骨への付着部を骨膜下に剥がすと，腸骨恥骨筋膜の骨への付着部を剥がすことになり，腸骨筋の下の面で小骨盤腔へ到達できる．外腸骨動静脈と大腿神経は腸骨筋の表面を走行しており，筋肉自体によって剥離操作から保護される（**図 7-50**）．

腸骨筋の起始はへこんだ腸骨窩から腸骨稜内縁までである．この筋は鼠径靱帯の外側でその下を通過し，大腰筋腱の前面から小転子のすぐ遠位の小さい部分に付着する．腸骨窩の遠位部分では筋肉は被覆されておらず，腸骨滑液包がある．大腰筋は腰椎に起始があり，鼠径靱帯の中央でその下を通り小転子に停止する．深部を展開する面はこの筋肉の下になる．移動には股関節を屈曲させて緊張をゆるめるが，もっとも重要なのは恥骨上行枝に付着する腸骨恥骨筋膜を恥骨から解離することである．

寛骨臼の quadrilateral surface は内閉鎖筋におおわれている．閉鎖孔には，内閉鎖筋が起始する閉鎖膜と呼ぶ線維組織がある．この膜の近位部には小孔があり，閉鎖神経と動静脈が通っている．内閉鎖筋は閉鎖孔の骨縁にも起始があり，さらに後方は（骨盤腔への入り口である）骨盤上口（pelvic brim）と quadrilateral surface を越え，大坐骨切痕との境界まで広がっている．このような広い起始部から，この筋は次第に細くなり小坐骨切痕*を通って2つの双子筋とともに大腿骨近位部に停止する（**図 7-56**）．quadrilateral surface の骨に到達するには，この筋の起始部の一部を剥離する必要がある．

***訳者註**：原文は "greater sciatic notch（大坐骨切痕）" になっているが，"lesser sciatic notch（小坐骨切痕）" の誤りと思われる．

閉鎖動脈は内腸骨動脈の分枝である．閉鎖神経は L2, L3, L4 神経根の前枝成分に由来する．この神経は大腰筋内縁から出て腰仙骨神経幹外側で仙骨外側部の仙骨翼に接して走行する．この神経は外側・内側腸骨動静脈の間で骨盤内壁を斜めに下行し，閉鎖孔を通って骨盤外に出る．この神経は，股関節内転筋群，外閉鎖筋，薄筋，大腿内側の皮膚を支配する．このアプローチでは，この神経が閉鎖孔から出る前に内閉鎖筋上縁表面を走行しているのをみることができる．寛骨臼の quadrilateral suface に到達するには，この神経をていねいに移動させる必要がある（**図 7-51**）．

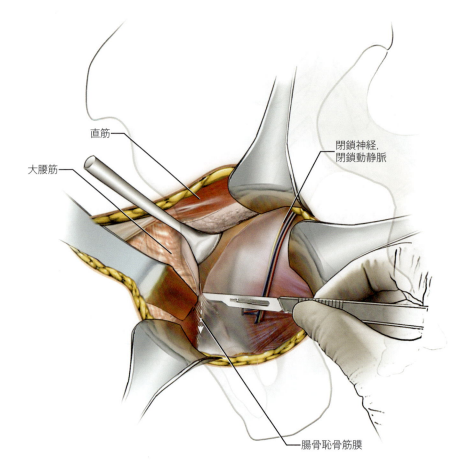

図 7-50　腸骨恥骨筋膜の解離
腸骨恥骨筋膜は腸骨筋，大腰筋，恥骨筋をおおい，骨盤上口（pelvic brim）に付着している．恥骨上行枝から恥骨筋を切離することは，腸骨恥骨筋膜を解離することになり，腸骨筋下の骨盤腔内面に到達できる．

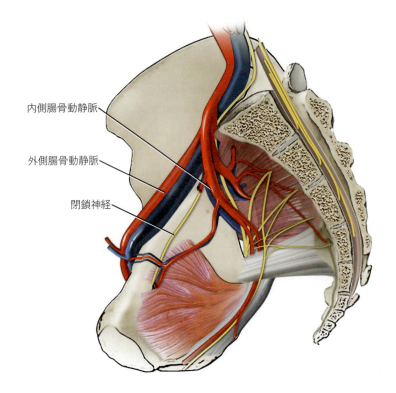

図 7-51　閉鎖神経と外側・内側腸骨動静脈
閉鎖神経は外側・内側腸骨動静脈の間で骨盤内壁を下行する．閉鎖孔を通って骨盤外に出て，股関節内転筋群，薄筋，外閉鎖筋を支配する．

11 寛骨臼への後方アプローチ

寛骨臼後壁と後柱を展開するのが，この後方アプローチである（図7-52）．このアプローチは，骨折の隙間や関節包切開によって寛骨臼の後上方を直視下に観察できる．このアプローチはすべての寛骨臼アプローチの中でもっとも容易なものであり，通常多量の出血に遭遇することはない．このアプローチにおいて，大転子の骨切りと外科的に股関節脱臼を施すことで，前柱に到達できる[19, 20]．次の骨盤骨折の整復と固定に用いられる．

- 寛骨臼後壁骨折
- 後柱骨折
- 寛骨臼後壁骨折と後柱骨折の合併
- 単純な横骨折（寛骨臼周辺と寛骨臼下）
- 寛骨臼後壁骨折を伴う横骨折

もし大転子の骨切りと外科的股関節脱臼を行えば，寛骨臼前壁骨折，ドーム骨折，骨頭骨折を伴う寛骨臼骨折にも適用できる．

患者体位

2種類の体位が可能である．後壁骨折か後柱骨折あるいは両骨折の合併例に加え，大転子骨切りを計画している場合には側臥位とする．

他方，横骨折に対する後方アプローチでは腹臥位とする．牽引を併用する場合には大腿骨下端横方向に鋼線を刺入し，坐骨神経の牽引損傷のリスクを減少させるため膝関節を屈曲位で牽引する（図7-53）．

横骨折の症例で側臥位にすると，大腿骨頭が内方に移動する傾向がみられる．そのため骨折の整復が困難となり，大腿骨頭を寛骨臼から引き出しておくために1人の助手が必要となる．腹臥位であれば横骨折の整復は容易となる．

ランドマーク

大腿外側面で**大転子**を触れる．大転子は前縁よりも後縁のほうが触れやすい．

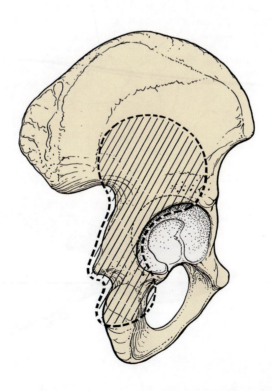

図7-52　寛骨臼後方アプローチで展開できる領域（外側面）
後方アプローチでは寛骨臼の後柱，後壁および寛骨臼辺縁部を展開できる．

454 第7章 骨盤と寛骨臼

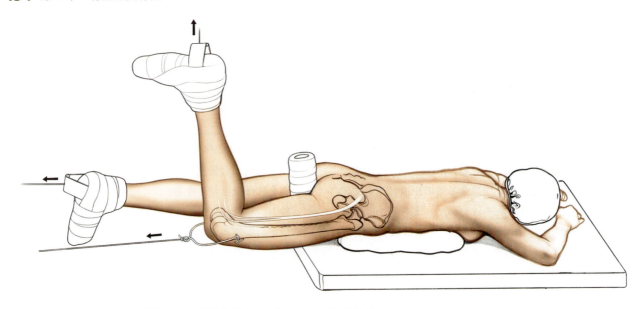

図 7-53　寛骨臼後方アプローチ．患者体位
この図は大転子骨切り術を行わない場合の体位を示している．膝関節屈曲位で骨直達牽引を加えるのは，坐骨神経の過伸展を防止するためである．

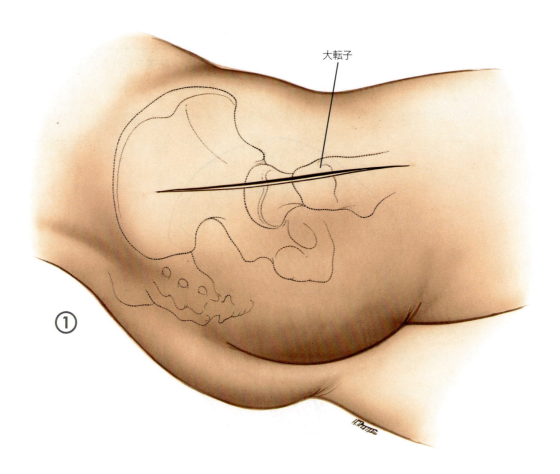

図 7-54　寛骨臼後方アプローチ．皮切
腸骨稜直下から大転子中央を通り，大転子下 10 cm に達する縦切開を加える．

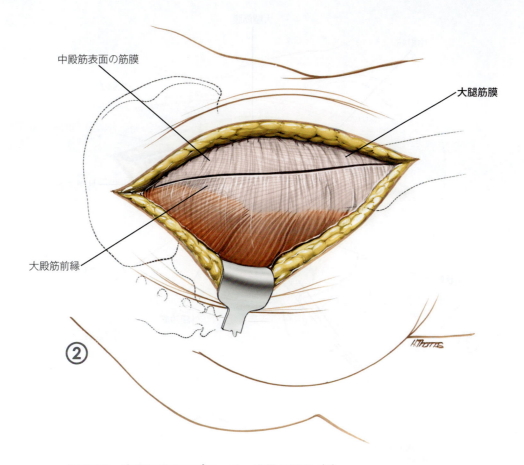

図 7-55　寛骨臼後方アプローチ．浅層の展開（1）
皮切に一致して大腿筋膜を切開する．近位では大殿筋の前縁に沿って切開を延長する．

皮切

腸骨稜直下から大転子中央を通り，大転子頂点より10 cm 遠位までの縦切開を加える（図 7-54）．

internervous plane

ここには真の internervous plane はない．また，筋線維間を分けて進入する大殿筋の支配神経は展開を要するレベルよりも十分近位にあるので，臨床的に影響するほどの脱神経となることはない．

浅層の展開

皮下脂肪を切開して中に入る．まず遠位半分は皮切線に一致し，近位半分は大殿筋前縁に一致して大腿筋膜を切開する（図 7-55）．筋膜切開縁を後方へよけて，梨状筋と短外旋筋群を展開する（図 7-56）．大殿筋の大腿骨停止部の一部を切離すると，展開は良好になる．

深層の展開

下肢を内旋させて，短外旋筋群と梨状筋を緊張状態とする．大腿方形筋とその近位にある内閉鎖筋腱，およびそれに沿った双子筋を確認する．さらに上双子筋の近位にある梨状筋を同定する．外旋筋群の上を下肢に向かって走行している坐骨神経を触診し，近位へたどる．通常，梨状筋の前方から大坐骨切痕に入っている．内閉鎖筋と両双子筋腱を大腿骨停止部で切離する（図 7-57）．もし，坐骨神経が二股に分かれていて股関節を外科的に脱臼を行うのであれば，坐骨神経の牽引損傷を避けるために梨状筋腱を切離する．短外旋筋群をクッションにして，大坐骨切痕にレトラクターを注意深く挿入する．坐骨神経麻痺を生じないように，このレトラクターに強い

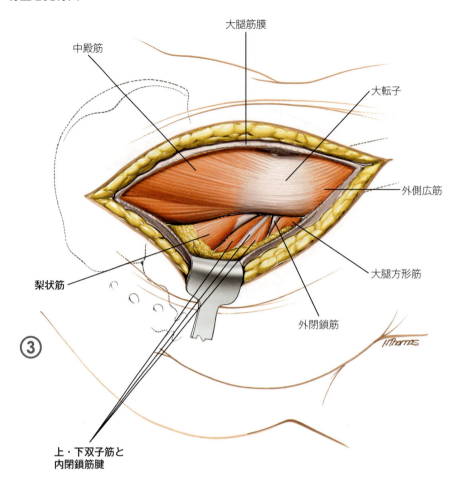

図 7-56　寛骨臼後方アプローチ．浅層の展開（2）
筋膜切開縁をよけて，梨状筋および股関節短外旋筋群を展開する．

圧迫を加えないようにする．2番目のレトラクターを小坐骨切痕に挿入し，後柱全体を展開する．

　後方関節包を展開したとき，外傷例では関節包が断裂していることが通例である．もし関節包が断裂しておらず，関節内の観察が必要であれば，関節包をT字型に切開する．関節唇を傷つけないよう注意が必要である．

　寛骨臼内面の観察には大腿骨頭を牽引する必要があり，Schanzスクリューを骨頭に刺入，または直達牽引を行う必要も生じる．

　この段階で寛骨臼後縁骨折を十分に観察して，観血的整復・内固定を行う．もし後柱のより広範な展開が必要な場合，たとえば後上壁骨折，後壁骨折を伴う横骨折，またはT字骨折の場合，大転子の骨切りを行う．

もし梨状筋が大転子に付着していれば，下の梨状筋と上の中殿筋との間の分離を大坐骨切痕まで進める．中殿筋の下に小殿筋を確認し，梨状筋との間の分離を進める．この筋間を走る上殿神経と血管の枝を傷めないように注意する．

　股関節を15°から20°内旋させ，骨切り面が床面と平行になるようにする．正確な角度は大腿骨頚部前捻角による．大転子先端から外側広筋結節までメスか電気メスで印を入れる．内側回旋動脈を傷つけるかもしれないので，大転子先端から内方へずれないように注意する．骨に入れた印の線より3mm外側で大転子の長さの3/5程度まで遠位方向に骨切りを行う．ボーンソーの刃を次の骨切りのガイドとして骨切り部に残しておく．最初の

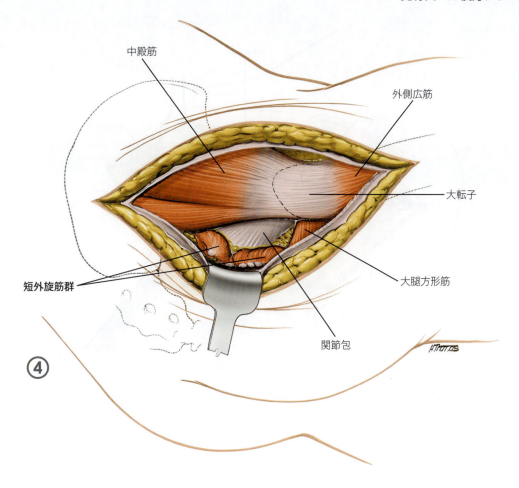

図7-57 寛骨臼後方アプローチ．浅層の展開（3）
短外旋筋群は大腿骨停止部から1 cmのところで切離する．

骨切りより6 mm下（すなわち印の線の3 mm下）で外側広筋結節に向けて遠位の骨切りを行う．最後に2つの骨切り面を6 mmの両刃ノミにて横切する．次に，中殿筋腱を分けて梨状筋を確認する．梨状筋を遠位方向に圧排し，小殿筋を露出させる．この展開で関節包から剥離すべき筋肉を確認して，大転子骨片を前方に反転する．

階段状の骨切りは，骨片の正確な整復と，2本の皮質骨用スクリューで再固定したときの高い初期安定性を得ることができる（図7-58）[21〜23]．

この骨片の上方には殿筋が，下方には外側広筋が付着している．外側広筋の筋膜を約5 cm遠位に向けて縦切開を加えて筋の可動性をよくし，付着している筋と一緒に鋭レトラクターにて骨片を前方に移動させる（図7-59）．中殿筋の一部が転子間稜に付着していれば，これを切離する．骨片の移動が困難であれば，梨状筋停止部の切離が必要な場合もある．

もし前方の関節包をみる必要があれば，股関節を屈曲，外旋させる．小殿筋の停止部を，関節包の上方に沿って寛骨臼後縁から大転子前方まで剥離して移動させる．もし，さらに前方の展開が必要であれば，Z字型の関節包切開を行って関節内を観察する（図7-60，61）．下肢に牽引を加え，股関節を亜脱臼位にさせて円靱帯を観察できるようにする．円靱帯を切離して股関節を90°屈曲させる．さらに下肢を外旋することで股関節を脱臼させる．脱臼により前方，後方に引くことで，関節と大腿骨頭を全周にわたり観察することができる（図

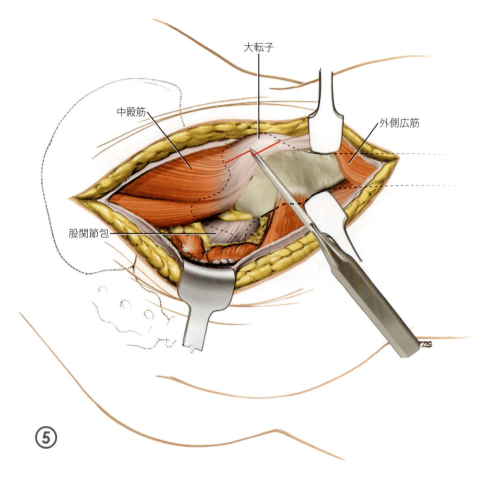

図 7-58 大転子の階段状骨切り
正しく段差をつけるよう注意する．

7-62)．

　大転子骨片は閉創時スクリューで容易に固定できる．大転子切離は寛骨臼の手術で異所性骨化を生じることに注意を要する．

注意すべき組織

　坐骨神経はもともとの外傷によって損傷されていることがしばしば認められる．全手術経過を通して坐骨神経を無謀に圧排しないよう厳重な注意が必要である．切離した外旋筋群は神経への直接的な外力から保護してはいるが，レトラクターから間接的に伝達された外力によっても神経は損傷される．牽引手術台を用いて持続的に牽引を加えているときに，神経損傷の危険がもっとも高い．神経の過牽引を避けるために，膝関節が屈曲位になっていることを確かめなければならない．

　外科的脱臼を行う場合には，坐骨神経が梨状筋の部位で二股に分かれていないかを確認する．さらに神経が梨状筋内を通過していれば，骨切りした大転子を完全に反転する前に梨状筋腱を切離しておく．

　下殿動脈は梨状筋の下を通って骨盤外に出る．この血管は外傷によってすでに損傷されていることもあるし，手術操作，とくに外科的脱臼によって損傷することもある．切断された動脈は骨盤内に引き込まれ，危険な出血をもたらす．処置として，まず出血部位を直接に圧迫しておき，患者を背臥位とする．骨盤内に引き込まれた動脈出血をコントロールするには，後腹膜経路で外腸骨動脈を結紮するのが唯一の方法である．

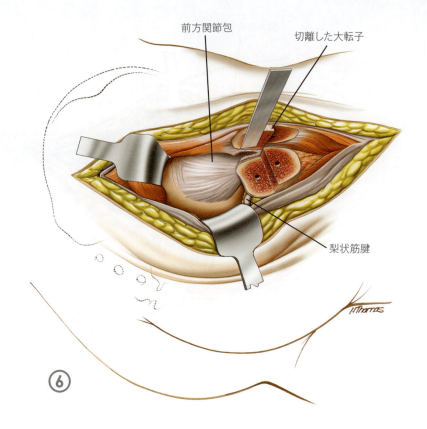

図 7-59 寛骨臼後方アプローチ．大転子の反転[*]
大転子に付着する筋を剥離して前方へ排除する．

[*]訳者註：図 7-58～61 の大転子骨切りは，切離骨片の近位部分を薄くし遠位を厚くする階段状骨切りであり，前者により大腿回旋動脈の血行阻害を回避し，後者により中殿筋筋力による骨片のずれを防ぐという重要な意味がある．参考文献として挙げられた文献 21 (Basitian JD et al: Clin Orthop Relat Res 2009; 467: 732-738) には，この術式の解説が図版とともに詳細に述べられている．しかし本書では，図 7-59～61 の図として第 5 版の図（近位が厚く，遠位が薄い骨切りとなっている）をそのまま採用しており，黄色枠で囲んだ部分の骨切り表現が図 7-58 と矛盾したものとなっている．下記に修正図（図 7-59 のみを示しているが，図 7-60，61 も同様の修正が必要となる）を掲載するので，確認いただきたい．

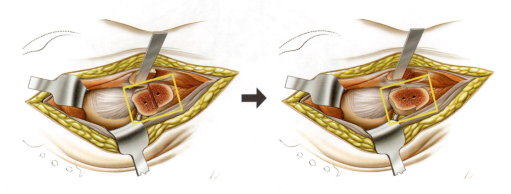

上殿動脈と上殿神経は梨状筋の上を通って骨盤外に出て，中殿筋の後面に入る．この神経血管束は中殿筋をつなぎとめているような走行をもつため，中殿筋の上方への排除範囲は制限されている．そのためこのアプローチでは腸骨稜に達することはできない．もし小殿筋と梨状筋の間を剥離していくとすれば，この神経血管を損傷する危険がある．

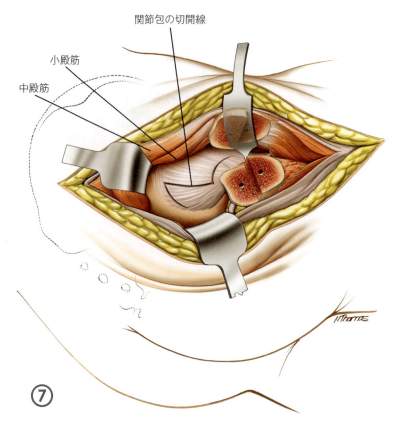

図 7-60　寛骨臼後方アプローチ．関節包の Z 字型切開
股関節前方をさらに展開する場合には，図のように関節包に Z 字型の切開を加える．このとき股関節は屈曲外転位とし，小殿筋を寛骨臼後縁から剥離する．

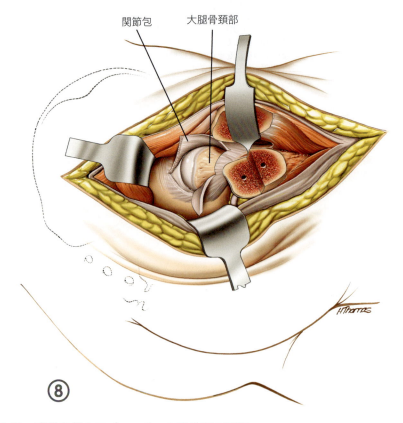

図 7-61　寛骨臼後方アプローチ．大腿骨頭の展開

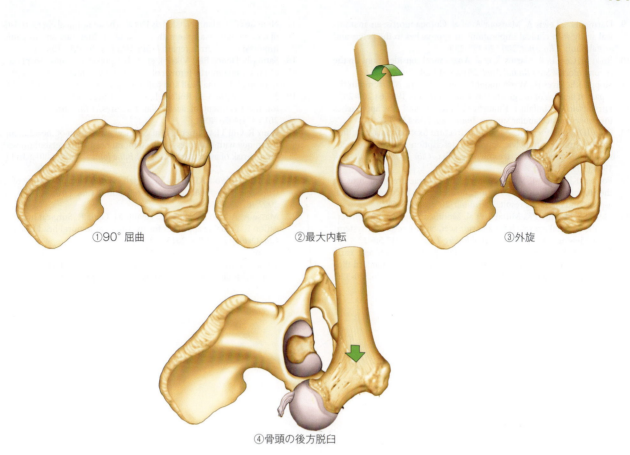

図 7-62 寛骨臼後方アプローチ．外科的脱臼の手順
①から③の順序で股関節の肢位を変化させ，最後に外旋力を注意深く徐々に加えていくと後方脱臼（④）が得られる．大腿骨頭が後方に下がり，寛骨臼が360°みえるようになる．

術野拡大のコツ

●深部への拡大

大腿骨頭が正常である場合は，寛骨臼内をみることは常に困難である．大腿骨の長軸牽引に加えて特別な大腿骨頭レトラクターを使用すれば，大腿骨頭を亜脱臼させて寛骨臼内面をより鮮明に観察できる．内固定に用いるスクリューが関節腔内に穿孔することもあるので，股関節内面をよく観察できることが決定的に重要である．

●上下への拡大

皮切は膝関節のレベルまで遠位へ拡大できる．外側広筋を分割，またはそれを外側筋間中隔から挙上して，大腿骨骨幹の側面全体を展開できる．

このアプローチでは通常，近位への有用な拡大はできない．

文献

1. Letournel E, Judet R. *Fractures of the Acetabulum*. 2nd ed. Springer-Verlag; 1993.
2. Ponsen KJ, Hoek van Dijke GA, Joosse P, et al. External fixators for pelvic fractures: comparison of the stiffness of the current systems. *Acta Orthop Scand*. 2003;74:165-171.
3. Siebenrock KA, Gautier E, Woo AK, et al. Surgical dislocation of the femoral head for joint debridement and accurate reduction of fractures of the acetabulum. *J Orthop Trauma*. 2002;16:543-552.
4. Morshed S, Knops S, Jurkovich GJ, et al. The impact of trauma-center care on mortality and function following pelvic ring and acetabular injuries. *J Bone Joint Surg Am*. 2015;97:265-272.
5. Shaw KA, Griffith MS, Shaw VM, et al. Harvesting autogenous cancellous bone graft from the anterior iliac crest. *JBJS Essent Surg Tech*. 2018;8:e20.
6. Tomaszewski KA, Popieluszko P, Henry BM, et al. The surgical anatomy of the lateral femoral cutaneous nerve in the inguinal region: a meta-analysis. *Hernia*. 2016;20:649-657.
7. Weber TG, Mast JW. The extended ilioinguinal approach for specific both column fractures. *Clin Orthop Relat Res*. 1994;305:106-111.
8. Teague DC, Graney DO, Routt ML. Retropubic vascular hazards of the ilioinguinal exposure: a cadaveric and clinical study. *J Orthop Trauma*. 1996;10:156-159.

9. Darmanis S, Lewis A, Mansoor A, et al. Corona mortis: an anatomical study with clinical implications in approaches to the pelvis and acetabulum. *Clin Anat*. 2007;20:433-439.
10. Rusu M, Cergan R, Marius A, et al. Anatomical considerations on the corona mortis. *Surg Radiol Anat*. 2010;32:17-24.
11. Stoppa RE, Rives JL, Warlaumont CR, et al. The use of Dacron in the repair of hernias of the groin. *Surg Clin North Am*. 1984;64:269-285.
12. Hirvensalo E, Lindahl J, Kiljunen V. Modified and new approaches for pelvic and acetabular surgery. *Injury*. 2007;38:431-441.
13. Cole JD, Bolhofner BR. Acetabular fracture fixation via a modified Stoppa limited intrapelvic approach: description of operative technique and preliminary treatment results. *Clin Orthop Relat Res*. 1994;(305):112-123.
14. Ponsen KJ, Joosse P, Schigt A, et al. Internal fracture fixation using the Stoppa approach in pelvic ring and acetabular fractures: technical aspects and operative results. *J Trauma*. 2006;61:662-667.
15. Meena S, Sharma PK, Mittal S, et al. Modified Stoppa approach versus ilioinguinal approach for anterior acetabular fractures: a systematic review and meta-analysis. *Bull Emerg Trauma*. 2017;5:6-12.
16. Hammad AS, El-Khadrawe TA. Accuracy of reduction and early clinical outcome in acetabular fractures treated by the standard ilioinguinal versus the Stoppa/iliac approaches. *Injury*. 2015;46:320-326.
17. Noussios G, Galanis N, Chatzis I, et al. The anatomical characteristics of corona mortis: a systematic review of the literature and its clinical importance in hernia repair. *J Clin Med Res*. 2020;12:108-114.
18. Sanna B, Henry BM, Vikse J, et al. The prevalence and morphology of the corona mortis (crown of death): a meta-analysis with implications in abdominal wall and pelvic surgery. *Injury*. 2018;49:302-308.
19. Masse A, Aprato A, Rollero L, et al. Surgical dislocation technique for the treatment of acetabular fractures. *Clin Orthop Relat Res*. 2013;471:4056-4064.
20. Ganz R, Gill TJ, Gautier E, et al. Surgical dislocation of the adult hip a technique with full access to the femoral head and acetabulum without the risk of avascular necrosis. *J Bone Joint Surg Br*. 2001;83:1119-1124.
21. Bastian JD, Wolf AT, Wyss TF, Nötzli HP. Stepped osteotomy of the trochanter for stable, anatomic refixation. *Clin Orthop Relat Res*. 2009;467:732-738.
22. Massè A, Aprato A, Alluto C, Favuto M, Ganz R. Surgical hip dislocation is a reliable approach for treatment of femoral head fractures. *Clin Orthop Relat Res*. 2015;473:3744-3751.
23. Espinosa N, Beck M, Rothenfluh D. More treatment of femoroacetabular impingement: preliminary results of labral refixation. Surgical technique. *J Bone Joint Surg*. 2007;89(suppl 1):36-53.

第8章

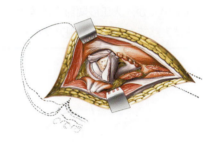

The Hip

股関節

1. 股関節への前方アプローチ ……………… 465
2. 股関節への前方最小侵襲アプローチ …… 480
3. 股関節への前外側アプローチ …………… 485
4. 股関節への外側アプローチ ……………… 496
5. 股関節への前方，前外側および外側アプローチに必要な外科解剖 ………………… 501
6. 股関節への後方アプローチ ……………… 510
7. 股関節および寛骨臼への後方アプローチに必要な外科解剖 ……………………… 517
8. 股関節への内側アプローチ ……………… 522
9. 股関節への内側アプローチに必要な外科解剖 ……………………………………… 528

第8章

　股関節の手術は，整形外科の手術のうちでもっとも頻度が高いものである．変形性股関節症に対する人工股関節全置換術は，何百万人という多数の患者の生活を革命的に改善した．股関節に対する手術展開法は，人工骨頭置換術，股関節周辺の腫瘍外科や感染症にも必要である．

　前方アプローチは，股関節置換においては前側方および後方アプローチに比べると，それほど一般的ではないが，前方アプローチの1つの変型として，前方最小侵襲アプローチが近年多用されつつある[1]．

　前方アプローチは総じて骨盤のみならず股関節に対してもよい手術経路でもある．**前外側アプローチ**は人工股関節全置換術にもっともよく用いられるもので，異なったデザインの人工股関節に応じて種々な変法がある．本章では，基本的な前外側アプローチについて述べるが，特定の人工股関節全置換術を行うときには，まずその術式を開発した人の原著を読むことを読者に勧めておく．**後方アプローチ**は人工骨頭置換術の進入路として広く利用されているが，人工股関節全置換術にも用いることができる．この方法は，助手1人だけで安全かつ容易に行える進入路でもある．**内側アプローチ**はまれに使われる進入法で，小転子およびその周辺の展開など，主とし

（次頁へつづく）

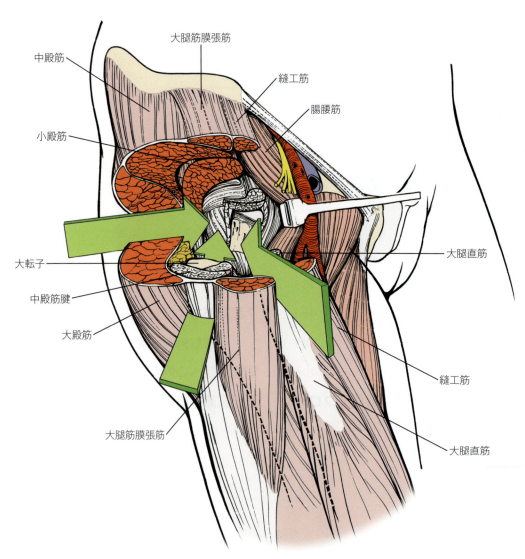

図 8-1　股関節への前方，前外側，後方アプローチで使用される筋間
それぞれ神経・血管を損傷する危険のない筋間を分けて股関節に到達する．

て局所的な展開に用いられるものである．

股関節に対する最小侵襲アプローチも一般的になってきた．これらの手技の多くは本書に記載した古典的アプローチの応用である．皮切およびその下の切開を小さくして軟部組織損傷を軽減できるが，深部構造の展開は必然的に制限される．そのため，とくに肥満患者においてはこの手技は潜在的により危険であり，深層解剖の理解がより重要となる．さらに付け加えれば，人工股関節部品を正確に固定するためにはX線像の使用も必要になるであろう．

本章で記述する4つの基本的アプローチは，神経・血管を障害しない筋の間を通って股関節に到達する利点を持っている．前方アプローチは縫工筋と大腿筋膜張筋の間を，前外側アプローチは大腿筋膜張筋と中殿筋の間を，後方アプローチは中殿筋と大殿筋の間，もしくは大殿筋の筋線維間を，内側アプローチは長内転筋と薄筋の間から進入する（図8-1）．

これら4種のアプローチに関する外科解剖は3つのセクションにまとめた．すなわち前方アプローチと前外側アプローチの外科解剖からみて共通点が多いので，1セクションにまとめて述べている．また，後方アプローチと内側アプローチの外科解剖は，それぞれのアプローチの項に続いて述べている．

1 股関節への前方アプローチ

前方アプローチはSmith-Petersenアプローチ[2,3]としても知られているが，股関節および腸骨に到達する安全な方法である．このアプローチでは，大腿神経支配の縫工筋と上殿神経支配の大腿筋膜張筋との間のinternervous planeを利用して深部に達する．次の手術に用いられる．

- 先天性股関節脱臼の観血的整復，とくに大腿骨頭が寛骨臼の前上方に脱臼しているとき[3]
- 股関節滑膜の生検
- 股関節固定術
- 人工股関節全置換術
- 人工骨頭置換術
- 腫瘍の切除，とくに骨盤腫瘍
- 大腿骨頭骨折の観血的整復

このアプローチの上半分の部分は，骨盤骨切り術に用いられる．

前方アプローチでは，他のアプローチほど完全に寛骨臼を展開しないのが普通である．寛骨臼を確実に展開するためには，腸骨外壁から殿筋を完全に剥離しなければならない．

患者体位

背臥位とする．骨盤骨切り術を行うときは，患側殿部の下に小さい砂嚢を入れて，患側骨盤を押し上げる（図8-2）．

ランドマーク

上前腸骨棘は皮下にあり，やせた患者では容易に触れるが，肥満した患者では脂肪組織におおわれやや触れにくい．術者の母指を骨隆起の下から頭側に向けて移動させると確認しやすい．

腸骨稜は多数の筋の起始と停止になっている部位である．しかし，腸骨稜を越えて走る筋はないので，体表から腸骨稜を容易に触れ，ランドマークとなる（図8-3）．

皮　切

腸骨稜の前半に沿って上前腸骨棘まで切開する．ここから方向を下方へ変え，膝蓋骨の外側へ向けて垂直に約8〜10 cm切開する（図8-3）．

internervous plane

前方アプローチでは，浅層と深層の2つのinternervous planeを経る．浅層のinternervous planeは大腿神経支配の**縫工筋**と上殿神経支配の**大腿筋膜張筋**との間で

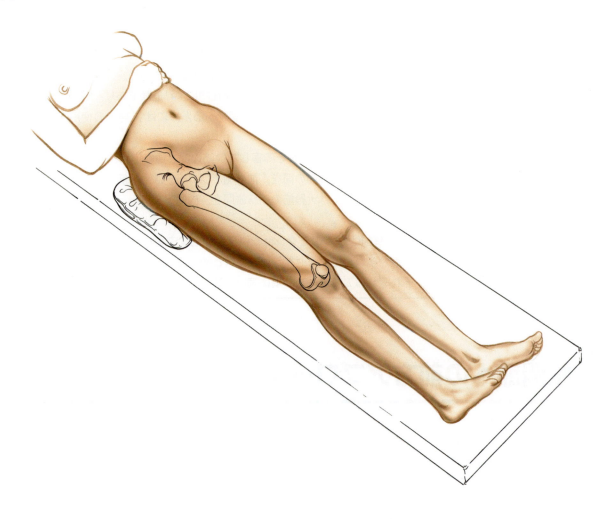

図 8-2　股関節前方アプローチ．患者体位

1. 股関節への前方アプローチ 467

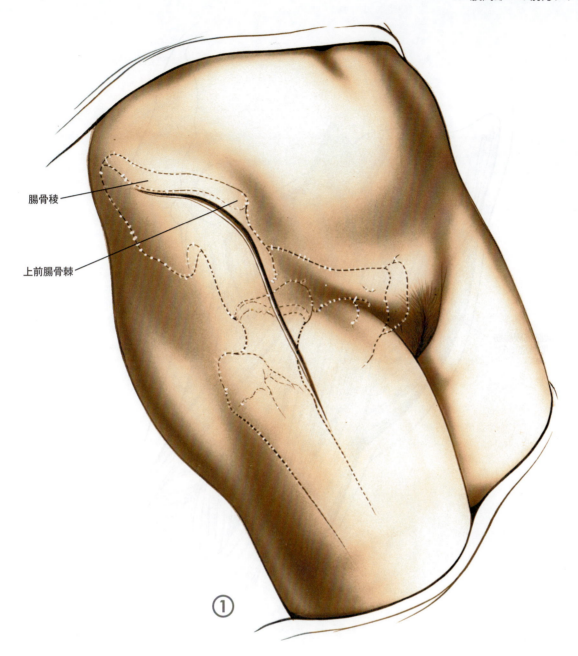

腸骨稜

上前腸骨棘

①

図 8-3 股関節前方アプローチ．皮切
腸骨稜前半から上前腸骨棘まで切開を加える．ここから曲げて 8〜10 cm 遠位方向へ切開する．

468　第8章　股関節

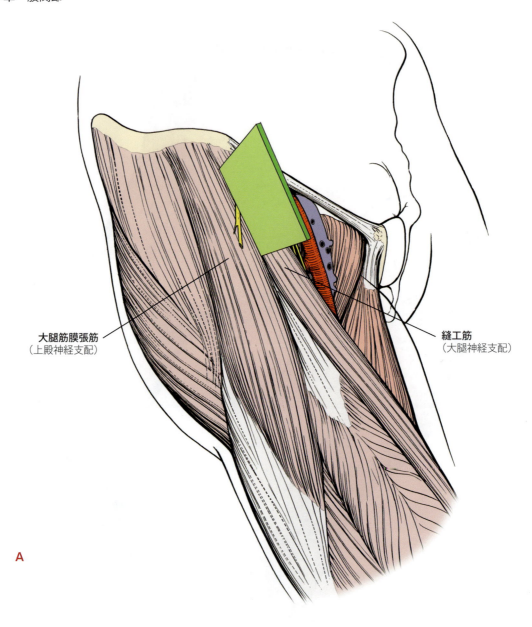

図 8-4　股関節前方アプローチにおける浅層 internervous plane
A：縫工筋（大腿神経）と外側筋膜張筋（上殿神経）の間の internervous plane.
（次頁へつづく）

あり，深層の internervous plane は大腿神経支配の**大腿直筋**と上殿神経支配の**中殿筋**との間である（図 8-4）．

浅層の展開

患肢を外旋位に保ち，縫工筋を緊張させて，筋のレリーフを浮き上がらせておく．縫工筋と大腿筋膜張筋との間のくぼみを指で確かめる（図 8-5）．上前腸骨棘の近くでは筋膜が両筋を一緒におおっているので，この部位で両筋の間を触れることは難しい．上前腸骨棘から4～5 cm 遠位へ下がったところで確認するのがよい．剪刀を用いて，internervous plane の筋層間に沿って注意

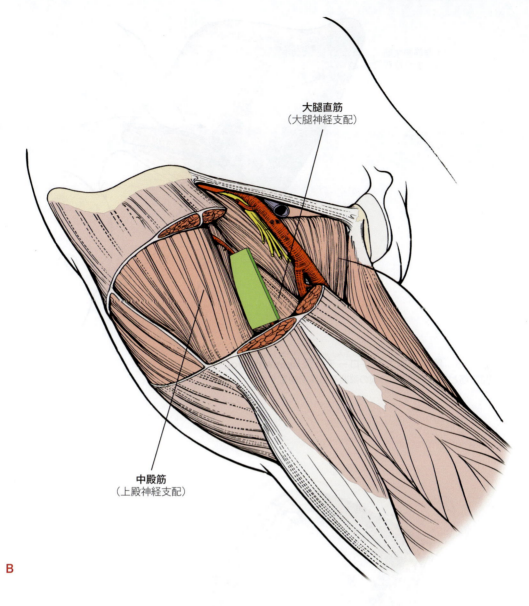

図 8-4 のつづき
B：深層では internervous plane は大腿直筋（大腿神経）と中殿筋（上殿神経）との間にある．

深く皮下脂肪を分け，筋膜切開を進める．筋層間に近接して外側大腿皮神経が大腿筋膜を貫通しているので，これを損傷しないように注意する（図 8-6）．

大腿筋膜張筋の内側で深筋膜を切開する．この筋膜鞘内で操作を進める限り，外側大腿皮神経を損傷する危険はない．縫工筋は内側上方へ，大腿筋膜張筋は外側下方へ引く（図 8-7）．

大腿筋膜張筋の起始を腸骨から切離して，internervous plane を拡げる．上前腸骨棘の直下で，外側大腿回旋動脈の大きい枝である上行枝が internervous plane と交差している．これを結紮するか凝固する．

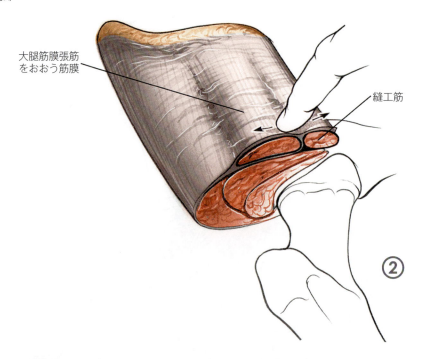

図 8-5　股関節前方アプローチ．浅層 internervous plane の確認
縫工筋と外側筋膜張筋の間の隙間を触診で同定する．

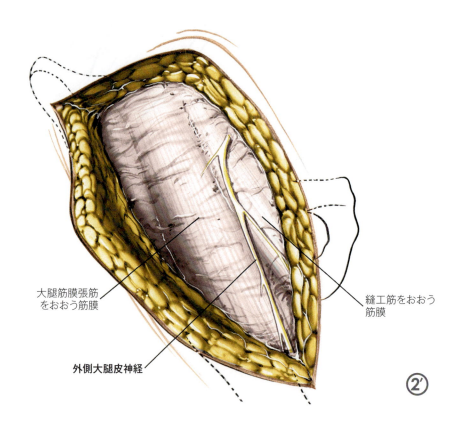

図 8-6　股関節前方アプローチ．外側大腿皮神経の確認
外側大腿皮神経（大腿の外側皮神経）が縫工筋と外側筋膜張筋の筋間に近い深筋膜を貫通する．

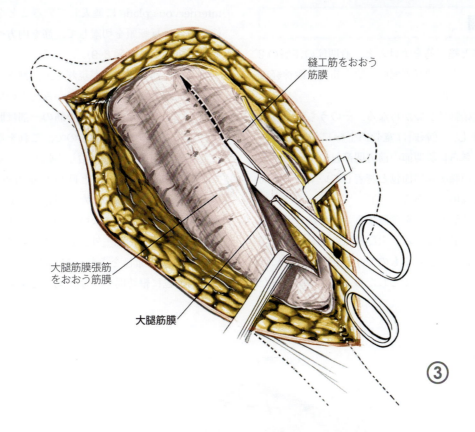

図 8-7　股関節前方アプローチ．筋膜切開
大腿筋膜張筋の内側で深筋膜を切開する．縫工筋を内側上方へ，大腿筋膜張筋は外側下方へ引く．

深層の展開

大腿筋膜張筋と縫工筋をよけると，股関節の深層の2筋がみえてくる．大腿神経支配の大腿直筋と上殿神経支配の中殿筋である（図8-8）．

大腿直筋の起始腱は2頭からなる．そのうち直頭は下前腸骨棘に停止し，反転頭は寛骨臼上縁に停止している．反転頭は，さらに股関節の前方関節包にも起始する線維がある．この線維は関節包と密着していて，両者間を分離することは困難である．

大腿直筋と中殿筋との間を確認することが難しいときには，大腿動脈を触れてみる．大腿動脈の拍動は筋層間よりはるか内側寄りに触れるもので，もし大腿動脈に近接して展開が進められているとしたら，それは間違ったinternervous planeに進入していることを示す．大腿直筋の直頭と反転頭を切離して，筋を内方へよける．中殿筋は外方に引く（図8-9）．

股関節の前方関節包が現れる．内側下方に腸腰筋が小転子に向かって走っているのがみえるので，これを内方へ引く（図8-10, 11）．腸腰筋の一部は股関節包の下面に付着していることがあるので，これを剥離する．これら筋線維は関節包から起始し小転子のすぐ下方に停止しており，iliocapsularis*と呼ばれる術野の外側下方には，外側広筋でおおわれた大腿骨骨幹部が位置する．

*訳者註：正式な訳語がないため原語を用いた．

下肢を十分に内転・外旋させて関節包を緊張させておき，鈍的に関節包をきれいに出す．手術の目的に応じて，関節包に縦切開やT字型切開を加える（図8-12）．

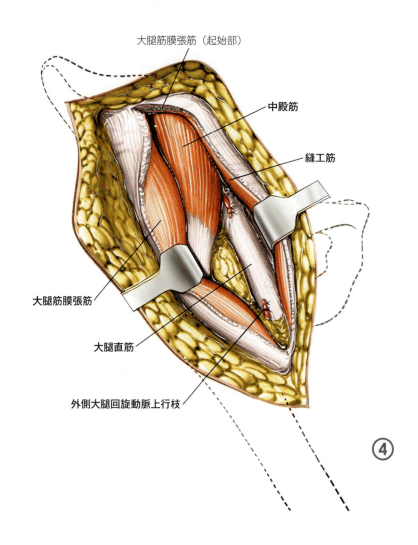

図8-8　股関節前方アプローチ．筋間の拡大および外側大腿回旋動脈の結紮
大腿直筋と中殿筋からなる深層がみえ，外側大腿回旋動脈の上行枝を結紮する．

1. 股関節への前方アプローチ 473

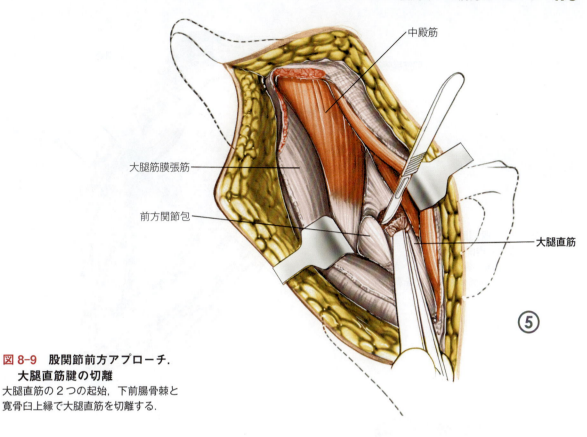

図 8-9 股関節前方アプローチ．
大腿直筋腱の切離
大腿直筋の2つの起始，下前腸骨棘と寛骨臼上縁で大腿直筋を切離する．

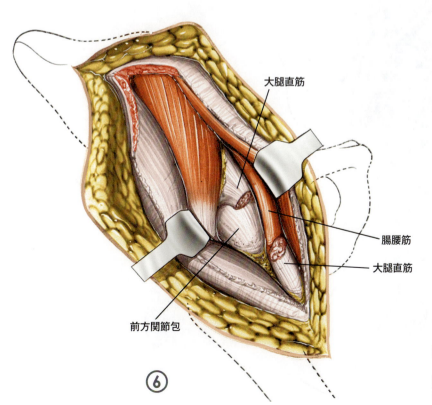

図 8-10 股関節前方アプローチ．
関節包の展開（1）
関節包の一部が露出している．腸腰筋腱を内側に圧排する．

474 第8章 股関節

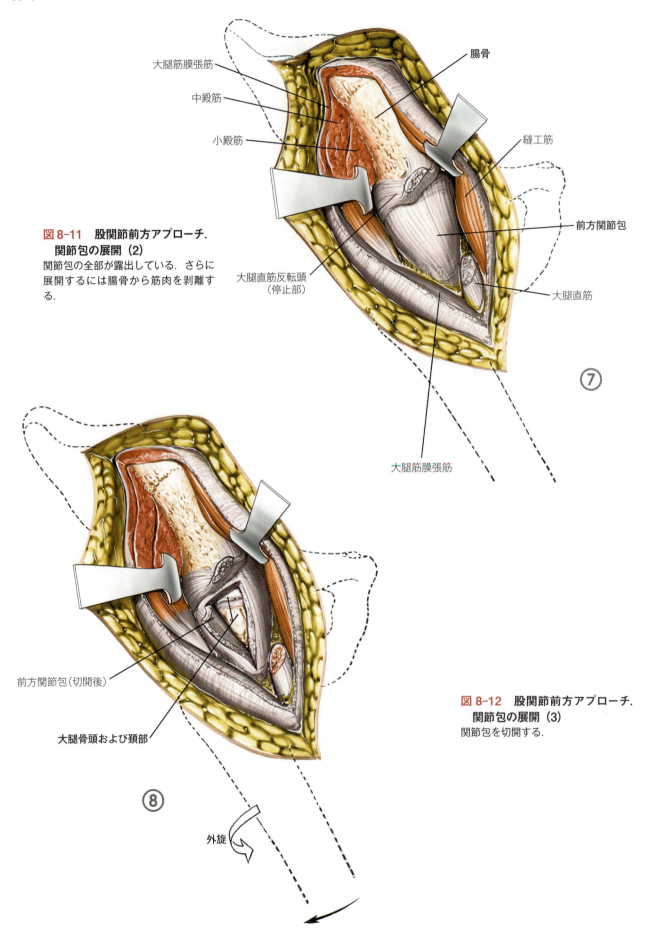

図 8-11 股関節前方アプローチ．関節包の展開（2）
関節包の全部が露出している．さらに展開するには腸骨から筋肉を剥離する．

図 8-12 股関節前方アプローチ．関節包の展開（3）
関節包を切開する．

1. 股関節への前方アプローチ　475

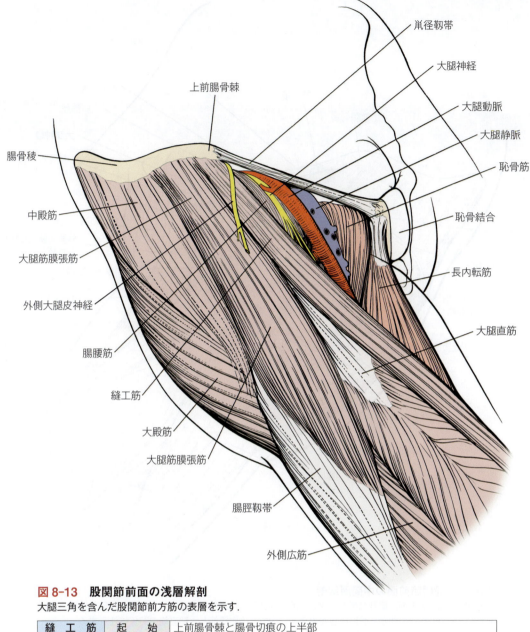

図 8-13　股関節前面の浅層解剖
大腿三角を含んだ股関節前方筋の表層を示す.

縫工筋	起　始	上前腸骨棘と腸骨切痕の上半部
	停止部	脛骨上縁の皮下
	作　用	大腿, 膝の屈曲と股関節外旋
	神経支配	大腿神経（L2～L4）.
大腿筋膜張筋	起　始	上前腸骨棘と腸骨結節の間の腸骨稜外側
	停　止	腸脛靱帯を経て脛骨の Gerdy 結節
	作　用	伸展した膝と股関節の安定性維持
	神経支配	上殿神経

関節包切開ののちにさらに外旋を加えれば, 大腿骨頭の脱転が可能となる.

注意すべき組織

　大腿外側の感覚を支配する**外側大腿皮神経**はたいていは縫工筋の前面を越えるが, 筋内を貫通する例や筋の後側を通る例などさまざまである. この神経は上前腸骨棘の約 2.5 cm 下方で表面に現れるので, 縫工筋と大腿筋膜張筋との間で筋膜を切開するときには, この神経を損傷しないように留意しなければならない. これを切断すると有痛性神経腫を形成したり, 大腿外側の感覚障害をきたす（図 8-13；☞図 8-6）. この神経は鼡径靱帯の下で 3 ないしそれ以上に枝分かれしていることがあり, こ

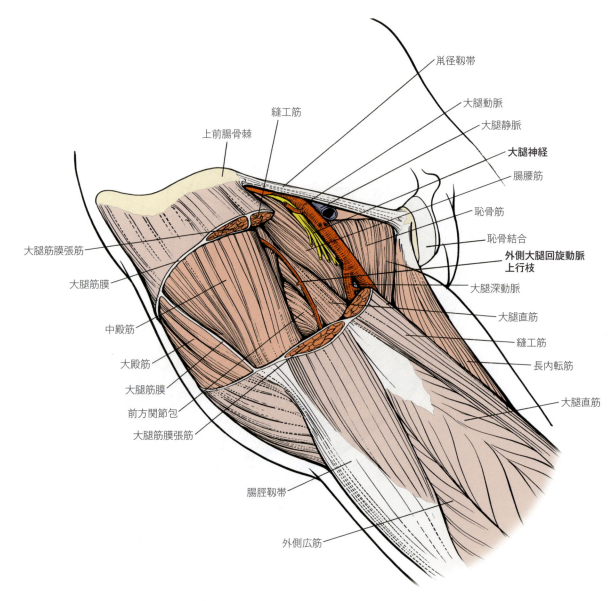

図 8-14　股関節前面の中間層解剖
大腿筋膜張筋，縫工筋，腸脛靱帯を切除し，股関節前面で中殿筋，大腿直筋，外側大腿回旋動脈上行枝を示す．2つの筋肉の間から股関節包がみえる．内方での腸腰筋と大腿直筋の関係に注意する．

の走行にはかなりの解剖学的異型があることに注意する[5, 6]．

表層から筋膜を展開するときには，常にこの神経に用心し注意すべきである．

大腿神経は大腿三角内で，股関節のほぼ前面を通過する．この神経は大腿直筋よりもかなり内側寄りに位置しているため，縫工筋の内側あるいは大腿直筋の内側へ誤って迷い込むことがない限り，損傷の危険はない．深部展開の途上で，正しい進入路を見失ったときは，大腿動脈の拍動を触れて位置を確かめる．大腿三角内で大腿動脈は大腿神経の内側を走っている（図 8-14, 15）．大腿神経は寛骨臼の展開時に不適当な前方レトラクター設置で損傷される危険性が高い．寛骨臼前縁と神経の距離はおよそ2cmである[7]．解剖学的にもっとも安全な部位は下前腸骨棘に沿った位置である[8]．神経とレトラクターとの距離からいうと，下方より上方設置のほうが安全である[9]．

外側大腿回旋動脈上行枝が術野を横切る．この動脈は大腿筋膜張筋と縫工筋のinternervous planeを中枢に向かって走る．両筋間を分けていくとき，この動脈を結紮するか凝固する（図 8-16；☞図 8-8, 13, 14）．

1. 股関節への前方アプローチ　477

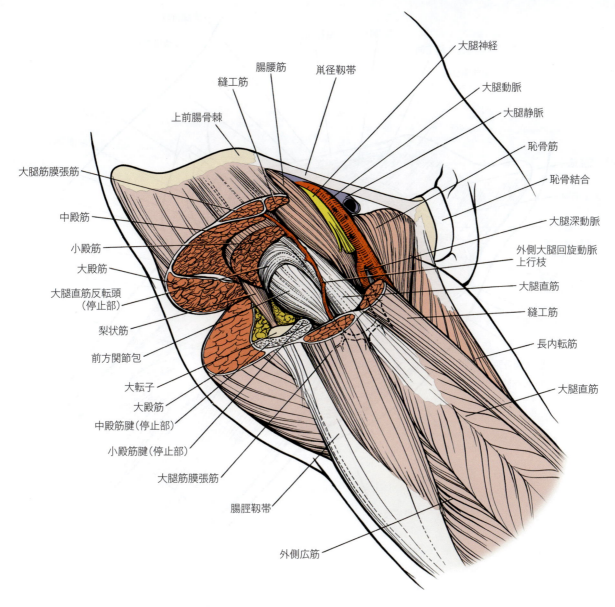

図 8-15　股関節前面の深層解剖（1）
股関節包と大腿直筋反転頭を示すために，小殿筋，中殿筋，大殿筋を切除した．

術野拡大のコツ

●深部への拡大
浅層の展開　大腿筋膜張筋と縫工筋の起始を切離する．
深層の展開　中殿筋と小殿筋の起始を鈍的に腸骨外壁から剝離する（骨盤骨切り術を行うときは，この操作が常に必要）．露出された腸骨外壁からの出血は，創にガーゼをつめ込んでコントロールできる．個々の腸骨栄養血管からの出血は，骨ろうをつめ込んで止める．骨栄養血管からの出血は他の方法では止められない．

●上下への拡大
腸骨をさらに広く展開するには，腸骨稜に沿って皮切を後方へ追加する．この拡大切開によって移植骨片の採取が理論的には可能となるが，それが用いられることはまれである．

下方への拡大には，大腿の外側前面に沿って皮切を下方へ延長する．皮切線に一致して大腿筋膜を切開すると，その下で外側広筋と大腿直筋との筋間に達する．大腿骨前面を骨膜上に展開するには筋線維間を分けなければならないときもあるが，筋層間に沿って展開を進める

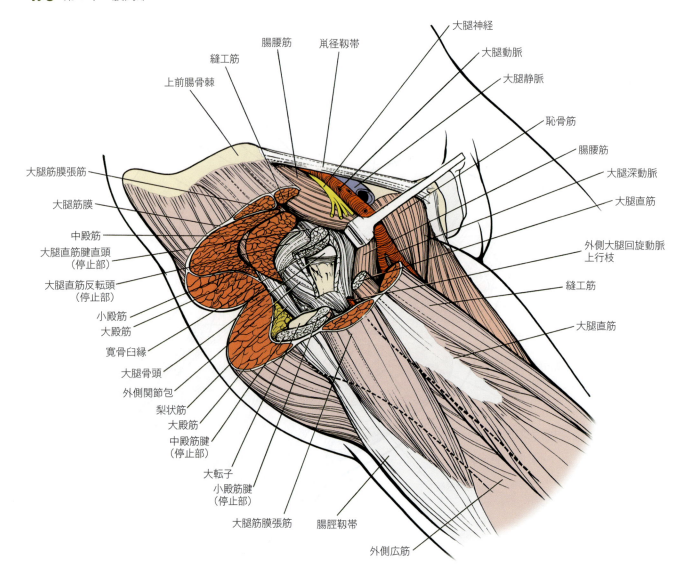

図 8-16　股関節前面の深層解剖（2）
腸腰筋を内側に圧排した．大腿直筋を切除し関節包を開け，関節を展開した．

ように試みる．この延長切開によって，大腿骨骨幹部全長にわたる良好な展開が可能となる（図 8-17）．

このアプローチを骨盤骨切り術へ応用するさいは，股関節レベルで骨盤の内・外壁を展開するように拡大する．腸骨の外壁を展開するためには，大腿直筋反転頭の起始部のレベルで腸骨を被覆している筋をていねいに剥がす．先端が鈍な器具を用いて骨膜下に剥離を後方へ進めると，坐骨切痕に達する．このとき坐骨切痕に近接して通り抜ける坐骨神経を損傷する危険があるので，常に器具は密に骨に接するように挿入するよう十分注意する必要がある．下前腸骨棘から大腿直筋直頭を切離して，腸骨筋を骨盤内壁から慎重に持ち上げるが，このときもすべて骨に密着して骨膜下に操作を進めなければならない．先端が鈍な鉤を大坐骨切痕に向けて徐々に挿入する．2本の鉤を前方と後方から大坐骨切痕へ挿入すると，鉤の先端を切痕部で互いにコンタクトできる．前後に挿入した鉤によって，骨盤の前後を直視下に展開でき，正確な骨盤骨切り術を行うことが可能となる．

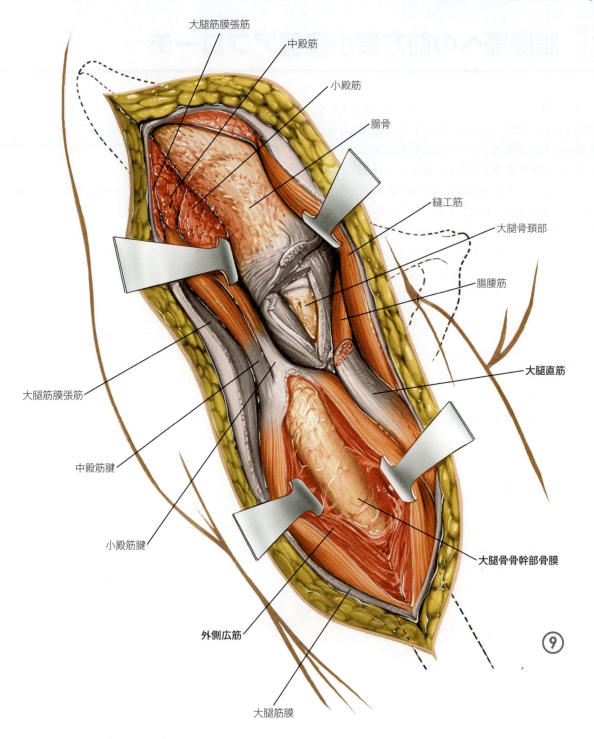

図 8-17　股関節前方アプローチ．上下への拡大
近位へ術野を拡大し，腸骨を展開した．遠位へは外側広筋と大腿直筋との筋間で大腿骨前面を展開する．大腿骨外側を展開するには筋線維間を分けなければならないときもある．

2 股関節への前方最小侵襲アプローチ

　この前方最小侵襲アプローチは，主に緊急性を要しない股関節置換に使用されるが，転位した大腿骨頚部骨折の整復や股関節感染のドレナージにも利用される．このアプローチは筋を温存するほか，熟達した術者によっては，術後の早い初期回復を得ることができる．このアプローチは関節を大きく展開しないので，大腿骨頚部骨切りの位置や寛骨臼コンポーネントの位置の確認に術中透視を行うよう多くの術者が推奨している．手術は透視可能な通常の手術台で行う．しかし，大腿骨頚部骨切りや寛骨臼コンポーネントの挿入時には牽引を推奨する術者もいる．

患者体位

　背臥位とする（☞図8-2）．この体位は，人工関節手術でコンポーネントの位置決定に非常に有用な術中透視を可能にする．

ランドマーク

　上前腸骨棘は皮下にあり，やせた患者では容易に触知できる．肥満患者では皮下脂肪により困難だが，両方の親指を下から上に向けて滑らすことで触知できる．
　大腿外側で**大転子**の先端を触知しておく．

皮　切

　皮膚ペンで大転子先端と上前腸骨棘にマークを入れる．上前腸骨棘から1cm遠位の点を求め，ここから1cm外側寄りで皮切を開始する．皮切の中央は大転子先端のレベルにおく（図8-18）．遠位は腓骨頭に向けて延長する．

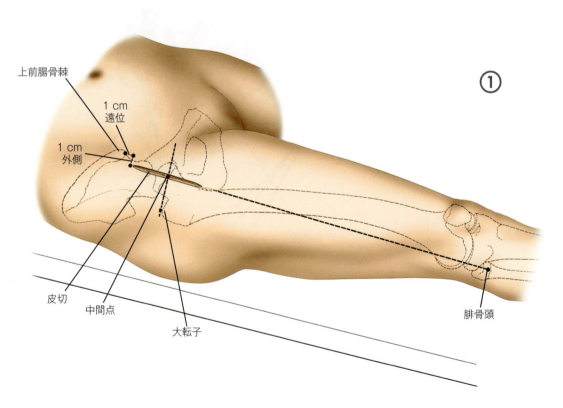

図8-18　股関節の前方最小侵襲アプローチ．皮切の位置決め
上前腸骨棘の1cm遠位，そして1cm外側から始まる8cmの皮切を加える．遠位は腓骨頭に向ける．皮切の中央は大転子先端のレベルにおく．

internervous plane

大腿神経と上殿神経の間の internervous plane を使用する．浅層は**縫工筋**（大腿神経支配）と**大腿筋膜張筋**（上殿神経支配），深層は**大腿直筋**（大腿神経支配）と**中殿筋**および**小殿筋**（上殿神経支配）である（👉図8-4）．

浅層の展開

大腿筋膜張筋の内縁で筋膜を切開する．筋膜鞘内で縫工筋を前内方へ，大腿筋膜張筋を後外方へ圧排する（図8-19）．このようにすると外側大腿皮神経を損傷する危険性が減るが，この神経には解剖学的変異があり，展開中には常に出現する可能性があることに注意する．

この間隙の剝離を鈍的に進め，大腿直筋と大腿筋膜張筋の間に達する．大腿直筋は筋膜鞘におおわれており，その前方を切開して筋を露出し，内方に圧排する．そして注意深く後方の筋膜鞘を切開し，外側大腿回旋動脈を確認する．通常これは結紮を要するほど太い．

深層の展開

大腿直筋と小殿筋の間の剝離を進める．関節包を介して骨頭を触知する．関節包は少し脂肪におおわれており，ガーゼや骨膜剝離子を使ってこれをていねいに削ぎ落とす．下前腸骨棘と関節包を起始する筋肉（iliocapsularis）が小転子遠位へ走行している[10]．

関節包を完全に露出するためには，この筋線維を鋭的に切離する必要がある．大腿骨頸部の下にレトラクターを挿入する（図8-20～23）．大腿直筋の反転頭が寛骨臼直上の凹面から起始している．大腿直筋と関節包の間を確認しながら，レトラクターを直視下に関節包に沿って大腿骨頭部に挿入する．関節包をH字型，ないしL字型に切開し，レトラクターを関節内にかけ直す（図8-24）．レトラクターの1つは頸部の下方，もう一方のレトラクターは上方に設置し，3番目はレトラクターの先端が直接骨にあたっていることを確認して，寛骨臼上縁にかける．術中透視を行い，大腿骨頸部の骨切りレベルを決定し切断する．

注意すべき組織

外側大腿皮神経は上前腸骨棘の約 2.5 cm 遠位で縫工筋の上，下，ないし中（通常は上を通る）を通過して大腿に達している．3本以上の枝を出すが，その場所はかなり変化に富んでいる．大腿筋膜張筋の内縁の筋膜を切開するとき，この神経を温存しなければならない．これを切断すると有痛性神経腫を生じたり大腿外側の感覚鈍麻を生じる（👉図8-6, 13）．大腿筋膜張筋の筋膜内で操作することが神経を損傷から守ることになるが，完全に防げるわけではない[11]．

大腿神経は股関節のすぐ前方を通っている．この神経は大腿直筋の内側を通るので，縫工筋と大腿直筋の誤った展開をしない限り実際の危険性はない．深部への拡大時に正しい面がわからなくなれば，大腿動脈の拍動を触れて確認する．大腿三角（Scarpa 三角）内では動脈は神経の内側に位置する（👉図8-14, 15）．寛骨臼前縁と神経の距離はおよそ2 cmである[7]．解剖学的にもっとも安全な部位は下前腸骨棘に沿った位置である[8]．神経とレトラクターとの距離からいうと，下方より上方設置のほうが安全である．

外側大腿回旋動脈上行枝が，大腿筋膜張筋と大腿直筋の間の internervous plane の近位方向で術野を横断する．これは大腿直筋をおおう筋膜の後方を走るので，2つの筋を分ける場合にはこの血管を結紮ないし凝固する（👉図8-8, 14～16）．

術野拡大のコツ

このアプローチは最小侵襲を意図している．もし難渋したり進入面がわからない場合は，通常の前方アプローチに移行できる．重要な組織を傷めたりインプラントを不良な位置に挿入するよりは，筋を多少損傷するほうが許容される．

しかし，このアプローチは外側広筋を分けることで遠位へ拡大できることは知っておくべきである（👉図8-17）．

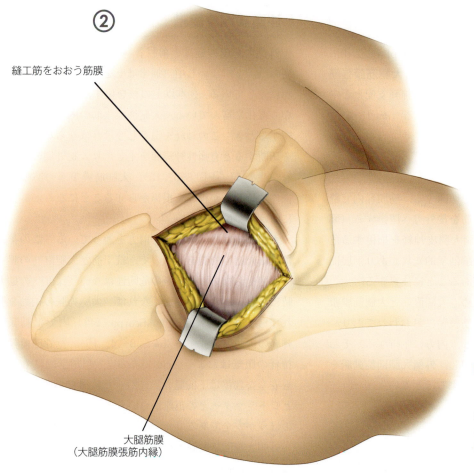

図 8-19 股関節の前方最小侵襲アプローチ．筋膜切開の位置
縫工筋と大腿筋膜張筋の間を同定し，大腿筋膜張筋の内縁で表面をおおう筋膜を切開する．

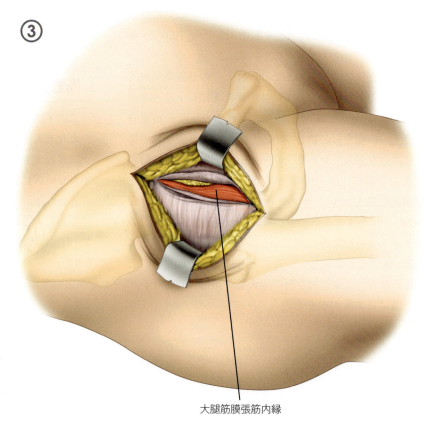

図 8-20 股関節の前方最小侵襲アプローチ．大腿筋膜張筋前縁の確認
大腿筋膜張筋を後外側へ圧排し，筋膜鞘におおわれている大腿直筋を露出する．

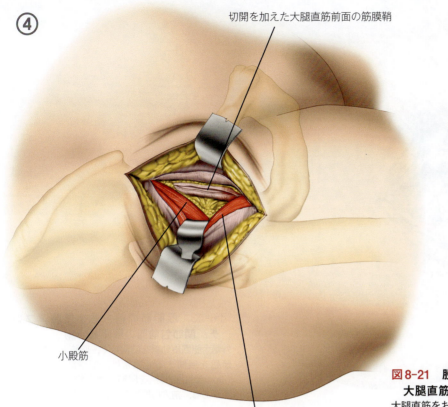

図 8-21 股関節の前方最小侵襲アプローチ．
大腿直筋筋膜鞘の切開
大腿直筋をおおっている筋膜鞘の前方を切開して筋を露出する．

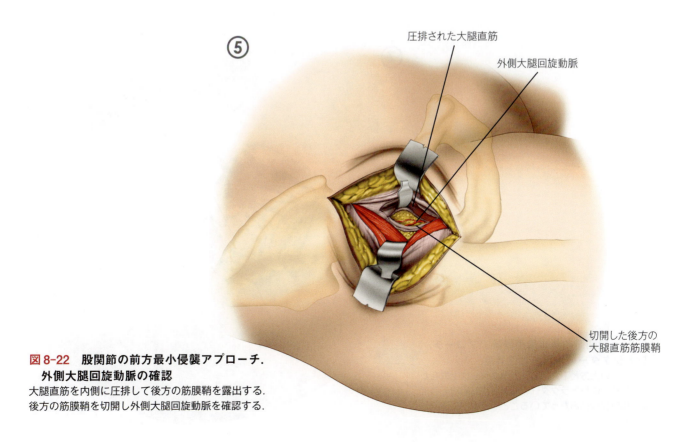

図 8-22 股関節の前方最小侵襲アプローチ．
外側大腿回旋動脈の確認
大腿直筋を内側に圧排して後方の筋膜鞘を露出する．
後方の筋膜鞘を切開し外側大腿回旋動脈を確認する．

⑥

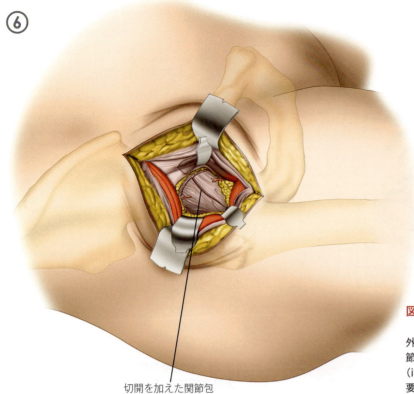

切開を加えた関節包

図 8-23 股関節の前方最小侵襲アプローチ．関節包前面の展開と切開
外側大腿回旋動脈を結紮して，脂肪におおわれた関節包を展開する．通常は，腸腰筋の一部の線維（iliocapsularis）を関節包から鋭的に切離する必要がある．前方の関節包を縦切開する．

⑦

大腿骨頸部

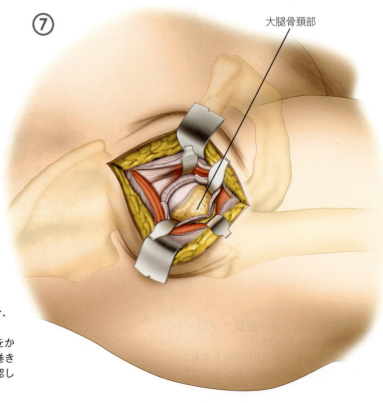

図 8-24 股関節の前方最小侵襲アプローチ．レトラクターのかけ方と注意点
大腿骨頸部の上方と下方からレトラクターは上方をかける．3番目はレトラクターの先端が軟部組織を巻き込まずに直接骨にあたっていることを直視下に確認してかける．

3 股関節への前外側アプローチ

人工股関節全置換術にもっともよく用いられるのが前外側アプローチである．このアプローチは寛骨臼の優れた展開が得られ，大腿骨髄腔のリーミングが安全に行えるという利点を持っている．Watson-Jones により一般化され，Charnley[12]，Harris[13]，Hardinge および Müller[14] によって変法が考案された．前外側アプローチでは大腿筋膜張筋と中殿筋との筋層間を展開する．股関節外転機構，すなわち大転子，あるいは中殿筋の部分的あるいは全的切離を行う方法も前外側アプローチに含まれる．これらを切離すると，大腿骨髄腔のリーミングにさいしても内転位をとりやすくなり，寛骨臼の展開はより完全となる（図 8-25）．

外転機構を解離させる方法として大転子を切離する手技[15]と，大転子付着部で中殿筋の一部と小殿筋の全部を切離する手技[14]がある．両手技は異なったアプローチのようにみえるが，事実上は同じ原理の変法である．前外側アプローチは大腿筋膜張筋と中殿筋との筋層間を展開するというのが基本であるので，手技の詳細に差があっても，この基本的理念を忘れてはならない．

前外側アプローチは，次の手術に用いられる．
- 人工股関節全置換術[14, 15]
- 人工骨頭置換術
- 大腿骨頚部骨折の観血的整復・内固定[16]
- 股関節滑膜の生検
- 大腿骨頚部の生検

患者体位

背臥位とし，患側殿部が手術台の外に少し出るようにする（図 8-26）．患者を平らに寝かせたままで，手術台を患側を上に少し傾ける．前述 2 つの方法によって殿部の皮膚や皮下脂肪組織が術野から離れて後方に垂れ落ち，皮切部を手術台上に明瞭に保持し，患部にドレープを張る操作も容易になる．人工股関節のソケットを挿入するときは，骨盤が傾斜位になっていることを計算に入れておかなければならない．ソケット挿入ガイドが水平面を基準にしてセットされることのないように留意する．

患者にドレープを張り，術中に患肢を動かしても支障のない状態とする．

ランドマーク

上前腸骨棘は皮膚直下にあって，皮下脂肪の厚い肥満者を除き非常に触れやすいところである．骨隆起の下方から術者の母指を上方に移動させながら触れるとよい．

大転子は大腿骨幹部と頚部の結合部に位置し，外側後方に突出している大きな骨隆起である（図 8-27）．

大腿骨骨幹部は大腿の外側に手指をあてると，厚い外側広筋の下に硬い抵抗として触れることができる（図 8-49）．

広筋隆起（vastus lateralis ridge）は，大転子と大腿骨骨幹部外側皮質骨の移行部にあたる粗な隆起線である．遠位から近位に向かって触れるとわかりやすい．肥満患者では触れるのが難しい．

皮切

股関節を約 30° 屈曲し，反対側の膝に交差するように内転させる．こうすると大転子の輪郭がはっきりと浮き上がり，大腿筋膜張筋は前方へ移動する．大転子の頂点が中心となるように縦に 8〜15 cm の直線切開を加える．この皮切の長さは患者の体格や肥満度によって異なると同時に，術者の経験によっても差がある．この皮切は大転子の後方 1/3 の部位*を通り，大腿骨骨幹部の外側へ続く（図 8-27）．

*訳者註：Charnley 原法では大転子の前縁を通る．術後側臥位となったときに手術瘢痕がベッドにあたることを防ぐためである．

internervous plane

中殿筋と大腿筋膜張筋はともに上殿神経支配である．この両筋間を進入する前外側アプローチには，真の意味の internervous plane はない．しかし，上殿神経は大腿筋膜張筋の腸骨稜起始部に非常に近接して大腿筋膜張筋へ入り込んでいる．よって，大腿筋膜張筋と中殿筋とをそれらの腸骨起始部近くまで分離しない限り，神経は損傷されない（図 8-25）．

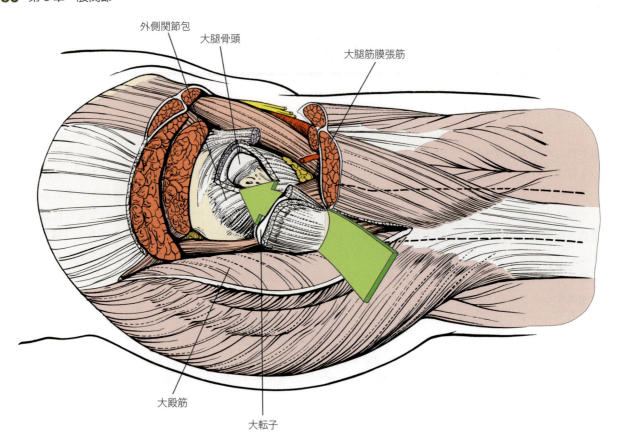

図 8-25　股関節前外側アプローチ．進入路

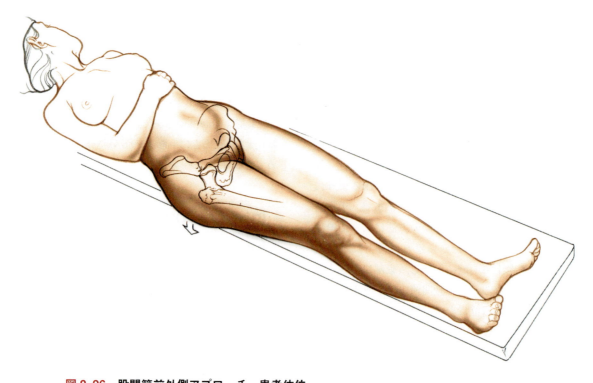

図 8-26　股関節前外側アプローチ．患者体位
大転子部が手術台の縁から外へ出るようにして，殿部の皮下脂肪組織が術野から離れて後方へ垂れ落ちるようにする．

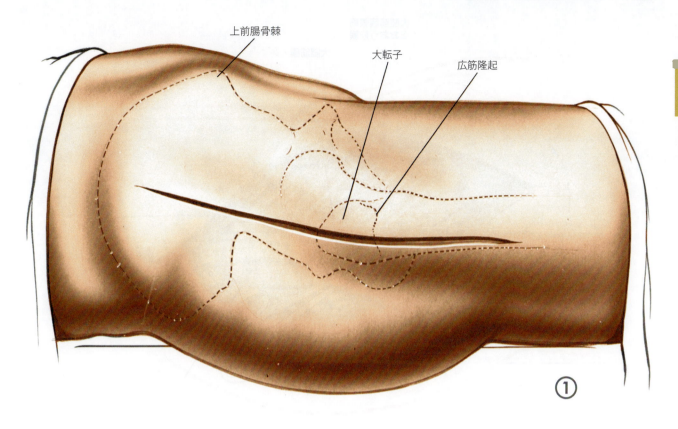

図 8-27　股関節前外側アプローチ．皮切

浅層の展開

皮切線に一致して皮下脂肪を切離し，大腿筋膜を出す．ガーゼを用いて，皮下脂肪を大腿筋膜から剥がすように大転子後縁までていねいに押し下げる．ここで下層の滑液包を含めて大腿筋膜切開に入る（図 8-28）．遠位側から近位前方に向かって線維走行に沿って，上前腸骨棘の方向に大腿筋膜を切開する．最後に遠位部で切開を遠位やや前方へ少し追加して，筋膜下の外側広筋を露出する．前方の筋膜切開縁を鉗子で挟み，助手に前方に引き上げさせる．助手が持ち上げている大腿筋膜張筋と中殿筋との間に深筋膜前葉裏面につながっているわずかの筋線維がみえるので，これを剥離する．この剥離は術者の指で鈍的に行うのがもっともよい．大腿筋膜張筋と中殿筋との間には，数本の血管が横切っている．これらは筋間の目印とはなるが，結紮が必要である（図 8-29）．

中・小殿筋の前縁に深く直角自在レトラクターをかけて，近位外側へよけ，大腿骨頚部をおおっている関節包の上縁を展開する（図 8-30）．

股関節を最大外旋位として関節包を緊張させる．広筋隆起を指で触れて外側広筋起始部を確認する．そのすぐ上方には股関節包の前面があり，かつ大腿骨頚部と骨幹と移行する部分でもある．この関節包前面をおおう脂肪組織は，ていねいに鈍的に排除する．この脂肪組織の存在は術後の瘢痕形成や癒着を少なくするのに役立つので，術野の妨げになっても可及的に温存すべきである（図 8-31）．ガーゼ綿球による剥離操作がよい．

深層の展開

深層の展開は外転機構の部分的あるいは全的解離，大腿骨頚部の展開，関節包の切開と寛骨臼前縁に適切な鉤をかける操作などである．

外転機構を解離して，大腿骨を後方へよけるために 2 種の方法が開発されている．これらの手技によって下肢を十分に内転位に保持することが可能となり，大腿骨の

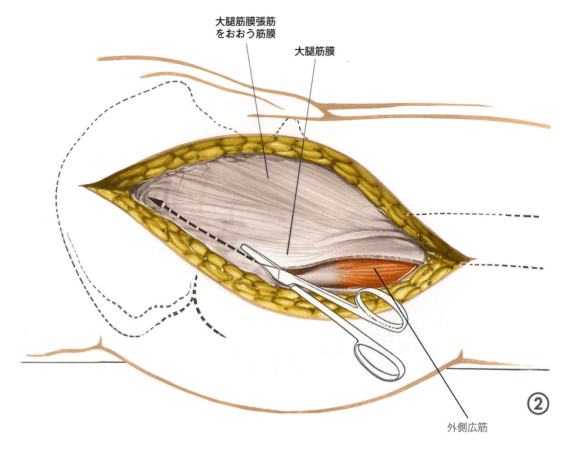

図 8-28　股関節前外側アプローチ．筋膜切開
大腿筋膜張筋の後方で筋膜を切開する．

リーミングも安全に行い，正しい位置にステムを挿入することができるようになる．使用する人工股関節の種類によって，以下のどちらかの方法を選択する．

1) **大転子切離**：大転子を切離すると，中・小殿筋は完全に解離され，大腿骨のリーミングにさいしてきわめて優れた展開が得られる．大腿骨外側を遠位から近位へ向け指で触れて広筋隆起の位置を確かめる．Gigli 線鋸あるいはオシレーティングソー（振動骨鋸）を用いて大転子を切離し，付着している中殿筋，小殿筋とともに頭側へ反転する．骨切り線の外側下端は広筋隆起に一致させるが，上縁は関節包外とする方法と関節包内とする方法とがある*．切離される大転子の厚さは，使用しようとする人工股関節の種類によってまちまちであるが，変法として，互いに直交する 2 つの面で大転子を切離する方法がある．この切離を行うと，再接合したときの骨の接触面積はより広く，より安定した固定が得られる．

*訳者註：Charnley 原法では，関節包内に Gigli 線鋸を通して大転子と関節包を一緒に切離する．大転子が再接合されたときには関節包も接合されるので，術後の安定性に役立つ．

　切離した大転子を頭側に反転するとき，大転子の後縁に付着している軟部組織（梨状筋腱も含まれる）が緊張していれば，これを切離する（図 8-32，33）．

2) **外転機構の部分切離**：中殿筋の大転子停止部の少し上で，中殿筋の前方部分に支え縫合糸をかけ，この前方部分を停止部で切離する．小殿筋の白く厚い腱を大転子前面停止部で見つけ，これも切離する．どの程度まで中殿筋を切離するかは，個々の症例によって異なる（図 8-34）．スリムな症例では，中殿筋付着部を完全に温存したままでも展開可能である．

　大腿骨頚部と骨頭の軸に沿って，鈍的に関節包前面を入念に展開する．大腿直筋反転頭を関節包から切離して，寛骨臼前縁を出す（図 8-35；この操作のとき

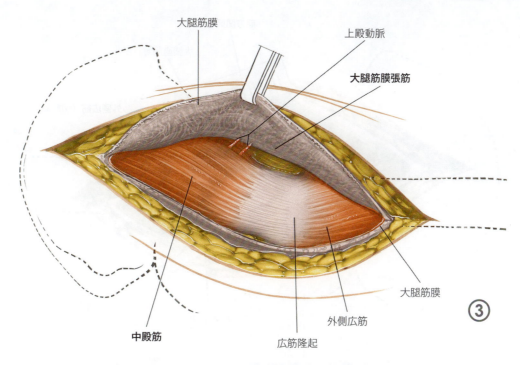

図 8-29　股関節前外側アプローチ．大腿筋膜張筋と中殿筋間の展開
大腿筋膜とこれに包まれている大腿筋膜張筋を前方へ引くと中殿筋が現れる．両筋の間には一連の血管が横切っており，結紮を要する．

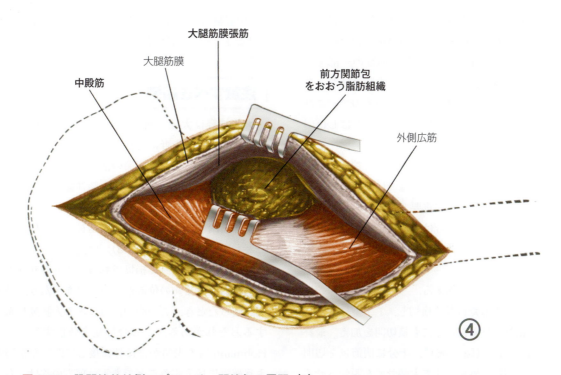

図 8-30　股関節前外側アプローチ．関節包の展開 (1)
中殿筋を後方へ，大腿筋膜張筋を前方へ開大し，関節包を直接おおっている脂肪組織を温存するよう鈍的に剥離する．

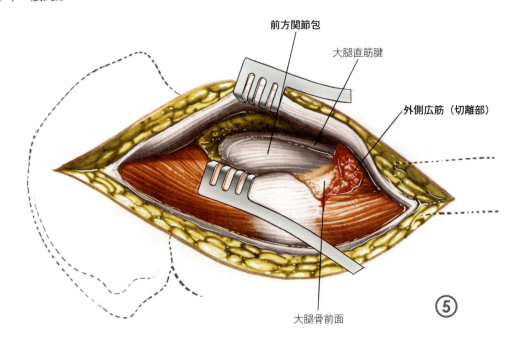

図 8-31　股関節前外側アプローチ．関節包の展開（2）
関節包前面の脂肪組織をていねいに剥離して，関節包と大腿直筋腱を展開する．

には股関節を屈曲位に保持する．大腿直筋を弛緩させるだけでなく，大腿動静脈や大腿神経を術野から遠く前方へ移動させる効果がある）．腸腰筋腱の一部を前方へ持ち上げて関節包から遊離する．大腿直筋および腸腰筋はともに一部関節包に停止しているので，これらの筋腱と関節包との間を分離することはしばしば困難である．

寛骨臼蓋前縁にHohmann鉤をかける．神経血管束は腸腰筋の前方にあるため，鉤が確実に大腿直筋と腸腰筋の下に入っていることが重要である．腸腰筋と関節包間の展開ができない場合は，関節包を切開して鉤を大腿骨頭に沿うように挿入すると，関節をよくみることができる．

前方関節包に縦切開を加える．さらに寛骨臼縁の近くで関節包をできるだけ長く横切し，T字型に開く．次に大腿骨頚部の付着部近くにも横切開を加え，最終的にH字型に開く（図8-36）*．十分に関節包を切開したのち，股関節を外旋させて大腿骨頭を脱転させる（図8-37）．

*訳者註：Charnley原法では，関節包は大転子付着部で大転子と一緒に切離される．

注意すべき組織

大腿神経は大腿三角（Scarpa三角）の最外側を下行しているので，術野に近く，もっとも注意しなければならない神経である．股関節の前方をおおっている軟部組織を鉤で過度に圧排すると，大腿神経の圧迫不全麻痺を合併することがもっとも多い．頻度は低いが，鉤が誤って腸腰筋内に挿入されると，大腿神経を直接に損傷することもある（☞図8-47，48）．

大腿動静脈が誤って損傷されることもありうる．寛骨臼前縁にかける鉤の位置が不正確であったり，腸腰筋を突き破ったとき，この筋の前方にある大腿動静脈を損傷するおそれがある．この合併症を防止するためには，Hohmann鉤の先端が常に骨に接して間に介在物がないよう確実に挿入することである．前方の鉤は，右股関節においては1時の位置に，左股関節では11時の位置に

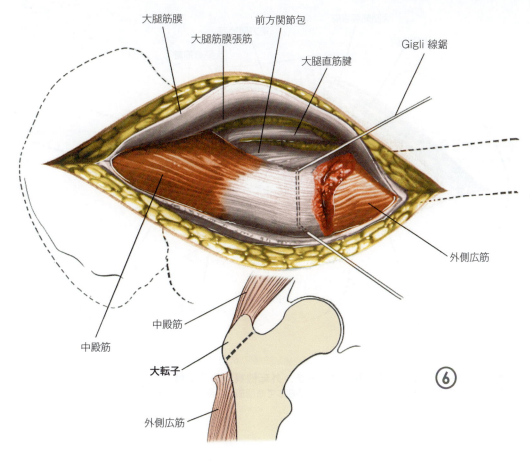

図 8-32　股関節前外側アプローチ．大転子切離

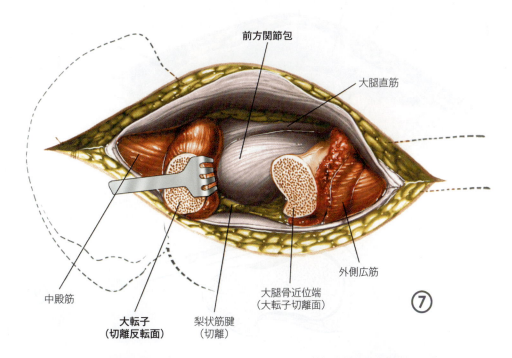

図 8-33　股関節前外側アプローチ．大転子の反転および前方関節包の露出
切離された大転子を中殿筋とともに近位へ反転すると，関節包が展開される．

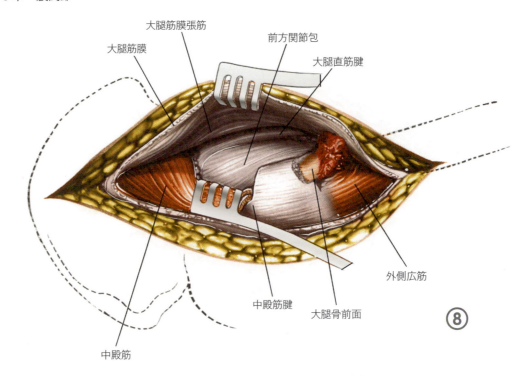

図 8-34 股関節前外側アプローチ．外転機構の部分切離
中殿筋の前方部分を大転子付着部から切離しても関節包の展開ができる．

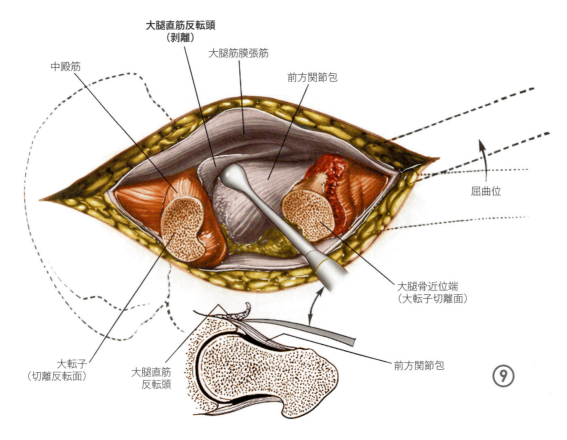

図 8-35 股関節前外側アプローチ．大腿直筋反転頭の処理
大腿直筋反転頭を関節包前部から剥離反転する．

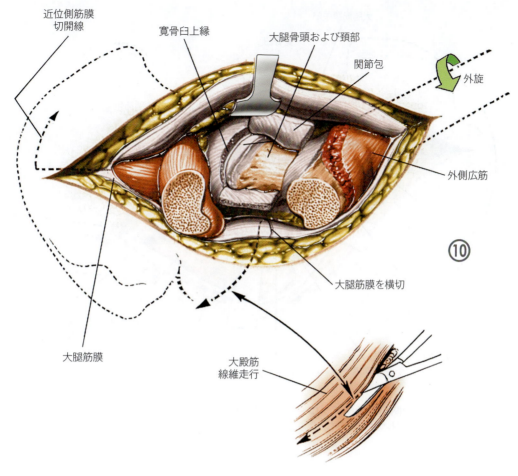

図 8-36　股関節前外側アプローチ．H 字型の関節包切開と外科的脱臼の準備
関節包を切開し，大腿骨頭と頚部，寛骨臼縁を展開する．さらに広い展開が必要なときは，大腿筋膜の切開を腸骨稜に向けて近位へのばし，さらに腸骨稜に沿って前方に拡大する．脱臼が困難な場合，緊張している後方の大腿筋膜と大殿筋線維を切離する（**挿入図**）．

かけなければならない．大腸直筋と関節包との正しい間隙を見つけるには，股関節を 30°屈曲位に保持すると容易となる．別の方法として，関節包切開を終えるまで寛骨臼縁には鉤をかけず，大腿骨頭を切除してから寛骨臼辺縁を直視下に確認して鉤をかける．

大腿深動脈は大腿動脈よりも深層で，腸腰筋の上にのっている．この動脈は鼡径靱帯のすぐ遠位で大腿動脈から分岐していることがあり，この破格があると寛骨臼前縁に接して走行する．鉤の設置を誤ると，この血管を損傷することがある．

これらの血管の損傷による出血は，後腹膜腔に流れ込み術野に出ないために手術中明らかにならない場合があ ることに注意が必要である．

大腿骨頭を脱転させるときに，**大腿骨骨幹部の骨折を起こす危険がある**ことはよく知られている．脱転操作に入る前に，関節包が十分に解離されていないことが骨折発生の決定的な要因である．脱転にさいし，Watson-Jones ノミ（先端が鈍なヘラ状のノミ）のようなものをテコとして用い，骨頭を寛骨臼からこじり出すようにしながら，助手に患肢をゆっくり外旋させる．助手の保持している患肢は長いテコの柄をもって外旋されるようなものであるから，無理な力を加えると大腿骨の螺旋骨折を起こしてしまう．

臼底突出症が高度な例では，骨頭をおおっている骨棘

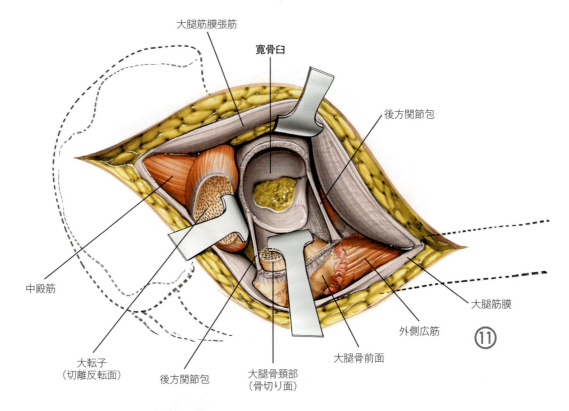

図 8-37　股関節前外側アプローチ．寛骨臼の展開
大腿骨頭を脱転し切除したのち，3～4本のHohmann鉤を寛骨臼辺縁にかける．

および臼縁をノミで切除してから脱転する．

　さらに無理な力を入れなければ脱転できそうもないときは，大腿骨頸部を1cmくらいの間隔で二重に骨切りし，骨の一部を切除したのち，離断された骨頭をコルク栓抜きで摘出するのが安全な方法である．

　大腿骨髄腔のリーミングにさいして，下肢を完全に内転しかつ外旋するときにも大腿骨骨幹部骨折が起こりうる．術者が大腿骨の断端面を考えてリーミングするには，下肢を十分に内転しなければならない．大腿筋膜の切開が前方に寄りすぎていると，大腿筋膜が内転のさいの抵抗となり，熱心すぎる助手が力を入れすぎて大腿骨骨折を起こす危険がある．このことが大腿筋膜切開を大転子の後縁に合わせるようにする理由である*．もし大腿筋膜が下肢内転の抵抗になる場合は，筋膜を大殿筋の線維方向に切開するのが安全である（☞図8-36）．

*訳者註：Charnley原法では皮切と筋膜切開の近位部は後方にカーブしているので，大腿筋膜の抵抗が少ない．

術野拡大のコツ

●深部への拡大

　縦切展開された大腿筋膜の後ろの部分が緊張していると，股関節を内転位としたときに完全脱転あるいは内転位保持が困難となる．このときには緊張している大腿筋膜に切開を加える．より広く展開したいときは，この筋膜切開を後上方へ向けて延長し，腸脛靱帯へ続いている大殿筋を線維走行に分ける（☞図8-36）．この操作は手術的に脚延長された場合の人工股関節を整復するときにも必要になることもある．

　切離した大腿筋膜を前方へ引くのが不十分なときは，

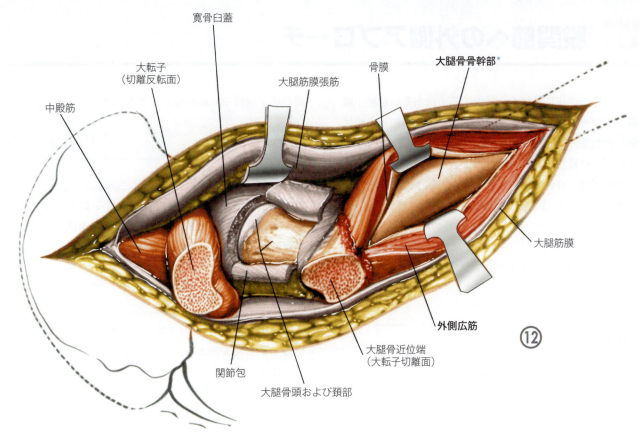

図 8-38　股関節前外側アプローチ．下方（遠位）への術野拡大
大腿外側皮切を下方へ延長し，筋膜切開と外側広筋を線維方向に分離すると大腿骨の外側に達する．

　筋膜切開を頭側へ延長し，さらに腸骨起始部近くで筋膜の前方部分を切離する（☞図 8-36）．筋膜切開を遠位へ延長しても同様に術野を拡大できるが，これらの操作が必要となることはまれであろう．

　寛骨臼を完全に展開するキーポイントは，鈎を正しく挿入することである．術式が異なれば，使用する鈎も異なるが，3〜4本のHohmann鈎を骨に固定して寛骨臼縁にかけるのがもっともよい方法である（☞図 8-37）．

●上下への拡大

　大腿外側の皮切を遠位へ延長し，筋膜切開をのばす．外側広筋を縦に分割して大腿骨の外側に到達する．この経路により，大腿骨を全長にわたって展開が可能となる．大腿骨頚部骨折の観血的整復・内固定，あるいは髄腔リーミング中の大腿骨骨折では，しばしば術野の遠位への拡大が必要となる（図 8-38）．

　前外側アプローチでは，近位側への有用な拡大法はない．

4 股関節への外側アプローチ

　股関節を直接に外側から展開する方法あるいは経中殿筋アプローチでは，人工股関節全置換術の目的のために優れた展開が得られる[17]．この方法では大転子切離を行わず，中殿筋の大部分を温存できるので，術後早期の患肢の運動が可能である．しかし，大転子を切離する前外側アプローチほど広い展開は得られない．したがって，このアプローチで再置換術を行うのは困難である*．
*訳者註：おそらく背臥位を前提にしているためかもしれないが，「再置換を行うのは困難」というのは断定しすぎであると思われる．

患者体位

　背臥位．大転子が手術台の辺縁にくるようにして，殿部の皮下脂肪や殿筋が術野の下方に落ち込むようにする（👉図8-26）．

ランドマーク

　上前腸骨棘を遠位からこすり上げるようにして触れる．**大転子**の外側面を触れ，さらにその遠位に続く**大腿骨骨幹部**の抵抗を外側から確認する．

皮　切

　大転子頂点の約5cm上から，大転子の前後幅の中心を通る縦切開を加える．大腿骨軸に沿って約8cm遠位へのばす（図8-39）．

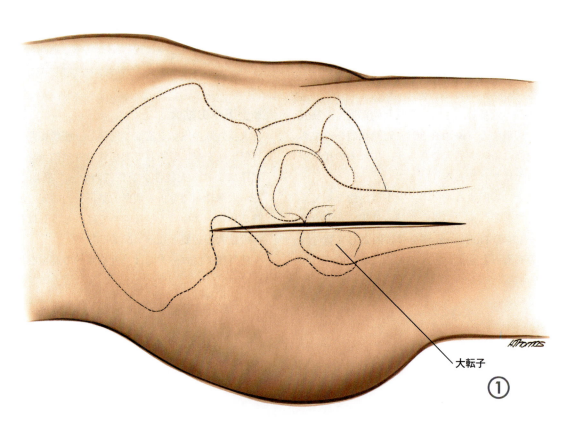

図8-39　股関節外側アプローチ．皮切
大転子の中心を通り，大腿骨軸に沿う縦切開を加える．

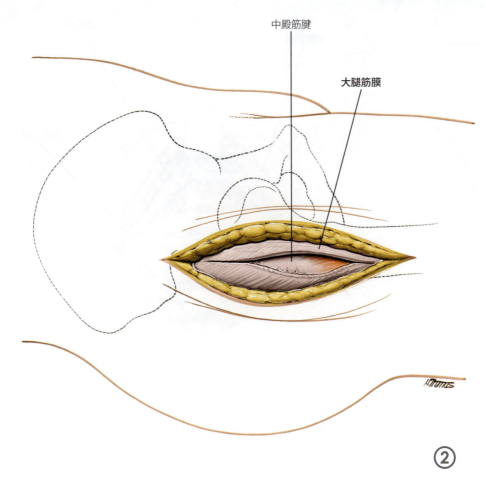

図 8-40　股関節外側アプローチ．筋膜切開
皮切線に一致して大腿筋膜を切開し，大腿筋膜張筋を前方に引く．

internervous plane

このアプローチでは真の internervous plane はない．中殿筋およびその腱は固有の線維走行に従って分割する．中殿筋を支配している上殿神経の位置よりも遠位で筋腱を切離する．外側広筋も大腿神経が筋内に入る外側で分割する．

浅層の展開

皮切線に一致して皮下脂肪と筋膜を切開する．筋膜切開縁に鉤をかけて，大腿筋膜張筋を前方へ，大殿筋を後方へ引く．深筋膜に付着している中殿筋線維をすべて鋭的に切離する．中殿筋と外側広筋が術野に現れる（図8-40）．

深層の展開

大転子の中央部から始まって，中殿筋を線維走行に分ける．上殿神経の分枝があるので，大転子の上端から3cm より上までは展開してはならない．大転子下端外側に付着している外側広筋も線維走行に分ける．次に，

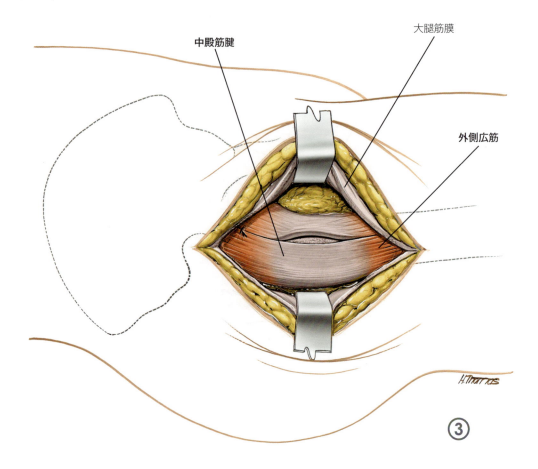

図 8-41 股関節外側アプローチ．深層の展開（1）
大転子の頂点の直上で中殿筋を線維走行に一致して分け，さらに大転子の外側を通り，外側広筋を2cm遠位まで分ける．

中殿筋，その下層の小殿筋および外側広筋の前方部分を1つの前方フラップとして展開する（図8-41）．これらの筋を大転子から遊離するには鋭的に切離するか，大転子の一部を骨片として切り落とさなければならない．大腿骨頚部の形状に合わせて，付着する前方関節包が現れるまで前方展開を進める．大転子前方に付着している小殿筋腱も切離する必要がある（図8-42）．鉗子にガーゼ綿球を挟んで，関節包とその上に張っている筋との間を鈍的に拡げる．

関節包にT字型切開を加えて関節腔内に入る（図8-43）．大腿骨頚部で骨切りする（図8-44）．コルク栓抜きで大腿骨頭を摘出する．寛骨臼周辺に適当なレトラクターを挿入して寛骨臼を完全に展開する（図8-45）．

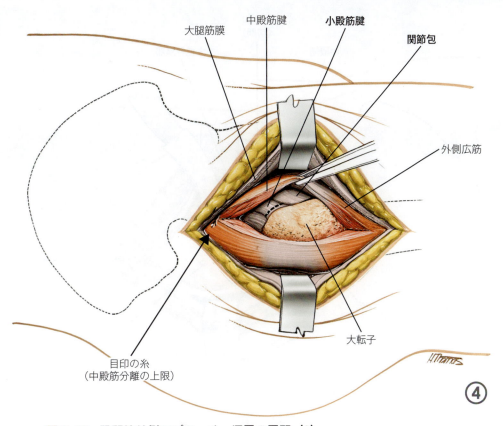

図 8-42 股関節外側アプローチ．深層の展開（2）
分離した前方フラップを前方に引いて，小殿筋腱を切離して，関節包前面を展開する．

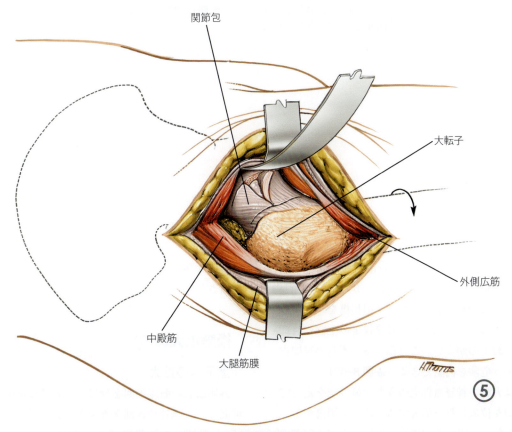

図 8-43 股関節外側アプローチ．関節包切開
大腿骨頸部長軸と寛骨臼辺縁に沿う T 字型切開を加える．

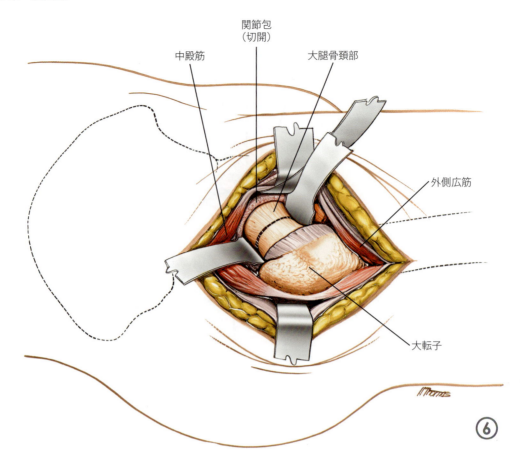

図 8-44 股関節外側アプローチ．大腿骨頚部の骨切り
振動骨鋸を用いて骨切りする．

注意すべき組織

上殿神経は大転子上端の約3〜5cm近位で，中殿筋と小殿筋の間を走っている．この部位より近位を展開しようとすると，この神経を切ったり牽引損傷を起こす危険がある．それゆえ，分割した中殿筋線維の上限に目印の糸を結んでおくのがよい．これによって不意の展開拡大をしてしまう危険を防止できる（☞図 8-42）．

大腿神経は大腿の神経血管束のうちで最外側を走っていて，不適切な位置に鉤を挿入するとこれを損傷する．前方にかけた鉤は，腸腰筋内に入らないよう寛骨臼前面の骨に直接かけるようにする．

大腿動静脈もまた不適切な鉤の挿入により損傷される．

外側大腿回旋動脈の横枝は外側広筋を切離するときに切断されるので，電気凝固する．

術野拡大のコツ

●上下への拡大

外側広筋の筋線維間を分けると容易に遠位への拡大は可能で，大腿骨骨幹部を骨膜上に展開できる（☞第9章「1 大腿骨への外側アプローチ」）．外側アプローチでは，近位側へ拡大することはできない．

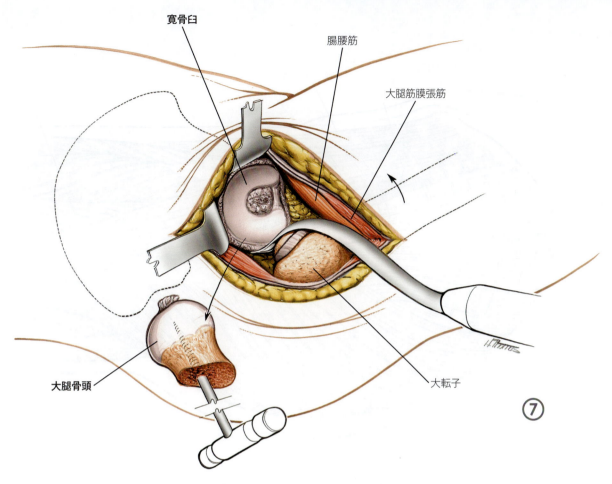

図 8-45　股関節外側アプローチ．大腿骨頭摘出
大腿骨頭を摘出し，レトラクターで寛骨臼を展開する．

5　股関節への前方，前外側および外側アプローチに必要な外科解剖

概　観

　大腿筋膜は股関節を取り巻くすべての筋の表面をおおっている．この筋膜と縫工筋，大腿筋膜張筋，大殿筋の3つの筋との解剖学的関係を理解することが股関節外科では重要である．大腿筋膜は縫工筋を被覆し，それが深層と浅層に分かれて，大腿筋膜張筋と大殿筋を包み込んでいる（図8-46）．股関節部外側面の表層は大腿筋膜とこれに包まれている大腿筋膜張筋である．縫工筋はさらに前方にある．腸骨外壁に起始する中殿筋の表面は筋膜におおわれているが，包み込まれてはいない（図8-47）．

●前外側アプローチ

　このアプローチのキーポイントは，大腿筋膜張筋と中殿筋との関係である．表在性の大腿筋膜張筋は，腸骨稜の前方部分すなわち外唇（labium externum）より起始する．中殿筋は腸骨翼の外壁で，前方および後方の殿筋線の間より起始する．したがって両筋の起始部はほとんど連続しているが，大腿筋膜張筋は中殿筋よりも表在性

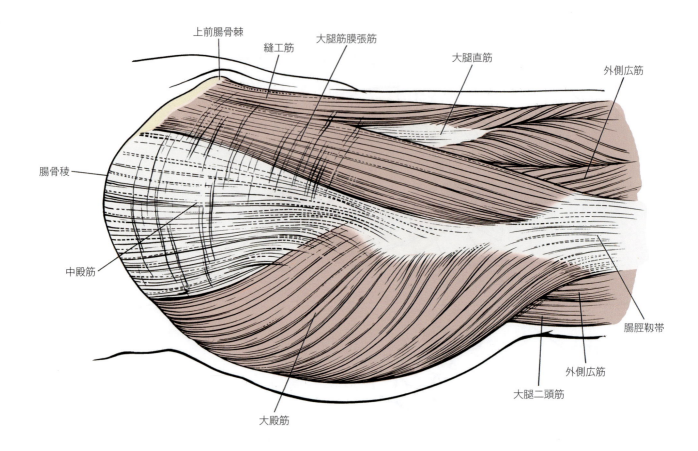

図 8-46　股関節前外側面の表層解剖

で前外側に位置している（図 8-48）．

　大腿筋膜張筋は大腿深筋膜の肥厚部すなわち腸脛靱帯に停止し，中殿筋は大転子の前部と側部に停止する．両筋の起始と停止がこのような関係になっているので，大腿筋膜張筋は中殿筋よりも浅層を占めている（図 8-47，48）．

　中殿筋と大腿筋膜張筋との筋層間を展開するときは，大腿筋膜張筋の後縁より後方で筋膜を切開し，筋膜切開縁を前方へ引く．大腿筋膜張筋は筋膜に包み込まれているため，筋腹も筋膜と一緒に前方へよけることができる（図 8-47）．

　どの前外側アプローチでも，この筋層間を展開して大腿骨頚部に達し，それから関節包を切開し，これを内側へ引いて寛骨臼前縁を出す．股関節の外転機構をどのように処理するかはいろいろな術式によって異なっている．大腿骨のリーミングがやりやすく，寛骨臼をより十分に展開するためには，内転位が十分にとれ，かつ寛骨臼が確実にみえるよう，切断された大腿骨頚部が後方へ十分に移動できるようにしなければならない．

5. 股関節への前方，前外側および外側アプローチに必要な外科解剖

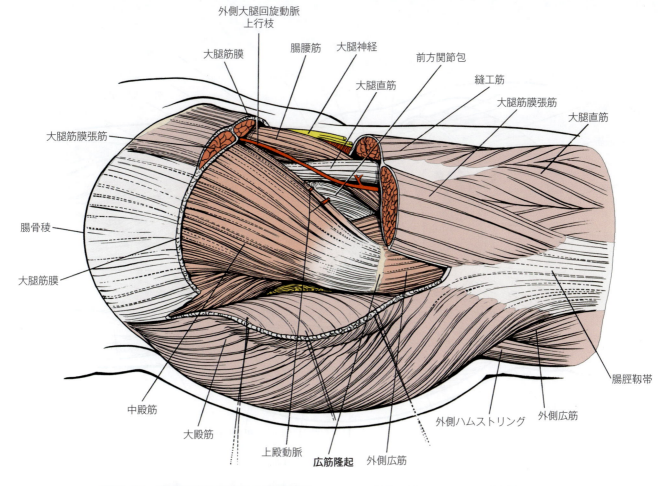

図 8-47　股関節前外側面の中間層解剖
縫工筋，大腿筋膜張筋，大腿筋膜を切除し，大殿筋の前方部分を後方へ反転したところ．中殿筋と股関節前方の構造が現れる．大腿筋膜は浅層と深層に分かれて大腿筋膜張筋を包み込むが，中殿筋を包み込んでいない．

中殿筋	起　始	腸骨翼外壁の前・後殿筋線の中間部と中殿筋表面をおおう筋膜
	停　止	大転子外側表面
	作　用	股関節の外転と内旋
	支配神経	上殿神経

●前方アプローチ

このアプローチはより簡単であるが，浅層と深層の2層を展開しなければならない．

浅層の展開は，大腿筋膜張筋（上殿神経支配）と縫工筋（大腿神経支配）の間である（☞図8-13）．この2つの筋肉の間が真のinternervous planeである．両筋の間には外側大腿皮神経と外側大腿回旋動脈の上行枝が走っているが，これらを確認してよけてから展開する（☞図8-13, 14）．

深層の展開は大腿直筋（大腿神経支配）と中殿筋（上殿神経支配）の間であるが，これも真のinternervous planeである．これを展開するときに面倒なのは，大腿直筋の反転頭の一部が関節包に付着していることによる．腸腰筋の一部も同様に関節包に付着している（☞図8-14, 15）．

●外側アプローチ

このアプローチは外側広筋と中殿筋との間を分けて，股関節包に直接に到達する．このアプローチの上縁は上殿神経によって限定されている．この神経は中殿筋の筋腹を横切っている．

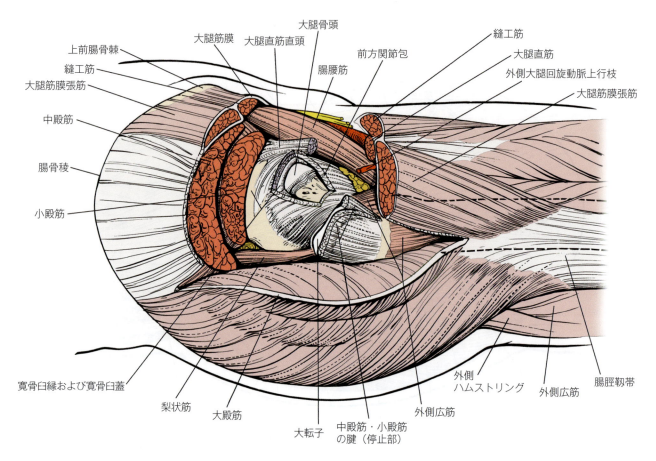

図 8-48　股関節前外側面の深層解剖
中殿筋，小殿筋，大腿直筋を切除したところ．深層の筋と関節包を示す．関節包を切除すると寛骨臼と大腿骨頭および頚部が展開される．

ランドマーク

　上前腸骨棘には縫工筋と鼠径靭帯という2つの重要なものが付着している．すなわち縫工筋の起始部および鼠径靭帯の外側端である．さらに外側大腿皮神経が近接して走っているという理由もあって，上前腸骨棘を移植骨片に含めて切除することはまずない．

　腸骨稜前方 1/3 には，次の3筋が付着している．
1) **外腹斜筋**は前腹壁の外層を形成する筋で，腸骨稜前方部分の外唇に付着している．
2) **内腹斜筋**は前腹壁の中間層を形成する筋で，腸骨稜前方部分の中間線に付着している．
3) **大腿筋膜張筋**は腸骨稜前方部分の外唇より起始している．

　前方アプローチでは大腿筋膜張筋の起始を剥離するが，内外腹斜筋の停止部は切離しない．

　大転子は大腿骨近位端の骨突起（アポフィジス）で，中殿筋と小殿筋が停止しており，これらの筋の牽引力が加わるところである．

　外側広筋隆起（vastus lateralis ridge）は，一部は成長期に外側広筋の腱膜の張力により，また一部は大腿骨骨幹部と大転子の癒合によってできた骨隆起である（図 8-49，50；☞図 8-47）．

皮　切

　前方アプローチ，外側アプローチおよび前外側アプローチにおいては，皮線（line of cleavage in the skin）を無視して皮切が加えられる．瘢痕は衣服におおわれるのが常で，目立つことはまれである．

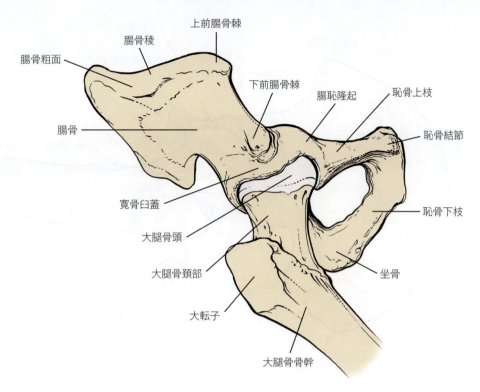

図 8-49　前側方からみた骨盤および股関節の骨格

浅層の展開－その注意すべき組織

前方アプローチと前外側アプローチでは大腿筋膜張筋と関係ある経路を用いる．前方アプローチは大腿筋膜張筋の前方を通り，前外側アプローチは大腿筋膜張筋の後方を通る（図 8-51）．外側アプローチでは中殿筋と外側広筋との間を分ける．

●前方アプローチ

大腿筋膜張筋と縫工筋は腸骨稜前端の一連の起始部から隣接して走り，上前腸骨棘の少し下で両筋の走行が分かれる．したがって大腿直筋は，両筋の間からみることができる（図 8-13）．

大腿筋膜張筋の筋腹の形状は三角形である．断面でみると，その起始部はきわめて細く，腸脛靱帯に移行する直前で太くなっている．腸脛靱帯には他に大殿筋という大きな筋が停止しているので，大腿筋膜張筋単独の機能を説明することは難しい．ポリオの下肢変形例で，腸脛靱帯を解離すると股関節の屈曲外転拘縮がとれる．

この筋は伸展位における股関節と膝関節の安定を保持する役割があるようで，片脚立位での安定を維持するのに重要なものと考えられる[18]．大腿筋膜張筋は，歩行時の立脚期と遊脚期の体幹と脚のバランスをとるのが本来の役割であるという報告もある[19]．

大腿筋膜張筋の筋線維は中殿筋のそれよりも細い特徴があるが，筋線維の質的差によって両筋の区別が容易となるほどのものではない．

縫工筋は身体中でもっとも長い筋で，股関節と膝関節にまたがる2関節筋である．個々の筋線維自体ももっとも長いものであり，縫工筋の筋力は弱いものではある

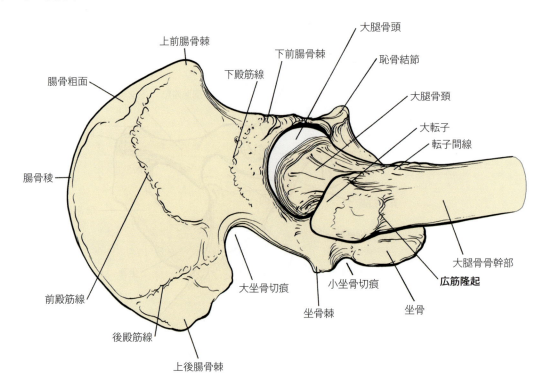

図 8-50　**外側方からみた骨盤および股関節の骨格**

が，その収縮距離は特別に長い．

大腿筋膜張筋と縫工筋との間には 2 種の注意すべき組織があり，これらが前方アプローチの浅層展開の操作をやや煩雑にしている．

1) **外側大腿回旋動脈上行枝**：しばしば結紮を必要とするくらい比較的太い動脈である．これは大腿部をぐるりと回旋して走る一連の動脈の 1 つである（👉本章「1 股関節への前方アプローチ」）．これは internervous plane を横切って血管が走っているまれな例である（👉図 8-14，15）．

2) **外側大腿皮神経**：腰神経叢から出て，大腿外側の感覚を支配する．ときには大腿神経幹から分かれることもある．腰神経叢から分かれたのち，腸骨筋の表面を通って骨盤内を下行する．上前腸骨棘と鼠径靱帯中央部との間のどこかで，鼠径靱帯の下を通り，大腿に達する．もっとも多いのは上前腸骨棘の内側直下で筋膜を貫通する．しかし，上前腸骨棘の上方ないし外側から大腿に分布することもある[11]．その変異にかかわらず，この神経は大腿筋膜を貫通した後皮下脂肪層の深層を走行する．より遠位ではかなりの解剖学的異型があり，縫工筋を回って出たり縫工筋を通過したり（👉図 8-13），あるいは鼠径靱帯のすぐ遠位で 3 ないしそれ以上に枝分かれすることもある（図 8-52）．

外側大腿皮神経の圧迫症候群，すなわち感覚異常性大腿痛（meralgia paresthetica）は，鼠径靱帯通過部あるいは筋膜通過部で圧迫症状が発生するものと報告されている．大腿外側部に痛みを伴った感覚異常をきたすのが症状で，神経の除圧によって軽快する．ときには神経圧迫が腸骨表面にも及び，除圧を骨盤内まで延長することもある．

● **前外側アプローチ**

中殿筋は起始部が表在性で停止部は深在性であるため，浅層の展開と深層の展開の両者に関係する（👉図 8-46〜48）．前方アプローチでは，中殿筋は股関節を直接おおっている深層を展開するときに現れる．前外側アプローチでは，この中殿筋はより浅層を展開した段階で現れる．

中殿筋は 2 つの重要な構造特性を持っているが，この特性を理解していると股関節の前外側アプローチにおける混乱を予防できる．第 1 に，中殿筋線維は大腿筋膜の下面に付着しているのが普通である．そのため，中殿筋の前縁を展開しようとして大腿筋膜切離縁を持ち上げるときに，しばしば大腿筋膜の下面に付着している中殿筋線維を剥離しなければならない．大腿筋膜は大腿筋膜張筋と中殿筋を包んで入るが，多くの症例において，大腿

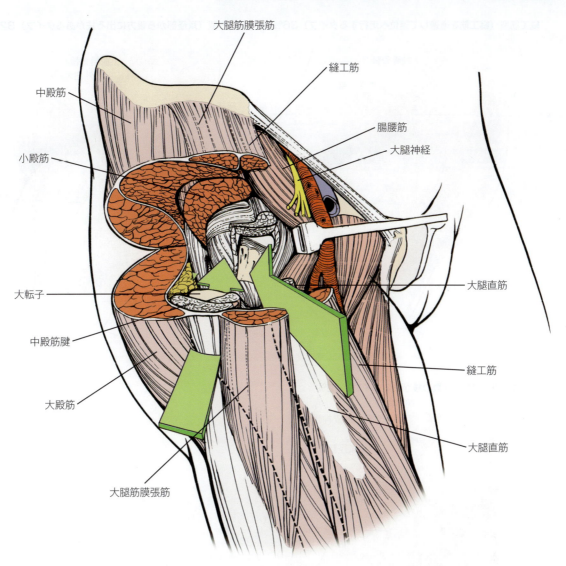

図 8-51 股関節前方および前外側アプローチにおける筋肉の境界

筋膜が中殿筋の起始の一部にもなっている．

第2に，中殿筋の大転子付着部近くでは一層の薄い筋膜が中殿筋表面をおおっていることもしばしばみられる．中殿筋切離のために中殿筋前縁をつまみ上げたときに，まずこの薄い筋膜を切開することがときに必要となる．もしこの切開を加えておかなければ，この筋膜が大転子表面の筋膜と連続しているので，中殿筋前縁を持ち上げる操作が困難となる．

中殿筋は最強の股外転筋であって，これが麻痺するとTrendelenburg 跛行をきたす．すなわち歩行時に患側に荷重したとき，患肢が内転位になることに抵抗できず，骨盤が沈下する．

中殿筋（付着部）前半と大転子前部との間には滑液包がある*．これらの炎症は疼痛の原因となる．

*訳者註：旧版（第5版）の記載では，「大転子の外側表面には大殿筋転子包，中殿筋停止腱と大転子との間には中殿筋転子包などの滑液包がある」とされていた．今版の記載では，一部の症例で中殿筋と外側広筋への連続性がないときにみられる滑液包を述べており，通常いわれる大転子部滑液包ではないため，旧版の記載が妥当と考えられる．

大腿筋膜張筋と中殿筋との間の internervous plane には1本の神経，すなわち上殿神経が横切っている．骨盤まで展開を拡大しようとすれば，この神経を切らなければならない．大腿筋膜張筋の支配神経が切断されたときに，臨床的に有意な障害を残すか否かは議論の余地のあるところである．

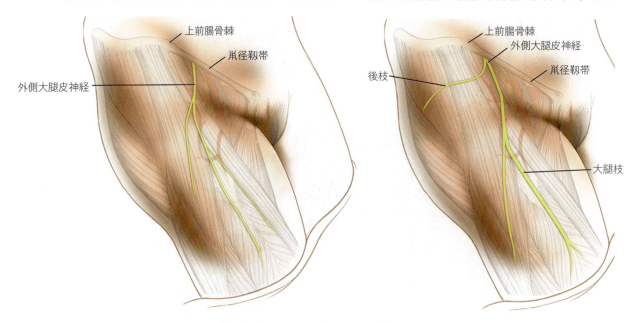

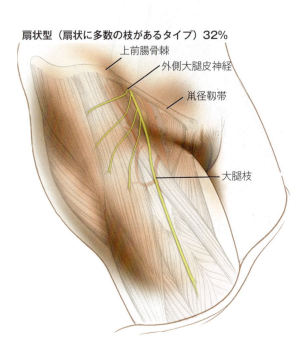

図 8-52 外側大腿皮神経の代表的変異
外側大腿皮神経の解剖学的走行は，鼠径靱帯の遠位ではかなり変異がある．3つの代表的変異を示す．この神経は股関節への前方アプローチにおいて常に損傷の危険がある．

●外側アプローチ

外側アプローチでは中殿筋線維と外側広筋線維を分ける．切開前方では大転子前面を小殿筋と関節包がみえるまで剥離する．中殿筋と大転子との間には滑液包が存在するので，この展開が可能となる．

深層の展開－その注意すべき組織

もっとも難しいのは，おそらく関節包とその周辺組織との境界を確認することであろう．それは股関節に接しているすべての筋は，線維の一部が関節包に付着しているからである．

●前方アプローチ

このアプローチで深層に存在するのは，大腿直筋と中殿筋である．大腿直筋の起始は2頭に分かれているが，この両者を切離しなければならない．直頭は下前腸骨棘に起始し，反転頭は寛骨臼蓋の上縁と関節包に起始する．中殿筋は腸骨翼外壁の前および後殿筋線間部から起始する．両筋間を展開するのは難しくないが，大腿直筋の一部は関節包から起始しているために，これを関節包から剥離することが難しい（☞図 8-14～16）．

腸腰筋は術野の内側下方に現れるが，関節の前面を展開するには，これを内方へよけなければならない．腸腰筋は股関節前面を直接横切り，その線維の一部は関節包に停止している（iliocapsularis）（☞図 8-16）．

腸腰筋腱は大腰筋と腸骨筋の総腱である．腸恥滑液包は腸腰筋腱と関節包との間にある滑液包である．この滑液包は股関節腔と交通していることもあるが，変形性股関節症では交通がないのが普通である．腸腰筋腱は関節包の前方，内方に付着している．

●前外側アプローチ

大腿動静脈は鼠径靱帯の下を通って大腿に達する．動静脈は大腰筋の表面に位置し，上前腸骨棘と恥骨結節との中間点，すなわち鼠径靱帯の中点を通る．よって大腿動脈は腸腰筋を介して，股関節の直前に位置している．大腿静脈が最内側に，次に大腿動脈，そして最外側が大腿神経という配列である（この配列は VAN［Vein, Artery, Nerve］と記憶する）．

寛骨臼前方の筋をよけるために鉤*を強く長時間にわたってかけておくと，大腿神経の圧迫不全麻痺を起こすこともあるが，鉤を正しく寛骨臼前縁にかけておく限り，神経や血管を損傷する危険はない．

*監訳者註：ここでいう"鉤"は Hohmann 鉤を指していると思われる（☞本章「3 股関節への前外側アプローチ」）．

鉤を骨から離れてあまり前方に挿入すると，腸腰筋内にかみ込み，大腿三角（Scarpa 三角）内の神経，血管を損傷することがある．この合併症を予防する対策は，腸腰筋と大腿直筋の反転頭の下から確実に鉤を寛骨臼縁に固定されるように位置を保つことである．

●外側アプローチ

股関節包の前方を展開するには小殿筋腱を切離する必要があるが，この操作が術後の Trendelenburg 跛行の原因とはならないようである．

このアプローチでは関節包とその上に張っている筋との間隙に入る．この間隙は少量の脂肪組織で占められているので，ガーゼを用いて鈍的に剥離できる．この有効な間隙は初回手術例には常に存在するが，再手術例では瘢痕によって消失している．そのため股関節前方の血管損傷の危険率は，初回手術より再手術のほうが高い．

6 股関節への後方アプローチ

もっとも実用的でよく用いられる股関節進入法である．Moore[20]によって一般化され，しばしばSouthern approachとも呼ばれる．

どの後方アプローチも簡単かつ安全で，助手1人で短時間で関節に到達できる．後方アプローチでは股関節の外転機構に手を加えないので，術直後の外転筋力低下を避けることができる．後方アプローチは大腿骨骨幹部を直視下に展開できるので，大腿骨コンポーネントの再置換によく用いられる．

股関節への到達には後方関節包の切開が含まれるので，人工股関節や人工骨頭の種類にかかわらず，もし術後に脱臼が起これば，それは股関節の屈曲・内転位の結果起こる．寝たきりの高齢者の大腿骨頚部骨折に対して後方アプローチによって治療された場合には，前方アプローチで治療された場合よりも脱臼の頻度は高い．高齢者は股関節の屈曲・内転位で臥床することが多いことも関係している．

適応は，次の通りである．
- 人工骨頭置換術[21～23]
- 人工股関節全置換術，再置換術
- 寛骨臼後壁骨折[24, 25]と大腿骨頚部骨折の観血的整復・内固定
- 股関節感染症の持続ドレナージ
- 股関節遊離体摘出
- 有茎骨移植[26]
- 股関節後方脱臼の観血的整復

患者体位

患側上の完全側臥位とする．この手術の患者はたいてい高齢者であり，皮膚が弱いため骨盤や下肢の骨にあたるところを保護する．下になる下肢の外果と膝の下にパッドをおき，両膝の間に枕を入れる．術中に患肢を自由に動かせるようにするために，ドレープを巻くかストッキネットで包む（図8-53）．

ランドマーク

大腿外側で**大転子**をよく触れてみる．大転子の後縁は前縁や側面よりもより表在性で，触れやすい（👍図8-27）．

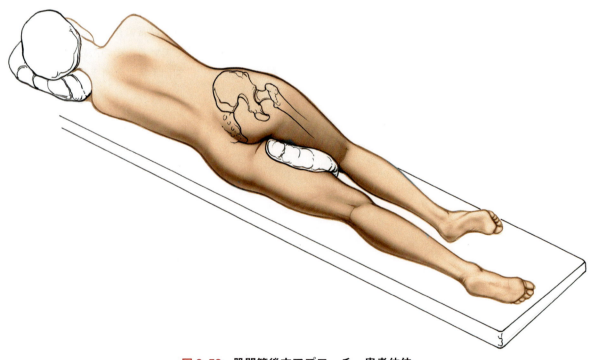

図8-53　股関節後方アプローチ．患者体位

6. 股関節への後方アプローチ

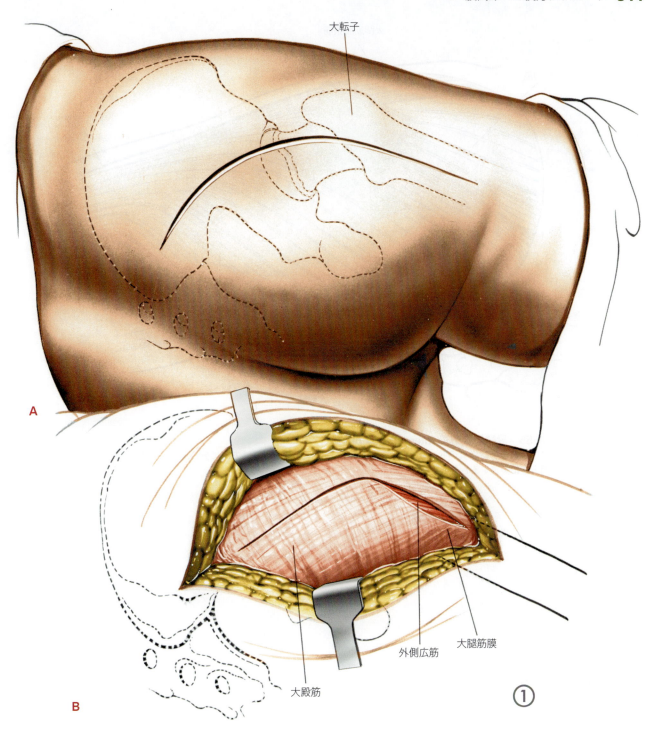

図 8-54　股関節後方アプローチ．皮切（A）および筋膜切開（B）

皮　切

大転子後縁を中心とする 10〜15 cm の皮切を加える（図 8-54A）．まず大転子後縁の後上方約 6〜8 cm のところから大転子後縁まで切開する．この皮切は大殿筋線維の走行に一致している．皮切を前方凸にカーブさせ，大転子後縁から大腿骨骨幹部に沿って下行する．股関節を 90°屈曲位で大転子の後縁を通って直線状に縦切すれば，股関節を伸展位としたときに Moore 型皮切のカーブを描く．結果的に皮切は大転子後縁を中心とした 10〜15 cm の弓状となる．

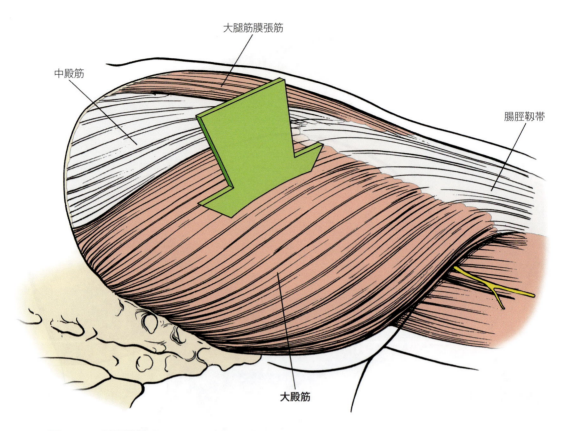

図 8-55 股関節後方の internervous plane
後方アプローチには真の internervous plane はない．大殿筋を線維方向に分けるが，大殿筋の機能を明らかに障害するものではない．

internervous plane

このアプローチには真の internervous plane はない．しかし大殿筋線維の方向に分けて進入するが，大殿筋への神経は筋線維間を分離する線よりもかなり内側に分布しているので，問題となる大殿筋麻痺はきたさない（図 8-55）．

浅層の展開

大腿骨の外側で大腿筋膜を切開し，外側広筋を出す．筋膜切開を皮切に一致して近位へのばし，大殿筋の筋線維間を鈍的に分ける（☞図 8-54B）[大殿筋をおおっている筋膜の厚さにはかなりの個人差があり，高齢者ではきわめて薄い]．

大殿筋は上・下殿動脈によって栄養されている．これらの血管は筋の裏側から筋に入り，自転車の車輪のスポークのように外に向かって分枝しているので，筋を分けていくとき，筋線維間を横切って走る血管に必ず出合う．動脈からの出血のみならず，静脈からの出血もあることを予測して展開を進める．筋をていねいに分けていけば，血管が鈍的に引きのばされて切れてしまう前に，横走する血管をつまんで凝固切断することができる．引きのばされて切れてしまった血管は筋組織内に退縮し，止血がより困難になることは当然である．

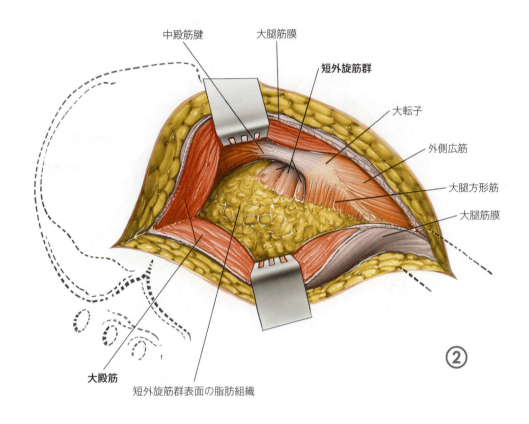

図 8-56 股関節後方アプローチ．大殿筋の分離
大殿筋を線維方向に鈍的に分けると，短外旋筋群の表面をおおう脂肪組織が現れる．

深層の展開

分離した大殿筋線維間を切開した筋膜とともに開創すると，その下は短外旋筋群におおわれた股関節の後側面である．短外旋筋群は大腿骨上端の後外側面に付着している（図8-56）．

坐骨神経は大坐骨切痕を通って骨盤から出て，脂肪組織に包まれながら，短外旋筋群の上を通って，大腿後面を下行していることに留意しなければならない．坐骨神経は内閉鎖筋，上・下双子筋および大腿方形筋の上を横切り，大殿筋の大腿骨付着部の下層に入る．短外旋筋群の上で坐骨神経を見つけ，触れることは簡単である．し

かし，神経の周りの血管から不要な出血を起こすので，脂肪組織を分けて神経を露出するようなことをしてはならない（図8-57）．

下肢を内旋位として，短外旋筋群を緊張させて輪郭をはっきりさせ，同時に坐骨神経が術野からより遠く離れた状態とする（図8-58A，B）．

大転子への停止部近くで，梨状筋腱と内閉鎖筋腱に支え縫合糸をかける．短外旋筋を大転子停止部で切離し，後方に反転して，筋で坐骨神経をカバーして以後の操作における坐骨神経の保護に役立てる（図8-58C）[関節包の後面をより完全に展開するために，大腿方形筋の上方部分を切離することもありうるが，この筋には外側大

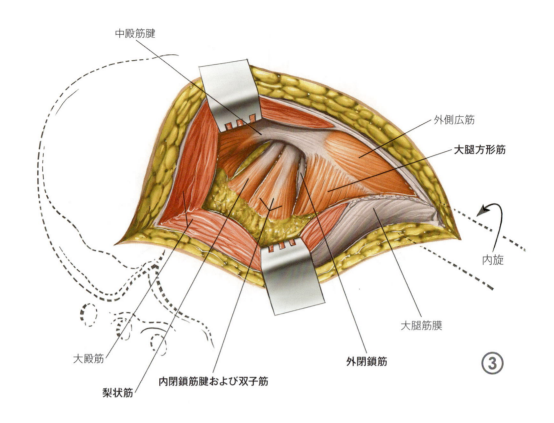

図 8-57 股関節後方アプローチ．短外旋筋群の展開
脂肪組織を内側後方へ押しのけて，短外旋筋群の停止部を出す．ここで坐骨神経は脂肪組織に包まれていて，術野にみえないことに注意する．神経周囲の脂肪組織よりも浅層にある大殿筋の筋組織内に鈎をかける．

腿回旋動脈から分かれたやっかいな血管が入っているので，通常は切離しないでおくべきである］．

以上の操作で股関節包の後面は完全に展開された状態となる．関節包に縦切開あるいはT字型切開を加えて，大腿骨頭および頚部を展開する（図 8-59）．関節包切開後に下肢を内旋すれば骨頭を脱転できる．

注意すべき組織

坐骨神経を露出したり切断したりすることはまれではあるが，もし損傷すれば重大な合併症となる．大殿筋を開大する自在レトラクターの後方ブレードの圧迫によって，坐骨神経を損傷することもある．レトラクターは常に外旋筋群よりも浅層にかけておかなければならない．外旋筋群は坐骨神経を保護してくれる．

坐骨神経はときどき骨盤内において脛骨神経と総腓骨神経とに分かれている．展開の途中で脛骨神経が2本あるようにみえることがある．坐骨神経を確認したとき，それがあまりに細いように思われるときは，もう1本の分枝を探す必要がある．これを見逃していて損傷する危険があるからである．

下殿動脈は梨状筋の下で骨盤を出て，頭側に拡がり，

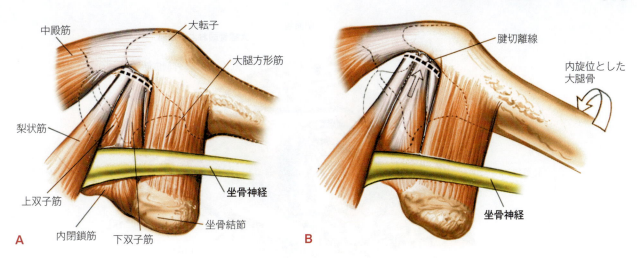

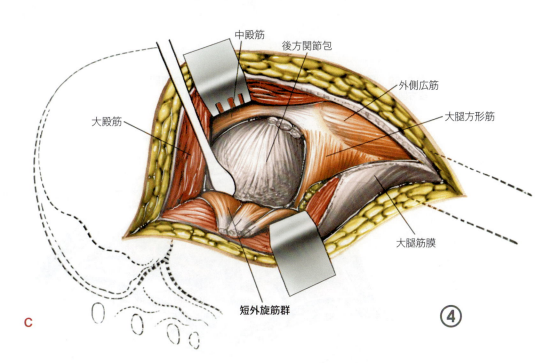

図8-58 股関節後方アプローチ．坐骨神経の走行および短外旋筋の切離
A, B：下肢を内旋させて，短外旋筋の停止部をできるだけ坐骨神経から離れた位置で切離する．
C：短外旋筋を大腿骨停止部の近くで切離し後方へ反転し，筋群で坐骨神経を保護する．

大殿筋の深層に分布する．大殿筋を分けていくと，必然的にこの動脈の分枝を切断しなければならない．注意深く展開を進めて，これらの血管を引きちぎってしまう前に，確認して凝固しておくのがよい．

下殿動脈は梨状筋の下縁直下から出てくるので，大坐骨切痕に達する骨盤骨折においては，その本幹が損傷されやすい．もし血管が骨盤内に引き込んだ状態で出血が激しいときは，患者を背臥位として開腹し，この動脈の本幹である内腸骨動脈を結紮する．

術野拡大のコツ

● **深部への拡大**

1) **皮切の延長**：肥満患者では殿部の皮下脂肪が厚くて，深層の展開の妨げとなるので，皮切を延長することと皮下で展開することによって対処する．

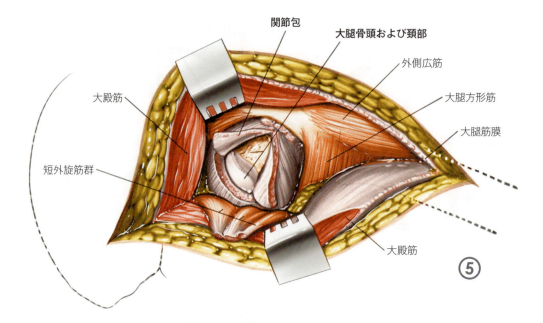

図 8-59 股関節後方アプローチ．後方関節包の切開
後方関節包をT字型に切開して大腿骨頭と頚部を展開する．

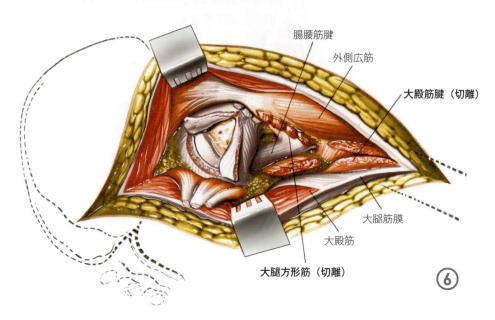

図 8-60 股関節後方アプローチ．術野の拡大
大腿方形筋や大殿筋の停止部を切離して術野を拡大できる．

2）**筋膜切開の上下への延長**
3）**大腿方形筋上半分の切離**：この筋にはやっかいな血管が通っているので，止血を容易にするためには，停止部よりも1cm離して付着腱を切るべきである．大腿方形筋の豊富な血管分布は大腿骨頚部骨折の偽関節治療目的のための筋弁*としても利用される（図8-60）．

*訳者註：「筋弁」ではなく「有茎骨移植（筋骨弁）」と思われるが，ここには書かれていない．なお，p.522では，同一手技の記載において「有茎筋骨弁（muscle-bone pedicle）」と書かれている．

4）**大殿筋付着部の切離**：大腿骨頚部や骨幹部の展開を拡げるためには，大殿筋腱の大腿骨付着部を切離する．この操作は人工股関節全置換術，とくに再置換術のときに有用である．この腱を切離したのちには，前側方アプローチのときと同じように，寛骨臼縁に鉤をかけて関節を展開する．鉤が寛骨臼縁の骨に密接して挿入されている限り，重要な組織を損傷することはない（☞図8-60）．

7 股関節および寛骨臼への後方アプローチに必要な外科解剖

概観

股関節の後面をおおう筋群は2層になっている。浅層は大殿筋で，深層は短外旋筋群である。短外旋筋群は近位から，梨状筋，上双子筋，内閉鎖筋，下双子筋，大腿方形筋の順に配列している。坐骨神経はこの2層の筋間を垂直に術野を下行する（図8-61, 62）。

大殿筋は本のカバーのように殿部の他の組織をおおっている。大殿筋の一部は腸脛靱帯に，一部は大腿骨の殿筋粗面に付着している。腸脛靱帯にはさらに前方で大腿筋膜張筋が付着している。大殿筋，大腿筋膜張筋および大腿筋膜の三者が一体となって，一種の筋・筋膜連続体として股関節の浅層を形成する[27]（☞図8-61）。Henry[16]が名づけた通り，この層は骨盤の三角筋（pelvic deltoid）とみなすことができ，三角筋が肩関節をおおうように股関節をおおっている。

後方アプローチにはさまざまな手技があるが，それぞれ異なった部位で浅層が展開される。Marcy-Fletcher[28]のアプローチは解剖学的にはもっとも自然な方法で，下殿神経支配の大殿筋の前縁と中殿筋との間を分けて入

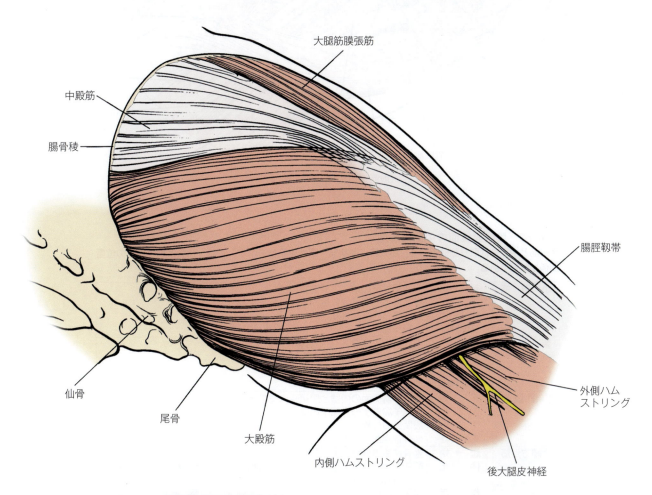

図8-61 股関節後面の浅層解剖
ほとんど大殿筋におおわれている。

大殿筋	起始	腸骨翼の後殿筋線とその直上と後方の腸骨翼外壁，仙骨下部の後面，尾骨の側面，中殿筋表面の筋膜
	停止	腸脛靱帯，大腿骨の殿筋粗面
	作用	股関節の伸展と外旋
	支配神経	下殿神経

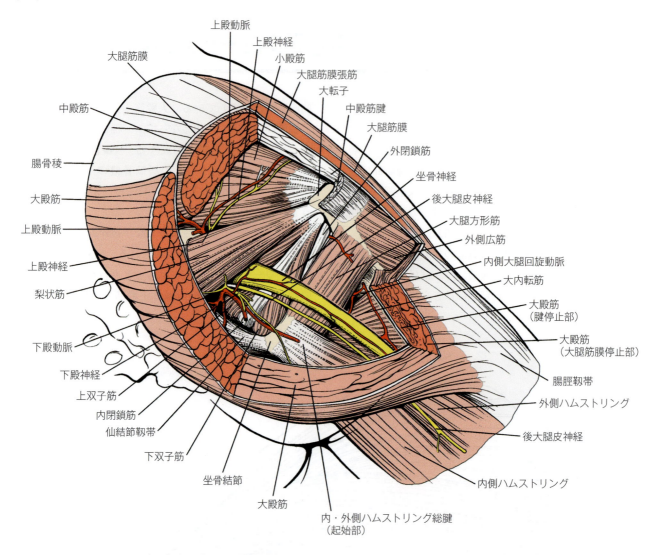

図 8-62 股関節後面の中間層解剖
大殿筋と中殿筋は取り除いてある．小殿筋，梨状筋，短外旋筋群を示す．神経・血管と梨状筋との位置関係が重要である．

小殿筋	起　始	腸骨翼外壁の前・下殿筋線の間
	停　止	腱となって関節包に広がり，大転子前縁
	作　用	股関節の内旋と外転
	支配神経	上殿神経
梨状筋	起　始	仙骨前面の第2～4前仙骨孔の辺縁
	停　止	丸い腱となって大転子の上縁
	作　用	股関節の外旋と外転
	支配神経	仙髄神経（S1, S2）の分枝
内閉鎖筋	起　始	骨盤の前側面の内壁と閉鎖孔内壁の大部分
	停　止	大転子窩直上の大転子内壁
	作　用	股関節の外旋
	支配神経	仙骨神経叢より出るすべての神経
大腿方形筋	起　始	坐骨結節の外縁の上方部分
	停　止	転子間稜の遠位に垂直に続いている粗線，すなわち大腿方形筋粗線（linea quadrata）の上方部分
	作　用	股関節の外旋
	支配神経	仙骨神経叢よりの分枝

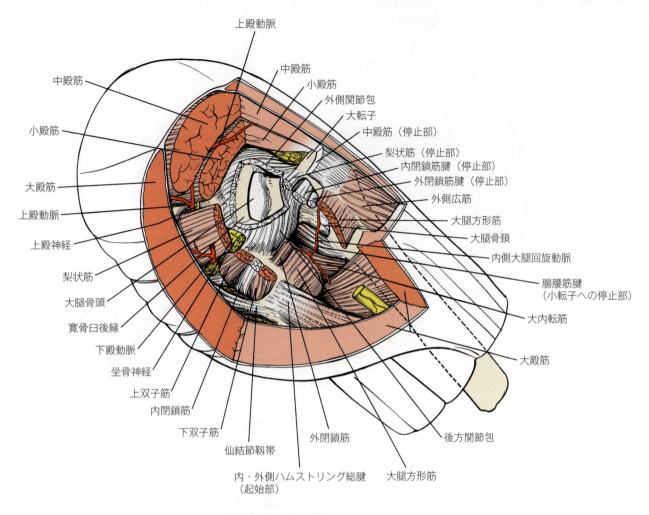

図 8-63 股関節後面の深層解剖
小殿筋，梨状筋，短外旋筋群を取り除いて股関節後面を出したところ．

る．すなわち真の internervous plane を利用するものである．

Moore[20] や Osborne[29] のアプローチのように，より後方からのアプローチでは大殿筋線維を分けて進入する（図 8-63）．これらの方法は真の internervous plane を通るものではないが，より優れた股関節の展開が得られるので，Marcy-Fletcher のアプローチよりも一般的である．

ランドマーク

大転子は股関節周辺でもっとも触れやすい骨の突起部で，皮切の中心点となる．後面に筋肉はついておらず，前面と側面は大腿筋膜張筋や中・小殿筋などにおおわれているので，やや触れにくい．

大転子は大腿骨頸部と骨幹部との接合部から盛り上がって，上方と後方へ突出したものである（図 8-64）．
次の5つの筋が，これに停止している．

1) **中殿筋**：大転子の外側面に幅広く停止する．この停止部より遠位では，大転子は腸脛靱帯の近位部におおわれる．大転子の外側面は比較的に骨が露出しており，これをおおう腸脛靱帯との間には滑液包が形成されている．この滑液包にときに機械的な炎症が発生したり，細菌感染の場となったりする（古くは結核がもっとも多かった）．

2) **小殿筋**：大転子の前面に付着する．前外側アプローチでは，この付着部を切離する（☞図 8-62，63）．

3) **梨状筋**：腱となって，大転子上縁の中央部に停止する（☞図 8-62，63）．

4) **外閉鎖筋腱**：梨状筋停止部の直下の転子窩に停止する．転子窩は大転子後面の小さい深いくぼみである（☞図 8-62，63）．

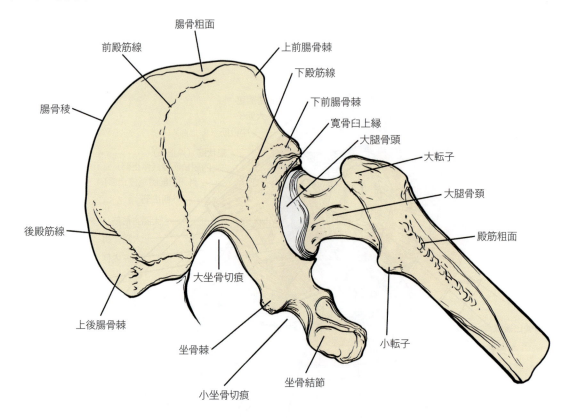

図 8-64 後側方からみた骨盤および股関節の骨格

5) **内閉鎖筋腱**：上・下双子筋とともに大転子の上縁で，梨状筋停止部の後方に停止する（☞図 8-62，63）．

皮 切

近位部の皮切線は皮線とほぼ 90° に交差するが，術後の瘢痕はほとんど衣服によってかくされる．このアプローチで手術される患者の多くは高齢者であり，隆起した瘢痕を形成することなく，線状のきれいな瘢痕として治癒する．

浅層の展開―その注意すべき組織

浅層の展開は身体の中で最大の筋である大殿筋を，線維方向に分割することである．大殿筋線維はきわめて粗で，殿部を斜め下外方へ走っている．これを支配する下殿神経は，梨状筋の下で骨盤腔外へ出て，すぐに大殿筋に入る．神経が筋に入り込む部位は，大殿筋の起始部で内縁に近いところであり，ここから筋全体に分枝する．大殿筋の外側縁に近いところで筋を分ければ，支配神経の主要分枝はその内側を走るので，大殿筋の主要部分は脱神経をきたさない（☞図 8-61）．

大殿筋の筋活動は，正常歩行時や起立安静時には低く，階段の昇りや座位からの起立動作時に活発となる（正常歩行時の股伸展にさいして主として作動するのは，大殿筋よりも，むしろハムストリングスである）．

深層の展開―その注意すべき組織

深層の展開は短外旋筋群の一部を切離して，股関節の後方関節包を展開することである（☞図 8-56）．梨状筋，上双子筋，内閉鎖筋腱，下双子筋，および大腿方形筋の 5 つの筋が深層を形成している．

梨状筋と神経・血管との位置関係を理解しておくことは，この部位の外科解剖の鍵である（☞図 8-62）．梨状筋自体も大坐骨切痕を通って骨盤内から殿部に出る筋であるが，骨盤内から殿部に出る血管・神経はすべて梨状筋の上か下で大坐骨切痕を通過する．

重要な 10 種の神経血管は，次の通りである．
1) **梨状筋の上を通過**（梨状筋の上を通るのはこの 2 つだけで，"上殿"という名がつけられている）．
① 上殿神経
② 上殿動脈
2) **梨状筋の下を通過**．

①下殿神経
②下殿動脈
③陰部神経
④内陰部動脈
⑤内閉鎖筋への神経
⑥坐骨神経
⑦後大腿皮神経
⑧大腿方形筋への神経

　上殿神経は梨状筋の上を通って骨盤内から出て，中殿筋の後縁の後方を横切って，中殿筋と小殿筋との間に入り，この両筋に支配枝を送り，最終的に大腿筋膜張筋に分枝する．

　上殿動脈は内腸骨動脈の最大の分枝で，梨状筋の上を通って骨盤内から出て，上殿神経とともに走り中殿筋と小殿筋を栄養し，さらに殿筋線のところで腸骨に栄養血管を送る．腸骨後方から大きな移植骨片を採取するときに，この栄養血管から出血する．上殿動脈はさらに浅層の大殿筋にも分枝し，大殿筋血流の二重支配の一翼を担う．

　上殿動脈は骨盤骨折，とくに大坐骨切痕にかかる骨折のときに損傷される．損傷された血管断端が骨盤内に引き込んだときは腹膜外経路で骨盤内に達し，上殿動脈の本幹である内腸骨動脈を結紮止血しなければならない．骨盤骨折のときに選択的動脈造影を行うと，上殿動脈損傷の有無の診断に役立つ．さらに動脈造影をしながら，カテーテルを通して動脈に塞栓を作ることによって，骨盤内を展開することなく，止血することも可能である[30]．大転子を切離して寛骨臼への前方あるいは後方アプローチを実施するときは，中・小殿筋の壊死を防止するために上殿動脈を損傷しないよう注意する．これらのアプローチでは，中・小殿筋の起始および停止ともに剥離されるからである．大坐骨切痕の骨折を含んだ寛骨臼骨折では，骨折片を支配している神経血管束が損傷されていないことを確かめるために，術前の血管造影を行うことを勧める．

　下殿神経は梨状筋下縁の下を通って殿部に達し，ほとんどすぐに大殿筋の裏面に入る．

　下殿動脈は下殿神経に沿って走り，大殿筋に分枝する．下殿動脈から分枝して坐骨神経幹に沿って走る血管は，本来，下肢の主軸血管である．まれだが，術中に坐骨神経を探すときの指標となることがある．下殿動脈も骨盤骨折のとき損傷されることがあるが，上殿動脈ほどの頻度ではない．

　陰部神経は後方アプローチで術野に現れることはない．この神経は，殿部を走る部分が非常に短く，仙棘靱帯の周りで方向を変え，会陰部に入る．

　内陰部動脈は陰部神経と一緒に走る．この血管は後方アプローチの術野ではきわめてわかりやすいのが普通であるが，この損傷も報告されている．通常，坐骨棘に向かって圧迫していれば止血できるが，止血できないときや血管が骨盤内に引き込んだときは，Retzius 腔[18]（恥骨後壁と膀胱前壁との間）を経て腹膜外経路を展開し，内陰部動脈の本幹を結紮しなければならないことがある．

　内閉鎖筋への神経は，梨状筋の下縁の後ろから出るとすぐに内閉鎖筋に入る．この神経はまた上双子筋も支配している．

　坐骨神経は腰仙神経叢の L4，L5，S1，S2，S3 の神経根によって形成される太い神経である．梨状筋下縁を通って殿部に出る．下殿神経，陰部神経および内陰部動脈のすぐ外側を走る．脂肪組織に包まれているのが普通で，目でみるよりも指で触れてみたほうが確認しやすい．坐骨神経は動脈とともに，短外旋筋群，すなわち内閉鎖筋，2つの双子筋，大腿方形筋，の上を通って殿部をまっすぐに下行する．そして大腿二頭筋の深部前方を通り，大内転筋との間に入り視野から消える．

　後方アプローチにおいては，坐骨神経の位置に注意する限り，これを損傷する危険はない．筋膜切開縁にかけた自在レトラクターの後方ブレードに巻き込まれて損傷されるか，人工骨頭を寛骨臼に整復するときに，この神経が保護されていなかったために損傷されることがある．

　坐骨神経の内側を占める脛骨神経要素からの筋枝は，大腿二頭筋の短頭を除くハムストリングス全部と大内転筋の股伸筋として作動する部分を支配する．これらの筋枝はすべて坐骨神経幹の内側から出ているので，大腿部で坐骨神経を出すときは神経幹の外側に沿って解離を進めるのが安全である．外側から分枝するのは大腿二頭筋の短頭を支配する神経だけであるため，たとえこれを損傷しても，臨床的に問題となるほどの症状を残さない（☞図 8-62）．

　総腓骨神経と**脛骨神経**は坐骨神経の終枝で，膝関節以下のすべての筋を支配する．さらに両神経（および他の坐骨神経分枝）は足底，足背（内側部分を除く），腓腹部および下腿外側の皮膚に感覚枝を分布している．股関節レベルで坐骨神経が損傷されると脛骨神経と総腓骨神経の両要素が障害されるので，膝関節以下では伸展・屈曲筋群とも全弛緩性麻痺となる．膝関節より上ではハム

ストリングスが麻痺する．しかし実際のところ坐骨神経の完全な損傷はまれで，脛骨神経要素か総腓骨神経要素のどちらか一方が損傷されたようにみえることが多い．そのために，神経学的症状が損傷高位とは無関係に多様である．

後方アプローチ後に総腓骨神経麻痺を合併した場合に，これが手術部位で損傷されたものか，それとも術後に腓骨頭のところで圧迫されて損傷されたものかが問題となる．これを鑑別するには大腿二頭筋短頭の筋電図を調べればよい．この筋は大腿部で坐骨神経の総腓骨神経部分が支配している唯一の筋であり，骨盤もしくは股関節のレベルで坐骨神経が損傷されていれば，この筋が麻痺する．腓骨頭のレベルで総腓骨神経が損傷されていれば，この筋は麻痺しない．

股関節のレベルでの坐骨神経横断面のうち，神経線維の占める面積はわずか20％であり，残りの80％は結合組織で占められている．したがってこのレベルでの神経縫合は，神経束同士を接触させることが困難なために失敗に終わることが多い．

後大腿皮神経は大腿後面の広い領域の皮膚感覚を支配する．この神経は坐骨神経が大腿二頭筋を通過するところまでは，坐骨神経の表面にのって併走する．そこから大腿筋膜下でハムストリングスの表面を通って下行しながら，数本の皮枝を分枝する．

大腿方形筋への神経は坐骨神経の裏，すなわち腹側で骨盤から出て，坐骨神経が内閉鎖筋腱と上・下双子筋を横切るところまでは坐骨神経の裏面を通過し，ここから分かれて大腿方形筋の下に進み，その前面から筋内に入る．この神経は下双子筋にも筋枝を出している．

● **内閉鎖筋**

内閉鎖筋は途中でその走行を直角に曲げる数少ない筋の1つで，坐骨の小坐骨切痕の周りでカーブしている．この筋は停止部で上・下双子筋により補強され，三頭性の腱を形成する．

● **大腿方形筋**

大腿方形筋は4辺を持ち，断面が方形である．この筋の横走する線維はわかりやすく，術中の目印となる．この筋には血流供給が豊富で，筋停止部の下縁あたりに十字状に血管吻合が形成されている．吻合を形成するのは，第1穿通動脈の上行枝，下殿動脈の下行枝，内・外側大腿回旋動脈の横枝である（図8-62）．

この筋に供給される血流は，阻血状態となった大腿骨頭や頚部の血流再建に利用できる[26]．その手技は大腿方形筋の停止部を温存して，大転子の後縁（方形筋隆起，quadrate tubercle）から有茎筋骨弁を作り，これを上方に移動させて，骨折部をまたぐように移植する方法である．

8 股関節への内側アプローチ

内側アプローチはLudloffによって創始されたもので，もともとは屈曲，外転，外旋位となった股関節のために開発されたものである．この種の変形は先天性股関節脱臼の特殊な型で発生する．

内側アプローチの適応は，次の通りである．
- 先天性股関節脱臼の観血的整復．このアプローチによれば，整復障害となっている腸腰筋腱を非常によく展開できる[31]．
- 大腿骨頚部や骨幹部の内側に発生した腫瘍の生検と治療
- 腸腰筋の解離術
- 閉鎖神経切除術

このアプローチの近位部は，閉鎖神経切除術に用いることができる．閉鎖神経切除術に内転筋解離術を追加するときは，鼠径部に短い横切または縦切を加えれば，内転筋を骨盤起始の近くで切離できる．ここではほとんど出血しない．

患者体位

患者を背臥位に寝かせ，患肢を屈曲，外転，外旋位とする．固定化した変形がある例では，この体位・肢位をとらせることが困難な例もある．患肢の足底を対側の膝の内側に添わせる（図8-65）．

ランドマーク

長内転筋を大腿内側で触れ，それを起始方向へたどって，恥骨結節を恥骨結合との間へ付着するところまで確かめる．長内転筋は，内転筋群の中では体表から触れやすい唯一の筋である．

術者の示指から小指までを大転子にあてて固定し，母指を鼡径部の皮線に沿って斜めに内側下方へ移動させて**恥骨結節**を触知する．恥骨結節は大転子の頂点と同じ高さにある．

皮 切

恥骨結節の下3cmのところから，長内転筋に沿って，大腿内側を縦切する．展開しようとする大腿骨の範囲によって皮切の長さは異なる（図8-66）．

internervous plane

浅層の展開は長内転筋と薄筋との間を入るが，両筋とも閉鎖神経の前枝に支配されているので，internervous planeを利用しているわけではない．しかし両筋間を展開する部位より近位で，両筋への神経が入り込んでいるので，この進入面は安全である（図8-67）．

さらに深層では，短内転筋と大内転筋との間を展開する．短内転筋は閉鎖神経前枝に支配され，大内転筋は2つの神経支配を受けている．すなわち前方の内転筋部は閉鎖神経の後枝に，後方の坐骨部は坐骨神経の脛骨神経の一要素に支配されている．したがって両筋はinternervous planeの境界となっている．

浅層の展開

浅層の展開は長内転筋と薄筋との間の展開から始める．他の内転筋群の筋間も同じであるが，術者の指で鈍的に分けることができる（図8-68A，69）．

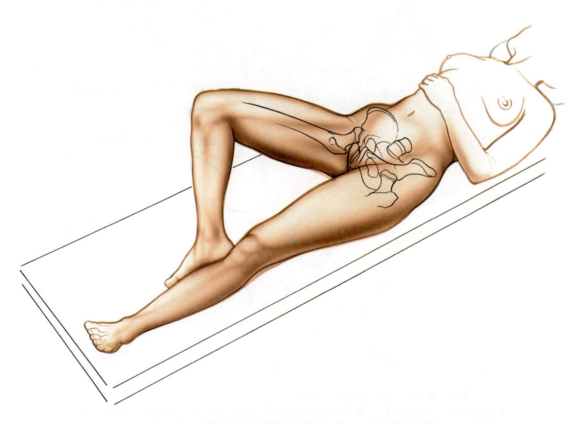

図8-65　股関節内側アプローチ．患者体位

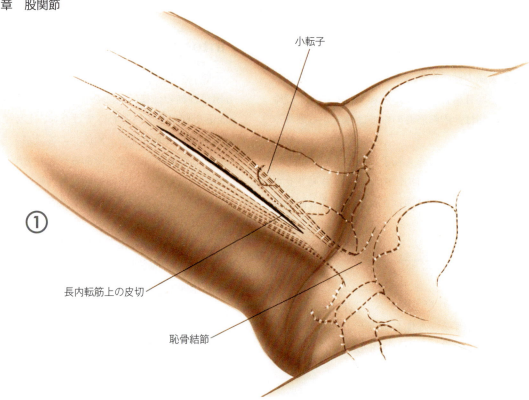

図 8-66 股関節内側アプローチ．皮切

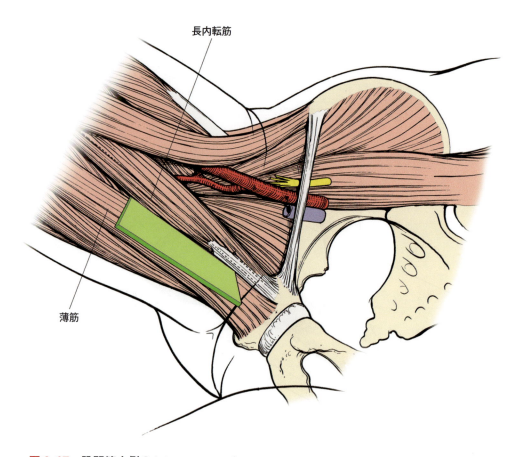

図 8-67 股関節内側の internervous plane
長内転筋と薄筋との間を分けるが，両筋はともに閉鎖神経前枝の支配を受けているので internervous plane を利用しているわけではない．しかし展開部よりも近位で，両筋は神経支配を受けているので安全である．

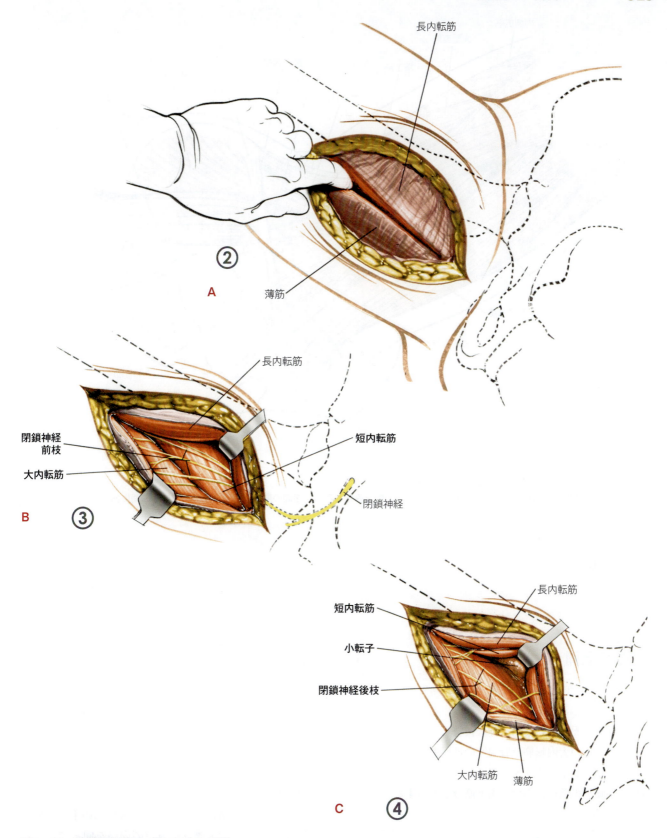

図8-68　股関節内側アプローチ．手順
A：長内転筋と薄筋との間を用手剥離する．
B：長内転筋を前方に，薄筋を後方に引くと短内転筋が現れるが，その上に閉鎖神経前枝がのっている．
C：大内転筋の筋腹から短内転筋を分けて前方に引くと，閉鎖神経後枝がみえる．小転子は術野の深部にある．

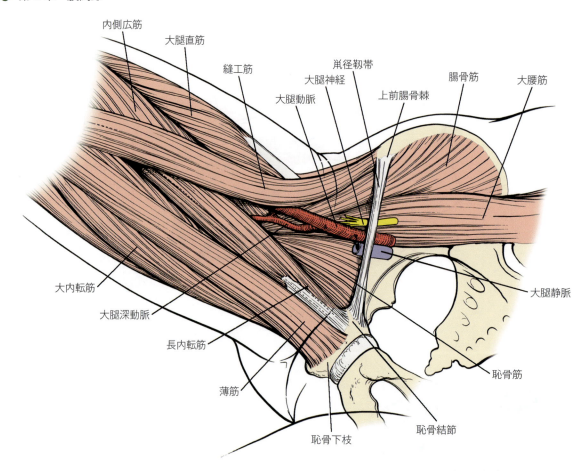

図 8-69　股関節内側面の浅層解剖
股関節を軽度屈曲，外転，外旋として大腿内側をみたところ．浅層の展開面は長内転筋と薄筋との間にある．

深層の展開

短内転筋と大内転筋との間を分けて，術野の深部で小転子を触れるところまで展開する．このとき大内転筋の内転筋部を支配している閉鎖神経後枝を保護するように注意する．この大内転筋は股関節の伸展機能にも関与している．細いレトラクター（骨にかける突起のついたもの）を小転子の前後にかけて腸腰筋腱を展開する．

注意すべき組織

閉鎖神経前枝は外閉鎖筋の前面を通り，長内転筋と短内転筋との間を大腿内側に向かって下行する．両筋の間には疎な結合組織がある．この神経は，長内転筋，短内転筋および薄筋へ分枝を出している（図 8-68B）．
閉鎖神経後枝は外閉鎖筋に分枝をしながら，この筋実質内を通過して骨盤外へ出る．そこから短内転筋の下で大内転筋の表面上を下行し，大内転筋の内転筋部へ分枝を送る（図 8-68C）．

このアプローチで内転筋痙縮の寛解を目的とするときは閉鎖神経を切断するが，それ以外の場合はこれらの神経の切断は避ける．

内側大腿回旋動脈（☞第 9 章「12 大腿部の手術に必要な外科解剖」）は，大腰筋腱遠位の内側を回って走っている．とくに小児股関節の手術で腸腰筋腱を切離するときに，腸腰筋腱をよく分離して直視下に切離しないと，この血管を損傷する危険がある（図 8-70）．

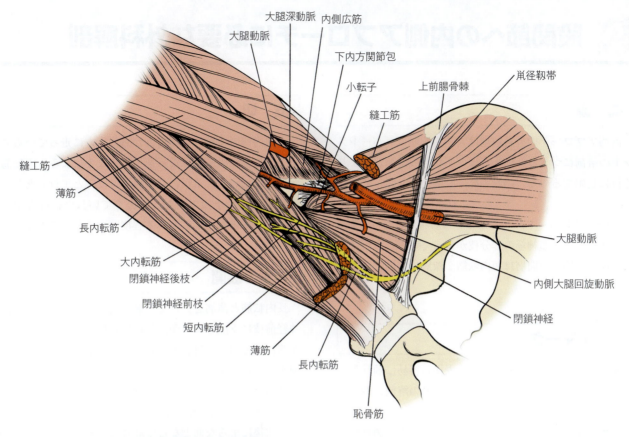

図 8-70 股関節内側面の深層解剖
深層の展開は短内転筋と大内転筋との間である．薄筋，長内転筋，縫工筋を取り除いて，大腿内面の深層を示す．閉鎖神経の前枝は長内転筋と短内転筋との間を，後枝は短内転筋と大内転筋との間を下行する．内側大腿回旋動脈は腸腰筋腱停止部に近接していることに注意すること．

大腰筋	起始	腰椎の椎体，椎間および横突起の前面
	停止	小転子
	作用	股関節の屈曲，下肢を固定したときは腰椎の前屈
	支配神経	L2，L3 の神経根
腸骨筋	起始	腸骨窩の上 2/3，腸骨稜の内唇，仙腸関節の前面，腰仙靱帯，腸腰靱帯
	停止	大腰筋と共通の腱となって小転子
	作用	股関節の屈曲，下肢を固定したときは骨盤の前傾
	支配神経	大腿神経（L2〜L4）

術野拡大のコツ

●深部への拡大
大腿骨に到達し，腸腰筋の付着部を切離したのちに，小転子の遠位 5 cm くらいまでは鈍的に大腿骨骨幹部を展開できる．

●上下への拡大
このアプローチを上下へ拡大することはまずない．

9 股関節への内側アプローチに必要な外科解剖

概　観

　内側アプローチの外科解剖は大腿内転筋コンパートメントの解剖につきる．内転筋はいずれも股関節自体より遠位に起始するので，内転筋群は股関節をおおっていない．

　内転筋コンパートメントは3つの筋層からなり，2つの筋層間には閉鎖神経の2分枝が走っている．浅層は長内転筋と薄筋，中間層は短内転筋，深層は大内転筋である．

ランドマーク

　長内転筋は腱性の起始部を，体表から容易に触れることのできる唯一の内転筋である．この筋の解剖については，「浅層の展開」の項で詳しく述べた．

　恥骨結節は恥骨体部の最外側の部分である．触れやすいところで，鼠径靱帯の内側の付着部となっている（**図8-71**）．

皮　切

　大腿内側の皮線は大腿前面から内下方に走っているので，この部位の縦切は皮線を横切ることになる．内転筋解離術に用いられる鼠径部の横切は皮線と平行であり，瘢痕形成が最小限ですむ．筋膜をていねいに縫合すると，醜くくぼんだ瘢痕をある程度防ぐことができる．

浅層の展開

　長内転筋と薄筋を分けて浅層を展開する．両筋は閉鎖神経前枝に支配されるが，筋の恥骨起始部の近くで神経が筋に入るので，外科的には internervous plane として利用できる（☞**図8-69**）．

　薄筋は平行に走る長い筋線維からなる非常に長く薄い筋である．その起始は腱性の膜状すなわち腱膜を形成し，前後に平らな面となって恥骨に付着している．

　長内転筋は強い腱性の起始部を持っているので，この部位で裂離骨折（avulsion fracture）を起こす頻度はか

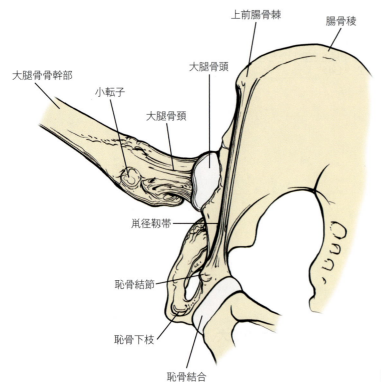

図8-71　内方からみた骨盤および股関節の骨格

なり高い．騎手のように内転筋を過度に使うような人では，起始部の骨化をみることがあり，騎手の骨（rider's bone）として知られている．この筋の石灰化や骨化はサッカー選手にもみられ，慢性の疼痛や機能障害の原因となる．

　この両筋には**処女の監視人**（custodes virginitatis）という別名が昔つけられたが，筋のサイズが小さく筋力も比較的弱いところからみて，このような名前がつけられたことは理解しがたい[32]．

　閉鎖神経はL2～L4の神経根に由来し，閉鎖切痕を通るところで前枝と後枝に分かれる．前枝は外閉鎖筋上縁の上を通り，大腿の内側で長内転筋の後方と短内転筋の前面との間に入る．前枝はまた股関節に感覚枝を送る．

　内転筋の痙性による股関節の内転拘縮例では前枝の切除がよく行われるが，この神経を見つけるには長内転筋と短内転筋との間をよく探さなければならない．この神経は短内転筋の前面で薄い網目状の組織におおわれている．前枝は3本ないし4本に分枝しているので，閉鎖神経前枝切除術にさいしては，できるだけ近位で神経を出し，近位で分かれる枝を見落とさないことが大切である．

閉鎖神経前枝は膝関節内側へ皮枝を送っている．股関節痛がときどき膝に放散することは，とくに大腿骨頭すべり症の例によくみられる症状でもある（卵巣疾患の二次性疼痛として膝関節内側への放散痛がある．骨盤内では閉鎖神経が卵巣に近接して走っているので，そこでの直接刺激によるものと考えられている）．

深層の展開

　深層の展開に利用される筋層間は，短内転筋と大内転筋との間である（☞図8-70）．

　短内転筋は閉鎖神経の前枝と後枝にサンドイッチ状に挟まれて，大腿を下行する．

　大内転筋は，ある種の動物においては脛骨に停止している．ヒトの膝関節の内側側副靱帯浅層は，大内転筋腱が発生学的起源と考えられており，第4のハムストリングといわれることもある．

　閉鎖神経後枝は大内転筋に分枝しながら，この筋の表面を下行し，大腿動脈とともに内転筋管（内転筋腱裂孔）を通って膝窩に達し，細かい感覚枝を膝関節包に分布する．

文 献

1. Bohler N, Hipmair G. The minimal invasive surgery anterior approach with supine patient positioning: a step-wise introduction of technique. *Hip Int*. 2006;16(suppl 4):48-53.
2. Smith-Petersen MN. A new supra-articular subperiosteal approach to the hip joint. *Am J Orthop Surg*. 1917;15:592.
3. Smith-Petersen MN. Approach to and exposure of the hip joint for mold arthroplasty. *J Bone Joint Surg Am*. 1949;31:40-46.
4. Honorth MB. Congenital dislocation of the hip: technique of open reduction. *Ann Surg*. 1952;135:508.
5. Bartlett JD, Lawrence JE, Khanduja V. What is the risk to the lateral femoral cutaneous nerve during the use of the anterior portal of supine hip arthroscopy and the minimally invasive anterior approach for total hip arthroplasty? *Arthroscopy*. 2018;34:1833-1840.
6. Barrett W, Turner S, Leopold J. Prospective randomized study of direct anterior vs postero-lateral approach for total hip arthroplasty. *J Arthroplasty*. 2013;28:1634-1638.
7. McConaghie FA, Payne AP, Kinninmonth AW. The role of retraction in direct nerve injury in total hip replacement: an anatomical study. *Bone Joint Res*. 2014;3:212-216.
8. Schubert D, Madoff S, Milillo R, Nandi S. Neurovascular structure proximity to acetabular retractors in total hip arthroplasty. *J Arthroplasty*. 2015;30:145-148.
9. Sullivan CW, Banerjee S, Desai K, et al. Safe zones for anterior acetabular retractor placements in direct anterior total hip arthroplasty: a cadaveric study. *J Am Acad Orthop Surg*. 2019;27:e969-e976.
10. Babst D, Steppacher S, Ganz R, et al. The iliocapsularis muscle: an important stabilizer in the dysplastic hip. *Clin Orthop Relat Res*. 2011;469:1728-1734.
11. Rudin D, Manestar M, Ullrich O, et al. The anatomical course of the lateral femoral cutaneous nerve with special attention to the anterior approach to the hip joint. *J Bone Joint Surg*. 2016;98:561-567.
12. Charnley J. *Low Friction Arthroplasty of the Hip: Theory and Practice*. Springer-Verlag; 1979.
13. Harris WH. A new lateral approach to the hip joint. *J Bone Joint Surg Am*. 1967;49:891-898.
14. Müller ME. Total hip prosthesis. *Clin Orthop Relat Res*. 1970;72:46-68.
15. Charnley J. Arthroplasty of the hip: a new operation. *Lancet*. 1961;2:129.
16. Henry AK. *Extensile Exposure*. 3rd ed. Churchill Livingstone; 1972.
17. Hardinge K. The direct lateral approach to the hip. *J Bone Joint Surg Br*. 1982;64:17-19.
18. Evans P. The postural function of the iliotibial tract. *Ann R Coll Surg Engl*. 1979;61:271-280.
19. Gottschalk F, Kourosh S, Leveau B. The functional anatomy of tensor fasciae latae and gluteus medius and minimus. *J Anat*. 1989;166:179-189.
20. Moore AT. The Moore self-locking vitallium prosthesis in fresh femoral neck fractures: a new low posterior approach (the Southern exposure). In: *American Academy of Orthopaedic Surgeons: Instructional Course Lectures*. Vol 16. CV Mosby; 1959.
21. Moore AT. The self-locking metal hip prosthesis. *J Bone Joint Surg Am*. 1957;39:811-812.
22. Thompson FR. Vitallium intramedullary hip prosthesis: preliminary report. *N Y State J Med*. 1958;52:3011-3020.
23. Charnley J. Anchorage of the femoral head prosthesis to the shaft of the femur. *J Bone Joint Surg Br*. 1960;42:28-30.
24. Siebenrock K, Gautier E, Ziran B, et al. Trochanteric flip osteotomy for cranial extension and muscle protection in acetabular fracture fixation using a Kocher-Langenbeck approach. *J Orthop Trauma*. 1998;12:387-391.
25. Keel M, Ecker T, Siebenrock K, et al. Bernese approaches in acetabular surgery. *Eur J Trauma Emerg Surg*. 2012;38:489-498.
26. Myers MH, Harvey JP, Moore TM. Treatment of displaced subcapital and transcervical fractures of the femoral neck by muscle pedicle – bone graft and internal fixation. *J Bone Joint Surg Am*. 1973;55:257-274.
27. Swiontkowski MF. Intracapsular fractures of the hip. *J Bone Joint Surg Am*. 1994;76:129-138.
28. Marcy GH, Fletcher RS. Modification of the posterolateral approach to the hip for insertion of femoral head prosthesis. *J Bone Joint Surg Am*. 1954;36:142-143.
29. Osboure RP. The approach to the hip joint: a critical review and a suggested new route. *Br J Surg*. 1930;18:49-52.
30. Nachbur B, Meyer RP, Vrkkala K, et al. The mechanisms of severe arterial injury in surgery of the hip joint. *Clin Orthop Relat Res*. 1979;141:122-133.
31. Ferguson AB Jr. Primary open reduction of congenital dislocation of the hip using a median adductor approach. *J Bone Joint Surg Am*. 1973;55:671-689.
32. Last RJ. *Anatomy Regional and Applied*. Churchill Livingstone; 1978.

第9章

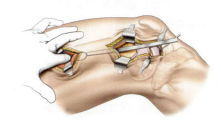

The Femur

大腿骨

1. 大腿骨への外側アプローチ ……………… 532
2. 大腿骨への後外側アプローチ …………… 536
3. 大腿骨遠位 2/3 への前内側アプローチ ‥ 541
4. 大腿骨への後方アプローチ ……………… 545
5. 大腿骨遠位部への最小侵襲アプローチ … 549
6. 大腿骨遠位部へのアプローチ …………… 553
7. 遠位大腿骨顆部への前方アプローチ
   （Swashbuckler アプローチ）………… 553
8. 大腿骨内側顆への内側アプローチ ……… 555
9. 遠位大腿骨顆部への外側アプローチ
   （Gerdy 結節骨切りによるアプローチ）・ 560
10. 髄内釘のための大腿骨近位部への最小侵襲
    アプローチ …………………………… 564
11. 大腿骨の逆行性髄内釘のための最小侵襲
    アプローチ …………………………… 572
12. 大腿部の手術に必要な外科解剖 ……… 576
    半膜様筋 ……………………………… 578
    半腱様筋 ……………………………… 578

第9章

大腿骨の手術はきわめて多い．大腿骨近位部への外側アプローチは，転子間骨折の増加に伴って，近位からの大腿骨髄内釘固定法が普及するまでは整形外科手術の中でもっともよく用いられたアプローチであった．

大腿骨骨幹部への4つの基本的なアプローチ，すなわち**外側アプローチ**，**後外側アプローチ**，**前外側アプローチ**および**前内側アプローチ**は，すべて大腿四頭筋部を貫いて進入する．後外側アプローチのみに internervous plane が存在するが，他のすべてのアプローチは比較的安全に進入できる．これは大腿四頭筋を支配する大腿神経は大腿近位部で分岐し，より遠位の筋は脱神経を生じることなく剥離できるからである（後方アプローチは坐骨神経を検索する際や皮膚に問題があって前方からのアプローチが行えない患者に用いられる）．

大腿骨遠位部への最小侵襲アプローチには2つの進入路がある．膝関節の外側傍膝蓋アプローチから派生した低位の進入路と，大腿骨骨幹部外側アプローチから派生した高位の進入路である．すべての最小侵襲手術アプローチと同様に術中X線透視が必須である．

大腿骨骨幹部骨折と関節外の大腿骨近位部骨折の治療は，現在主に閉鎖的髄内釘法が用いられる．髄内釘刺入のための大腿骨近位部への刺入部位は，髄内釘のデザインによって変わる．2つの最小侵襲アプローチがあって，1つは矢状面において直型の髄内釘に対する大腿骨近位部への最小侵襲アプローチで，もう1つは逆行性髄内釘に対する最小侵襲アプローチである．

遠位の大腿骨顆部は関節内にあって大部分は関節軟骨で被覆されている．大腿骨顆部は通常展開されないが，"Hoffa骨折"や遠位大腿骨顆部の関節内骨折の整復では展開が必要となる．大腿骨内側顆および外側顆を展開するための前方，内側方，外側方の3つのアプローチを後述する．

重要な血管は大腿の前方から後方へ螺旋状に走るので，大腿部の解剖はアプローチをすべて述べた後，別項として述べる．この項では各アプローチに特有の解剖学的特徴をアプローチごとに記載した．

1 大腿骨への外側アプローチ

外側アプローチは大腿骨近位2/3に進入するために用いられるもっとも一般的な皮切である．遠位に延長すれば実質的に大腿骨の全長を露出できる．きわめて展開が早く容易なアプローチであるが，外側広筋を割かなければならないため，手術手技が拙劣であれば血管を損傷して出血を伴う．しかし，生命の危険にかかわるような出血はまれである．その点，外後方アプローチは筋を割かなくてすむので一部の整形外科医には好まれる．

外側アプローチは，次のような場合に用いられる．
- 転子間骨折の観血的整復・内固定（このアプローチがもっともよく用いられる）
- 骨頭下骨折や大腿骨頭すべり症に対する内固定器具の刺入
- 転子下あるいは転子間骨切り術[1, 2]
- 大腿骨骨幹部骨折，転子下骨折，顆上骨折の観血的整復・内固定[3]
- 股関節外固定術
- 大腿骨の慢性骨髄炎の手術
- 骨腫瘍の生検，手術

患者体位

大腿骨転子部や転子下骨折の患者では，術中に用手的に整復操作できるように，骨折手術台の上に背臥位とする．イメージ増強管（イメージインテンシファイヤー）を使用する場合には，いずれの手術でも骨折手術台を使用する（**図9-1**）．大腿骨を15°内旋させると大腿骨頸部の前捻がとれ，大腿骨外側面が側面を向くようになり真の側面像が得られる．内旋操作は，ほとんどの関節外の大腿骨骨折の整復にも有用である．大腿骨頸部を水平位に保持しておくとガイドワイヤーを正確に刺入するのに有用である．準備・ドレーピング前に大腿骨頭および頸部の適切な前後面・側面を得ておくことを確認すべきである．

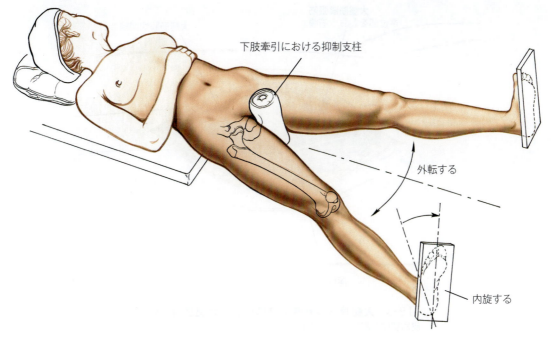

図 9-1　大腿骨への外側アプローチ．患者体位

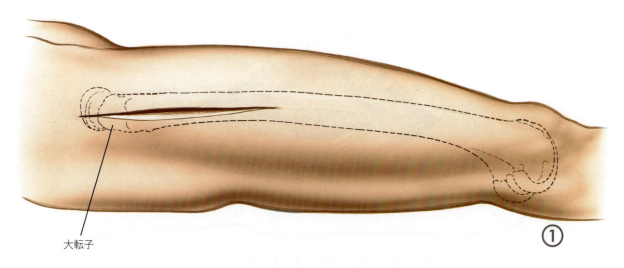

図 9-2　大腿骨への外側アプローチ．皮切

　大腿骨骨幹部の手術に対して側臥位も用いられる．患肢を上にして側臥位とし，下になった下肢の骨突出部にはパッドをあてて皮膚の圧迫壊死を回避する．術中では両下肢の間には枕を入れ，術側肢の膝内側面と内果部を保護する．

ランドマーク

　大転子の後縁は比較的触知しやすいので，これを触れて指を前方および近位へ移動し，その先端を確認する．
　大腿骨骨幹部は，大腿の外側面に抵抗のある硬い面として触知できる．

皮切

　大転子中央から始め，大腿骨の外側面にあたる大腿外側の遠位に向かう縦切開を加える．皮切の長さは手術に要する範囲とする（図 9-2）．
　皮切の長さや位置は，X線透視下に確認することで皮切長を短縮できる．適切な部位での切開は展開の範囲を少なくし，展開に必要な軟部組織損傷を減らすことができる．

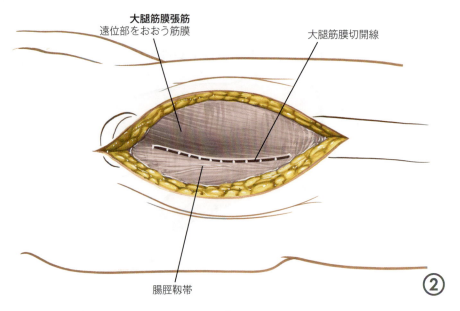

図 9-3　大腿骨への外側アプローチ．大腿筋膜の切開
皮膚切開と同軸に筋膜切開する．

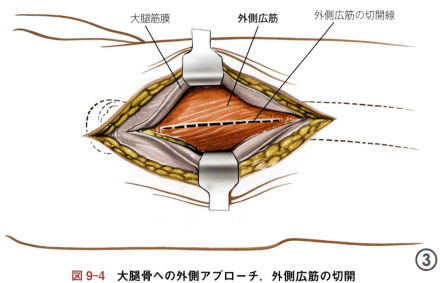

図 9-4　大腿骨への外側アプローチ．外側広筋の切開
外側広筋を被覆する筋膜を切開する．

internervous plane

大腿神経支配の外側広筋を分けて進入するので internervous plane や intermuscular plane は存在しない．この筋は大腿の近位で神経支配を受けている．したがって筋を遠位で割いても脱神経を生じることはない．

浅層の展開

皮切に沿って大腿筋膜を切開する．外側広筋を露出するために，創の近位端では大腿筋膜張筋の遠位部を筋線維方向に割かなければならないことがある（図9-3）．1/3の患者では大腿筋膜張筋が大転子を越えて遠位まで広がっているので，このように分割する必要がある．

深層の展開

外側広筋をおおう筋膜を注意深く切開する（図9-4）．Hohmann鉤あるいはBennett鉤で先端が大腿骨骨幹部前面を通るようにして筋を牽引する．別のレトラクターを同じ筋間から大腿骨骨幹部の下面に挿入して大腿骨下面を剥離する．そして，2本のレトラクターで外

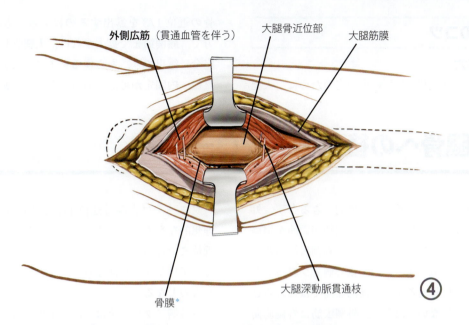

図 9-5 大腿骨への外側アプローチ．大腿骨近位部の展開
外側広筋を割く．2本の Hohmann 鉤で外側広筋を割いて，大腿骨骨幹部を骨膜下に展開する．

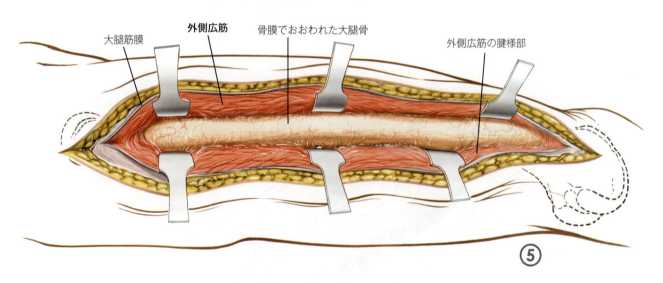

図 9-6 大腿骨への外側アプローチ．大腿骨骨幹部の骨膜上展開と術野の拡大
切開を遠位に拡大すれば，大腿骨骨幹部を完全に露出できる．

側広筋を線維方向に分けて大腿骨を展開する（図9-5）．

鈍的に剥離し，筋を割いていく．剥離を進めるにつれ，数本の血管が術野を横切っているので，できれば鈍的剥離で引きちぎる前に電気凝固を行う．骨まで達する鋭的切開は避ける．血管が切断されて筋内に引っ込むと凝固や血管結紮が難しくなる．

外側広筋を割いていくと，その深層にある大腿骨外側面が展開できる．

注意すべき組織

多数の**大腿深動脈貫通枝**が外側広筋を横切っている（☞図9-61）．アプローチのさい損傷されるので，結紮するか電気凝固すべきである．メスで切り裂かず，鈍的な器具で愛護的に筋を分ければ，これらの血管を容易に確認できる．

術野拡大のコツ

●上下への拡大

このアプローチは大腿骨骨折の内固定のために，大腿骨の近位1/3を露出するのにもっとも有用である．一方で，膝関節まで拡大すれば，大腿骨骨幹部の外側面を完全に露出でき，あらゆるタイプの大腿骨骨折の観血的整復・内固定が可能である（図9-6；👉図9-64）．

2 大腿骨への後外側アプローチ

後外側アプローチは大腿骨全長を展開できる[4～6]．外側広筋と外側筋間中隔を分けるので，大腿四頭筋を損傷することはない．他の外側アプローチは外側広筋あるいは中間広筋を分けて進入するため，後外側アプローチとは違いが出るように思えるが，機能的な面ではこれらと大きく異なることはない．ただし，外側広筋は外側筋間中隔にも部分的に起始部が存在するので，この方法では筋起始の一部を切離することになり，真の筋間アプローチとはいえない．

外側筋間中隔は，近位端では大腿骨骨幹部の後方にあり，遠位端では骨幹中央部を走る．したがって，後外側アプローチは大腿骨遠位1/3を露出するのにもっとも理想的なものといえる．しかし，このアプローチをより近位まで行おうとすると，厚い外側広筋をより大きく前方へ圧排しなければならず，このアプローチはより困難なものとなる．

後外側アプローチは，次の手術で用いられる．

- 大腿骨骨折，とくに顆上骨折の観血的整復とプレート固定
- 髄内釘固定のための骨折部の展開（閉鎖的髄内釘固定用器具がない場合）
- 大腿骨骨折偽関節の手術

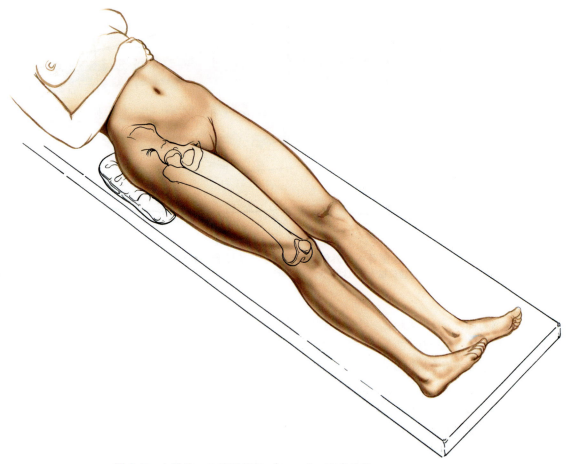

図9-7 大腿骨への後外側アプローチ．患者体位

2. 大腿骨への後外側アプローチ

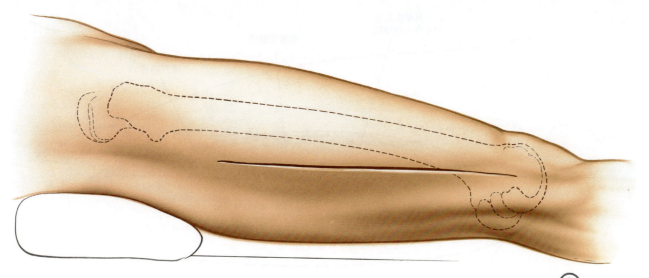

図 9-8 大腿骨への後外側アプローチ．皮切

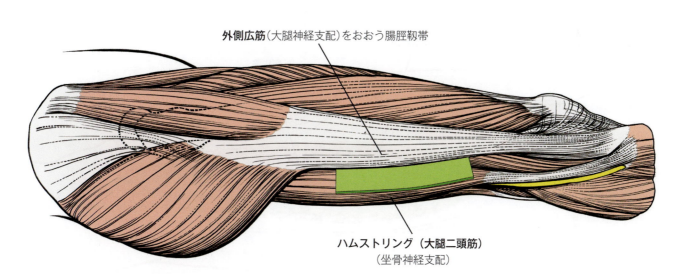

図 9-9 大腿後外側の internervous plane
internervous plane は外側広筋（大腿神経支配）とハムストリング（坐骨神経支配）の間である．

- 大腿骨骨切り術（大腿骨骨幹部で行われることはまれである）
- 慢性あるいは急性骨髄炎の手術
- 骨腫瘍の生検，手術

患者体位

背臥位とし，患側の殿部の下に砂嚢を入れて挙上し，下肢は内旋させて大腿の後側面が手術台からわかるようにする（図9-7）．

ランドマーク

膝の外側面にある**大腿骨外側上顆**を触知する．大腿骨外側上顆は大腿骨外側顆の先端にある．近位に指を移動させると，外側上顆の近位では大腿骨を触知できないことがわかる．

皮切

大腿骨の後外側面に縦切開を加える．皮切の遠位端は大腿骨外側上顆におき，大腿骨骨幹部の後方に沿って近

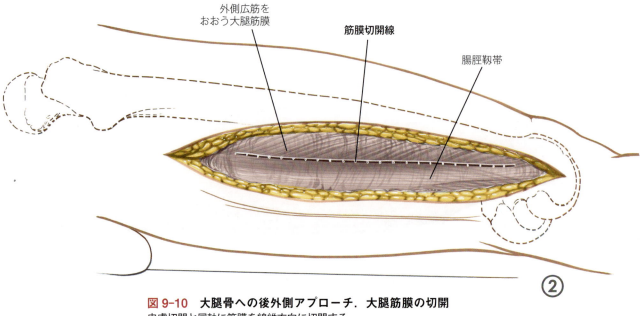

図 9-10　大腿骨への後外側アプローチ．大腿筋膜の切開
皮膚切開と同軸に筋膜を線維方向に切開する．

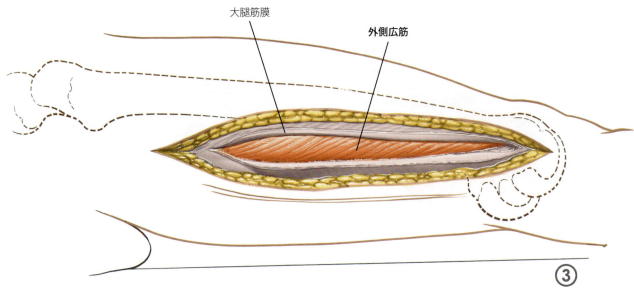

図 9-11　大腿骨への後外側アプローチ．外側広筋全貌の確認
大腿筋膜下で外側広筋を確認する．

位側へ延長する．皮切の正確な長さは行う手術によって異なる（図 9-8）．

internervous plane

外側広筋（大腿神経支配）と**ハムストリング**（大腿二頭筋；坐骨神経支配）をおおう**外側筋間中隔**の面を利用する（図 9-9）．

浅層の展開

大腿筋膜を，その線維方向に皮切に沿って切開する（図 9-10）．

深層の展開

大腿筋膜下で外側広筋を確認する（図 9-11）．外側広筋を後方へ外側筋間中隔まで追跡して，筋間中隔から筋を剥離して前方へ圧排する．遠位より剥離すると大腿

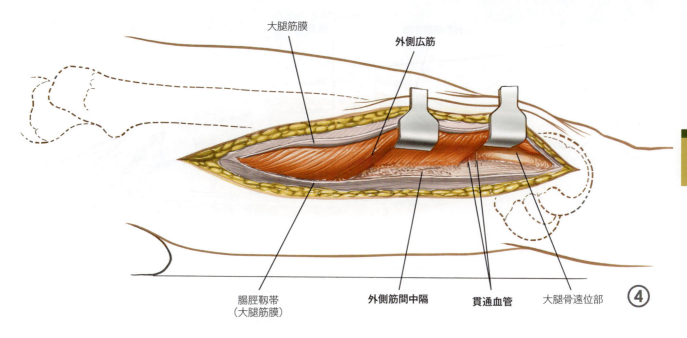

図 9-12　大腿骨への後外側アプローチ．外側広筋の前方排除
外側広筋を前方に引き上げ，筋を筋間中隔から剥離する．

への到達が容易である．多数の貫通動脈枝がこの中隔を横切って筋へ向かうので，結紮または電気凝固を行う（図 9-12）．大腿骨顆上部で多数の外側上膝動静脈を確認し，結紮する．これを怠ると出血多量となり処理が困難となる．

外側筋間中隔と外側広筋の間で剥離を進め，中隔から起始する外側広筋を切離して，大腿骨粗線に到達する（図 9-13）．この粗線部で骨膜を縦切し，粗線に沿って大腿骨に付着する筋を剥離する．粗線からの筋の剥離は鋭的に行わなければならない（図 9-14）．

大腿骨遠位 1/3 では，外側広筋と外側筋間中隔の間の面を開けるのはきわめて容易である．近位方向では，筋が段々厚くなり，筋全体を前方へ持ち上げて大腿骨幹部を露出するのが困難になる．これを容易にするため，Hohmann 鉤あるいは Bennett 鉤を大腿骨骨幹部の前面へ入れて外側広筋を前方へ持ち上げるとよい．鉤を外側筋間中隔に入れ，切開創が開くようにすると，近位方向の剥離が容易になる．

注意すべき組織

貫通動脈（大腿深動脈の枝）が外側筋間中隔を貫いて外側広筋へ向かう．剥離の途中で 1 つ 1 つ結紮するか，電気凝固しなければならない．これらの血管が外側筋間中隔でちぎれると中隔の後方へ退縮して出血し，止血が困難になり，連続縫合（under-running 縫合）を要する（図 9-64）．

外側上膝動静脈は大腿骨顆部の上方で大腿骨外側面を横切って走っているので，骨を露出するには結紮を要する．

術野拡大のコツ

●上下への拡大

この皮切の最大の有用性は大腿骨遠位 2/3 の展開にある．大転子に向かって近位へ拡大すれば，大腿骨骨幹部全体を露出できる．近位では大殿筋腱が外側筋間中隔の後方にあることを認識しておく．

このアプローチを拡大すれば，容易に膝への外側傍膝蓋アプローチとなり，膝関節も展開できる．これにより大腿骨遠位部全体を正確に観察することができる．この拡大アプローチは大腿骨遠位部の関節内骨折の観血的整復・内固定に用いられる．

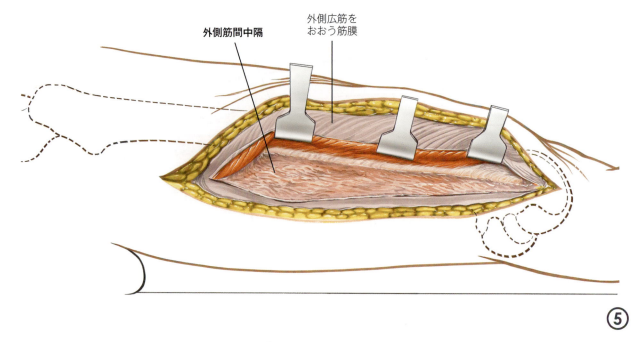

図 9-13 大腿骨への後外側アプローチ．大腿骨粗線の展開
筋間中隔から大腿および大腿骨粗線まで外側広筋を切離する．その後，骨膜を縦切する．

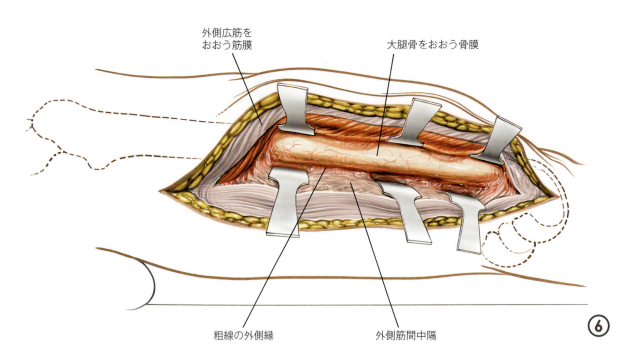

図 9-14 大腿骨への後外側アプローチ．大腿骨骨幹部の展開

3 大腿骨遠位 2/3 への前内側アプローチ

大腿骨の遠位 2/3 や膝関節に対しては，前内側アプローチが優れている．このアプローチは，次の場合に使われる．
- 大腿骨遠位部の骨折，とくに膝関節に及ぶ骨折の観血的整復・内固定（内側でのプレート固定が必要な骨折によく用いられる）[7]
- 大腿骨骨幹部骨折の観血的整復・内固定
- 慢性骨髄炎の手術
- 骨腫瘍の生検，手術
- 大腿四頭筋形成術
- 大腿骨遠位部での骨切り術

患者体位

背臥位とし，患肢は自由に動かせるようにする（図 9-15）．

ランドマーク

内側広筋は膝蓋骨上極の上内方部で明らかに膨隆していて，遠位部分のみが明らかに視診や触診ができる．膝関節疾患を有する患者の多くは，この内側広筋が急速に萎縮するので，判別しにくいかもしれない．

皮　切

大腿直筋と内側広筋の間にあたる大腿前内側面に 10 ～ 15 cm の縦切開を加える（内側広筋の輪郭以外にこの間隙を示す明らかなランドマークはない）．膝関節を開けなければならない場合には，膝蓋骨内側縁に沿って

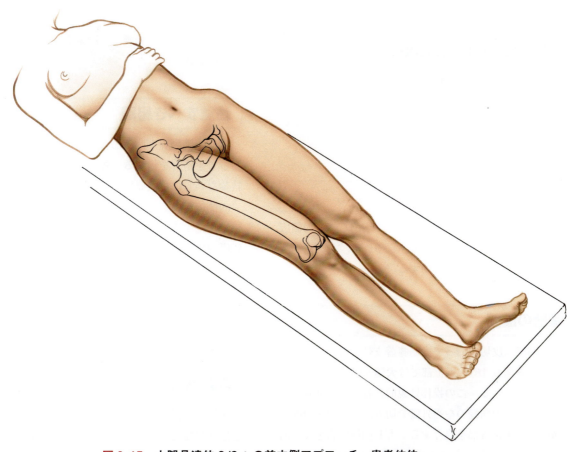

図 9-15　大腿骨遠位 2/3 への前内側アプローチ．患者体位

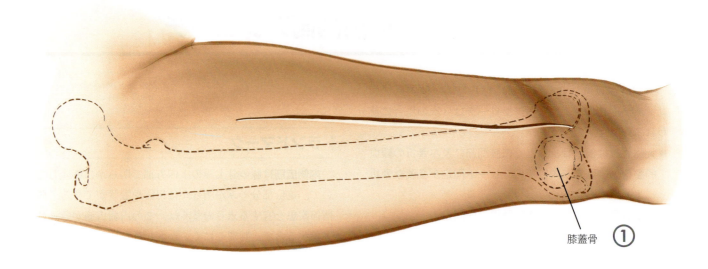

図 9-16　大腿骨遠位 2/3 への前内側アプローチ．皮切

関節裂隙まで皮切を延長する．正確な皮切の長さは手術の目的によって異なる（図 9-16）．

internervous plane

存在しない．剥離は内側広筋と大腿直筋の間で行われるが，両者とも大腿の近位で大腿神経に支配されるため，大腿骨遠位 2/3 を露出する場合にこの筋間を用いても安全である．

浅層の展開

大腿筋膜（深筋膜）を皮切に沿って切開して，内側広筋と大腿直筋の間隙を確認する（図 9-17）．大腿直筋を外側へ圧排してこの面を展開する（図 9-18）．

深層の展開

遠位部では皮切に沿って内側膝蓋支帯を切り，関節包を開く（☞図 9-18）．近位部では大腿四頭筋腱をほぼその内側縁で分ける．この操作は鋭的に行い，近位側では大腿四頭筋腱内側縁のやや外側で切り，この腱への内側広筋の筋線維付着部を温存する．もし内側広筋を大腿四頭筋腱で分けてしまうと再度腱と生着することは困難

で，筋機能が低下する．次に，内側広筋と大腿直筋の間隙を近位側へ展開して中間広筋を露出する．筋線維方向に中間広筋を裂くと，直下に大腿骨骨幹部が骨膜におおわれて存在する．骨膜上で剥離を続け，骨へ達する（図 9-19，20）．

注意すべき組織

内側上膝動脈が膝関節のすぐ近位で，大腿骨の下端を回って手術野を横切る．細いが術後血腫を作りやすく，結紮ないし電気凝固を行う（☞図 10-29）．

内側広筋のもっとも遠位の筋線維は直接膝蓋骨の内側縁に停止する．その主な作用は膝蓋骨を固定し，外側へ亜脱臼するのを防ぐことである（☞図 9-62）．筋とともに大腿四頭筋腱を小さく弁状に切開しないと，このアプローチでは内側広筋の筋線維停止部の侵襲は避けられない．修復にあたっては，膝蓋骨の外側亜脱臼が生じないようにていねいに縫合する．

術野拡大のコツ

● 上下への拡大

近位への拡大　大腿直筋と内側広筋の間隙に沿って近位へアプローチを拡大できる．深層の展開には中間広筋を

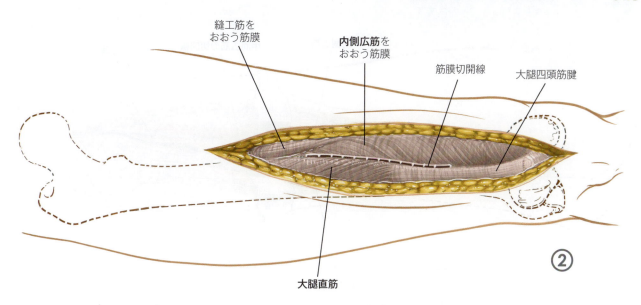

図9-17　大腿骨遠位2/3への前内側アプローチ．大腿筋膜の筋間隙の確認
大腿筋膜（深筋膜）を皮切に沿って切開して，内側広筋と大腿直筋の間隙を確認する．

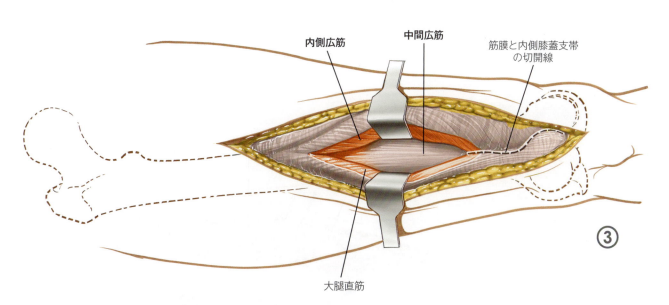

図9-18　大腿骨遠位2/3への前内側アプローチ．中間広筋の展開および関節包展開のための切開線
内側広筋と大腿直筋の間を展開して，大腿直筋を外側へ圧排する．傍膝蓋アプローチから関節包に向かう．

割いていく．この拡大により大腿骨の遠位2/3を完全に露出できる．しかし，より近位の展開では大腿動脈，大腿静脈，大腿神経が出現するため，大腿骨近位1/3の展開は外側アプローチのほうがよい．

遠位への拡大　皮切を遠位へ延長し，外側にカーブさせ脛骨粗面の直下までのばす．皮切に沿って内側膝蓋支帯を切開すれば，膝蓋骨は十分に移動性を得て外側へ亜脱臼させることが可能となる．この操作にあたっては，大腿四頭筋腱を停止部位から剥離しないように注意する（☞第10章「4 内側傍膝蓋アプローチ」）．

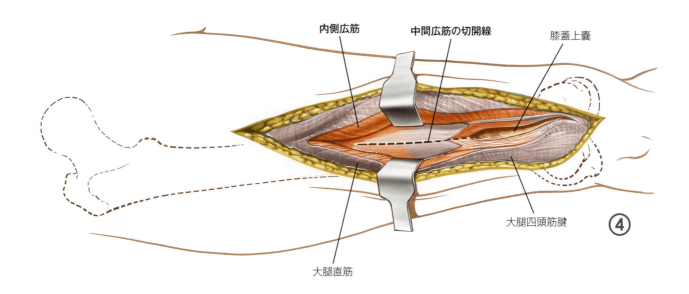

図 9-19　大腿骨遠位 2/3 への前内側アプローチ．術野の近位への拡大
近位に傍膝蓋骨切開を進め，関節包と膝蓋上嚢を展開する．筋線維方向に中間広筋を裂く．

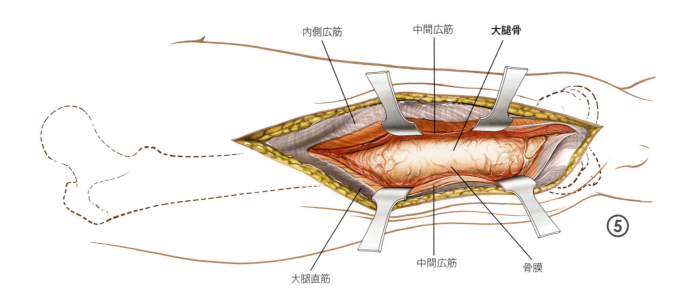

図 9-20　大腿骨遠位 2/3 への前内側アプローチ．大腿骨の展開
大腿骨骨幹部の骨膜を縦切し，骨膜下に大腿骨遠位部を露出させる．

4 大腿骨への後方アプローチ

後方アプローチ[8]は，局所の皮膚や軟部組織の問題で前方アプローチができない場合に有用である．このアプローチを用いると大腿骨の中央3/5および坐骨神経に到達できる．まれではあるが，次の場合に適応となる．

- 大腿骨の感染性偽関節の治療
- 慢性骨髄炎の手術
- 骨腫瘍の生検，手術
- 坐骨神経の検索

このアプローチにおける解剖学的知識は局所の展開には重要である．このアプローチは特殊で，近位側の半分では大腿二頭筋の外側で行い，遠位側の半分ではその内側より入る．これは大腿骨後面と坐骨神経との解剖学的位置関係によるものである．

患者体位

腹臥位とし，骨盤と胸部の両脇に縦に枕または厚めのフォームパッドをあて，胸腹部で十分な呼吸運動ができるようにする（図 9-21）．

ランドマーク

殿部の皮膚皺襞が容易に視診で確認できる．

皮 切

大腿の後面正中に約20 cmの直線状縦切開を加える．近位側は殿部の皮膚皺襞の下縁までとし，皮切の長さは手術の目的に応じて加減する（図 9-22）．

internervous plane

剥離面は，**外側広筋**（大腿神経支配）をおおう**外側筋間中隔**と**大腿二頭筋**（坐骨神経支配）の間である（図 9-23）．

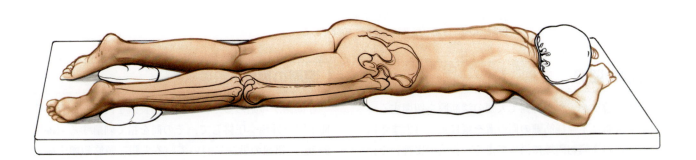

図 9-21　大腿骨への後方アプローチ．患者体位
骨盤と胸部を枕または厚めのフォームパッドで支える．

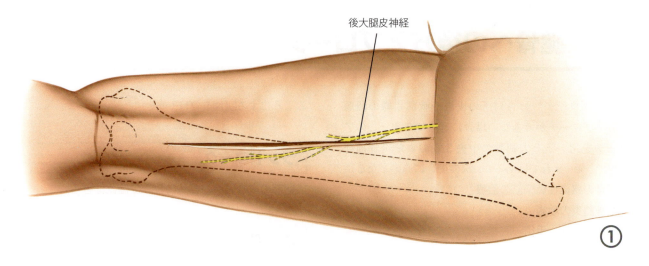

図 9-22　大腿骨への後方アプローチ．皮切
大腿の後面正中に直線状縦切開を加える．

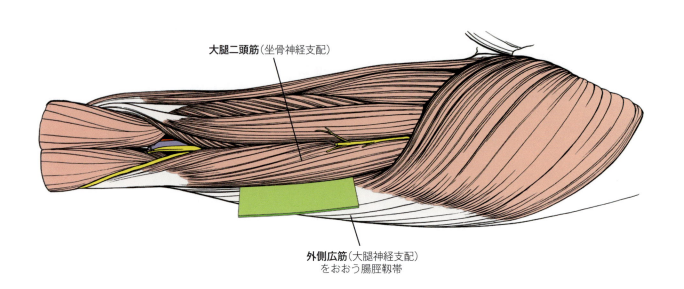

図 9-23　大腿後方の internervous plane
internervous plane は，外側広筋（大腿神経支配）をおおう外側筋間中隔と大腿二頭筋（坐骨神経支配）の間である．

浅層の展開

皮切に沿うか，やや外側で大腿の深筋膜を切開する．大腿二頭筋と半腱様筋腱の間の溝を縦に走る（大まかに言えばこの筋膜切開線に沿って走る）後大腿皮神経を損傷しないように注意する（図9-24）．手術創の近位側で大腿二頭筋の外縁を触診で確認したのち，大腿二頭筋と外側筋間中隔でおおわれた外側広筋との間を展開する（図9-25）．

深層の展開

近位側から始める．大腿二頭筋長頭を内側へ，外側筋間中隔を外側へ圧排して，その間を指で剝離する（☞図9-25）．粗線の外縁についている大腿二頭筋短頭を確認し，その起始部を大腿骨から鋭的に剝離して内側へ分け，大腿骨後面を露出する（図9-26）．

手術創の遠位半分では，大腿二頭筋長頭を外側へ圧排して坐骨神経を露出させる（図9-27）．この部の「坐骨

4. 大腿骨への後方アプローチ　547

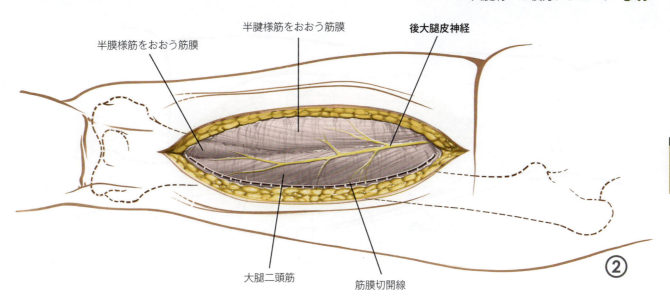

図 9-24　大腿骨への後方アプローチ．後大腿皮神経の確認
皮切に沿うか，やや外側で大腿の深筋膜を切開する．後大腿皮神経を損傷しないように注意する．

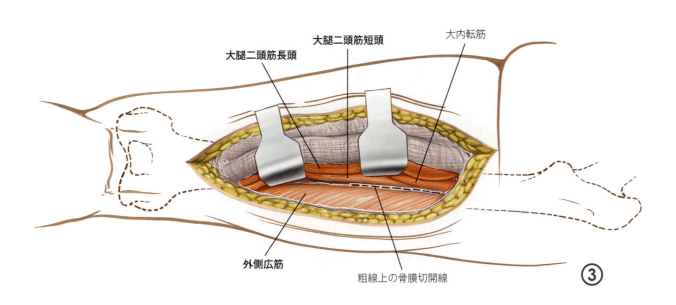

図 9-25　大腿骨への後方アプローチ．大腿二頭筋と外側広筋間の展開
手術創の近位側で大腿二頭筋の外縁を確認し，大腿二頭筋と外側広筋との間を展開する．

神経」はすでに脛骨神経と総腓骨神経とに分かれて並走していることを認識すべきである．坐骨神経を愛護的に外側へ圧排すると，骨膜におおわれた大腿骨後面が現れる（図 9-28）．骨膜より周囲の軟部組織を骨膜上で分けて大腿骨を展開する（図 9-29）．

注意すべき組織

坐骨神経は大腿部の後方コンパートメント内を通る．切開の近位側では大腿二頭筋の内側に位置しているので，正しく筋間面で操作する限り，このアプローチの近位部で坐骨神経を損傷することはない．ただし遠位部では必ず坐骨神経を確認し，過度に圧排し続けないように

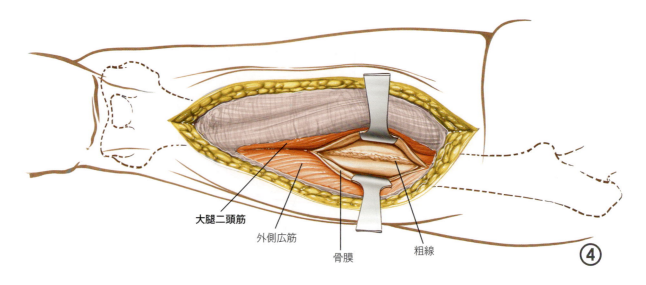

図 9-26 大腿骨への後方アプローチ．大腿骨後面の露出
大腿二頭筋短頭起始部を大腿骨から鋭的に剥離して内側へ分け，大腿骨後面を露出する．

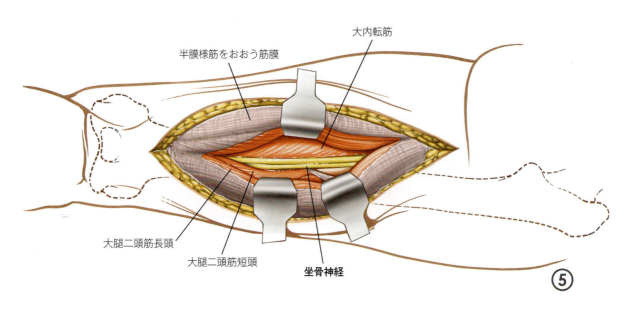

図 9-27 大腿骨への後方アプローチ．坐骨神経の露出確認
大腿二頭筋長頭を外側へ圧排して，坐骨神経を露出させる．

注意する（☞図 9-66）．

大腿二頭筋を支配する神経は坐骨神経から分枝し，大腿の近位部で大腿二頭筋の内側から筋内へ進入する．筋の剥離操作は安全な外側で行われるので近位でこの神経を損傷することはない．

術野拡大のコツ

このアプローチは術野を近位方向または遠位方向に拡大することはできない．大腿骨骨幹部の中央3/5の露出のみに有用である．

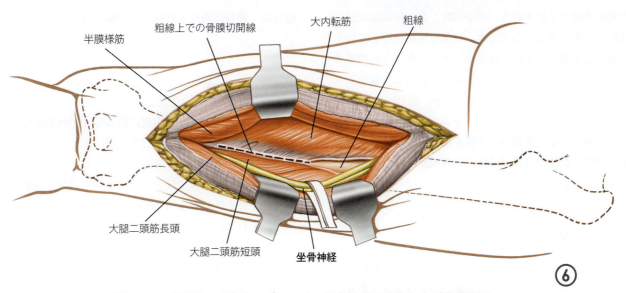

図 9-28 大腿骨への後方アプローチ．坐骨神経の保護および骨膜切開
坐骨神経を外側へ圧排し，大腿骨後面を露出させ，骨膜を切開する．

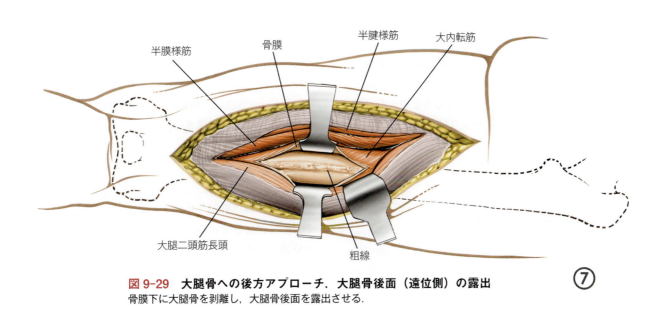

図 9-29 大腿骨への後方アプローチ．大腿骨後面（遠位側）の露出
骨膜下に大腿骨を剥離し，大腿骨後面を露出させる．

5 大腿骨遠位部への最小侵襲アプローチ

　大腿骨遠位部への最小侵襲アプローチは2つの経路を活用して行う．遠位の経路は，事実上，膝関節の外側傍膝蓋アプローチであって，大腿骨遠位端や関節面が展開できる．近位の経路は大腿骨骨幹部に到達する経路で，外側アプローチの一部でもある（☞図 9-6）．最小侵襲アプローチは，観血的整復や大腿骨遠位部骨折の内固定，とくに関節内骨折を伴う骨幹端部の粉砕骨折に適している[9〜12]．

患者体位

　背臥位とし患側の大腿部の下に枕を入れ，膝を30°程

度屈曲させて手術を行う（図9-30）．この体位は大腿骨遠位部骨折の整復を行うとき，遠位骨片に付着している腓腹筋を弛緩させるのに役立つ．ターニケットを使用する場合，ターニケットを大腿近位部に装着し，遠位よりEsmarch駆血帯を巻いて駆血するか，患肢を3～5分間挙上させたあとターニケットをふくらませる．X線透視が可能な手術台を用い，手術を開始する前にイメージ増強管で膝関節や大腿骨骨幹部の透視が可能なことを必ず確認しておく．

ランドマーク

膝関節を屈伸させ大腿脛骨関節裂隙の外側を確認する．膝蓋骨外側縁と大腿骨外側顆の触知は容易である．しかし，大腿骨骨幹部は緊張した腸脛靱帯の深部に骨性の抵抗を触れる程度で，そのものを触知することは難しい．

皮切

大腿骨外側顆のやや前方に6～8cmの縦切開を加える．皮切の遠位は大腿骨と脛骨の関節裂隙までとする．次に，大腿骨骨幹部の外側に第2の縦切開を加える（図9-31）．この第2の皮切の部位や長さは使用するインプラントにより異なるため，必ずイメージ増強管で皮切の位置を確認しながら切開を加える．

internervous plane

遠位部の皮切では，大腿神経支配である外側広筋と坐骨神経支配の大腿二頭筋を露出する．近位部の第2の皮切では，神経は現れず外側広筋筋腹を分けても問題はない．

浅層の展開

遠位より始める．皮膚切開に沿って皮下組織を分け，外側膝蓋支帯を切開し関節包を展開する．この切開の近位では外側広筋をおおう筋膜を縦切開し，外側広筋と外側筋間中隔の間を前後に分ける．多数の外側上膝動脈や静脈の分枝が術野を横切っているので，結紮もしくは電気凝固を行う．

近位には，皮切と同軸に皮下脂肪組織を分け，外側広筋をおおう筋膜を縦方向に切開する（図9-32）．

深層の展開

遠位に膝関節包と関節滑膜を縦に切開し，大腿骨遠位を完全に露出する．適切なレトラクターを用いて膝蓋骨をよけ，膝関節を屈伸させながら関節内をこまなく観察する．近位には大腿広筋を筋線維に沿って分け大腿骨骨幹部の外側の骨膜に直接到達する（図9-33）．最後に，骨膜を傷つけないように鈍的に骨膜上の軟部組織を剥離し，遠位と近位の2つの皮切を深層で連続させると大腿骨外側面が現れる（図9-34）．

注意すべき組織

上膝動静脈は確認し結紮すべきである．分枝の数が多く骨膜に密着している．これらの止血を怠ると術後血腫の原因となる．

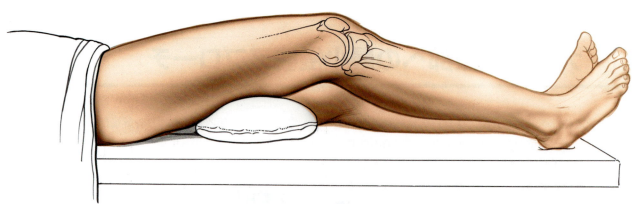

図9-30　大腿骨遠位部への最小侵襲アプローチ．患者体位
背臥位とし患側の大腿部の下に枕を入れ，膝を10°程度屈曲させる．

5. 大腿骨遠位部への最小侵襲アプローチ　551

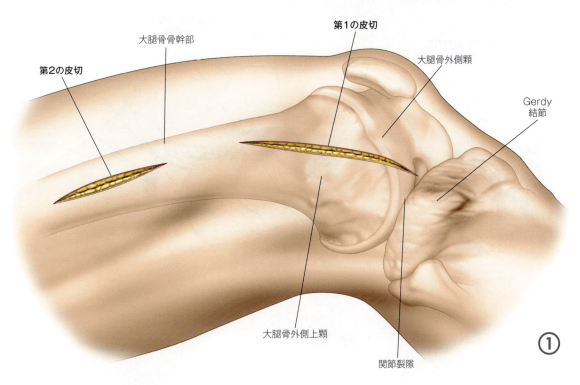

図 9-31　大腿骨遠位部への最小侵襲アプローチ．皮切
遠位部では，関節裂隙から始め大腿骨外側顆の前方 6〜8 cm の縦切開を加える．近位部では大腿骨骨幹部の外側に縦切開を加える．この近位の皮切の部位や長さは骨折の状態や使用するインプラントによる．

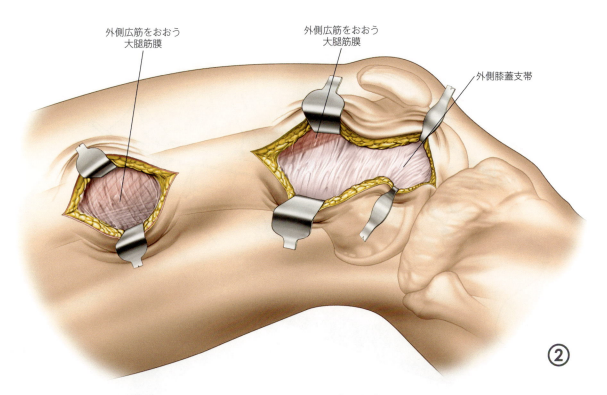

図 9-32　大腿骨遠位部への最小侵襲アプローチ．筋膜の露出
遠位部では皮膚切開に沿って皮下組織を分け，外側広筋をおおう筋膜と外側膝蓋支帯を露出させる．近位部では皮切と同軸に皮下脂肪組織を分け外側広筋をおおう筋膜を露出させる．

552　第9章　大腿骨

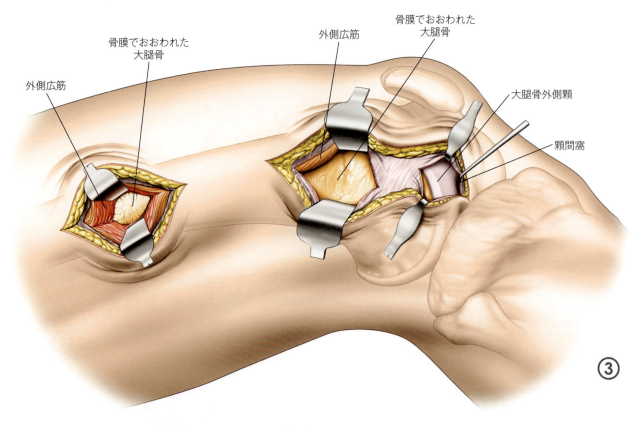

図 9-33　大腿骨遠位部への最小侵襲アプローチ．深層の展開
遠位に外側膝蓋骨支帯を切離し，その下層の膝関節包を切開し膝関節にいたる．近位では筋膜を切開し，大腿骨骨幹部の外側を露出させる．外側広筋をおおう筋膜を切開し筋線維を分けて，大腿骨骨幹部外側部をおおう骨膜を露出させる．

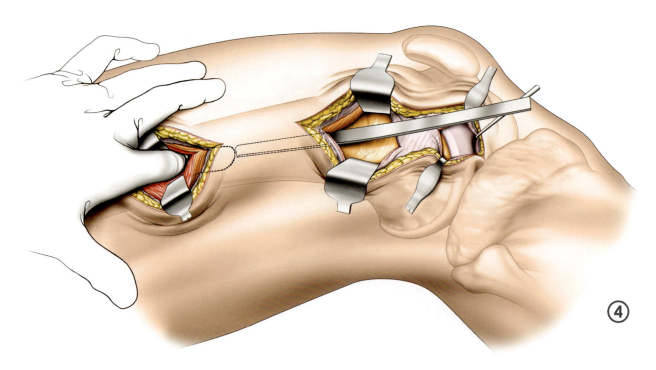

図 9-34　大腿骨遠位部への最小侵襲アプローチ．骨膜上での鈍的展開
2つの切開を骨膜上で大腿骨外側面を鈍的に剥離して結合させる．

術野拡大のコツ

●深部への拡大

創外固定器あるいは筋鉤を用いて大腿骨骨幹部外側および脛骨外側の術野を広くすると，膝外側が展開でき関節内の観察も容易となる．

●上下への拡大

切開を加えて2ヵ所の皮切を連続させ，外側広筋を線維方向に分けると大腿骨外側が広く露出できる．しかしこの操作は，軟部組織にある程度の損傷と大腿骨骨幹端部骨折片の血行障害とを引き起こす危険性が生じる．

6 大腿骨遠位部へのアプローチ

遠位大腿骨顆部骨折は正確な整復が必要である．大腿骨遠位部は関節内であって関節軟骨が被覆している．これらのアプローチは大腿骨遠位関節の前方から後方まで観察することができる．

この大腿骨遠位部へのアプローチは，骨折の整復や以下の治療時の内固定挿入に用いられる．

- 遠位大腿骨骨折[13, 14]
- 大腿骨顆部関節内骨折（後方Hoffa骨折）[14, 15]
- 遠位大腿骨骨折遷延治癒，偽関節，変形治癒

7 遠位大腿骨顆部への前方アプローチ（Swashbucklerアプローチ）[13]

患者体位

背臥位とし患側の大腿部の下に枕を入れ，膝を10°程度屈曲させて手術を行う（☞図9-30）．この体位は大腿骨遠位部骨折の整復を行うとき，遠位骨片に付着している腓腹筋を弛緩させるのに役立つ．ターニケットを使用する場合，ターニケットを大腿近位部に装着し，遠位よりEsmarch駆血帯を巻いて駆血するか，患肢を3〜5分間挙上させたあとターニケットをふくらませる．X線透視が可能な手術台を用い，手術を開始する前にイメージ増強管で膝関節や大腿骨骨幹部の透視が可能なことを必ず確認しておく．

ランドマーク

膝関節を屈伸させ**大腿脛骨関節裂隙の外側**を確認する．膝蓋骨外側縁と大腿骨外側顆の触知は容易である．しかし大腿骨骨幹部は緊張した腸脛靱帯の深部に骨性の抵抗を触れる程度で，そのものを触知することは難しい．

皮切

大腿骨外側顆のやや前方に20 cmの縦切開を加える[13]（図9-35）．近位にはやや外側に皮切をおく．

internervous plane

上殿支配である大腿筋膜張筋と大腿神経支配の外側広筋の間を展開する．

浅層の展開

皮膚切開に沿って皮下組織を分け，外側広筋筋膜を露出する．皮膚切開と同軸同長に外側広筋筋膜を切開する．外側広筋筋膜が腸脛靱帯に移行する部位まで展開を拡大する（図9-36）．ここで外側広筋と腸脛靱帯の間の筋膜を切開する．

深層の展開

外側膝蓋支帯と膝関節包を切開し，膝関節に到達す

る．外側広筋を外側筋間中隔から圧排して大腿骨骨幹部に到達する．骨膜に密着している上膝動静脈を同定し結紮する．膝を完全伸展させ，外側広筋を内側へよけ，膝蓋骨を内方に牽引し，大腿骨遠位部と遠位大腿骨関節面の前方を展開する[13]（図9-37）．

注意すべき組織

上膝動静脈は確認し結紮すべきである．分枝の数が多く骨膜に密着している．これらの止血を怠ると術後血腫の原因となる．

膝蓋腱の**脛骨停止部**は，膝蓋骨を無理に反転させると剥離する危険性がある．

術野拡大のコツ

このアプローチは internervous plane に沿って近位に拡大できる．そのさいにまず膝を伸展させ膝蓋骨を反転すると，大腿骨遠位部位がより観察できる．遠位で切開を拡大することはできない．

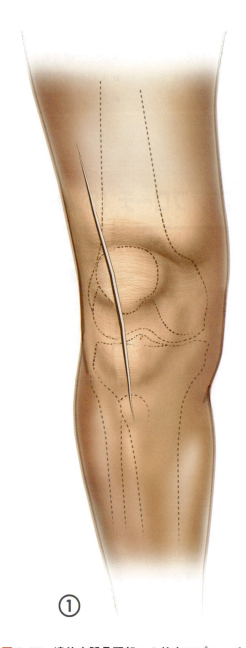

図9-35　遠位大腿骨顆部への前方アプローチ．皮切
大腿骨遠位部の Swashbuckler アプローチのための皮切は，大腿骨外側顆の中央で膝蓋骨すぐ外側に20 cm 長である．

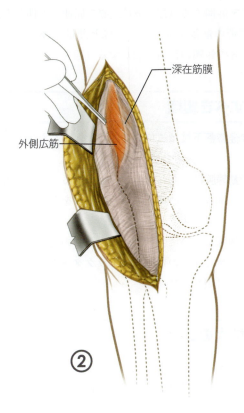

図9-36 遠位大腿骨顆部への前方アプローチ. 外側広筋筋膜の切開
皮膚切開に沿って皮下組織を分け，外側広筋筋膜を切開し，外側広筋を持ち上げる．

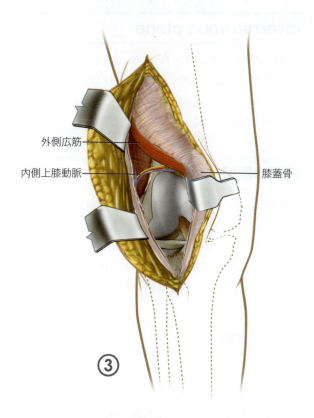

図9-37 遠位大腿骨顆部への前方アプローチ. 外側膝蓋支帯と膝関節包の切開
外側膝蓋支帯と膝関節包を切開し，膝関節に到達する．外側広筋を外側筋間中隔から引き上げ，大腿骨骨幹部を露出させる．

8 大腿骨内側顆への内側アプローチ

患者体位

背臥位とし対側の大腿部の下に枕を入れ，手術側の膝を30°程度屈曲させて手術を行う（図9-38）．この体位は骨折の遠位骨片に付着する腓腹筋をゆるめる．大腿骨遠位部骨折の整復を行うとき，遠位骨片に付着している腓腹筋を弛緩させるのに役立つ．ターニケットを使用する場合，ターニケットを大腿近位部に装着し，遠位よりEsmarch駆血帯を巻いて駆血するか，患肢を3～5分間挙上させたあとターニケットをふくらませる．X線透視が可能な手術台を用い，手術を開始する前にイメージ増強管で膝関節や大腿骨骨幹部の透視が可能なことを必ず確認しておく．

ランドマーク

膝関節を屈伸させ，**膝関節内側関節裂隙**を確認する．膝蓋骨内側縁と大腿骨内側顆の触知は容易である．大腿骨内側顆の**内転筋結節**を触れる．それは，大腿骨顆部の後方にあって内側広筋とハムストリングの間のくぼみにある．

皮 切

大腿骨内側面に15cmの縦切開をおく．関節裂隙から始め，内転筋結節を通り大内転筋の後縁に沿って大腿まで切開する（図9-39）．

internervous plane

このアプローチには，真の internervous plane はない．大腿神経支配の内側広筋と縫工筋の間を用いる．しかし，両方の筋とも近位で神経支配されており，この筋間は安全に使用できる．

浅層の展開

皮膚切開に沿って皮下組織を分ける．術野に横走する伏在神経の膝蓋骨下肢に注意する．大腿骨内側顆の後方にある内側広筋と縫工筋の筋間を触知する．膝を屈曲させ縫工筋の緊張をゆるめ，筋を後方に圧排すると，大内転筋結節に停止する大内転筋腱をみることができる．

深層の展開

縫工筋と大内転筋を後方に圧排し，内側広筋を前方に圧排して大腿骨遠位を展開する．大腿骨骨膜に接する内側膝動静脈を同定し結紮する（図 9-40）．

大腿骨内側顆に到達するには，内側膝蓋支帯を切開して膝関節を展開する（図 9-41）．膝を屈曲し切開した内側膝蓋支帯の前縁を前方に，後縁と鵞足を後方に圧排し，大腿骨内側顆の後面を触知する（図 9-42）．

注意すべき組織

伏在神経膝蓋下枝は遠位の切開には保護しなければならない．

内側膝動静脈は確認し結紮すべきである．分枝の数が多く骨膜に密着している．これらの止血を怠ると術後血腫の原因となる．

膝窩動静脈ならびに**坐骨神経**は大腿骨の後方にある．膝を屈曲させて保護のためにレトラクターを用いて安全を確保する（図 9-43）．

術野拡大のコツ

internervous plane に沿って必要なだけ近位に拡大できる．大内転筋と外側広筋間は，遠位では切開の拡大はできない．

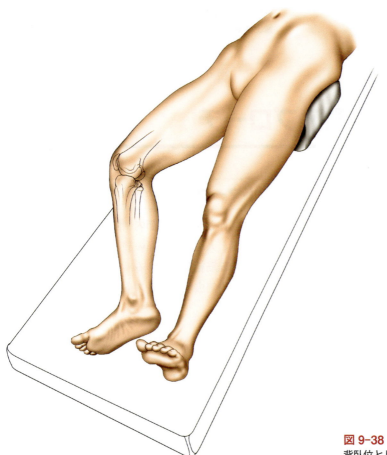

図 9-38 大腿骨内側顆への内側アプローチ．患者体位
背臥位とし対側の大腿部の下に枕を入れ，20°程度回旋させる．

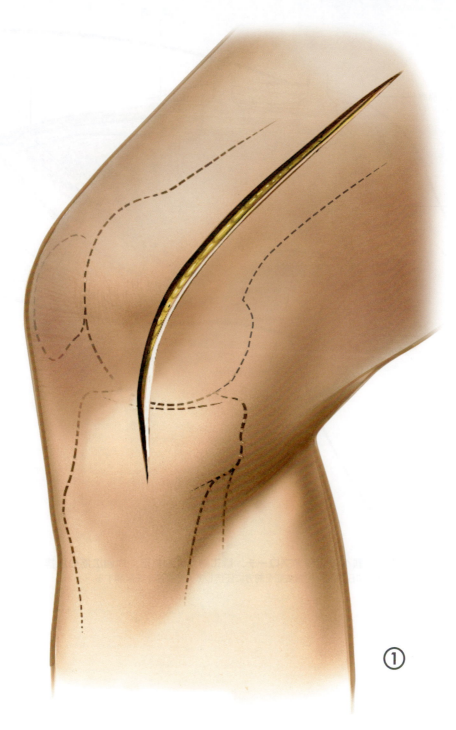

図 9-39 大腿骨内側顆への内側アプローチ．皮切
大腿骨内側面に 15 cm の縦切開をおく．関節裂隙から始め，内転筋結節を通り，大内転筋の後縁に沿って大腿まで切開する．

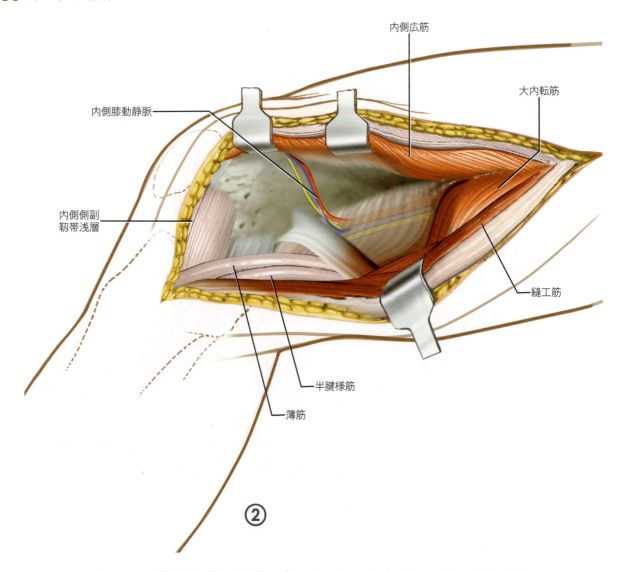

図 9-40　大腿骨内側顆への内側アプローチ．縫工筋，大内転筋，内側広筋の圧排
縫工筋と大内転筋を後方に圧排し，内側広筋を前方に圧排して大腿骨遠位を展開する．

8. 大腿骨内側顆への内側アプローチ　559

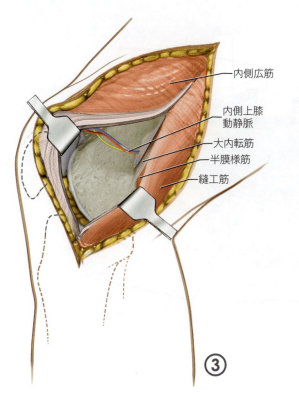

図 9-41　大腿骨内側顆への内側アプローチ．内側膝蓋支帯の切開
内側膝蓋支帯を切開して膝関節にいたる．

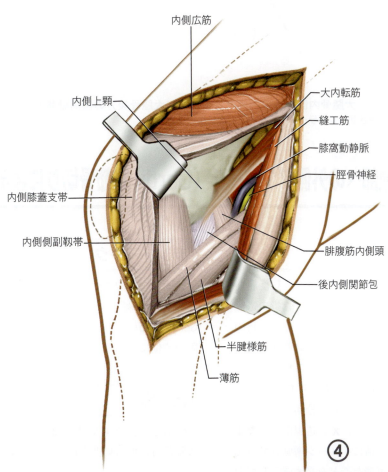

図 9-42　大腿骨内側顆への内側アプローチ．後縁と鵞足の圧排
切開した内側膝蓋支帯の前縁を前方に，後縁と鵞足を後方に圧排する．

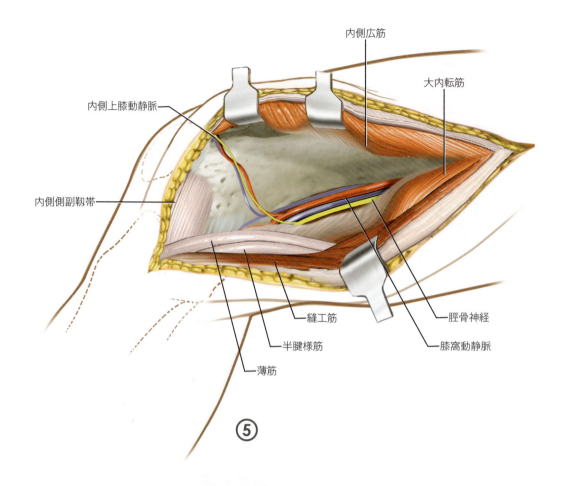

図9-43 大腿骨内側顆への内側アプローチ．大腿骨後方の膝窩動静脈
膝を屈曲させ，レトラクターを用いて安全を確保する．

9 遠位大腿骨顆部への外側アプローチ（Gerdy結節骨切りによるアプローチ）

患者体位

背臥位とし大腿部の下に枕を入れ，膝を10°程度屈曲させて手術を行う（☞図9-30）．この体位は骨折の遠位骨片に付着する腓腹筋をゆるめる．大腿骨遠位部骨折の整復を行うとき，遠位骨片に付着している腓腹筋を弛緩させるのに役立つ．ターニケットを使用する場合，ターニケットを大腿近位部に装着し，遠位よりEsmarch駆血帯を巻いて駆血するか，患肢を3～5分間挙上させたあとターニケットをふくらませる．X線透視が可能な手術台を用い，手術を開始する前にイメージ増強管で膝関節や大腿骨骨幹部の透視が可能なことを必ず確認しておく．

ランドマーク

膝関節を屈伸させ，**膝関節外側関節裂隙**を確認する．膝蓋骨外側縁と大腿骨外側顆の触知は容易である．**Gerdy結節**は膝蓋腱外側の骨性隆起として前外側関節裂隙の遠位に触れる．

皮切

Gerdy結節から始まる20 cmの縦切開をおく．遠位大腿前外側面に切開を広げる[15]（図9-44）．

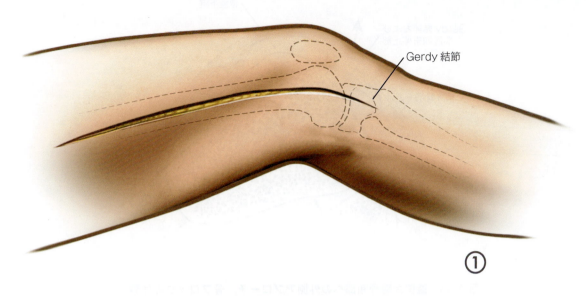

図 9-44　遠位大腿骨顆部への外側アプローチ．皮切
Gerdy 結節から始まる 20 cm の縦切開をおく．

internervous plane

深層の展開では，大腿神経支配の外側広筋と坐骨神経支配の大腿二頭筋の間の internervous plane を用いる．しかし，両方の筋とも近位で神経支配されており，この筋間は安全に使用できる．

浅層の展開

皮膚切開に沿って皮下組織を分け腸脛靱帯を露出させる．創縫合する前に再縫着できるように Gerdy 結節を前もってドリルしタップしておく（図 9-45）．オステオトーム（骨ノミ）を用いて Gerdy 結節を中心にした 2 × 2 cm の骨ブロックを作製する．骨ブロックを母床から注意深く取り出し，近位に反転する．腸脛靱帯は骨ブロックを付着したまま近位に反転すると，外側広筋と大腿二頭筋が確認できる（図 9-46）．

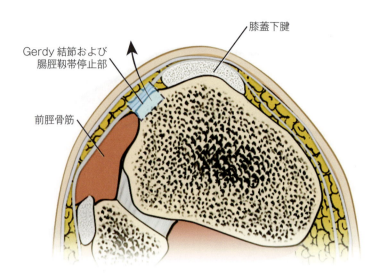

図 9-45　遠位大腿骨顆部への外側アプローチ．骨ブロックの作製
前もってドリルした慎重に骨切りして，Gerdy 結節を中心にした大腿筋膜張筋筋膜の停止部をつけた骨ブロックを作製する．骨ブロックを近位に反転し，その深層の組織を観察する．

深層の展開

外側広筋を前方に，大腿二頭筋を後方によけ大腿骨外側顆の全貌と腓腹筋外側頭の起始を露出させる[15]．遠位大腿骨膜に付着している上外側膝動静脈を確認する（図 9-47）．

注意すべき組織

外側膝動静脈は確認して結紮すべきである．分枝の数が多く骨膜に密着している．これらの止血を怠ると術後血腫の原因となる．

Gerdy 結節の再縫着は，骨切りが注意深くなされず，骨片が分節化してしまう危険性が高い．

術野拡大のコツ

このアプローチは近位および遠位への拡大は困難である．

9. 遠位大腿骨顆部への外側アプローチ（Gerdy結節骨切りによるアプローチ）

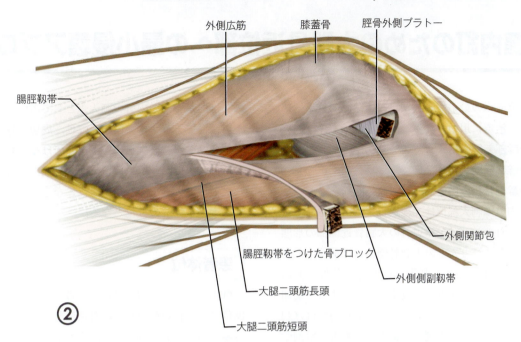

図 9-46　遠位大腿骨顆部への外側アプローチ．外側広筋と大腿二頭筋の露出
骨ブロックを腸脛靱帯につけたまま反転し，下層の外側広筋と大腿二頭筋を露出させる．

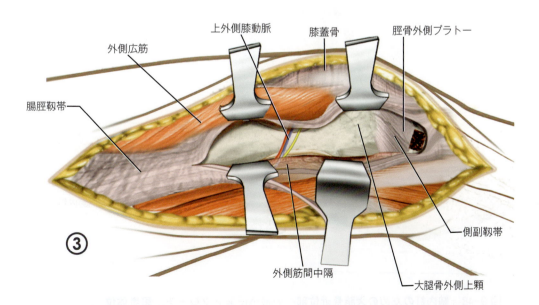

図 9-47　遠位大腿骨顆部への外側アプローチ．大腿骨外側顆と腓腹筋外側頭起始の露出
外側広筋を前方に，大腿二頭筋を後方によけ大腿骨外側顆の全貌と腓腹筋外側頭の起始を露出させる．

10 髄内釘のための大腿骨近位部への最小侵襲アプローチ

大腿骨近位部への最小侵襲アプローチは髄内釘手術に使われ，次の治療に用いられる．
- 大腿骨骨幹部新鮮骨折
- 大腿骨骨幹部病的骨折
- 大腿骨骨幹部骨折の遷延治癒および偽関節

大腿骨髄内釘の刺入部位はX線透視下に決定される．刺入点は髄内釘のデザインや患者の大腿骨近位部の形態によって異なる．ほとんどの大腿骨髄内釘は前後像でみるとまっすぐであるため，刺入点はX線前後像，側面像とも正確に髄腔のラインに一致するようにする．切開を加える前に，X線透視下にテンプレートをあてれば刺入点が正確にわかる．この刺入点にもっとも近い解剖学的指標は外閉鎖筋が付着する転子窩であるが，これはすべての患者で，必ずしもX線前後像，側面像で髄腔の延長線上にはないので，信頼性に乏しい．しかも，転子窩は筋肉におおわれていて触知が難しい[16, 17]．

しばしば転子窩と梨状筋窩と間違えることが多い．梨状筋は大転子の先端で大転子の上縁の後方に停止する．ここは曲がった髄内釘の刺入点として用いられる．

前後面でまっすぐな髄内釘では，皮切，骨の刺入部，大腿骨髄腔が一直線上に並ばなくてはならない．

近位に角度がついている大腿骨近位部骨折用の髄内釘などでは，大転子先端が刺入点になる．この場合には皮切は大転子先端の近位となる．

患者体位

髄内釘の大腿骨刺入には2つの体位が用いられる．背臥位では骨折の整復や髄内釘遠位部のロッキングがより容易である（図9-48）．側臥位では大腿骨近位端の刺入点への到達が容易であり，肥満した患者や転子下骨折症例に好んで用いられる．

●背臥位

牽引手術台で患者を背臥位とする．大腿骨顆部の直達牽引ピン，あるいは足部固定具を用いて患肢を牽引す

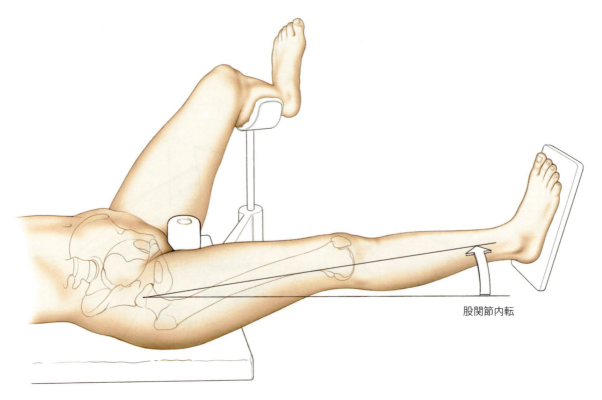

図9-48　髄内釘のための大腿骨近位部への最小侵襲アプローチ．患者体位
牽引手術台で患者を背臥位とする．牽引や徒手で整復する．できるだけ牽引抑制支柱で支えて可及的に下肢を内転させ，Cアームで大腿骨全体が透視できるように対側の対側股関節は外転・屈曲させる．

10. 髄内釘のための大腿骨近位部への最小侵襲アプローチ　**565**

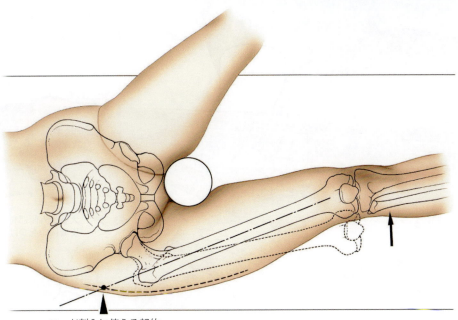

A やせ型の場合

ロッド刺入に使える部位

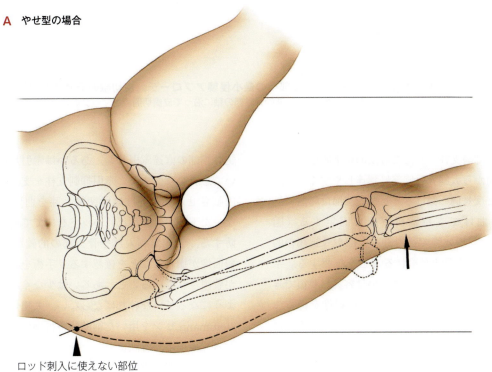

B 肥満体の場合

ロッド刺入に使えない部位

図9-49　髄内釘のための大腿骨近位部への最小侵襲アプローチ．肥満と皮切の位置変化（背臥位）
A：下肢を内転すると皮膚切開は遠位となる．
B：肥満した患者の場合，背臥位では髄内釘の刺入は困難である．最大内転位であっても腸骨稜より近位の皮膚切開となる．

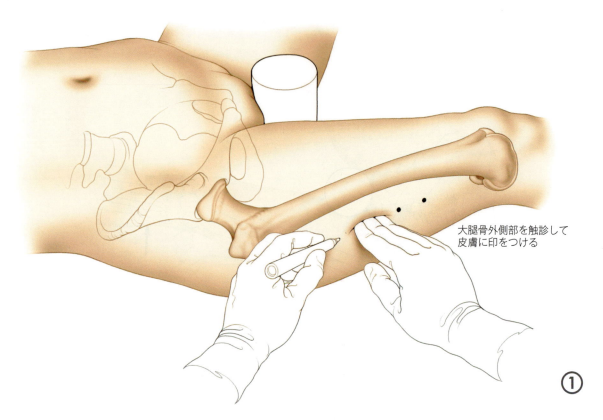

大腿骨外側部を触診して皮膚に印をつける

図9-50 髄内釘のための大腿骨近位部への最小侵襲アプローチ．皮切線のデザイン(1)
外側広筋を介して大腿骨骨幹部を触れる．大腿骨骨幹部の軸に沿って皮膚切開線をマークする．この切開線はカーブしている．

る．体幹を牽引抑制支柱で支えて可及的に下肢を内転させ，殿部外側面から大腿骨近位部に到達しやすくする．体幹を手術側と反対側へ傾ける．対側股関節は屈曲・外転させ，膝を曲げて支持器に下腿を固定する（図9-49A）．イメージ増強管で髄内釘刺入部や骨折部の的確なX線前後像，側面像が撮れることを確認する．手術前に骨折が整復されている，あるいは容易に整復できることを確かめておく．術前に鮮明なX線像を得ることが重要であり，たとえ時間がかかっても，この操作に最大限の努力を払う必要がある．術前操作の5分間が手術時間を2時間短縮させることにつながる．

転位した大腿骨転子下骨折では，腸腰筋や外転筋の作用で予想以上に近位骨片が屈曲・外転位をとり，患肢の牽引のみでは整復できないことがある．その場合には，近位骨片に経皮的にSteinmannピンを刺入し用手整復を行う．小切開による観血的整復が必要な場合もある．

非常に肥満した患者の場合，背臥位では髄内釘の刺入は困難である（☞図9-49）．

● 側臥位

牽引手術台上で患肢を上にして側臥位をとらせる．大腿骨顆部の直達牽引ピン，あるいは牽引足部固定具を用いて患肢を牽引する．牽引抑制支柱を支えとし，患肢を内転させる．対側肢は股関節と膝を曲げておく．下になった下肢の骨隆起部にパッドをあてて褥瘡の発生を予防する．髄内釘刺入部や骨折部の的確なX線前後像，側面像が撮れることを確認する．手術を始める前に骨折が整復されていること，あるいは少なくとも整復できるようになっていなければならない．大腿骨近位部骨折はSteinmannピンを用いた補助的整復操作を要することがある（☞前項「背臥位」）．

側臥位が背臥位より大腿骨近位部に到達しやすいのは内転位がとりやすいためで，肥満の患者ではとくに有用である．極度に肥満した例では，この肢位でさえも髄内釘がなかなかうまくいかない．その場合には顆間窩から刺入する逆行性髄内釘刺入法がよい．

ランドマーク

大転子は大腿骨の骨幹部と頸部の移行部から近位後方へ突出した大きな骨性隆起である（☞図8-43）．

上前腸骨棘は腸骨稜の前端において触知できる（☞図

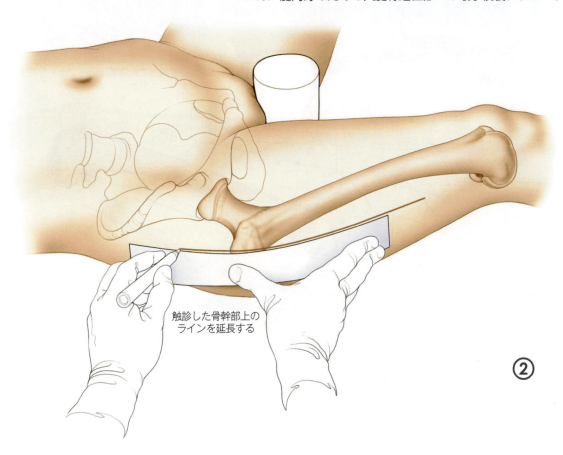

図 9-51　髄内釘のための大腿骨近位部への最小侵襲アプローチ．皮切線のデザイン（2）
引いた切開線を上前腸骨棘の位置まで大転子部先端まで延長する．

8-43)．

　大腿骨骨幹部は大腿外側の厚い外側広筋を通して硬く触れる．

皮　切

適切な部位に皮切をおく方法には2種類ある．

●X線学的方法

　大腿部の外側面で厚い外側広筋を通して大腿骨骨幹部を触知する．マーカーペンで大腿骨骨幹部外側面に印をつけ皮膚にラインを引く（図9-50）．大腿骨は側面では前方に弯曲しているので，弯曲したラインとなる．このラインを大転子から近位方向に腸骨稜近くまでのばす（図9-51）．

　次に，長いガイドワイヤー，たとえばリーミング用ガイドワイヤーを大腿前面にあて，ガイドワイヤーが骨髄腔の中央におかれていることをX線透視下に確認する（図9-52）．

　長い動脈鉗子を手にとり，その先端を皮膚に描いたラインに沿って近位側に移動させる．X線透視装置を使ってこの動脈鉗子を前後像で写す（☞図9-52）．動脈鉗子の先端の像がガイドワイヤーの陰影と交わった点で皮膚に印をつける（☞図9-52）．この印が皮切の中央となる．この皮切および正しい骨刺入部より挿入されたワイヤーは，前後面，側面でも完璧に大腿骨髄腔を通る．

　肥満した患者や下肢を内転できない患者ではこの刺入点は腸骨稜に近い位置にマークされることになるが，そのような挿入部位は使えない（☞図9-49B）．その場合には弯曲した髄内釘を用いて，印より近位部においた皮切で手術を行う方法が用いられる．

●ランドマーク法

　厚い外側広筋を通して大腿骨骨幹部を触診する．マーカーペンで大腿骨骨幹部外側面に印をつけてから皮膚にラインを引く（☞図9-50）．このラインを，大転子先端を越えてやや後方へ弯曲させながら近位方向へ延伸させる．

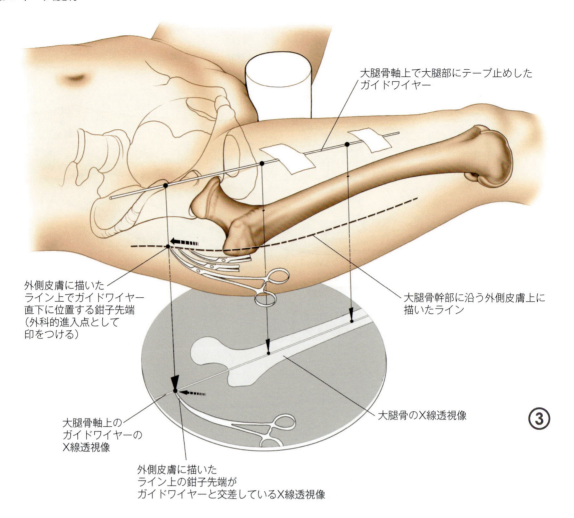

図 9-52 髄内釘のための大腿骨近位部への最小侵襲アプローチ．X線透視による大腿骨髄内釘挿入部位の位置決め
長いガイドワイヤーを大腿前面にあて，ガイドワイヤーが骨髄腔の中央におかれていることをX線透視下に確認する．長い動脈鉗子を手にとり，その先端を皮膚に描いたラインに沿って近位側に移動させる．X線透視装置を使って，この動脈鉗子の先端がガイドワイヤーの陰影と交わった点で皮膚に印をつける．

次に上前腸骨棘を触診する．この部位から殿部へ向かって垂直ラインを描く．この2つのラインが交わる点が皮切の中心となる（図 9-53）．

皮 切

皮膚につけた印を中心に縦切開を加える．皮切の長さは用いる髄内釘のタイプによる．近位部に取りつけられた横留めスクリュー挿入用ジグにかなりのオフセットがある髄内釘では3 cmの皮切で挿入できるが，近位のジグが髄内釘に近い髄内釘ではより長い皮切を要する（7 cmまで）．

internervous plane

internervous plane や intermuscular plane はない．大殿筋と中殿筋の線維を分けるが，支配神経は損傷されない．

浅層の展開

皮切に沿って皮下脂肪と大殿筋をおおう筋膜を切開する．弯曲した鉗子を用いて大殿筋を線維方向に3 cm分ける．

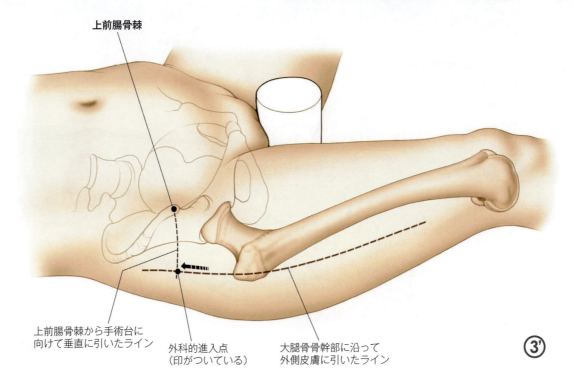

図 9-53 髄内釘のための大腿骨近位部への最小侵襲アプローチ．ランドマークによる進入部位の位置決め
上前腸骨棘から下に垂直に線を引く．マーカーペンで大腿骨骨幹部外側面に前もって引いたラインが交わる点にマークする．

深層の展開

長い弯曲鉗子を用いて中殿筋線維を分け，遠位方向に剥離を進めて大腿骨近位部に到達する．指を用いて大転子の内側面を確認する方法はしばしば役に立つ．剥離した部位を通してマーカーワイヤー（あるいはロッド）を大腿骨近位端に進め，ワイヤーが正しい骨刺入部にくるように，X線透視下にその位置を調整する．前後像，側面像ともにワイヤーが骨髄腔内に挿入されていなければならない（図 9-54，55）．

大腿骨近位部へ正確に挿入する手技は髄内釘ごとに異なる．手術器具を正しく使用するには適切な解説書を参考にしなければならない．

る．とくに剛性が強い髄内釘を大腿骨近位 1/3 での骨折例に使用すると，骨折部での**内反変形**が生じうる．また，髄内釘を打ち込むさいに方向を誤り外側から刺入すると**内側骨皮質の医原性骨折**を起こす危険性がある．

刺入点が内側に寄りすぎると**医原性の大腿骨頸部骨折**，通常頸部基部の縦骨折を引き起こす．ときには内側寄りの刺入によって**大腿骨頭への血流**を障害し，骨頭壊死を生じさせることもある．

上殿神経は，大転子先端近位 3～5 cm では中殿筋実質内を後方から前方へ向かって走っている．下肢内転位での髄内釘刺入ではこの神経は損傷されることはないが，逆行性髄内釘刺入法で下肢が不必要に外転された状態では神経損傷が生じうる．

注意すべき組織

間違った刺入点は大腿骨髄内釘法の危険性となりうる．

刺入点がしばしば外側に寄りすぎてしまうことで生じ

術野拡大のコツ

internervous plane が存在しないので，このアプローチは近位あるいは遠位方向に術野を拡大することはできない．

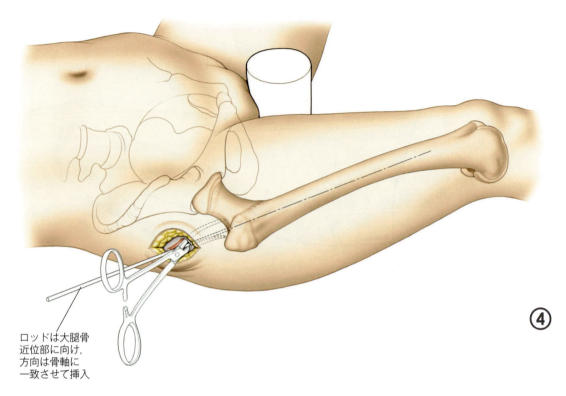

ロッドは大腿骨近位部に向け，方向は骨軸に一致させて挿入

図 9-54　髄内釘のための大腿骨近位部への最小侵襲アプローチ．大腿骨近位部（髄内釘刺入点）への到達
皮切に沿って大殿筋の線維方向に分ける．中殿筋を分けることによって大腿骨まで深部に切開を広げる．

10. 髄内釘のための大腿骨近位部への最小侵襲アプローチ　571

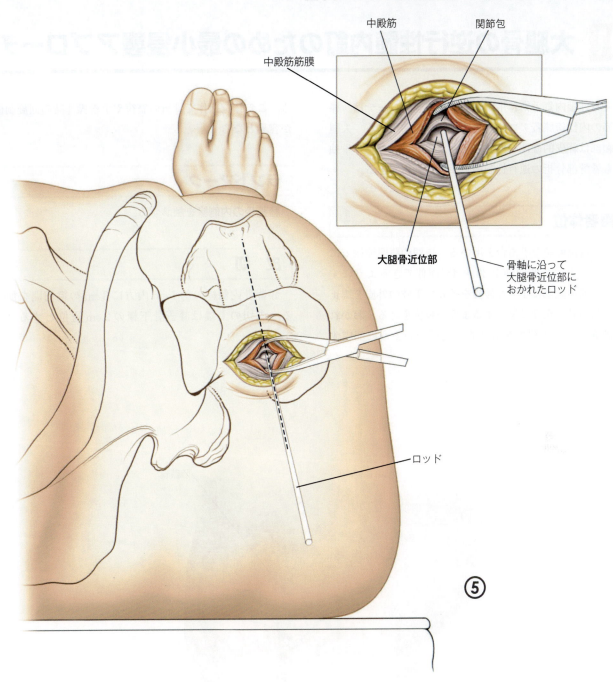

図 9-55　髄内釘のための大腿骨近位部への最小侵襲アプローチ．ガイドワイヤーの挿入
Cアームを用いて前後像，側面像ともその位置を確認しながら，ガイドワイヤー（あるいはロッド）を大腿骨近位端から挿入する．

11 大腿骨の逆行性髄内釘のための最小侵襲アプローチ

　逆行性髄内釘手術に用いる最小侵襲アプローチは，膝関節の内側傍膝蓋アプローチの一部分を活用する．大腿骨顆部は経皮的確認に優れており，このアプローチ単独でも骨幹部骨折の逆行性髄内釘手術に利用できる．

患者体位

　X線透視可能な手術台を用いる．患側の膝関節後方に三角枕をおいて膝関節を30～45°屈伸できるようにする．同側の殿部に小さな砂嚢を挟んで下肢の外旋を矯正し，膝蓋骨が正面に位置するような体位をとる．おかれた砂嚢が大転子部のX線透視を妨げないように配慮する．この体位操作で骨折の整復や手術操作時の回旋制御が容易となる．

ランドマーク

　膝蓋骨の内側縁を触診する．

皮切

　膝蓋骨内側縁の約1cm内方に3cmの縦切開を加える．皮切の上端は膝蓋骨下極の2cm遠位とする（図9-56）．

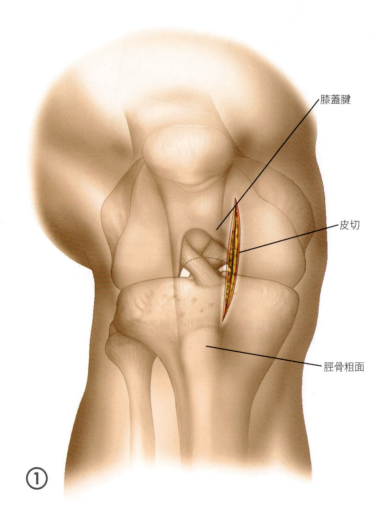

図9-56　大腿骨の逆行性髄内釘のための最小侵襲アプローチ．皮切
膝蓋骨内側縁から約1cmの位置で，膝蓋骨尖の2cm遠位から始まる約3cmの縦切開を加える．

11. 大腿骨の逆行性髄内釘のための最小侵襲アプローチ 573

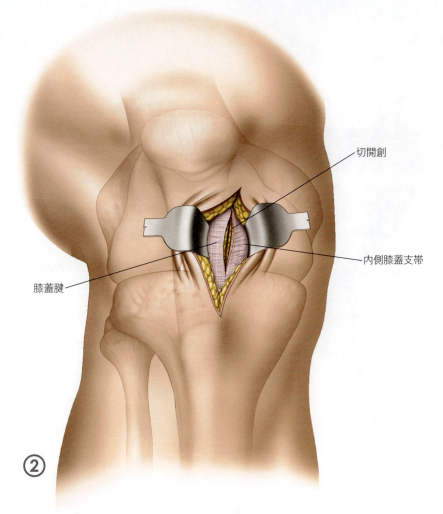

図 9-57　大腿骨の逆行性髄内釘のための最小侵襲アプローチ．内側膝蓋支帯と関節包の切開
皮下組織を皮切に沿って切開し，関節包を想定し，これを縦切する．

internervous plane

このアプローチには internervous plane は存在しない．内側膝蓋支帯と関節滑膜のみを切開して展開する．

浅層の展開

皮膚切開に沿って皮下組織を分け，内側膝蓋支帯と関節包を確認してこれに縦切開を加える（図 9-57）．

深層の展開

膝関節の関節滑膜を切開する．2 本のレトラクターを操作して顆間窩を展開する．X 線透視下にガイドワイヤーの挿入位置と方向を確認する（図 9-58，59）．

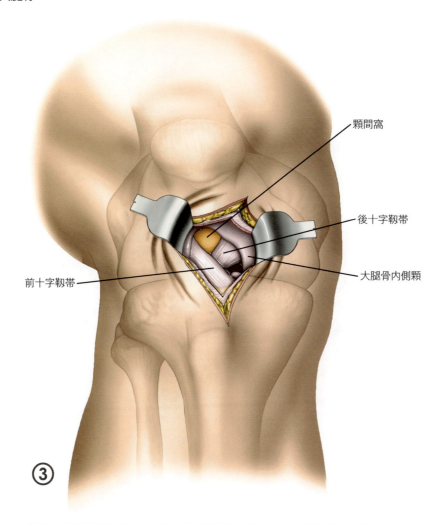

図 9-58 大腿骨の逆行性髄内釘のための最小侵襲アプローチ．関節滑膜の切開と後十字靱帯の確認
深層の膝関節滑膜組織を縦切し，2本のレトラクターを挿入し，顆間窩を展開し後十字靱帯の大腿骨内側顆の外側面の付着部を確認する．

注意すべき組織

皮切の遠位を**伏在神経の膝蓋下枝**が横走しているので，皮切を遠位に拡大する場合には注意する．

後十字靱帯の起始部が大腿骨内側顆の外側面にあるので，髄内釘の刺入口の位置が正確でないとリーマーや髄内釘の挿入中にこの靱帯を損傷させる危険性が生じる．

前十字靱帯はリーミング時に損傷しやすい．X線増幅管下，側面像で刺入点がBlumensaat線より後方にならないようにする．

術野拡大のコツ

●深部への拡大

このアプローチは近位や遠位方向への小さな拡大は可能である．とくに肥った患者では必要になるかもしれない．大腿骨と脛骨が同時に骨折している floating knee（同一下肢複合骨折）の場合に，この皮膚切開を遠位に延長すると，脛骨近位の関節外アプローチによる脛骨髄内釘挿入にも応用できる（☞第11章「⓬膝蓋下脛骨髄内釘のための最小侵襲アプローチ」）．

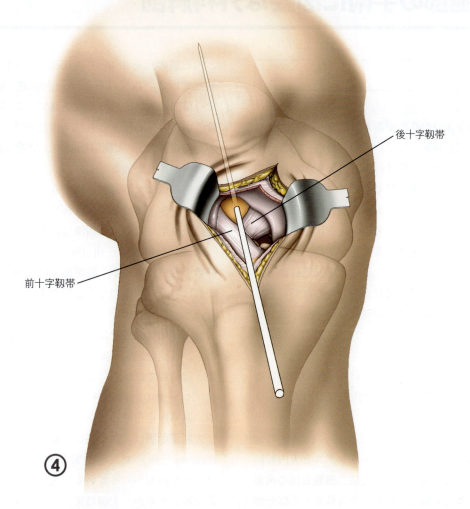

図 9-59 大腿骨の逆行性髄内釘のための最小侵襲アプローチ．ガイドワイヤーの挿入
ガイドワイヤーを大腿骨遠位から挿入する．刺入部位は使用するインプラントによって変わる．ガイドワイヤーの正確な位置決めは，術中のCアームによるX線透視によって確かめる．

12 大腿部の手術に必要な外科解剖

概観

●筋群
大腿には主要な3つの筋群がある（図9-60～62）.
1) **股内転筋群**：閉鎖神経支配で，大腿内側部にある．大内転筋は股関節の内転と伸展の両方の働きがあり，閉鎖神経と坐骨神経の二重支配である．
2) **膝伸筋群**：大腿神経支配で，大腿の前面にある．
3) **膝屈筋群**：坐骨神経支配で，大腿の後方にあり，膝関節を屈曲，股関節を伸展させる働きがある．

膝伸筋群は薄い内側筋間中隔により股内転筋群から，厚い外側筋間中隔により膝屈筋群から分離されている．内転筋群と屈筋群の間には筋間中隔はない．

●神経
3つの主要な神経が大腿を走っている．**閉鎖神経**は腰神経叢（L2～L4）から起こり，股内転筋群へ入り，すべての内転筋を支配する．

坐骨神経は腰仙神経叢（L4～L5, S1～S3）から起こり，大腿の後方を走り，ハムストリングスと大内転筋伸展線維を支配する．坐骨神経は大腿二頭筋長頭の前面と大内転筋の後面との間を下行し，坐骨結節から腓骨頭へ斜めに走る大腿二頭筋の内側部で終わる（図9-66）.

大腿神経は腰神経叢（L2～L4）の枝で，大腿三角（Scarpa三角）で枝分かれし膝伸筋すべてを支配する（図9-63）.

●血管
大腿動脈は大腿を走行し，その最大の枝である大腿深動脈が，大腿部の筋の主たる血液供給を行っている．大腿動脈は大腿三角（Scarpa三角）で大腿深動脈を分枝したのちには，大腿部ではみるべき分枝を出さない（図9-64）.

大腿動脈は鼡径靱帯の中央，大腿骨頭のすぐ前方で大腿部へ入る．したがってこの拍動が大腿骨頭の体表上の目印となる．その後，腸腰筋上を遠位側へ走り，縫工筋の後面で大腿三角の頂点部分を通り過ぎ，長内転筋の前面を走る．ついで，大腿動脈は縫工筋下のHunter管として知られる内転筋管を通過する．この管は大腿の伸筋と内転筋の間を走り，厚い筋膜層と縫工筋がこれをおおっている．後壁は近位が長内転筋，遠位が大内転筋で，前壁は内側広筋で形成されている（図9-65）.この管の中を大腿動脈とともに，伏在神経（大腿神経から分かれる皮神経），大腿静脈，および近位側半分では内側広筋への神経が通る．

最終的には大腿動脈は膝上5横指ほどのところで大内転筋を貫き，膝窩部で坐骨神経と伴行する．ここでは大腿動脈は坐骨神経の内側深部にある（図9-66）.

大腿動脈は大腿三角（Scarpa三角）の部位では大腿静脈の外側にあるが，膝窩部ではその内側に位置する．これは多分，胎児の発生過程で生じた肢の回旋のためであろう．

大腿動脈は大腿骨に対してもその位置を変える．すなわち，大腿骨近位端ではその前方にあり，中央部では内側，遠位端では後方にある．これらの変化は，手術時のアプローチの計画に影響するばかりでなく，直達牽引や，創外固定用の骨ピンの刺入にも影響する．

大腿深動脈は大腿の筋群に血液を供給する．大腿三角（Scarpa三角）で大腿動脈から分岐し，その外側を走り，すぐ後方へ回っていく．大腿深動脈は長内転筋の後方を通過するが，大腿動脈はその前方を走る．したがって，この筋は2つの血管に挟まれサンドイッチ状となっている（図9-63, 64）.

大腿深動脈からの4本の貫通枝は大腿の内側コンパートメントから後方へ向かい，内側大腿回旋動脈と同様，大腿骨を回って，外側筋間中隔を貫通して再び前方コンパートメントへ入る．大腿骨への後外側アプローチでは，ここで細い多数の動脈貫通枝を結紮しなければならない（図9-64）.

内側大腿回旋動脈は腸腰筋と恥骨筋の間で，長内転筋の上縁の上を走る．そこから大腿方形筋と大内転筋の間隙を回って枝分かれする．上行枝は大腿方形筋の上縁に沿って走るが，股関節の後方アプローチではこの部位で損傷し，やっかいな出血を生じることがある．横行枝は大腿方形筋と大内転筋の間を走り，十字吻合の一方を形成する（図9-64）.

外側大腿回旋動脈は大腿直筋の外側を走り，前外側アプローチの近位部に現れる．これは3つの枝に分かれる．
1) **上行枝**は縫工筋と大腿筋膜張筋の筋間部を上前腸骨棘

へ向かって上行する．股関節への前方アプローチでは結紮を要する．
2) **横行枝**は大腿骨を回って内側大腿回旋動脈の横行枝と吻合し，十字吻合を形成する．
3) **下行枝**は中間広筋と外側広筋の間隙を走るので，大腿骨への前外側アプローチで遭遇する血管である（☞図9-64）．

伏在静脈は足関節の背部で足背静脈アーチの内側端から起こり，内果前方を通過して（静脈カテーテル挿入を目的に静脈切開を行うところ），膝の後方を通り，大腿の内側へ回って大腿静脈へ注ぐ．伏在静脈は大腿の主要な浅静脈で，一般外科手術の対象になることが多いが整形外科医にとってはそれほど重要ではない．

ランドマーク

大腿骨の大部分は筋におおわれて深部にあり，**大転子**と**大腿骨顆部**のみが触知できる．大腿骨は生理的前弯を有し，これは髄内釘のデザインにとって重要である．

大腿骨骨幹部と頸部のなす角度（頸体角）はさまざまであるが，およそ130°である．大腿骨頸部は骨幹部に対し15°前捻している．これらの角度は頸部へのピンや釘の刺入時にいつも頭に入れておく必要がある．

皮切

皮膚皺襞に沿う大腿部の縦切開，手術瘢痕創は美容的に許容できる範囲である．

浅層および深層の展開

大腿骨への4種のアプローチは膝伸筋コンパートメントを進入する（後方アプローチはハムストリング区画を進入するので別に考慮する）．

膝伸筋コンパートメントは四頭からなる単一の筋で構成され，膝の伸展装置として脛骨粗面へ停止する．大腿四頭筋は人体の中で最大の筋であり，大腿神経支配である（☞図9-62〜64）．

大腿四頭筋の構成筋は独立的に収縮しうる．したがって筋相互間での滑動は機能的にきわめて重要で，筋を貫通する切開はいずれもその効果を損なう危険がある．大腿四頭筋の遠位1/3はいずれもその部の骨へ付着せず，大腿骨の前面を自由に滑動する．

大腿四頭筋の各頭は，以下の通りである．

1) **大腿直筋**：大腿直筋は矢羽根様の形をとる．大腿四頭筋の中で，2つの関節，すなわち股と膝をまたぐ唯一の筋で，中間広筋の前面を走る．膝の運動時に中間広筋の前面を滑動できるのは，その下面に厚い筋膜層があるためである．起始部は股関節に近接しているので，大腿直筋の両頭は股関節の前面に進入するさい切離しなければならない．

2) **外側広筋**：外側筋間中隔と外側広筋の間の面は分けるのが困難で，剝離に出血を伴う．主な理由は，この筋が部分的に外側筋間中隔自体に起始を持つためである．外側筋間中隔とこの筋の間の面を追っていくと大腿骨後面の粗線（筋起始部）にいたる．大腿骨の側面へいたるわけではない．この面は大腿骨遠位1/3では容易に判別でき，有用である．外側広筋は運動にさいして中間広筋の前面を滑動する．大腿直筋と同様，下面は厚い筋膜でおおわれている．

3) **中間広筋**：中間広筋は大腿骨骨幹部近位2/3の前面および外側面をおおう．大腿四頭筋の最深層をなし，大腿骨へのアプローチではこの筋を分けて進入することが多い．

4) **内側広筋**：内側広筋の神経支配は大腿神経の最大の枝で，多数の固有受容神経線維を含む．膝が外傷を受けると膝蓋骨に付着する内側広筋線維は，筋への神経を介して伝えられる神経筋反射によって急速に萎縮する．これらの筋線維の萎縮は主観的な不安定感を生じ，筋の容積が正常に復するまで続く．したがって，内側広筋のリハビリテーションは膝の外傷の治療にとって重要である．

内側広筋の最下方の線維は膝蓋骨に停止し，膝蓋骨を内側へ牽引する作用がある．膝の屈曲にさいして膝蓋骨の外方亜脱臼を防止するのに重要な役割を担っている．

後方のアプローチでは大腿の後方コンパートメントを切開し展開する（☞図9-65）．このアプローチの鍵は坐骨神経の解剖と大腿二頭筋との関係を理解することにある．

坐骨神経は大腿を垂直にほぼ直線状に走る．大腿二頭筋は大腿の後方で内側から外側へ横切り，坐骨神経をまたぐ．したがって坐骨神経は，大腿近位部では大腿二頭筋の前面を走向し，遠位部ではその内側に位置する．大腿骨後面近位1/2の露出にさいしては，大腿二頭筋は内側へ圧排して坐骨神経を保護する必要がある．さらに遠位部では，大腿二頭筋は坐骨神経とともに外側へ圧排しなければならない．大腿骨を全長にわたって露出した

いときには，大腿二頭筋の長頭を切離して，この近位1/2の筋と短頭を坐骨神経とともに内側へ圧排する．

 3本のハムストリングスは坐骨から起こり，大腿部の後方コンパートメントを走る．股関節と膝関節，2つの関節にまたがっているので，すべて股伸筋，膝屈筋として働く．すべて坐骨神経の枝に支配されている．

半膜様筋

 半膜様筋の停止部は膝の後方および後内方関節包を補強している（☞第10章「6 膝関節への内側アプローチに必要な外科解剖」）．この筋は半腱様筋とともに大腿外側顆の前面に移行して，種々の神経疾患による股の内旋変形を矯正するのにまれに使われる[18]．

半腱様筋

 半腱様筋は筋腹の大きさに比してきわめて長い腱を有するのでこの名がある．腱の長さは少なくとも13 cmあり，各種の手術に利用される．すなわち，膝蓋骨の習慣性脱臼では，脛骨への停止部を温存したまま，膝蓋骨へドリルで孔をあけて通し，膝蓋骨を内側へ保持するのに使用される．後十字靱帯[19]や前十字靱帯[20]の再建にも用いられる．その手技は，半腱様筋を筋腱移行部で切離し，腱を関節内に導き，大腿骨顆部に通すことで，失われた十字靱帯の機能を再建するものである．断裂した内側側副靱帯の補強にも使われる．

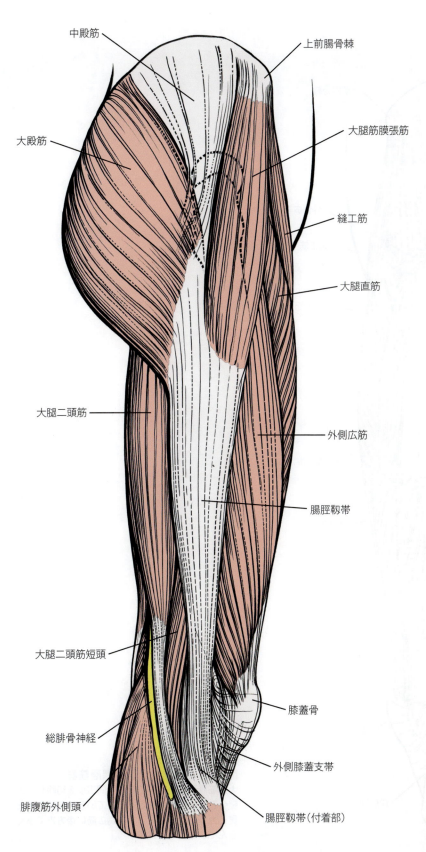

図 9-60　大腿外側面の表層筋群
腸脛靱帯は近位では外側広筋をおおっている．

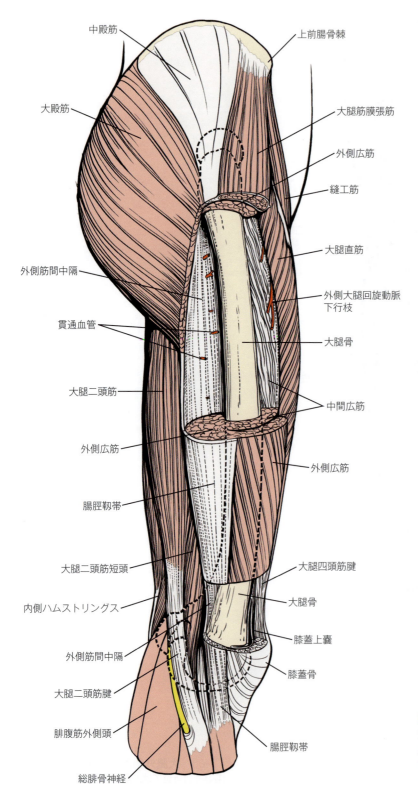

図 9-61 大腿外側面の深層筋群
大腿筋膜張筋，外側広筋，中間広筋を切除し，大腿骨と外側筋間中隔を露出している．筋間中隔を貫く血管の貫通枝および外側広筋は後方までふくらんでいることに注意する．

12. 大腿部の手術に必要な外科解剖 **581**

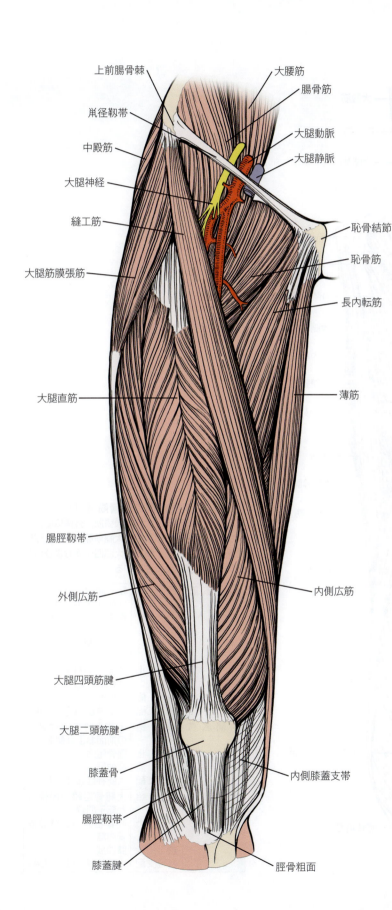

図 9-62 大腿前面の表層筋群

大腿直筋	起　　始	寛骨臼上溝と股関節前方関節包からの反転頭，前下腸骨棘からの直頭
	停　　止	膝蓋骨底，脛骨粗面
	機　　能	膝関節の強力な伸展，股関節の弱い屈曲
	神経支配	大腿神経（L2〜L4）

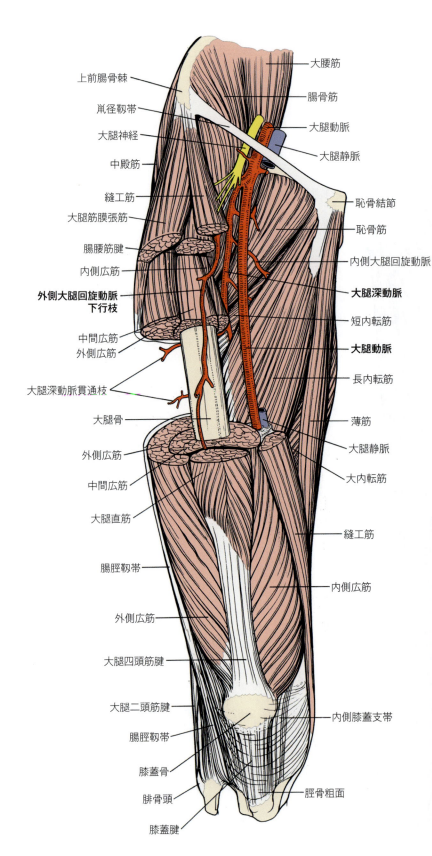

図 9-63 大腿前面の深層筋群（1）
縫工筋，大腿直筋，大腿筋膜張筋，外側広筋，および中間広筋を切除して，大腿動脈および大腿深動脈の走行を示す．動脈と大腿四頭筋および内転筋群との位置関係に注意する．

外側広筋	起始	転子間線の近位1/2，外側広筋稜，大腿骨粗線の外側唇，大腿骨顆上線近位2/3，および大腿骨外側筋間中隔
	停止	膝蓋骨の外側縁および脛骨粗面
	機能	膝伸展
	神経支配	大腿神経（L2〜L4）
中間広筋	起始	大腿骨幹の近位2/3の前面および側面
	停止	脛骨粗面
	機能	膝伸展
	神経支配	大腿神経（L2〜L4）
内側広筋	起始	大腿骨粗線の内側唇と転子間線
	停止	脛骨粗面および膝蓋骨内縁
	機能	膝伸展
	神経支配	大腿神経（L2〜L4）

12. 大腿部の手術に必要な外科解剖

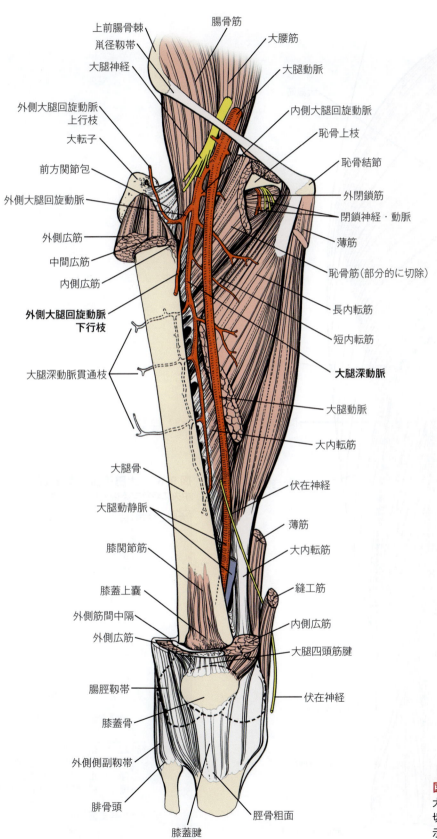

図 9-64 大腿前面の深層筋群（2）
大腿深動脈の貫通枝に注意する．長内転筋を切除し，その後方にある大腿深動脈の走行を示す．

第9章 大腿骨

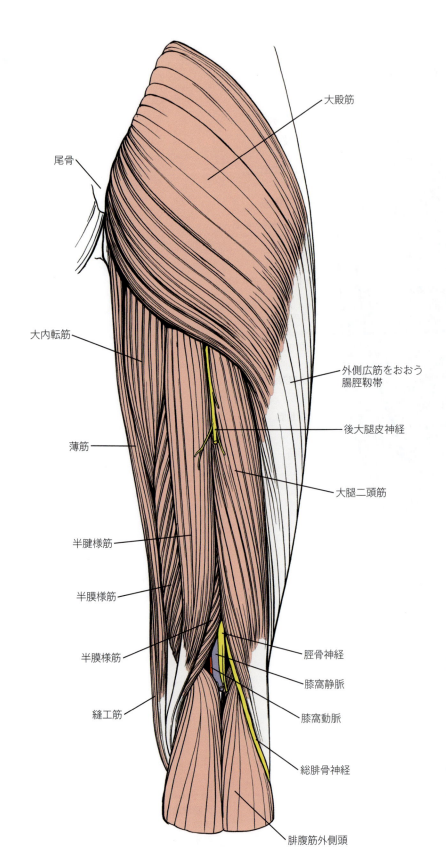

図 9-65　大腿後面の表層筋群
中央に走行する後大腿神経皮神経に注意する.

大腿二頭筋	起　始	長頭は坐骨結節，短頭は粗線および転子間線外側
	停　止	腓骨頭
	機　能	膝屈曲，股関節伸展，下肢の外旋
	神経支配	長頭：坐骨神経（脛骨神経）(L5, S1, S2). 短頭：坐骨神経（総腓骨神経）(S1～S2)
半膜様筋	起　始	坐骨結節
	停　止	脛骨内側顆
	機　能	股関節の弱い伸展，膝関節伸展，下肢の内旋
	神経支配	脛骨神経 (L5, S1, S2)
半腱様筋	起　始	坐骨結節（大腿二頭筋と同じ起始）
	停　止	脛骨皮下表面
	機　能	膝関節屈曲，股関節伸展，下肢の内旋
	神経支配	脛骨神経 (L5, S1, S2)

12. 大腿部の手術に必要な外科解剖 585

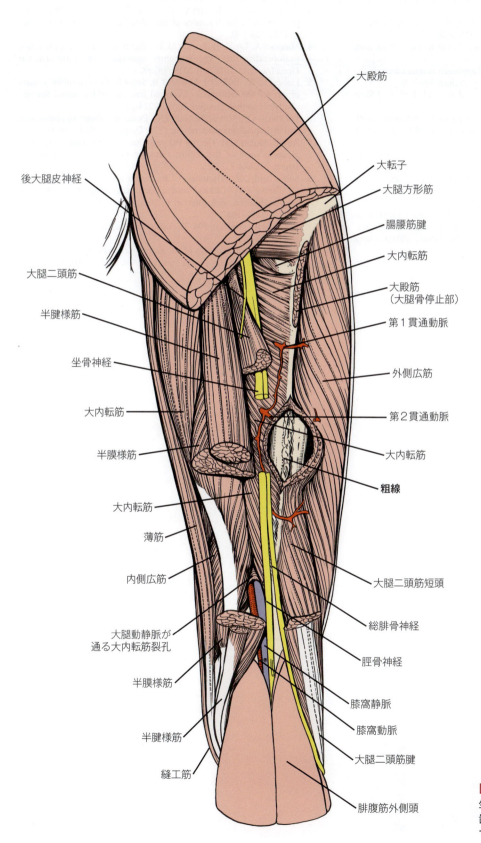

図 9-66 **大腿後面の深層筋群**
坐骨神経の走行と粗線の解剖学的位置．大殿筋とハムストリングは切除している．

文 献

1. Kumar N, Kalra M. Evaluation of valgus intertrochanteric osteotomy in neglected fracture neck femur in young adults. *J Clin Orthop Trauma*. 2013;4:53-57.
2. Jain AK, Mukunth R, Srivastava A. Treatment of neglected femoral neck fracture. *Indian J Orthop*. 2015;49:17-27.
3. Panteli M, Mauffrey C, Giannoudis PV. Subtrochanteric fractures: issues and challenges. *Injury*. 2017;48:2023-2026.
4. Marcy GH. The posterolateral approach to the femur. *J Bone Joint Surg Am*. 1947;29:676-678.
5. Thompson JE. Anatomical methods of approach in operations on the long bones of the extremities. *Ann Surg*. 1918;68:309-329.
6. Henry AK. Exposure of the humerus and femoral shaft. *Br J Surg*. 1924;12:84-91.
7. He Q, Wang H, Sun H, et al. Medial open-wedge osteotomy with double-plate fixation for varus malunion of the distal femur. *Orthop Surg*. 2019;11:82-90.
8. Bosworth DM. Posterior approach to the femur. *J Bone Joint Surg Am*. 1944;26:687-690.
9. Farouk O, Krettek C, Miclau T, et al. Effectors of percutaneous and conventional plating techniques on the blood supply to the femur. *Arch Orthop Trauma Surg*. 1998;117:438-441.
10. Kregor PJ, Stannard J, Ziowodzki M, Cole PA, Alonso J. Distal femoral fracture fixation utilizing the Less Invasive Stabilization System (LISS): the technique and early results. *Injury*. 2001;32(suppl 3):SC32-SC47.
11. Krettek C, Muller M, Miclau T. Evolution of minimally invasive plate osteosynthesis (MIPO) in the femur. *Injury*. 2001;32(suppl 3):SC14-SC23.
12. Krettek C, Miclau T, Stephan C. Trans-articular approach and retrograde plate osteosynthesis for complex distal intra-articular femur fractures. *Tech Orthop*. 1999;14:219-229.
13. Starr A, Jones A, Reinert C. The "swashbuckler": a modified anterior approach for fractures of the distal femur. *J Orthop Trauma*. 1999;13:138-140.
14. Mierzwa A, Toy K, Tranovich M, Ebraheim NA. Surgical approaches, postoperative care, and outcomes associated with intra-articular Hoffa fractures. *JBJS Rev*. 2019;7(8):e8.
15. Liebergall M, Wilbur J, Mosheiff R, Segal D. Gerdy's tubercle osteotomy for the treatment of coronal fractures of the lateral femoral condyle. *J Orthop Trauma*. 2000;14:214-215.
16. Lakhwani OP, Mittal PS, Naik DC. Piriformis fossa: an anatomical and orthopedics consideration. *J Clin Diagn Res*. 2014;8:96-97.
17. Ansari Moein CM, Gerrits PD, ten Duis HJ. Trochanteric fossa or piriform fossa of the femur: time for standardised terminology? *Injury*. 2013;44:722-725.
18. Sutherland DH, Schottstaedt ER, Larsen LJ, Ashley RK, Callander JN, James PM. Clinical and electromyographic study of seven spastic children with internal rotation gait. *J Bone Joint Surg Am*. 1969;51:1070-1082.
19. Kennedy JC, Grainger RW. The posterior cruciate ligament. *J Trauma*. 1967;7:367-377.
20. Cito KO. Reconstruction of the anterior cruciate ligament by semitendinosus tenodesis. *J Bone Joint Surg Am*. 1975;57:608-612.

第10章

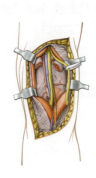

The Knee

膝関節

1. 関節鏡視の一般的原則 ……………… 588
2. 膝への関節鏡アプローチ …………… 589
3. 膝関節鏡視 …………………………… 591
4. 内側傍膝蓋アプローチ ……………… 598
5. 膝関節への内側アプローチとその支持組織
　　　………………………………………… 605
6. 膝関節への内側アプローチに必要な外科解剖
　　　………………………………………… 614
7. 膝関節への外側アプローチとその支持組織
　　　………………………………………… 623
8. 膝関節への外側アプローチに必要な外科解剖
　　　………………………………………… 629
9. 膝関節への後方アプローチ ………… 632
10. 膝関節への後方アプローチに必要な外科解剖
　　　………………………………………… 641
11. 内側半月切除術のためのアプローチ …… 644
12. 外側半月切除術のためのアプローチ …… 652
13. 前十字靭帯手術のための大腿骨遠位部への
　　外側アプローチ ……………………… 656

第10章

　膝関節は滑膜性の蝶番関節*であり，強靱な靱帯や筋肉で保護され安定性が保たれている．前方，内側，外側の３つの側面では関節が表在性であるため，関節への到達は比較的容易である．

*訳者註：原書では"synovial hinge joint"と記載されているが，膝関節の特性は"condyloid joint（顆状関節）"や"pivot joint（車軸関節）"と呼ばれることも多い．

　膝関節を取り巻く４面のうち３面までが皮膚と伸筋支帯のみでおおわれているため，関節鏡アプローチには理想的な関節であるといえる．関節腔が大きいことは関節鏡に適している．従来，開創して直視下手術で行われてきた損傷半月の処置，前十字靱帯再建，遊離体摘出などが関節鏡視下手術で行われるようになった．

　２つの**関節鏡アプローチ**を記述するが，これで膝関節内のすべての場所の観察が可能になる．関節鏡視下半月切除術，半月縫合術，靱帯再建術などの詳細については，本書の対象ではないので読者は専門書を参照されたい．

　５つの直視下アプローチを記載している．これらのアプローチは関節鏡がすぐに利用できない場合，あるいは開放創を伴う膝関節外傷に有用である．主な神経血管束は膝関節の後方に位置しており，後方アプローチは主としてこれらの組織の展開に用いられる．

　内側傍膝蓋アプローチはもっともよく用いられるものである．切開の長さは治療しようとする疾患によって異なるが，十分に切開すれば，膝関節全体を展開することができる．したがって人工関節全置換術には適したアプローチである．

　内側半月へのアプローチは現在ほとんど用いられない．

　膝関節への内側アプローチは内側の支持組織の展開に適したアプローチである．このアプローチでは，やや後方に弓形の切開を加えて，皮弁を反転させると，膝関節の後内方までがよく展開できる．

　膝関節内側の解剖は，前述３つのアプローチの解説のあとで一括して記載する．

　外側半月へのアプローチは現在ほとんど用いられない．**外側アプローチ**は，膝関節の外側支持組織である靱帯の再建に用いられる．膝関節外側の解剖は，前述２つのアプローチの解説のあとで説明する．

　膝関節への**後方アプローチ**は通常は用いられない．神経や血管組織の修復や後十字靱帯脛骨付着部の靱帯再建に用いられる程度である．しかし，脛骨プラトー後方骨折の観血的整復や内固定には最適のアプローチである（☛第11章「脛骨と腓骨」）．膝関節後方の解剖はこの後に解説する．

1 関節鏡視の一般的原則

　第１章「肩」の「関節鏡視の一般的原則」を参照（☛図1-76～78）．

2 膝への関節鏡アプローチ

膝関節は大きな非拘束性の蝶番関節である．しばしば表在性の関節と表現される．前内側と前外側は主として膝蓋支帯と関節包でおおわれており（☞図10-23, 24），重要組織を損傷することがないので，切開は安全に行われる．

次の観血的手術は関節鏡視下手術に広く置き換えられるようになった．

- 半月切除術あるいは修復術
- 関節遊離体摘出術
- 前十字靱帯あるいは後十字靱帯の再建
- 滑膜生検
- 滑膜切除術および感染症に対するデブリドマン
- 変形性関節症の初期病変のデブリドマンと骨穿孔術
- 離断性骨軟骨炎の処置
- 脛骨プラトー骨折の関節鏡視下での修復

膝関節の鏡視下手術ではこれまでに多くの穿刺孔が報告されている[1,2]．使用頻度が高い2つの穿刺孔を解説する．

前外側の穿刺孔は診断目的に汎用され，**前内側の穿刺孔**と組で用いられる．通常，前外側の穿刺孔から関節鏡を挿入し，前内側の穿刺孔から器具類を差し込む．もちろん，その逆もありうる．これら2つのアプローチを本章では解説する．

患者体位

背臥位で手術台に寝かせる．大腿部中央に十分な下敷きをおいてターニケットを装着し，駆血した後，ターニ

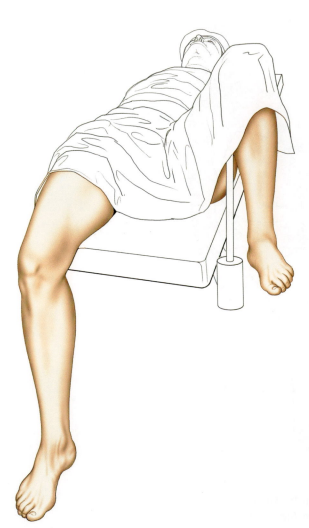

図10-1　膝関節鏡アプローチ．患者体位
患者を手術台に背臥位とする．術中に膝を操作できるように手術台の端を外す．

ケットをふくらませる．ついで，手術台の遠位部分を外す（図10-1；☞図10-9，32）．手術中に自由に膝関節を操作できるように準備し，ドレープでおおう．内側コンパートメントの操作のために，術者が手術中に外反や外旋を加えやすくするように関節鏡用クランプをターニケットの近くにおく．ただし，関節鏡用クランプを使用すると，外側コンパートメントを操作するのに便利な8字肢位（反対側の大腿部に患肢の外側果部をおく肢位；☞図10-8，挿入図）がとれなくなる．助手が適切に操作を助けてくれる場合は関節鏡用クランプを用いなくてもよい．

ランドマークと皮切

●外　側

膝関節を屈伸させながら，親指で**外側大腿脛骨関節裂隙**を触診する．その位置より親指を中央前面に移すと**膝蓋腱**の外側縁を触れる．そこで膝関節を90°に屈曲し，膝蓋腱外側縁と外側大腿脛骨関節裂隙との間にある，いわゆる軟地点（soft spot）と呼ばれる陥凹部に人差し指をおく．その指先の約5 mm近位に鈍棒差し込みのための8 mm程度の横刺切開（stab incision）を加える．ちょうど，大腿脛骨関節裂隙より1～1.5 cmの近位部にあたる（図10-2）．

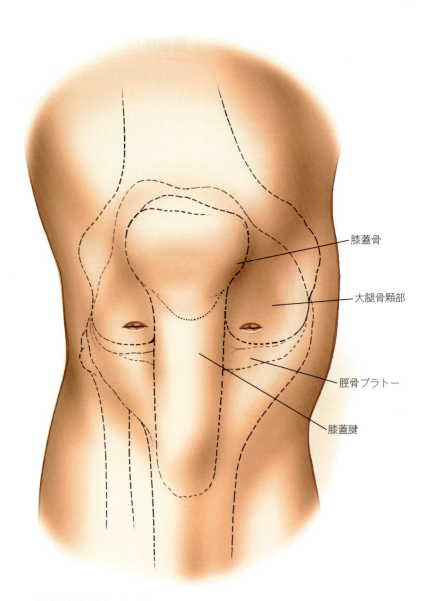

図10-2　膝関節鏡刺入口と皮切
外側穿刺孔：外側関節裂隙から1.5 cm近位で8 mmの横刺切開を加える．
内側穿刺孔：内側関節裂隙から1.5 cm近位で8 mmの横刺切開を加える．

●内　側

内側大腿脛骨関節裂隙と膝蓋腱の内側縁を触知する．指を内側のいわゆる軟地点におき，関節裂隙より 1.5 cm 近位に鈍棒差し込みのための 8 mm 程度の横刺切開を加える．脛骨内側プラトーは脛骨外側プラトーより解剖学的にやや低い位置にあるため，内側皮切は外側よりやや低い位置にくる（☞図 10-2）．

internervous plane

これらのアプローチでは，内側と外側の膝蓋支帯と関節包に切開が加えられるため，internervous plane は存在しない．大きな神経はこの領域には存在しない．

展　開

膝関節を 90°にして，尖刃刀を用いて前外側皮切を深部へ展開する．伸筋支帯を切開すると抵抗が急に弱まる感触があるので，尖刃刀を引き抜き，関節鏡の外套管と鈍棒を前外側関節腔に押し入れる．そのとき，大腿骨外側部に衝突させないように注意する．ついで膝関節を伸展させ，関節鏡の外套管を膝蓋上嚢に導く．そこで外套管より鈍棒を抜き取り，30°斜視鏡を挿入する．滑膜の温熱損傷を防止するために，光源電源を入れる前に灌流液を流し始める．

3　膝関節鏡視

術前の MRI では膝関節内の病変の有無を描出できるが，関節鏡視では，単に病変部位の確認のみならず，膝関節内のすべての箇所を検索できることが重要である．

観察の順序

30°斜視鏡を膝蓋上嚢に挿入することから始まる（図 10-3，ビュー 1）．関節鏡を動かしながら膝蓋上嚢のすべての箇所を検索する．とくに滑膜の肉眼所見や関節遊離体の有無に注意する．

膝関節を伸展位に保ち，関節鏡を手元に引きながら膝蓋大腿関節に挿入する．関節鏡を回転させながら大腿骨と膝蓋骨の関節面を観察する（☞図 10-3，ビュー 2）．膝蓋骨を内方や外方に移動させると操作が容易となる．

膝を伸展させた状態で，大腿骨外側顆と関節包の外側を通って関節鏡の先を外側谷部に挿入し，大腿骨外側顆を観察する（☞図 10-3，ビュー 3）．さらに膝窩筋の停止部がみえてくる（☞図 10-3，ビュー 4）．膝窩筋腱裂孔は関節遊離体が嵌頓しやすい場所である．

膝をなお伸展位のままで，関節鏡を外側大腿膝蓋関節裂隙に移すと，外側半月の前方部分が観察できる（図 10-4，ビュー 5）．関節鏡を回転させながら先を内方に移動させると内側谷部をみることができる（☞図 10-4，ビュー 6）．

関節鏡を引きながら膝関節の中央に移し，膝関節をゆるやかに 90°まで屈曲させると，関節鏡の先端は内側大腿脛骨関節裂隙に挿入される．大腿骨の内側顆と脛骨の内側顆の関節軟骨や内側半月とその辺縁を鏡視する（図 10-5，ビュー 7）．膝関節に外反や外旋外力を加え，関節鏡を回転させると，内側半月の後角が観察可能となる（図 10-6，ビュー 8）．

ついで関節鏡を顆間窩に導き，前十字靱帯と後十字靱帯を観察する（図 10-7，ビュー 9）．

顆間窩に関節鏡を差し込んだ状態で，患肢の膝関節を 90°に曲げ，股関節を外転させ，患肢の外果を反対側の膝におく．この肢位は 8 字肢位と呼ばれるもので，外側大腿脛骨関節の観察を容易にする（図 10-8，挿入図）．大腿骨顆部と脛骨顆部の関節軟骨と，外側半月の全容が検索できる（☞図 10-8，ビュー 10）．

半月下面や十字靱帯を観察するためには，関節鏡用プローブを前内側の刺入口より挿入し，関節鏡視下にこのプローブを操作し，これらの組織が正常か否かを触診する．

注意すべき組織

関節鏡視中に 2 つの操作過程で関節軟骨を損傷しやすい．1 つはメス先で関節包を切開するときであり，切開時に十分注意すれば避けることができる．もう 1 つは関節鏡を差し込むときである．膝関節に関節鏡を差し込ん

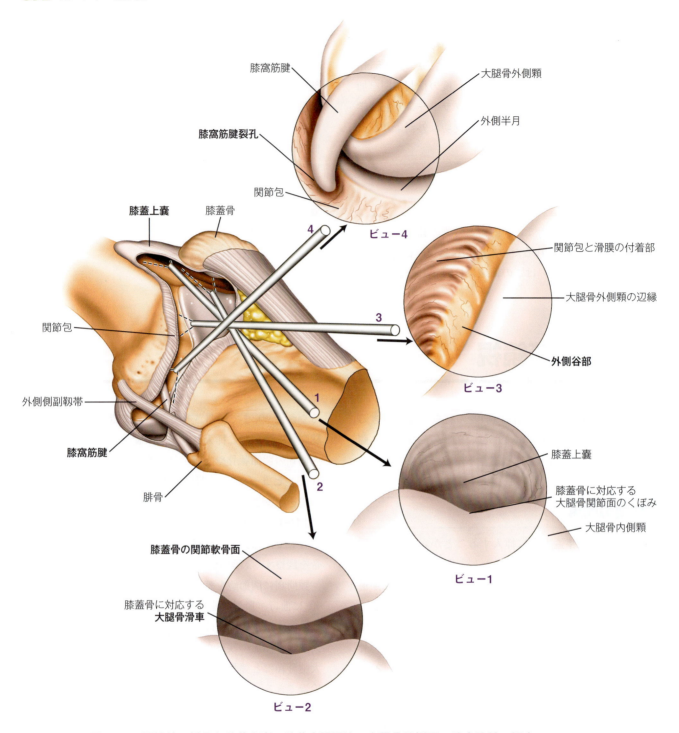

図10-3　関節鏡の挿入と膝蓋上囊，膝蓋大腿関節，大腿骨外側顆，膝窩筋腱の観察
ビュー1：関節鏡を膝蓋上囊に挿入し，滑膜を観察し，関節遊離体の有無をチェックする．
ビュー2：関節鏡を膝蓋大腿関節に挿入する．関節鏡を回転させながら膝蓋骨の関節面を観察する．
ビュー3：関節鏡を外側谷部に移動させ，大腿骨外側顆を観察する．
ビュー4：関節鏡を外側谷部に押し進めると，膝窩筋の停止部がみえてくる．

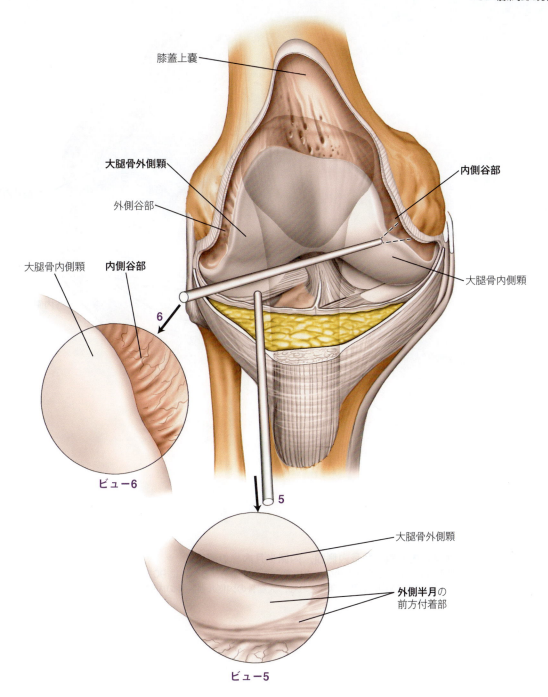

図10-4 外側半月前方部，大腿骨外側顆の観察
ビュー5：膝を伸展位のままで，関節鏡を外側大腿膝蓋関節裂隙に移すと，外側半月の前方部分が観察できる．
ビュー6：関節鏡を内方に移動させて後方をみるように回転させる．内側谷部を観察する．

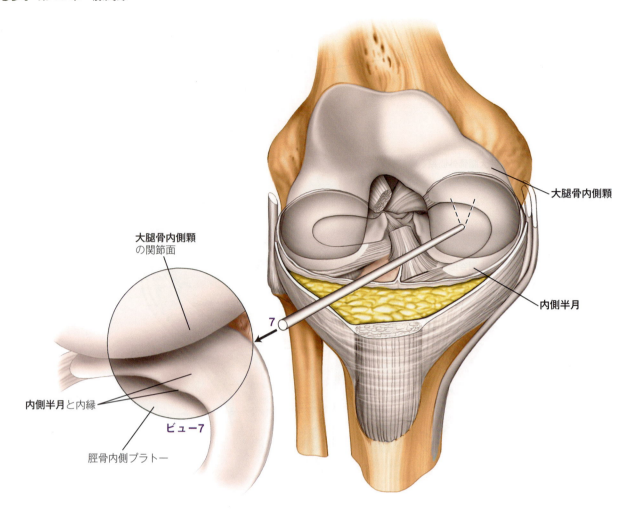

図10-5　大腿骨内側顆，脛骨内側顆，内側半月内縁の観察

ビュー7：関節鏡を引きながら膝関節の中央に移し，膝関節をゆるやかに90°まで屈曲させると，関節鏡の先端は内側大腿脛骨関節裂隙に挿入される．大腿骨の内側顆と脛骨の内側顆の関節軟骨や内側半月とその辺縁を鏡視する．

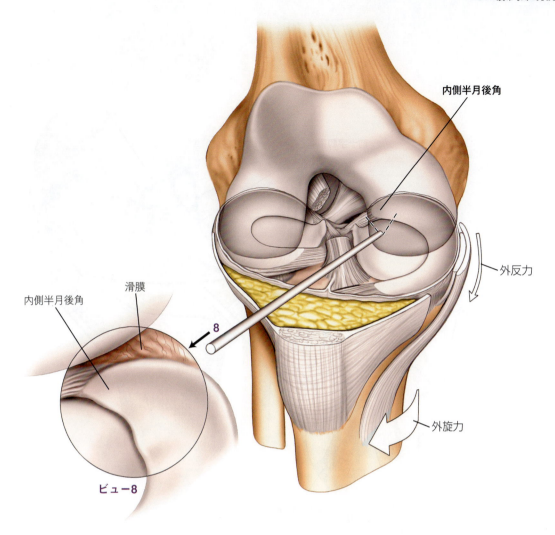

図 10-6 内側半月後角の観察
ビュー 8：膝関節に外反・外旋外力を加え，外側が観察できるように関節鏡を回転させると，内側半月の後角を観察する．

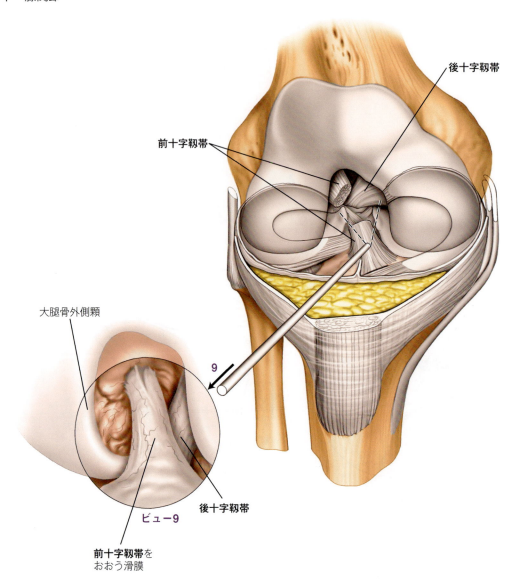

図10-7 顆間窩，前十字靱帯，後十字靱帯の観察
ビュー9：関節鏡を顆間窩に導き，前十字靱帯と後十字靱帯を観察する．

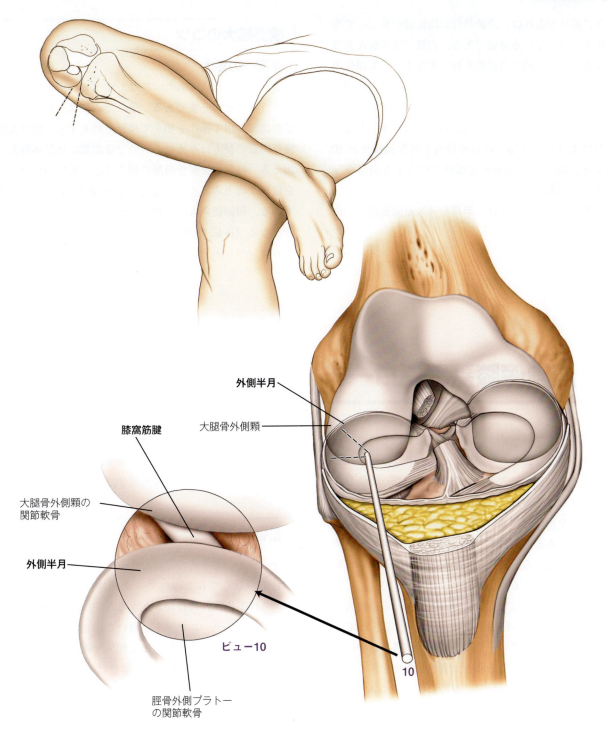

図 10-8　8字肢位と外側半月の観察
挿入図：患肢の膝関節を 90°に曲げ，股関節を外転させ，患肢の外果を反対側の膝に前面におく（8字肢位）．
ビュー10：外側コンパートメントに関節鏡を押し進め，外側半月の全容を観察する．

だときに抵抗があれば，関節軟骨に関節鏡があたって関節軟骨を傷つけている証拠である．内側の皮切が後方寄りになると，盲目的に関節鏡を挿入することで大腿骨内側顆部の関節軟骨を傷つけやすい．したがって，内側でも外側でも皮切が後方寄りになる場合には，挿入したメスでの切開は関節鏡で直視しながら加えるべきである．膝関節で関節軟骨を傷つける不注意な関節鏡操作が10秒続くと，10年間の関節軟骨摩耗に相当する損傷を与えることになる．

関節裂隙に近い切開では，**半月**をメスや関節鏡で損傷させやすい．

視野拡大のコツ

●深部への拡大

関節鏡視を行うにあたっては，すべての構成体の観察ができることが肝要である．そのためには，必要に応じて膝関節に用手操作を加えて視野を拡大する．内側大腿脛骨関節の後方はみえにくいので膝関節に外反外旋力を加える．外側大腿脛骨関節の観察には，逆に内反内旋力を負荷するとみえやすくなる．関節鏡は30°の斜視鏡を用いる．関節鏡の方向を変えると，目的の視野が展開可能となる（☞図1-76〜78）．これらの操作は膝関節の後方コンパートメント1/3の観察に重要である．

4 内側傍膝蓋アプローチ

内側傍膝蓋アプローチ[3,4]はよく用いられるアプローチであり，十分な長さの切開が加えられれば，ほとんどの組織は十分に展開できる．また，膝蓋上嚢，膝蓋骨，関節の内方だけをそれぞれ展開したい場合には，この切開の一部分を用いればよい．膝関節の前方正中位に縦の皮切を加えたあと関節包の切開に内側傍膝蓋アプローチを用いる方法は，人工関節全置換術に適しており，十分な広い術野が得られる．

膝蓋骨が脱臼できない症例での人工関節全置換術のためにいろいろな最小侵襲アプローチが報告されている[5]．このようなアプローチは，膝伸展機構の術中損傷を少なくし，術後に生じる膝蓋上嚢の瘢痕化を防ぐのに役立つ．しかし大腿骨遠位部の視野は狭く，インプラントの正確な挿入位置の決定に難点がある．人工関節全置換術にこれらのアプローチを用いる場合には，コンピュータ支援手術などX線透視下に行うとよい[6,7]．

内側傍膝蓋アプローチが用いられる手術を下記に列挙する．
- 人工関節全置換術[8〜18]
- 滑膜切除術[19,20]
- 靱帯再建術
- 膝蓋骨摘出術
- 化膿性関節炎のドレナージ
- 内側にプレートを用いる大腿骨遠位部骨折の観血的整復・内固定（☞第9章「大腿骨」）

現在では，内側半月切除や関節遊離体摘出，それに前十字靱帯再建はほとんど関節鏡アプローチで行われる．

患者体位

背臥位として手術台に寝かせる．ターニケットは用いても用いなくてもよい[21,22]．ターニケットを使用しない場合は手術操作に時間がかかるが，出血部位の確認は容易である．ターニケットを用いた場合は，創閉鎖前にはターニケットを開放し，出血部位を確認する必要がある．ターニケットを使用する場合は，患肢をEsmarch駆血帯で駆血するか，または5分間患肢を挙上したあと，ターニケットをふくらませる（図10-9）．

膝関節を90°に屈曲させた肢位をとる場合には，踵を固定する目的で砂嚢を手術台におくとよい．この砂嚢の設置は人工関節全置換術を行うのに便利である．また，膝関節を屈曲させたとき，患肢の股関節が外転しないように，大腿部近位外側面に支えをおくと便利である．

ランドマーク

まず膝蓋骨を触れ，ついで指を下方に移し膝蓋骨の下極から脛骨粗面に走る**膝蓋腱**を触診する．

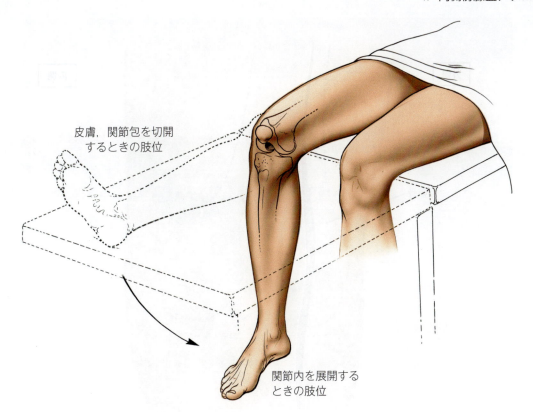

図 10-9　内側傍膝蓋アプローチ．患者体位
膝伸展位で始め，深層展開では膝を屈曲する．

皮切

膝蓋骨の近位5cmのところから脛骨粗面のやや遠位まで，正中位に直線状の縦切開を加える（**図 10-10**）．

internervous plane

このアプローチにはinternervous planeは存在しない．たとえ切開が内側広筋と大腿直筋との筋間を分けて近位に拡大されたとしても，これら2つの筋の支配神経である大腿神経は，切開部よりさらに近位を走行しているので安全である．

浅層の展開

十分に止血しながら皮切に沿って皮下組織を分ける．内側皮弁を内方によけ，大腿四頭筋腱，膝蓋骨内側縁，膝蓋腱の内側縁を露出させる．あとで縫合しやすいように組織の一部を膝蓋骨の内側縁に残すようにし，膝蓋骨の内側に沿って関節上嚢を切開する．最後に，膝蓋腱の内側にある線維組織を分けて関節包を完全に開く．関節包と滑膜は密に連続しているので，関節包切開は滑膜も切開することとなる．

関節の展開のところで記載したように，膝蓋下脂肪体をレトラクターで圧排するか，切除する．切開が関節裂隙に近づいたとき，人工関節全置換術ではない限り内側半月の前角を損傷しないように注意する（**図 10-11, 12**）．

深層の展開

このアプローチを大腿骨内側顆部骨折の整復固定に用いる場合は，膝蓋骨を外側によけ，大腿骨内側顆の前方と内方に付着する関節包を切離すれば展開が容易となる．

人工関節全置換術では，膝蓋骨を外側へ脱転させ，

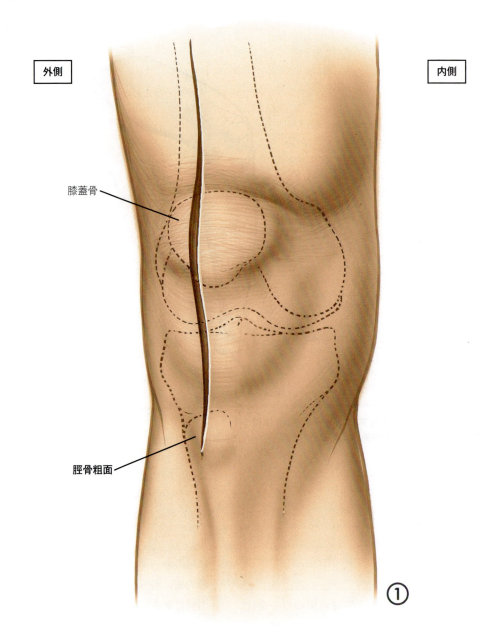

図 10-10　内側傍膝蓋アプローチ．皮切
正中のまっすぐな縦切開．

4. 内側傍膝蓋アプローチ **601**

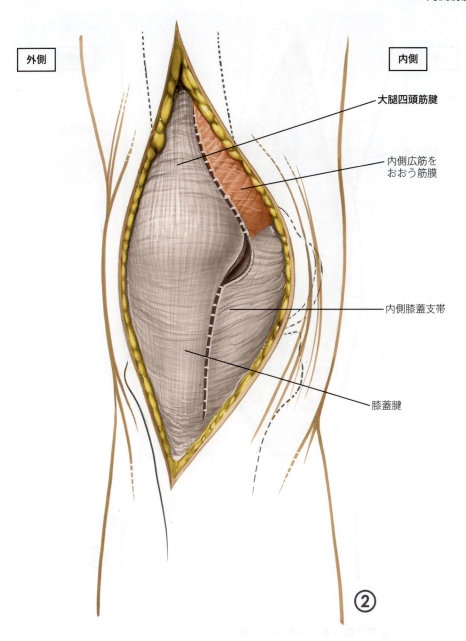

図 10-11　内側傍膝蓋アプローチ．関節包の切開（1）

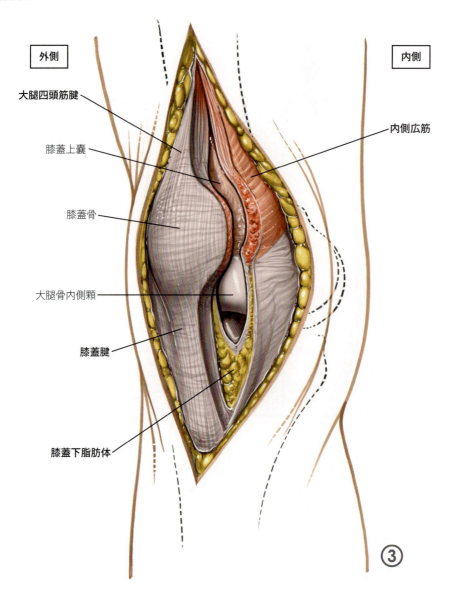

図 10-12 内側傍膝蓋アプローチ．関節包の切開（2）
関節包の切開を膝蓋腱に沿って進め，関節内に到達する．

180°翻転させた後，膝関節を90°屈曲させる（図10-13；☞図10-9）．そのさい膝蓋腱が脛骨停止部から剥離しないように注意する．膝蓋腱がひとたび剥離するとその縫合は難しい．膝蓋骨が容易に脱臼できないようであれば，皮切を近位に拡大し大腿直筋と内側広筋との間に切開を加え，術野を拡げるとよい（☞図10-13）．

修正手術のさいには，膝蓋上嚢が狭小化したり，閉塞したりしていることがある．その場合には瘢痕を注意深く鋭的に切開すると膝蓋骨の動きが獲得でき，膝関節の屈曲可動域が増して膝蓋骨の反転も容易となる．

それでも膝蓋骨が脱臼しないようなまれな症例では，膝蓋腱を付着部の骨片とともに慎重にはずす必要がある．脛骨粗面で骨切りを行えば，膝蓋腱の裂離よりは良好な臨床成績が得られる[23, 24]．その骨がついているほうが，再固定がより容易である（図10-14）．

ただ，多くの人工関節は脛骨インプラントの下面中央に軸が取りつけてあるので，人工関節の挿入後は骨片の螺子による再固定は困難となる．このときはステープルを用いるとよい．

以上のいずれかの方法で膝蓋骨を脱転させ，膝関節を完全に屈曲させることができさえすれば，膝関節のほぼ全体が見渡せる広い術野が展開できる．

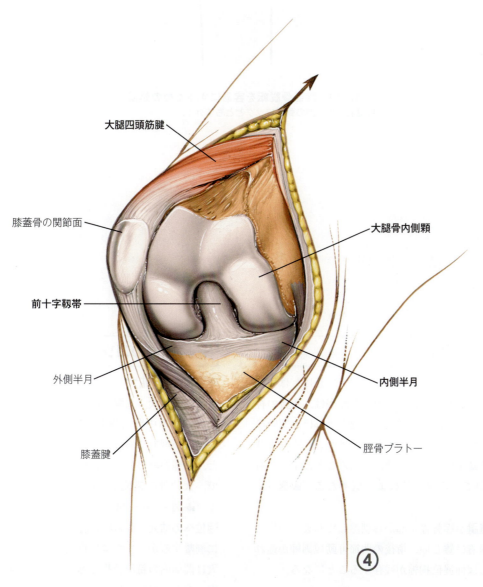

図10-13　内側傍膝蓋アプローチ．関節の展開
膝蓋骨を外側に脱臼させ，膝関節を90°屈曲位とする．

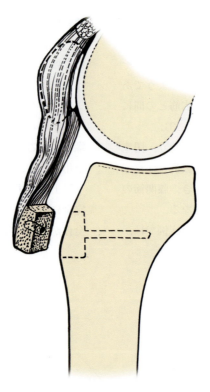

図 10-14　膝蓋骨脱転を容易にするための処置
膝蓋腱を停止部の骨ブロックとともに外す．

注意すべき組織

伏在神経の膝蓋下枝はこのアプローチでしばしば切断される．神経が切断された場合の主な障害は，術後の神経腫である．支配領域の感覚脱失は通常それほど問題にはならないので，あえて縫合する必要はない．それよりも神経の切断端を脂肪の中に埋没させることにより，有痛性神経腫ができる可能性はより低くなる（👉図10-23, 26）．

万一，膝蓋腱が脛骨停止部から剥離してしまった場合には，その縫着は難しい．術後の関節可動域訓練が遅れると，しばしば伸展位拘縮が残存することになる．

術野拡大のコツ

●深部への拡大

近位への拡大　大腿直筋と内側広筋を分け，さらにその深部にある中間広筋を分けると大腿骨の遠位 2/3 までの展開が可能である．しかし，さらに近位に進めすぎると，大腿神経の分枝を損傷し，部分的な脱神経となるので，大腿骨の遠位 1/3 のところまでで展開を止めておく（👉図 9-16～20）．

遠位への拡大　膝蓋腱の脛骨停止部の近位半分を骨膜下に剥離するか，または停止部を骨と一緒に外す．この拡大は関節内の粉砕骨折の処置に有用である（十字靱帯修復を合わせて行う場合には，本章「13 前十字靱帯手術のための大腿骨遠位部への外側アプローチ」を参照）．

5 膝関節への内側アプローチとその支持組織

内側アプローチ[25]は膝関節の内側にある靱帯組織の広範な展開を可能にする．このアプローチは内側側副靱帯浅層や関節包の損傷の検索や治療に用いられる[26]．一方，靱帯修復時の内側半月修復にも利用される．

患者体位

背臥位で手術台に寝かせる．患肢を Esmarch 駆血帯で駆血した後，ターニケットに加圧する．患側の膝関節を約 60°に屈曲させ，股関節を外転外旋させ，足部を反対側の向こう脛にのせる．この患者体位を維持するために，大腿部に枕をおくとよい（図 10-15）．

ランドマーク

大腿骨内側顆の**内転筋結節**を触知する．内転筋結節は内側広筋と膝屈筋との間のくぼみの遠位，つまり大腿骨内側顆の後方にある．

皮切

大腿骨内転筋結節の 2 cm 近位の部位から，関節裂隙の遠位 6 cm の脛骨前内方まで，長い前方凸の弓形の皮切を加える．皮切の中央部は膝蓋骨内側縁より約 3 cm 内側を通るようにする（図 10-16）．

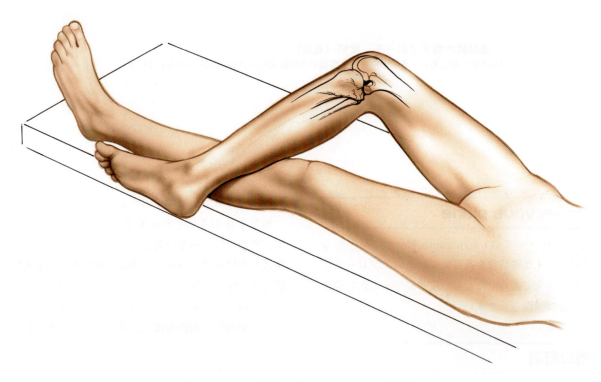

図 10-15　膝関節内側アプローチ．患者体位

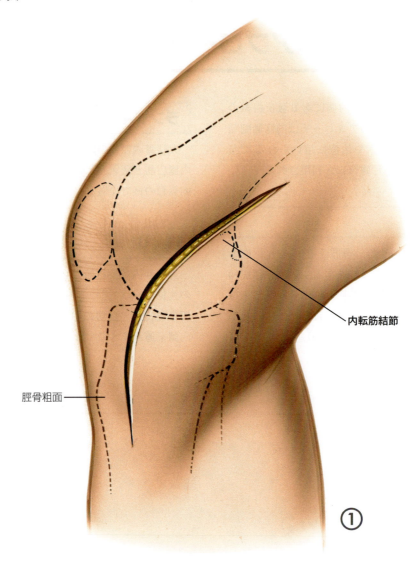

図 10-16　膝関節内側アプローチ．皮切（右膝）
長いカーブした皮切を加える．皮切の中央部は膝蓋骨内側縁より約3cm内側を通るようにする．

internervous plane

このアプローチでは internervous plane は存在しない．神経の多くは膝窩部を通るので，このアプローチによる展開は安全である．ただし，皮神経である伏在神経とその分枝は損傷させやすい．

浅層の展開

皮弁を分けて筋膜を展開する．前方では膝関節の中央，後方では膝関節の後内方まで行う（図10-17）．
術野を横切る伏在神経の膝蓋下枝は切断してもよいが，薄筋と縫工筋との間を走行する伏在神経そのものは保護しなければならない．術野の後内方にある大伏在静脈も伏在神経と同様に保護する（伏在神経の膝蓋下枝を切った場合は，有痛性神経腫の形成を可及的に予防するため，切断端を脂肪組織内に埋没させるべきである）．

5. 膝関節への内側アプローチとその支持組織　607

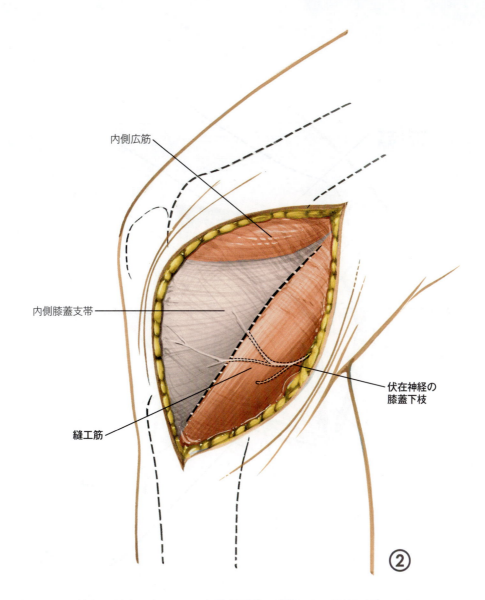

図10-17　膝関節内側アプローチ．伏在神経枝の確認および筋膜切開
皮弁を分けて筋膜を展開する．術野を横切る伏在神経の膝蓋下枝に注意する．縫工筋の前縁に沿って筋膜を切開する．

深層の展開

内側側副靱帯浅層の前方もしくは後方に切開を加えて深層を展開する．前方で切開した場合には膝関節の内前方が，後方で切開した場合には後内方がそれぞれ展開できる．

●内側側副靱帯浅層の前方からの展開

内側側副靱帯浅層，内側半月の前節，十字靱帯を展開するにはこの前方アプローチを用いる．

切開は，縫工筋の付着部付近から関節裂隙の近位5 cmの部位まで，縫工筋の前縁に沿って加える．縫工筋の前縁の確認は関節裂隙の付近では難しいが，それより遠位の脛骨停止部あるいは術野の近位で筋腹を探せば

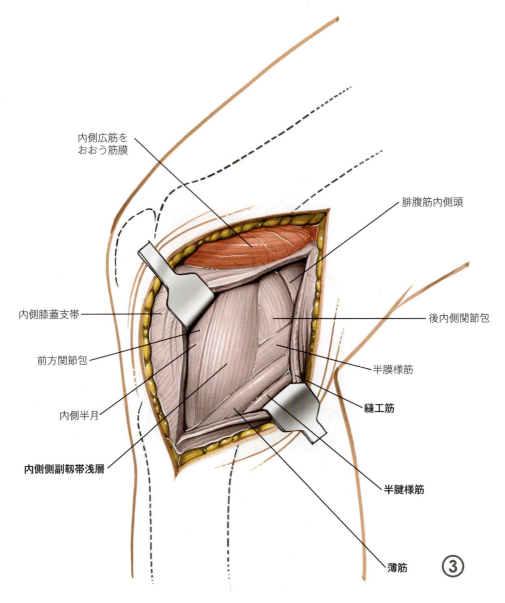

図 10-18　膝関節内側アプローチ．薄筋，半腱様筋の露出
膝関節を屈曲させて縫工筋を後方へ圧排すると，鵞足の他の構成体である薄筋と半腱様筋とが現れる．

容易である．膝関節を屈曲させて縫工筋を後方へ圧排すると，その深層にある薄筋と半腱様筋とが現れる（図10-18）．

これら3つの筋腱よりなる鵞足を構成する筋腱を後方に引くと，内側側副靱帯浅層の脛骨停止部が展開できる．内側側副靱帯浅層の停止部は関節裂隙より6〜7cm遠位にあり，けっして関節裂隙の近くにあるわけではないことを覚えておく（図10-19）．膝関節を外反させると内側側副靱帯浅層の損傷部位が明確となる．

前方の関節内を展開したい場合には，膝蓋骨内側縁に縦切開を加える．そのさい，内側半月を傷つけないように，関節裂隙の十分近位から切開を始めることが大切である（図10-20）．

5. 膝関節への内側アプローチとその支持組織

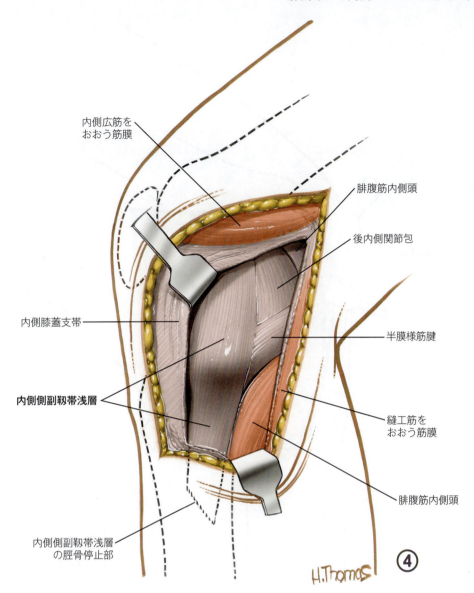

図 10-19　膝関節内側アプローチ．内側側副靱帯浅層の脛骨停止部の展開
3つの筋（縫工筋，半腱様筋，薄筋）を後方に圧排して，内側側副靱帯浅層の脛骨停止部を展開する．

●内側側副靱帯浅層の後方からの展開

　後方からのアプローチでは内側半月の後方1/3と膝関節の後内方が展開できる．
　前方からのアプローチと同様，縫工筋の前縁に沿って筋膜を切開する（☞図10-17）．縫工筋を薄筋や半腱様筋と一緒に後方に圧排する（図10-21）．後内側関節包が損傷されている場合には，大腿骨内側顆の後方や内側半月が断裂部分を通してみえることがある．関節包に損傷がない場合には，腓腹筋内側頭を半膜様筋から分けて膝関節の後内方を展開する．半膜様筋を支配する坐骨神経は術野のさらに近位で，腓腹筋を支配する脛骨神経はさらに遠位で筋内に入るので，このアプローチでは安全に展開できる．
　最後に腓腹筋内側頭を鈍的に関節包から分けると，後方関節包の損傷の状態がよく観察できる（図10-22）．内側側副靱帯浅層の後方に第2の関節切開を加えると，

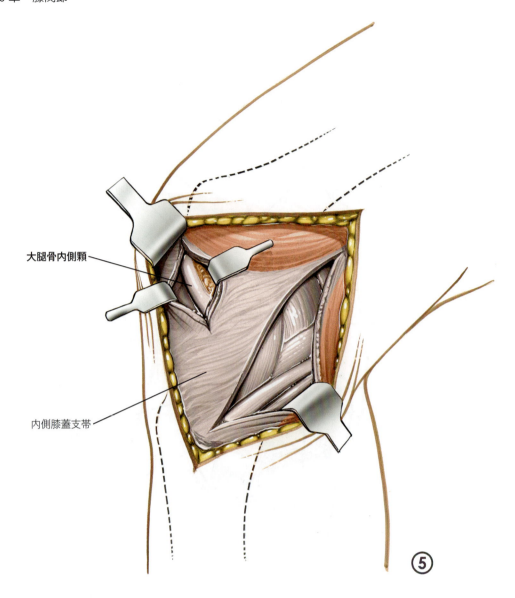

図10-20 膝関節内側アプローチ．前方部分の操作のための関節包切開
関節前方を到達するために膝蓋骨内側縁に縦切開を加える．

関節内および関節周囲の病変を確認できる（☞図10-22）．後内側関節包の修復も可能となる．

注意すべき組織

伏在神経の膝蓋下枝の切断端は，術後の神経腫の形成を可及的に防ぐ目的で脂肪内に埋没させるべきである．

伏在神経は縫工筋と薄筋との間から現れ，大伏在静脈と一緒に走っている．伏在神経は足底の土踏まずの部分の感覚を支配しており，損傷しないように保護する必要がある（図10-23；☞図10-26）．

伏在静脈は浅層を展開するとき，術野の後方に現れる．この血管は将来，血管外科で必要となるかもしれないので残しておく（☞図10-26）．

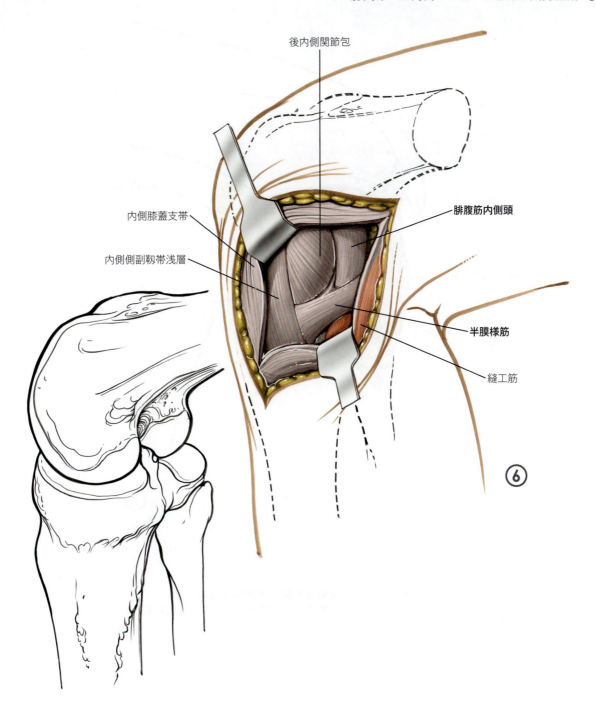

図 10-21　膝関節内側アプローチ．後内側関節包の展開と骨格の挿入図（後内方からみた図）
縫工筋を薄筋や半腱様筋と一緒に後方に圧排して，膝関節の後内側部を展開する．

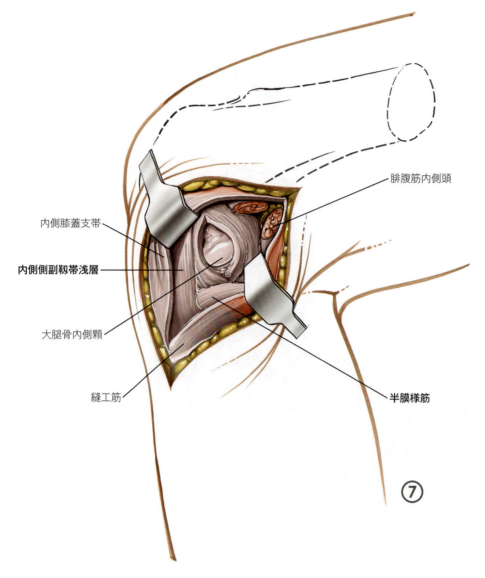

図10-22 膝関節内側アプローチ．関節包切開（後内方からみた図）
腓腹筋内側頭をまず後方関節包から分け，膝関節後内方部を展開して，側副靱帯浅層の後方に関節包の切開を加える．

内側下膝動脈は脛骨近位を後方から前方に回旋している．腓腹筋内側頭の筋腹を後方関節包から引き離すとき，この動脈を損傷することがある．しかも，手術創を閉じターニケットをゆるめるまで，その損傷に気づかないことが少なくない（☞図10-29, 30）．
膝窩動脈は正中位を後方関節包に沿って走っており，腓腹筋内側頭のすぐ近くにある．関節包からこの腓腹筋を剥離するときに，この動脈を損傷しないように注意する（☞図10-46, 49）．
術後，皮下に生じる**血腫**は皮弁の壊死のもととなる．このアプローチでは，皮弁が大きいので血腫を作らないようにドレナージを十分にすることが大切である．

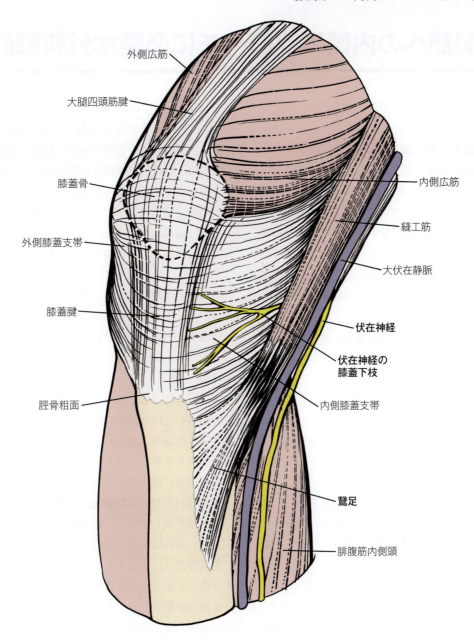

図 10-23　膝関節前内側面の浅層解剖

術野拡大のコツ

このアプローチ自体が十分に広範であり，膝関節の内側の組織をさらに展開するための術野拡大は通常必要としない（前十字靱帯修復のための術野拡大については，本章「13 前十字靱帯手術のための大腿骨遠位部への外側アプローチ」を参照のこと）．

6 膝関節への内側アプローチに必要な外科解剖

概 観

WarrenとMarshallが指摘したように，"膝関節の内側に存在する各靱帯はその部分の組織が互いに結合して密になったもの"と考えてよい[27]．各靱帯は多くの箇所で互いに混り合っており，それぞれの層を明確に区別することが困難な場所が少なくない．正常な組織を観察するときですらそうであるから，外傷患者では出血や浮腫のためにさらに区別が難しくなる．したがって膝関節の正常解剖および支持組織についてよく理解しておくことが大切である．

膝関節の内側の支持組織の解剖は3層に分けて理解するとよい[27]．関節内に達するには，浅層から深層へと各層ごとに順序よく切開する．

●浅 層

浅層は大腿部の筋膜の続きからなる．この筋膜は縫工筋をおおっており，縫工筋の脛骨停止部では下腿筋膜に移行している．

また膝関節の前方では，この筋膜は内側広筋からの線維組織と重なり合って内側膝蓋支帯を形成し，後方では腓腹筋や膝窩部をおおう深層の筋膜に連続している（👉図10-23，26）．

●中間層

中間層は大腿骨の内転筋結節のすぐ遠位にある内側上顆に起始部を持つ内側側副靱帯浅層からなる．内側側副靱帯浅層は四辺形をなしており，関節裂隙より6～7cm遠位で脛骨に停止する（図10-24～26）．

内側側副靱帯浅層の起始部のすぐ近位には，中間層からの線維組織が膝蓋骨内側縁に向かって走り，内側膝蓋大腿靱帯を形成している（👉図10-25）．

内側側副靱帯浅層の後方では，中間層の線維組織は関節包（深層）や半膜様筋腱の付着部の線維の広がりと重なり合っている（図10-27，28）．

半膜様筋腱は膝窩部を走り下って脛骨の内側顆後方に停止するが，その付着部の線維は3方向に広がり，周囲のそれぞれの組織を補強している．その1つの分枝は斜膝窩靱帯に合流する．強靱な斜膝窩靱帯は膝窩部を上外方に斜走し，大腿骨外側顆に付着している（図10-29）．次の分枝は脛骨内側プラトーに沿って前方に走り，内側側副靱帯浅層の深層で脛骨に付着している（図10-30）．3番目は膝窩筋筋膜に移行し，膝窩筋の表面をおおっている（👉図10-29）．これら筋付着部は膝関節の動的安定性にとってきわめて重要であると考えられている．膝関節の後内方の損傷では，できる限り元の解剖学的位置にこれらの筋を戻して修復させることが大切である．

薄筋と**半腱様筋**は，浅層と中間層との間に位置しているが，その脛骨付着部では（浅層にある）縫工筋とともに浅層にあたる鵞足を形成している（👉図10-25，27）．

●深 層

深層は関節包を形成し，脛骨および大腿骨の関節軟骨の辺縁の近位と遠位に付着している．前方では関節包が膝蓋下脂肪体をおおっているが，内側膝蓋支帯は関節包の浅層を被覆している．

中央部に位置する部分，すなわち内側側副靱帯浅層におおわれた部分は関節包が肥厚しており，内側側副靱帯深層を形成している．内側側副靱帯深層は，大腿骨内側上顆から内側半月に付着する半月大腿靱帯と，内側半月を脛骨近位に固定する半月脛骨靱帯（冠状靱帯）とに分けることができる．この半月脛骨靱帯によって内側半月は動きが制限されており，このことが内側半月損傷発生の要因と考えられている（👉図10-25，30）．

皮 切

膝関節では，皮膚割線はほぼ横に走っているため，皮切が横切開に近ければ残る瘢痕は目立たない．内側傍膝蓋アプローチで用いられる縦切開はしばしば幅広い明らかな瘢痕を残す．

浅層および深層の展開

解剖学的に3つに分けられる各層（浅層・中間層・深層）を1層ごとに展開すればよい．

6. 膝関節への内側アプローチに必要な外科解剖

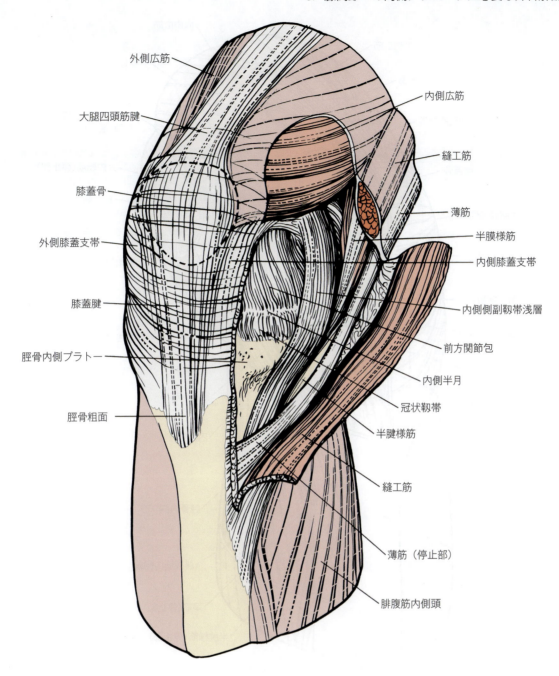

図10-24　膝関節前内側面の中間層解剖
縫工筋と内側膝蓋支帯（浅層）を切離して，内側側副靱帯浅層を展開する．真の関節包（深層）も展開している．

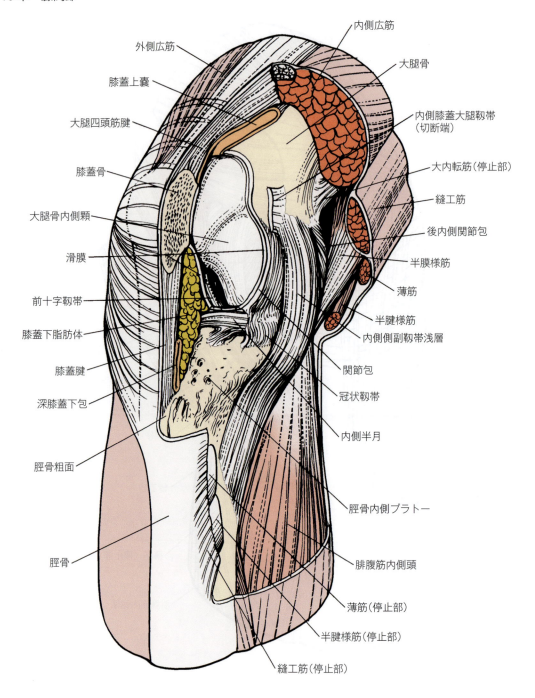

図 10-25　膝関節前内側面の深層解剖
浅層の組織を除去した際の膝関節腔．

6. 膝関節への内側アプローチに必要な外科解剖　617

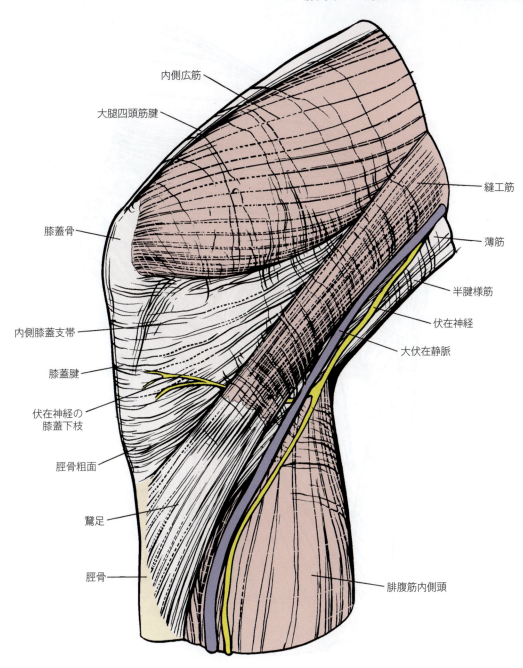

図 10-26　膝関節内側面の浅層解剖
膝関節内側面の浅層は，縫工筋，大腿筋膜，内側膝蓋支帯で構成される．

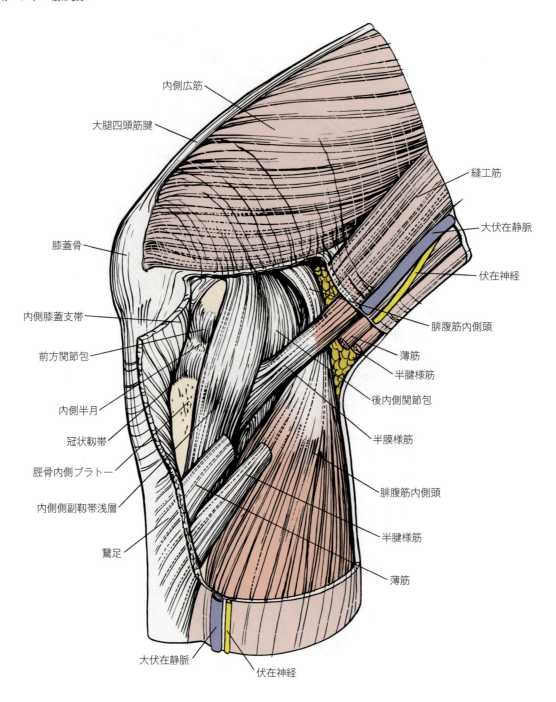

図 10-27　膝関節内側面の中間層解剖
浅層を切離して，内側側副靱帯浅層を構成する中間層を展開する．浅層および中間層には半膜様筋腱や薄筋が走行している．深層の内側側副靱帯深層（半月大腿靱帯）を観察できる．内側側副靱帯浅層の前方に真の関節包をみることができる．

6. 膝関節への内側アプローチに必要な外科解剖　619

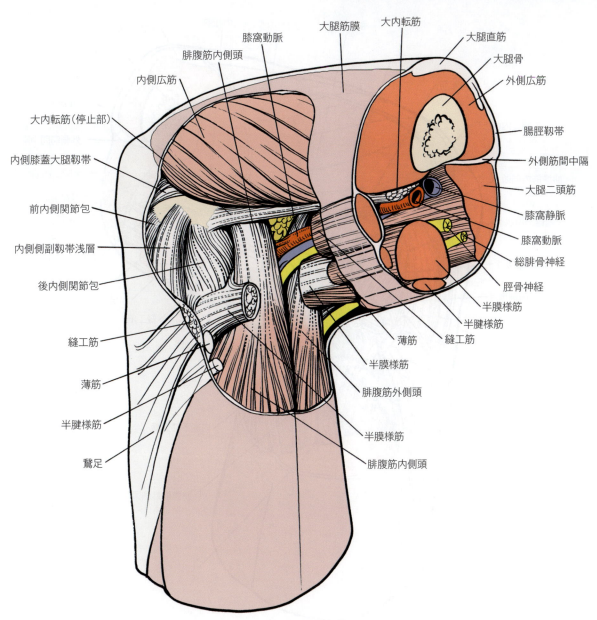

図10-28　膝関節の解剖．より後内側方からのビュー
縫工筋，浅層の筋膜，薄筋，半腱様筋，半膜様筋を，内側側副靱帯浅層（中間層），関節後内側包（深層）と腓腹筋内側頭をみせるために切除している．

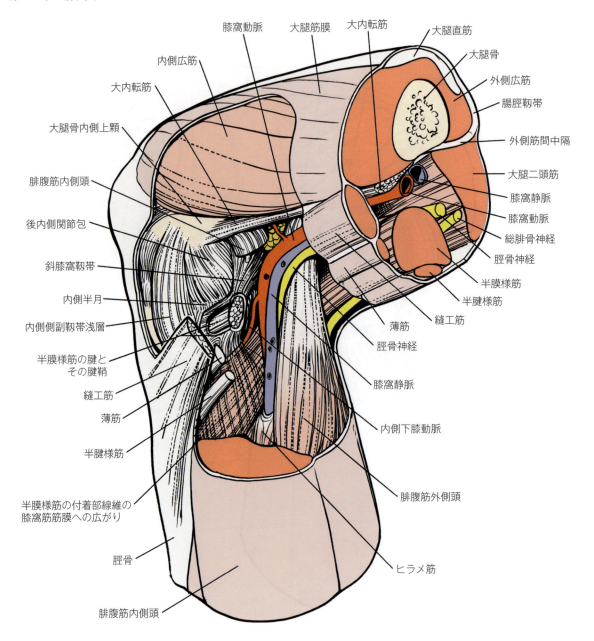

図 10-29　膝関節後内側面の深層解剖（1）
腓腹筋内側頭を切除し，半膜様筋の3つの膜性線維組織を示している．

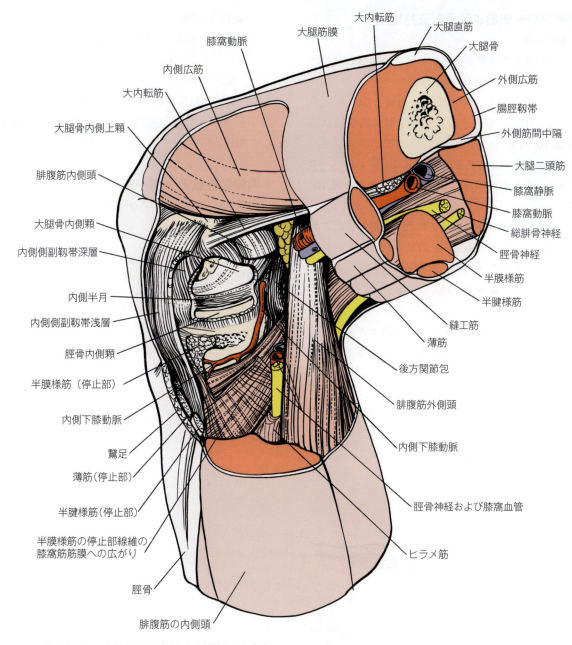

図10-30　膝関節後内側面の深層解剖（2）
内側側副靱帯浅層（中間層）の後面を切開し，真の関節包と肥厚した内側側副靱帯深層（半月大腿靱帯と冠状靱帯）を展開する．後内方関節包を切開し，関節腔内を展開する．半膜様筋の停止部とその線維組織の広がりが観察できる．

●内側アプローチおよびその支持組織

1)前方関節切開

ⅰ)縫工筋の前方で**浅層**を切開すれば，中間層と深層とが展開できる（👉図 10-26）．

ⅱ)縫工筋を後方に引き寄せると，浅層と中間層とのちょうど中間に存在する薄筋と半腱様筋が現れる（👉図 10-27）．

ⅲ)鵞足を構成する3つの筋腱を後方に圧排すると，**中間層**にあたる内側側副靱帯浅層がみえる（👉図 10-27）．

ⅳ)内側膝蓋支帯に縦切開を加えると，**深層**にあたる薄い関節包が現れる（👉図 10-27）．

ⅴ)この関節包を切開すれば，膝関節内の前半分の組織が展開できる（👉図 10-25）．

2)後方関節切開

ⅰ)縫工筋の前縁で**浅層**を切開し，この筋と薄筋，半腱様筋を後方に圧排すると内側側副靱帯浅層が現れる（👉図 10-28）．

ⅱ)これらの筋腱をさらに後方に圧排すると，深層の関節の後内方が展開できる．この部分の関節包は半膜様筋腱（**中間層**）からの線維組織で補強されている（👉図 10-29）．

ⅲ)関節包（**深層**）の後内方には腓腹筋内側頭がこれをおおうように走っており，この筋を後方に圧排すると関節包の後内方がよくみえる（👉図 10-28, 30）．

ⅳ)内側側副靱帯浅層の後縁を切開すると，関節内の後方半分の組織が展開できる（図 10-31；👉図 10-30）．

●内側傍膝蓋アプローチ

内側半月に対するアプローチと同様なアプローチで各層を切開する．

特別な解剖学的ポイント

鵞足を構成する縫工筋，半腱様筋，薄筋は，脛骨近位に停止する．

この3つの筋は，それぞれ別々の神経支配を受けている．すなわち縫工筋は大腿神経，半腱様筋は坐骨神経，薄筋は閉鎖神経の支配である．しかも，この3つの筋は股関節と膝関節にまたがる二関節筋である．3つの筋の動作は，他のより強力な筋肉によって増強される．起始

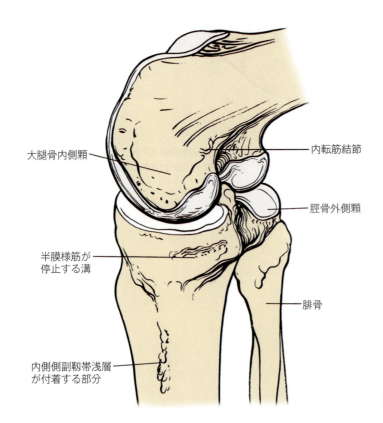

図 10-31　膝関節後内方の骨解剖

部は骨盤の広い範囲にあり，縫工筋は上前腸骨棘から，薄筋は恥骨下枝から，半膜様筋は坐骨結節から起こる．これらの筋は，下肢に骨盤を安定させる働きがあり，また股関節の伸展作用と膝関節の屈曲，内旋作用を有する．

縫工筋，半腱様筋，薄筋は，**鵞足**と呼ばれる脛骨近位に停止する．協調して作用し，膝関節の屈曲だけではなく，脛骨の内旋に作用する．しかし，この鵞足の解剖には破格がある[28]．その停止の並び方はさまざまで，約40％は縫工筋が薄筋と半腱様筋を被覆している．まれに縫工筋が薄筋をおおうが，半腱様筋を一部しか被覆しない症例もある．このような破格があることを知っておくことは，前十字靱帯再建術の半腱様筋採取のさいに重要である．

7 膝関節への外側アプローチとその支持組織

外側アプローチを用いると，膝関節の外側を支える組織すべての展開が可能である．膝関節の前方や後方の組織の展開に広げることもできる．

通常の手術ではこの外側アプローチの一部を用いるだけで十分である．膝関節では内反ストレスより外反ストレスが作用する外傷が多く，内側の靱帯のほうが損傷されやすいことは周知の通りであるが，外側の靱帯組織が損傷を受けた場合には，この外側アプローチが主に用いられる．

患者体位

背臥位とし，患側殿部に砂嚢をあてる．こうすると下肢の内旋位がとりやすく，膝関節外側の観察がしやすくなる．駆血のためには1分間患肢を挙上させるか，Esmarch駆血帯を用いそのあとターニケットをふくらませる（図10-32）．手術は膝関節を90°に屈曲させて行う．

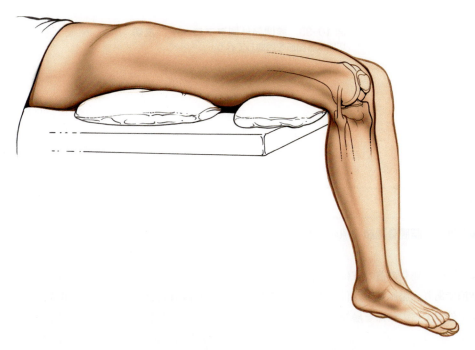

図10-32　膝関節外側アプローチ．患者体位

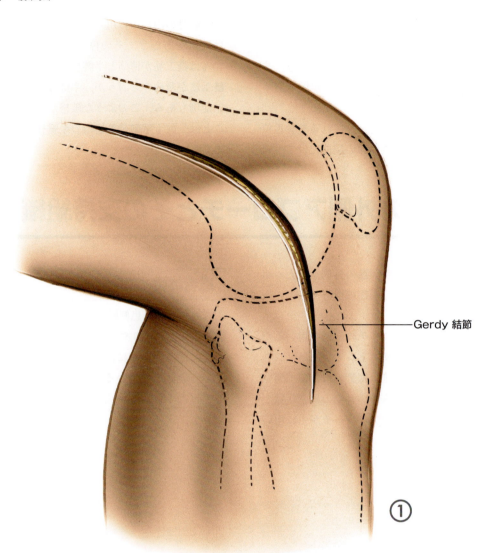

図 10-33 膝関節外側アプローチ．皮切
切開は膝関節を屈曲して行う．

ランドマーク

膝蓋骨外側縁と外側大腿脛骨関節裂隙の位置を確認する．

Gerdy結節は，脛骨外側顆の前外方にある表面平滑な丸味を帯びた結節であり，腸脛靭帯が付着する部位である．膝蓋腱のすぐ外方でこの結節を触知できる．

皮切

膝関節の外方に存在するすべての組織を展開するには，長い弓形の皮切が適当である．膝関節を屈曲させたままの肢位で，膝蓋骨の中央レベルで膝蓋骨外側縁より3cm離れた部分から皮切を開始し，Gerdy結節の上を通り関節裂隙より4〜5cm遠位まで切り下げる．ついで大腿骨に沿って近位へ弓形に切開を延長する（図10-33）．

7. 膝関節への外側アプローチとその支持組織　**625**

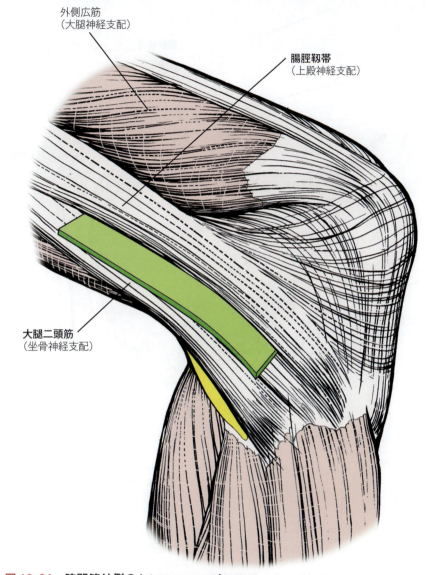

図 10-34　膝関節外側の internervous plane
上殿神経と下殿神経に支配されている腸脛靱帯と坐骨神経に支配されている大腿二頭筋の間の internervous plane を示す．

internervous plane

　展開は**腸脛靱帯**と**大腿二頭筋**の間を用いる．腸脛靱帯は大腿筋膜張筋と大殿筋の腱膜よりなる．大筋膜張筋は上殿神経に，大殿筋は下殿神経に支配されている．大腿二頭筋は坐骨神経の支配である．腸脛靱帯は神経支配を受けていないが，腸脛靱帯の起始が大腿筋膜張筋であることから，腸脛靱帯と大腿二頭筋との間が internervous plane である（図 10-34）．

浅層の展開

　皮弁を広く開くと2つの主要な組織が現れる．その1つは脛骨の Gerdy 結節に付着する腸脛靱帯であり，もう1つは腓骨頭に停止する大腿二頭筋である．強烈な内反外力を受けた膝関節では，これらの停止部までが損傷を受け断裂している場合もある．

　まず腸脛靱帯と大腿二頭筋の間で筋膜を切開する．そのさい大腿二頭筋の後縁を走る総腓骨神経を傷つけない

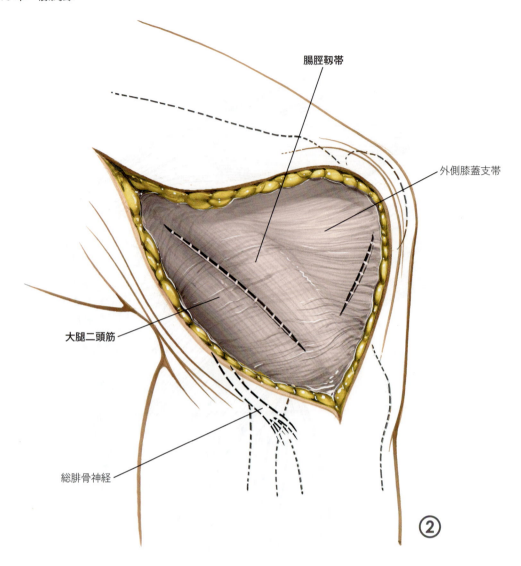

図 10-35　膝関節外側アプローチ．筋膜切開
腸脛靱帯と大腿二頭筋の間で筋膜を切開して，表層の外側側副靱帯と後方関節複合体を明らかにする．別な筋膜切開を前方に行い，外側膝蓋アプローチを作製する．

ように保護する（図 10-35）．腸脛靱帯を前方に，大腿二頭筋と総腓骨神経を後方によけると外側側副靱帯が現れる．同時に膝関節の関節包の後外側も展開できる（図10-36）．

深層の展開

外側側副靱帯の前方あるいは後方を切開して関節内に到達する（👉図 10-36）．

● 前方関節切開

外側半月全体を調べるには，外側側副靱帯の前方からのアプローチも必要である．そのためには，皮弁を大きく開いて膝蓋骨外側縁に傍膝蓋骨切開を別に加える．関節を展開するさいには半月を傷つけないように，関節裂隙より 2 cm 近位で滑膜を切開する（👉図 10-35）．

● 後方関節切開

外側半月の後角を調べるには，大腿骨外側顆の後方にある腓腹筋外側頭を確認する．ついで腓腹筋と後外側の

7. 膝関節への外側アプローチとその支持組織　627

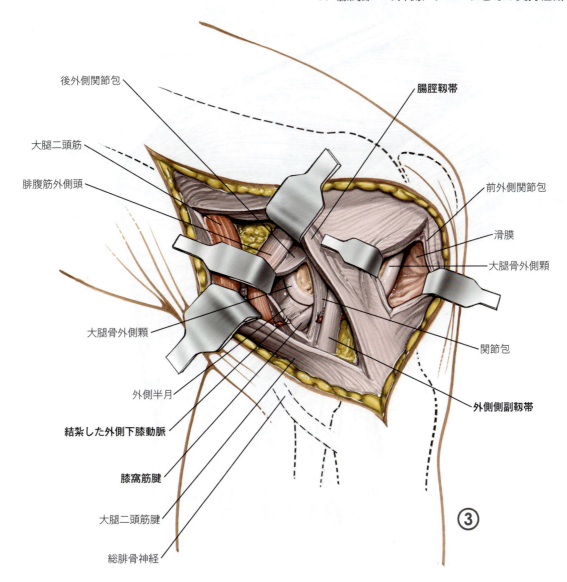

図 10-36　膝関節外側アプローチ．関節内の展開
標準的な前外側のアプローチでは，外側側副靱帯の前方の関節包を切開し，関節後方を展開する．腸脛靱帯を前方に，大腿二頭筋を後方に圧排し，外側側副靱帯浅層と後外側関節包を展開する．靱帯の後方で関節包を切開し，関節構成体を展開する．

関節包を分ける．外側下膝動脈がこの部分を通るので，これを結紮または電気凝固する．

膝窩筋が大腿骨に停止するため，腱として関節内に入り込んでくるのもこの部分であり，後方関節包を切開したときにこの膝窩筋腱で視野が妨げられ関節内がみえにくいことがある．外傷患者では組織が損傷されて，この部の展開がすでに終わっていることがしばしばある．

関節包の後外方を切開するときには，弓状膝窩靱帯と後外側関節包との間に縦切開を加える．外側半月と膝窩筋腱を損傷しないようにとくに注意する．この切開を用いると膝関節の後外方の観察が容易となる（☞図10-36）．

注意すべき組織

このアプローチでは**総腓骨神経**がもっとも損傷されやすい組織である．この神経は大腿二頭筋の後縁を走っており，このアプローチの初期の段階で確認し，剥離し保護しておくことが大切である．安全に神経を確認するには，近位の正常な部分から剥離を始め，少しずつ損傷さ

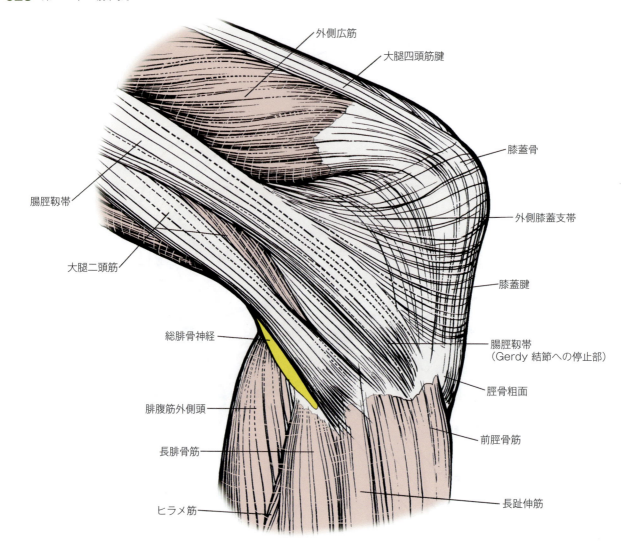

図10-37 膝関節外側面の浅層解剖
膝関節表層のやや前外側のビュー．外側膝蓋支帯，大腿二頭筋，腸脛靱帯で浅層が形成される．

れた組織内へたどっていけばよい（図10-37）．

外側下膝動脈は腓腹筋の外側頭と後外方の関節包との間を前方に向けて横走している．関節の後外方の切開では必ずこの動脈を結紮しておく（☞図10-38）．ていねいに結紮しなかった場合には術後に血腫を生じやすいため，手術創を閉じる前にターニケットを解除し，適切に止血処置が行われていることを確認する．

膝窩筋腱は関節包と外側半月の中節の後方にある膝窩筋裂孔を通って関節内に入り，大腿骨に付着している．関節切開のとき，この腱を傷つけないよう十分な注意が必要である（☞図10-39）．

関節切開のとき，あまり関節裂隙に近い部分で切開を加えると，**外側半月**や**冠状靱帯**を損傷しやすい．

術野拡大のコツ

●深部への拡大

このアプローチで膝関節の外方がほぼ完全に展開できるので拡大の必要はない．

●上下への拡大

通常その必要を認めない．

8 膝関節への外側アプローチに必要な外科解剖

概　観

　膝関節の外側支持組織は3層に分けることができる．病的状態では組織にしばしばゆがみが生じているので，手術のためには局所解剖の正しい理解が必要である[29]．

●浅　層

　浅層には大腿部から連続した筋膜がある（☞図10-37）．**腸脛靱帯**は大腿筋膜張筋と大殿筋の腱様部分であるが，大腿部の筋膜が肥厚した部分でもある．

　この靱帯の線維は縦に走り，主としてGerdy結節に停止するが，一部の線維は下腿筋膜に移行し，また一部の線維は外側膝蓋支帯を補強している．重度の内反外力による損傷では，腸脛靱帯の停止部が裂離することがある．膝関節が伸展位にあるとき，腸脛靱帯は屈伸回転軸の前方に位置し，膝関節の伸展位における安定性を助ける．これに対し90°屈曲位では，屈伸回転軸が後方に移動するため，膝関節の屈曲に関与する．この回転軸が変化するために，前十字靱帯損傷時にピボットシフトテストが陽性となる[30]．

　大腿二頭筋は浅層の一部分であり深筋膜でおおわれており，膝関節内側の縫工筋に相対する解剖学的役割をなす．

　外側膝蓋支帯は外側広筋をおおう筋膜に由来する強靱な組織である．

●中間層

　外側側副靱帯は大腿骨外側顆から腓骨頭に走る．外側下膝動脈はこの靱帯と関節包との間を横走している．外側側副靱帯は膝関節の屈曲伸展軸の後方に位置するため，伸展位では緊張し屈曲時には弛緩する．この靱帯が単独で損傷されても，腸脛靱帯，膝窩筋腱，大腿二頭筋などが外側に存在するため，その機能障害はわずかである（図10-38）．

　最近注目されている第2の外側支持機構が前外側靱帯である[31]．

　起始部は大腿骨外側上顆にあり，関節包の前方を遠位に走行しGerdy結節と腓骨頭との間で脛骨外側プラトーに付着する．この靱帯は外側側副靱帯の表層で，近位では関節包とは明確に区別できる靱帯組織である．

●深　層

　深層は関節包からなるが，次の2つの組織は関節包とともに深層を構成する．

1) **膝窩筋**は，脛骨後面のヒラメ筋線の近位に起始部とし，一部は外側半月に付着し，一部は丸い腱となって関節内に入り大腿骨外側顆に付着し，一部は腓骨頭に線維を送っている．
2) **外側側副靱帯**深層は，外側側副靱帯の深部にあって，関節包が肥厚した部分であるが，それほど発達しているものではない．内側と異なり外側側副靱帯は半月には付着していない．このことが，外側半月が内側半月より動きが大きい理由である（図10-39）．

皮　切

　斜めまたは縦の皮切は，皮膚割線をほぼ垂直に横切ることになるので幅広い瘢痕を残しやすい．

浅層および深層の展開

1) 外側アプローチおよび外側支持組織

ⅰ）大腿二頭筋と腸脛靱帯との間を分けて**浅層**を切開する（☞図10-38）．

ⅱ）**中間層**に相当する外側側副靱帯の前方または後方で，深層にある関節包を切開する（☞図10-39）．

ⅲ）関節包（**深層**）を切開する場合に，外側半月の外縁と関節包の間を斜走する膝窩筋腱を損傷しないように注意する（☞図10-39）．

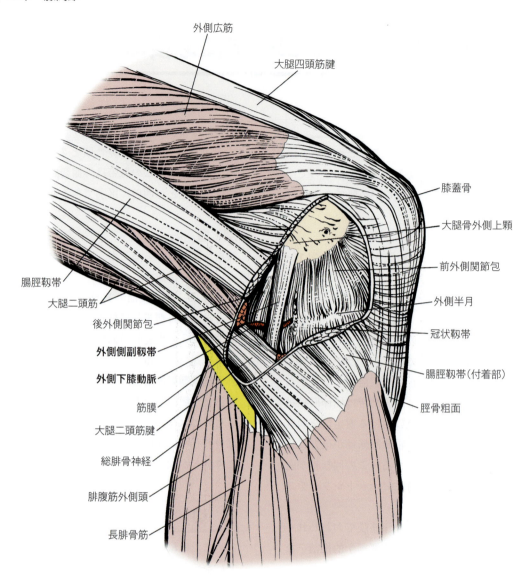

図10-38 膝関節外側面の中間層解剖
外側膝蓋支帯，腸脛靱帯，深部筋膜（外層）を切除して，外側側副靱帯（中間層）と関節包（深層）を示す．外側下膝動脈が中間層と深層との間で関節裂隙に沿って走行していることに注意する．

8. 膝関節への外側アプローチに必要な外科解剖 **631**

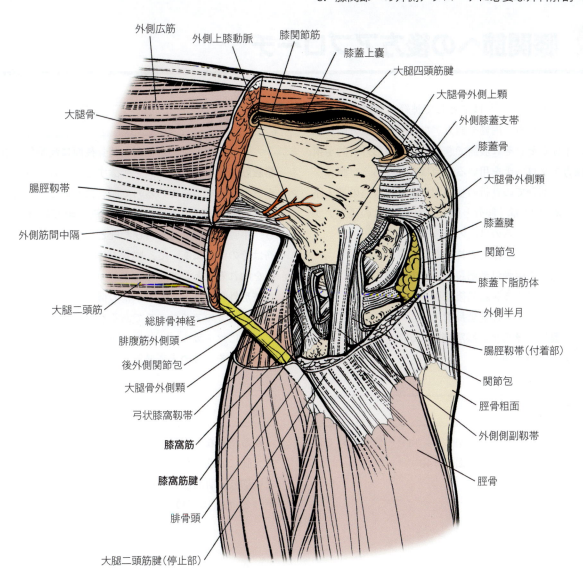

図10-39 膝関節外側面の深層解剖
膝関節正外側のビュー．大腿二頭筋，腸脛靱帯，外側広筋を切除して深層を示す．関節包は浅層の外側側副靱帯の前方，後方で切除し，関節内構造体，とくに膝窩筋腱と外側半月を展開している．

9 膝関節への後方アプローチ

このアプローチ[3, 32]は主として神経や血管の外科的処置に用いられる．内側や側方アプローチで後方関節包のほぼ半分がそれぞれ展開できるので，整形外科的手術では後方アプローチを用いる機会はまれである．脛骨プラトー後方部分での骨折の整復固定術には最適の進入路である（☞第11章「脛骨と腓骨」参照）．この後方アプローチが選択されるのは次の場合である．

- 外傷による膝関節後方の神経血管損傷の修復
- 後十字靱帯の脛骨付着部裂離骨折の整復固定
- 屈曲拘縮に対する腓腹筋後退術
- ハムストリングスの腱延長術
- Baker 嚢胞やその他の膝窩嚢腫の切除
- 後方関節包の展開

患者体位

腹臥位にして手術台に寝かせる．血管の修復以外ではターニケットを使用する（図10-40）．

ランドマーク

大腿骨顆部のすぐ近位の大腿骨後面に起始部を有する**腓腹筋**の外側頭と内側頭を触診する．ハムストリングスがその浅層を走っているので触れにくいことがある．

次に膝窩部の内側縁で**半腱様筋**と**半膜様筋**を触診する．半腱様筋は丸味を帯びた腱として触れるが，半膜様筋はその深層にあって，脛骨の停止部付近でもなおその筋を触れることができる．

整形外科医にとっては手術の機会が少なくしかもまれな腹臥位でのアプローチであるが，腓骨頭を触知したあとそこにマーカーペンでL（外側［Lateral］）字印をつけておくとその後の手術展開のよい指標となる．

皮　切

ゆるやかなS字型の皮切を用いる．膝窩部の外側近位で大腿二頭筋の部分から切開を始め，膝窩部中央を斜めに横切り，腓腹筋の内側頭に沿ってふくらはぎまで切り下げる（図10-41）．

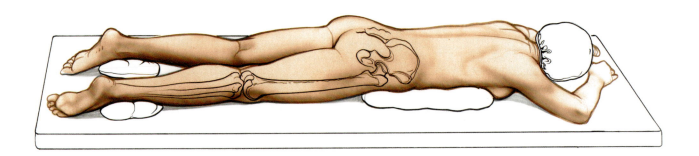

図10-40　膝関節への後方アプローチ．患者体位

9. 膝関節への後方アプローチ

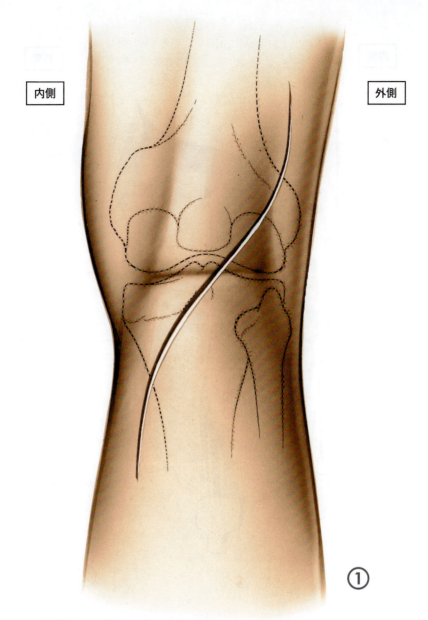

図 10-41　膝関節への後方アプローチ．皮切
膝窩でのカーブした切開をおく．大腿二頭筋の外側から始め，斜めに膝窩部を交差させ，腓腹筋内側頭にまでいたる切開をおく．

internervous plane

このアプローチでは，真の意味での internervous plane は存在しない．膝窩部にある神経・血管束を筋膜切開し，それと境界する3つの筋群を分けて展開する．

浅層の展開

皮弁を開き皮下脂肪を分け，ふくらはぎのほぼ中央を上行する小伏在静脈を露出させる．ターニケットをふくらませる前に完全に脱血しない限り，この静脈の確認は容易である．この静脈の外側を脛骨神経の分枝である内側腓腹皮神経が走っている．小伏在静脈を目印にするとこの神経の確認は容易であり，この神経をたどって膝窩部を展開する（図10-42；👍図10-45）．

小伏在静脈の内側で膝窩筋膜を切開し，内側腓腹皮神経を近位にたどると脛骨神経が現れる．この脛骨神経をたどって，膝窩部をさらに近位まで展開する（図10-43）．

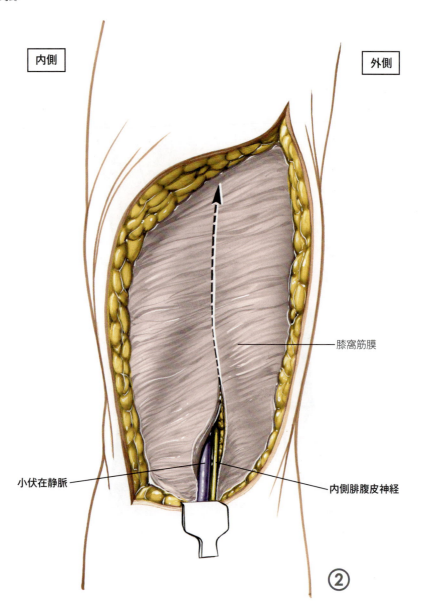

図 10-42　膝関節への後方アプローチ．筋膜切開
皮弁を開き，ふくらはぎの正中を遠位に走行する小伏在静脈を同定する．静脈の外側に内側腓腹皮神経がある．小伏在静脈の外側で筋膜を切開する．

　膝窩部の頂点にあたる部分は，内側が半膜様筋，外側が大腿二頭筋で構成されている．ちょうどこの頂点の部位で総腓骨神経が脛骨神経から分枝している．この総腓骨神経は大腿二頭筋の後側縁に沿って外方に斜めに走っており，これを周囲より剥離し保護する（図 10-44； 図 10-47）．
　ここで脛骨神経のやや深部で内側を走る膝窩動静脈の展開に移る（図 10-45）．膝窩動脈は膝窩部で 5 本の枝を出す．すなわち 1 対の上膝動脈と下膝動脈，それに 1 本の中膝動脈である．もしこれらの分枝が展開の妨げになる場合には 1 ～ 2 本程度は結紮してもよい（図 10-48）．
　膝窩静脈は動脈の内方を通って膝窩部に入ってくる．そして膝窩部では動脈のすぐ後方に位置し，それより近位では後外方に位置を変える．取り扱いには十分に注意する．内膜を損傷させると血栓が生じる原因となる．

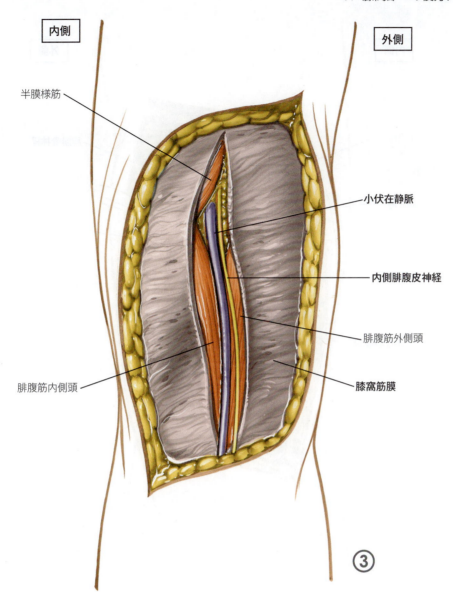

図 10-43 膝関節への後方アプローチ．内側腓腹皮神経の確認と膝窩部の展開
膝窩の筋膜切開．近位にある内側腓腹皮神経を確認する．その下に脛骨神経がある．

深層の展開

膝窩部の周囲の筋を分けると後方関節包が現れる．膝窩部を広く展開する必要がある場合には，次に述べる2つの方法のいずれかを選択する．

1) **後内方の展開**：腓腹筋の内側頭を起始部で切離し，外側遠位に反転させたうえで，膝関節の後内側に入ってくる神経や血管をよける．そうすると内側アプローチで膝関節の後内方を展開する場合と同じ部位を露出することができる（図 10-46；☞図 10-45）．

2) **後外方の展開**：腓腹筋の外側頭を大腿骨外側顆から切離し，大腿二頭筋との間を分けると，側方アプローチのときと同じ場所が展開できる（☞図 10-45, 46）．

以上のごとく，膝関節の後外方あるいは外内方の病変を処置するのに，後方アプローチが側方アプローチや内側アプローチよりも優れているということはけっしてない．したがって後方アプローチは，主に膝窩部にある組織を検索するさいに用いるべきである．

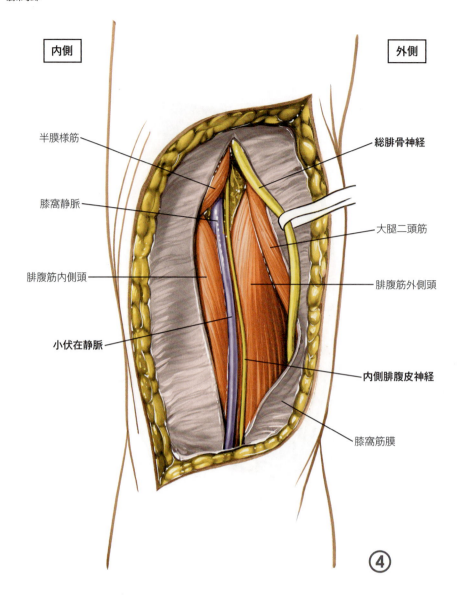

図10-44 膝関節への後方アプローチ．総腓骨神経の確認および保護
大腿二頭筋の後縁を走行する総腓骨神経を近位から遠位に剝離する．

注意すべき組織

内側腓腹皮神経は小伏在静脈の外側を並走しており，同時にふくらはぎの筋膜下を走っているため筋膜を切開するときに傷つけやすい．小伏在静脈の内側で筋膜を切開すればこの神経を保護できる．この神経を損傷させて生じる感覚異常は通常問題にはならないが，有痛性神経腫を作ることがあるので注意する（図10-47；☞図10-42）．

脛骨神経は膝窩部の手術操作で傷つけやすい．この部位でこの神経を損傷すると足の屈筋群がすべて麻痺することになる（図10-48；☞図10-46）．

総腓骨神経も損傷しやすい．この部位で神経が麻痺すると足の伸展，外反が不可能になる（☞図10-46, 47）．

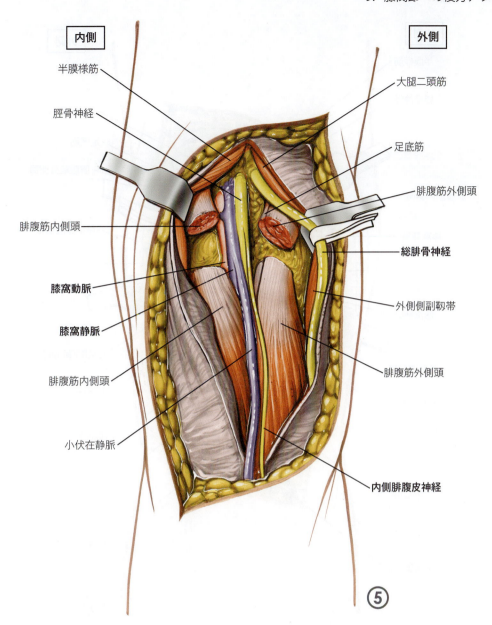

図 10-45 膝関節への後方アプローチ．膝窩動静脈の確認
膝窩静脈は膝窩部で遠位から膝窩動脈の外側にある．そして，膝窩静脈はカーブして膝窩では動脈のすぐ後方にある．

小伏在静脈は結紮しても問題は生じない．

膝窩動静脈を損傷すると，ふくらはぎや足部の阻血が生じる（👉図10-46）．

術野拡大のコツ

●深層の展開

膝窩部の組織の展開は，いままで記載した方法で十分に目的を達することができるが，深層の視野拡大を行う場合には，周囲の筋腱を強く引き寄せるか，場合によっては腓腹筋の起始部を切離し反転する．

このアプローチで遠位を展開するには，膝窩動脈が分かれる部位まで術野を拡げる必要がある．膝窩動脈は脛骨と腓骨との骨間膜の近位で前脛骨動脈を分枝するが，この分岐部では動脈の移動性は小さく吻合などの操作が難しい．この部位に骨折が生じると，しばしば動脈損傷を合併し治療上の問題は大きい．

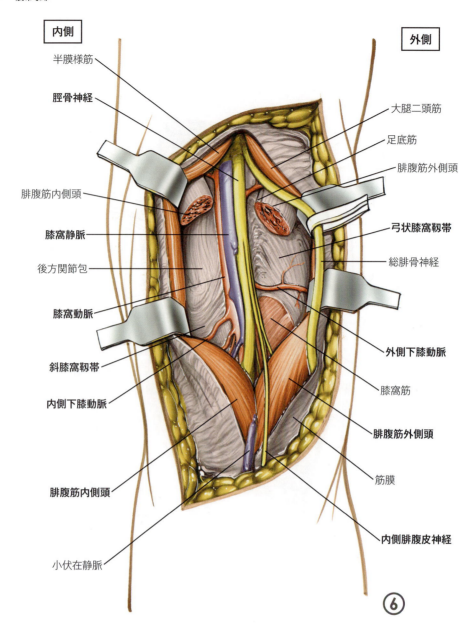

図 10-46　膝関節への後方アプローチ．後方関節包の展開
膝窩部を境界する筋群を切除して，後方関節包の種々の組織を展開している．大腿骨後方にある腓腹筋内側頭起始部を剥離して，関節包の後内側部を展開している．大腿骨外側顆から腓腹筋外側頭起始部を剥離して，関節包の後外側部を展開している．

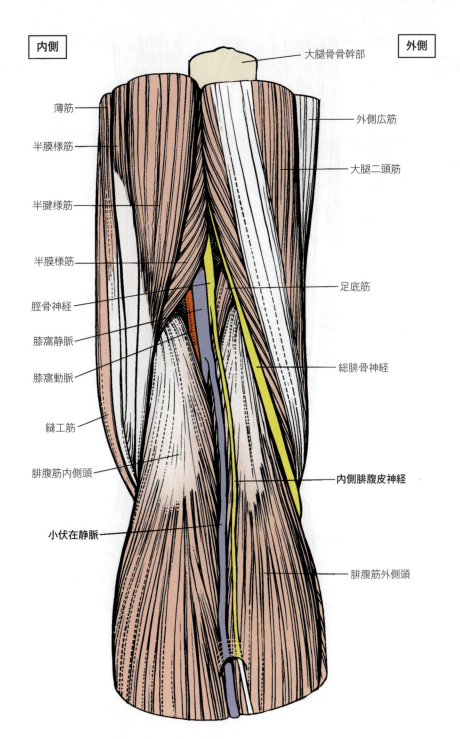

図 10-47　膝関節後面の浅層解剖
小（短）伏在静脈と内側腓腹皮神経が正中部にあることに注意する．

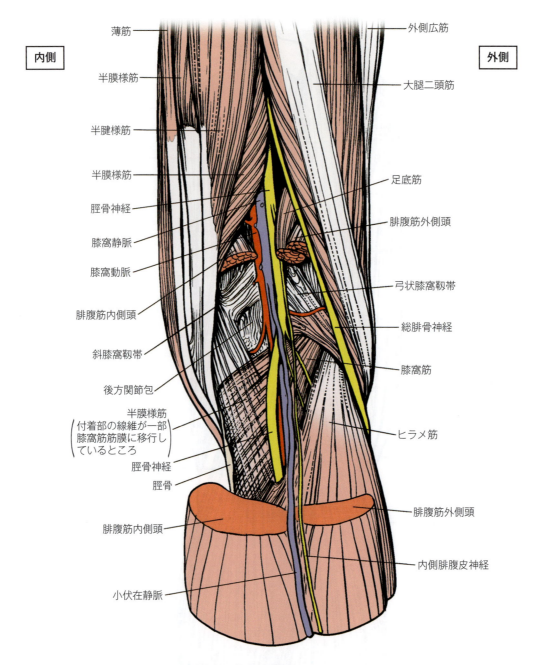

図 10-48　膝関節後面の中間層解剖
腓腹筋と足底筋を切除し，膝窩での神経血管束を展開している．

10 膝関節への後方アプローチに必要な外科解剖

概観

　膝関節の後方アプローチの解剖は，すなわち膝窩部の解剖にほかならない．

　屍体では膝窩部は菱形をしているが，生体では両側の腓腹筋頭で囲まれた菱形のV字になった遠位部分は屍体のそれより不明瞭である．

　膝窩部の近位は，内方を半膜様筋と半腱様筋，外方を大腿二頭筋で囲まれている．そして遠位の境は2つの腓腹筋頭である．膝窩部の屋根に相当する部分は，膝関節の支持組織の外層にあたる筋膜である．膝窩部の床にあたる部分には大腿骨遠位端と脛骨近位端，それをおおう後方関節包，膝窩筋が存在する（👉図10-47）．

皮切

　皮膚割線は横に走っているため，弓状の皮切の横走する部分は，割線との関係でいくつかの位置の選択が可能である．この皮切を用いる限りは，たとえ術後に瘢痕が残ったとしても美容上許容できる範囲のものである．この切開は膝後面での屈筋群の皮膚皺襞と交差するが，このレベルでは皮膚割線と平行であるために，創治癒後に屈曲拘縮を生じることはない．

浅層の展開

　浅層の展開は膝窩筋膜を切開することに始まる．小伏在静脈と内側腓腹皮神経をガイドに行う．

　この筋膜は，先に述べたごとく膝窩部の**屋根**にあたるところで，大腿筋膜と連続しており，膝関節の外層に相当する．この筋膜には，切開の大事な目印となる次の2つの組織が貫通している．

1) **小伏在静脈**：この静脈はふくらはぎの後面中央の皮下を上行し，膝窩部で膝窩筋膜を貫通して膝窩静脈に合流している．
2) **内側腓腹皮神経**：この神経はふくらはぎ中央の筋膜下を縦に走行し，小伏在静脈のすぐ外側を並行している．この皮神経は脛骨神経の分枝であり，ふくらはぎ後面の感覚を支配しているが，その範囲はさまざまである．

　以上の2つの組織の解剖学的位置を正確に認識していると，次の操作である脛骨神経の確認が容易となる（👉図10-47）．

　脛骨神経は坐骨神経の分枝であり，膝窩部近位では膝窩動脈の外側にあるが，膝窩部中央ではこの動脈と交差し，遠位ではこの動脈の内側に位置する．脛骨神経は，足底筋，腓腹筋，ヒラメ筋，膝窩筋にそれぞれ筋枝を出し，感覚枝として内側腓腹皮神経を分枝している．内側腓腹皮神経は神経移植によく用いられる．脛骨神経は膝窩部において腓腹筋の両頭間を下走し下腿にいたる．脛骨神経を損傷するとすべての足趾や足関節の足底屈ができなくなる（👉図10-48）．

　総腓骨神経は大腿二頭筋の内縁を外方斜めに下行する．総腓骨神経は腓骨を前方に回り，長腓骨筋にもぐり込むさいに長腓骨筋の起始部の腱様組織の深部を通過する．このため患者が下肢を外旋させた肢位で横たわっていると，腓骨頭部がベッドと接触し，圧迫による神経麻痺が生じることがある．手術台の上に患者を横たえるときには，腓骨頭にパッドをおき，神経麻痺を予防することがきわめて大切である．総腓骨神経は長腓骨筋の中で浅枝と深枝とに分かれる．総腓骨神経が損傷されると足部の背屈や外がえしが不可能になる（👉図10-48）．

　血管束は膝窩部のより深層にある．膝窩動脈は内方から膝窩部に進入し，関節包のすぐ後方を通って下行し，終末動脈である後脛骨動脈，前脛骨動脈，腓骨動脈に分岐する．膝窩動脈はこの間，以下に示す5本の枝を出す．

　外側と内側の2本が**対となっている上膝動脈**は，大腿骨遠位部を取り巻くように走っている．後外側アプローチでは外側上膝動脈を結紮する必要があり，膝関節の後内方を展開するために腓腹筋の内側頭を切離しなければならない場合には，内側上膝動脈を結紮しなければならない．

　中膝動脈は前方に走り十字靱帯の栄養を司る．このため十字靱帯の外傷性断裂では，関節血症を伴い外傷直後から膝関節が腫れてくる．膝窩動脈はこの動脈で関節包後面に固定されており，外傷性膝関節脱臼や手術のさいに損傷されやすい．もちろん内方や外方からのアプローチでも後方の展開を行う場合には，この動脈を傷つける危険が十分にある．損傷させないためには，関節包が大腿骨や脛骨から離れるように，膝関節を屈曲させた肢位

で手術を行うことが大切である．

外側と内側の**対をなす下膝動脈**は，内側側副靱帯浅層や外側側副靱帯浅層より深部で，脛骨近位端を取り巻くように走っている．外下膝動脈は関節裂隙のすぐ近くを走るため，外側半月切除のさいに損傷しやすい（👉図10-48）．

膝窩静脈は膝窩動脈と脛骨神経との間を走る．小伏在静脈が膝窩部でこの静脈に合流している．

深層の展開—その注意すべき組織

膝窩部の近位内側は半膜様筋と半腱様筋，近位外側は大腿二頭筋，遠位は内・外側の腓腹筋頭に境界されている（👉図10-48）〔これらの筋に関する詳しい説明は，第9章「12 大腿部の手術に必要な外科解剖」，第11章「8 脛骨への後外側アプローチ」を参照〕．

膝窩部の床に相当する部分に**膝窩筋**があるが，この筋は人体の筋の中で起始部が遠位にある数少ない筋肉の1つである．膝窩筋の一部は外側半月後面に付着し，腱様の部分は関節包と外側半月との裂孔から関節内に入り，大腿骨外側顆に停止する（図10-49, 50）．

膝窩筋の作用は，完全に伸展された位置（screw home position）から膝関節を屈曲させること，屈曲位においては脛骨に対し大腿骨を外旋させること，さらに膝関節の屈伸時に外側半月が嵌頓しないように外側半月を後方に引っ張ることである．脛骨外側プラトーの凸な丸い面がこれを可能にする．

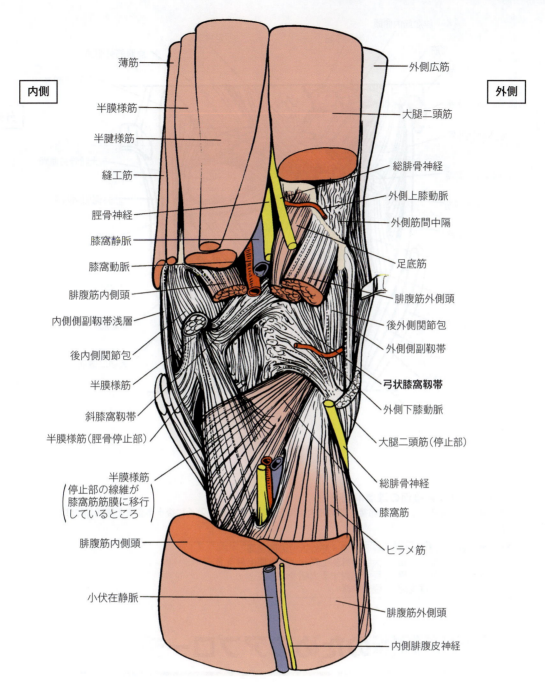

図 10-49　膝関節後面の深層解剖（1）
内側および外側ハムストリングスと神経血管束を切除して，膝関節後方の関節包を展開している．半膜様筋の3つの線維組織の広がりに注意する．

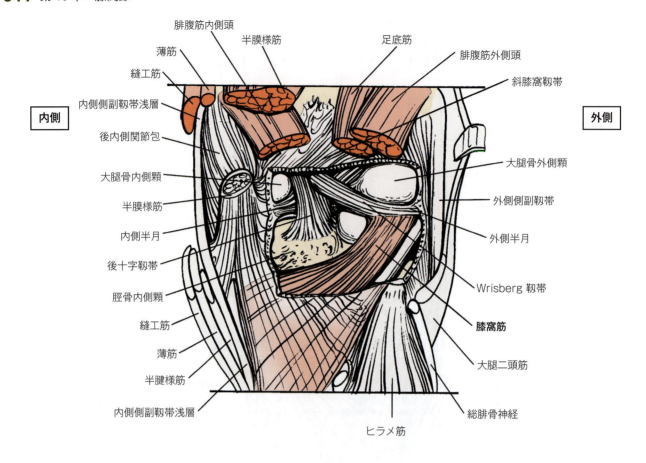

図 10-50　膝関節後面の深層解剖（2）
後方の膝関節包を切除し，膝関節後方の関節内組織を展開している．とくに後十字靱帯と膝窩筋に注意する．

膝窩筋	起　始	脛骨ヒラメ筋線近位の膝窩面
	停　止	大腿骨外側上顆および外側半月後面
	作　用	脛骨に対する大腿骨の外旋
	神経支配	脛骨神経

11　内側半月切除術のためのアプローチ

　内側半月切除術[33]としてここに述べるアプローチは標準的なものであり，皮切の位置や方法はかなり融通をきかせることができる．関節裂隙に横切開を加えることを好む術者もいれば，縦切開や斜切開を好む術者もいる．横切開では視野は狭いが，内側半月自体はよくみえる．斜切開や縦切開では十字靱帯など他の関節内組織の観察も可能である．関節鏡視下手術の普及でこのアプローチを用いる機会が劇的に減少したとはいえ，関節鏡視下の操作で到達が難しい部位の手術にはこのアプローチが有用であることに変わりはない．

　この前内側アプローチが用いられる手術としては，下記が挙げられる．

- 内側半月全切除術
- 内側半月部分切除術
- 関節遊離体摘出術
- 関節内異物摘出術
- 大腿骨内側顆骨軟骨炎の手術[34]

患者体位

　手術台に背臥位とし，患側の大腿部の後面に砂嚢をおく．この砂嚢が膝窩部にあたった状態では，膝窩動脈や

関節包が大腿骨や脛骨に押しつけられ，半月の後節（後方1/3）を切除するさいに誤って損傷する危険が生じる（図10-51）．手術台の端を外し，膝関節が90°以上屈曲できるようにする．

この肢位で内側半月を切除するには，その手術操作中，十分な照明が必要である．照明灯がたえず手術野を照らすように照明灯の位置を調節しなければならない．その点ヘッドライトは有用である．

患肢を2〜5分間挙上させるか，Esmarch駆血帯を巻いた後にターニケットをふくらませる．

ランドマーク

膝を屈伸させながら**内側大腿脛骨関節裂隙**の位置を確認し，皮切を開始する．そうしないと，思った以上に近位を切開しやすい．

膝蓋骨の下内側縁も目印となる．

皮　切

膝蓋骨の下内側縁から後内方へ向けて斜めに切開し，関節裂隙のほぼ1cm遠位で止める．皮切がこれより遠位にのびると，横走する伏在神経の膝蓋下枝を損傷する危険が生じる（図10-52）．

internervous plane

深層では内側膝蓋支帯と関節包を切開するので，このアプローチには internervous plane は存在しない．

浅層の展開

前内方の膝蓋支帯におおわれた関節包を皮切に沿って切開する（図10-53）．関節包の線維は線維方向に沿って切開する（図10-54）．

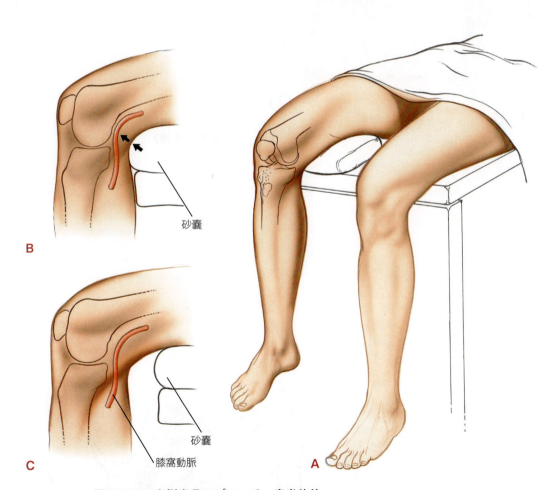

図10-51　内側半月アプローチ．患者体位
A：内側半月切除術の患者体位．
B：砂嚢が膝窩部にあたった不適切な位置では，膝窩動脈が関節包に押しつけられる．
C：術側大腿の下に砂嚢をおく適切な位置．

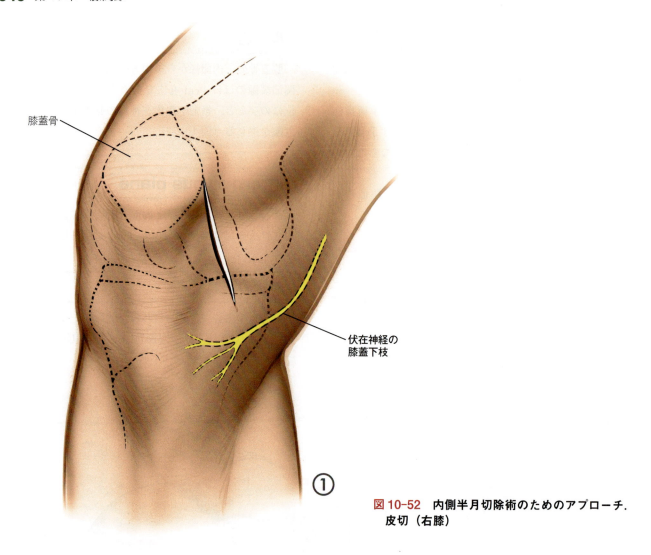

図 10-52　内側半月切除術のためのアプローチ．皮切（右膝）

図 10-53　内側半月切除術のためのアプローチ．前内方関節包の切開

深層の展開

滑膜上の脂肪組織と一緒に滑膜を関節裂隙の近位で切開すると，関節の前内方が展開できる（図10-55）．滑膜の切開にあたっては，膝蓋下脂肪体，内側半月，冠状靱帯を傷つけないように注意する（図10-56, 57）．

注意すべき組織

関節裂隙より1cm以上遠位まで切開がのびると，**伏在神経の膝蓋下枝**を損傷しやすい（☞図10-52）．

後方関節包のすぐ後ろを**膝窩動脈**が通っているので，後方関節包を損傷すると膝窩動脈までが一緒に損傷を受

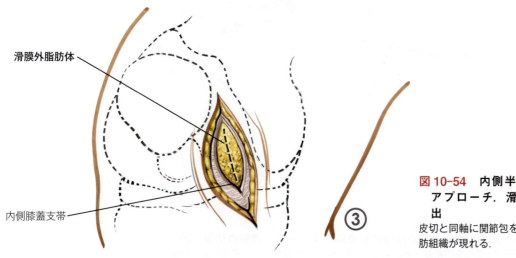

図10-54　内側半月切除術のためのアプローチ．滑膜下脂肪組織の露出
皮切と同軸に関節包を切開すると，滑膜下脂肪組織が現れる．

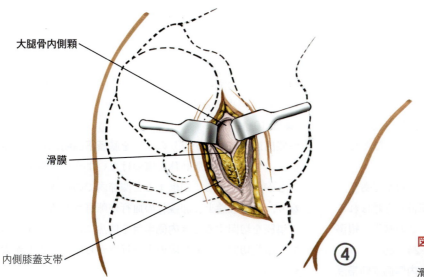

図10-55　内側半月切除術のためのアプローチ．滑膜の切開（1）
滑膜を切開して関節内にいたる．

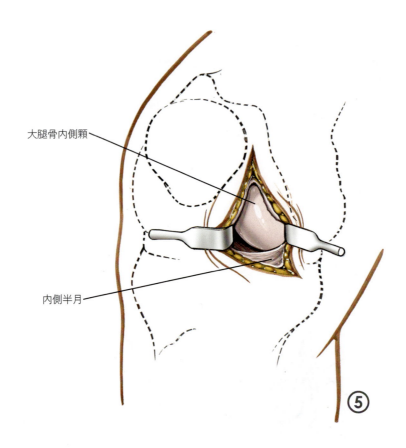

図10-56　内側半月切除術のためのアプローチ．滑膜の切開（2）
関節包と滑膜を関節裂隙まで切開するさいには，半月および滑膜脂肪体を損傷しないようにする．

けやすい．膝関節を屈曲させると，関節包とともに膝窩動脈が脛骨や大腿骨から離れて後方に位置することになる．砂嚢を膝窩部に直接おくことは，関節包の後方移動を妨げることになるので絶対に避けなければならない（☞図10-51B，C）．

冠状靱帯とは半月を脛骨に固定している靱帯であり，内側側副靱帯深層の部分では半月脛骨靱帯とも呼ばれることがある．関節内に到達するときに，この靱帯を損傷することがあるので注意する（☞図10-24，25）．

切開があまり後方に位置しすぎると，**内側側副靱帯浅**層を傷つけやすい．この靱帯は大腿骨内側上顆から起こり脛骨に停止するが，停止部は鵞足でおおわれている（☞図10-19）．

膝関節内前方のかなりの部分を**膝蓋下脂肪体**が占めている．この膝蓋下脂肪体を傷つけないように手術を行うことが大切である．損傷すると関節内での癒着の原因となり，また理論上，膝蓋骨の血行が障害される．

滑膜を切開するとき**内側半月**を偶然に傷つけやすいので，滑膜切開は関節裂隙の十分近位から始めることが大切である．

11. 内側半月切除術のためのアプローチ　649

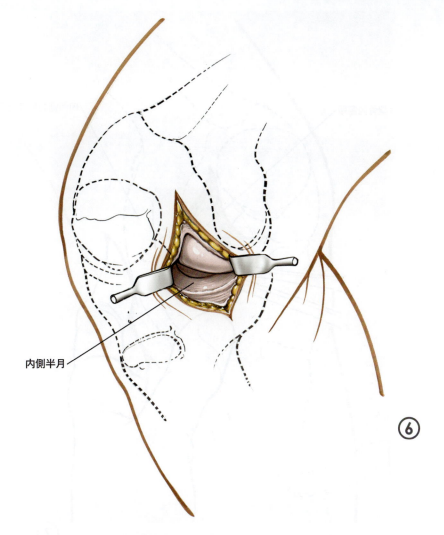

内側半月

⑥

図 10-57　内側半月切除術のためのアプローチ．半月の展開
膝を屈曲させ，レトラクターを使って半月を奥まで展開する．

術野拡大のコツ

●深部への拡大

このアプローチでは，次の3つの要素が展開を向上させる．

1) **レトラクション**：関節内組織がみえるように膝関節用レトラクターを的確な位置にかけ直す．
2) **照明**：照明灯は通常，術者の肩から術野を照らすようにする．たえず光線の位置を調整する．ヘッドライトを用いてもよい．
3) **外反ストレス**：内側の関節裂隙を開くように外反ストレスを加える．膝関節を屈曲させると関節の内後方がよく展開できる．内側半月の後角をみたいときには，逆に膝関節を伸展させ牽引を加えて外反させるとよい．しかし，関節鏡アプローチと比較すると，このアプローチでは内側半月後角辺縁部をみるには大きな制限がある．

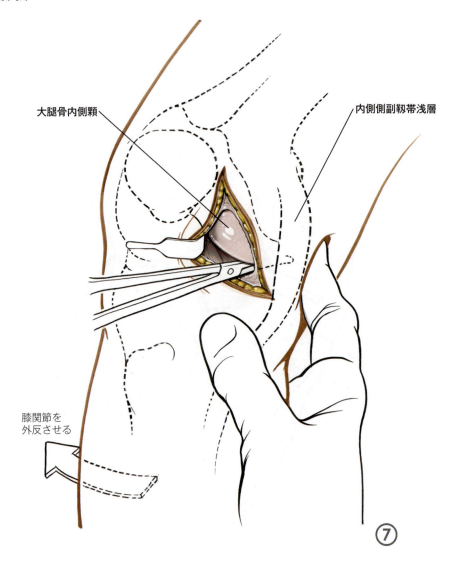

図 10-58　内側半月切除術のためのアプローチ．第 2 の切開を加える部位の触知法
鈍的な鉗子を関節内に挿入して，内側関節包の内側に沿って後方に進める．皮下に鉗子が触知できるまで後方を触診する．

●上下への拡大

後方への拡大　この切開では，ほぼ内側中央を縦に走る内側側副靱帯浅層のために，後方への拡大が制限される．関節後方を展開するには，この靱帯の後方に第 2 の切開を加える必要がある．とくに内側半月の残存した後角の切除には有用である．

操作としては先端が鈍的な鉗子を関節内に差し込み，関節裂隙の部分で内側関節包の内面に沿ってゆっくり挿入すると，鉗子先端に内側側副靱帯浅層の硬い抵抗を触知できる（図 10-58）．その位置で第 2 の後方の縦切開

11. 内側半月切除術のためのアプローチ

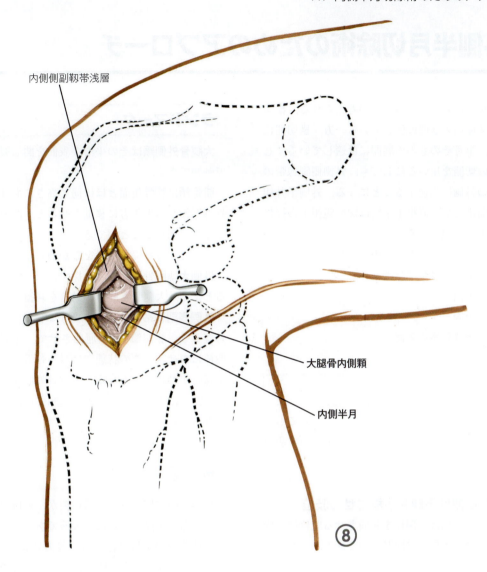

図 10-59 内側半月切除術のためのアプローチ．第2の切開からの展開野
第2の縦後方切開を加え，関節の後内側面にいたる．

を皮膚および関節包に加える（図 10-59）．

近位への拡大 この切開を近位に拡大するには，膝蓋骨の内縁に沿って皮膚を切開し，内側の膝蓋支帯と関節包を同軸に切開する．そうすると膝蓋骨の関節面を観察することができる．さらに近位に拡大すると膝蓋上嚢が展開できる．この部分は関節遊離体がよく存在する部位である．内側広筋と大腿直筋との筋間を分けて，近位への拡大を行うと大腿骨遠位 2/3 までの展開が可能である．

遠位への拡大 遠位に切開を拡大すると，伏在神経の膝蓋下枝を損傷するので推奨できない．

12 外側半月切除術のためのアプローチ

　外側半月切除にはいくつかの切開が考えられる．縦切開や斜切開が関節内の展開に優れている一方，横切開は視野が狭いが，半月そのものの展開には適している．しかし，いずれの切開を用いるにしても，外側側副靱帯の前方から関節の外側に到達することになる．外側半月切除のために，開創しての直視下手術は関節鏡視下の操作が困難なときのみに限られる．
　このアプローチは，次の手術に用いられる．
- 外側半月部分あるいは全切除術[35]
- 関節遊離体摘出術
- 関節内異物摘出術
- 大腿骨外側顆骨軟骨炎の手術

患者体位

　2種類の肢位がある．いずれの肢位をとるにしても，2分間患肢を挙上するか，Esmarch駆血帯を巻いて駆血した後にターニケットを加圧する．

●手術台を折り曲げ下腿を下垂させる肢位

　手術台の端を折り曲げ膝関節を屈曲させる肢位は，内側半月切除の場合と本質的に同じものである．ただし，2つの大切な点があり，
1) まず砂嚢を膝関節直下ではなく大腿部におき，膝窩動脈や後方関節包の圧迫を避け，
2) 膝関節後方の展開を可能にするために，膝関節を90°以上屈曲できるようにしておく（👍図10-32）．

●脚を交差させる肢位

　手術台に背臥位とし，膝関節が屈曲できるように手術台の端を折り曲げる．ついで患側の股関節を外転外旋させ，膝関節を屈曲させて，下腿を反対側の大腿部にのせる．そこで手術台の頭側を下げて45°のTrendelenburg体位とし，患側の膝関節がちょうど術者の目の高さにくるように，手術台の高さを調節する．最後に頭部をのせた台を水平にすると，体幹が頭側にすべるのを防ぐことができる（図10-60）．

ランドマーク

　大腿骨外側顆はその平滑な表面を関節裂隙にいたるまで触知できる．
　腓骨頭は脛骨粗面とほぼ同じ高さにあり，母指を大腿骨外側顆から下後方に移動させると，関節裂隙を越えたところに触れることができる．
　ついで膝蓋骨の外側縁を確かめる．
　外側大腿脛骨関節裂隙を探すには，膝関節を屈曲させるとよい．大腿骨と脛骨の動きを親指で触知できる．
　外側側副靱帯の位置を確認するには，股関節を外転・外旋させ，膝関節を90°屈曲させて，足部を反対側の膝関節にのせる．この状態では腸脛靱帯がゆるみ，外側側副靱帯が触れやすくなる．大腿骨外側顆から腓骨頭に走る緊張した索状物として容易に触知可能となり，直視もできる．

皮　切

　すべての皮切のうちで斜切開が，外側半月を切除するにも関節内を操作するにも最適である．斜切開を行うには，膝蓋骨の下外側縁から下後方に5cmほど切り下げればよい．切開部は，腓骨頭と大腿骨外側顆を連結する外側側副靱帯よりかなり前方に位置していることがわかる（図10-61A）．

internervous plane

　このアプローチにはinternervous planeは存在しない．外側膝蓋支帯と関節包の切開が主であり，損傷してはならない神経はこの術野には現れない．

浅層の展開

　皮切に沿って関節包の前外方を開く（図10-61B）．

深層の展開

　膝関節の滑膜上脂肪組織と滑膜とを同軸に切開すると，関節の前外方が展開できる．外側半月を損傷しない

ようにするには，まず関節裂隙の十分近位部で滑膜を開き，ついで注意深く切り進むとよい（図10-62；👍図10-61C）．

注意すべき組織

外側下膝動脈は脛骨近位で外側半月の外側縁のすぐ近くを通る．外側半月を関節包近くで切除する場合には，この血管を傷つけやすい．損傷してそれをそのままにしておくと術後大きな血腫の原因となる．アプローチでは損傷の危険性はない（👍図10-38）．

この切開では**外側側副靱帯**が後方への術野拡大を妨げている．万一誤って切断してしまいそのままにしておくと，外方の膝関節の安定性に影響する場合がある．外側側副靱帯の位置が大腿骨外側顆と腓骨頭を結ぶ線上にあることを念頭におく（👍図10-38）．

関節裂隙の近くで滑膜に切開を加え関節を開こうとすると，**外側半月**を損傷することがある．

術野拡大のコツ

このアプローチでは，切開された組織の移動性が悪くて圧排しにくく，関節内の展開が制限される．切開を拡大しないで展開をよくするには，次の3通りの方法がある．

1) **レトラクション**：膝関節用レトラクターを上手に使い関節内を展開する．
2) **肢位**：膝関節を内反位にして関節裂隙を開大する．脚を交差させる肢位の長所の1つは，自動的に外側の関節裂隙が開くことにある．膝関節を90°以上屈曲させると後外方の展開が楽になる．しかし関節の奥をのぞく場合には，むしろ膝関節を伸展させて牽引を加えながら内反させるのがよい．
3) **照明**：術野の深部まで光が入るように照明灯の位置を頻繁に調整する．ヘッドライトを使用するのもよい．

●上下への拡大

後方への拡大 外側側副靱帯が存在するので，後方へ術野を拡大することは不可能である．

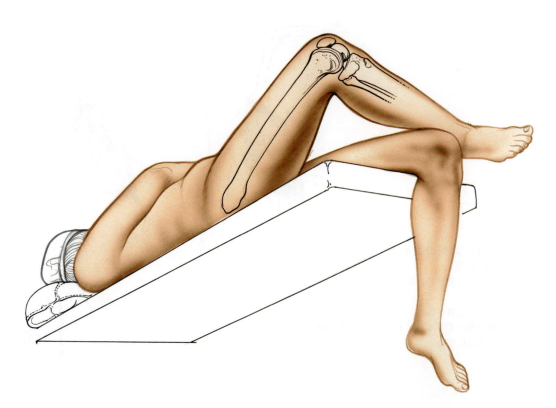

図10-60 外側半月切除術のためのアプローチ．患者体位
背臥位として手術台にのせ，膝関節が屈曲できるように手術台の端を外す．脚を交差させる肢位では，膝の外側を直接アプローチできる．

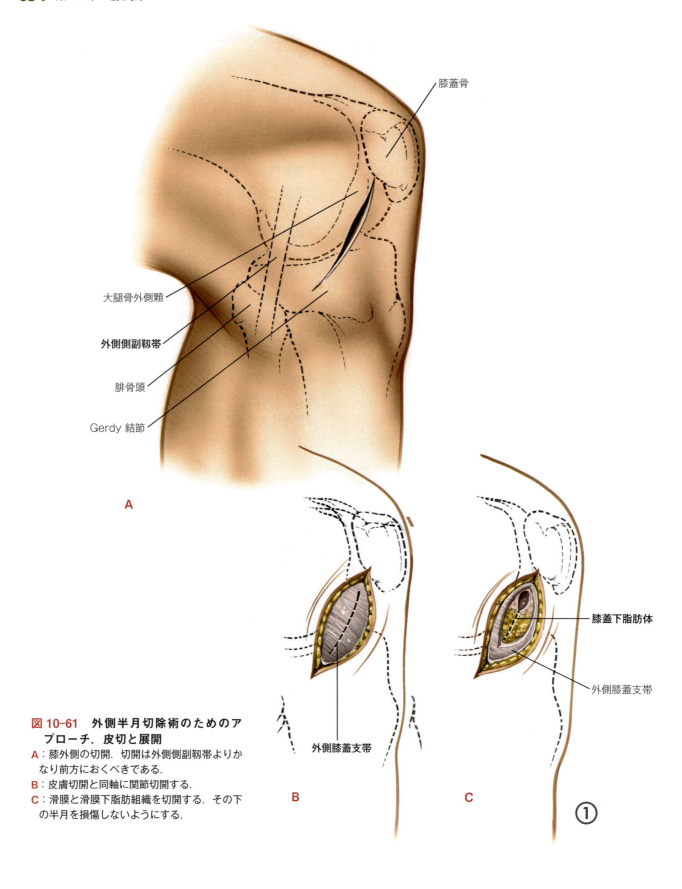

図10-61 外側半月切除術のためのアプローチ．皮切と展開
A：膝外側の切開．切開は外側側副靱帯よりかなり前方におくべきである．
B：皮膚切開と同軸に関節切開する．
C：滑膜と滑膜下脂肪組織を切開する．その下の半月を損傷しないようにする．

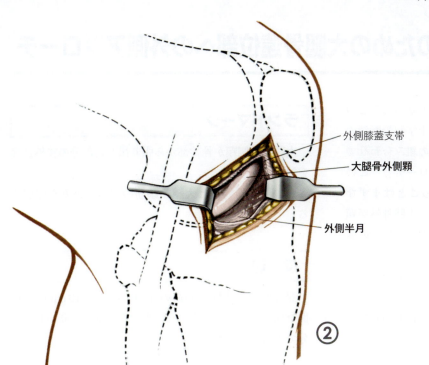

図10-62 外側半月切除術のためのアプローチ．半月の展開
関節内を最大に展開できるようにレトラクターをおく．

近位への拡大 膝蓋骨の外側縁に沿って皮膚と外側膝蓋支帯を切開すると，膝蓋骨の関節面の観察ができる．さらに後側方アプローチを用いての近位への展開を望むならば，外側広筋の後縁と外側筋間中隔との間を切開し，分けて進むと理論上では大転子までの展開が可能である（☞第9章「2 大腿骨への後外側アプローチ」）．この拡大展開は，関節内にまで骨折線が拡大した大腿骨顆上骨折の治療に有用である．

遠位への拡大 脛骨外側顆の外方を通り皮下に触れるGerdy 結節より1 cm 外方に縦の皮切を加える．ついで外側膝蓋支帯を切開し，前脛骨筋の起始部を脛骨外側顆からていねいに剥離すると脛骨の近位1/3 や関節内がよく展開できる．通常では脛骨外側プラトーの病変への対応には前外側アプローチが用いられるが，この拡大皮切も脛骨外側プラトー骨折の内固定に利用できる．顆部骨折では関節面の解剖学的再建が行えるように，視野を十分に展開しておくことがもっとも重要である．

13 前十字靱帯手術のための大腿骨遠位部への外側アプローチ

いわゆる over the top アプローチとして知られるこの大腿骨遠位部への外側アプローチは，前十字靱帯断裂の修復や再建に，内側傍膝蓋アプローチとの組み合わせで用いられる（👉本章「4 内側傍膝蓋アプローチ」）．この外側アプローチだけが単独で用いられることはまずない．大腿骨遠位部への外側アプローチは，大腿骨外側顆後面の over the top の部分より顆間窩後面にかけての展開に優れている．

この外側アプローチは，起始部で断裂した前十字靱帯修復あるいは再建靱帯の大腿骨遠位部での固定にさいして，大腿骨外側顆にドリルで穴を穿つ場合にも適している．

患者体位

背臥位で手術台に寝かせる．大腿骨後面に枕をおき，膝関節を30°に屈曲させて手術を行う．ターニケットはできるだけ大腿の近位に装着する（図10-63）．

ランドマーク

大腿骨外側顆が骨幹部から張り出した部分の後外側縁を触診する．

ついで**腸脛靱帯**と**大腿二頭筋**の間のくぼみを確認する．

皮　切

腸脛靱帯と大腿二頭筋の間のくぼみに10 cmの縦切開を加える．皮切の遠位端は大腿骨顆部が張り出した部分で止める（図10-64）．

internervous plane

展開は大腿神経の支配を受ける外側広筋と坐骨神経の支配を受ける大腿二頭筋との間の internervous plane を利用する（👉図10-39）．

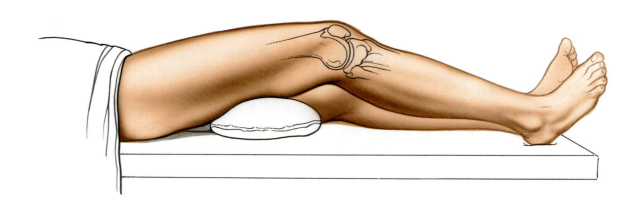

図10-63　大腿骨遠位部への外側アプローチ．患者体位

13. 前十字靱帯手術のための大腿骨遠位部への外側アプローチ **657**

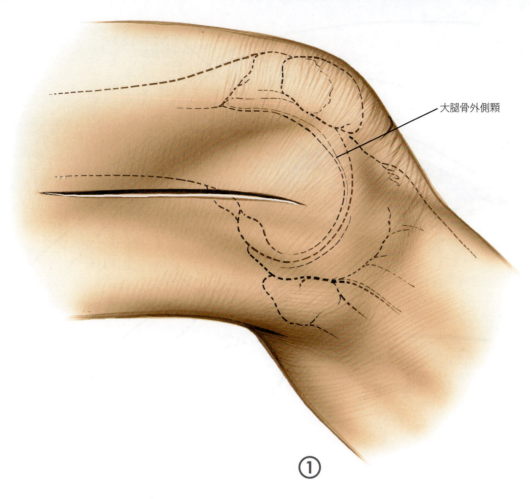

大腿骨外側顆

①

図 10-64　大腿骨遠位部への外側アプローチ．皮切
大腿二頭筋と腸脛靱帯の間をふれ，これに平行な 10 cm の切開をおく．

浅層の展開

外側筋間中隔のすぐ前方で，腸脛靱帯に皮切と同軸の縦切開を加える．この切開は皮切よりやや前方におく（図 10-65）．

深層の展開

外側筋間中隔の前方にある外側広筋を確認し，それを前内方に分ける．この筋の深層で大腿骨に接する部分に外側上膝動脈が走っているので，これを結紮する（図 10-66，67）．焼灼しながら，大腿骨骨幹部と顆部の移行部の骨膜を切開し，その部から骨膜下に小さな曲鉗子または Cobb エレベーターを挿入し，内側遠位に大腿骨顆間窩を触知するまで押し進める（図 10-68）．大腿骨顆間窩に沿って前方に進めると，そのとき膝関節の前内方に切開を加えて関節内を展開する（内側傍膝蓋アプローチ）と，鉗子や剥離子の先端を確認することができる（図 10-69）．

注意すべき組織

総腓骨神経は大腿二頭筋の後面に沿って走るので，切開が後方にずれるとこの神経を損傷する危険が生じる．
外側上膝動脈は結紮しないと，術後大きな血腫の原因となりやすい．

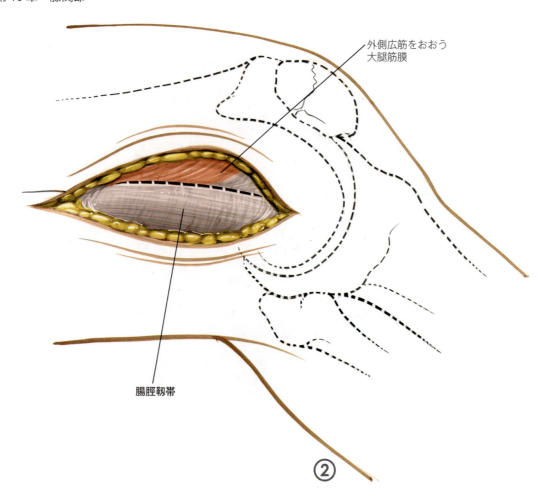

図 10-65 大腿骨遠位部への外側アプローチ．筋膜切開
外側筋間中隔の直前で，皮膚切開と同軸に腸脛靱帯を切開する．

膝窩動脈は展開を骨膜下にしなければ損傷される危険性がある．顆間窩を触知したさいには，膝関節を90°屈曲させて，関節包とともに膝窩動脈を後方に移動させるようにする．

術野拡大のコツ

●深部への拡大
外側広筋を直角の筋鉤で膝中央部に強く圧排する．

●上下への拡大
この切開を上下方向へ拡大すると広範な術野を得ることができる（☞第9章「1 大腿骨への外側アプローチ」）．また，靱帯再建のために腸脛靱帯を採取する場合には，より近位への術野拡大で対応できる．

13. 前十字靱帯手術のための大腿骨遠位部への外側アプローチ **659**

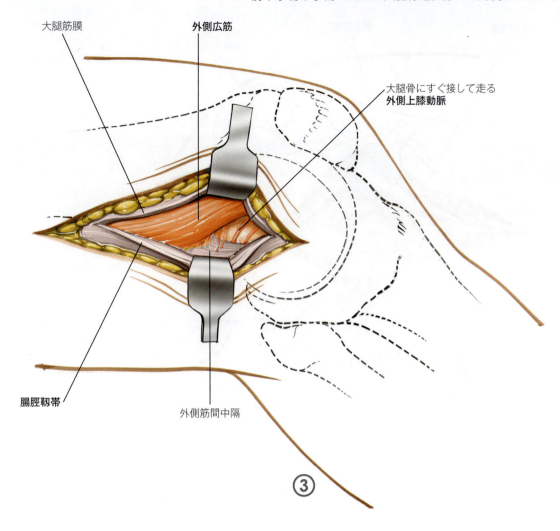

図 10-66　大腿骨遠位部への外側アプローチ．外側上膝動脈の確認
外側筋間中隔の前方の外側広筋を前方および内側方に圧排して，外側上膝動脈を同定する．

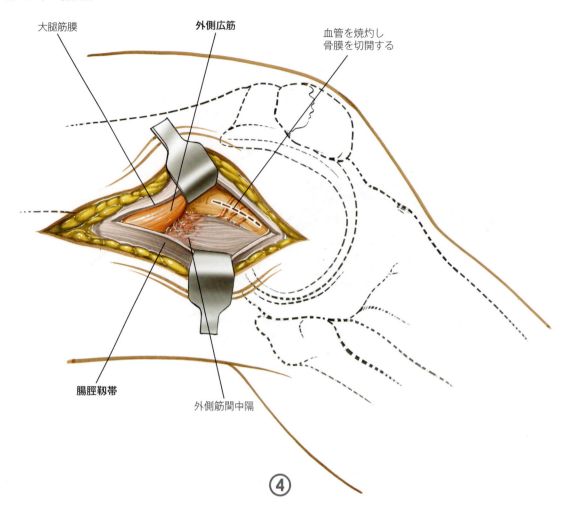

図 10-67 大腿骨遠位部への外側アプローチ．外側上膝動脈の焼灼および骨膜切開
さらに外側広筋を圧排して，外側上膝動脈を結紮し，大腿骨骨幹と顆部の移行部で骨膜を切開する．

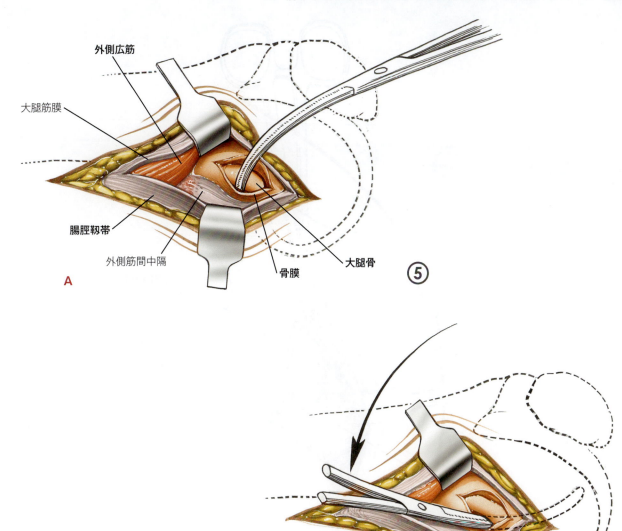

図 10-68　大腿骨遠位部への外側アプローチ．骨膜の剝離および顆間窩への到達
A：大腿骨骨外側顆の後外側移行部で骨膜下に小さな鉗子を挿入する．
B：鉗子を大腿骨外側顆の上方から内側遠位に，大腿骨顆間窩を触知するまで押し進める．

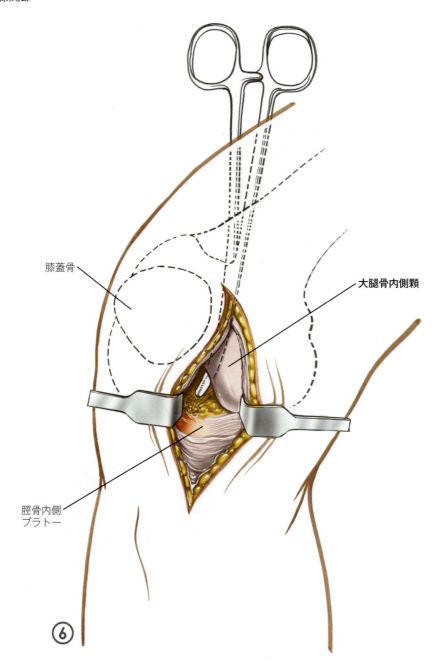

図 10-69　大腿骨遠位部への外側アプローチ．後方から挿入された鉗子先端の確認
鉗子を大腿骨顆間窩に沿って前方に進め，膝関節の前内方に切開を加えて関節内を観察すると，鉗子や剥離子の先端を確認できる．

文献

1. Scott WN, Insall JN, Kelly MA. Arthroscopy and meniscectomy: surgical approaches, anatomy and techniques. In: Insall JN, Windsor RE, Scott WN, Kelly MA, Aglietti P, eds. *Surgery of the Knee.* Vol 1. 2nd ed. Churchill Livingstone; 1993:165-215.
2. Insall JN, ed. *Surgery of the Knee.* 2nd ed. Churchill Livingstone; 1993.
3. Abbott LC, Carpenter WF. Surgical approaches to the knee joint. *J Bone Joint Surg Am.* 1945;27:277-310.
4. van Hemert WLW, Senden R, Grimm B, van der Linde MJ, Lataster A, Heyligers IC. Early functional outcome after subvastus or parapatellar approach in knee arthroplasty is comparable. *Knee Surg Sports Traumatol Arthrosc.* 2011;19:943-951.
5. Picard F, Deakin A, Balasubramanian N, Gregori A. Minimally invasive total knee replacement: techniques and results. *Eur J Orthop Surg Traumatol.* 2018;28:781-791.
6. Petursson G, Fenstad AM, Gøthesen Ø, et al. Computer-assisted compared with conventional total knee replacement: a multicenter parallel-group randomized controlled trial. *J Bone Joint Surg Am.* 2018;100:1265-1274.
7. Jones CW, Jerabek SA. Current role of computer navigation in total knee arthroplasty. *J Arthroplasty.* 2018;33:1989-1993.
8. Coverntry MB, Upshaw JE, Riley LH, Finerman GA, Turner RH. Geometric total knee arthroplasty: I. Conception, design, indications, and surgical technic. *Clin Orthop Relat Res.* 1973;94:171-184.
9. Freeman MA. Total replacement of the knee. *Orthop Rev.* 1974;3:21.
10. Freeman MA, Todd RC, Bamert P, Day WH. ICLH arthroplasty of the knee, 1968–1977. *J Bone Joint Surg Br.* 1978;60:339.
11. Gunston FH, Mackenzie RI. Complications of polycentric knee arthroplasty. *J Bone Joint Surg Br.* 1977;59:506.
12. Haberman ET, Deutsch SD, Rovere GD. Knee arthroplasty with the use of the Walldius total knee prosthesis. *Clin Orthop Relat Res.* 1973;94:72-84.
13. Insall IN, Scott WN, Ranawat CS. The total condylar knee: a report of 220 cases. *J Bone Joint Surg Am.* 1979;61:173.
14. Laksin RS. Modular total knee replacement arthroplasty: a review of 89 patients. *J Bone Joint Surg Am.* 1978;58:766-773.
15. Sheehan JM. Arthroplasty of the knee. *J Bone Joint Surg Br.* 1978;60:333-338.
16. Kahlenberg CA, Lyman S, Joseph ASD, et al. Comparison of patient-reported outcomes based on implant brand in total knee arthroplasty: a prospective cohort study. *Bone Joint J.* 2019;101-B(7 suppl C):48-54.
17. Georgaklis VA, Karachalios T, Makridis KG, et al. Genesis 1 posterior cruciate-retaining total knee arthroplasty with asymmetric tibial tray: an 18-to-26-year long-term clinical outcome study. *Knee.* 2019;26:838-846.
18. Papasoulis E, Karachalios T. A 13- to 16-year clinical and radiological outcome study of the Genesis II cruciate retaining total knee arthroplasty with an oxidised zirconium femoral component. *Knee.* 2019;26:492-499.
19. Conaty JP. Surgery of the hip and knee in patients with rheumatoid arthritis. *J Bone Joint Surg Am.* 1973;55:301-314.
20. McMaster M. Synovectomy of the knee in juvenile rheumatoid arthritis. *J Bone Joint Surg Br.* 1972;54:263-271.
21. Arthur JR, Spangehl MJ. Tourniquet use in total knee arthroplasty. *J Knee Surg.* 2019;32:719-729.
22. Cai DF, Fan QH, Zhong HH, Peng S, Song H. The effects of tourniquet use on blood loss in primary total knee arthroplasty for patients with osteoarthritis: a meta-analysis. *J Orthop Surg Res.* 2019;14:348.
23. Divano S, Camera A, Biggi S, Tornago S, Formica M, Felli L. Tibial tubercle osteotomy (TTO) in total knee arthroplasty, is it worth it? A review of the literature. *Arch Orthop Trauma Surg.* 2018;138:387-399.
24. Punwar SA, Fick DP, Khan RJK. Tibial tubercle osteotomy in revision knee arthroplasty. *J Arthroplasty.* 2017;32:903-907.
25. Hughston JC. A surgical approach to the medial and posterior ligaments of the knee. *J Bone Joint Surg Am.* 1973;55:29-33.
26. Encinas-Ullán CA, Rodríguez-Merchán ECX. Isolated medial collateral ligament tears: an update on management. *EFORT Open Rev.* 2018;3:398-407.
27. Warren LF, Marshall JL. The supporting structure and layers on the medial side of the knee. *J Bone Joint Surg Am.* 1979;61:56-62.
28. Zhong S, Wu B, Wang M, et al. The anatomical and imaging study of pes anserinus and its clinical application. *Medicine (Baltimore).* 2018;97(15):e0352.
29. Kaplan EB. Surgical approach to the lateral (peroneal) side of the knee joint. *Surg Gynecol Obstet.* 1957;104:346-356.
30. Slocum DB, James SL, Larsen RL, et al. Late reconstruction of ligament injuries to the medial compartment of the knee. *Clin Orthop Relat Res.* 1976;118:63.
31. Dodds AL, Halewood C, Gupte CM, Williams A, Amis AA. The anterolateral ligament: anatomy, length changes and association with the Segond fracture. *Bone Joint J.* 2014;96:325-331.
32. Brackett EG, Osgood RB. The popliteal incision for the removal of "joint mick" in the posterior capsule of the knee joint: a report of cases. *Boston J Med Surg.* 1911;165:975-976.
33. Smillie IS. *Injuries of the Knee Joint.* 4th ed. Williams & Wilkins; 1971.
34. Aichroth P. Osteochondritis dissecans of the knee: a clinical survey. *J Bone Joint Surg Br.* 1971;53:440-447.
35. Pogrund H. A practical approach for lateral meniscectomy. *J Trauma.* 1976;16:365-367.

第11章

The Tibia and Fibula

脛骨と腓骨

1 脛骨外側プラトーへの前外側アプローチ ………… 666
2 脛骨近位部への後内側アプローチ ……… 670
3 脛骨プラトーへの後外側アプローチ …… 674
4 脛骨プラトーへの後内側アプローチ …… 681
5 脛骨近位部への前外側最小侵襲アプローチ ………… 686
6 脛骨への前方アプローチ ……………… 688
7 脛骨遠位部への前方最小侵襲アプローチ ………… 692

8 脛骨への後外側アプローチ ……………… 695
9 腓骨へのアプローチ ……………… 700
10 下腿部の手術に必要な外科解剖 ………… 705
11 下腿コンパートメント症候群に対する減圧のためのアプローチ ……… 709
12 膝蓋下脛骨髄内釘のための最小侵襲アプローチ ……………… 710
13 膝蓋上脛骨髄内釘のための最小侵襲アプローチ ……………… 714

第11章

　脛骨と腓骨の長さはほぼ等長であるが，構造と機能は異なる．脛骨は太く，歩行時の大部分の荷重ストレスを伝達しており，その皮下面は広くて到達しやすい．一方，腓骨は細く，1/6の荷重を担うとともに足関節の支持性に重要な役割を演じている[1]．両骨端部を除けば筋に囲まれている．腓骨に対する手術アプローチは脛骨より複雑で，これは腓骨が深層にあり，またその近位1/3部を回って走行する総腓骨神経の存在による．

　脛骨骨幹部に対しては2つの主要なアプローチがある．前方アプローチがもっともよく使われるが，その理由は皮下に存在する骨の表面に容易に到達できることである．後外側アプローチはあまり使用されないが，皮膚損傷がすでに存在し，前方アプローチが不可能な場合のほか，偽関節の骨移植ではしばしば用いられる．

　脛骨プラトーへ到達するには4つのアプローチがある．これらはすべて骨折の手術のために使用される．脛骨プラトーへの前外側アプローチは外側プラトーの前方2/3へ到達させ，多くの脛骨プラトー骨折の治療に使用される大変有用な皮切である．脛骨プラトーへの後内側アプローチは脛骨プラトーの内側への到達に使用され，複雑な近位脛骨骨折（Schatzker 5，6型）を治療するための前外側アプローチとしばしば併用される．脛骨プラトーへの後外側アプローチは脛骨プラトーの後外側のコーナーへ到達するために使用されるが，その領域の骨の展開域には制限がある．脛骨プラトーへの後方アプローチは膝窩に存在する神経・血管の損傷のおそれがなく，脛骨プラトーの後柱へ到達させるものである（図11-1）．

　脛骨近位への前外側最小侵襲アプローチは2つの切開窓から行われる．その切開窓は，近位は前外側アプローチの一部，遠位は脛骨骨幹部の前方アプローチの一部である．

　脛骨遠位への前方最小侵襲アプローチは脛骨遠位骨幹端の複雑な骨折に対する経皮的なプレート固定に有用である．

　下腿の解剖の項では急性コンパートメント症候群の治療に必要なアプローチとともに記載されている．脛骨骨幹部骨折の大多数は髄内釘の挿入により治療される．

　脛骨骨幹部骨折に対する髄内釘挿入に用いる2つの最小侵襲アプローチについて記載する．

1 脛骨外側プラトーへの前外側アプローチ

　脛骨外側プラトーへの前外側アプローチは，脛骨外側プラトーに到達する安全な方法である．以下の手術で用いられる．
- 脛骨外側プラトー骨折の観血的整復・内固定
- 遷延治癒骨折および偽関節に対する骨移植
- 骨髄炎の治療
- 腫瘍の切除，生検
- 移植骨の採取

　脛骨近位の軟部組織の被覆は薄く繊細で，皮膚とその下層の筋膜のみからなる．この部分の軟部組織の問題は頻繁に生じ，とくに高エネルギー損傷の場合に大きな腫脹や水疱が生じる．手術前には軟部組織を注意深く診断することが重要であり，腫脹が沈静化し軟部組織が回復するまで，この部位の根治的な骨折治療をしばしば延期することがある[2]．

　前外側アプローチでの皮膚は直接骨をおおっていないので，このアプローチは直接的に皮膚から脛骨に達する前方アプローチよりも好まれる．

患者体位

　X線透過性のある手術台で背臥位とする．膝をほぼ60°屈曲位になるよう大腿後面にしっかりした楔状の枕を挿入する（図11-2）．下肢の外旋を防ぐため殿部の後面に小さい枕子をおく．これにより膝蓋骨が正面を向くようになる．下肢を3〜5分間挙上したり，ソフトラバーバンテージで脱血した後に，ターニケットに加圧する．

ランドマーク

脛骨近位の骨幹部に沿って前縁を触知する．膝関節の外側関節裂隙の位置を，触知しながら膝を屈曲，伸展させることにより同定する．膝蓋腱のすぐ外側にあるGerdy結節を触れる．これらの目印はすべて，肥満の患者でも容易に触知できる．

皮　切

逆L字型の皮切を加える．関節裂隙の約1～3cm遠位から開始し，膝蓋腱の外側縁に達する．Gerdy結節のところで皮切を弯曲させ，遠位に向かって脛骨の前縁から1cm外側におく（図11-3）．皮切の長さは，治療すべき病態や使用されるインプラントによって決まる．

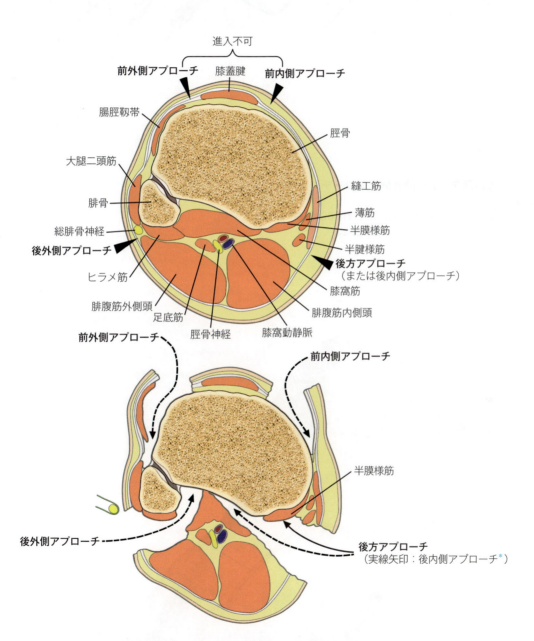

図 11-1　脛骨近位部（脛骨プラトーを含む）への手術アプローチ*
これらのアプローチは，主にプラトー骨折を含む骨傷に第1の適応がある．
*訳者，監訳者註：図中に表示された前内側アプローチは，その簡潔さから説明が省略されているとみられる．また本章冒頭に記されている後内側アプローチは図に示されていないが，本章「2 脛骨近位部への後内側アプローチ」は脛骨近位部の展開を目標としているものの，適応項目にプラトー骨折（Schatzker 4, 5, 6型）が明記されていることに注目されたい．一方，この図において記されている後方アプローチは，基本的に後内側切開に，さらに逆L字になるよう横の切開を追加することで脛骨プラトーの後方を展開できるようにしたものと解釈できるであろう（☞本章「4 脛骨プラトーへの後内側アプローチ」）．

668 第11章 脛骨と腓骨

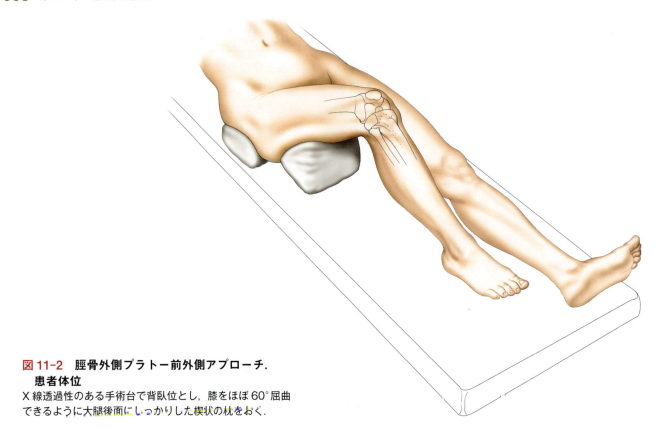

図 11-2 脛骨外側プラトー前外側アプローチ．患者体位
X線透過性のある手術台で背臥位とし，膝をほぼ60°屈曲できるように大腿後面にしっかりした楔状の枕をおく．

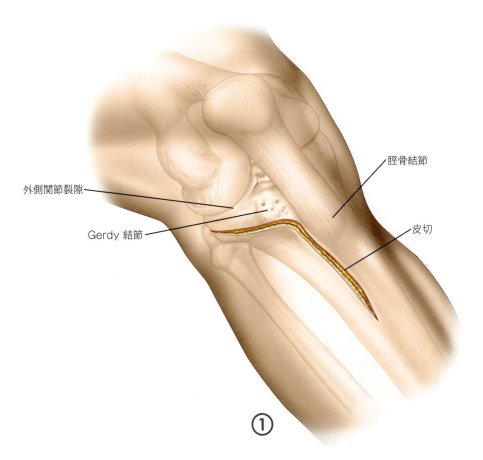

図 11-3 脛骨外側プラトー前外側アプローチ．皮切
逆L字型の皮切を使用する．関節裂隙の約1〜3cm遠位から膝蓋腱の外側縁に達する．Gerdy結節で前方に曲げ，脛骨の前縁から1cm外側の位置で，皮切を下方へのばす．

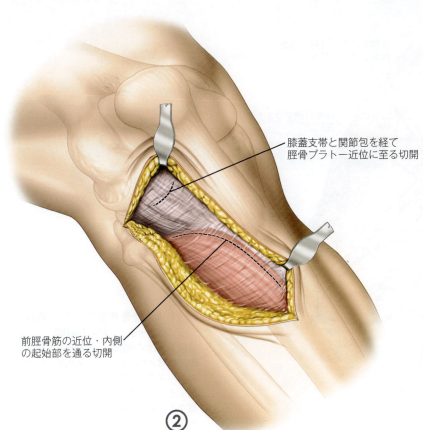

膝蓋支帯と関節包を経て
脛骨プラトー近位に至る切開

前脛骨筋の近位・内側
の起始部を通る切開

図11-4 脛骨外側プラトー前外側アプローチ．浅層の展開
膝関節の外側を露出するために皮下組織を展開し，外側半月の直下で膝関節の関節包を水平方向に切開する．外側半月を切らないように気をつける．関節裂隙の下方では，皮下組織を深部まで切開し，前脛骨筋をおおっている筋膜を展開する．

internervous plane

このアプローチには，internervous planeは存在しない．剥離は常に骨膜上で行い，伸筋コンパートメントを支配する神経を損傷しないようにする．

浅層の展開

近位方向に皮下組織を展開して深部に達し，膝関節の関節包の外側を露出する．外側半月の直下で膝関節の関節包を水平方向に切開する．外側半月を不注意から切離しないように気をつける．関節裂隙の下方では，皮下組織を深部まで切離し，前脛骨筋をおおっている筋膜を切離する（図11-4）．

深層の展開

滑膜を分けて関節内に達する．外側半月をその軟部組織との付着部から注意深く剥離し，外側半月下面と脛骨プラトーとの間隙を展開する．半月辺縁に目印の縫合糸をおき，閉創を容易にしておく．半月の前方付着部を確認する．脛骨外側プラトー上面が十分に観察できるように，半月をその辺縁で剥離する．エレベーターを使用し，脛骨近位から前脛骨筋の付着部を剥離する．この剥離は骨膜と筋の間で行う（図11-5）．

注意すべき組織

腓骨神経の深部への枝にはさまざまな走行がみられる．正常な場合，浅腓骨神経は展開した部位の後方に存在するので損傷してはならない．

脛骨関節面を十分にみやすくするには，**外側半月**を脛骨関節面へ付着させている軟部組織を剥離する必要があるが，半月の前方および後方の付着部は完全に剥離しないように注意する．とくに膝関節内の滑膜を切離するときがもっとも危険である．

術野拡大のコツ

● 深部への拡大

大腿骨と脛骨間の膝の外側面に開大器や創外固定器を設置することは，膝関節に内反力を加えることになり，外側コンパートメントが開大される．

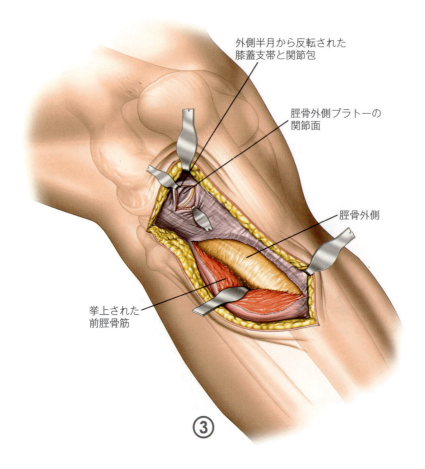

図 11-5 脛骨外側プラトー前外側アプローチ．深層の展開
滑膜を分けて関節内に達する．外側半月を軟部組織との付着部から注意深く剥離し，外側半月下面と脛骨プラトーとの間隙を展開する．遠位に向かって前脛骨筋筋膜を切離する．筋腹を脛骨骨幹部の外側面から移動する．

● 上下への拡大

近位への拡大 近位にアプローチを拡げるには，皮膚切開を膝蓋骨の外側面に沿って延長し，大腿骨遠位の外側面を越えて後方に弯曲させる．外側関節包に切開を加え，関節内と大腿骨遠位の近位部に達する．

遠位への拡大 遠位にアプローチを拡げる場合，切開を長軸方向に脛骨前縁の1cm外側の位置を保ったまま延長する．皮切は場合により足関節近位まで延長する．深層では前脛骨筋を分けるか，脛骨の外側面から剥離する．これにより脛骨骨幹部の近位1/4まで到達できる．

2 脛骨近位部への後内側アプローチ

脛骨近位の複雑な骨折ではしばしば大きな後内側の骨片を含む．この骨片の骨幹部に対する正確な整復は，関節の再建を行うためにきわめて重要であり，脛骨両顆のプラトー骨折の手術における最初の段階で行う手技でもある．脛骨後内側面に設置されたプレート固定は，脛骨近位部骨折後にもっとも生じやすい脛骨の内反変形を防止する．

このプレートは，生体力学的に圧迫力の加わる内側に設置され，支柱プレートの機能をもつ．この皮切の他の長所としては，皮切が脛骨の後内側にあることにより，脛骨前方部分に通常生じやすい水疱形成などに影響されないことである．しかし，脛骨近位部の後内側面の軟部組織が悪ければ，軟部組織の状態が改善するまで手術を延期しなければならない．

このアプローチの適応は，以下の通りである．
■ 脛骨内側プラトー骨折への観血的整復・内固定（Schatzker 4型）
■ 内・外側の脛骨プラトー骨折への観血的整復・内固定

(Schatzker 5，6 型)
- 高位脛骨骨切り術
- 膿瘍のドレナージ
- 腫瘍の生検

患者体位

X線透過性のある手術台で背臥位とし，イメージ増倍管により正確に骨折部を描出できるようにする．反対側の殿部の下に砂嚢をおいて患者を約20°傾ける（図11-6）．これにより，患肢は外旋し，脛骨の後内側部が上に向くようになる．術者はアプローチの反対側に立つとやりやすい．3～5分間下肢を挙上するか，またはソフトラバーバンテージで脱血してから，ターニケットに加圧する．

ランドマーク

脛骨の近位端はほぼ三角形をしており，**後内側縁の張**り出しは肥満の著しい患者においても容易に触知できる．

皮切

脛骨近位の後内側に6 cmの縦皮切をおく．この皮切の正確な長さは，病態や使用されるインプラントによって決まる（図11-7）．

internervous plane

ここでは internervous plane は存在しないが，骨と腓腹筋の間を展開する．

浅層の展開

皮下脂肪を展開し深層に達する．大伏在静脈と伏在神経がこのアプローチの前方に存在しており，これらの組織を同定し温存する．脛骨をおおっている鵞足も同定する（図11-8A）．

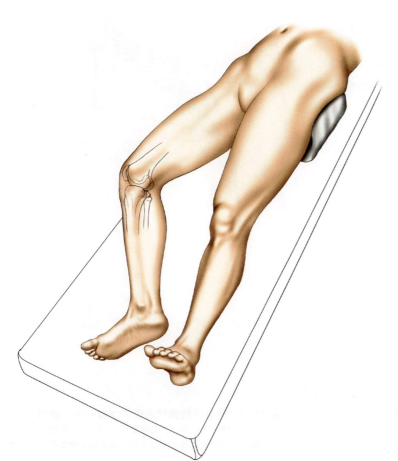

図11-6 脛骨近位部後内側アプローチ．患者体位
X線透過性のある手術台で背臥位とし，反対側の殿部の下に砂嚢をおいて体を約20°傾ける．

深層の展開

脛骨へのアプローチには2つの異なる手技がある.

バットレスプレートを設置するために脛骨近位部の後内縁にアクセスするために,半腱様腱の後縁である鵞足の後縁を確認する.3本の腱を前方に反転し,その下の滑液包に入る.必要に応じて,脛骨への停止部から部分的に切離する(図11-8B).

これで脛骨の後内縁が展開できる.プレート設置を容易にするため,脛骨後内側縁で鵞足と腓腹筋内側頭との間に骨膜上を展開する.鈍的に剥離することで筋を骨から緩やかに遊離させる(図11-9).

脛骨近位部内側へ到達する必要がある場合は,縫工筋の前縁を確認し,鵞足の3つの筋肉を後方に反転させて脛骨近位部の前内側へ到達できるようにする.

注意すべき組織

伏在神経と**伏在静脈**は浅層の展開のさいに出現する.保護して温存に努める.

術野拡大のコツ

●近位への拡大

膝の後内側部へ到達するために,切開を脛骨の内側面に沿って近位方向に延長する.これにより膝窩動脈・静脈へ到達,血管手術を行うことが可能となる.

●遠位への拡大

遠位方向の拡大は,脛骨後内側に沿って進める.これにより,脛骨の後内側面のみでなく,下腿後方の浅・深層の筋コンパートメントの両方にも到達でき,筋コンパートメントの解離を行うことができる.

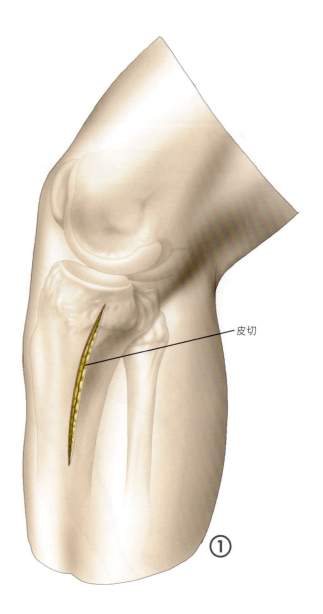

図11-7 脛骨近位部後内側アプローチ.皮切
脛骨近位の後内側に6cmの縦皮切を加える.適切な長さは,病態や使用されるインプラントによって決まる.

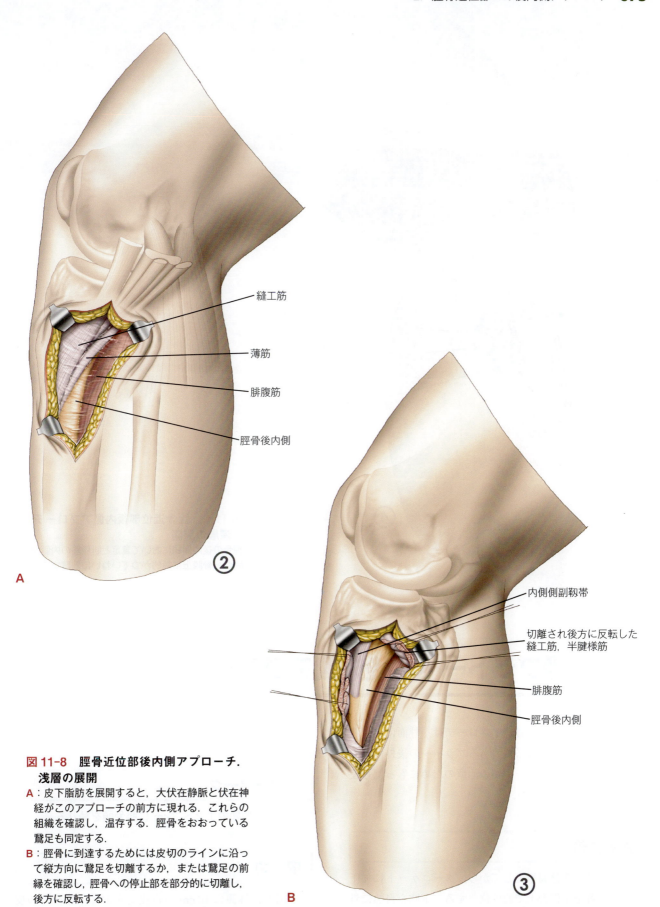

図11-8 脛骨近位部後内側アプローチ．浅層の展開

A：皮下脂肪を展開すると，大伏在静脈と伏在神経がこのアプローチの前方に現れる．これらの組織を確認し，温存する．脛骨をおおっている鵞足も同定する．

B：脛骨に到達するためには皮切のラインに沿って縦方向に鵞足を切離するか，または鵞足の前縁を確認し，脛骨への停止部を部分的に切離し，後方に反転する．

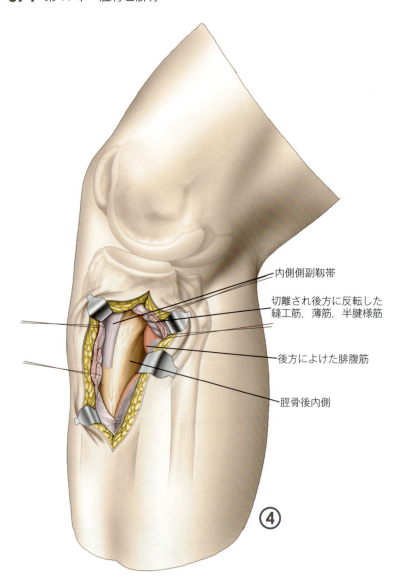

図 11-9 脛骨近位部後内側アプローチ．
　深層の展開
脛骨の後内側縁において鵞足と腓腹筋の内側頭の間から骨膜上に鈍的かつていねいに剥離する．

ラベル:
- 内側側副靱帯
- 切離され後方に反転した縫工筋, 薄筋, 半腱様筋
- 後方によけた腓腹筋
- 脛骨後内側

3 脛骨プラトーへの後外側アプローチ

　脛骨プラトーへの後外側アプローチは，骨面にバットレスプレートをあてる必要のあるプラトーの後外側コーナーを含む脛骨プラトー損傷の治療のためにもっぱら使用される[3,4]（図 11-10）．

患者体位

　下肢を 3〜5 分間挙上してから，ターニケットに加圧する．患者を手術台上で腹臥位とする．下肢を自然に外旋させたままにする．小さい枕を足関節の下におき，膝関節を正確に 20° 屈曲させる（図 11-11）．

ランドマーク

　大腿骨外側顆の下 2〜3 cm に腓骨頭を触れる．

皮切

　下腿の後外側に 10 cm の縦皮切をおく．膝後方の皮膚のしわの上方 2 cm から始め，遠位は腓骨頭と頚部の

3. 脛骨プラトーへの後外側アプローチ　**675**

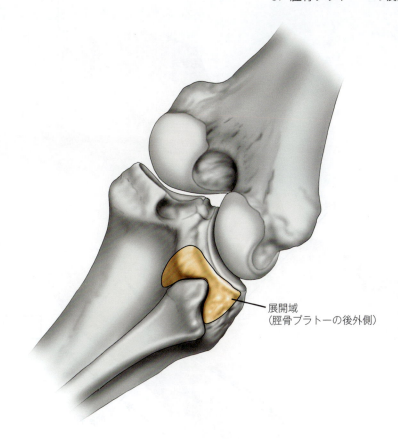

図 11-10　脛骨プラトー後外側アプローチ．骨の展開域（脛骨後外側プラトー）
脛骨プラトーへの後外側アプローチにより展開される部位．

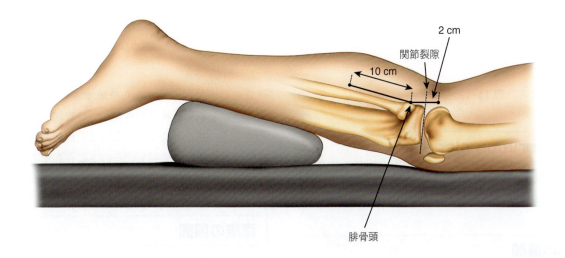

図 11-11　脛骨プラトー後外側アプローチ．患者体位
患者を手術台上で腹臥位とし，枕を下腿の下におき，膝関節を約20°屈曲させる．

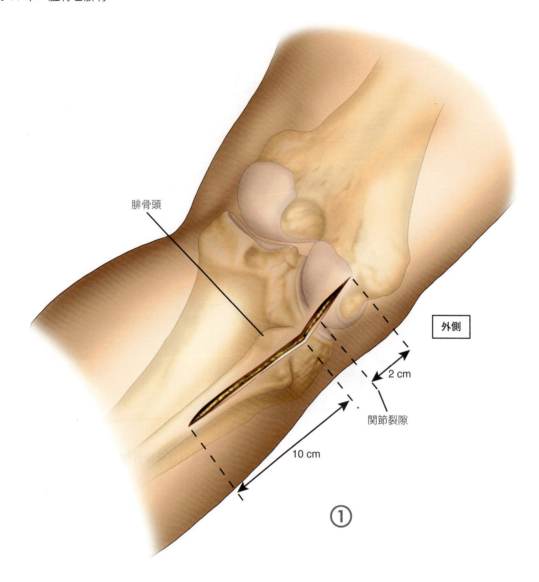

図 11-12　脛骨プラトー後外側アプローチ．皮切
膝皺襞の上方 2 cm から始め，腓骨頭と頸部の内側縁まで達する 10 cm の縦皮切をおく．

内側まで達する（図 11-12）．

internervous plane

拡大を要しない多くの局所的な手術のアプローチに共通して有用な internervous plane はない．

浅層の展開

大腿二頭筋腱の後縁に沿って注意深く深筋膜を切離する．腱の下に走る総腓骨神経を触れ，牽引しないように注意を払い神経を周囲から分離する（図 11-13）．大腿二頭筋腱と総腓骨神経を外側に，腓腹筋外側頭を内側にして，その間を展開する．大腿二頭筋腱を外側に，腓腹筋外側頭を内側に牽引し，その下に存在する膝窩筋を露出する（図 11-14，15）．

深層の展開

脛骨近位後方から膝窩筋を挙上する．腓骨近位のヒラメ筋の起始部を同定し，腓骨から約 5 cm の長さにわたり筋を剥離する（図 11-16）．膝関節包におおわれてい

3. 脛骨プラトーへの後外側アプローチ

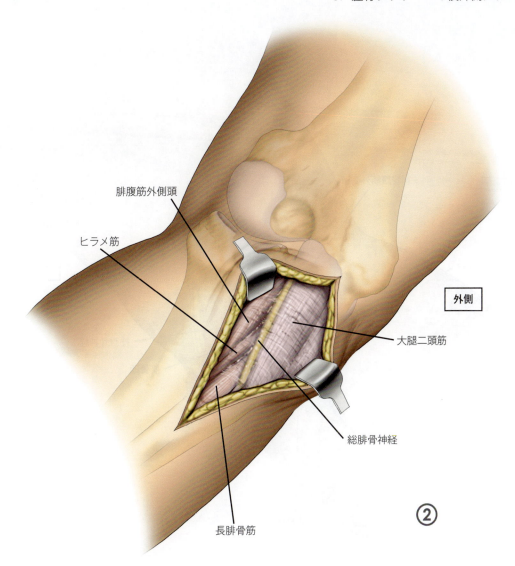

図 11-13　脛骨プラトー後外側アプローチ．深筋膜の切離
皮切に沿って深筋膜を切離し，大腿二頭筋腱と総腓骨神経を確認する．

る膝の後外側のかどが露出される．もし膝関節包の切開が必要であれば，切開の位置と手技は，治療すべき病態にあわせる．

注意すべき組織

総腓骨神経は深層筋膜を切離するとき損傷されやすい．また，大腿二頭筋腱を勢いよく牽引することや骨折部をよく見るために過度に強い内反をかけることにより損傷されることがある．

術野拡大のコツ

このアプローチでは有用な術野の拡大は不可能である．それゆえ CT スキャンを使用して治療すべき病巣の部位を正確に同定し，正しい手術アプローチを選択することが望ましい．前十字靱帯断裂を伴うことが多いプラトー後外側の隅の「アップルバイト（リンゴをかじったような）」骨折に理想的なアプローチである[5]．

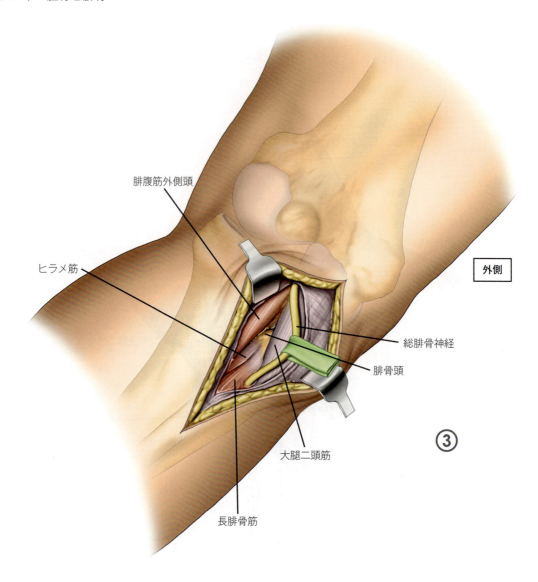

図 11-14　脛骨プラトー後外側アプローチ．筋の排除と腓骨頭の確認
大腿二頭筋腱と総腓骨神経を外側に，腓腹筋外側頭を内側に引く．

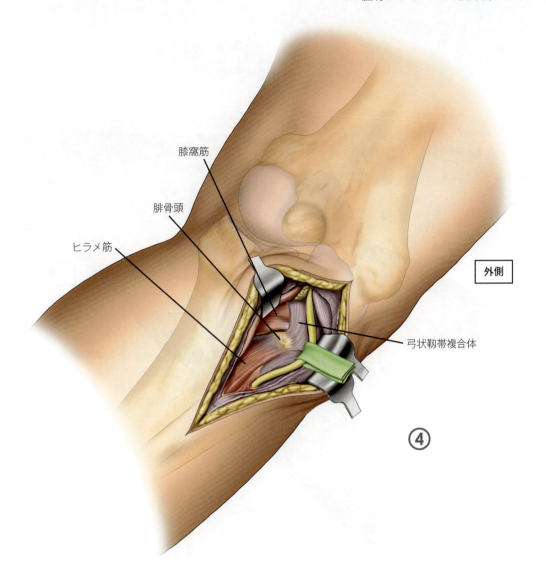

図11-15 脛骨プラトー後外側アプローチ．膝窩筋および腓骨頭の展開
膝窩筋が露出される．

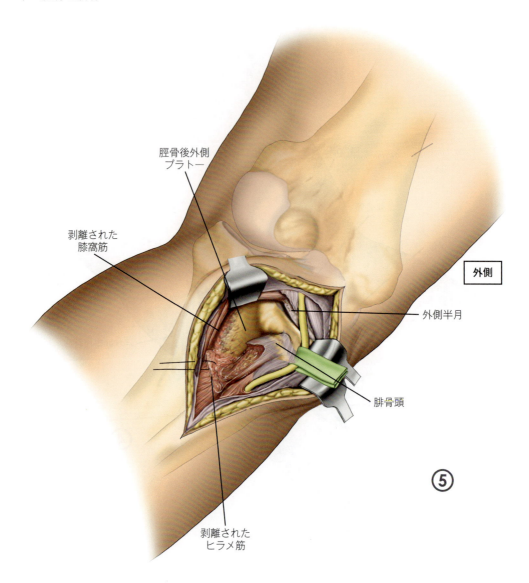

図 11-16 脛骨プラトー後外側アプローチ．脛骨後外側プラトーの展開
膝窩筋を脛骨近位背部から挙上する．ヒラメ筋の腓骨近位の起始部も剥離する．

4 脛骨プラトーへの後内側アプローチ

後内側アプローチは，膝窩の神経血管束を危険にさらすことなく，脛骨近位部の後方に到達できる[6]．
以下の手術で用いられる．
- 観血的整復と脛骨プラトーの内固定
- 後方の要素を含む脛骨プラトー骨折
- 後十字靱帯裂離骨折の修復

患者体位

下肢を3～5分間挙上してから，ターニケットに加圧する．患者を手術台で腹臥位とする．大腿中央から膝関節近位まで大腿の下に長枕をおく．これにより膝の過伸展が可能になり，後方の要素を含む脛骨プラトー骨折の整復や，X透視のためのCアームの設置が楽になる（図11-17）．

ランドマーク

膝を曲げのばしして，関節のラインを確認する．膝関節を後方から触診し，外側では腓骨頭，大腿二頭筋腱，内側では脛骨近位の後内側縁を同定する．

皮切

大腿二頭筋腱の上で膝関節の高さから皮切を開始する．脛骨後内側縁に達するまで膝後面を切開する．次に，切開を遠位側に脛骨近位部の内側後縁に沿うように約15cmのばす（図11-18）．

internervous plane

internervous planeは鵞足のもっとも後方にある．すなわち坐骨神経に支配されている大腿二頭筋腱と脛骨神経に支配されている腓腹筋内側頭との間に存在する．

浅層の展開

半腱様筋の後縁を走行する長伏在静脈を確認し保護する．脛骨の後内側縁をおおう深層の筋膜を切開して，遠位方向に深く侵入する．鵞足の中でもっとも後方に停止する半腱様筋腱を同定する．半腱様筋腱の内側にある腓腹筋の内側頭部を確認する（図11-19）．半腱様筋腱と腓腹筋内側頭との間を展開する．さらに近位に関して，膝窩の上にある深層筋膜は切開しないようにする（図11-20）．

深層の展開

腓腹筋の内側頭を外側に引き，脛骨の後内側縁を確認する．内側側副靱帯の後縁が見えることがある．鵞足を内側に引き寄せるが，切開しないようにする．脛骨近位部の後内側をおおっている膝窩筋の起始部を確認する．膝を曲げて筋の緊張をとり，内側から外側に向かって骨膜下に脛骨から膝窩筋を剝離する（図11-21, 22）．脛骨近位部の裏側は，後外側のかどは関節のラインから5cmほど腓骨頭でおおわれており見えないが，それ以外は全体が見えるようになる．

注意すべき組織

伏在静脈と**伏在神経**は表層を展開するさいには確認し，保護する．深層を展開するさいには膝窩筋の下の骨の上で行うようにする．膝窩筋の前方に迷入すると，膝窩の神経血管束に接触することになる．

内側腓腹筋を外側によせるためにはレトラクターが必要であるが，これを勢いよく行うとまたもや膝窩にあるものが危険にさらされることになる．

レトラクターが脛骨と腓骨の間に配置される場合，**前脛骨動脈**は骨間膜のすぐ上を後方から前方へと通過するため損傷する危険性がある．この構造により，アプローチの遠位への限界は約5cmとなる（図11-23）．

術野拡大のコツ

●深部への拡大

腓腹筋内側頭と膝窩筋を筋鉤で引くことが，骨を十分に観察するためのポイントである．ただし，過剰な牽引は膝窩の神経血管束を圧迫する可能性があり注意する．

●上下への拡大

このアプローチは，脛骨近位部に対する前外側アプローチなど，他のアプローチと組み合わせて用いられることが多いが，昔からある拡大法ではない．脛骨後内側縁を足関節まで露出させるために遠位まで延長することは可能であるが，その必要性があることはまれである．

前脛骨動脈が骨間膜の上方の境界を貫通するため，アプローチの遠位への拡大が制限され，脛骨の後面を露出するために遠位に拡大することはできない（☞図11-23）．

また，このアプローチは近位に延長することはできない．

図 11-17　脛骨プラトー後内側アプローチ．患者体位
患者を腹臥位とし，骨折整復のために必要があるならば大腿の下に長枕をおき，膝を過伸展できるようにする．

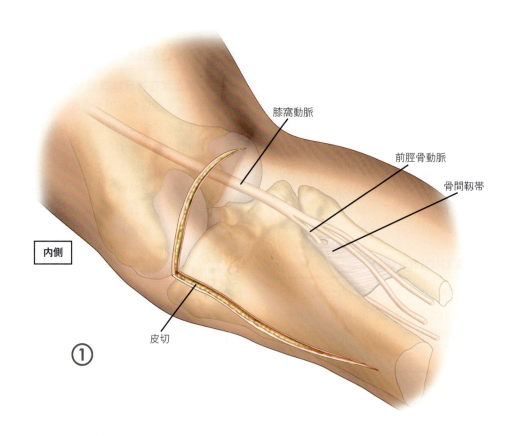

図 11-18　脛骨プラトー後内側アプローチ．皮切
逆L字型皮切を加える．皮切の水平部分は膝関節の後面を，垂直部分は脛骨近位部の後内縁に沿う．

4. 脛骨プラトーへの後内側アプローチ　683

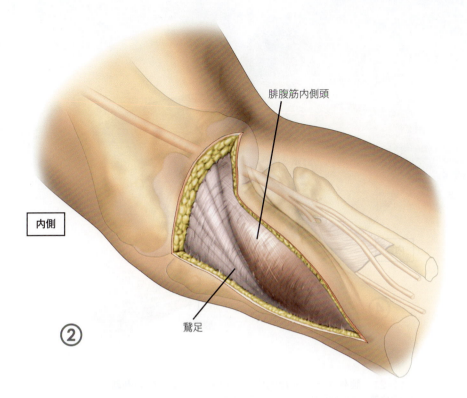

図 11-19　脛骨プラトー後内側アプローチ．筋間進入路の確認
半腱様筋腱と腓腹筋内側頭の間を展開する（☞図 11-1）．

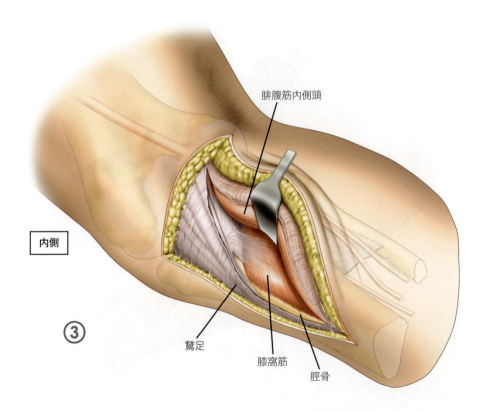

図 11-20　脛骨プラトー後内側アプローチ．筋の排除
腓腹筋内側頭と半腱様筋腱の間を分ける．

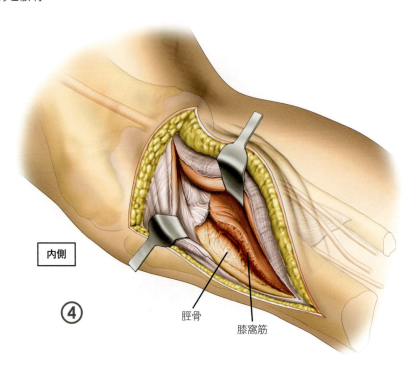

図 11-21　脛骨プラトー後内側アプローチ．膝窩筋の剥離
脛骨近位部の後面から膝窩筋を骨膜下に剥離．

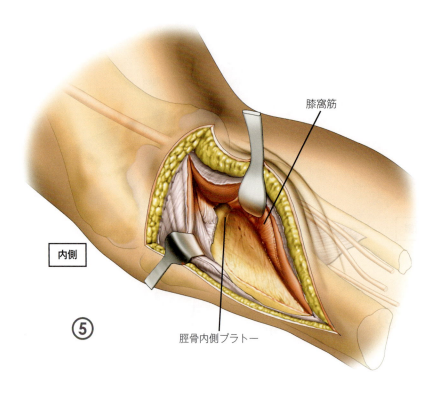

図 11-22　脛骨プラトー後内側アプローチ．後内側プラトーの展開
後内側プラトーを含めて脛骨近位部の後面を展開する．

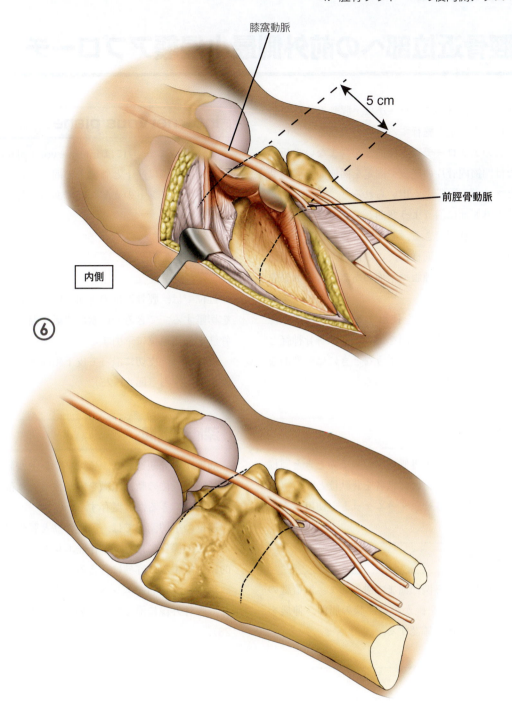

図 11-23　脛骨プラトー後内側アプローチ．前脛骨動脈の認識
前脛骨動脈は膝下 5 cm のところで骨間膜の後方から前方に通過している．この動脈が遠位への術野拡大を制限している．

5 脛骨近位部への前外側最小侵襲アプローチ

最小侵襲による前外側アプローチは，脛骨近位部骨折の観血的整復と内固定を施行するさいの安全なアプローチとなる．このアプローチは，関節面を含まない骨折の治療，または関節内骨片の整復や固定を関節面を展開せずに行うときにもっともよく用いられる[7]．

脛骨近位の外側面に沿うよう弯曲しているプレートは経皮的にも容易に利用できる．しかし，脛骨近位への前外側アプローチのときと同様に，この部位の軟部組織は損傷されやすく，著しい腫脹や水疱のあるときには緊急手術は禁忌である．

10穴以上の長いプレートを使用する場合，遠位の螺子のために突き刺すような切開を用いると深腓骨神経と前脛骨動脈が危険である．このようなときには定型的な肉眼的アプローチを用いる必要がある[8, 9]．

患者体位

脛骨外側プラトーへの前外側アプローチのときと同様に，X線透過性のある手術台に患者を背臥位とする（👍 図11-2）．下肢を脱血させ，ターニケットを使用する．

ランドマーク

脛骨近位の骨幹部から関節面まで触知して，膝蓋腱のすぐ外側のGerdy結節を確かめる．膝の屈曲，伸展を行い，関節裂隙の位置も確認する．

皮切

2つの皮切を加える．近位では，Gerdy結節のすぐ近位外側から開始し，遠位には弓状に5〜6cm延長する．遠位では脛骨稜の2cm外側に，また脛骨稜と平行に，5〜6cmの縦切開とする．遠位におく小切開窓の長さは，治療すべき病態と使用されるインプラントによって決まる．切開の位置は，X線透視によって決められる（図11-24）．

internervous plane

このアプローチにはinternervous planeは存在しない．この展開は筋下と骨膜上の間で行われるので，伸筋コンパートメントの支配神経である深腓骨神経は損傷されない．

浅層の展開

近位では，脛骨近位の皮切と同じ位置にて深層の筋膜を切離する．できるだけ軟部組織を温存しながら，前脛骨筋を外側遠位に牽引する．

遠位では，皮切に沿って皮下組織を展開し，深層の筋膜を切開する（図11-25）．

深層の展開

病態が十分観察され，インプラントが設置できるように，脛骨近位の軟部組織を剥離する．軟部組織の骨への付着部をできるだけ温存する．

遠位の小切開部では，前脛骨筋と脛骨外縁の間を分ける．この操作にはCobb脊椎エレベーターを使用し，鈍的に剥離すると容易に行える．

最後に，鈍的なエレベーターを使用して骨膜上を展開し，脛骨外縁に沿って2つの皮切を連結させる（図11-26）．

注意すべき組織

浅腓骨神経は，近位における展開野の後方に存在する．神経の走行には変異があり，神経を損傷していないことを確認しながら，浅層を展開しなければならない．

10穴より長いプレートを使用する場合は，**深腓骨神経**と**前脛骨動脈**が術野を横切る．平均的にこれら血管・神経組織は11穴から13穴の間に存在する．このような例では定型的な肉眼的アプローチのほうが脛骨から前脛骨筋を一部のみ剥離するためより安全であり，盲目的に突き刺すように切開することは禁忌である．

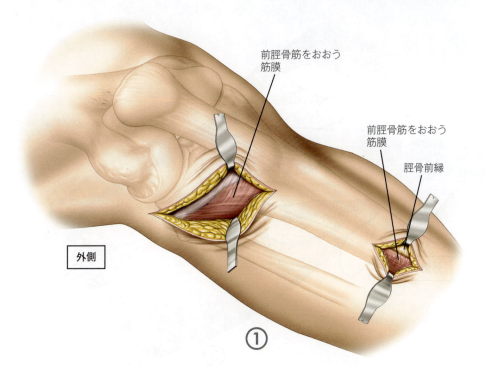

図 11-24　脛骨近位部の前外側最小侵襲アプローチ．皮切
近位の皮切は，脛骨稜から 2 cm 外側で脛骨稜と平行に，長さ 5〜6 cm の切開とする．遠位の小切開窓のサイズと長さは，治療すべき病態と使用されるインプラントによって決まる．

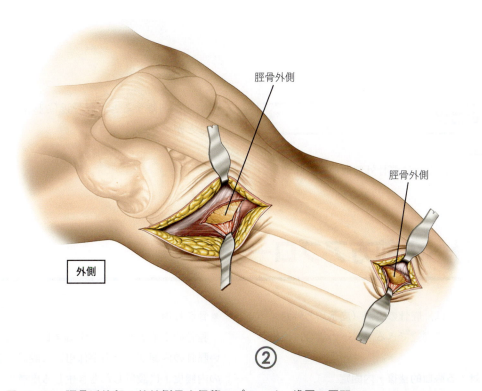

図 11-25　脛骨近位部の前外側最小侵襲アプローチ．浅層の展開
近位皮切部の皮下組織と深層の筋膜を切開し，脛骨外側面をおおっている骨膜を露出する．遠位の小切開部では，皮下組織と前脛骨筋膜を皮切に沿って切る．最終的に前脛骨筋線維を分け，脛骨の外側面をおおっている骨膜を露出する．

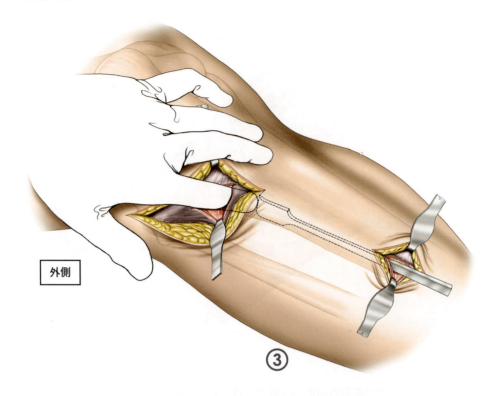

図 11-26　脛骨近位部の前外側最小侵襲アプローチ．深層の展開
鈍的な起子を使用し，脛骨外縁に沿って骨膜上を展開し，2つの皮切部を連結させる．

術野拡大のコツ

● 深部への拡大
2つの創を連結し，さらに脛骨外側面から前脛骨筋の起始部を剥離すると，脛骨近位1/3の外側面を観察することができる．

6　脛骨への前方アプローチ

　前方アプローチでは，脛骨の内側（皮下）と外側（伸側）に安全かつ容易に到達できる．以下の場合に使用される．
- 脛骨骨折に対する観血的整復・内固定[10]
- 骨折の遷延治癒や偽関節に対する骨移植[11]
- 骨髄炎に対する腐骨の切除や掻爬術
- 腫瘍の切除もしくは生検

■骨切り術
　脛骨の皮下表面に使用するプレートは，力学的に正しい脛骨の内側部（張力が作用）に設置する．しかし，この内側皮下に設置したとき生じる皮膚の損壊を回避するために，外側にプレートを設置する術者もいる．
　前方アプローチは，皮膚の欠損や，瘻孔がないときに勧められる．

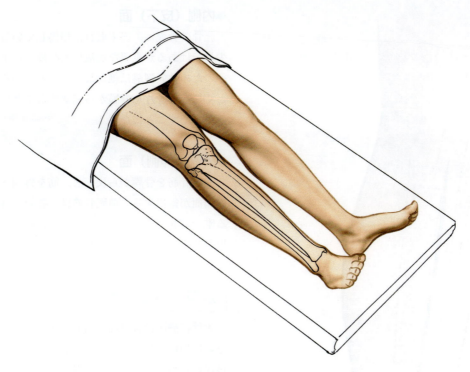

図 11-27　脛骨前方アプローチ．患者体位

患者体位

手術台の上で背臥位とする．ターニケットは適宜使用する．このアプローチが開放創を伴う例に用いられるときは，ターニケットは使用すべきでない．もしターニケットを使用するのであれば，3〜5分間下肢を挙上してから，ターニケットに加圧する（図 11-27）．

ランドマーク

脛骨骨幹部の断面はほぼ三角形状を呈している．3つの辺縁は，前方，内側，骨間部（後外側）にある．この3つの辺縁が3つの面を作る．すなわち，①前方と内側の間の内側（皮下）面，②前方と骨間部の間の外側（伸側）面，③内側と骨間部の間の後方（屈側）面，である．前方と内側の辺縁は皮下に容易に触知できる．

皮切

脛骨前面の辺縁から1cm外側に，辺縁と平行に縦皮切をおく．皮切の長さは目的に応じて決めるが，この部位の皮膚は血行が乏しいので，手術操作のために皮切の創縁を無理に強く牽引するよりも，長い皮切を加えるほうが安全である．脛骨は長軸の全長にわたって展開できる（図 11-28）．

internervous plane

ここには，internervous plane は存在しない．この進入は骨膜上であり，前方コンパートメントの神経を損傷することはない．

浅層の展開

脛骨の皮下組織を展開するために皮弁を挙上する．大伏在静脈は，腓腹部の内側に存在し，内側皮弁を反転するときには保護する必要がある（図 11-29）．

深層の展開

脛骨の2つの面ともこの皮切で展開できる．

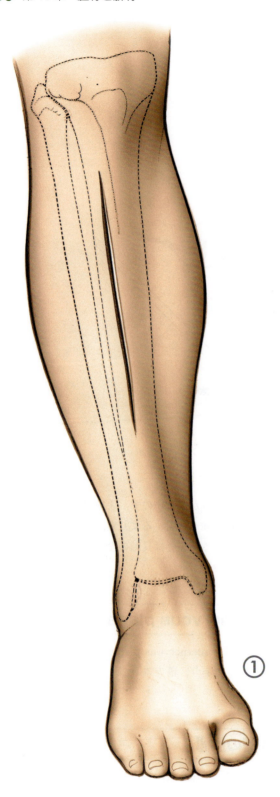

図11-28　脛骨前方アプローチ．皮切
下腿の前面に長軸方向に皮切をおく．

●内側（皮下）面

脛骨の骨膜は，終末血行が損傷している骨折の骨に，少量ではあるが重要な血液供給の役割を果たしている．そのため骨膜剥離は絶対最小限にとどめるべきである．とくに遊離骨片を骨膜から剥離することは，完全な骨壊死をきたすことになる．

●外側（伸側）面

前脛骨筋を骨膜から反転し，筋を外側へ引くと脛骨の外側面が露出する．前脛骨筋は，脛骨の外側面に起始する唯一の筋であり，この筋を完全に剥がせば外側面が露出される（図11-30）．

注意すべき組織

大伏在静脈は腓腹部の内側を通るので，表層の展開のさいに損傷されやすい．この静脈は将来，血管の外科的再建のためにもできる限り温存すべきである．

特別な解剖学的ポイント

脛骨の感染を避けるためにも，術後は皮弁をていねいに閉鎖しなければならない．縦切開は治癒を促進するが，骨を横切る横切開や不規則な傷は治りにくく，とくに高齢者では顕著である．脛骨下1/3の皮膚は非常に薄く，とくに喫煙者や慢性静脈還流障害のあるときには治癒が悪い．

骨折の治療で用いられるこのアプローチでは，骨から剥離される軟部組織の量を最小限にとどめることが重要である．血行のない骨は整復され，固定されたとしても癒合しないであろう．注意深く，適切な整復鉗子を使用して行えば，微小骨片を除くすべての骨片に付着している軟部組織を温存できる．

術野拡大のコツ

●深部への拡大

展開の範囲は皮切のサイズによって決まるが，必要ならば脛骨のすべての皮下組織を露出することもある．

前方アプローチから脛骨の後面に達するには，内側の辺縁より後方に向かって骨膜上を剥離する．近位では，脛骨の後方から骨膜下に長趾屈筋腱を剥離する．遠位では，後脛骨筋を持ち上げる．この方法は骨の後面は露出できるが，後外側アプローチのように十分な展開が得ら

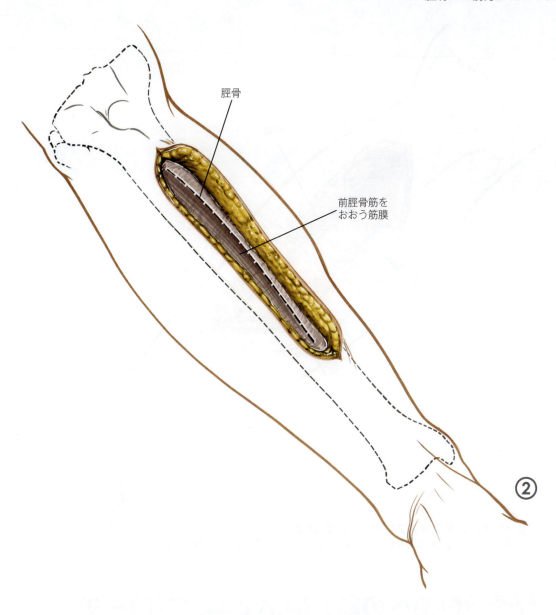

図 11-29　脛骨前方アプローチ．脛骨内側面と外側面の展開
前脛骨筋の内側と脛骨の内側面をおおう皮弁を挙上する．脛骨の外側面を露出するためには，前脛骨筋の内縁をおおう筋膜を切開する．

れるものではない．また，骨に付着する軟部組織の多くを切り離すものである．内固定をこの前方アプローチで行うとき，骨移植を合わせて行うには有用である．

● **上下への拡大**

近位への拡大　近位に向けて拡大するには，皮切を膝蓋骨の内側に向けて延長する．膝関節や膝蓋骨へ進入するためには，内側膝蓋支帯を切離して深層に達する（☞第10章「4 内側傍膝蓋アプローチ」，図10-10）．また，膝蓋骨の外側に沿って近位に創部を拡大することもある．膝の外側コンパートメントに進入するには，外側膝蓋支帯を切離して深層に達する．

遠位への拡大　遠位にアプローチを拡大するときは，後足部の内側に弓状の切開を加える．創部を深くすることにより，内果の後を通過するすべての構造へ進入できる．そして中足部，前足部まで皮切を延長しうる（☞第12章「2 内果への前方および後方アプローチ」，図12-7）．

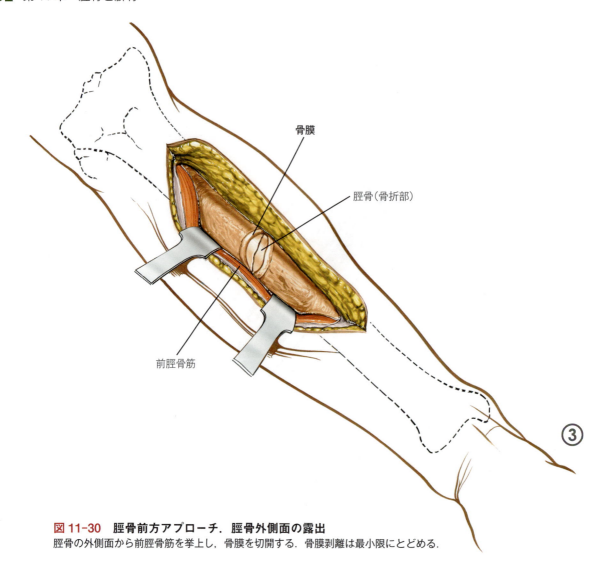

図 11-30　脛骨前方アプローチ，脛骨外側面の露出
脛骨の外側面から前脛骨筋を挙上し，骨膜を切開する．骨膜剥離は最小限にとどめる．

7 脛骨遠位部への前方最小侵襲アプローチ

　脛骨遠位部は広い皮下面を有するために，骨の上に直接皮切をおけば骨への到達は容易である．脛骨遠位をおおっている軟部組織は薄く脆弱で，皮膚と筋膜のみで構成されている．腫脹や水疱や著しい浮腫は，この部位の骨折に一般的に生じる．脛骨遠位部への最小侵襲アプローチは，軟部組織がよい条件の場合にのみ使用すべきであり，脛骨遠位部の骨折に対する根治手術は延期されることはまれではない．なお，慢性静脈不全と喫煙もまたこのアプローチ適応の相対的禁忌である．

　外傷手術におけるすべての低侵襲アプローチと同様に，正しい整復と固定を確実に行うためには，X線透視が必要である．もし骨折の整復が閉鎖的手段で不可能な場合は，骨折部を展開する必要がある．

このアプローチは，以下のときに使用される．
- 脛骨遠位部骨折，とくに遠位骨幹端部の粉砕骨折の観血的整復・内固定
- 腫瘍の生検
- 矯正骨切り術
- 変形癒合

患者体位

　X線透過性のある手術台に患者を背臥位とする（☞図12-19）．ドレーピングする前に，適切なX線透視像が撮影されることを確認する．同側の殿部の下に砂嚢をおき，下肢が外旋位にならないようにする．つまり，膝蓋

7. 脛骨遠位部への前方最小侵襲アプローチ

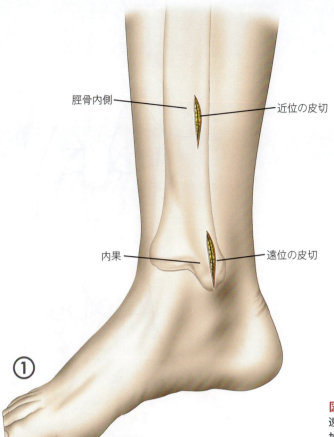

図 11-31 脛骨遠位部の前方最小侵襲アプローチ．皮切
遠位では内果の直下より始め，脛骨に沿って 3〜4 cm の皮切を加える．近位の皮切は脛骨の前縁と後縁の中間あたりに加える．

骨が前面を向くようにする．この方法により，下肢の軸のねじれを正確に評価することが可能となる．3〜5分間下肢を挙上するか，ソフトラバーバンテージで脱血してからターニケットに加圧する．

ランドマーク

内果を触れる．内果は脛骨の広い皮下表面のもっとも遠位にあたる．

皮 切

遠位では内果の直下より始め，脛骨に沿って 3〜4 cm の皮切を加える．近位の皮切は脛骨の前縁と後縁の中間あたりに加える．
近位では脛骨の前縁と後縁の中央部に縦皮切を加える（図 11-31）．近位の皮切の位置と長さは，使用されるインプラントと X 線透視像によって決められる．

internervous plane

このアプローチには真の internervous plane は存在しない．脛骨上の皮下組織での展開が行われる．

浅層の展開

皮切を深くして脛骨をおおっている骨膜を露出する．脛骨の骨膜は，相当量の血液を骨に供給している貴重な組織であるので，剝離してはならない（図 11-32）．大伏在静脈および伏在神経が内果のすぐ前方に存在している．プレート設置を行うさいには，これら血管・神経を前方へ鉤で引く．

深層の展開

遠位と近位の皮切の間を Cobb エレベーターのような鈍的な剝離子を使用して骨膜上で連結させる（図 11-33）．

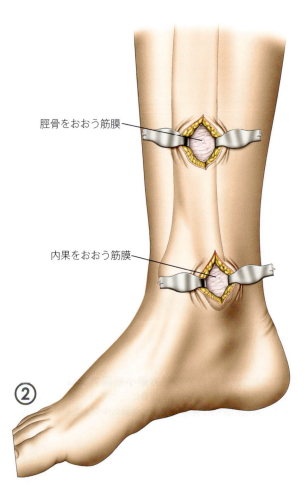

図 11-32　脛骨遠位部の前方最小侵襲アプローチ．浅層の展開
近位と遠位の皮切を開大し，骨膜を確認する．骨膜はできるだけ温存する．

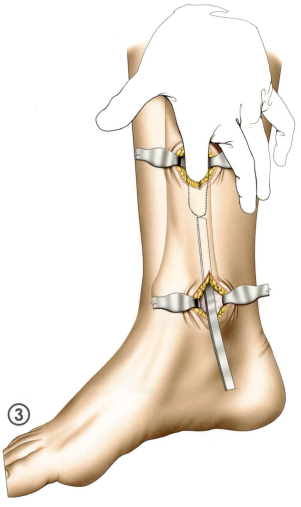

図 11-33　脛骨遠位部の前方最小侵襲アプローチ．深層の展開
遠位と近位の皮切の間を Cobb エレベーターのような鈍的な剥離子を使用して骨膜上（epiperiosteal）に連結させる．

注意すべき組織

　骨膜は，脛骨への血行供給に大切な組織であることを念頭におく．このアプローチでは骨膜と皮下組織の間の面（骨膜下ではない）で操作が行われる．

　大伏在静脈と**伏在神経**は内果の直前を走行している．アプローチの間これらの組織を保護しなければならない．

　骨折の固定にロッキングプレートが使用される場合，創治癒の問題がこの領域に生じることはまれではない．これはロッキングプレートでは，通常のプレートと比較して厚みが増していることによる[12]．それゆえ術前に皮膚の状態を綿密に検査することが不可欠である．

術野拡大のコツ

● 深部への拡大

　近位と遠位の皮切が皮下で連結したら，遠位脛骨の皮下組織をおおっている骨膜を露出する．この連結剥離操作において，皮膚と皮下組織の間の軟部組織を温存するよう注意を払い，皮膚壊死の危険性を防ぐ．

8 脛骨への後外側アプローチ

後外側アプローチ[13]は，脛骨の中央2/3の部位の皮膚がひどく瘢痕化したり，感染している場合に用いられる．このアプローチを行うには技術を要する．このアプローチは以下の場合に使用することが適切である．

- 骨折の内固定
- 遷延治癒もしくは偽関節[14]に対する骨移植を含む治療
- このアプローチは，腓骨後面中央部の露出にも応用できる．

患者体位

患肢を上に向ける側臥位とする．褥瘡の予防のために，下になる下肢の骨突出部を保護する．5分間下肢を挙上してから，ターニケットに加圧する（図11-34）．

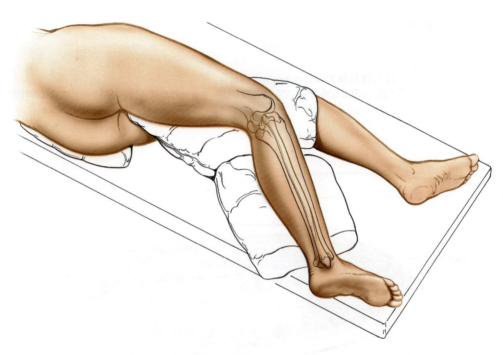

図 11-34 脛骨後外側アプローチ．患者体位

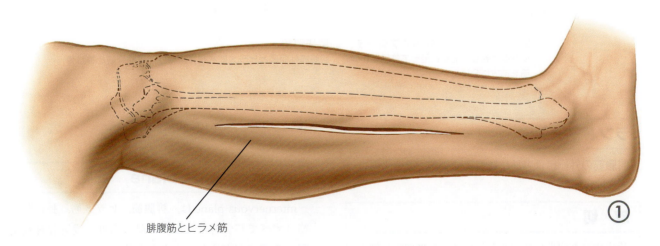

腓腹筋とヒラメ筋

図 11-35 脛骨後外側アプローチ．皮切
腓腹筋の外側縁に沿う切開．

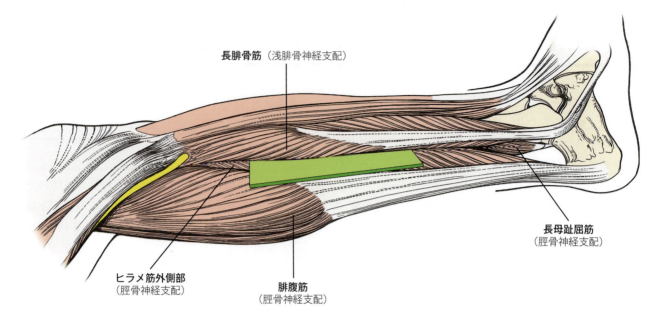

図 11-36 脛骨後外側の internervous plane
腓腹筋，ヒラメ筋，長母趾屈筋（すべて脛骨神経支配）と腓骨筋群（浅腓骨神経支配）の間に存在する．

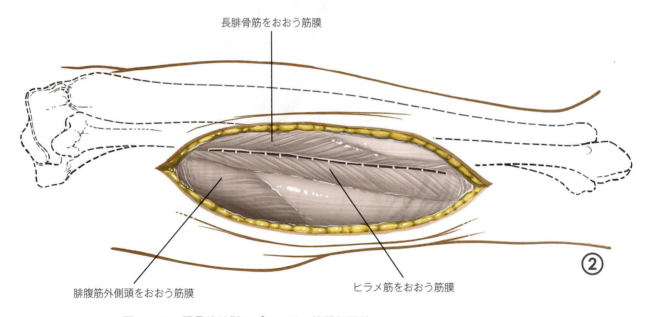

図 11-37 脛骨後外側アプローチ．筋膜切開線
皮弁を反転し，皮切に沿って筋膜を切開し，腓腹筋外側頭とヒラメ筋を後方に分け，短腓骨筋と長腓骨筋を前方に分ける．

ランドマーク

腓腹筋の外側縁は容易に腓腹部で触知できる．

皮 切

治療すべき病巣部を中心として腓腹筋外側縁に縦皮切を加える．皮切の長さは，露出する骨の長さによるが（図 11-35），最低 10 cm が必要である．

internervous plane

internervous plane は，腓腹筋，ヒラメ筋，長母趾屈筋（すべて脛骨神経支配）と腓骨筋群（浅腓骨神経支配）の間に存在する．すなわち後方コンパートメント（浅部と深部のコンパートメントを含む）および外側の

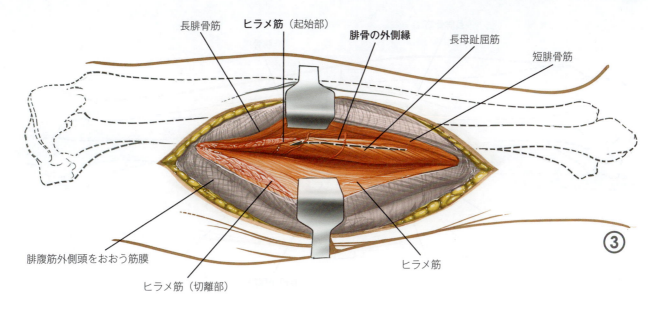

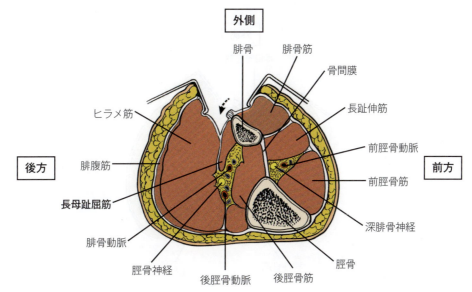

図 11-38　脛骨後外側アプローチ．長母趾屈筋とヒラメ筋との筋間進入
脛骨からヒラメ筋の起始部を剥がし，腓腹筋とともに後方・内側に圧排する．腓骨筋は前方に排除する．脛骨から長母趾屈筋も剥離する．断面図は後方要素としての腓腹筋-ヒラメ筋群と前方要素としての腓骨筋群などとの位置関係を示している（**断面図**）．腓骨の後面には長母趾屈筋が存在することに注目する．

筋コンパートメントとの間である（図 11-36）．

浅層の展開

外果後方から下肢の後外側面を走行する小伏在静脈を損傷しないように皮弁を反転する．皮切に沿って筋膜を切開し，腓腹筋外側頭とヒラメ筋の間を後方に，短腓骨筋と長腓骨筋を前方に引く．短腓骨筋と伴走する腓骨動脈の筋枝は切開の近位部にあり，結紮しなければならな

い可能性もある（図 11-37）．

ヒラメ筋外側縁を確認し，腓腹筋とともに後内側に引いていくと，その下方に脛骨の後面から生じる長母趾屈筋が現れる（図 11-38）．

深層の展開

脛骨からヒラメ筋の起始部の下方を剥離し，これを後内側によける．長母趾屈筋を脛骨の起始部から剥がし，

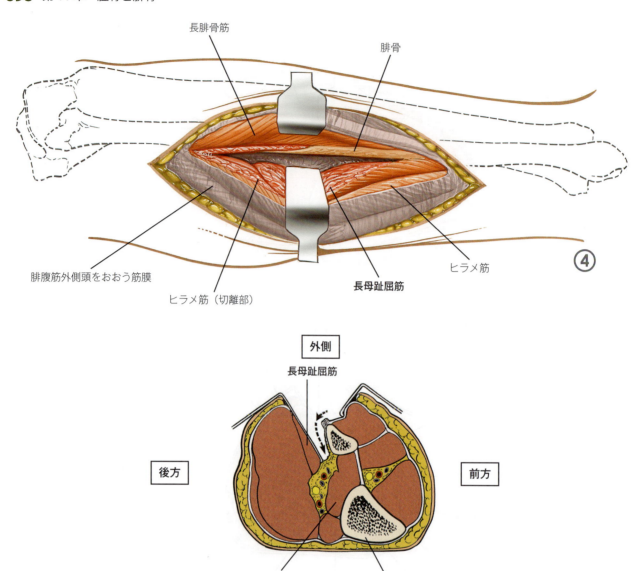

図 11-39 脛骨後外側アプローチ．長母趾屈筋の剥離と腓骨の展開
長母趾屈筋を腓骨の起始部から剥離し，後内側に排除する．後方に展開を進め，腓骨後面を露出する．長母趾屈筋を腓骨の起始部から剥離し，内側に排除する（**断面図**）．

後内側に鉤で引く（**図 11-39**；☞ **図 11-38**）．骨間膜の内側に展開を進め，ここに起始する後脛骨筋線維を剥離する．後脛骨動脈と脛骨神経は展開部の後方に存在し，大きな後脛骨筋と長母趾屈筋により展開部から隔てられている（**図 11-40**）．脛骨外側縁まで骨間膜を展開し，脛骨後面に起始する筋群を骨膜下に剥離し，脛骨後面を展開する（**図 11-41**）．

注意すべき組織

小伏在静脈は，皮弁が移動されたときなどに損傷されるおそれがある．静脈はできる限り温存すべきであるが，下肢の静脈還流を減らすものの，必要である場合には結紮することもある．

腓骨動脈の枝は，腓腹筋と短腓骨筋の筋間を通過する．術後出血を防ぐために，結紮か焼灼を行う．

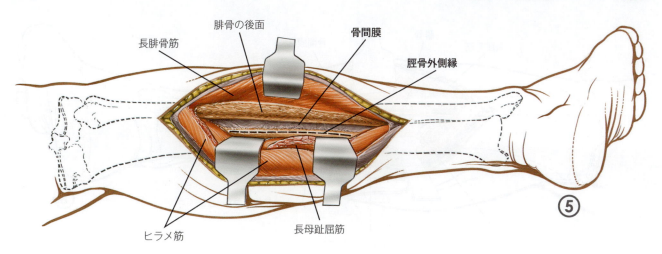

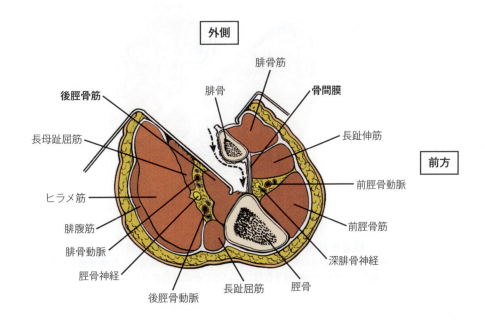

図11-40 脛骨後外側アプローチ．脛骨外側縁への到達および骨膜切開線
腓骨後面を展開し，骨間膜から後脛骨筋線維を剥離する．この剥離操作は脛骨の後縁がみえるまで行う．脛骨後縁で骨膜を切開する．血管神経束は大きな後脛骨筋によって保護されていることに注目する（断面図）．

後脛骨動脈と脛骨神経は，操作が骨間膜上で行われ，かつ長母趾屈筋や後脛骨筋の後方に達しない限り安全である．

術野拡大のコツ

● 上下への拡大
近位への拡大 このアプローチを脛骨の近位1/4まで拡大することはできない．脛骨の後面は，膝窩筋，浅層の後脛骨動脈および脛骨神経によっておおわれているので，安全に展開することはできない．
遠位への拡大 皮切を外果の後面とアキレス腱の間まで遠位に拡大するならば，足関節の後方アプローチと連結することができる．

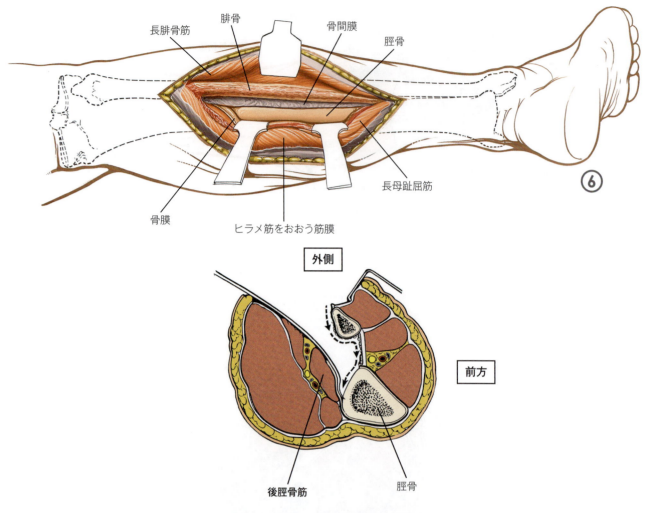

図 11-41 脛骨後外側アプローチ．脛骨外側後面の展開
脛骨の後面に起始する筋群を骨膜下（subperiosteal）に剥離し，脛骨後面を露出する（**断面図**）．剥離された後脛骨筋が血管神経束を保護していることに注目する．

9 腓骨へのアプローチ

　腓骨へのアプローチは，古典的かつ広範な展開[15]で行われ，いずれの部分へも進入できる．このアプローチは次の場合に行われる．
- 脛骨骨切り術[16]や脛骨偽関節手術にさいして行われる腓骨の部分切除[17, 18]
- 下腿の4つのコンパートメントの除圧のために行う腓骨の切除[19]
- 腫瘍の切除
- 骨髄炎に対する切除
- 腓骨骨折の観血的整復・内固定
- 移植骨（皮質海綿骨移植骨）の採取．血管柄付き腓骨は血管茎とともに採取する．

　腓骨を完全に展開することができるが，どの手技でも通常，このアプローチの一部が使われる．

患者体位

　手術台上に患側上の側臥位とする．下になる下肢の骨突出部に褥瘡を作らないようパッドをあてる．下肢を3～5分間挙上して脱血した後に，ターニケットに加圧する（☞図11-34）．もしこのアプローチを脛骨へのアプローチとともに用いるのであれば背臥位とする．患側殿

9. 腓骨へのアプローチ

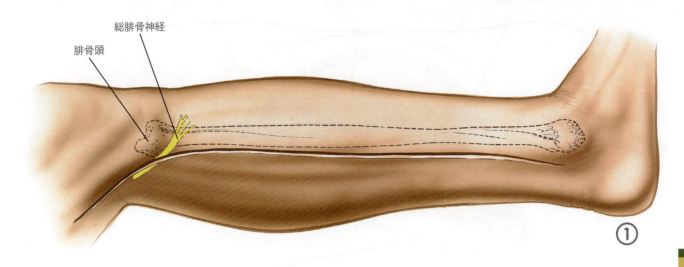

図 11-42 腓骨アプローチ．皮切
腓骨全長にわたる展開のためには腓骨のすぐ後方に長く直線状の皮切を入れる．

部の下に砂嚢をおいて下肢を内旋させる．手術台を手術側と逆に傾ければ，より内旋位となり下腿外側の適切な展開が容易となる．次に，砂嚢を除き手術台を水平にすれば，下肢は自然に外旋位となり，脛骨へ到達できる．

ランドマーク

腓骨頭は大腿骨外顆下方 2〜3cm に容易に触知できる．
総腓骨神経は腓骨頚部を回っていくところを触知できる．腓骨遠位 1/4 は皮下にある．

皮切

腓骨のすぐ後方で，外果から腓骨頭に及ぶ直線状切開を行う．さらに腓骨頭から上方へ，大腿二頭筋腱に沿って手掌の幅だけ切開を近位後方へ拡大する．総腓骨神経が腓骨頚部の皮下を走行しており，大胆な皮膚切開を加えるとこれを切断するおそれがあるので注意する．皮切の長さは必要とする展開の大きさにより調節する（図11-42）．

internervous plane

浅腓骨神経支配の腓骨筋群と脛骨神経支配の屈筋群の間に存在する（図11-36）．

浅層の展開

腓骨頭と頚部を露出するには，近位側で皮切に沿って深層筋膜を切開する．このさい下層の総腓骨神経を切らないように十分注意する．腓骨頭に停止する大腿二頭筋後縁を探す．この腱の後方を走る総腓骨神経を確認して遊離し，腓骨頚部を回っていくところまで追跡する（図11-43）．この神経をおおう長腓骨筋線維を切離し，腓骨頚部後方の溝から神経を遊離し，Penrose ドレーンなどで腓骨頚部の前方へ愛護的に引く．この神経の枝はすべて温存する（図11-44）．

腓骨筋とヒラメ筋の間の面を展開する．すなわち，総腓骨神経を前方に鉤で引き，この筋間を分けたラインで腓骨の骨膜を縦に切開し骨に達する（図11-45）．

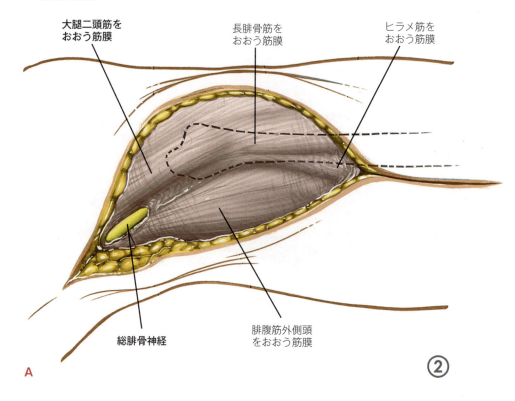

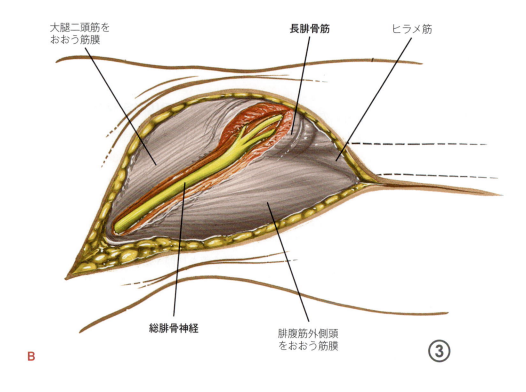

図11-43 腓骨アプローチ．総腓骨神経の確認および展開
A：皮切の近位端で，大腿二頭筋後縁に沿って走る総腓骨神経を露出する．
B：長腓骨筋の筋内で腓骨頸部を回り込んでいく総腓骨神経を遠位方向へ剥離していく．

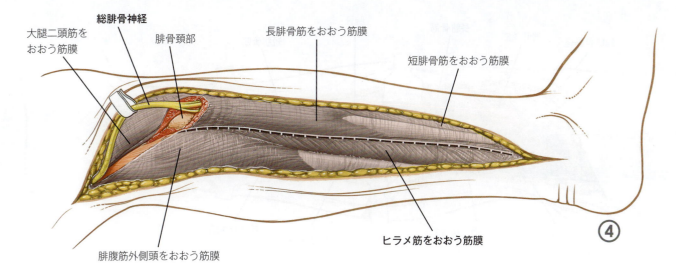

図 11-44　腓骨アプローチ．総腓骨神経の前方排除および筋膜切開
総腓骨神経を前方へ排除し，腓骨筋とヒラメ筋の間で筋膜を切開する．

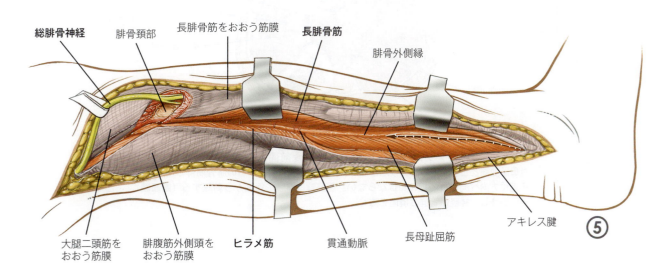

図 11-45　腓骨アプローチ．屈筋群の腓骨後面からの剥離
腓骨筋群とヒラメ筋の筋間部の展開を腓骨の外側縁まで進める．遠位から近位へ向かって屈筋群を腓骨後面から剥離する．

深層の展開

　腓骨から筋群を鋭的に剥離する．腓骨から起始する筋はすべて，足の方向へ向かって走る筋線維を持つ．したがってこれをきれいに剥離するには，遠位から近位へ向かって剥離子で行う．骨膜あるいは筋膜に起始する筋のほとんどは剥離可能である．直接骨より起始する筋は剥離困難であり，通常は切離を要する（図 11-46）．

　腓骨に付着するもう1つの組織は骨間膜で，この線維は斜めに近位側へ走る．展開を完結させるためには，骨間膜を近位から遠位に向かって骨膜下に剥離していく（図 11-47）．

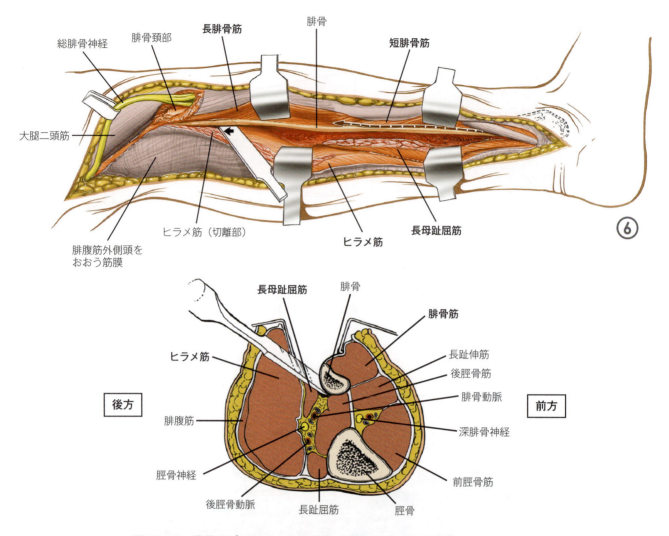

図11-46 腓骨アプローチ．短腓骨筋の腓骨前面からの剥離
長母趾屈筋とヒラメ筋の腓骨後縁からの剥離および腓骨前面からの腓骨筋群の剥離操作はともに遠位から近位方向へ向かって行わねばならない．屈筋群は腓骨の後面から剥離する（**断面図**）．ここでは骨膜下に操作し，神経血管群の損傷を防ぐ．

注意すべき組織

総腓骨神経は腓骨頚部を回っていくところで損傷されやすい．この神経を温存する鍵は大腿二頭筋後縁にあたる近位側で，これを確認することである．これにより，腓骨筋部まで安全に追跡できる．できれば神経を鉤で引くことも避ける．**浅腓骨神経の背側皮枝**は，腓骨の中下1/3で損傷しやすい．損傷すると足背の感覚鈍麻が生じる．

腓骨動脈の終末枝は外果の深部に面して走っている．これを損傷しないためには，骨膜下に剥離を続けなければならない．

小伏在静脈は損傷した場合，必要であれば結紮する．

術野拡大のコツ

●深部への拡大

前述の方法で腓骨全体を露出できる．

●上下への拡大

遠位への拡大　足根部外縁上を弯曲させて，皮切を遠位へ拡大できる．足根洞や距踵関節，距舟関節，踵立方関節に近づくには，下層の短趾伸筋を反転する．この展開法は下腿および足の外側の手術でしばしば用いられる（☞第12章「8 足の後方部への外側アプローチ」）．

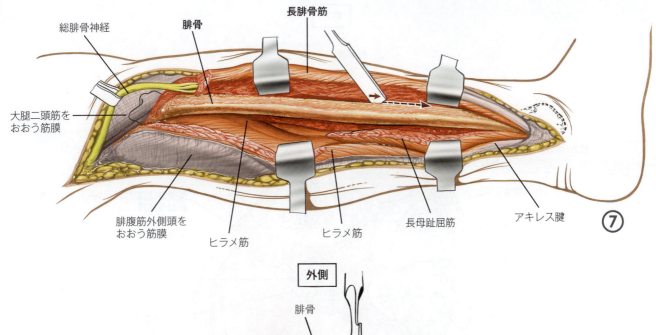

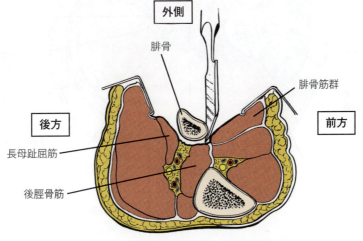

図11-47 腓骨アプローチ．腓骨の全周展開および剥離の方向
腓骨筋群は前方へ排除する．骨間膜の腓骨前縁からの剥離は，近位から遠位へ向かって行う．腓骨前面からの筋群剥離と，骨間膜の腓骨付着部からの剥離もすべて近位から遠位へ向かって行う（**断面図**）．

10 下腿部の手術に必要な外科解剖

概観

脛骨と腓骨は大きく異なる骨である．脛骨は皮下に広範な面を持ち，その全長にわたってアプローチできるが，腓骨はほぼ完全に筋で包まれている．腓骨はその近位端と外果と呼ばれる遠位1/3のみを皮下に触知することができる．このため，腓骨の手術のほとんどが骨からの広範な筋の剥離を要する．加えて，脛骨では栄養動脈は別として，大きな神経血管束は近接して走ってはいないが，腓骨では総腓骨神経とその枝が近接している．

下腿の深層筋膜は強靭で弾力性に乏しい線維組織で，下腿筋群を包んでいる．皮下近くに骨があるところでは通常，筋膜は骨の辺縁に付着している．

前方および後方の2つの筋間中隔は円筒状の筋膜の深層から腓骨へ走り，腓骨筋群，すなわち下腿の外側コンパートメントを包む．

下腿には4つのコンパートメントが存在する（**図11-48**）．

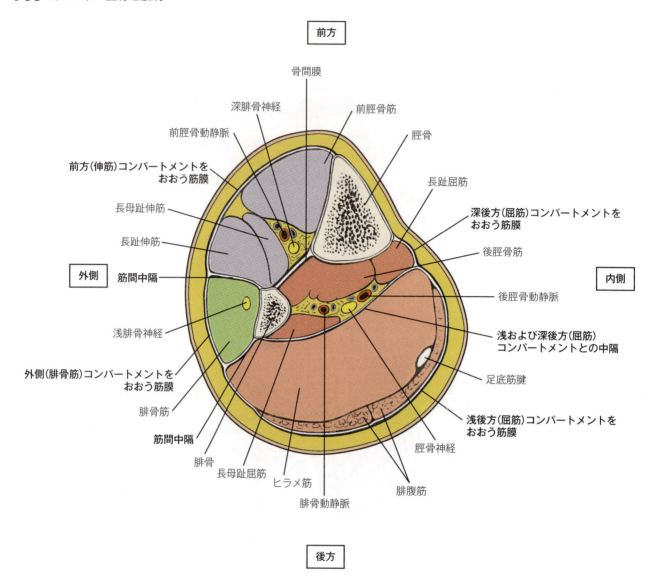

図 11-48　下腿の筋・筋膜コンパートメント
下腿では4つの筋・筋膜コンパートメントが存在する．すなわち，前方（伸筋）コンパートメント，外側（腓骨筋）コンパートメント，浅後方（屈筋）コンパートメント，および深後方（屈筋）コンパートメントである．

●前方（伸筋）コンパートメント

　前方コンパートメントは足関節と足部の伸筋群を含む．前方コンパートメントの内側の境界は脛骨の外側（伸筋）面であり，コンパートメントの外側の境界は腓骨の伸筋面と前筋間中隔である．前方コンパートメントは下腿の深層筋膜で包まれている．前方コンパートメントの筋はすべて深腓骨神経支配である．このコンパートメントの動脈は前脛骨動脈である（**図 11-49**）．

●外側（腓骨筋）コンパートメント

　外側コンパートメントの前方境界は前筋間中隔，後方境界は後筋間中隔，内方境界は腓骨である．足を外がえしする腓骨筋を含むコンパートメントである．浅腓骨神経がこのコンパートメント内の筋すべてを支配している．主要な血管はなく，腓骨動脈の分枝で栄養されている（**図 11-50**）．

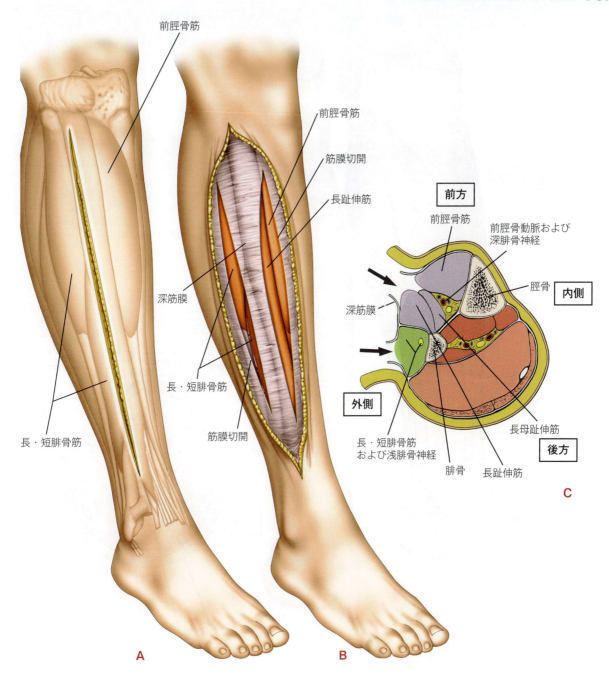

図 11-49　前方および外側コンパートメント除圧のための切開

前方（伸筋）コンパートメントおよび外側（腓骨筋）コンパートメントの除圧のために下腿の前外側に縦皮切を加える．

A：脛骨結節の高さから始め，足関節より 6 cm 近位まで皮切を延長する．
B：前方および外側コンパートメントをおおう筋膜を皮切に沿って切開する．
C：横断面は筋膜のコンパートメントを示す．前方（伸筋）コンパートメント，外側（腓骨筋）コンパートメント，および浅後方（屈筋）コンパートメントをおおう筋膜を切開することは容易である．深後方（屈筋）コンパートメントの除圧には筋間中隔からヒラメ筋を持ち上げ，直視下に筋間中隔を切離することを要する．後方の神経血管束を損傷しないよう注意する．

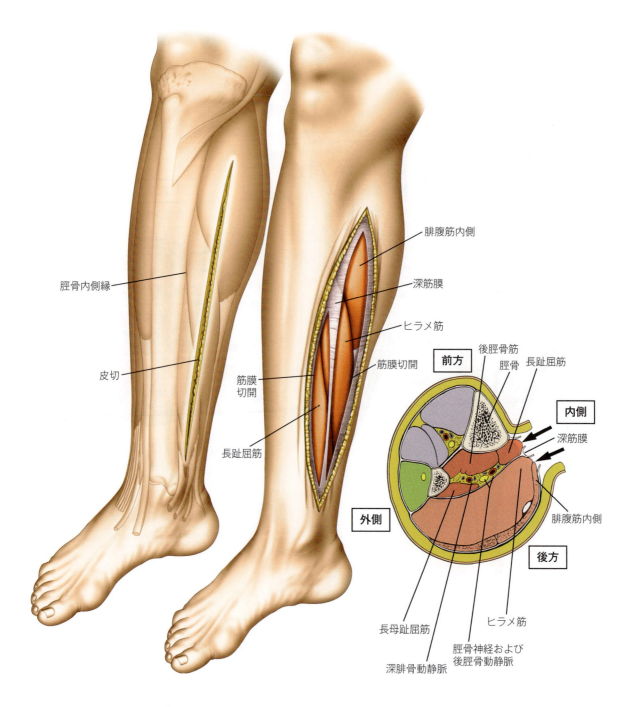

図 11-50　浅後方および深後方コンパートメント除圧のための切開
浅後方（屈筋）コンパートメントおよび深後方（屈筋）コンパートメントの除圧には下腿の後内側に縦皮切を加える．脛骨結節の高さから始め，遠位に皮切を延長し，足関節より 6 cm 近位で止める．右の断面図は筋膜のコンパートメントを示す．前方（伸筋）コンパートメント，外側（腓骨筋）コンパートメントおよび浅後方（屈筋）コンパートメントをおおう筋膜を切開することは容易である．深後方（屈筋）コンパートメントの除圧には筋間中隔からヒラメ筋を持ち上げ，直視下に筋間中隔を切離することを要する．後方の神経血管束を温存するよう十分注意する．

● 浅後方（屈筋）コンパートメント

　このコンパートメントは，腓腹筋，ヒラメ筋および足底筋の3つの筋よりなる．コンパートメントは後方筋間中隔によって外側コンパートメント（腓骨筋コンパートメント）と隔てられる．深後方（屈筋）コンパートメントとは筋膜で隔てられている．

● 深後方（屈筋）コンパートメント

　深後方（屈筋）コンパートメントは，後脛骨筋，長趾屈筋および長母趾屈筋の3つの筋よりなる．また，脛骨神経および後脛骨動脈も含まれる．浅後方（屈筋）コンパートメントとは後方筋間中隔で隔てられ，前方コンパートメントとは骨間膜で隔てられる．

11 下腿コンパートメント症候群に対する減圧のためのアプローチ

　急性コンパートメント症候群の病態生理の詳細と診断はこの教科書の範囲を超えているが，診断は今も主に臨床的になされ，コンパートメントが障害されていないという強い証拠がない限り，4つのコンパートメントのすべてを定型的に減圧することが最近のゴールド・スタンダードであると著者は信じている．

患者体位

　患者を手術台に背臥位とする．ターニケットの使用は明らかに禁忌である（☞図11-27）．

ランドマーク

　脛骨近位部の前面の**脛骨結節**と足関節のレベルで，外果と内果を触知する．

皮　切

● 前外側皮切

　下腿の前外側面に縦皮切を加える（☞図11-49A）．脛骨結節の高さから始め，足関節より6 cm近位まで皮切を延長する．

● 後内側皮切

　下腿の後内側面に縦皮切を加える（☞図11-50）．脛骨結節の高さから始め，遠位に延長し足関節より6 cm近位で止める．

浅層の展開

　前方と外側コンパートメントの減圧のための皮切にしたがい，前方（伸筋）コンパートメントと外側（腓骨筋）コンパートメントをおおっている筋膜を切開する（☞図11-49B）．2つの別の切開が必要である．筋膜切開は皮切と同じ長さであることを確認する．

　浅後方（屈筋）および深後方（屈筋）コンパートメントの減圧のための皮切にしたがい，深層筋膜を切離し，ヒラメ筋を露出する．深後方（屈筋）コンパートメントの減圧では，筋間中隔からヒラメ筋を持ち上げ，筋間中隔の直下に存在する後方の神経血管束を避けることに注意を払い，筋間中隔を直視下に切離する（☞図11-50）．図11-48は筋・筋膜コンパートメントを示すための下腿断面図である．

注意すべき組織

　深後方（屈筋）コンパートメントをおおっている筋膜を注意深く切開しないと**後方に存在する神経血管束**の損傷の危険性がある．しかし，アプローチの主な危険は不適切な減圧にある．コンパートメント症候群は最小侵襲手術の適応ではない．

12 膝蓋下脛骨髄内釘のための最小侵襲アプローチ

脛骨近位部への最小侵襲アプローチは，以下の治療における髄内釘の挿入に用いられる．
- 新鮮脛骨骨幹部骨折：脛骨の中央と遠位 1/3
- 病的脛骨骨幹部骨折
- 脛骨骨幹部骨折の遷延治癒や偽関節

脛骨用の髄内釘は，大腿骨用に比べてデザイン上多くの種類はない．すべて，その上端部が弯曲していて前方から挿入しやすいようになっている．また，前後面ではまっすぐである．

患者体位

脛骨髄内釘の挿入には2つの体位が使われる．牽引手術台を用いることで骨折部のコントロールがしやすくなり，遠位部でのロッキングが容易になる．下腿を固定しない方法は，膝関節を十分に屈曲させて髄内釘挿入を容易にする利点がある．

●牽引手術台を用いる場合

もっともよく使われる体位である．手術台上で背臥位とし，股関節を60°屈曲させる．大腿遠位後面に支持台をあてる．膝窩静脈を圧迫しないように膝窩部に支持台をあてないようにする（図11-51；☞図10-47）．

膝を100〜120°屈曲し，患者の足を固定した牽引ブーツを介して，あるいは踵骨に刺入したSteinmannピンを用いて牽引する．通常の牽引ブーツは踵の上方5〜

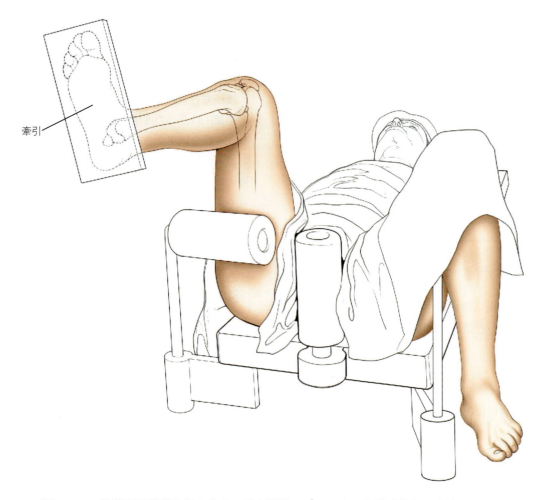

図11-51　膝蓋下脛骨髄内釘のための最小侵襲アプローチ．牽引手術台と体位
股関節は屈曲60°とする．膝は100〜120°屈曲位で，牽引ブーツを足にはかせて牽引する．反対側の下肢は股関節屈曲・外転位，膝屈曲位で保持する．

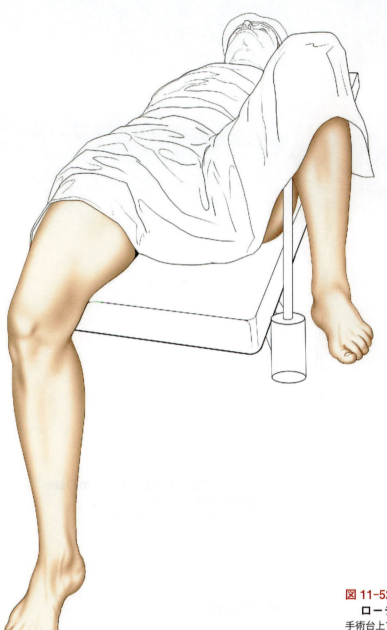

図 11-52　膝蓋下脛骨髄内釘のための最小侵襲アプローチ．自由肢位
手術台上で背臥位とする．手術台の端をはずす．患肢の膝は手術台の端から下垂させる．反対側の下肢は股関節屈曲・外転位，膝屈曲位で保持する．

8 cm まできているので，これを使用すると遠位部の横止めボルトを刺入する皮切部がおおわれ，この操作はできない．

脛骨骨幹部のリーミングを行う場合，ターニケットを用いると血流の対流がなくなり骨に熱損傷が起こりやすいと主張する著者もいるため，ターニケットの使用は禁忌とされる．ターニケットによる止血効果はごくわずかであり，熱による損傷を防ぐには鋭利なリーマーを使用するのがポイントである[20]．新鮮脛骨骨幹部骨折では軽い牽引を要することに注意する．

反対側の下肢は，股関節屈曲・外転，膝屈曲位に保持する（☞図 11-51）．消毒とドレーピングする前に，Cアームを使用して刺入点，骨折部位，近位と遠位のロッキング部位の良質なX線像が得られることを確認する．

● **自由肢位で行う場合**

手術台上で背臥位とする．手術台の端をはずして，患肢の膝が手術台の端で曲げられるようにする．反対側の下肢は，股関節屈曲・外転位，膝屈曲位で支える．ターニケットは使用しない（図 11-52）．

712　第11章　脛骨と腓骨

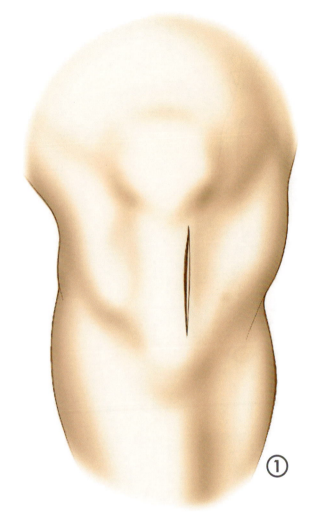

図11-53　膝蓋下脛骨髄内釘のための最小侵襲アプローチ．皮切
膝蓋腱内側縁に沿って5 cmの皮切をおく．

ランドマーク

膝の前方で**膝蓋骨**を触診する．**膝蓋腱**は膝蓋骨の下極から脛骨結節へ向かう抵抗物として触れる．

皮切

膝蓋骨の下極から脛骨結節直上にいたる脛骨前面に5 cmの皮切をおく（図11-53）．この皮切は膝蓋腱の内側縁上におかなければならない．

internervous plane

ここにはinternervous planeはない．

浅層の展開

皮切に沿って膝蓋腱の内側面の皮下脂肪，線維性組織を切る．通常，多数の細い動脈がみられるので，電気凝固を要する．膝蓋腱の内側縁を確認し，それに沿って長軸方向に筋膜を切開する（図11-54）．

深層の展開

膝蓋腱を外方へ鉤でよけ，腱と脛骨前面の間にある小さな滑液包，すなわち深膝蓋骨下滑液包を露出する（図11-55）．脛骨骨幹部髄腔への正確な髄内釘刺入点は，術側脛骨のX線前後像に髄内釘のテンプレートをあてて術前に調べておく．矢状面における髄内釘刺入点は脛骨の最近位端で，脛骨の前面と上面の境にある．この点は脛骨の最上面ではあるが，滑膜外であることに注意す

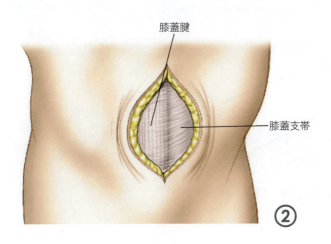

図11-54 膝蓋下脛骨髄内釘のための最小侵襲アプローチ．皮下の剥離
皮下を剥離して膝蓋腱内側縁を露出させる．

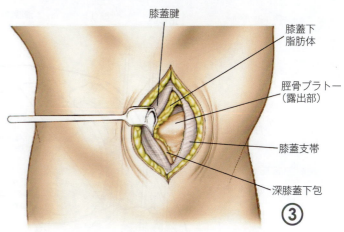

図11-55 膝蓋下脛骨髄内釘のための最小侵襲アプローチ．筋膜の切離
膝蓋腱内側縁で筋膜を切開し腱を外側へ引く．

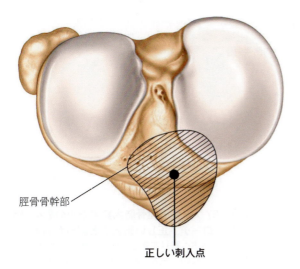

図11-56 膝蓋下脛骨髄内釘のための最小侵襲アプローチ．脛骨上面からみた髄内釘の刺入点
正しい刺入点は滑膜外で，前十字靱帯脛骨停止部の前方，内側半月前角の外側である．

る（図11-56）．髄内釘を挿入する前に，（手術室で）刺入点をX線学的に前後像，側面像の両者で確認しなければならない．

注意すべき組織

このアプローチでは**伏在神経の膝蓋下枝**がしばしば損傷される．神経のすべての枝を温存することは不可能であるので，この手技によるアプローチ後に感覚鈍麻領域が生じうることをあらかじめ患者に話しておく（👉図10-26）．

牽引台を使用し，大腿支持器を膝窩部に直接あてると**膝窩静脈**が圧迫され，深部静脈血栓症の危険が増す．

髄内釘刺入点が後方に寄りすぎると，**前十字靱帯**の脛骨付着部や**内側半月前角**を損傷しうる（図11-57）．

髄内釘刺入点が内側へ寄りすぎると，近位部骨折の場合，骨折部での外反変形が生じることになる．刺入点が外側に寄りすぎると近位部骨折の場合，骨折部での内反変形が生じることになる．

刺入点が脛骨の前下方に寄りすぎると，髄内釘挿入時に**脛骨前方骨皮質**の骨折が生じうる（👉図11-57）．

膝が90°以上曲がらないと髄内釘が膝蓋骨の前面に与える圧力が過大となり，髄内釘の挿入は困難となる．このような圧力は，膝蓋軟骨の損傷を引き起こし膝蓋大腿関節の圧迫病変あるいは膝蓋骨の一過性亜脱臼を生じる可能性がある．このような理由から，牽引手術台よりも膝を90°以上曲げられる自由肢位での挿入を好む術者が多い．

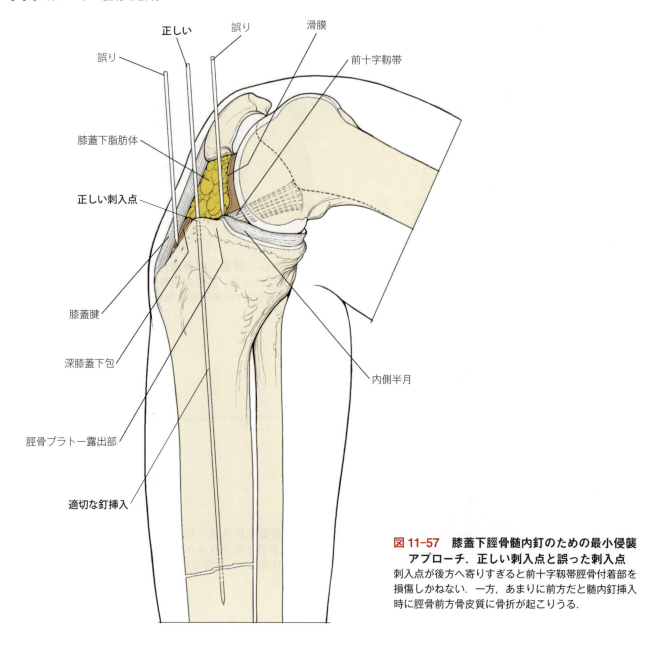

図 11-57 膝蓋下脛骨髄内釘のための最小侵襲アプローチ．正しい刺入点と誤った刺入点
刺入点が後方へ寄りすぎると前十字靱帯脛骨付着部を損傷しかねない．一方，あまりに前方だと髄内釘挿入時に脛骨前方骨皮質に骨折が起こりうる．

術野拡大のコツ

このアプローチは髄内釘の刺入点には十分な視野が得られるが，他の目的には用いられず，視野の拡大もできない．

13 膝蓋上脛骨髄内釘のための最小侵襲アプローチ

膝蓋上脛骨髄内釘のための最小侵襲アプローチは，次のような場合の髄内釘の刺入に用いられる．
- 脛骨近位1/3の新鮮脛骨骨幹部骨折[21]
- 牽引台がない場合

患者体位

下腿を自由にすると膝の伸展が大きくなり，屈曲による骨折部の変形がなくなるため，脛骨近位1/3骨折の

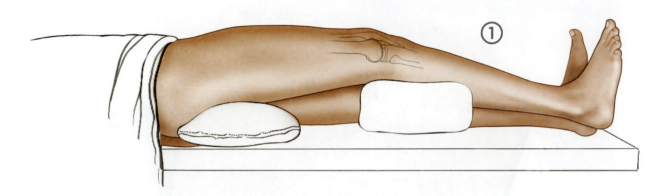

図 11-58　膝蓋上脛骨髄内釘のための最小侵襲アプローチ．患者体位
下肢は X 線透視がしやすいように補助枕の上でほぼ完全に伸展した状態にする．同側の殿部の下に補助枕をおくと，膝蓋骨を上向きに保つことができる．

髄内釘挿入が容易になる．
　患者を手術台に背臥位で寝かせ，患肢の脛骨の下に支えをおき，同側の殿部の下に枕をおく．ターニケットは使用しない（図 11-58）．

ランドマーク

　膝前面の**膝蓋骨**を触診する．**大腿四頭筋腱**は，膝蓋骨の上縁から近位に広がる大腿四頭筋の大部分に対する抵抗として感じられる．

皮　切

　大腿骨遠位の前面に 5 cm の切開を加える．切開は膝蓋骨の上縁から 1 cm 近位で開始し，近位にのばす（図 11-59）．

internervous plane

　このアプローチには internervous plane はない．

浅層の展開

　皮下脂肪を切開し，大腿四頭筋腱を貫通させる．通常，多数の小さな動脈が存在するため，凝固が必要である（図 11-60）．

深層の展開

　鋭的に大腿四頭筋腱の厚み全体を切開する．切開は，

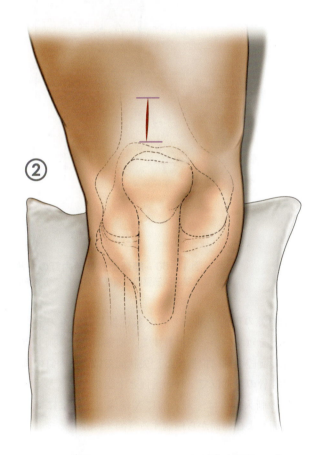

図 11-59　膝蓋上脛骨髄内釘のための最小侵襲アプローチ．皮切
大腿骨遠位の前面を 5 cm 切開し，膝蓋骨の上縁から 1 cm 近位で切開を開始し，近位にのばす．

　膝関節の関節軟骨を保護するための大きなトロカーを入れるのに十分な大きさにする必要がある（図 11-61）．膝を完全にのばしたまま，トロカーを脛骨の表面まで滑らせる．
　脛骨骨幹の髄腔への髄内釘の正確な挿入位置は，損傷

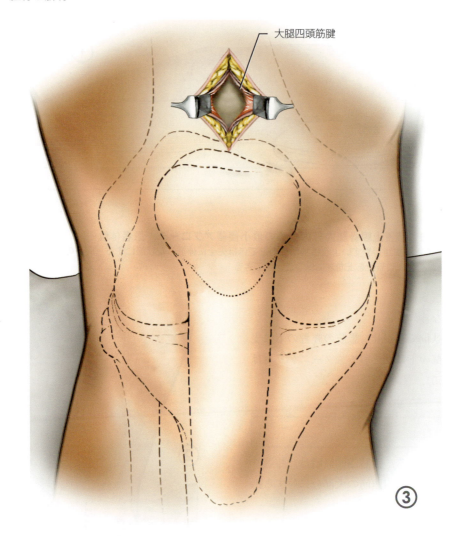

図 11-60　膝蓋上脛骨髄内釘のための最小侵襲アプローチ．大腿四頭筋腱の展開
大腿四頭筋腱の実質部を貫通して切開を深くする．

した脛骨の術前の前後方向のX線像に髄内釘のテンプレートを重ね合わせて計算する．前額面では，刺入点は脛骨の髄腔の軸に位置する．矢状面では，髄内釘の刺入点は脛骨の最近位で，骨の前面と上面の交点におく．髄内釘の刺入位置は，刺入前にX線像（手術室にて）で前後面および側面から確認する（図 11-62）．

注意すべき組織

刺入位置が後方すぎる場合，**前十字靱帯**の脛骨停止部や**内側半月**の**前角**を損傷することがある（☞図 11-62）．術者は器具を優しく扱わなければならない．トロカーは関節内にあるため，軟骨を損傷する可能性がある．

刺入部が内側に入りすぎると，近位での骨折の場合，骨折部位に**外反変形**が生じる．

刺入位置が外側に行きすぎると，近位の骨折では骨折部位に**内反変形**を生じる．脛骨の遠位および近位 1/3 の骨折は，髄内釘の挿入だけでは骨折を整復できないため，髄内釘を挿入する前に整復する必要がある．

刺入部が**脛骨**の前面より下方に行きすぎると，髄内釘の刺入時に脛骨前面の骨皮質が割れることがある（☞図 11-57）．

膝を完全に伸展位にしないと**膝蓋骨**の後面を髄内釘が圧迫するため，髄内釘の挿入は非常に困難である．このような圧迫は，膝蓋骨や大腿骨遠位の軟骨の圧迫病変を引き起こす可能性がある．

術野拡大のコツ

このアプローチは有用には拡大できない．

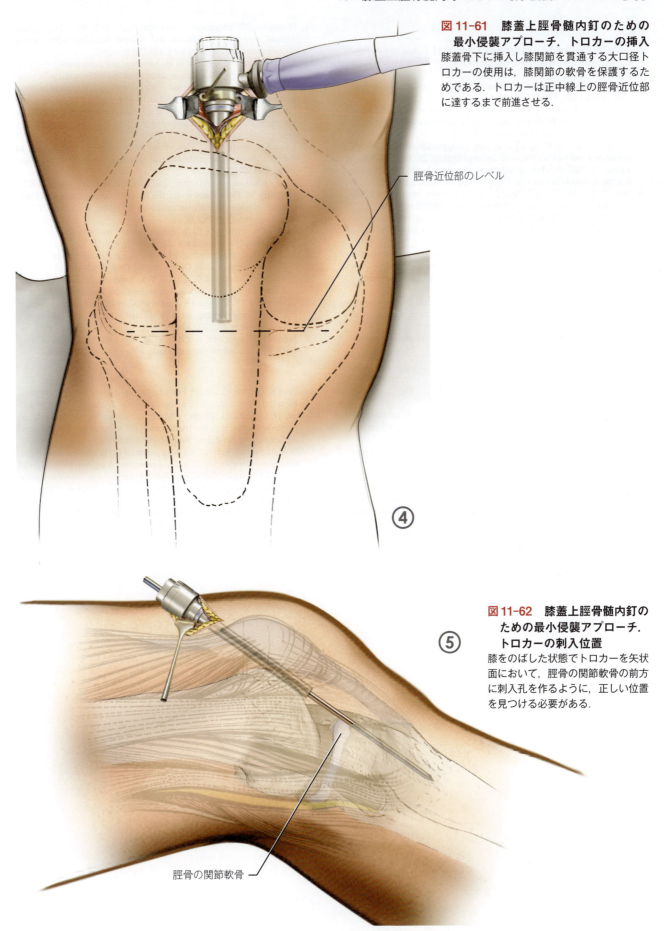

図11-61 膝蓋上脛骨髄内釘のための最小侵襲アプローチ．トロカーの挿入
膝蓋骨下に挿入し膝関節を貫通する大口径トロカーの使用は，膝関節の軟骨を保護するためである．トロカーは正中線上の脛骨近位部に達するまで前進させる．

脛骨近位部のレベル

図11-62 膝蓋上脛骨髄内釘のための最小侵襲アプローチ．トロカーの刺入位置
膝をのばした状態でトロカーを矢状面において，脛骨の関節軟骨の前方に刺入孔を作るように，正しい位置を見つける必要がある．

脛骨の関節軟骨

文 献

1. Wang Q, Whittle M, Cunningham J, Kenwright J. Fibula and its ligaments in load transmission and ankle joint stability. *Clin Orthop Relat Res*. 1996;(330):261-270.
2. Borrelli J Jr. Management of soft tissue injuries associated with tibial plateau fractures. *J Knee Surg*. 2014;27:5-9.
3. Frosch KH, Balcarek P, Walde T, Stürmer KM. A new posterolateral approach without fibula osteotomy for the treatment of tibial plateau fractures. *J Orthop Trauma*. 2010;24:515-520.
4. Wang SQ, Gao YS, Wang JQ, et al. Surgical approach for high-energy posterior tibial plateau fractures. *Indian J Orthop*. 2011;45:125-131.
5. Krause M, Müller G, Frosch KH. Surgical approaches to tibial plateau fractures. Article in German. *Unfallchirurg*. 2018;121:569-582.
6. Luo CF, Sun H, Zhang B, Zeng BF. Three-column fixation for complex tibial plateau fractures. *J Orthop Trauma*. 2010;24:683-692.
7. Kim JW, Oh CW, Jung WJ, Kim JS. Minimally invasive plate osteosynthesis for open fractures of the proximal tibia. *Clin Orthop Surg*. 2012;4:313-320.
8. Pichler W, Grechenig W, Tesch NP, et al. The risk of iatrogenic injury to the deep peroneal nerve in minimally invasive osteosynthesis of the tibia with the less invasive stabilisation system: a cadaver study. *J Bone Joint Surg Br*. 2009;91:385-387.
9. Gary JL, Sciadini MF. Injury to the anterior tibial system during percutaneous plating of a proximal tibial fracture. *Orthopedics*. 2012;35:e1125-e1128.
10. Buckley R, Moran C, Apivatthakakul T, eds. *AO Principles of Fracture Management*. 3rd ed. Thieme; 2017.
11. Phemister DB. Treatment of ununited fractures by onlay bone grafts without screw or tie fixation and without breaking down of the fibrous union. *J Bone Joint Surg*. 1947;29:946-960.
12. Kim JW, Kim HU, Oh CW, et al. A prospective randomized study on operative treatment for simple distal tibial fractures-minimally invasive plate osteosynthesis versus minimal open reduction and internal fixation. *J Orthop Trauma*. 2018;32:e19-e24.
13. Harmon PH. A simplified surgical approach to the posterior tibia for bone grafting and fibular transference. *J Bone Joint Surg*. 1945;27:496-498.
14. Jones KG, Barnett HC. Cancellous-bone grafting for nonunion of the tibia through the posterolateral approach. *J Bone Joint Surg Am*. 1955;37:1250-1259.
15. Henry AK. *Extensile Exposure*. 2nd ed. Churchill Livingstone; 1973.
16. Coventry M. Osteotomy about the knee for degenerative and rheumatoid arthritis: indications, operative technique and results. *J Bone Joint Surg Am*. 1973;55:234.
17. Brown PN, Urban JG. Early weight bearing treatment of open fractures of the tibia. *J Bone Joint Surg Am*. 1969;51:59-75.
18. Sorenson KH. Treatment of delayed union and nonunion of the tibia by fibular resection. *Acta Orthop Scand*. 1969;40:92-104.
19. Leach RE, Hammond G, Striker WS. Anterior tibial compartment syndrome: acute and chronic. *J Bone Joint Surg Am*. 1967;49:451-462.
20. Giannoudis PV, Snowden S, Matthews SJ, et al. Friction burns within the tibia during reaming: are they affected by the use of a tourniquet? *J Bone Joint Surg Br*. 2002;84:492-496.
21. Franke J, Hohendorff B, Alt V, et al. Suprapatellar nailing of tibial fractures: indications and technique. *Injury*. 2016;47:495-501.

参考文献

Althausen PL, Neiman R, Finkemeier CF, et al. Incision placement for intramedullary tibial nailing: an anatomic study. *J Orthop Trauma*. 2002;16:687-690.

Bhandari M, Audige L, Ellis T, et al. Operative treatment of extra-articular proximal tibial fractures. *J Orthop Trauma*. 2003;17:591-595.

Borelli J, Catalano L. Open reduction and internal fixation of pilon fractures. *J Orthop Trauma*. 1999;13:573-582.

Borelli J, Prickett W, Song E, et al. Extraosseous blood supply of the tibial and the effects of different plating techniques: a human cadaveric study. *J Orthop Trauma*. 2002;16:691-695.

Cole PA, Ziowodzki M, Kregor PJ. Less invasive stabilization system (LISS) for fractures of the proximal tibia: indications, surgical technique and preliminary results for the UMC clinical trial. *Injury*. 2003;34(suppl 1):A16-A29.

Kankater K, Singh P, Elliott DS. Percutaneous plating of low energy unstable tibial plateau fractures: a new technique. *Injury*. 2001;32:229-232.

Keating JF, Jajducka CL, Harper J. Minimal internal fixation and calcium phosphate cement in the treatment of fractures of the tibial plateau: a pilot study. *J Bone Joint Surg* Br. 2003;85:68-73.

Kirgis A, Albrecht S. Palsy of the deep peroneal nerve after proximal tibial osteotomy: an anatomical study. *J Bone Joint Surg Am*. 1992;74:1180.

Patterson D, Lewis GN, Cass CA. Clinical experience in Australia with an implanted bone growth stimulator (1976-1978). *Orthop Transcripts*. 1979;3:288-289.

Wagner M, Frigg R. *Internal Fixators*. Thieme; 2006.

Wang C, Chen E, Ye C, et al. Suprapatellar versus infrapatellar approach for tibia intramedullary nailing: a meta-analysis. *Int J Surg*. 2018;51:133-139.

第12章

The Foot and Ankle

足と足関節

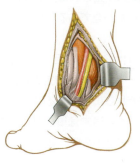

足関節ならびに後足部
1. 足関節への前方アプローチ ……………… 721
2. 内果への前方および後方アプローチ …… 725
3. 足関節への内側アプローチ ……………… 731
4. 足関節への後内側アプローチ …………… 735
5. 足関節への後外側アプローチ …………… 739
6. 外果への外側アプローチ ………………… 746
7. 足関節および足の後方部への前外側アプローチ‥ 749
8. 足の後方部への外側アプローチ ………… 753
9. 後距踵関節への外側アプローチ ………… 758
10. 距骨頚部への前外側アプローチ ………… 761
11. 距骨頚部への前内側アプローチ ………… 765
12. 踵骨への外側アプローチ ………………… 768
13. 足関節ならびに距骨下関節固定術のための後足部髄内釘（足底アプローチ）………… 770
14. 足関節へのアプローチに必要な外科解剖‥ 774
    - 足関節内側アプローチ ………………… 781
    - 足関節前方アプローチ ………………… 783
    - 足関節外側アプローチ ………………… 783
15. 後足部へのアプローチに必要な外科解剖‥ 784

中足部
16. 足の中央部への背側アプローチ ………… 787
17. 舟状骨へのアプローチ …………………… 791
18. 立方骨へのアプローチ …………………… 793
19. Lisfranc関節への背内側アプローチ …… 796
20. Lisfranc関節への背外側アプローチ …… 798

前足部
21. 第1中足骨への背内側アプローチ ……… 801
22. 母趾中足趾節（MTP）関節への背側アプローチ‥ 803
23. 母趾中足趾節（MTP）関節への背内側アプローチ‥ 806
24. 外反母趾手術のための背外側アプローチ‥ 808
25. 中足骨と第2～5中足趾節（MTP）関節への背側アプローチ ………………… 812
26. 前足部の手術に必要な外科解剖 ………… 815
    - 足背の解剖 ……………………………… 815
    - 足底の解剖 ……………………………… 815

第12章

　足関節と足においては，骨も関節も皮下に触れることができるので，アプローチは容易である．手術自体の難度は別として，手術でもっとも問題になるのは創の治癒の遅れである．すなわち，足の血行と感覚を術前に十分検査しておくことが大切である．そして血行障害や神経疾患が存在する場合には，手術が禁忌となることが多い．糖尿病では血行障害と神経障害の両者を伴っていることが多いので，術前に足の状態を注意深く評価しておかなければならない．また，喫煙も相対的に禁忌であり，とくに踵骨・骨折の観血的整復や内固定では注意を要する．

　創治癒は皮弁の厚さに左右される．したがって，皮弁はできるだけ厚くし，あまり強く鉤で引くことのないよう留意しなければならない．足への血管分布の保護のため，切開部の皮下を剥離することは避けなければならない[1]．皮切が長ければ，それだけ同じ展開を得るために皮膚を左右に強く鉤で引かなくてすむ．すなわち，短い皮切よりも安全である（皮膚は皮切線の近位と遠位からでなく，皮切対向面から治癒していくことを忘れてはならない）．

　この章は3つの項目に分かれている．最初の項目では，足関節と後足部への10通りのアプローチについて説明し，それぞれに特定の適応があることを述べている．第2項目では足の中足部，足根骨，足根中足関節，およびそれらに付着する筋肉へのアプローチについて説明する．この領域の手術は一般的な整形外科診療では比較的珍しく，通常は単一の外傷や病的状態に対して行われる特殊な手術に関連している．これらの構造は非常に浅い部分にあるので，観察は容易である．最終項目では，足の前面部の手術でもっとも一般的なアプローチを紹介する．

　足の応用解剖学は，2つの項目では一連のアプローチの後に分けて記載している．最初の項目では，足関節と後足部へのアプローチの応用解剖学を記載している．2つ目の応用解剖学では，足裏の解剖学について説明し，重度の足の外傷や感染症で損傷を受ける可能性のある構造について理解できるようにしている．

足関節ならびに後足部

1 足関節への前方アプローチ

前方アプローチは足関節の良好な視野をもたらし，多くの適応がある[2]．足関節固定術にこのアプローチを用いるかどうかは皮膚の状態や用いる手術法による．次の手術にさいして，このアプローチは用いられている．

- 足関節の化膿性関節炎に対するドレナージ
- 遊離体の摘出
- 粉砕された脛骨遠位部骨折（ピロン骨折）の観血的整復・内固定
- 足関節固定術
- 人工足関節置換術

患者体位

手術台の上で背臥位とする．不完全無血状態で手術をするためには，足を1分間挙上するか，足にソフトラバーバンデージを軽く巻き，下腿にはこれを強く巻いたうえで大腿部のターニケットに加圧する．このように不完全無血状態にすると，静脈が青く現れるので，神経血管束を見分けやすいなどの利点がある．ただし，ある程度の小出血は覚悟しなければならない（図12-1）．

ランドマーク

内果は皮下に触れ，脛骨内側遠位部の盛り上がった部位である．

外果は腓骨の外側遠位部の皮下に触れる．

皮 切

足関節前面に15cmの縦切開を加える．皮切は足関節の10cm近位に始まり，内・外両果のほぼ中央で関節を横切って足背に達する．このさいに皮膚だけを切り，皮膚のすぐ直下を走る神経血管束と浅腓骨神経の枝を切らないように注意する（図12-2）．これとは別に，その中央が内果前面を通る15cmの縦切開もある（👉 図12-5）．

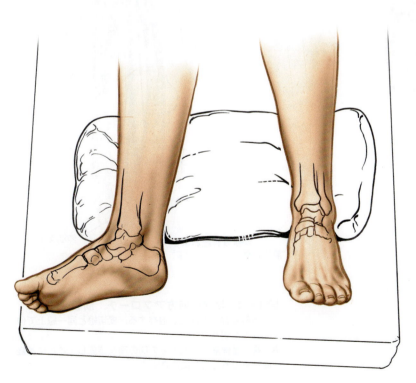

図12-1　足関節前方アプローチ．患者体位

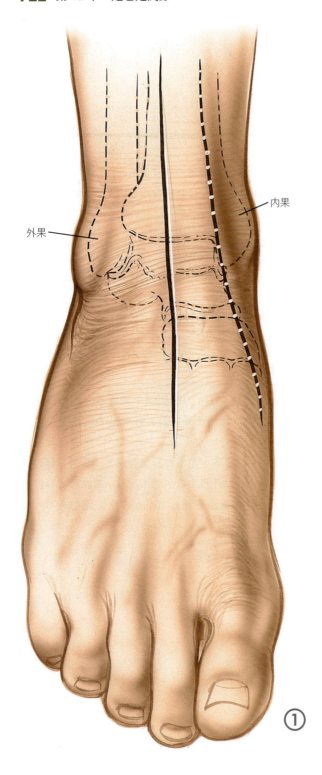

図 12-2 足関節前方アプローチ．皮切
足関節前面に縦切開を加える．点線は内果前面を通る縦切開線である．

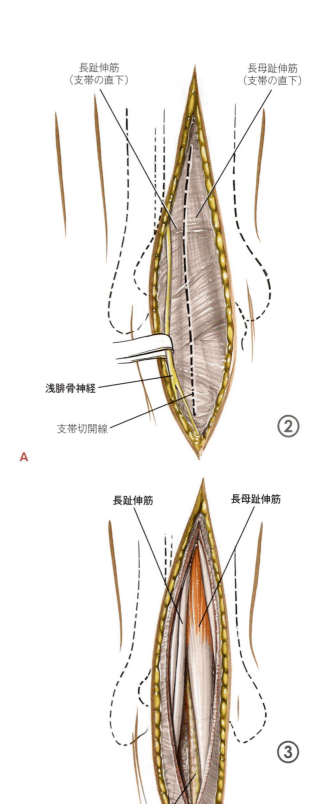

図 12-3 足関節前方アプローチ．筋膜切開
A：浅腓骨神経を同定し温存する．皮切線と同一線上で伸筋支帯を切る．
B：長母趾伸筋と長趾伸筋の間の面を確認し，ここに神経血管束のあることに注意する．

internervous plane

このアプローチでは，真の internervous plane はないが，長母趾伸筋と長趾伸筋の間が明らかに筋肉間の界面となっている．両筋とも深腓骨神経に支配されており，切開レベルのはるか近位で神経支配がみられるので，界面としてよい．ただしこの面においては，足関節より遠位では神経血管束が存在するので注意を要する（👉図12-6④, ⑤）．

浅層の展開

皮切と同一線上で伸筋支帯を切離し，下腿深層筋膜を切開する（図12-3A）．足関節の数cm近位で長母趾伸筋と長趾伸筋の間の面で，長母趾伸筋腱のすぐ内側にある神経血管束（前脛骨動脈と深腓骨神経）を同定する（図12-3B）．この神経血管束を長母趾伸筋の後面で足関節レベルまで追いかける．この神経血管束と長母趾伸筋腱を内側に，長趾伸筋腱を外側によせる．腱は伸筋支帯の切離後に移動しやすくなっているが，神経血管束は深部組織と癒着しており，剥離する必要がある（図12-4）．

変法として，ピロン骨折では前脛骨筋腱の内側で深層筋膜を切離し（図12-5），脛骨と足関節包前内側面を露出する．

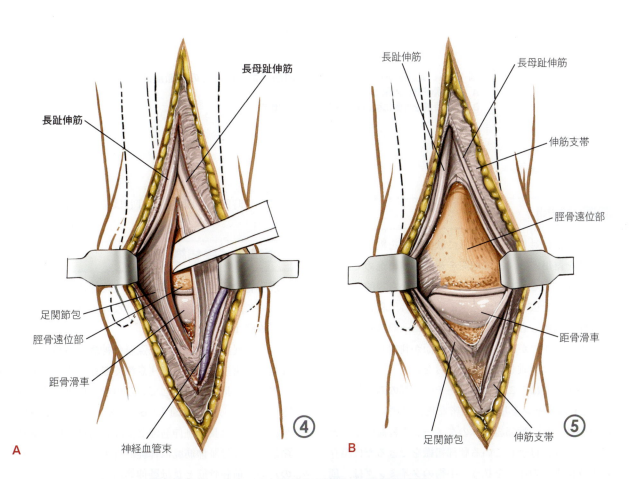

図12-4　足関節前方アプローチ．関節包切開および関節の露出
A：長母趾伸筋腱と神経血管を内側に引き，長趾伸筋腱を外側に引いて，足関節包を縦切する．
B：関節包を開くと足関節が露出する．

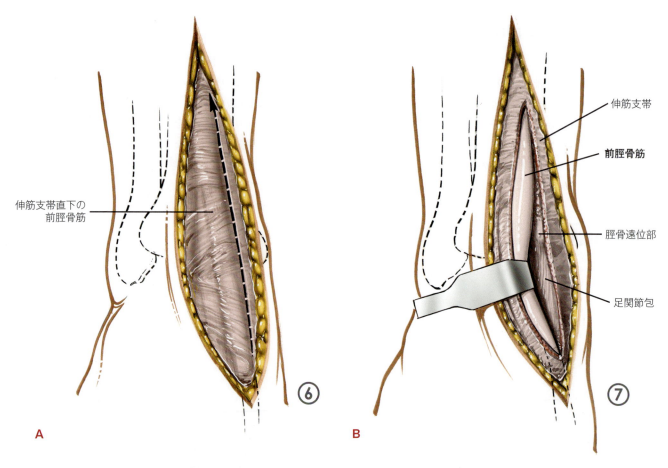

図 12-5　足関節前方アプローチ．伸筋支帯内側からの関節展開
A：前脛骨筋腱の内側で伸筋支帯を切る．
B：前脛骨筋を外側に引いて足関節の前面を出す．

深層の展開

　関節固定術に対しては，さらに軟部組織を縦切して脛骨遠位部を露出する．次に切開を遠位方向に進めて足関節包の前面を切る．関節包を脛骨と距骨から鋭的に切離して，足関節を広く露出する（☞図 12-4）．脛骨遠位部では骨膜の剥離も必要なところがある．一般に骨膜は厚くて判別しやすいが，化膿例では表面が判別しにくく，鋭的に少しずつ剥離しなければならない．

　骨折の手術では，このアプローチの一部のみが使用される．CT スキャンを用いた綿密な術前計画により，切開創を小さくし，軟部組織へのダメージを軽減することができる．骨に付着している軟部組織をできるだけ温存するように細心の注意を払う．手術のタイミングは，創治癒の問題を回避するために重要である．とくに高エネルギー外傷の場合，軟部組織の血液供給を回復させるために，一時的な外固定がしばしば適応される．

注意すべき組織

　浅腓骨神経の皮枝は，皮下を皮切線に接して走行しているので，皮切にさいし損傷しないよう注意が必要である（☞図 12-2）．

　浅層の展開にさいしては**深腓骨神経**と**前脛骨動脈**（前神経血管束）を確認して注意深く温存する．ともに浅層を皮切線に接して走行しているので，損傷する危険が大きいからである（☞図 12-64，65）．足関節上方では，神経血管束は長母趾伸筋腱と前脛骨筋腱の間にあり，関節部では長母趾伸筋腱は神経血管束と交差している．そのため，前脛骨筋と長母趾伸筋の間の面は，神経血管束を温存するために，神経血管束を確認して遊離することにより用いることができる（☞図 12-65）．

術野拡大のコツ

● 上下への拡大

このアプローチは internervous plane を進むわけではないが，ときには近位方向に向かって前方コンパートメント内の組織を展開していくこともある．脛骨近位部を露出するには，脛骨と前脛骨筋の間の面を進む（👉図12-5）．足背に向かって遠位方向に延長することは可能であるが，用いられることはまれである（👉図12-65）．

2　内果への前方および後方アプローチ

両アプローチとも，主に内果骨折の観血的整復・内固定を行うさいや，最小侵襲で脛骨遠位の手術をするときに用いられる[3,4]．

患者体位

手術台の上で患者を背臥位とする．下腿は自然のままの肢位（軽く外旋）にすると，内果が手術しやすい状態になる．下腿以下を1分間挙上して軽度脱血状態にしてからターニケットを加圧する．手術台の足元に術者が立つか座れば，ドリルの角度を正しく傾けやすい（図12-6）．

皮　切

2つの皮切が用いられる．

前方皮切では内果骨折の状態がよくみえる．また，足関節の前内面と距骨滑車（ドーム部）の前内側部もみえる．

足関節内側に6～8cmの長さのカーブ状の縦切開を行い，その中点は内果の先端のすぐ前に位置するようにする．近位から切開を始め，果部より上方3～4cmで脛骨の皮下表面の中間の上を切開する．内果の前方1/3を通り，内果の前方で遠位3～4cmのところの目標に向けて，切開を前方に弯曲させる．切開は内果のもっと

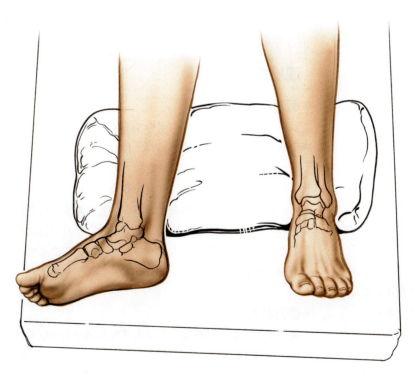

図12-6　内果アプローチ．患者体位
下腿を自然に数度外旋させ内果を上に向ける．

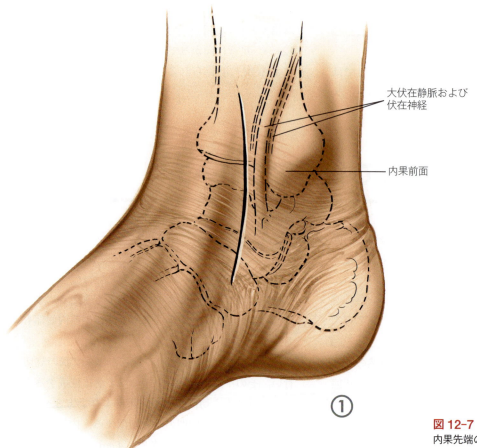

図 12-7 内果前方アプローチ．皮切
内果先端のすぐ前方におく．

も隆起した部分は通ってはならない（図 12-7）．

後方皮切では内果骨折の整復固定を行うことができ，また脛骨の後縁をみることができる．

足関節の内側に 6〜8 cm の皮切をおく．皮切の近位端は足関節の 5 cm 近位で脛骨の後縁とする．ここから遠位方向にカーブして，内果の後縁に沿ってのばす．さらに，遠位に向かって前方へ向かいながら内果の 3〜4 cm 遠位で終わる（☞図 12-10）．

internervous plane

このアプローチには internervous plane は存在しないが，切開は皮下の骨に直接到達するので安全である．

浅層の展開

●前方皮切

皮膚は愛護的に扱う．内果のすぐ前方を走る大伏在静脈を温存する．皮切を適切に行えば皮弁の反転は広く行う必要はない．静脈の横に伏在神経が走る．その 2 つの枝は静脈に隣接している．神経を損傷しないように注意する．損傷すると神経腫を生じる．神経は細く見つけにくいので，神経を温存する最良の方法は，それ自体は機能的な意味は大きくない大伏在静脈を温存することである（図 12-8）．

●後方皮切

皮膚を深層から剥離移動しても伏在神経損傷の危険はない（☞図 12-11）．

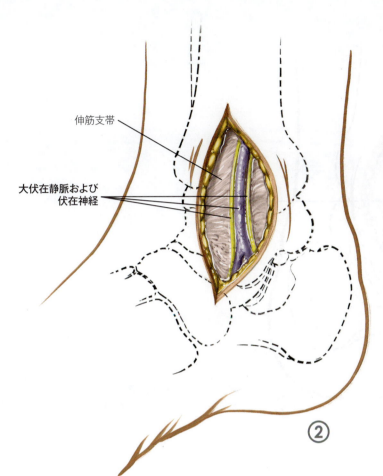

図 12-8　内果前方アプローチ．大伏在静脈，伏在神経の確認
皮弁を拡げると，大伏在静脈と伴走する伏在神経が現れる．

深層の展開

　骨折例では骨膜がすでに破れているが，骨片についている軟部組織は血行供給路なので，これを損傷しないよう注意する．

● 前方皮切

　内果をおおっている残存組織を縦切して骨折部を露出する．骨折を整復したのち関節面がみえるように足関節の前方関節包に小切開を加える（図 12-9）．この小切開は，内果の垂直骨折（回外・内転骨折）では関節面が陥入していることが多いので，関節面をみるために大変重要である．三角靱帯の浅層線維は内果から前方および遠位方向に走る．これらを分けると内固定に用いるワイヤーや，スクリューがしっかり骨に固定することができる．スクリューの頭は軟部組織でおおう（図 12-10；👍 図 12-69）．

● 後方皮切

　屈筋支帯をあとで縫合できるようにして，内果の後方で縦切する（図 12-11, 12）．後脛骨筋腱を切離しないように注意する．本腱は内果に接しそのすぐ後方を走る．支帯を切離すると，後脛骨筋は前方に楽によけることができる．内果の後方を切開していき，軟部組織を後方に引くと，脛骨後縁（後果）に到達する．これにより内果の後方部の骨折は整復可能となる．

　このアプローチでは，整復鉗子を用いれば大部分の骨折を確認できるが，アプローチの角度があるために転移した骨片を内固定することができないことに注意する必要がある．後方の骨片をとらえて整復するには，別の前方皮切を要する．なお，骨片を内固定するさいには Kirschner 鋼線で一時的に仮止めし，それを X 線で確認してから最終的な固定を行うのが望ましい．このアプローチのみでは十分な展開が得られず，したがって整復が不十分となりやすい．内果の後面をよくみるには，下腿をさらに外旋する（図 12-13；👍 図 12-68, 69）．

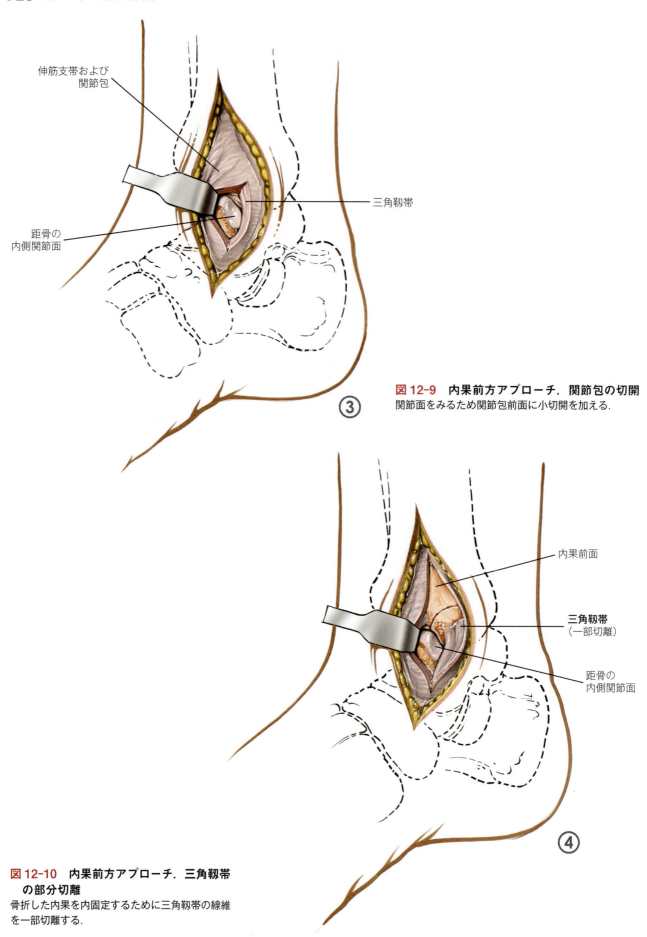

図 12-9 内果前方アプローチ．関節包の切開
関節面をみるため関節包前面に小切開を加える．

図 12-10 内果前方アプローチ．三角靱帯の部分切離
骨折した内果を内固定するために三角靱帯の線維を一部切離する．

2. 内果への前方および後方アプローチ 729

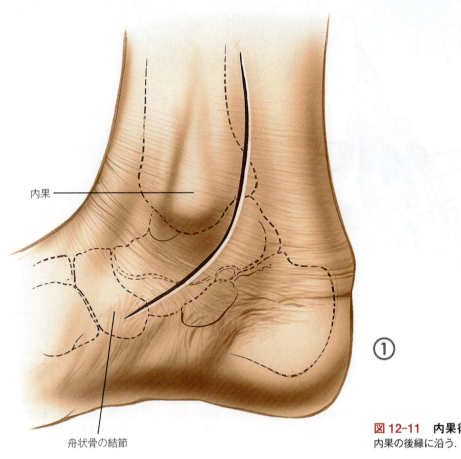

内果

舟状骨の結節

図 12-11 内果後方アプローチ．皮切
内果の後縁に沿う．

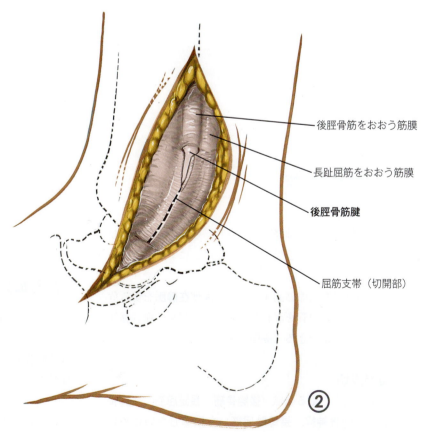

後脛骨筋をおおう筋膜

長趾屈筋をおおう筋膜

後脛骨筋腱

屈筋支帯（切開部）

図 12-12 内果後方アプローチ．屈筋支帯の切開
皮弁を引き，内果の後方にある屈筋支帯を切る．

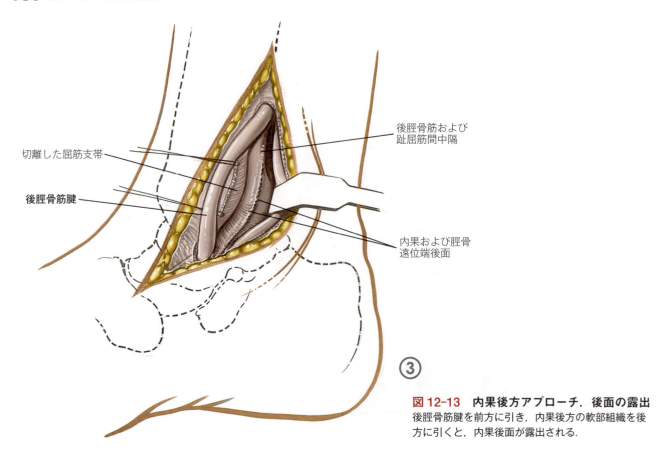

図12-13 内果後方アプローチ．後面の露出
後脛骨筋腱を前方に引き，内果後方の軟部組織を後方に引くと，内果後面が露出される．

注意すべき組織

●前方皮切

伏在神経を切ると神経腫を形成し，足背の内側にしびれ感を残す．大伏在静脈を温存することによってこの神経も温存される．

前方の皮弁を剥離移動するさいに**大伏在静脈**を切る危険がある．この血管を温存しておくと，将来の血管移植に用いることができる（☞図12-67）．

●後方皮切

内果の後方を走る組織（**後脛骨筋，長趾屈筋，後脛骨動静脈，脛骨神経，長母趾屈筋**）を損傷しないためには，深層切開を進めるさいに，骨に接して剥離を進める必要がある（☞図12-67〜69）．

骨片についている軟部組織をできる限り温存する．完全に剥離すると，骨片の血行が途絶える．

術野拡大のコツ

●上下への拡大

両方のアプローチを近位方向へのばすには，皮下に触れる脛骨面に沿って切開を続ける．骨膜下剥離により，脛骨を全長にわたり展開できる．

三角靱帯と距踵舟関節を展開するには，皮切を遠位方向に延長する．

3 足関節への内側アプローチ

足関節への内側アプローチ[5]は，足関節の内側を展開するもので，以下の手術に用いる．
- 足関節固定術
- 内果骨切り後の距骨体部骨折の固定
- 距骨内側の骨軟骨片の摘出
- 足関節内遊離体の除去

患者体位

手術台の上で患者を背臥位とする．不完全無血状態にするためには，1分間下肢を高く持ち上げるか，ソフトラバーバンテージで下腿まで巻き上げてからターニケットに加圧する．下腿は自然に外旋するので，内果は天井方向を向く．展開をよくするために骨盤を傾ける必要は通常ない（☞図12-6）．

ランドマーク

内果は脛骨の遠位端として触れる．

皮切

足関節の内側で，内果の先端を中心として10 cmの縦切開を加える．切開は脛骨の内側面から始める．内果の下方で前方にカーブし，中足部内側に及ぶ（図12-14）．

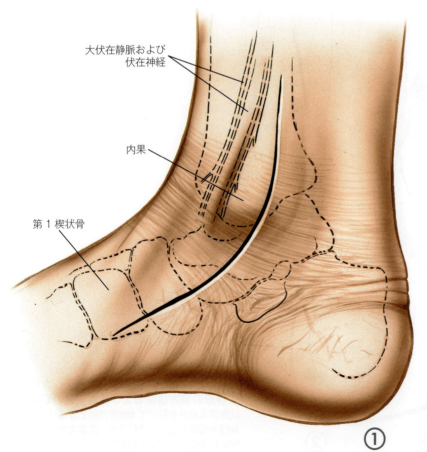

図12-14　足関節内側アプローチ．皮切
足関節内側に10 cmの縦切開をおく．皮切の中点が内果にくるようにする．皮切の遠位は前方へカーブし中足部内側に向ける．

internervous plane

このアプローチに internervous plane は存在しない．脛骨が皮下にあり，すべての切開が骨の上で行われ，全層で皮膚を挙上するので安全である．

浅層の展開

内果の前縁に沿って伴走する大伏在静脈と伏在神経を損傷しないよう注意して，皮弁を起こす（図12-15）．

深層の展開

内果と脛骨骨幹部の移行部を確認するため，関節包の前面に縦の小切開を加えておく．

屈筋支帯を縦切し，内果のすぐ後方で，骨の溝を通っている後脛骨筋腱を確認する（👍図12-15）．この腱を後ろに引くと内果の後面が出る（図12-16A）．

次に，内果を骨切りするが，骨切りする前に次のことをしておく．つまり，内果を戻すさいにずれを生じないよう骨に縦走する印をつけ，さらに内果を再接合するためのドリル孔をあけタップを切っておく（図12-16B）．

骨ノミまたはオシレーティングソーを用いて内果を斜めに上方から奥まで骨切りする．このさい関節包前面にあけた小切開から切離面を確認することが大切である（👍図12-16）．

内果を三角靱帯をつけたまま遠位方向に反転し，足を外反すると，距骨滑車と脛骨の関節面が展開できる（図12-17，18）．腓骨はそのままであるために，外反は制限される．

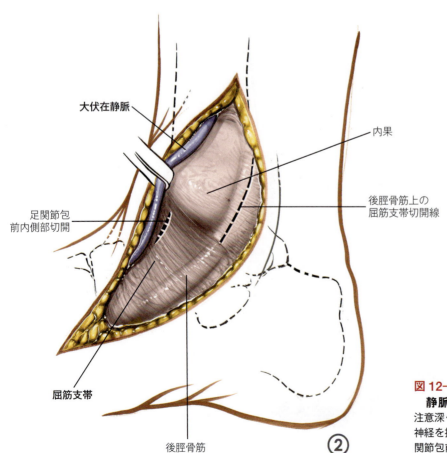

図12-15 足関節内側アプローチ．大伏在静脈の前方排除および屈筋支帯の切開
注意深く皮弁を引いて大伏在静脈と伴走する伏在神経を損傷しないようにする．屈筋支帯を切離し関節包前面に小切開を加える．

3. 足関節への内側アプローチ **733**

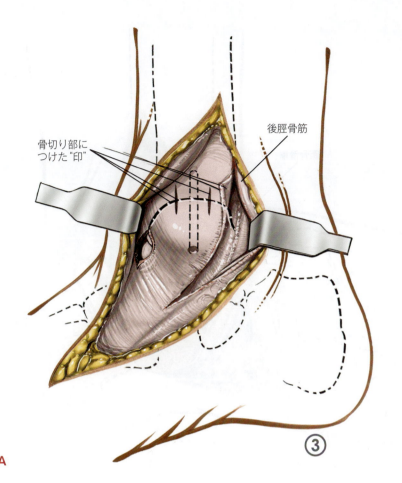
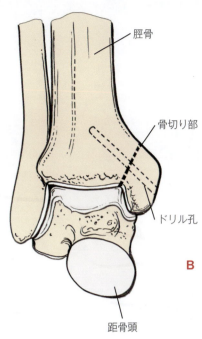

図12-16 足関節内側アプローチ．内果の骨切りに先立つ処置
A：後脛骨筋腱を後方に引き，内果にドリル孔をあける．そして骨片の正しい整復のために骨切り線上に"印"をつけておく．
B：骨切り線と内果再接合のためのドリル孔を示す．

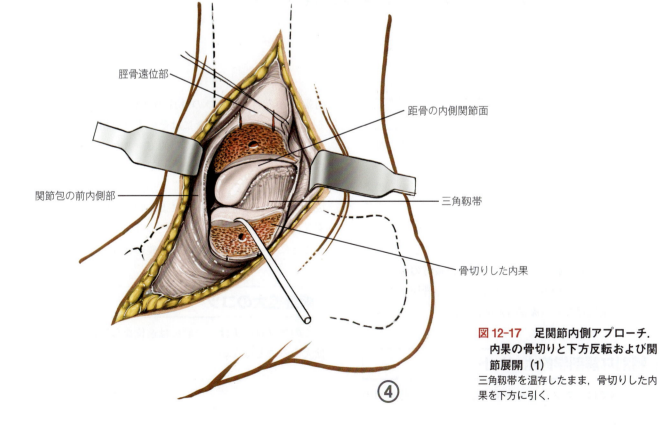

図12-17 足関節内側アプローチ．内果の骨切りと下方反転および関節展開（1）
三角靱帯を温存したまま，骨切りした内果を下方に引く．

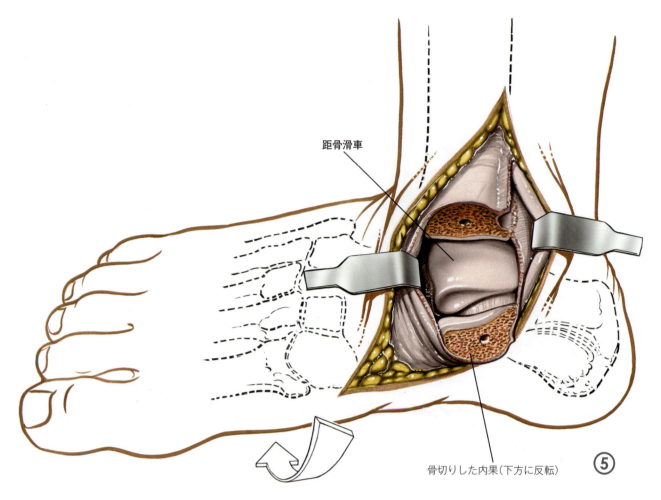

図 12-18　足関節内側アプローチ．内果の骨切りと下方反転および関節展開（2）
足を強く外反すると距骨滑車と脛骨の前面がみえてくる．

注意すべき組織

　伏在神経と大伏在静脈は一緒に温存し，主に伏在神経の損傷とそれに続いて起こる神経腫を防止する．
　後脛骨筋腱は内果のすぐ後方に接して走っているので損傷する危険があり，本アプローチではとくに注意する必要がある．内果の骨切りをする場合には，本腱を剥離してよけておく（☞図12-15，16A）．そのさらに後方と外側を長趾屈筋腱と長母趾屈筋腱が，後方の神経血管束と一緒に走っている．これらは注意深く骨切りすれば損傷する危険はない（☞図12-69，70）．

特別な解剖学的ポイント

　骨折例では，スクリューを挿入して締めると骨折面の両端がかみ合い，2つの骨片の回旋を防ぐことができる．一方，骨切りの場合にはそのような相互のかみ合いが起こらない．回転を防ぐ目的で，スクリューを締めるさいには，スクリューのほかに2本のKirschner鋼線を用いるべきである．スクリューが固定されてから鋼線を抜去する．引き寄せ締結法による固定も用いられる．いずれにしろ，骨切りを行う前につけた印を正しくそろえることによって，骨の整復は正確に行うことができる．

術野拡大のコツ

　このアプローチは，一般には遠位ならびに近位方向に拡大することはない．

4 足関節への後内側アプローチ

後内側アプローチは，一般的には内果後方の軟部組織を展開や，内果後方周囲の骨折に対する固定に用いられる．内反足の治療にさいして内果周辺の軟部組織解離に有用である[6]．

このアプローチで足関節後果をみることもできるが，骨折部の展開が制限され，技術的に困難である．足関節後外側アプローチのほうが，後果がよりよくみえる．

患者体位

以下の2つの体位が用いられる．第1は背臥位とし，股関節と膝関節を屈曲し，手術側の足関節の外側を反対側の膝の前面にのせる．この位置は股関節を最大外旋して得られ，足関節の内側を展開するのに好都合である（図12-19）．第2は患側下の側臥位とし，健側の膝を屈曲して健側を前方におく．

下肢を1分間挙上するかソフトラバーバンテージを用いて，脱血してからターニケットに加圧する．

ランドマーク

内果は脛骨の遠位端の皮下に球状の盛り上がりとして触れることができる．踵骨のすぐ上に**アキレス腱**を触れる．

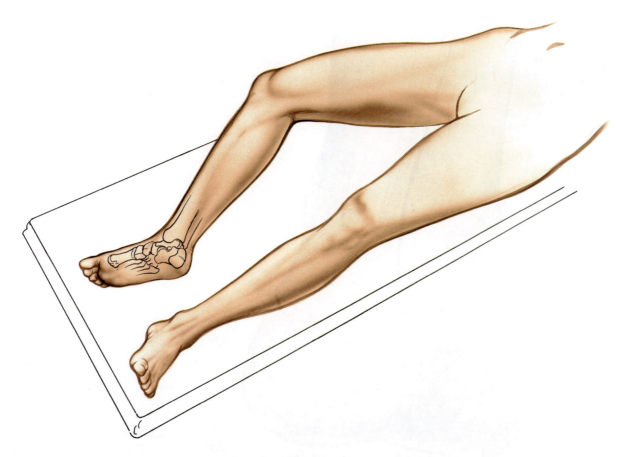

図 12-19　足関節後内側アプローチ．患者体位
背臥位で膝関節と股関節を屈曲し，足内側面を出す．

皮　切

内果とアキレス腱のほぼ中間に8〜10 cmの縦皮切を加える（図12-20）.

浅層の展開

皮切に沿って切開を進めると，アキレス腱と内果後方に存在する組織の間の脂肪組織に達する．アキレス腱を延長する場合には，切開した後方の軟部組織の中に存在するアキレス腱を，この段階で延長する．前方の皮弁の中には屈筋腱群をおおう筋膜が存在する．内果より十分後方で筋膜を縦切する（図12-21, 22）.

深層の展開

足関節の後面に到達するには，以下の3つのアプローチがある.

第1のアプローチは，このレベルで筋を有する唯一の腱である長母趾屈筋腱を引き出し（👉図12-22），そのすぐ外側にある腓骨筋腱の間を奥に進む（図12-23）．長母趾屈筋腱を内側によけると足関節の後面が出てくる（図12-24）.

第2のアプローチは，長母趾屈筋腱を確認してこれをよけ，内果の後方を前方に進み，神経血管束を損傷しないように剥離し，長趾屈筋腱との間を展開する．このアプローチは第1のアプローチと比較し，足関節後面のより内側に到達できる.

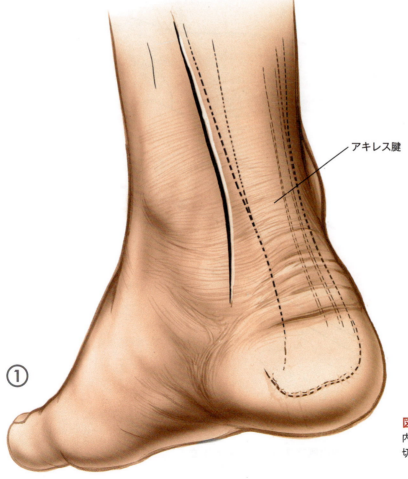

図12-20　足関節後内側アプローチ．皮切
内果とアキレス腱のほぼ中点に8〜10 cmの皮切を加える.

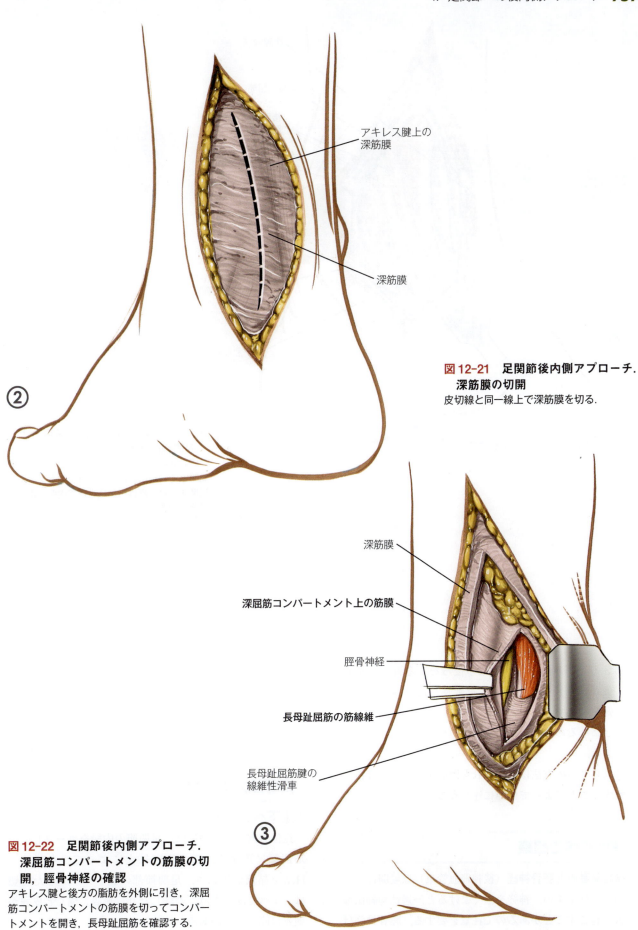

図12-21 足関節後内側アプローチ．深筋膜の切開
皮切線と同一線上で深筋膜を切る．

図12-22 足関節後内側アプローチ．深屈筋コンパートメントの筋膜の切開，脛骨神経の確認
アキレス腱と後方の脂肪を外側に引き，深屈筋コンパートメントの筋膜を切ってコンパートメントを開き，長母趾屈筋を確認する．

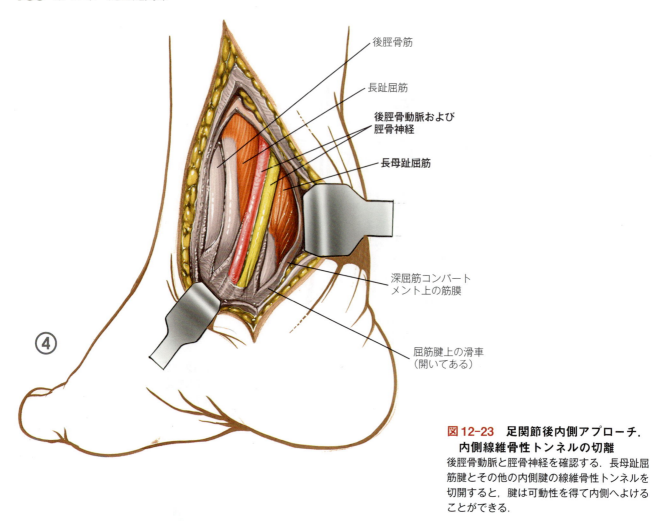

図12-23 足関節後内側アプローチ，内側線維骨性トンネルの切離
後脛骨動脈と脛骨神経を確認する．長母趾屈筋腱とその他の内側腱の線維骨性トンネルを切開すると，腱は可動性を得て内側へよけることができる．

　第3のアプローチは，内果の後ろを走る腱（後脛骨筋，長趾屈筋，長母趾屈筋）を延長したい場合に用いる．腱を延長するときには腱の後方に存在する被膜も切ることになるので，そのまま関節の後面に到達することができる．

　これら3つの方法は，いずれも関節包を縦または横に切離することによって関節に達しうる．

注意すべき組織

　後脛骨動脈と**脛骨神経**（後神経血管束）は展開にさいし損傷されやすい．神経を強くよけると一過性神経伝導障害を起こすことがあるので注意を要する．脛骨神経は幼児では予想外に太く，長趾屈筋腱は非常に細いので注意が必要である．どんな腱を切離する場合でも，まずはそれ以外の組織の存在を確認しなければならない（☞図12-67，68）．

術野拡大のコツ

●上下への拡大

　遠位方向にのばすには，足関節の内縁をカーブして距舟関節に達する．この術野拡大によって距舟関節とHenry結節が現れる．足関節部の長いカーブした皮切は，すべて皮弁を薄く剥離したり，無謀に開くと皮弁が壊死に陥ることがある．

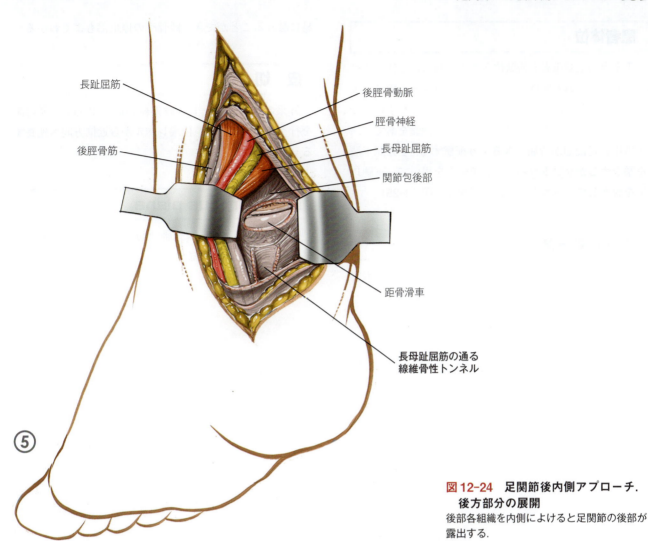

図12-24 足関節後内側アプローチ．後方部分の展開
後部各組織を内側によけると足関節の後部が露出する．

5 足関節への後外側アプローチ

　後外側アプローチは，脛骨遠位端および足関節の後面を処置する場合に用いられ，後果骨折の観血的整復・内固定によいアプローチである．しかし，患者を腹臥位にするので，腓骨や内果を同時に固定する場合には適していない．それらの場合には，腓骨への後内側アプローチまたは外側アプローチを用いて，腓骨骨折部を通過して脛骨後外側端へ達するのがよい．両アプローチともこのアプローチよりも広い視野は得られないが，手術の途中で患者の体位を変える必要がない利点はある．このアプローチは次の場合にも用いられる．

- 腐骨や良性腫瘍の摘出
- 足関節後方関節包切離術，靱帯切離術
- 腱延長術

患者体位

手術台の上で患者を腹臥位とする．腹臥位で注意すべきことは，骨盤と胸壁の下に縦に長いパッドを両側に入れて，胸と腹部の正中部が呼吸にさいし動きやすいようにしておくことである．足関節の下には砂嚢をあてて，手術中に足関節が背屈できるよう配慮する．1分間下肢を挙上するかソフトラバーバンテージを用いて，下腿以下を脱血してターニケットに加圧する（図12-25）．

ランドマーク

外果は腓骨の遠位端で皮下に触れる．アキレス腱も容易に触れることができ，踵骨への停止部もよくわかる．

皮切

外果の後縁とアキレス腱外縁の間で10 cmの縦切開を行う．切開は腓骨遠位端レベルから近位方向へ延長する（図12-26）．

internervous plane

internervous planeは短腓骨筋（浅腓骨神経支配）と長母趾屈筋（脛骨神経支配）の間に存在する（図12-27）．

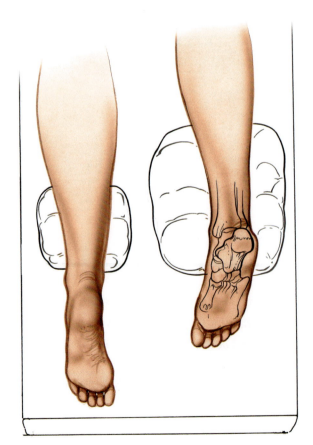

図12-25　足関節後外側アプローチ．患者体位

5. 足関節への後外側アプローチ 741

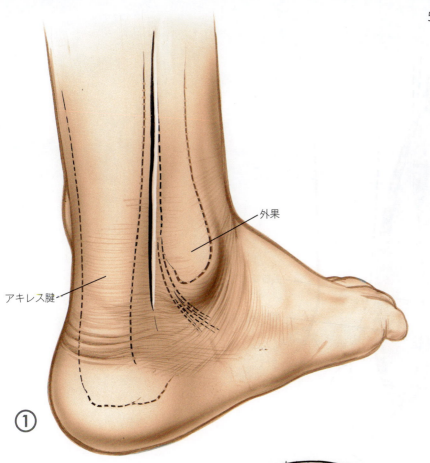

図12-26 足関節後外側アプローチ．
皮切
10 cmの縦切開を外果後縁とアキレス腱外側縁の中間で行う．

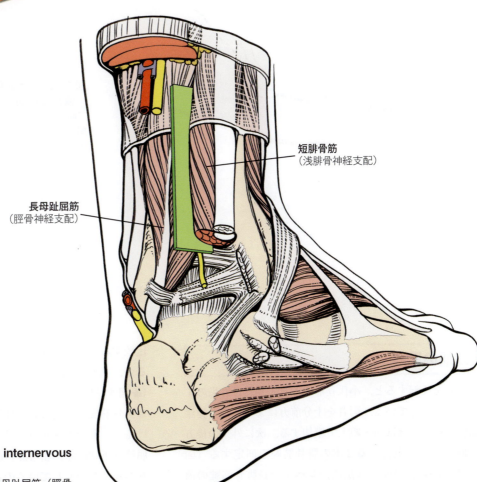

図12-27 足関節後外側の internervous plane
短腓骨筋（浅腓骨神経支配）と長母趾屈筋（脛骨神経支配）の間に存在する．

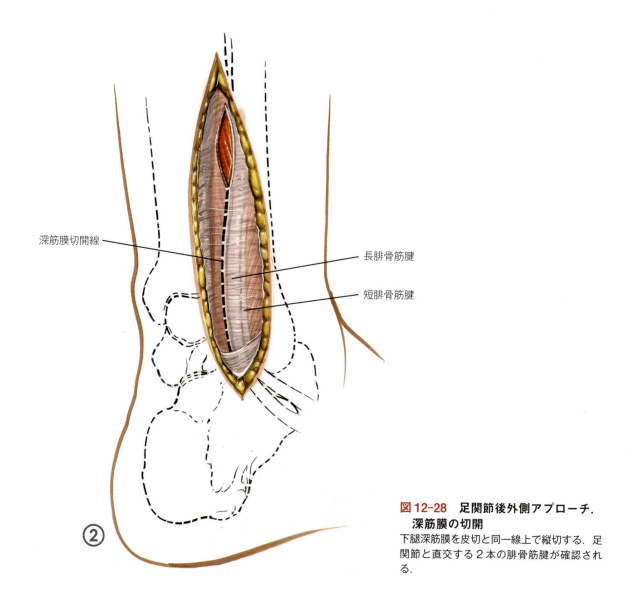

図12-28 足関節後外側アプローチ．深筋膜の切開
下腿深筋膜を皮切と同一線上で縦切する．足関節と直交する2本の腓骨筋腱が確認される．

浅層の展開

皮弁を反転すると，小伏在静脈と腓腹神経が外果のすぐ後方を走っている．両者を十分前方によけて，下腿深筋膜を皮切とほぼ同一線上で縦切する．次に外果の後方を回って縦に走行する2本の腓骨筋腱を同定する（図12-28）．短腓骨筋腱は足関節レベルで長腓骨筋腱の前方にあり，したがって外果により近く存在する．両腱を比較すると，短腓骨筋は筋が足関節レベルまでのびているが，長腓骨筋は下腿遠位1/3レベルで終わっている（👉図11-49B）．

腓骨筋支帯を縦切し，腓骨筋を持ち上げて前外方によけると，長母趾屈筋が露出される（図12-29）．長母趾屈筋は下腿の深部屈筋群の最外側に存在している．このレベルで筋を有しているのは本筋だけである（👉図12-75）．

5. 足関節への後外側アプローチ　**743**

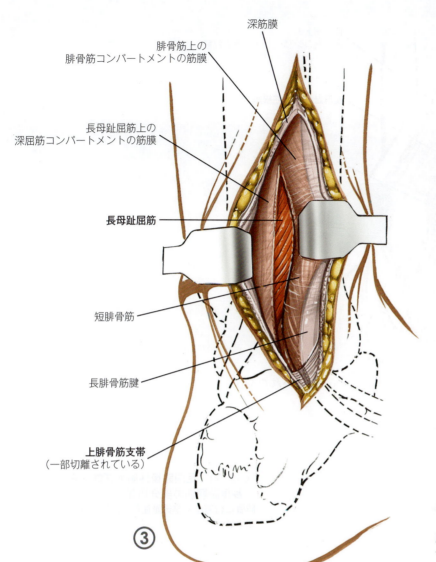

図12-29　足関節後外側アプローチ．腓骨筋支帯の切開
腱の移動を容易にするために上腓骨筋支帯を切る．腓骨筋腱を前外方に引き，長母趾屈筋上の筋膜を切離すると長母趾屈筋が現れる．

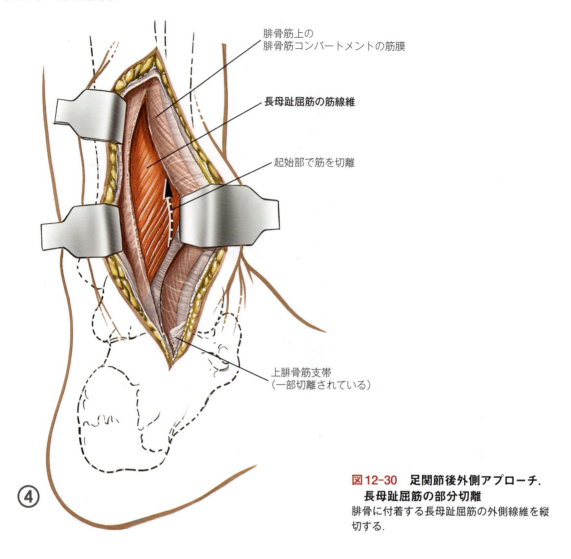

図12-30 足関節後外側アプローチ．長母趾屈筋の部分切離
腓骨に付着する長母趾屈筋の外側線維を縦切する．

深層の展開

展開を進めるためには，腓骨に付着する長母趾屈筋の外側線維を縦切する（図12-30）．長母趾屈筋を内側に引くと脛骨後面の骨膜が現れる（図12-31）．脛骨遠位部に達したい場合には，脛骨骨膜とその上の軟部組織との間の骨膜上面で剥離する．足関節に入るには，脛骨の後面を遠位方向にたどり足関節包の後部に到達し，これを横切する．

注意すべき組織

小伏在静脈と腓腹神経が伴走しており，両者を一括して温存するのがよい．損傷すると有痛性神経腫を生じるからである（図12-74）．

術野拡大のコツ

●上下への拡大

展開を近位方向に延長するには，まず皮切を近位方向に延長して腓腹筋の外側頭と腓骨筋の間の面を確認し，この面を深部にたどってヒラメ筋に達する．このヒラメ筋と腓腹筋を内側によける．ついで，長母趾屈筋を内側に反転し，腓骨への起始部を切離する．さらに骨間膜に剥離を進め，脛骨後面に達する．

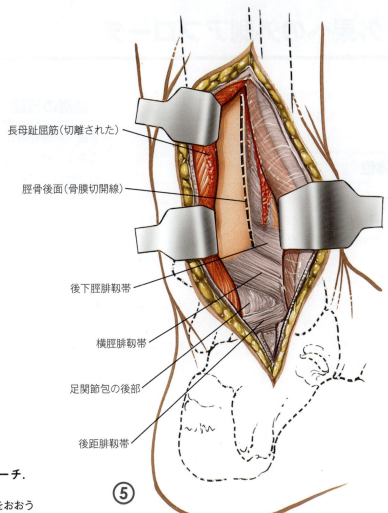

図12-31　足関節後外側アプローチ．骨膜の切開
長母趾屈筋を内側に引くと脛骨後面をおおう骨膜が現れる．

6 外果への外側アプローチ

主として外果骨折の観血的整復・内固定に用いられる．また，脛骨の後外側面への到達にも用いられる[7]．

患者体位

手術台の上に患者を背臥位とし，砂嚢を患側殿部の下に入れる．砂嚢により下肢が内旋するので，外果が前方に向き手術が行いやすくなる（図12-32A）．さらに手術台を傾けて，外果が上を向くようにする．患者の横に立って手術を行うと腓骨遠位部の手術には都合がよいが，内果へ到達するには患者の体位を変えないとできない．このようなことは両果骨折の固定の場合などに必要となる（図12-32B）．下肢を1分間高挙して脱血したのち，ターニケットに加圧する．

ランドマーク

皮下に腓骨の外側面と**外果**を触れる．外果は腓骨の遠位端となっている．**小伏在静脈**は，下肢が無血になると外果の後縁に沿ってみえる．

皮切

腓骨の後縁に沿って腓骨遠位端まで10 cmの縦切開を加え，さらに前下方にカーブして切開を2 cm延長する（図12-33）．骨折の手術では，切開の中点は骨折部におく．

internervous plane

皮下にすぐ骨があるので internervous plane は存在しないが，近位の腓骨骨折では**第三腓骨筋**（深腓骨神経支配）と**短腓骨筋**（浅腓骨神経支配）の間である．

浅層の展開

皮弁を起こすさい，外果の後方に存在する小伏在静脈を損傷しないよう注意する．この静脈と伴走する腓腹神経も温存する．

深層の展開

皮下の腓骨外側面の骨膜を縦切して，骨折部がよくみえるように本当に必要な部分だけ剥離する．このさい，外果に接して走る腓骨動脈の終末枝を損傷しないよう骨膜下で正確に剥離する．この剥離は正確な整復をするのに必要なだけにとどめる．その理由は骨膜剥離が骨への血行を著しく障害し，骨折治癒に悪影響を及ぼすからである（図12-34；☞図12-74）．遠位脛腓関節は腓骨遠位の前方に沿ってみることができるため，骨折固定後の脛腓関節の詳細な状態を検証することができる（図12-34B）[7]．

注意すべき組織

腓腹神経は創を展開するさい損傷しやすい．損傷されると有痛性神経腫を生じると同時に，足背の外側皮膚にしびれを残す．この部は体重がかかるところではないが，靴にあたるところなので苦痛を生じる．また，この神経は神経移植にも用いられる神経なので，できる限り温存に努める（☞図12-71）．

腓骨動脈の終末枝が腓骨遠位部内側面のすぐ深部に存在する．この枝は展開が広範だと損傷されうる．この損傷はターニケット使用時には気がつかれないことが多く，したがってターニケットをゆるめたあとに血腫を形成することがある．止血を確実にするために，閉創前にターニケットを解除したほうがよい（☞図12-64）．

術野拡大のコツ

●**上下への拡大**

近位への拡大 腓骨の後縁に沿って切開をのばし，皮切と同一線で深層筋膜を切る．腓骨筋（浅腓骨神経支配）と腓腹筋（脛骨神経支配）との間で新しい展開を行う．総腓骨神経を膝の近くで確認し，これを足関節方向にたどれば腓骨の近位1/3が展開できる（☞第11章「9 腓骨へのアプローチ」）．

遠位への拡大 アプローチを遠位方向へ拡大するには，皮切を足部外側にカーブして延長する．腓骨筋腱を確認し腓骨筋支帯を切離する．足根洞内の脂肪組織と短

趾伸筋の起始を切離して，足根部外側の踵立方関節を露出する（👍図12-71，72）．

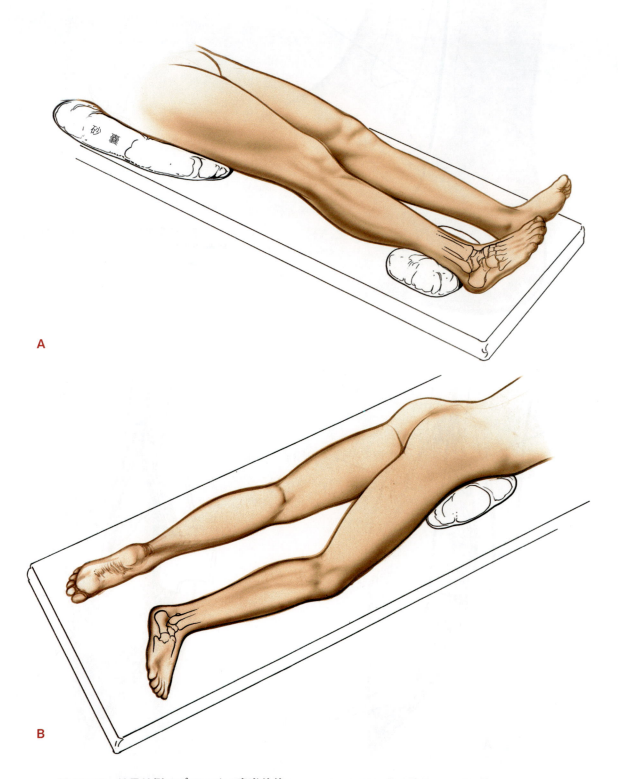

図12-32　外果外側アプローチ．患者体位
A：外果を露出させるための患者体位（1）．
B：外果を露出させるための患者体位（2）．患側の骨盤の下に砂嚢をおき，患者を腹臥位または側臥位とする．

第12章 足と足関節

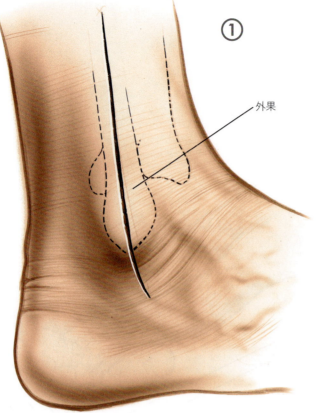

図12-33 外果外側アプローチ．皮切および腓骨の展開（1）
腓骨の後縁に沿う10〜15cmの皮切を加える．さらに外果先端から前方に皮切をカーブしてのばす．

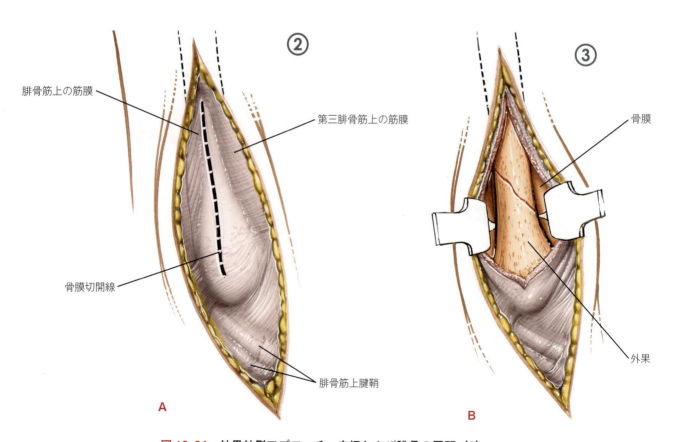

図12-34 外果外側アプローチ．皮切および腓骨の展開（2）
A：腓骨の皮下面の骨膜を縦切する．
B：腓骨遠位部を骨膜下に露出する．

7 足関節および足の後方部への前外側アプローチ

このアプローチをできるだけ広げると，足関節だけでなく距舟・踵立方・距踵関節も展開できる．一般に足関節固定術のさいに用いられるが，三関節固定術や汎距骨固定術にも適している．また，距骨全摘出術や距骨脱臼の整復も可能である．

患者体位

手術台の上で患者を背臥位とする．大きな砂嚢を患側殿部の下に入れて下肢を内旋位とし，外果を前方に向ける．下肢を1分間挙上するかソフトラバーバンテージを巻いてから，ターニケットに加圧する（☞図12-32A）．

ランドマーク

腓骨の遠位端である**外果**を皮下に触れる．**第5中足骨基部**を足の外側面に骨性突起として触れる．

皮切

足関節の前外側面でややカーブした15cm程度の皮切を加える．足関節の近位約5cmで腓骨前縁の約2cm前方から始め，カーブしながら遠位方向に延長し，外果の先端の2cm内側で足関節を横切って足背に達し，第5中足骨の約2cm内側，つまり第4中足骨基部に終わる（図12-35）．

internervous plane

internervous plane は腓骨筋（浅腓骨神経支配）と足趾の伸筋群（深腓骨神経支配）の間に存在する（☞図12-64，71）．

浅層の展開

皮切と同一線上で深層筋膜を切開，上・下伸筋支帯を切離する．浅腓骨神経の背側皮枝が切開線と交替することがあるので，これを温存するよう留意する（図12-36A）．第三腓骨筋と長趾伸筋を同定し，創の近位で2筋のすぐ外側から骨に達する（図12-36B）．

深層の展開

伸筋を内側へよけて，脛骨遠位部の前面と足関節包前面を露出する．遠位方向へ短趾伸筋を確認，分離し，踵骨への起始部を鋭的に切離する（図12-37）．このさい，外側足根動脈の枝を切ることになるので，これを電気凝固で止血して血腫形成を防止する．切離した短趾伸筋は遠位内側方向に反転し，踵立方関節と距舟関節の背側関節包を確認する．そのさい，筋膜や皮下脂肪は皮膚と分離しないほうがよい．これらの関節は隣接し，足を横断する形で存在し，臨床的には横足根関節（midtarsal joint）を形作っている（☞図12-66）．次に足根洞内の脂肪組織を確認し，これを排除して距踵関節を露出する．この脂肪組織を切除してしまうと，術後にその部にみにくいへこみを残すので温存したほうがよい．また，この脂肪組織は創治癒にも役立っている（図12-38）．

最後に露出した関節包を切離して，足を強く底屈・内反すると関節が開く（☞図12-38）．

注意すべき組織

深腓骨神経と**前脛骨動脈**が足関節の前面を横切る．これらの組織は，展開をできるだけ骨に接して行わないと損傷する危険がある（☞図12-64）．**浅腓骨神経**は，下腿の遠位半分と足関節では多くのバリエーションがあるため，慎重に見つけて温存する必要がある．

術野拡大のコツ

● 上下への拡大

術野を近位方向に拡大すると，下腿前方コンパートメント内の組織を露出できる．皮切と同一線上で厚い深層筋膜を縦切すればよい．

術野を遠位方向に進めると，足の外側半分の足根中足関節を展開できる．第4中足骨の上まで皮切を進めると，皮下に足根中足関節を露出できる．

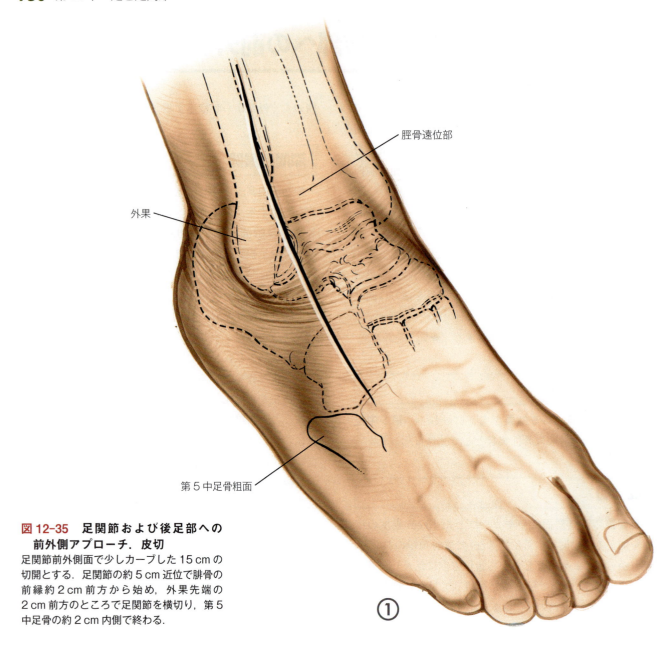

図 12-35　足関節および後足部への前外側アプローチ．皮切
足関節前外側面で少しカーブした 15 cm の切開とする．足関節の約 5 cm 近位で腓骨の前縁約 2 cm 前方から始め，外果先端の 2 cm 前方のところで足関節を横切り，第 5 中足骨の約 2 cm 内側で終わる．

7. 足関節および足の後方部への前外側アプローチ **751**

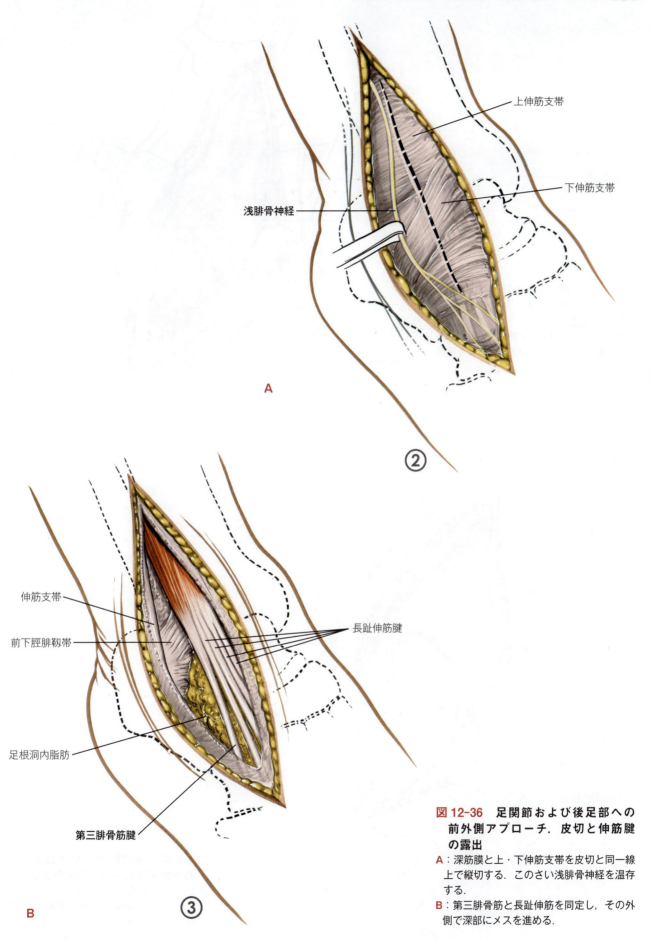

図12-36 足関節および後足部への前外側アプローチ．皮切と伸筋腱の露出
A：深筋膜と上・下伸筋支帯を皮切と同一線上で縦切する．このさい浅腓骨神経を温存する．
B：第三腓骨筋と長趾伸筋を同定し，その外側で深部にメスを進める．

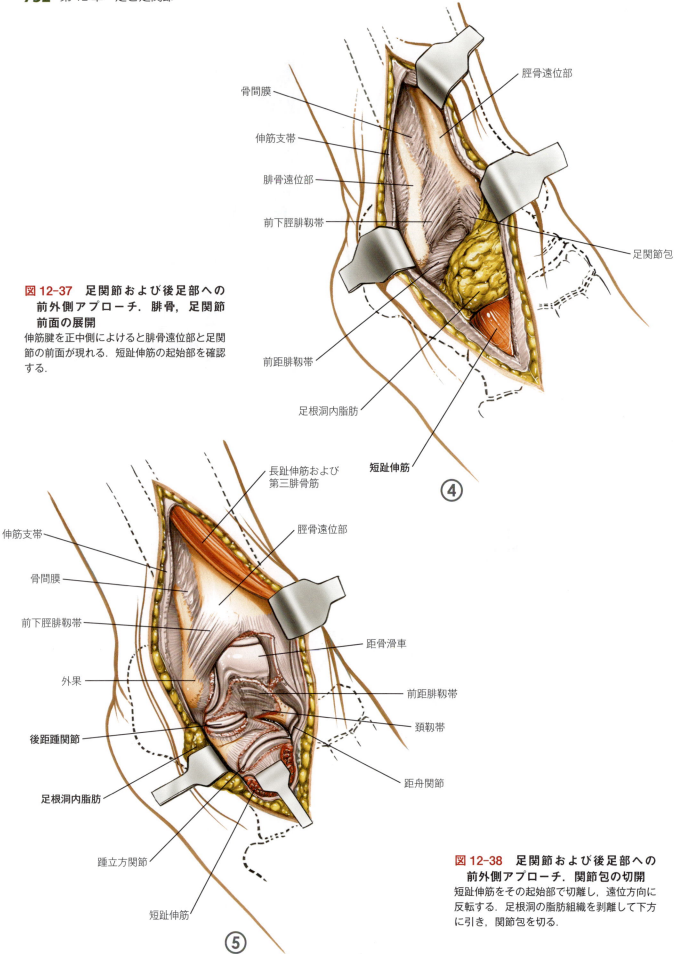

図 12-37 足関節および後足部への前外側アプローチ．腓骨，足関節前面の展開
伸筋腱を正中側によけると腓骨遠位部と足関節の前面が現れる．短趾伸筋の起始部を確認する．

図 12-38 足関節および後足部への前外側アプローチ．関節包の切開
短趾伸筋をその起始部で切離し，遠位方向に反転する．足根洞の脂肪組織を剥離して下方に引き，関節包を切る．

8 足の後方部への外側アプローチ

外側アプローチは距踵舟・後距踵・踵立方関節を展開するのに好都合である．上記関節の一部または全関節固定術（三関節固定術）を行うときに用いる[8, 9]．

患者体位

手術台の上で患者を背臥位とする．殿部に大きな砂嚢を敷いて下腿が内旋するようにし，足関節の外側と後足部が天井を向くようにする．さらに手術台を傾けて，足関節外側が上を向くようにする．1分間下肢を挙上するかソフトラバーバンテージを巻いて脱血してから，ターニケットを加圧する（☞図12-32A）．

ランドマーク

外果は皮下に腓骨遠位端として触れる．踵骨の外壁面も外果遠位で皮下に触れる．

足根洞を触れるには，踵骨を片手に持って足を固定し，もう一方の手の母指を外果のすぐ前面の軟部組織のくぼみにおく．このくぼみが足根洞の表面である．

皮　切

外果のすぐ遠位やや後方からカーブした切開を加える．遠位方向に後足部外側に沿って足根洞の表面を通過する．ついで内側へカーブし，距踵舟関節に終わる（図12-39）．

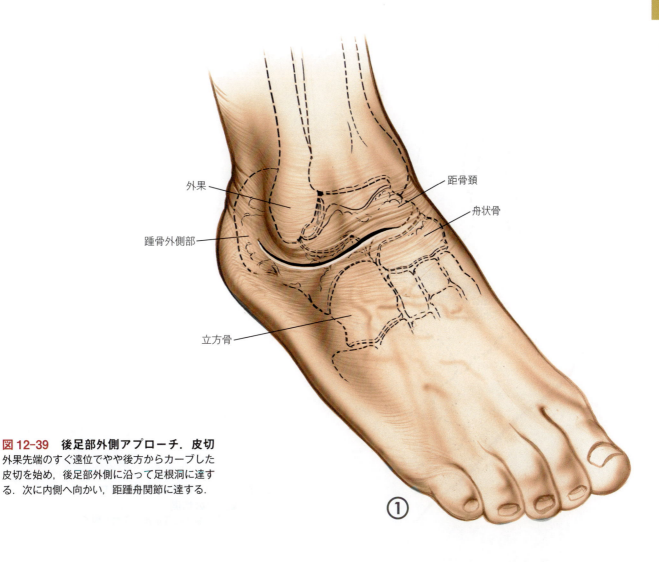

図12-39　後足部外側アプローチ．皮切
外果先端のすぐ遠位でやや後方からカーブした皮切を始め，後足部外側に沿って足根洞に達する．次に内側へ向かい，距踵舟関節に達する．

internervous plane

第三腓骨筋腱（深腓骨神経支配）と腓骨筋腱（浅腓骨神経支配）の間に internervous plane が存在する．

浅層の展開

大きな皮弁は血行障害を生じやすいので，皮弁は広く剥離してはならない．術野を横切る静脈はすべて結紮する．皮切と同一線上で深層筋膜を切開する．このさい，第三腓骨筋腱と長趾伸筋腱を損傷しないよう注意する．これらの腱は皮切の遠位端部を直交している（図12-40，41）．腱を内側によけ足背に達する．腓骨筋腱は創の近位端を走るので，この段階ではよけなくてよい（図12-42）．

深層の展開

皮弁に皮下脂肪を残し，足根洞内の脂肪のみを鋭的に一部切除すると，短趾伸筋の起始部が現れる．この起始を鋭的に切離して筋を遠位方向に反転すると，創の遠位端に距踵舟関節の背側関節包が現れる．その外側には踵立方関節の背側関節包が存在する（図12-43）．この関節包を切離し足を強く内反すると，各々の関節が開いてくる（図12-44）．次に腓骨筋支帯を切離し，腓骨筋腱を前方に引く．後距踵関節の関節包を確認し，これを切離して踵部を内反すると，関節面は開く（図12-45）．

このアプローチで行われるすべてのケースで，これらの関節が正常でない位置にあることも認識しておく必要がある．このアプローチでは，関節を確認する場合，メスを骨に接して進めていく限り安全である．

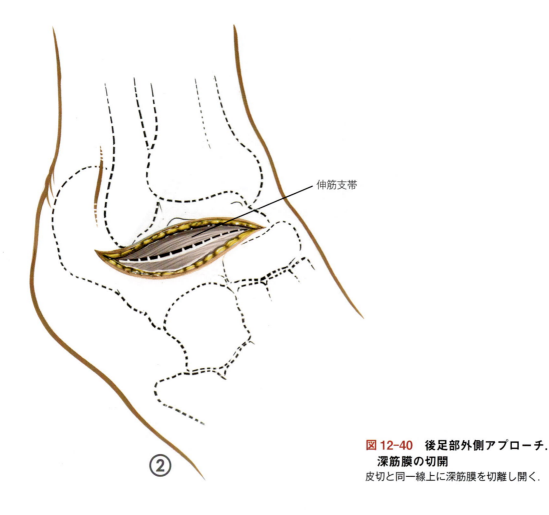

図12-40 後足部外側アプローチ．深筋膜の切開
皮切と同一線上に深筋膜を切離し開く．

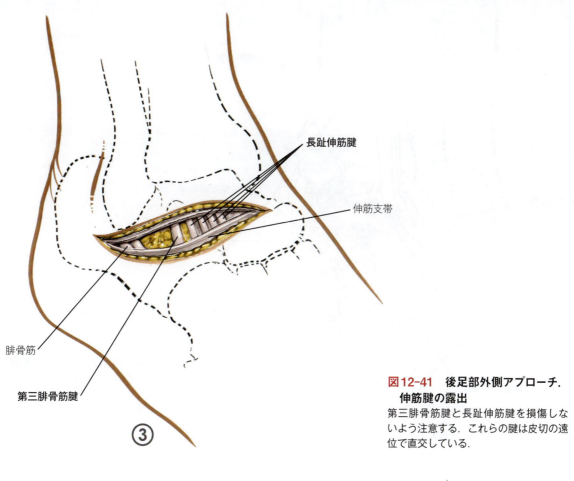

図12-41 後足部外側アプローチ．
伸筋腱の露出
第三腓骨筋腱と長趾伸筋腱を損傷しないよう注意する．これらの腱は皮切の遠位で直交している．

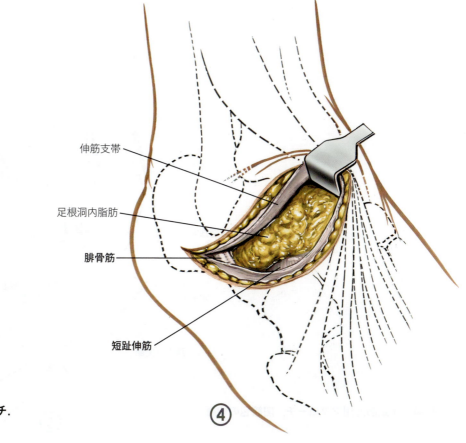

図12-42 後足部外側アプローチ．
伸筋腱の内方排除

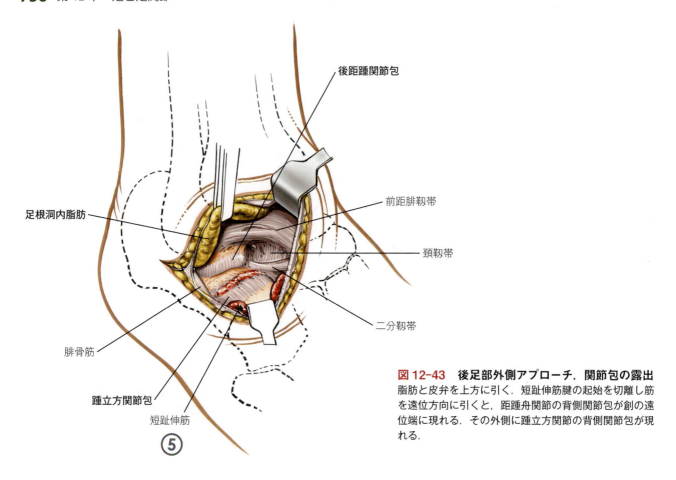

図12-43 後足部外側アプローチ．関節包の露出
脂肪と皮弁を上方に引く．短趾伸筋腱の起始を切離し筋を遠位方向に引くと，距踵舟関節の背側関節包が創の遠位端に現れる．その外側に踵立方関節の背側関節包が現れる．

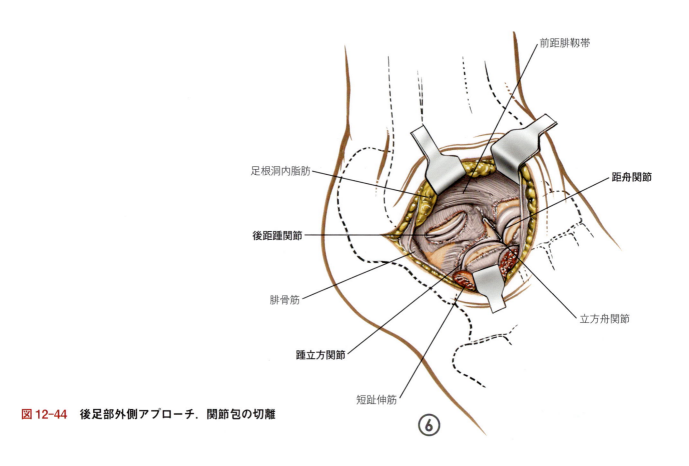

図12-44 後足部外側アプローチ．関節包の切離

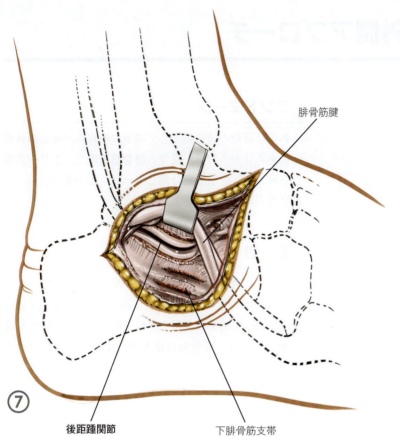

図12-45 後足部外側アプローチ．後距踵関節包の切開
腓骨筋腱を前方に引き後距踵関節包の切開を行う．

注意すべき組織

この部での展開には，皮弁の壊死を生じやすいのが特徴である．それゆえ，皮弁はできる限り厚く切離し，剥離や反転は最小限にとどめるべきであり，皮切も鋭角にカーブさせてはならない．

術野拡大のコツ

●深部への拡大

踵立方・距踵舟・後距骨下関節を開くには足を内反する．距踵舟関節と後距骨下関節の両者を切開しなければならない．内反によってどちらか一方の関節が開くことはない．

●上下への拡大

切開を近位方向に拡大するには，皮切を腓骨の後縁に沿ってカーブしながら延長する．腓骨筋群と屈筋群の間の面を拡げていくと，腓骨の全長を露出できる．実際にはこの拡大が必要なことはまれである．

皮下のアキレス腱に達するには，切開を後方ならびに近位方向にのばす．

9 後距踵関節への外側アプローチ

このアプローチは，前外側アプローチよりもさらに広く距踵関節の後方関節面を展開できる．これは主に後距踵関節固定術に使用される．

患者体位

手術台の上で患者を背臥位とする．砂嚢を患側の殿部の下に入れて，外果が天井を向くようにする．反対側の腸骨稜に支持台をあてて，手術台をさらに20～30°反対側に傾けると，術者はさらにやりやすくなる．1分間下肢を挙上するかソフトラバーバンテージを巻いて脱血してから，ターニケットを加圧する（☞図12-32A）．

ランドマーク

外果は腓骨の遠位端として皮下に触れる．踵骨の外側面にある骨の小突出が踵骨の**腓骨筋滑車**で，これが長腓骨筋腱と短腓骨筋腱を分離している．この突出は外果の遠位前方に位置している．

皮切

足関節の外側面で10～13cmのカーブした皮切で，腓骨の後縁の外果先端から約4cm近位に始まり，腓骨後縁に沿って外果の先端を遠位方向に延長し，腓骨筋腱の走行に沿って腓骨筋滑車を通って前方にカーブする（図12-46）．

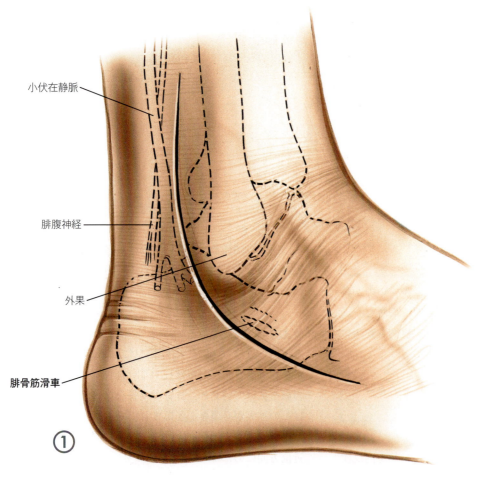

図12-46 後距踵関節外側アプローチ．皮切
足関節の外側を10～13cmの長さでカーブした切開を行う．

internervous plane

このアプローチにinternervous planeは存在しない．腓骨筋はその腱を前方に引いても，浅腓骨神経からの支配をはるか近位で受けているので安全である．

浅層の展開

皮弁の移動は最小限にとどめる．小伏在静脈を伴った腓腹神経が外果のすぐ後方を走っているので，これを損傷しないよう注意する．皮切の近位部に一致して深筋膜を縦切して長・短腓骨筋腱を露出する．この腱は外果の後方をカーブして回っており，短腓骨筋腱のほうが外果により近く接していて，筋が外果レベルまでのびている（👍図12-71）．

腱に沿って深層筋膜の切開を延長する．短腓骨筋腱は腓骨の先端まで下腓骨筋支帯でおおわれており，これを腱の走行と一致して切開する（図12-47）．長腓骨筋腱は固有の線維性腱鞘におおわれている．これらの支帯を同様に腱に沿って切離するが，そのまま放置すると腱の脱臼を生じるので，創閉鎖時には支帯を縫合する必要がある（図12-48）．両腓骨筋腱を遊離・可動化すれば，外果を越えて前方に引くことが可能となる．

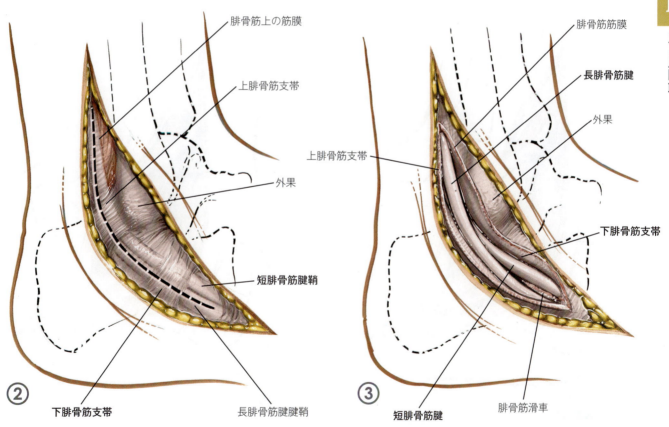

図12-47　後距踵関節外側アプローチ．短腓骨筋腱鞘の切開
深筋膜を皮切と同一線上で切離する．腱の走行に従って下腓骨筋支帯を切り，腓骨筋を露出する．

図12-48　後距踵関節外側アプローチ．下腓骨筋支帯の切開
深筋膜を皮切と同一線上に遠位方向へ切離し，下腓骨筋支帯を切って腓骨筋腱を露出する．

深層の展開

外果と踵骨の外側面を連結する踵腓靱帯を同定する。この靱帯は距踵関節の関節包に密着している。ここで関節自体を触れて識別することは困難であり，踵骨の外側面で骨膜を小範囲切開することにより，関節を確認できる．関節を確認できたら，関節包を横切すると後距踵関節が開く（図 12-49，50；👍図 12-72，73）．

注意すべき組織

腓腹神経は創を展開するさいに損傷しやすい．損傷されると有痛性神経腫を生じると同時に，足背の外側皮膚にしびれを残す．この部は体重がかかるところではないが，靴にあたるところなので苦痛を生じる．また，この神経は神経移植にも用いられる神経なので，できる限り温存に努める．

術野拡大のコツ

● 深部への拡大

踵骨の外側面を露出するには，同部の骨膜を切って鋭的に下方に剥離する必要がある．距骨をよくみるためには，踵腓靱帯を切り，距踵関節の関節包を切って関節の外側縁を露出する．

関節面を露出するには足を内反することによって可能である．もし距踵（距踵舟）関節の前部が切られていないと，強く内反しても関節は開かない．

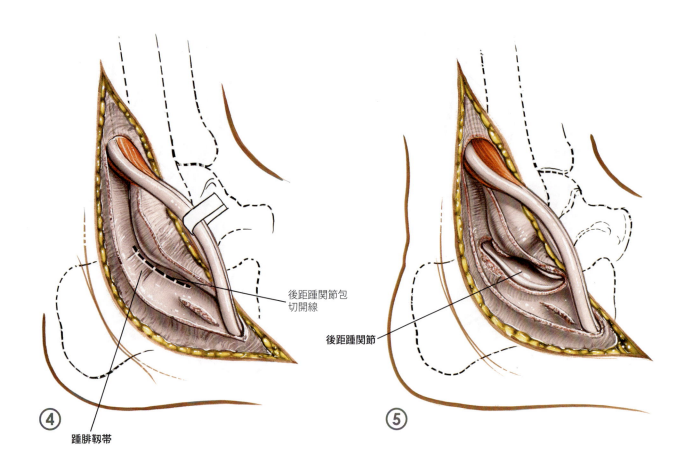

図 12-49 後距踵関節外側アプローチ．腓骨筋腱の前方移動および後距踵関節包の切開
両腓骨筋腱を剥離して腓骨遠位端の前方へ引き，踵腓靱帯を同定してこれを横切し，後距踵関節包を開く．

図 12-50 後距踵関節外側アプローチ．後距踵関節の展開
関節包を開き後距踵関節を露出する．

10 距骨頚部への前外側アプローチ

足関節への前外側アプローチでは，足関節だけでなく距骨頚部も完全に露出させることができる．このアプローチは前外側から距骨頚部をみるのに有効であるが，距骨頚部骨折の固定にこのアプローチを単独で使用することはできない．距骨頚部骨折の固定には，正確な整復を行うために前外側アプローチと前内側アプローチの組み合わせる必要がある．また，このアプローチは距骨頚部の前外側部分を展開する必要がある手術にも使用できる．また，距骨脱臼の整復にも用いることができる[10]．

患者体位

手術は背臥位で行う（☞図12-6）．患者が距骨頚部への前外側アプローチと前内側アプローチを同時に行う場合には，殿部に腰枕をおいてはいけない．前外側からのアプローチを単独で行う場合は，患側の殿部の下に腰枕を挿入し，下肢を内旋させる（☞図12-32A）．下肢を脱血後，大腿中央部でターニケットに加圧する．

ランドマーク

腓骨の遠位端にある**外果**と，足の外側で骨性に突出している第5中足骨の基部を触診する．**第4中足骨**を皮下に触診し，第4趾列のアライメントを確認する．

皮切

足関節の前外側を直線状に8cm切開する．足関節から2cmほど近位で，腓骨の前縁から2cmほど前方から切開を始める．遠位側は第4趾列のラインに沿って皮切を延長するが，第5中足骨の茎状突起の内側にとどめる（図12-51）．

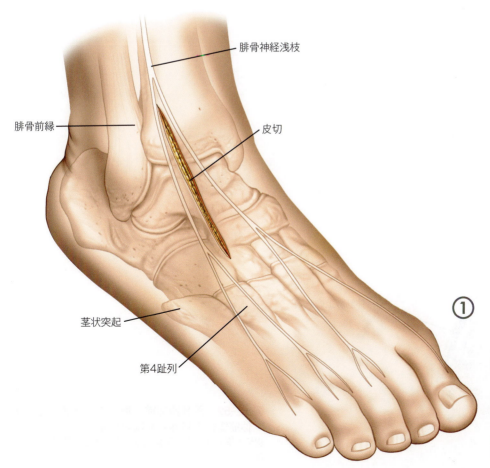

図12-51 距骨頚部前外側アプローチ．皮切
足関節の前外側面に8cmの線状切開を行う．足の第4趾列に沿って遠位に切開を延長する．このさい切開は第5中足骨の茎状突起の内側にとどめる．

internervous plane

internervous plane は腓骨筋群（浅腓骨神経支配）と伸筋群（深腓骨神経支配）の間に存在する．

浅層の展開

皮膚切開部に沿って筋膜を切開し，上・下伸筋支帯を切離する（図12-52）．このさい皮膚と皮下組織を剥離してはならない．距骨へのアプローチには，皮膚から骨までの全組織を一塊として展開し，距骨への血液供給を可能な限り確保するようにする．またこのようにした場合，皮下を剥離した場合に比して皮膚が壊死する可能性もはるかに低くなる．解剖野を横切る可能性のある浅腓骨神経の背側皮枝を同定し，損傷しないように注意する．長趾伸筋腱を確認し，内側に牽引するようにする（図12-53）．

深層の展開

伸筋群を内側に牽引し，足関節の関節包の前面を露出させる．多くの場合，足根洞から生じる脂肪パッドの一部でおおわれている．足関節の関節包を切開し，距骨のドームを確認する．引き続き皮切に合わせて足関節の関節包を切開し，遠位では距舟関節を露出させる．距骨の前外側部をみることができる（図12-54）．距骨と踵骨の間を走行する頸靱帯を同定する．必要に応じて側方に剥離を進め，後距踵関節面を露出させる．距骨へのアプローチでは常に血流途絶による骨壊死が懸念されるため，距骨へ付着する軟部組織はできるだけ保存しておく必要がある．距踵関節を露出させるために，足根洞の脂肪を除去する必要がある場合もある．力を加えて足部を内がえし・底屈することにより，距骨がよくみえるようになる（図12-55）．

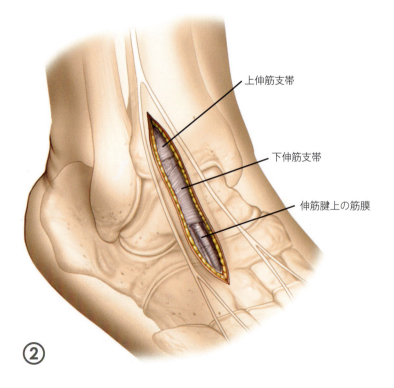

図12-52　距骨頚部前外側アプローチ．上・下伸筋支帯の切離と筋膜の切開
皮切と同じ面で上・下伸筋支帯を切離し，筋膜を切開する．

10. 距骨頚部への前外側アプローチ　763

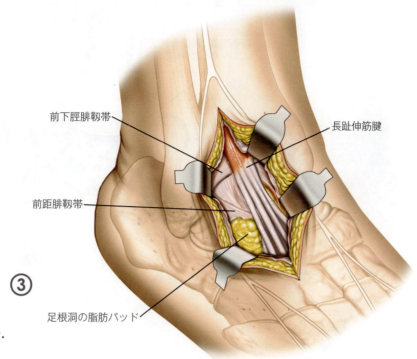

図 12-53　距骨頚部前外側アプローチ．長趾伸筋腱の同定と牽引
長趾伸筋腱を同定し，内側に牽引する．

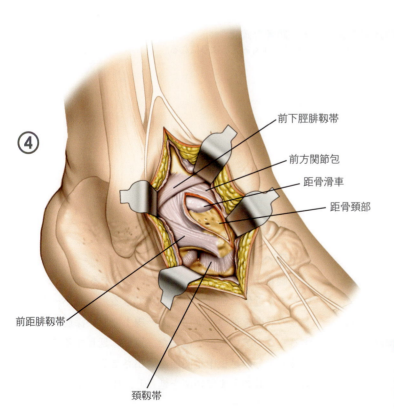

図 12-54　距骨頚部前外側アプローチ．足関節包の切開と距舟関節の露出
足関節包を切開し，距骨滑車をみる．さらに足関節包を皮膚の切開に合わせて切開し，遠位で距舟関節を露出させる．距骨の前外側面がみえるようになる．

764 第12章 足と足関節

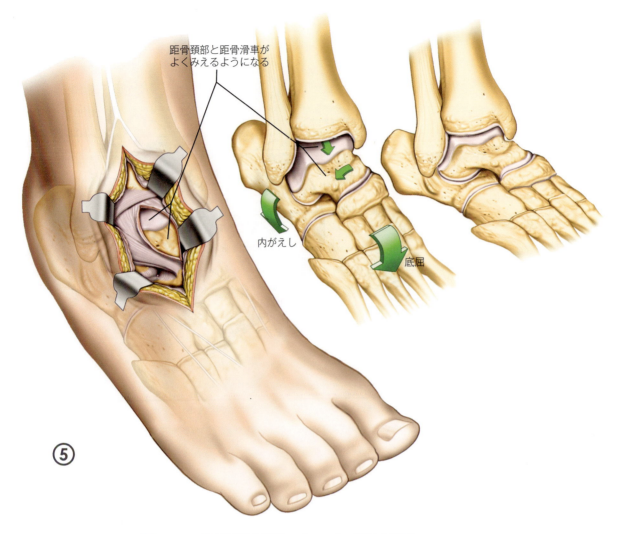

図 12-55 距骨頚部前外側アプローチ．距骨の確認
足を強く内がえしと底屈させることにより，距骨がよくみえるようになる．

注意すべき組織

　深腓骨神経と前脛骨動脈はアプローチの内側を走行し，足関節前面で関節を横切っている．適切な層で剥離することで，これらを損傷しないようにする必要がある．腓骨神経の浅枝は，皮切を近位へ延長することでみえることがある．浅層を展開するときに横切る神経の皮枝を慎重に保護する必要がある．

術野拡大のコツ

●上下への拡大

　下腿前方コンパートメントを展開するために，アプローチを近位に延長することができる．コンパートメント上の展開を進め，皮切と同一線上で厚い深筋膜を切開する．このアプローチはまた，遠位に延長することで足の外側半分の足根中足関節を露出させることができる．第4中足骨の上まで皮切を延長し，皮下にある足根中足関節を露出させる．

11 距骨頚部への前内側アプローチ

距骨頚部への前内側アプローチでは，距骨頚部内側が大変よくみえる．また，足関節の前内側部分，距骨滑車部，および距舟関節をみるができる．距骨頚部への前内側アプローチは，距骨頚部骨折を正確に把握するために，通常は距骨頚部への前外側アプローチと併用して使用される．この難しい病態に対処するためには，一般的には2つの切開が最良のアプローチであると考えられる．この2つのアプローチを併用することで，距骨頚部骨折の整復と固定に優れた視野を得ることができる．

患者体位

手術台で背臥位となり，手術を受ける側に腰枕をおく．これにより下肢の自然な外旋を矯正し，足を中間位にするとつま先が上に向くようになる．脱血後，大腿中央部にターニケットを装着する．

ランドマーク

前脛骨筋腱が足関節の前内側に走っているのを触診する．腱を遠位から舟状骨への停止部までたどる．足関節を他動的に底・背屈させ，足関節の位置を確認する．

皮 切

足関節の前内側に8cmの直線皮切でアプローチする．切開は距骨滑車の内側と脛骨遠位端の接合部より2cm近位から開始する．前脛骨筋腱の内側に沿うように遠位まで切開し，舟状骨の前内側の端で終了する（図12-56）．足関節の内側にアクセスする必要がある場合は，切開部を近位に延長することができる．また，中足部の内側にアクセスするために，切開部を遠位まで延長することができる．

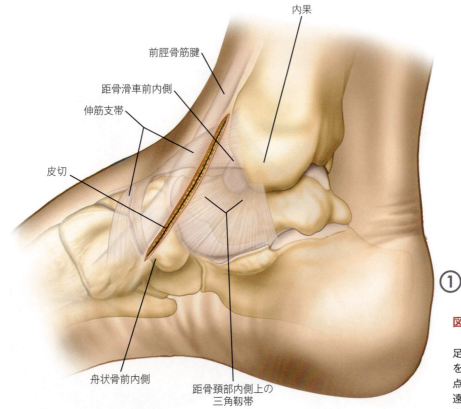

図12-56 距骨頚部前内側アプローチ．皮切
足関節の前内側に8cmの直線状の皮切をおく．距骨滑車内側と脛骨遠位との接点から2cm近位から切開を開始する．遠位に切開を延長し，前脛骨筋腱の内側を通り，舟状骨の前内側縁で終わる．

internervous plane

internervous plane は考えなくてもよい．近位，遠位ともに直接骨まで切開するために安全なアプローチである．

浅層の展開

皮弁を移動させてはならない．長伏在静脈は内果のすぐ前方を走っているため，内側を確認し損傷しないように注意する．皮下を剥離せずに，皮弁には皮膚から骨までの全層を含めるべきである．距骨頚部への前外側アプローチは，このアプローチと組み合わせて使用するのが一般的であることを覚えておいてほしい．両方の切開を行う場合，皮膚の壊死を防ぐために，2つの切開の間は骨と軟部組織に付着した全層のスキンブリッジにする必要がある．

深層の展開

伸筋支帯を確認し，皮膚切開線上で切開する（図12-57）．次に足関節の関節包を皮膚切開線上に切開する．三角靱帯の浅層線維は，内果から前方および遠位下方に走行している．これらは伸筋腱膜の一部として切開され，さらに深部には関節包が存在する．正確なランドマークを容易に触知することができるため，脛骨遠位端にある距骨滑車の前内側で関節内に入るのがもっとも簡単である．距骨頚部と距舟関節を展開するため，関節包の切開を遠位まで延長する（図12-58）．

注意すべき組織

伏在神経は伏在静脈と一緒に走行しており，アプローチの内側縁に近いところにある．切断すると神経腫を形成し，足背の内側にしびれを生じさせることがある．長伏在静脈を確認し温存することで，神経の障害を防ぐことができる．

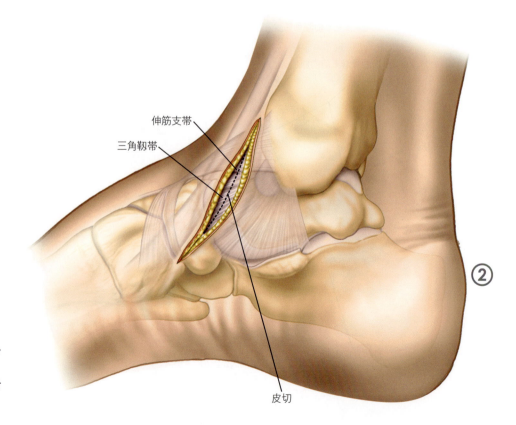

図 12-57　距骨頚部前内側アプローチ．伸筋支帯の切開
伸筋支帯がみえ，皮切に合わせてそれを切開する．

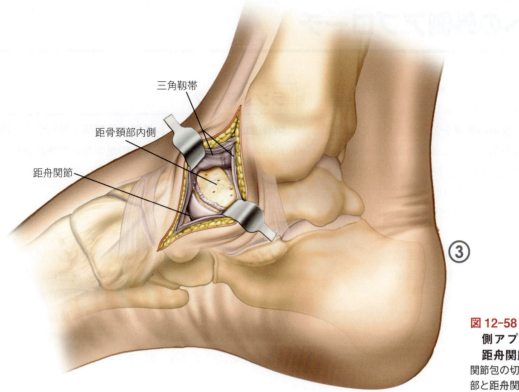

図 12-58 距骨頚部への前内側アプローチ．距骨頚部と距舟関節の展開
関節包の切開を遠位に進め，距骨頚部と距舟関節を展開する．

内果のすぐ前方を走る**大伏在静脈**は危険であり，損傷しないようする．

術野拡大のコツ

●深部への拡大

距骨の整復や固定に問題が生じた場合，内果骨切り術が必要となることがあり，その場合は切開を近位に延長する必要がある．脛骨遠位端の内側を展開するために，伏在静脈の内側で切開を近位に延長する．内果骨切り術を行うことで，距骨滑車や距骨のより後方をみることができる（☞図 12-16 〜 18）．

舟状骨と楔状骨の間の関節を展開するために，元の皮切の線上で遠位まで皮切を延長することができる．前脛骨筋腱は前内側にとどめ，舟状骨の内側隆起を内側にランドマークとして残す．

特別な解剖学的ポイント

距骨頚部骨折の固定に2つのアプローチを用いる場合，距骨頚部前内側アプローチと距骨頚部前外側アプローチの2つの切開を同時に用いることが一般的である．これにより，距骨頚部を多方向から観察することができ，とくに骨折の粉砕がある場合は，正確な整復が可能になる．

作製した皮弁が全層で骨から剝がさないことを確認することで，距骨頚部の血液供給が確保され，皮弁の壊死のリスクが軽減される．術後の無腐性壊死に発症のリスクを低減するため，確認できる距骨への軟部組織の付着はすべて保存する．距骨への血液供給は，背側からは前脛骨動脈の枝が，さらに後脛骨動脈ならびに小さな三角靭帯枝から行われている．また，外側からは腓骨動脈からの枝がある．

内果骨切り術を行わなければならない場合，三角靭帯枝を経由する距骨への血液供給を確保するため，内果を遠位側に反転させる．内果骨切り術は足関節の関節面を傷つけるが，このアプローチによりしっかり視野を確保でき，正確な整復と固定が可能になる（☞図 12-17）．

12 踵骨への外側アプローチ

このアプローチは，基本的には踵骨骨折の観血的整復・内固定に使用される．この骨折は常に軟部組織の著明な腫脹を伴うので，皮膚の壊死を予防するために術前にできるだけ腫脹を減らしておくことに加え，下肢の血行状態を正確に評価しておくことが重要である．糖尿病，とくに神経障害を伴っていたり，喫煙している患者にはこのアプローチは相対的禁忌である．このアプローチの適応は以下の通りである．

- 転位のある踵骨骨折の観血的整復・内固定[11, 12]
- 後距踵関節や踵骨の外壁を含む疾患の治療

患者体位

手術台の上で患者を側臥位にする．骨性の突出部には十分なパッドをおく．患側は後方に，下に位置する健側は前方におく．1分間下肢を挙上するかソフトラバーバンテージを巻いて脱血してから，ターニケットを加圧する．

ランドマーク

腓骨遠位の後縁とアキレス腱の外側縁を触知する．次に足の外側で容易にわかる第5中足骨基部の茎状突起を触れる．

皮切

皮切は2本の枝からなり，1本は第5中足骨の基部から始まり，足背の滑らかな皮膚と足底の皮膚に移るところにできたしわに沿って後方にのばす．2本目の皮切は踵から約6〜8cm上部に始まり，腓骨の後縁とアキレス腱の外側縁のちょうど中央を通過させ，踵骨の外側で1本目の皮切につなげる（図12-59）．

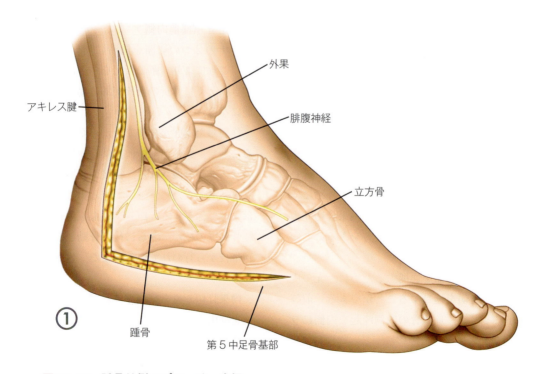

図12-59　踵骨外側アプローチ．皮切
1本目の皮切は第5中足骨の基部に始まり，足背の滑らかな皮膚と足底の皮膚に移るところにできた皺との境目に沿って後方にのばす．2本目の皮切は踵から約6〜8cm上部に始まり，腓骨の後縁とアキレス腱の外側縁の中央を通過させ，踵骨の外側で1本目の皮切につなげる．

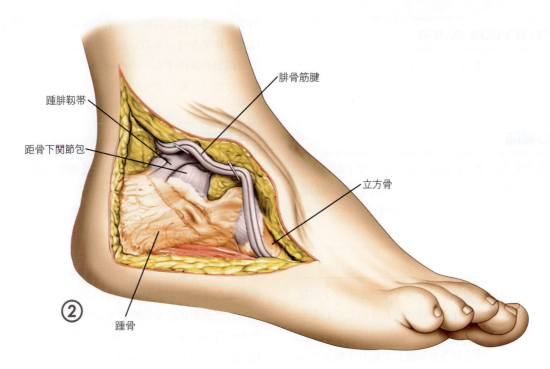

図12-60　踵骨外側アプローチ．浅層の展開
皮弁を挙上しないように注意しながら，皮弁には，十分量の皮下組織を厚めにつけたまま深く切り込む．すなわち，踵骨の外壁まで直線的にメスを入れて展開し，皮膚，皮下組織および骨膜を一緒にした厚い皮弁としてアプローチする．腓骨筋腱もこの皮弁に含める．これらの皮弁を各層に分けてはならない（注意）．

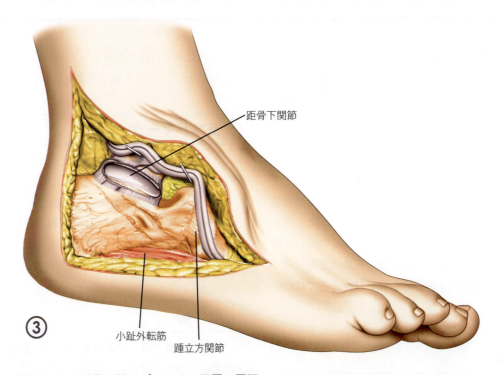

図12-61　踵骨外側アプローチ．深層の展開
引き続き前方皮弁を引き上げ，踵腓靱帯を切離して距骨下関節を展開する．近位部では距骨下関節とともに踵骨体部を露出し，遠位部では踵立方関節包を切開して関節を展開する．

internervous plane

このアプローチには internervous plane はない．皮下にある踵骨に直接にアプローチして展開する．

浅層の展開

皮弁を挙上しないように注意しながら，皮下組織を一気に深く切り込む．すなわち，踵骨の外壁まで直線的にメスを入れて鋭的に展開する（図12-60）．

深層の展開

踵骨の外壁の骨膜を切開し，骨膜とすべての皮下組織を一緒にした厚い皮弁を作る．踵骨をむき出しにしながら分厚い皮弁を近位へと引き上げる．腓骨筋腱も皮弁と一緒に持ち上げる．踵腓靱帯を切離して距骨下関節を露出する．さらに，近位へ展開を進めて距骨下関節と同様に踵骨体部を露出する．遠位部では踵立方関節包を切開して関節を露出する．その底部にある小趾外転筋をできるだけ傷つけないように注意する（図12-61）．

注意すべき組織

皮弁が近位に寄りすぎると腓腹神経を損傷することがある．

このアプローチは軟部組織を損傷しやすい．この部位の皮膚は深部組織から血液供給を受けているので，皮弁を分厚く剥離すれば皮膚壊死の危険が少なくなる[13]．外傷を受けやすいこの部の皮弁を剥離する展開は創の破綻をきたす頻度がきわめて高い．そのため，患者の術前の血行状態の正確な診断が大切である．この部のほとんどの外科的治療は，軟部組織の腫脹が減少するまで8〜10日遅らせなければならない．

13 足関節ならびに距骨下関節固定術のための後足部髄内釘（足底アプローチ）

このアプローチは髄内釘で治療する後足部の関節固定術にのみ使用される．この方法は通常，後足部の著しく障害された関節に対して，解剖学的なアライメントを回復させるために使用される．この手技ではしばしば腓骨の骨切り術が併用される[14]．

足底の皮膚は非常に特殊であり，丈夫で弾力性がある．異常なストレスに対しては角質層を肥厚させることで対応している．踵の皮膚はとくに分厚い．後足部の髄内釘固定術のアプローチは，足底の小さな切開で行われ，慎重に計画され，通常は後足部および足関節の末期疾患の患者に施行される．この部分の皮膚は萎縮気味であり，虚血性疾患や神経障害性疾患を持つ患者ではとくにそうである．

患者体位

患者を手術台の上に背臥位で寝かせる．数分間下肢を上げるか，ソフトラバーバンデージを足にゆるく巻いて，次にふくらはぎ部をしっかりと締め，足を部分的に脱血する．ついで，大腿部のターニケットに圧をかける．

ランドマーク

この方法は低侵襲であり，小さな皮切を非常に正確に行う必要がある．骨のランドマークは触診ではよくわからないために，普通は内部の骨構造を確認するためにX線透視を用いる．真の足側面X線像を撮るために，下肢を外側に回旋する．真の足関節正面X線像を撮影するには，足を最大背屈位にする（☞図12-1）．

皮切

低侵襲手術では，慎重な術前計画，患者の位置決め，非常に正確な皮膚切開が要求される．切開の位置は，側面透視像，踵部の軸方向透視像，および前後透視像を使用して決定する．最初の線は，側面像で足関節と後足部

を縦断するように引く．この線は，脛骨軸に沿って髄腔の中心を通り，距骨と踵骨を横切って足底に出る（図12-62A）．2本目の線は踵骨の外側柱を通り，足底の長軸像をみて決定する（図12-62B）．

足底の長軸像で長軸方向に線を書き，次に側面透視像で足底の横線を書くのがしばしばもっとも簡単である．足底のこの2本の線の交点が刺入点になる（👍図12-62B）．この点を中心に足底を縦方向に2〜3 cm縦に切開する（図12-62C）．

皮膚切開の正確な位置は，固定術に使用する髄内釘のデザインによって決定される．髄内釘の種類によってオフセットが異なる．選択したインプラントの手技ガイドをよく読むことを勧める．

internervous plane

使用できるinternervous planeはない．アプローチは皮下組織から踵骨の足底面への直接アプローチとなり，筋肉は含まない．

浅層の展開

足底腱膜を皮膚切開に合わせて切開する（図12-62D）．足底腱膜は手掌腱膜に類似している．この腱膜は中央部が非常に厚く，足趾の内在筋をおおっている部分は薄い．足底筋膜の中心部は，踵骨の内側結節から始まり，前方に走って各足趾の基節骨に付着する．足底腱膜の踵骨内側結節への付着は，しばしば皮膚の上から触知することができる．

これは経皮的手技であるため，重要な解剖学的構造を確実に保護するために，ガイドワイヤー，ドリル，およびリーマーを用いるときにはスリーブを使用する．

深層の展開

術前に計画した踵骨の足底面の位置に，透視下にKirschner鋼線を貫通させる．

足底腱膜の内側縁から内側と外側の線維性隔壁が生じ，第1と第5中足骨に付着している．足底腱膜と足の深部コンパートメントは，位置決めのKirschner鋼線と固定術に使用するリーマーで横切られる（図12-63）．注意深く透視を重ねて，側面と軸方向の両方で正確な位置を決める．

足底の解剖

●筋肉の第1層

足底の筋の浅層は，短趾屈筋，母趾外転筋，小趾外転筋の3つの筋から構成される．短趾屈筋は主に足底腱膜から，一部は踵骨内側結節から生じる．この筋は4つの腱に分かれ，外側の4趾の中節骨に付着し，足関節の肢位に影響を受けずに足趾を屈曲させる．母趾外転筋は踵骨の内側結節から起始し，母趾基節骨の内側に付着し，母趾を外転させる．

●筋肉の第2層

第2層の筋肉は，長母趾屈筋，長趾屈筋，足底方形筋などの屈筋で構成されている．これらの筋肉は足の縦アーチの維持に役立ち，このアプローチによる深部の外科的剥離は，第1層の筋肉である長趾屈筋とこの筋束を取り囲む筋膜を貫通する．この外科的アプローチでは，遠位の第3層の筋肉と第4層の筋肉（骨間筋）は回避できる．これらは足のより遠位で，より深くの中足骨に付着している．

このアプローチは後足部のみに使用される．

注意すべき組織

内側足底動脈と神経は足底の内底側を走っており，避けなければならない．通常は術野から十分に離れているが，骨構造の高度な変形は神経血管束の位置に影響を与えるので注意が必要である．**外側足底神経と動脈**は，足底の筋肉の1層目と2層目の間を内側から外側へ横断している．これらはアプローチから遠位で横断しているために，危険にさらされることはない．

足底の敏感な**皮膚**に与えるダメージを最小限に抑えるため，切開は小さくする必要がある．切開は通常，踵の硬い肥厚した皮膚をよけて，足底の柔らかい肉厚の部分で行う．

術野拡大のコツ

このアプローチは広げることはなく，遠位にも近位にもしてはいけない．この方法は髄内釘を挿入するためだけのものであり，他の術式のためのものではない．

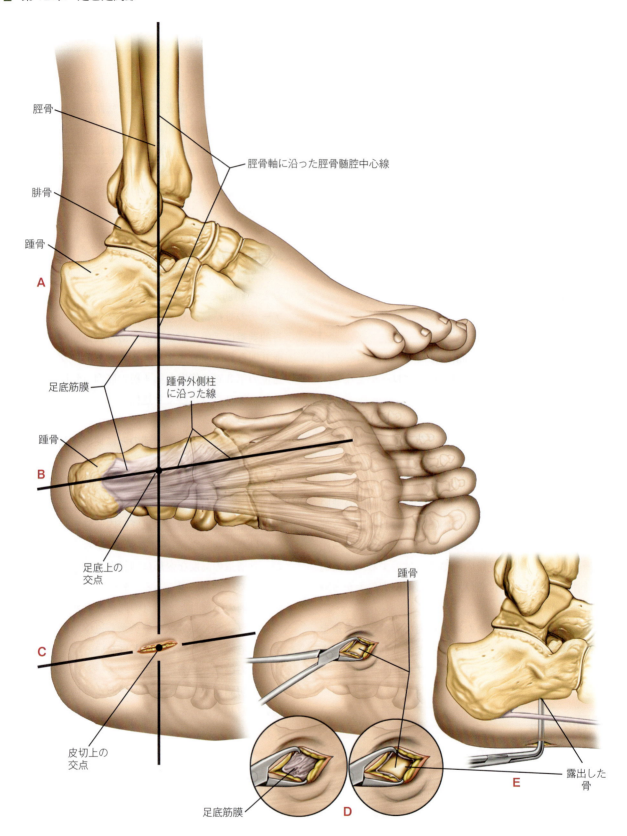

図 12-62　足底アプローチ．皮切

A：切開の刺入点は，足底の 2 本の線の交点で決定される．最初の線は，側面像で足関節と後足部を縦断するように引く．この線は，脛骨軸に沿う脛骨髄腔の中心を通る．この線は距骨と踵骨を通過し，足底に出る．
B：2 本目の線は踵骨の外側柱を通り，足底の長軸像をみて決定する．
C〜E：この刺入点を中心に足底に 2〜3 cm の縦切開を行う．

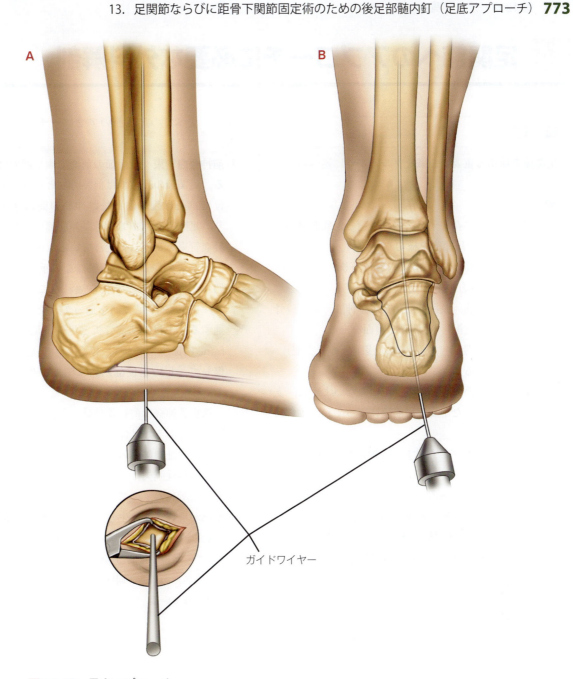

図12-63 足底アプローチ
A, B：内側と外側の線維層は，足底筋膜の内側縁から起始し，第1および第5中足骨に停止している．位置決めに使用されるKirschner鋼線や骨接合のときに用いるリーマーで，この線維層や足の深部コンパートメントは貫通される．

14 足関節へのアプローチに必要な外科解剖

概観

足関節を横切る重要な組織をグループ別に述べる．

●腱

正中線上の後面に存在するアキレス腱と足底筋腱のほかに，3つの腱群が足関節を横切る．

1) **屈筋腱**：後脛骨筋，長趾屈筋，長母趾屈筋（脛骨神経支配）．内果の後方を走る．
2) **伸筋腱**：前脛骨筋，長趾伸筋，長母趾伸筋，第三腓骨筋（深腓骨神経支配）．足関節の前面を走る．
3) **外旋筋腱**：長腓骨筋，短腓骨筋（浅腓骨神経支配）．外果の後方を走る．

腱はすべて足関節の周囲で浮き上がらないように，支帯と呼ばれる肥厚した下腿深層筋膜によっておさえられている．

それぞれのグループを支配する各神経が internervous plane を形作っており，その面を通って足関節へアプローチするのが適切である．つまり，内側アプローチは屈筋（後脛骨筋）と伸筋（前脛骨筋）の間，後外側アプローチは屈筋（長母趾屈筋）と外旋筋（短腓骨筋）の間，外側アプローチは伸筋（第三腓骨筋）と外旋筋（短腓骨筋）の間から達する．

●神経血管束

2つの大きな神経血管束が足関節を横切り，足を支配する．すべての足関節のアプローチにとって重要となる．

1) **前神経血管束**：足関節の前面で両果間のほぼ中央を通る．足関節の近位では前脛骨筋と長母趾伸筋の間，遠位では長母趾伸筋と長趾伸筋の間に存在する．つまり，足関節レベルで長母趾伸筋腱は外側から内側へ神経血管束と交差して走っている（図12-64）．

前脛骨動脈は足背動脈になる前に足関節前面を横切っており，ここで脈を触れることができる．そして，第1・2中足骨間を通ってきた内側足底動脈と交通する．中足骨基部骨折と足根中足関節の脱臼（Lisfranc関節脱臼骨折*）は，この交通部で両血管を損傷して，足の遠位部内側に阻血が生じる可能性がある．

深腓骨神経は前脛骨動脈と並行して走り，足背の小さい筋である短趾伸筋と短母趾伸筋を支配している．また第1趾間部への感覚枝を出している．この第1趾間部の感覚脱失は，前方コンパートメント症候群の初期臨床所見の1つである．深腓骨神経の阻血は，筋の壊死が現れる前に生じる（図12-65；👉図12-64）．

*原書註：Lisfranc（1787〜1847年）はナポレオンの外科医の1人で，足根中足関節部の外傷にさいしての切断に関する記述で有名であり[15]，同関節とそれに関係する外傷に彼の名が冠せられている．

14. 足関節へのアプローチに必要な外科解剖

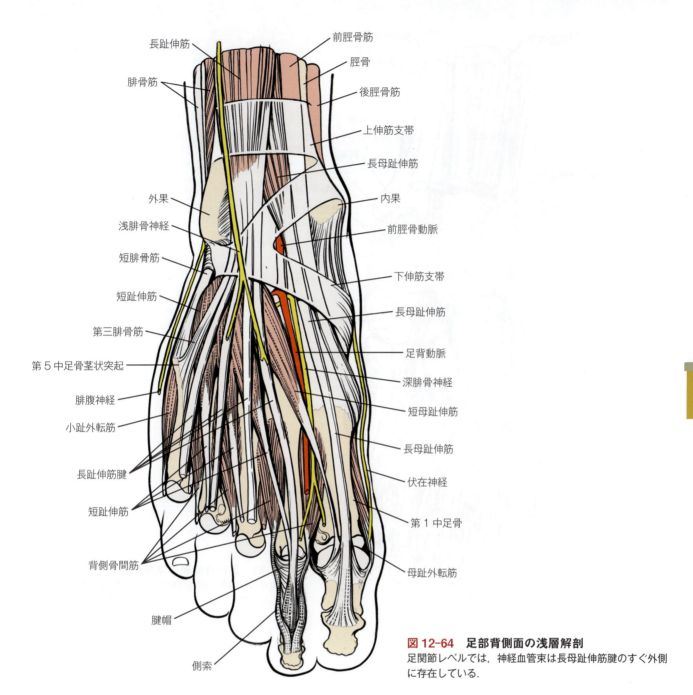

図 12-64 足部背側面の浅層解剖
足関節レベルでは，神経血管束は長母趾伸筋腱のすぐ外側に存在している．

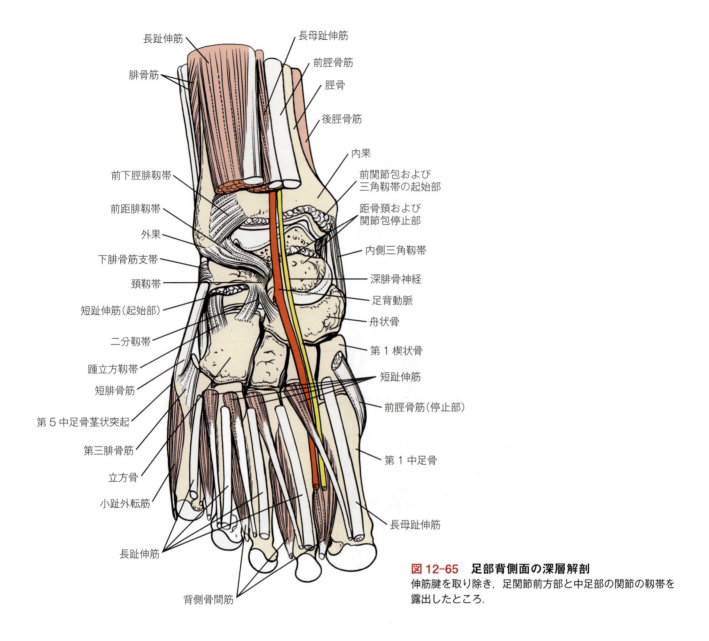

図 12-65 足部背側面の深層解剖
伸筋腱を取り除き，足関節前方部と中足部の関節の靱帯を露出したところ．

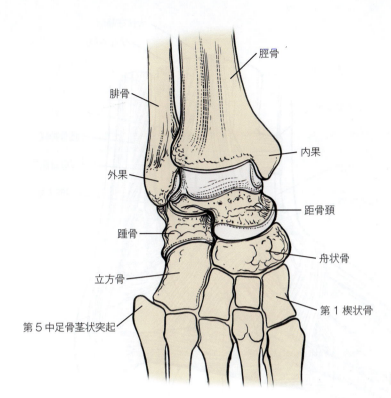

図 12-66　足関節の前部と中足部の骨格

2) **後神経血管束**：内果の後方を走り，長趾屈筋腱と長母趾屈筋腱の間に存在する（図 12-67, 68）．

後脛骨動脈は足底部に達する前は長趾屈筋の後方を走り，そこで内外2つの足底動脈に分かれる（👉図 12-68）．

脛骨神経は後脛骨動脈とともに内果の後ろを走り，踵の皮膚を支配する踵骨枝を出す．足底では内外2つの足底神経に分かれ，足底の小さな筋の運動枝と足底の感覚枝となる（図 12-69；👉図 12-68）．

● **浅層感覚神経**

3つの大きな感覚神経が足関節部浅層を横切って足背に分布する．その走行を知っていることが皮切を決めるさいに大切である．足底や踵への感覚は，足関節レベルまで深部を走る脛骨神経の分枝である外・内側足底神経によって支配されている．

1) **伏在神経**は大腿神経の終末枝であり，内果の前を大伏在静脈を伴って走る．この部で通常2本の枝に分かれ，静脈の両側を相接して走る．足の内側中央と後部の非荷重部に分布する（👉図 12-67）．

2) **浅腓骨神経**は総腓骨神経の終末枝で，足関節をほぼ前正中線に沿って横切っている．ここで数本の枝に分かれて足背の非荷重面を支配している．足関節レベルで皮下の浅いところを通っているので，皮切にさいし細心の注意が必要である（👉図 12-64, 109）．

3) **腓腹神経**は脛骨神経の終末枝で，小伏在静脈とともに外果のすぐ後方を走る．伏在神経と同様に静脈と密接しており，手術にさいしては静脈を温存することが神経を温存することになる．腓腹神経は足の外側非荷重部の皮膚に分布している（図 12-71, 72）．

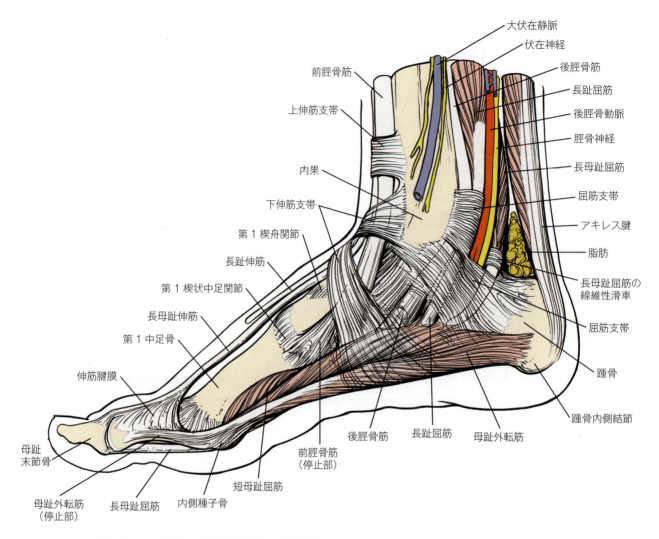

図 12-67 足部と足関節内側面の浅層解剖
足関節と足の内側浅層の構造．屈筋支帯が神経血管束と交差し，足部の神経血管束をおさえている．

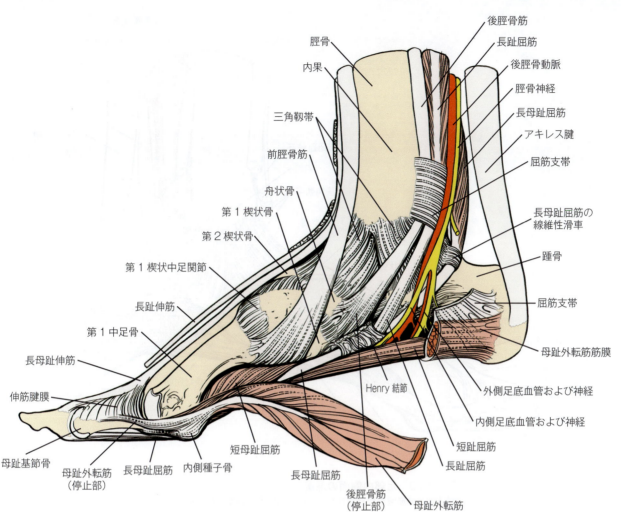

図 12-68　足部内側面の中間層解剖
伸筋支帯と一部の屈筋支帯は除去してある．深部の腱と神経血管束を示している．Henry 結節と内外足底動脈および神経が反転された母趾外転筋下にみえる．

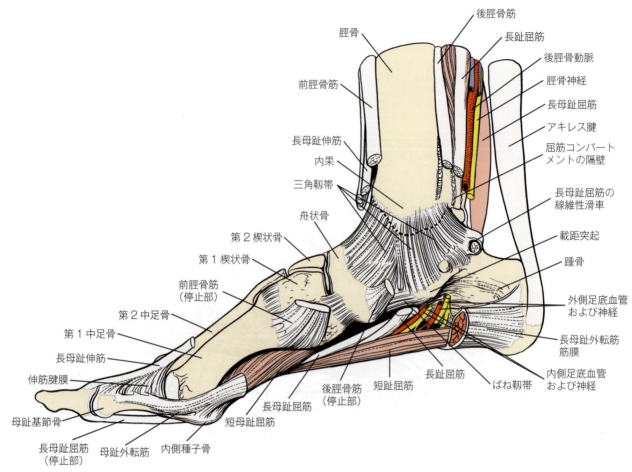

図 12-69　足部内側面の深層解剖
屈筋腱と伸筋腱を取り除き，足関節三角靱帯を露出したところ．

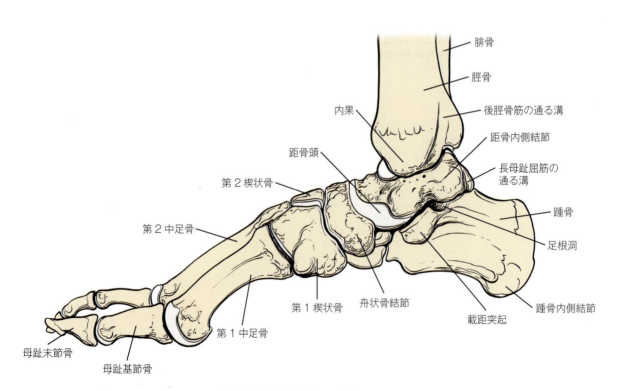

図 12-70　足部と足関節内側面の骨格

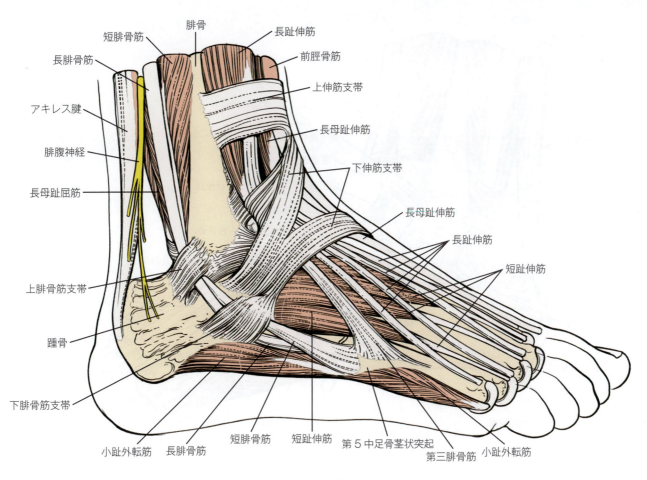

図 12-71　足部外側面の浅層解剖
腓骨筋腱は上下の支帯によって位置を保っている.

ランドマーク

●足関節の骨格

　距骨滑車（ドーム部）と脛骨の遠位関節面とが足関節の荷重関節部を形作っている．関節自体は皮下に触れる内果と外果によって安定化している．内果のほうがより短く，より前方に位置している．内果は関節運動にさいし，常に距骨の内側と接している（図 12-70）．

　両果の配列から，果間関節窩は外側に 15°捻じれている．背屈時には距骨のもっとも幅の広い部分（前方の部分）に，より果間関節窩自体を拡げるように力が働く．反対に，底屈した場合には果間関節窩は距骨の狭い部分に適合して狭くなる．したがって，足関節を固定しなければならない場合は機能的肢位，つまり背屈位にしなければならない（図 12-73；☞図 12-66）．また，脛骨と腓骨の間にスクリューを挿入するとき（骨間離開の再建時などで）は，足関節を最大背屈位で行わなければならない．

足関節内側アプローチ

　足関節の内側には 2 つの屈筋群がある．

1）足関節と足を底屈する 3 つの筋が足底面に停止しており，脛骨神経に支配されている．これらは内果の後ろを通っており，その配列の記憶法は"Tom と Dick, そして Harry"と覚えるのがよい．つまり内果にもっとも接近しているのが tib. post.（後脛骨筋），その後に flex. dig. long.（長趾屈筋），その後外側に flex. hall. long.（長母趾屈筋）となっている．第 2 の記憶法は，"Timothy Doth Vex Nervous Housemaids"という古典的なもので，post. tib. vessels（後脛骨動静脈）と tib. n.（脛骨神経）が，flex. dig. long.（長趾屈筋）と flex. hall. long.（長母趾屈筋）の間に存在することを意味している（☞図 12-67, 68）．

2）3 つの筋（腓腹筋，ヒラメ筋，足底筋）は共通のアキレス腱となって踵骨の後上部に付着する．脛骨神経に支配され，もっとも強力な足関節底屈筋である．その

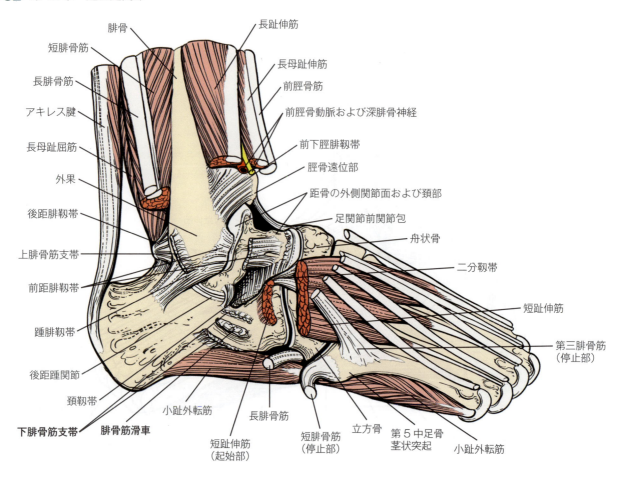

図 12-72　足部外側面の深層解剖
腓骨筋腱と伸筋腱を取り除き，足関節の外側と前外側面の靱帯を露出したところ．腓骨筋滑車と下腓骨筋支帯の切除部分に注意．この支帯は腓骨筋腱を分離する線維骨性トンネルである（☞図 12-64）．踵腓靱帯が上腓骨筋支帯の深部にみえる．

付着部は踵骨後面の外側よりも内側に存在するので，踵を内がえしにする作用もある．

アキレス腱は踵骨の後面の中 1/3 に停止している．腱を形作る膠原線維の走行は，その起始から停止までの間に，腱の長軸に対して約 90°回旋している．後ろからみると，回旋は内方から外方へ向かって捻じれている．この解剖学的事実は，アキレス腱を延長するには，停止部付近で腱の前面 2/3 を切り，それより 5 cm 近位で腱の内側 2/3 を切る．そして，足関節を徐々に背屈させると腱はそのまま延長し，縫合する必要はない．この手術は皮切を加えても加えなくとも行える[16]．腱延長を考えるときに，DAMP 手術と覚えておけばよい．DAMP とは "distal anterior medial proximal（遠位は前方，内側は近位）"の意味である．

脂肪組織がアキレス腱と骨の間に存在し，そこにはまた滑液包が存在し，滑液包炎を起こしてくることがある[17]．

別の滑液包がアキレス腱停止部と皮膚の間に存在する（☞図 12-67）．

屈筋支帯は筋膜の肥厚したもので，内果と踵骨の背部の間に張っており，脛骨果部後面を通る 3 つの屈筋と神経血管束をおおっている．

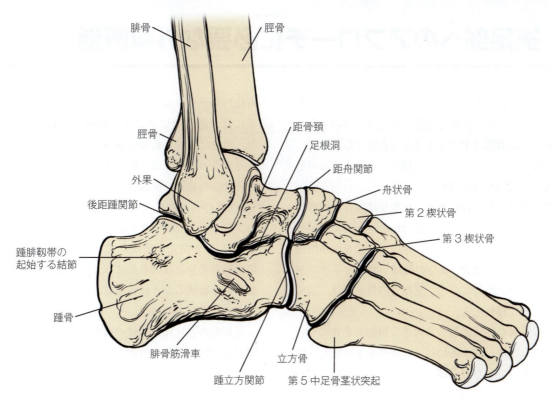

図12-73 足部と足関節外側面の骨格

脛骨神経はこの支帯の圧迫によって，内外足底神経とその踵骨枝の支配域に痛みやしびれを引き起こすことがある．この症候群は足根管症候群として知られている（👉図12-67）．正確な病態は，治療法の選択と同様に明らかではない[18]．

足関節前方アプローチ

●伸 筋

4つの筋が足関節の前面を横切っている．すべて足関節伸筋で，深腓骨神経支配である．内側から外側へ，前脛骨筋，長母趾伸筋，長趾伸筋，第三腓骨筋となっている．神経血管束は長母趾伸筋腱の奥を走っている（👉図12-64）．

●伸筋支帯

上伸筋支帯は下腿深筋膜の肥厚したもので，足関節の前面で脛骨と腓骨の間に張っており，足関節のすぐ前面の腱鞘内に存在する前脛骨筋腱によって左右に分けられている（👉図12-64）[19]．

下伸筋支帯は足背に存在し，外側は踵骨の上面外側に付着する．内側は二分し，上部は内果に，下部は足を横断し，ときに足底腱膜に連続している．2つの支帯は足前面で腱が浮き上がるのを防いでいる．したがって，これを切って進入する場合は，あとで縫合する必要がある（👉図12-64）．

足関節外側アプローチ

腓骨筋腱は外果の後ろを通って足に達する．足を外がえしする筋で，浅腓骨神経に支配されている（👉図12-71）．

外果に接して走る短腓骨筋腱は，外果のすぐ後方を走ることと足関節レベルまで筋線維が存在することによって，長腓骨筋と容易に識別される．

上腓骨筋支帯は，外果先端から踵骨に張る深筋膜の肥厚したものである（👉図12-71）．

下腓骨筋支帯は，腓骨結節から踵骨外側に張っている（👉図12-71）．

腓骨筋腱は外果の後ろを回るところで1つの腱鞘に包まれている．この腱鞘は長短両腱を腓骨結節のところまで包んでおり，この部位で両腱はそれぞれ別の腱鞘に分かれている．ジョギングをする人ではこの部位で腓骨筋腱炎がよく起こる．腓骨筋腱の脱臼や亜脱臼が起こることがあり，腓骨筋腱鞘の修復や縫縮が必要になることがある[20]．

15 後足部へのアプローチに必要な外科解剖

　後足部で行われる手術のほとんどが3つの関節，すなわち距骨下関節後部，距踵舟関節，踵立方関節の手術である．すべての関節はすぐ皮下近くに存在するために，これらへのアプローチにおける解剖はこれらの関節の解剖でもある（図12-74〜76）．

　解剖学上の鍵は足根管にある．足根管は距骨と踵骨の間を斜めに横切っている．足根管は距骨下面および踵骨の上面の作る2つの溝からなり，距踵舟関節を距踵関節から区分している．また，2つの関節へ到達するランドマークの役割を果たしている．足根管の外側端は，広くなって足根洞に移行する．

　足根洞は強靱な距骨頚靱帯と大きな脂肪塊を含んでいる．足根洞と関節に達するには，この靱帯を切離し，脂肪塊を動くようにしなければならない．短趾伸筋は洞の前壁の先端に起始しており，踵立方関節に達するにはこれを剥離しなければならない．

　足根管の後ろに距骨下関節の後部がある．この関節は距骨のくぼんだ凹面と踵骨の凸面からなる．関節面は手術時外側からみると斜めになってみえる．関節をよくみるには，部分的にそこをおおっている腓骨筋腱を剥離し，前方によける必要がある．

　足根骨の遠位には，距骨下関節の前部と距踵舟関節がある．この複雑な関節は，ボール（距骨頭）とソケット（舟状骨のへこんだ後面，踵骨の上面のへこんだ前端，およびこの2つの骨性要素をつなぐばね靱帯［底側踵舟靱帯］）とが関節を構成している．外側からみると，関節の距舟部分はほぼ垂直にみえる．背側からみると，関節は足を横切るように走っており，踵舟関節と同一線上にある．

　足根洞の遠位には踵骨の前面と立方骨の後面からなる踵立方関節があり，外側からみるとその関節は垂直である．背側からみると距舟関節と同一線上に並んでいる．

　いったん足根洞がわかれば，手術で骨の上をたどればすべての関節に到達でき，術者はそれぞれの関節の違った面を認識することができる．

15. 後足部へのアプローチに必要な外科解剖　785

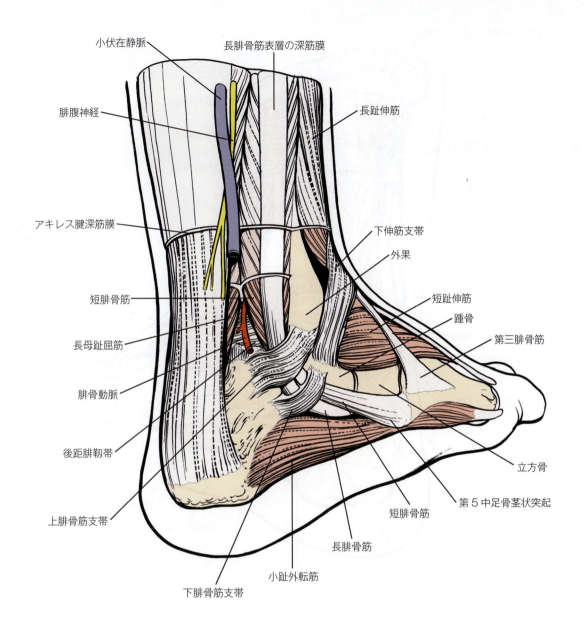

図12-74　足関節後外側面の浅層解剖
短腓骨筋の筋線維は足関節レベルまで及んでいて，外果のすぐ後ろを走っていることに注意する．

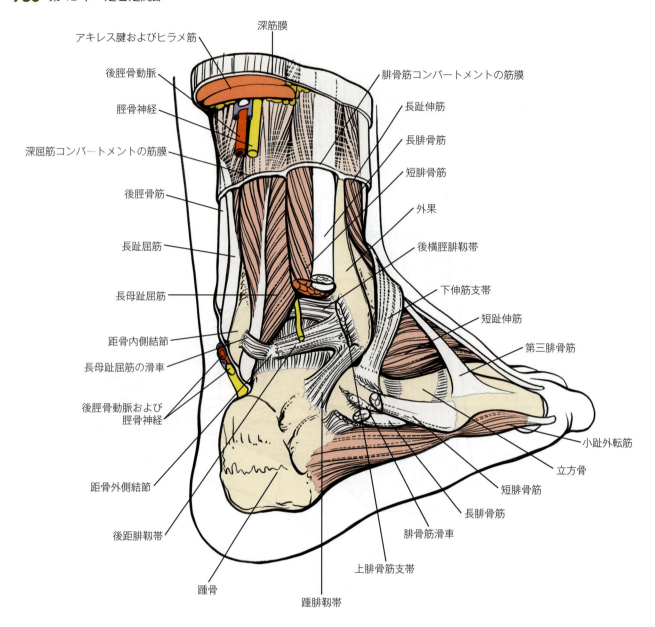

図 12-75　足関節後外側面の深層解剖
アキレス腱と腓骨筋腱を取り除いてある．足関節の後外側面と足部深部筋腱をとくに示している．長母趾屈筋は短腓骨筋のすぐ内側に存在している．これらの筋を包む筋膜は深筋膜まで達しており，腓骨筋コンパートメントと深屈筋コンパートメントを分離している．長母趾屈筋は足関節レベルまで筋性である．

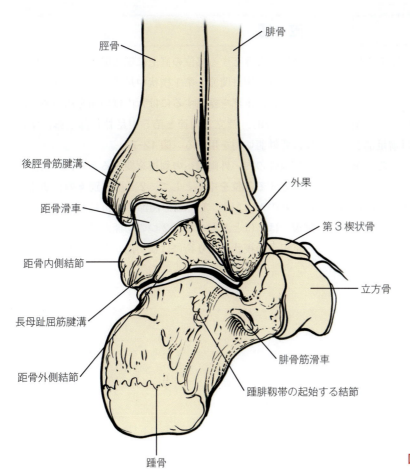

図 12-76　足関節後外側面の骨格

中足部

16　足の中央部への背側アプローチ

　足の中央部とは踵立方関節，距舟関節からLisfranc関節（足根中足関節）までを指す．この部分の骨や関節は浅層にあり，背側，内方，外方，足底からのアプローチで直接到達できる．この領域への手術（行われることはまれ）では，一般に足の内がえしと外がえしを制御する主要な4つの強力な筋の停止部での手術となる．その筋とは前脛骨筋（内側楔状骨内面と下面および第1中足骨基部に停止），長腓骨筋（内側楔状骨の足底の外側に停止），短腓骨筋（第5中足骨外側基部に停止），後脛骨筋（舟状骨結節と内側楔状骨の下面，中間楔状骨，第2～4中足骨基部に停止）である（☞図12-64，68，72）.

　足の中央部は筋のアンバランス，不安定な扁平足，副舟状骨（外脛骨）の治療における特殊な手術において問題となる．また，Lisfranc関節部の骨折の観血的整復や内固定，足根骨部分固定術のためのアプローチでもあるが，ここでは一般的な事項だけにとどめたい．手術手技の細部や適応については本書で述べるところではない．

患者体位

　手術台の上で患者を背臥位とする．背内側アプローチと内側アプローチでは，下腿をやや外旋位の自然体位とする．一方，背外側アプローチでは下肢を内旋する．それには殿部の下に砂嚢を入れる．下肢を脱血するために3～5分間下肢を挙上，またはソフトラバーバンテージを巻いてからターニケットを加圧する（☞図12-32A）.

ランドマーク

第1楔状中足関節を触れるには，足の内側縁を遠位から近位にたどっていくと，第1中足骨基部のわずかな凸部が触れ，そこに第1楔状骨が接している．

さらに内縁を近位にたどると**舟状骨結節**を触れる．**距骨頭**の内側は舟状骨のすぐ近位にある．これは前足部を内がえし・外がえしすることによって見つけられる．距骨と舟状骨間の動きを触れることは可能である．

第5中足骨基部は，その中足骨の骨幹部外側に沿って遠位から近位にたどると突出部に触れる．ここが短腓骨筋の停止する茎状突起である．

皮 切

到達しようとする部位の直上に縦切開を加える．距舟関節，内側楔舟関節，第1楔状中足関節，前脛骨筋と後脛骨筋の停止部を露出するには背内側切開を用いる（図12-77，78）．踵立方関節と第5中足骨基部を露出するには背外側切開を用いる（図12-79）．

足根骨の内・外両側への到達を要するときは，展開しようとする部位を中心として，2ヵ所に別々の縦切開を加えるのがよいが，Lisfranc関節の骨折における観血的整復では，ほとんどの場合2つの切開が必要とされる．

足根骨の楔状骨切り術には横切開がもっともよい．

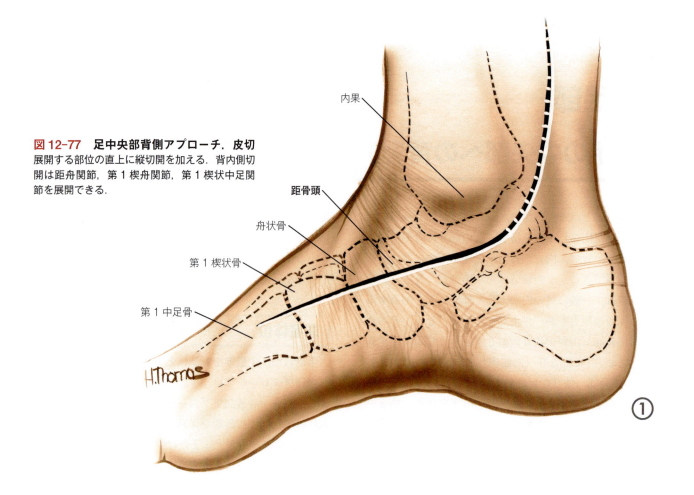

図12-77 足中央部背側アプローチ．皮切
展開する部位の直上に縦切開を加える．背内側切開は距舟関節，第1楔舟関節，第1楔状中足関節を展開できる．

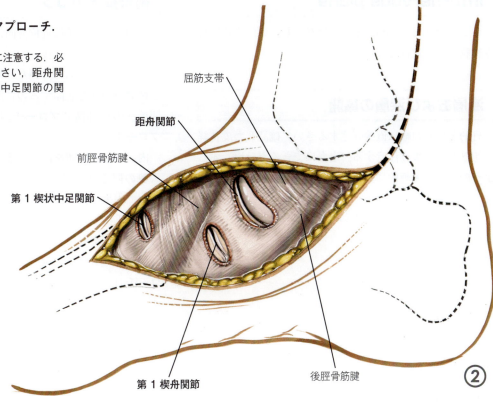

図12-78 足中央部背側アプローチ．皮切で現れる関節
前脛骨筋と後脛骨筋の停止部に注意する．必要に応じ皮弁を起こす．そのさい，距舟関節，第1楔舟関節，第1楔状中足関節の関節包を切開する．

（ラベル：屈筋支帯，距舟関節，前脛骨筋腱，第1楔状中足関節，第1楔舟関節，後脛骨筋腱）

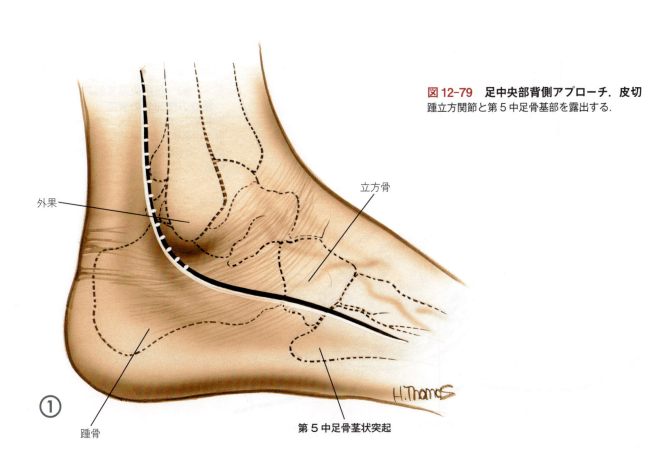

図12-79 足中央部背側アプローチ．皮切
踵立方関節と第5中足骨基部を露出する．

（ラベル：外果，立方骨，踵骨，第5中足骨茎状突起）

internervous plane

ここには internervous plane は存在しない．縦切開は皮神経損傷を避けることができる．

浅層および深層の展開

目的とする組織に直接到達するさい，確認した皮神経は切離しないよう注意する．皮弁はできるだけ厚くするよう配慮し，愛護的に鉤を引く．足背の各組織はほとんどすべて皮下に存在する．4つの強力な内がえし・外がえし筋の停止部を損傷しないよう注意する（図12-80；☞図12-78）．

術野拡大のコツ

このアプローチは近位方向に拡大できる．外側では，皮切を外果の後縁の後ろを回って上方へのばす．このアプローチは足関節の外側だけでなく，距骨下関節の後部と踵立方関節を展開するのに用いられる（☞本章「⑤足関節への後外側アプローチ」「⑧足の後方部への外側アプローチ」）．

内側では，皮切を内果の後方を回って，内果とアキレス腱の間をカーブしながら上方へ向かう．この拡大によって内果の後方にある組織が露出される．一般には内反足の手術で用いられる．しかし，アプローチにさいして神経血管束を保護しなければならず，その安全性については議論がある（☞本章「④足関節への後内側アプローチ」）．

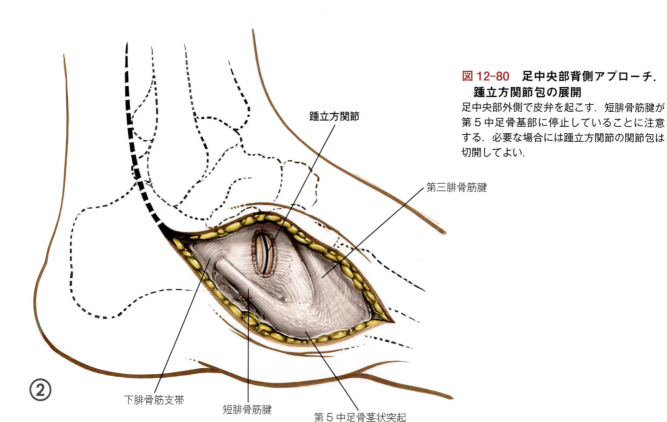

図12-80 足中央部背側アプローチ．踵立方関節包の展開
足中央部外側で皮弁を起こす．短腓骨筋腱が第5中足骨基部に停止していることに注意する．必要な場合には踵立方関節の関節包は切開してよい．

17 舟状骨へのアプローチ

このアプローチは，主に外脛骨の摘出に用いられる．また，舟状骨の骨折や足の内側にある他の病変もこの切開で対処することができる．このアプローチで主に気をつけることは，舟状骨に付着している後脛骨筋腱を損傷しないようにすることである[21]．

患者体位

患者を手術台に背臥位で寝かせる（☞図12-1）．背内側からのアプローチと内側からのアプローチは，下肢をわずかに外旋させた自然な姿勢で行う．下肢を脱血させ，大腿中央部にターニケットを装着する．

ランドマーク

足の内側縁に沿って遠位から近位へ触診し，**第1楔状中足関節**を触知する．第1中足骨は，基部がわずかに曲がって第1楔状骨に接している．さらに内側縁に沿って近位に移動し，**舟状骨結節**に到達する．距骨頭の内側は，舟状骨のすぐ近位にある．前足を内がえしならびに外がえしすることで，位置を同定できる．距骨と舟状骨の間に生じる動きを触知することができる．

皮切

展開部分の直上を5～6 cm縦に切開する（図12-81）．

internervous plane

このアプローチにはinternervous planeは存在しない．前脛骨筋と後脛骨筋は，術野のかなり近位で神経が分布している．したがって，どちらの筋肉もこの手術アプローチでは神経を損傷することはない．

浅層の展開

皮膚切開線上の皮下組織を展開して深部に達する．識別可能な皮神経はすべて同定して損傷しないようにする．皮膚壊死を防ぐため，皮弁は層を分けないようにして全層とする．

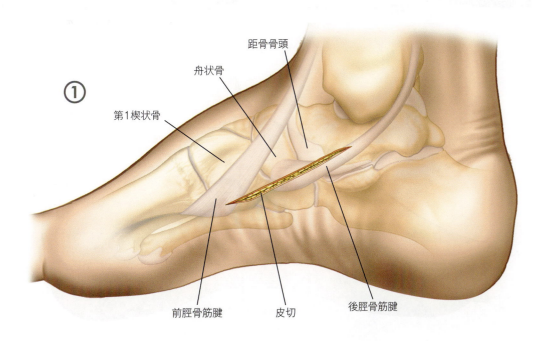

図12-81 舟状骨へのアプローチ．皮切
展開部位の直上から5～6 cmの縦切開を行う．

深層の展開

後脛骨筋腱を底側に，前脛骨筋腱を前方に触診して同定する．前脛骨筋腱と後脛骨筋腱の間で，骨をおおう残りの軟部組織を切開する．必要に応じて距舟関節や第1楔舟関節の関節包を切開し関節を展開する（図12-82）．後脛骨筋腱の遠位で外脛骨を同定する．外脛骨の摘出は骨膜下で行い，骨をおおっている腱からくり抜くようにする（図12-83）．

術野拡大のコツ

このアプローチは，内果や距骨頸部内側を展開するためには近位に延長することができる．このためには，皮膚切開を近位に延長し，内果のすぐ上で終わるように弯曲させる．後脛骨筋腱の前方にとどまっておく．切開を近位に延長すると，内果の後方まで展開できる可能性がある．

遠位では，切開を第1楔状中足関節まで，さらに第1中足骨まで延長することができる．第1趾列の骨片を含む中足部や前足部の複雑な骨折の治療には，このような展開が必要になることがある．

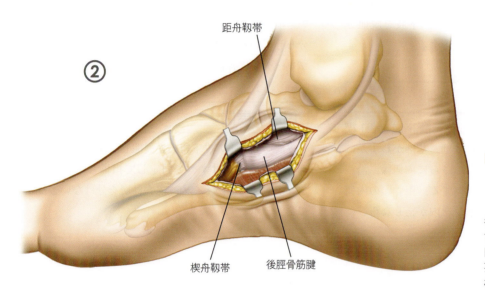

図12-82 舟状骨へのアプローチ．脛骨筋腱の同定，距舟関節および第1楔舟関節の関節包切開
後脛骨筋腱を底側に，前脛骨筋腱を前方に触診で同定する．この両腱の間で軟部組織を骨まで切開する．必要であれば距舟関節ならびに第1楔舟関節の関節包を切開する．

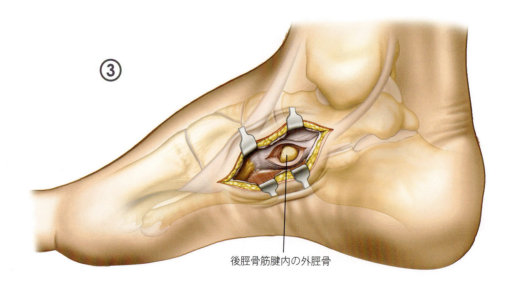

図12-83 舟状骨へのアプローチ．外脛骨の切除
外脛骨は後脛骨筋腱の遠位端に存在する．外脛骨の切除は骨膜下に行い，おおっている腱からくり抜く．

18 立方骨へのアプローチ

中足部は，舟状骨，立方骨，楔状骨とそれらの関節，そして中足部に停止して足の内がえしや外がえしを制御する4つの強力な筋肉で構成されている．前脛骨筋は内側楔状骨の内側面と下面，第1中足骨の付け根部分に停止する．長腓骨筋は内側楔状骨の外側に停止し，短腓骨筋は第5中足骨の外側の付け根に停止する．後脛骨筋は舟状骨結節，内側楔状骨下面，中間楔状骨，第2～4中足骨の基部に停止する[22]．

近位では，中足部は外側の踵立方関節と内側の距舟関節から始まる．遠位では，外側では立方骨と外側の中足骨の間の関節，内側では楔状骨と内側の中足骨の間の関節で終わる．

中足部の骨はすべて浅層にあり，背側，内側，外側から直接アプローチすることが可能である．中足部は，骨折への対処と同様に，筋肉のアンバランスや可撓性扁平足，外脛骨障害の治療など，さまざまな専門的な手術の対象となる場所である．

このアプローチは，主に立方骨骨折の治療に用いられる．これらの損傷は，他の中足や後足の骨折を合併していることが多いため，このアプローチはしばしば他の外科的アプローチと組み合わさる．手術を検討する前に，皮膚や関連する軟部組織の損傷を注意深く評価することが重要である．腫脹が治まり，軟部組織の損傷が治癒するのを待つために，手術を遅らせなければならないこともある．

患者体位

患者を手術台の上で側臥位にする（図12-84）．すべての骨性隆起部に十分なパッドをあて，ビーンズバッグや腎臓固定具を使って患者を安定させる．透視が必要な場合は，下腿は膝で曲げ，大腿はよりのばした状態にするのがよい．脱血後，大腿中央部にターニケットを巻く．

ランドマーク

立方骨の触知では，まず中足部外側で感じられる**第5中足骨の茎状突起**を触知する．**立方骨**は茎状突起のすぐ近位で背側にあり，腓骨筋腱前方にある．踵骨と第5中足骨の茎状突起の間にある小さなくぼみの中にある．

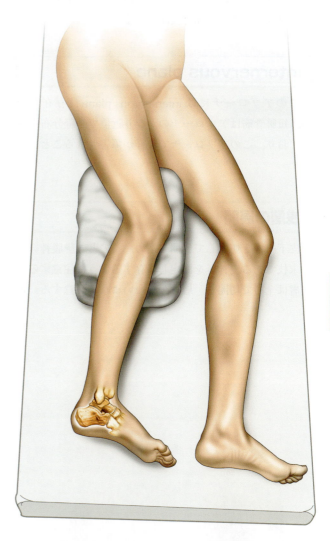

図12-84　立方骨へのアプローチ．患者体位
手術台の上で患者を側臥位にする．

皮切

立方骨の背外側を3～4 cm 縦切する（図12-85）．この背外側切開により，踵立方関節と立方中足関節，および第5中足骨の基部を展開できる．

internervous plane

このアプローチにはinternervous planeは存在しない．短腓骨筋はアプローチのかなり近位で神経分布を受けており，このアプローチで神経が障害されることはない．

浅層の展開

皮下組織を切開して展開を進め，このとき腓腹神経の終末枝である皮神経を同定し保存するように注意する．皮膚は全層で切開し，層を分けないように注意する．術野を横切り第5中足骨の基部に停止する短腓骨筋腱を同定する（図12-86）．

深層の展開

短腓骨筋腱のすぐ背側で踵立方関節を触診で同定する．必要であれば，関節包を縦に切開し，関節を開く．この切開を縦方向に遠位にのばすことで，立方骨全体をみることができる．立方中足関節を展開するため，関節包と支持靱帯組織をその線維方向に沿って切開する（図12-87）．

術野拡大のコツ

このアプローチは，腓骨筋腱の背側に沿って足関節の遠位外側に向かって近位側に延長することができる．このような延長により，距骨下関節と距骨外側突起を展開することができる．

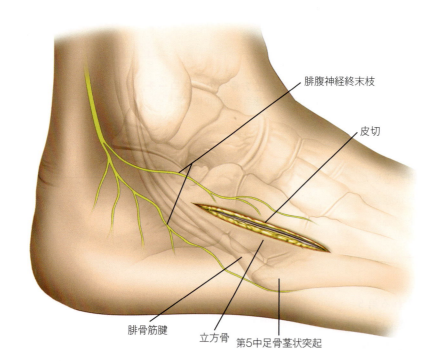

図12-85　立方骨へのアプローチ．皮切
立方骨の背外側に3～4 cmの縦皮切を行う．

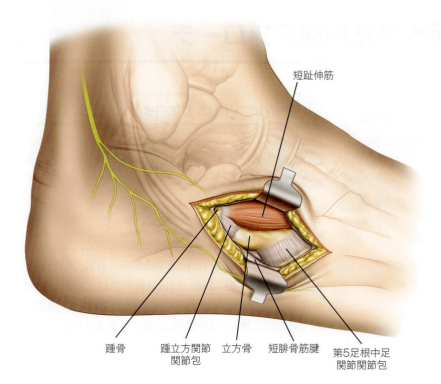

②

図 12-86 立方骨へのアプローチ．皮下組織の切開
皮下組織を切開し，腓腹神経の終末枝である皮神経を確認し，温存するように注意する．皮弁は全層とし，剥離しないようにする．術野を横切って，第5中足骨の基部に停止する短腓骨筋腱を同定する．

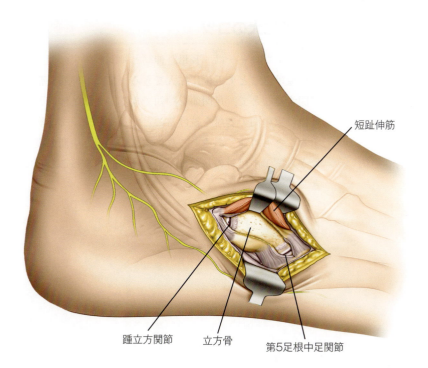

③

図 12-87 立方骨へのアプローチ．踵立方関節の関節包の切開
短腓骨筋腱のすぐ背側にある踵立方関節を触診で同定する．必要であれば，関節包を縦切し，関節を開く．この切開を遠位と縦方向に続けることで，立方骨全体をみることができる．立方中足関節を露出するために，関節包と支持している靱帯組織を線維方向に切開する．

19 Lisfranc関節への背内側アプローチ

このアプローチは，Lisfranc関節の病態の治療に用いられる．一般に，重度の中足部骨折には2つの皮切が用いられる．Lisfranc関節の第1趾列の単独の脱臼，関節炎や骨折などの他の病態の治療には，単独の皮切が用いられることがある[23]．

中足部には，中足部内側の安定性と中足部外側の柔軟性を確保するために，複雑な骨構造が存在する．このため，この部位の骨折を治療するためのインプラントは，内側が外側よりも強固になる．したがって，手術のアプローチも外側より内側のほうが大きくなることが一般的である．

患者体位

患者を手術台に仰向けに寝かせる（☞図12-32A）．患側の殿部の下に砂嚢を置き，下肢の自然な外旋を防ぎ，足を中間位にする．脱血した後，大腿中央部にターニケットを巻く．

ランドマーク

Lisfranc関節の内側を触診することは非常に困難であるため，その他の骨の解剖学的指標を用いて位置を特定する必要がある．**第1中足骨の突出した基部**を触診することは通常可能であるが，部位を特定するためにX線透視が必要になることがよくある．

皮切

展開する部位の直上で，2〜4cmの縦切開を行う（図12-88）．切開は第1楔状中足関節の中央で行う．

internervous plane

このアプローチにinternervous planeは存在しない．切開は基本的には皮下の骨まで直接なされ，神経が損傷を受ける筋肉はない．

浅層と深層の展開

皮神経を避けるように注意しながら，目標の位置まで直接切り込む（図12-89）．長母趾伸筋腱と前脛骨筋腱を内側に牽引する（図12-90）．神経血管束は外側に位置する．第1楔状中足関節を展開するため，皮膚切開の線上で深部まで到達する（図12-91）．第2中足骨基部と中間楔状骨の間の関節を展開するために，骨に密着させながら外側に剥離を続ける．Lisfranc脱臼では第2中足骨基部の骨折を伴うことが多い．内側楔状骨と舟状骨の間の関節を展開するため，再び骨に密着させながら近位側へ剥離を続ける．骨折の場合，触診で構造を確認することが困難なことが多いので，より慎重かつ正確にピンポイントで必要なアプローチを行うためには，X線透視を用いるべきである．

術野拡大のコツ

このアプローチは，長母趾伸筋と神経血管束の間の剥離を続けることで近位に拡大できる．また下伸筋支帯を切開することで，足関節を触知できる．長母趾伸筋と神経血管束の間の剥離を続けることで，より遠位まで展開することも可能である．これにより，内側と中間の楔状骨から第1中足骨の基部までの全体を展開することができる．

19. Lisfranc関節への背内側アプローチ

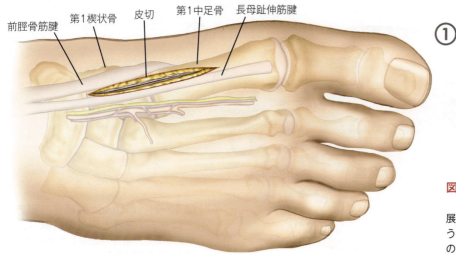

図 12-88　Lisfranc関節背内側アプローチ．皮切
展開する直上で2～4cmの縦皮切を行う．切開は第1中足骨と内側楔状骨の間の関節の中央で行うべきである．

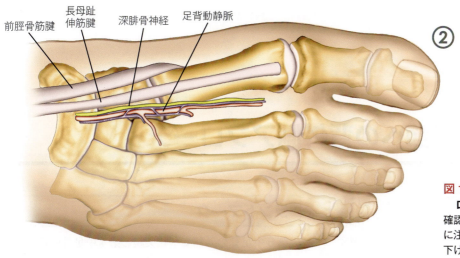

図 12-89　Lisfranc関節背内側アプローチ．浅層と深層の展開（1）
確認できる深腓骨神経の皮枝を避けるように注意しながら，目的の場所まで直接切り下げる．

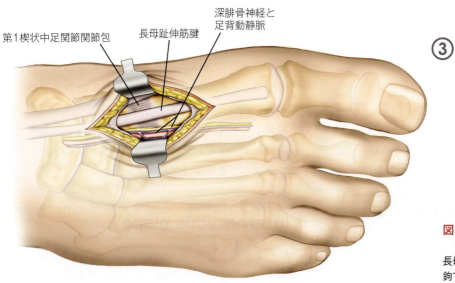

図 12-90　Lisfranc関節背内側アプローチ．浅層と深層の展開（2）
長母趾伸筋腱ならびに前脛骨筋腱を内側に鈎で引く．

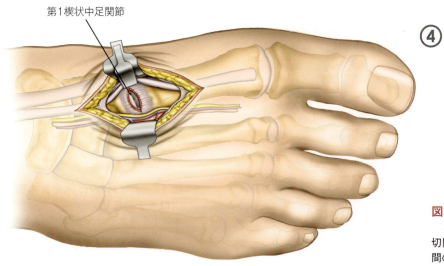

図 12-91 Lisfranc 関節背内側アプローチ．浅層と深層の展開（3）
切開を進め，第 1 中足骨と内側楔状骨の間の関節を展開する．

20 Lisfranc 関節への背外側アプローチ

　Lisfranc 関節の外側への背外側アプローチは，しばしば内側アプローチと組み合わせて用いられる．この部位では，軟部組織を分けることなく，全層の皮弁を作製する必要がある．このことは 2 つの切開（背内側と背外側）を使用する場合にもっとも重要なことである．中足部の外側は可動性があるが，骨折の場合は一時的に安定させることがよくある．中足部の内側は安定性をもたらす．骨折の場合，この部分の関節の治療にはしばしば固定術が行われる．

患者体位

　患者を手術台に背臥位で寝かせ（☞図 12-32A），患側の殿部の下に砂嚢を置き，下肢の自然な外旋を矯正する．この操作により，X 線透視が使用されるときに，切開して手術する場合も閉鎖的に手術する場合も足の位置が決まる．下肢を脱血させ，大腿中央部にターニケットを装着する．

ランドマーク

　第 5 中足骨の外側で茎状突起と第 4 中足骨の背面を触知することができるが，中足部の小さな骨の解剖学的位置を正確に把握するためには X 線透視が必要である．

皮　切

　第 4 中足骨の背側に直接 2 〜 4 cm の縦切開を加える（図 12-92）．切開の位置は，治療する病態や手技により，より内側，またはより外側にする必要がある．第 4 中足骨上の切開では，第 4・5 中足骨基部と立方骨の間の関節や第 3 中足骨基部と外側楔状骨の間の関節に容易にアクセスできるようになる．

internervous plane

　このアプローチには internervous plane はない．唯一の関係している短趾伸筋は，アプローチの近位で神経支

配を受けているため，アプローチによって神経損傷されることはない．

浅層の展開

皮神経を同定し損傷しないように注意しながら，皮切の線上で皮下組織を切開する．Lisfranc関節の外側では，背側をおおう2つの構造物がある．それは長趾伸筋腱と短趾伸筋の筋腹である（図12-93）．長趾伸筋腱を同定する（図12-94）．その腱を動かし，アプローチする深部構造に応じて内側または外側に牽引する．そうすることで短趾伸筋腱と筋腹が展開できている状態になる．

深層の展開

短趾伸筋の筋腹を同定する．皮切の線上で筋腹を切開し，関連する関節を展開する（図12-95）．短趾伸筋は大きな筋肉であるため，完全に切開する必要がある．その線維は縦に走っており，容易に分けることができる．

術野拡大のコツ

皮切を遠位と近位に延長することで，局所構造をよくみえるようにするために，局所的にアプローチを拡大することができる．これにより皮弁を安全に牽引でき，立方骨と第4および第5中足骨の関節ならびに立方骨と外側楔状骨，および立方骨と第3中足骨の間の中足部外側のコーナーを展開することができる．

このアプローチは，皮切を足背外側面および外果に沿って近位に延長し，伸筋支帯を分割することにより，足関節の遠位まで近位に延長することができる．このとき，浅腓骨神経の分枝は損傷してはならない．

切開を遠位に延長するには，第4中足骨のラインで縦方向の切開を遠位にのばす．短趾伸筋の筋腹を切開し，その下にある第4中足骨を展開する．

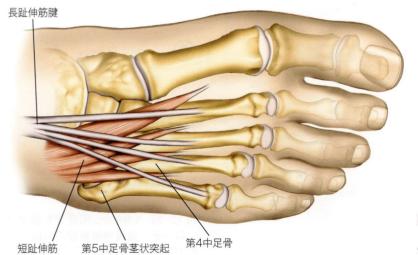

図12-92 Lisfranc関節背外側アプローチ．皮切（1）
第4中足骨背側の直上に2～4cmの縦切開を行う．

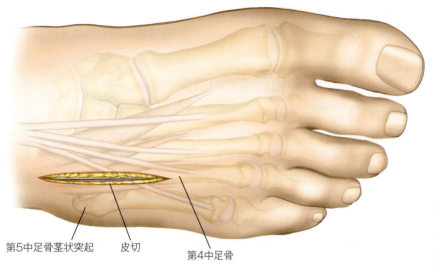

図12-93　Lisfranc関節背外側アプローチ．皮切（2）
長趾伸筋腱と短趾伸筋の筋腹という2つの主な構造物が，Lisfranc関節外側の背側をおおっている．

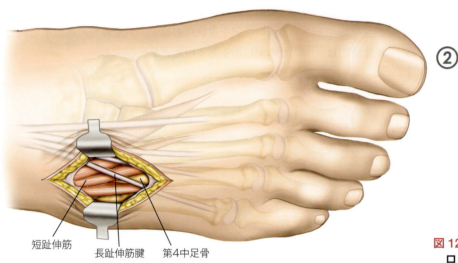

図12-94　Lisfranc関節背外側アプローチ．長趾伸筋腱の同定
長趾伸筋腱を同定する．

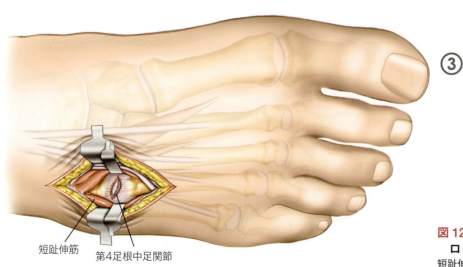

図12-95　Lisfranc関節背外側アプローチ．短趾伸筋筋腹の切開
短趾伸筋の筋腹を皮膚と同一線上で切開して，関節に到達する．

前足部

21 第1中足骨への背内側アプローチ

　第1中足骨への背内側からのアプローチは，第1中足骨骨幹部の非常に良好な視野をもたらす．この方法は，主に中足骨骨幹部骨折の観血的整復ならびに内固定に使用されるが，外傷後の変形や外反母趾の矯正のための選択的骨切り術にも使用される．その他の用途としては，以下のようなものがある．
- 感染症のドレナージ
- 第1中足骨の骨腫瘍の切除

患者体位

　手術台の上で患者を背臥位にする（☞図12-1）．足を3～5分間挙上するか，ソフトラバーバンデージを足にゆるく巻き，ふくらはぎはしっかりと巻いて，足の部分的脱血を行い，次に大腿部のターニケットに加圧する．

ランドマーク

　第1中足骨の背内側面は皮下で触知しやすい．母趾の中足趾節関節を動かして確認する．内側楔状中足関節は触知が困難な場合がある．近位骨切り術を行うために切開する場合は，X線像にて関節の位置確認が必要なことがある．

皮　切

　治療する病変部の中心を縦に切開する．外傷の場合は，骨折部位の中心を切開する（図12-96）．切開の長さは，病変の性質や矯正に使用するインプラントによって異なる．皮膚のみを切開するように注意する．伏在神経の終末枝が皮切のラインと交差している．

internervous plane

　真のinternervous planeはない．骨は皮下直下にある．

浅層の展開

　切開部に合わせて深層筋膜を切開する．伏在神経の終末枝を確認し，温存されていることを確認する．神経を剝離し，背側への牽引が必要なことがある．

深層の展開

　第1中足骨の骨膜の上まで直接切り込む．皮膚筋膜と皮神経を鈍的に牽引し，骨膜上面で骨を露出させる．深部の剝離の程度は，実施する処置によって異なる（図12-97）．骨折の場合，骨折片への血液供給を最大限確保するため，できるだけ小さな範囲で骨膜を切開する．

注意すべき組織

　長母趾伸筋腱は剝離面より外側にあるべきですが，切開が背側になりすぎると損傷する可能性がある．
　伏在神経の終末枝は外側から内側へ術野を横断している．これらを損傷すると母趾背側の感覚障害を生じ，神経を裂いてしまうと有痛性の神経腫を生じることがある．神経を同定して，骨膜まで剝離を進める前に愛護的に牽引しておく必要がある．

術野拡大のコツ

　アプローチは近位にも遠位にも延長でき，第1趾列の母趾の基節骨から舟状骨まで展開できる．

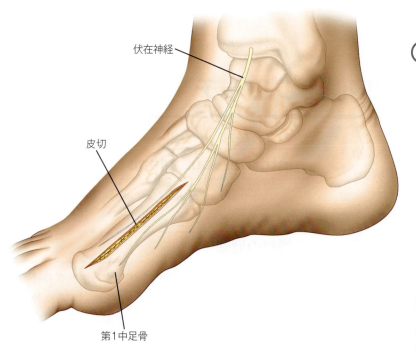

図12-96　第1中足骨背内側アプローチ．皮切
病態の中心となる部分の上に縦皮切をおく．外傷例では，骨折部を中心に皮切を行う．

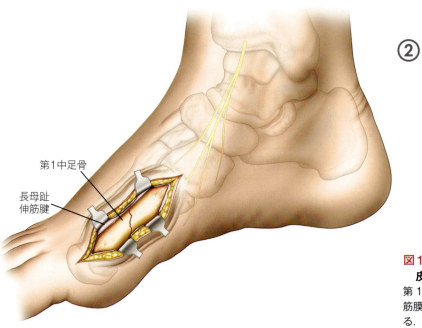

図12-97　第1中足骨背内側アプローチ．皮下組織の展開
第1中足骨の骨膜の上まで直接切り込む．皮膚筋膜と皮神経を鈍的に引き，骨は骨膜上で展開する．

22 母趾中足趾節（MTP）関節への背側アプローチ

外反母趾や強剛母趾の治療にさいし，母趾 MTP 関節手術の大部分はこの背側アプローチで可能である．
以下の手術に用いられる．
- 中足骨外骨腫切除術（バニオン切除術）
- 中足骨遠位部骨切り術[24〜27]
- 基節骨基部切除
- 外反母趾の軟部組織矯正術（筋腱縫縮術，切腱術，腱移行術を含む）
- 母趾 MTP 関節固定術
- 人工関節全置換術
- 強剛母趾に対する基節骨背側楔状骨切り術

外反母趾の突出部の皮膚は赤くて薄く，炎症を起こしていることがある．重症の場合には化膿を伴った潰瘍を形成している．術前には皮膚や血行の注意深い観察がきわめて重要である．

患者体位

手術台の上で患者を背臥位とする．脱血したのち大腿中央部に巻いたターニケットに加圧する．この代わりの方法として，足をソフトラバーバンテージで脱血した後に，それを用いて足関節のすぐ近位で強く巻くこともある（☞図 12-1）．

ランドマーク

第1中足骨骨頭と**母趾 MTP 関節**は，足のふくらみとその内側縁に沿って触れることができる．バニオン（外反母趾）の例では中足骨骨頭は内側に突出している．
足の背側には**長母趾伸筋腱**を触れる．緊張がある場合には母趾を底屈させると腱が浮き上がってくる．外反母趾では，長母趾伸筋が外側に転位している．

皮　切

背側皮切は IP 関節（趾節間関節）のすぐ近位背側で，長母趾伸筋腱のすぐ内側に始まり，この腱に並行に近位にのばし，母趾 MTP 関節の約 2〜3 cm 近位で終わる直線の皮切である（図 12-98）．
背側皮切では，第1中足骨骨頭の内側の皮膚は薄くて萎縮しているので内側は避ける．この切開法の欠点は，内側の関節包の操作のために軟部組織の切開を要することである．深腓骨神経と伏在神経の終末枝には十分に注意する．

internervous plane

真の internervous plane は存在しない．骨は皮下に存在し，長母趾伸筋腱と母趾内転筋腱は皮切の近くを走るが，両筋は本皮切の近位で神経支配を受けており，麻痺を生じる危険はない．

浅層の展開

皮切と同一線上で深層筋膜を切り，長母趾伸筋腱を外側に引く．関節に入るには関節包の背側を切る．関節包切開の方式や部位は，行われる手術によって異なる（図 12-99，100）．

深層の展開

基節骨と第1中足骨の骨膜を縦切する．先が鋭的な器具や鈍的な器具を用いて骨の周囲を剥がす．このさい，基節骨底側にある種子骨に挟まれた線維骨性トンネルの中を走る長母趾屈筋腱を損傷しないよう注意する．深部切開の範囲は行われる手術によって異なる．骨膜剥離は最小限にとどめる．中足骨遠位部の骨切り術を行うさい，剥離により中足骨骨頭の阻血性骨壊死を引き起こすことがあるので，第1中足骨に付着するすべての組織を剥がすようなことをしてはならない．

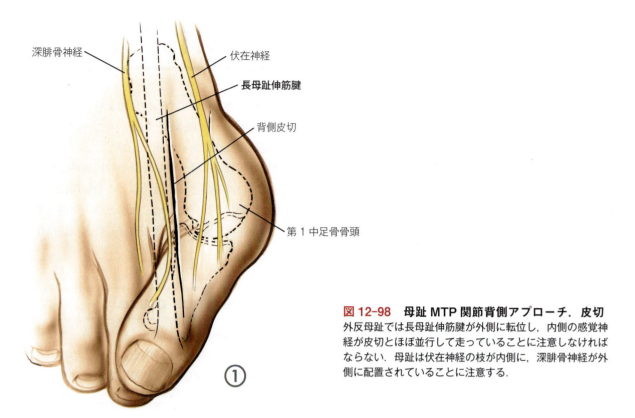

図 12-98　母趾 MTP 関節背側アプローチ．皮切
外反母趾では長母趾伸筋腱が外側に転位し，内側の感覚神経が皮切とほぼ並行して走っていることに注意しなければならない．母趾は伏在神経の枝が内側に，深腓骨神経が外側に配置されていることに注意する．

注意すべき組織

　長母趾伸筋腱は創の外側縁にあるので，手術にさいし損傷しないよう注意が必要である．バニオン（外反母趾）のほとんどの症例では，この腱は母趾 MTP 関節の外側を弓状に走行し，皮切の外側にある．切開線に沿って現れる背側趾神経にも注意する（図 12-101；👉 図 12-99）．長母趾屈筋腱は基節骨基部で損傷されやすい．基節骨の足底面のへこみの中に骨膜と非常に接近して存在するので，注意しないと剥離のさいに損傷する．外反母趾例では，この腱はしばしば外側に転位している（👉 図 12-67）．

術野拡大のコツ

　骨周囲の組織を注意深く計画的に剥離すると，関節がよくみえてくる．このアプローチを拡大して他の関節の手術には用いることはできないが，近位方向に進めると中足骨骨幹部を露出することができる．

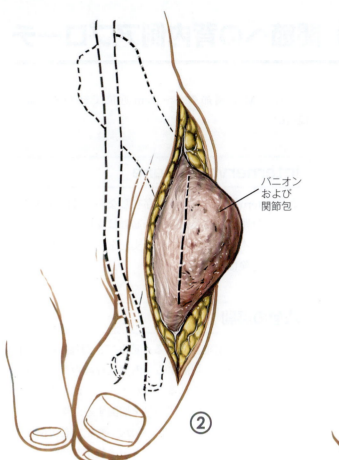

図12-99 母趾MTP関節背側アプローチ．深筋膜の切開
皮弁を開き，深筋膜を皮切と同一線上で切る．長母趾伸筋腱は外側に引く．

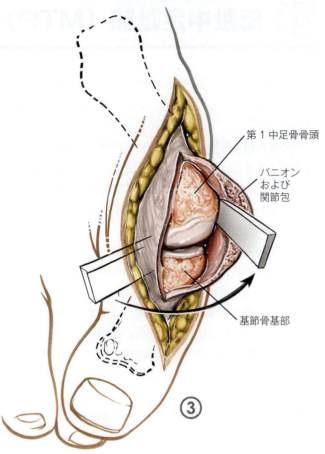

図12-100 母趾MTP関節背側アプローチ．関節包の背側切開
必要に応じて関節包は切除してよい．

23 母趾中足趾節（MTP）関節への背内側アプローチ

外反母趾や強剛母趾の治療にさいし，母趾MTP関節へのアプローチとして背内側アプローチはもっとも使用される．

この背内側の皮切は骨頭に外骨腫ができているので，皮膚をあまりよけなくても展開できるが，重大な危険を含んでいる．すなわち，この部の滑液包はしばしば炎症を伴っており，合併症を起こす．同様に皮膚も背側のものより薄く，治癒が遅れる．

この皮切の大きな利点は直接に骨頭の外骨腫に到達しえて，伏在神経の終末枝からは離れていることである．

以下の手術に用いられる．
- 第1中足骨の骨頭外骨腫切除術（バニオン切除術）
- 母趾基節骨の基部切除術（Keller手術）
- 内側関節包の縫縮術やV-Y形成術
- 母趾MTP関節の固定術
- 人工関節全置換術
- 強剛母趾に対する基節骨の背側楔状骨切り術

患者体位

手術台の上で患者を背臥位とする．無血にしたのち大腿中央部に巻いたターニケットに加圧する．この代わりの方法として，ソフトラバーバンテージを巻いて足を脱血した後に，足関節のすぐ近位でそのバンデージを強く巻くこともある（👉図12-1）．

ランドマーク

第1中足骨骨頭と**母趾MTP関節**は，足のふくらみとその内側縁に沿って触れることができる．外反母趾の例では中足骨骨頭は内側に突出している．

足の背側には**長母趾伸筋腱**を触れる．もし，緊張している場合には母趾を底屈させると起き上がってくる．

皮切

母趾背内側のIP関節のすぐ近位から始め，長母趾伸筋腱の内側を母趾MTP関節の背側にカーブし，さらに第1中足骨骨幹部の内側に沿って再び底側にカーブして，母趾MTP関節の2～3cm近位で終わる（👉図12-101）．

internervous plane

真のinternervous planeは存在しない．骨は皮下に存在し，長母趾伸筋腱と母趾外転筋腱は皮切の近くを走るが，両筋は本皮切の近位で神経支配を受けており，麻痺を生じる危険はない．

浅層の展開

皮切線上で深層筋膜を切る．そして，母趾MTP関節の背内側面を鋭的に切開する．内側皮神経の背側枝が創の上方皮弁の中にみられることが多く，これを皮弁とともに外側へ引く．ついで関節包を切開する．切開の方法は行われる手術によって異なるが，通常，縦切開かU字型切開が用いられる．反転した関節包が基節骨近位端に付着していることを確認する（図12-102, 103）．

深層の展開

基節骨と第1中足骨の骨膜を縦切する．先が鋭的な器具や鈍的な器具を用いて骨の周囲を剥がす．このさい，基節骨足底側にある種子骨に挟まれた線維骨性トンネルの中を走る長母趾屈筋腱を損傷しないよう注意する．深部切開の範囲は行われる手術によって異なる．骨膜剥離は最小限にとどめる．中足骨遠位部の骨切り術を行うさい，剥離により中足骨骨頭の阻血性骨壊死を引き起こすことがあるので，第1中足骨に付着するすべての組織を剥がすようなことをしてはならない．

注意すべき組織

長母趾伸筋腱は創の外側縁にあるので，手術にさいし損傷しないよう注意が必要である．外反母趾のほとんどの症例では，この腱は母趾MTP関節の外側を弓状に走行し，皮切の外側にある．切開線に沿って現れる背側趾神経にも注意する（👉図12-98, 101）．

23. 母趾中足趾節（MTP）関節への背内側アプローチ **807**

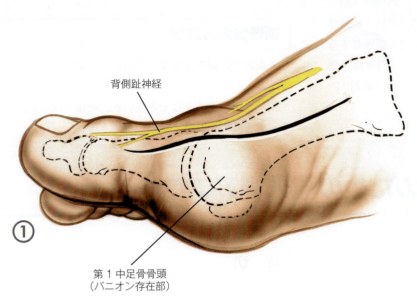

図 12-101　母趾 MTP 関節背内側アプローチ．皮切
背側趾神経が近接していることに注意する．

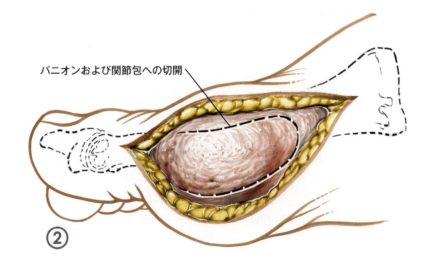

図 12-102　母趾 MTP 関節背内側アプローチ．深筋層の切開および関節包の展開
内側皮神経の趾背側枝は温存する．

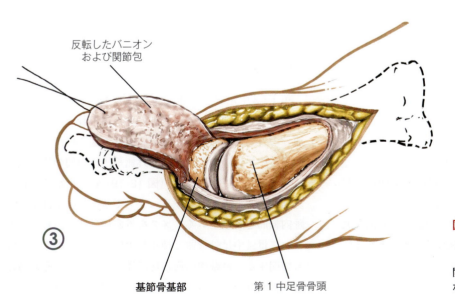

図 12-103　母趾 MTP 関節背内側アプローチ．関節包の U 字型切開反転
関節包の基節骨基部への付着部を切らないよう U 字型に切る．

長母趾屈筋腱は基節骨基部で損傷されやすい．基節骨の足底面のへこみの中に骨膜と非常に接近して存在するので，注意しないと剥離のさいに損傷する．外反母趾例では，この腱はしばしば外側に転位している（👍図12-67）．

術野拡大のコツ

骨周囲の組織を注意深く計画的に剥離すると，関節がよくみえてくる．このアプローチを拡大して他の関節の手術には用いることはできないが，近位方向に進めると中足骨骨幹部を露出することができる．

24 外反母趾手術のための背外側アプローチ

外反母趾手術のための背外側アプローチは，母趾MTP関節の外側部を構成する組織を展開できる．とくに外反母趾に対する軟部組織の矯正に最適である．
以下の手術に用いられる．
- 母趾内転筋の切腱術
- 外側種子骨の解離術と，まれには摘出術
- 横中足靱帯の切離

外反母趾における軟部組織の処理は，他の術式，たとえば古典的には第1中足骨の骨切り術と合併して行われる．したがって，外反母趾に対するこのアプローチは母趾MTP関節への背内側アプローチとしばしば同時に行われる．

この軟部組織手術を，母趾MTP関節の進行した関節症，各種の痙性麻痺，外反母趾角が15°以上の例に単独で行うのは禁忌である．前足部の手術では，術前に十分に血行状態を調べておかなければならない．

患者体位

手術台の上で患者を背臥位とする．脱血したのち大腿中央部に巻いたターニケットを使用する．この代わりの方法として，ソフトラバーバンデージを巻いて足を脱血した後に，足関節のすぐ近位でそのバンデージを強く巻くこともある（👍図12-1）．

ランドマーク

第1中足骨骨頭と母趾中足趾節（MTP）関節は，足のふくらみとその内側縁に沿って触れることができる．足背に長母趾伸筋腱を触れる．なお，母趾を他動的に底屈すれば，この腱は浮き上がり，同定がより容易となる．

皮切

足背の第1趾間で，母趾と第2趾の中央に4〜5 cmの縦切開を加える．皮切は母趾と第2趾のMTP関節を過ぎて約2 cmのばす（図12-104）．

internervous plane

ここにはinternervous planeは存在しない．このアプローチで関連のある筋は母趾内転筋であるが，術野の近位で神経支配を受けているので，麻痺を生じる危険はない．深腓骨神経の終末枝は第1趾間の皮膚の感覚を支配しており，損傷すると感覚障害を起こすので，この神経には十分注意する．

浅層の展開

皮切線上に沿って皮下組織や脂肪組織を分けて，深部を展開する．第1・2中足骨骨頭間で外側滑液包を切開する（図12-105）．

深層の展開

第1・2中足骨骨頭間にレトラクターを挿入し，母趾内転筋腱を展開し，外側（腓骨側）種子骨および母趾基節骨の外側部への付着部を確認する（図12-106）．背側の母趾中足骨骨頭と足底側の外側種子骨の間の関節包をメスで切離して展開する（図12-107A）．母趾基節骨の基部がみえるまで展開する．メスで基節骨の基部から母趾内転筋を解離すべく，メスを外底側に切り込む．そのさいに母趾中足骨骨頭と種子骨の間の残っている関節包も切開する．母趾内転筋の切断端を持ち上げ，その筋の筋線維が確認されるまで注意深く近位まで剥離する．こ

24. 外反母趾手術のための背外側アプローチ

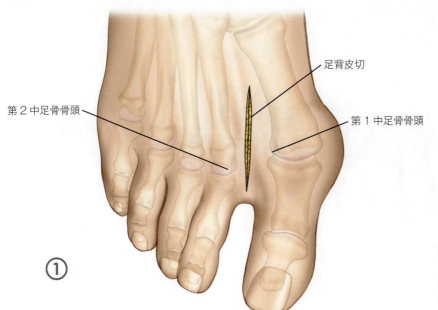

図 12-104　外反母趾手術のための背外側アプローチ．皮切
足背の第 1 趾間の第 1・2 中足骨骨頭間の中央で，4〜5 cm の縦切開を行う．

①

の操作により外側（腓骨側）種子骨が直視下に展開される（図 12-107B）．

さらに深くレトラクターを挿入し，第 1・2 中足骨骨頭間を拡げると，第 2 中足骨骨頭と外側（腓骨側）種子骨を結んでいる緊張した横中足靱帯が現れる．注意深く鋭利なメスでこの靱帯を切離するが，第 1 趾間の直下に存在する総趾神経と動脈に注意する．

切開を第 1 趾間の中央におけば重要な皮神経の損傷は回避できる．

不注意な横中足靱帯の切離はその直下を走行する趾神経を損傷することがあるが，解剖を熟知し，レトラクターを用いれば危険性は下げられる．

術野拡大のコツ

このアプローチからの有益な上下への拡大は不可能で，このアプローチの使用は母趾 MTP 関節外側の軟部組織の処置に限定される．

注意すべき組織

深腓骨神経終末枝は浅層部の展開で損傷されやすい．

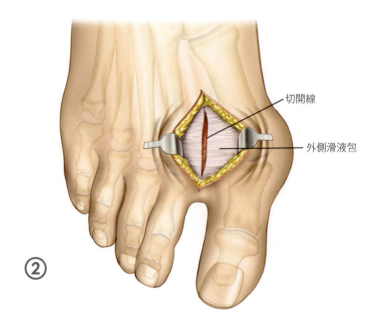

図 12-105 外反母趾手術のための背外側アプローチ．深層部の展開と滑液包の切開
皮下組織や脂肪組織を分けて，深部を展開する．外側滑液包を第1・2中足骨骨頭の間で切開する．

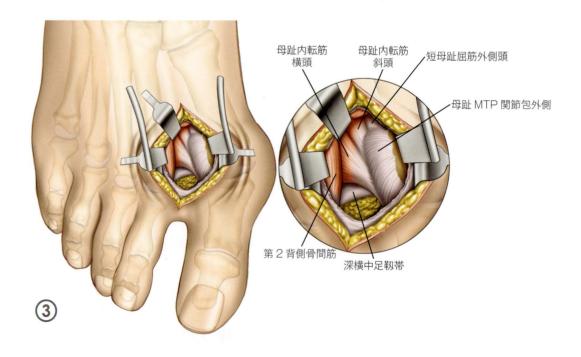

図 12-106 外反母趾手術のための背外側アプローチ．第1・2中足骨骨頭間の展開
第1・2中足骨骨頭間に術野拡大器を挿入し，母趾内転筋腱を展開し，外側種子骨および母趾基節骨の外側部への付着部を確認する．

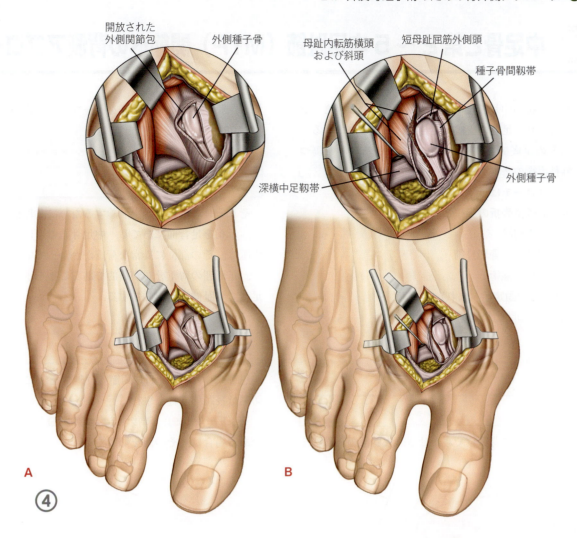

図 12-107 外反母趾手術のための背外側アプローチ．母趾内転筋の切離と関節包の切開
A：背側の母趾中足骨骨頭と足底側の外側種子骨の間の関節包をメスで切離して展開する．
B：母趾内転筋腱の切断端を持ち上げ，その筋の筋線維が確認されるまで注意深く近位まで剥離する．
　この操作により，外側種子骨が直視下に展開される．

25 中足骨と第2〜5中足趾節（MTP）関節への背側アプローチ

第2〜5趾の中足骨とMTP関節を展開する背側アプローチにより，足底の皮膚切開を避けることができる．ほとんどの足底アプローチは体重のかかる皮膚を傷つけ，外科手術の基本原則に反している．

このアプローチは以下の用途にも用いられる．
- 中足骨骨幹部骨折の整復と固定[28]
- 中足骨頭の切除
- 中足骨遠位端の骨切り術
- 基節骨部分切除術
- MTP関節の固定術（まれ）
- MTP関節の関節包切開術
- 筋腱切離術
- 神経切離術

患者体位

患者を手術台に背臥位で寝かせる．大腿部の下に枕を置き，膝を屈曲させ，足底をテーブルの上につける（図12-108）．

ランドマーク

それぞれの**中足骨頭**を触診するために，母指を足底面に，示指を足背面にあてる．中足骨頭の下にある皮膚の胼胝は，その部位に異常な荷重がかかっていることを示し，足周囲の荷重分布が病的であることを示している．足背で**長趾伸筋腱**を触知する．

皮　切

患部の中足骨とMTP関節の背外側を縦に切開する．切開は長趾伸筋腱と平行に行うが，すぐ腱の外側で切開する（図12-109）．隣接する2つの関節を展開する必要がある場合は，その間を切開する．

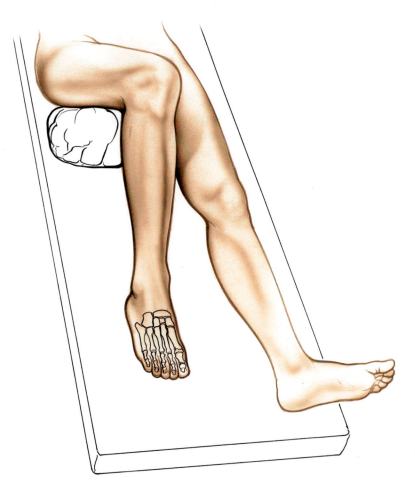

図12-108　足趾へのアプローチ．患者体位

25. 中足骨と第2〜5中足趾節（MTP）関節への背側アプローチ　813

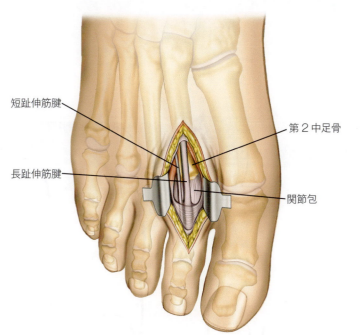

図12-109　足趾へのアプローチ．浅層の展開
皮膚切開と合わせて深層筋膜を切離する．伏在神経と深・浅腓骨神経から生じる皮神経を同定して温存する．長趾伸筋腱を同定して動くようにして，皮切に合わせて内側または外側によけるようにする．

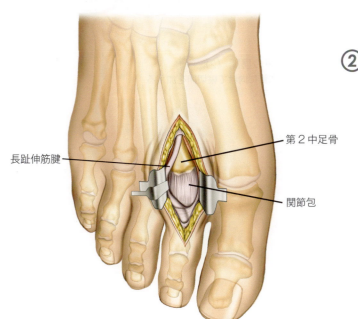

図12-110　足趾へのアプローチ．深層の展開（1）
もし可能であれば短趾伸筋腱を同定して温存する．この腱を適切に鉤で引くことによりそれぞれの中足骨の骨膜に到達することができる．

internervous plane

　これらの中足骨やMTP関節へのアプローチには，真のinternervous planeは存在しない．この領域の重要な神経血管構造である足底神経と血管に対して，このアプローチは十分に背側である．背側趾神経はその枝が術野を横断する可能性があるため，切断しないように注意する．

浅層の展開

　皮切に合わせて深層筋膜を切開し，長趾伸筋腱を牽引すると中足骨とMTP関節の背面がみえてくる（図12-110）．多くの場合，関節の手術と同時に伸筋腱の切離術や延長術を行う．その場合には伸筋腱を牽引するのではなく，Z字型に分割する．2つの関節を展開する場合は，腱を横方向に牽引し，隣の関節にアクセスできるようにする．

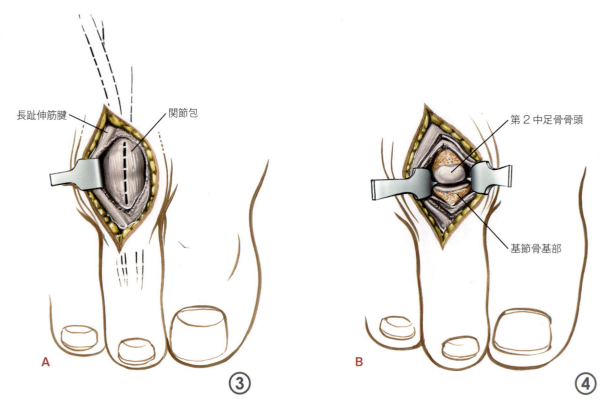

図 12-111　足趾へのアプローチ．深層の展開（2）
A：MTP 関節の背側関節包を露出させる．関節に向けて縦切開を加える．
B：MTP 関節を展開するために関節包を鉤で引く．

深層の展開

　皮切に合わせてアプローチを深くする．第 2，第 3，第 4 の長趾伸筋腱の外側に位置する短趾伸筋の腱を同定し，可能であれば温存する．それぞれの中足骨をおおっている骨膜の上まで筋鉤で展開していく（☞図 12-110）．MTP 関節の背側関節包を縦方向に切開し，関節内に入る（図 12-111）．

注意すべき組織

　長趾伸筋腱は処置中に保護する必要がある．
　MTP 関節の高さでは，足底神経と血管は中足骨頭の間，深横中足靱帯の下にある．靱帯の背側で剥離すれば，神経は安全である．中足骨頭と基節骨周辺の剥離は，足趾の体重を支える皮膚に分布している神経と血管を損傷しないよう慎重に行う必要がある（☞図 12-64）．

26 前足部の手術に必要な外科解剖

概　観

足の外科においては，しばしば骨の異常に対する矯正手術が必要となる．足の骨にはすべて背側から到達できる．背側アプローチは，以下に述べる2つの大きな理由によって足底アプローチより優れている．
1) 前足部の重要な血管神経はすべて中足骨の足底側に存在する．したがって安全である．
2) 背側切開は足底の荷重面の特殊な皮膚を切らずにすむ．

中足痛のように突出した骨の表面に異常な皮膚が存在するという病的状況では，足底アプローチで異常な皮膚を切除せざるを得ない．

背側の解剖が足の外科では欠くことができないが，足底の解剖も大切な神経血管が存在することもあって，足底部にメスを入れる場合には知っていなければならない．この理由から本章では足底の解剖についても述べる．

足背の解剖

足背の皮膚は比較的薄く可動性が大きい．皮膚の割線（形成外科や美容外科では relaxed skin tension line [RSTL]と呼ばれている）は遠位部でほぼ横走している．可動性の大きい皮膚は創を開くさいに楽であるが，足の外傷を受けたあとに発生する腫脹が足背ではきわめて高度となる．

●神経支配

3本の皮神経の枝が足背皮膚の直下を走っている．内側は伏在神経の枝，足背は大部分が浅腓骨神経の背側皮枝，外側は腓腹神経によって支配されている．

第1趾間部は深腓骨神経の枝に支配されており，この部のしびれは下腿前コンパートメントにおける深腓骨神経障害のもっとも早期に現れる症状である（☞図12-64，101，109）．

●浅層の静脈

静脈は背側静脈弓が配列されている．内側は大伏在静脈へ，外側は小伏在静脈へ流入している．浅層の静脈は，足底にあると通常の荷重による力で閉塞してしまうので，当然足の背部になければならない．

●腱

皮神経に接した深部に2組の腱群が走っている．長・短趾伸筋腱のグループと長・短母趾伸筋腱のグループである．趾伸筋腱は外側4趾の背側伸筋腱腱膜に停止している．その配列は手の指と同じである．しばしば，これらの腱は足の遠位部で交差混入している．母趾には母指のような背側伸筋腱腱膜はない（☞図12-64）．

●深部動脈

足背には足背動脈があり，短母趾伸筋腱の下を遠位方向に走り，第1中足骨間に入り込む（☞図12-65）．

足底の解剖

●皮　膚

足底の皮膚は非常に特徴的で，強靭で弾力性にも富んでいる．皮膚ケラチン層の増殖や胼胝形成によって異常なストレスに対応している．激しい中足痛のある場合には，突出した中足骨骨頭部の足底皮膚は薄く弱くなる．

Fowlerの手技（横切開）では，舌状の病的皮膚を切除して，より厚い正常の皮膚を正しい位置に縫い直す[29, 30]．血行障害や神経疾患例においては皮膚も萎縮している．

●深層筋膜

足底深層筋膜は手掌の深層筋膜と同様であり，Dupuytren拘縮を起こしてくる．深層筋膜は中心部がもっとも厚くなっており，母趾と小趾の内在筋をおおっている部分は薄くなっている．その中心部は足底腱膜と呼ばれ，踵骨の内側結節から起始し，各趾の基節骨に付着している．

足底腱膜の踵骨内側結節への付着部は，しばしば踵の痛みを発生する炎症性変性を起こす場所である．本症の最大圧痛点は足底腱膜の解剖学的停止部に一致している．足底腱膜炎（警察官の踵，policeman's heel）として知られているこの疾患は，まれに腱膜の起始部を手術によって切離しなければならない場合がある．

内側と外側の線維性隔壁が，足底筋膜の内縁と外縁から第1と第5中足骨へ付着している．これら隔壁は，手におけるのと同様，足を3つのコンパートメントに分けている．コンパートメントは足の化膿範囲を限局する役割を果たす．

●足底筋の第1層

浅層は3つの筋，すなわち，短趾屈筋，母趾外転筋，小趾外転筋からなる．

短趾屈筋は主に足底腱膜から，一部は内側踵骨結節から起始している．4腱に分かれ，外側4趾の中節骨に停止する．足関節の位置に関係なく足趾を屈曲する．

母趾外転筋の起始は踵骨の内側結節で，母趾基節骨の内側に停止し，母趾を外転する．母趾の外反変形に対抗する働きを有する唯一の筋である（👍図12-67）．

●浅層神経および血管

内・外側足底動脈と神経は第1と第2筋層の間に存在する．比較的浅層に存在しているが，手と同様，強靱な足底腱膜がその浅層に存在するので損傷されることはまれである．

●足底筋の第2層

第2層は長屈筋腱（長母趾屈筋，長趾屈筋，副屈筋）からなる．足の長軸アーチを保つために重要な筋群である（👍図12-68，69）．これらの筋の機能を助ける虫様筋は長趾屈筋腱から起始する．手と同様，虫様筋はIP関節を伸展位に保持しながらMTP関節を屈曲する．この筋の筋力が低下すると足趾の鉤爪変形を生じる．これは手における手内在筋マイナス変形と同様の変形が足に現れたものである．MTP関節の永続的な伸展変形は最後には亜脱臼を生じる．中足骨骨頭は歩行中に踵が上がったときに，足趾にかかる全荷重に耐えなければならず，痛み（中足痛）が生じてくる．

●足底筋の第3層

第3層は短母趾屈筋，母趾内転筋，短小趾屈筋からなる．

短母趾屈筋は内外種子骨を経て母趾基節骨基部に停止する．内側種子骨には母趾外転筋からの線維もきている．外側種子骨には母趾内転筋からの線維がきている．種子骨は外反母趾では転位をきたし，外側種子骨は第1と第2中足骨の間の位置まで移動する．これが起こると，外側種子骨は力学的に母趾列の変形矯正を阻止する．種子骨と中足骨骨頭の間の関節は変性し，疼痛を生じてくる．

母趾内転筋は外側種子骨を経て基節骨に停止している．外反母趾ではもっとも変形を生じる役割を果たしている．外反母趾に対する多くの手術では，本筋を中足骨内反の矯正力源となるよう，停止部で切離して中足骨骨頭につけ直す．

●足底筋の第4層

最深部にある第4層は中足骨に付着する骨間筋と，長腓骨筋（外側）および後脛骨筋（内側）からの腱によって構成される．これらの筋は足の縦アーチ形成のための主要な筋である．

文 献

1. Volgas D, Harder Y. *Manual of Soft Tissue Management in Orthopedic Trauma*. Thieme; 2011.
2. Colonna PC, Ralston EL. Operative approaches to the ankle joint. *Am J Surg*. 1951;82:44-54.
3. Gatellier J, Chastang P. Access to the fractured malleolus with piece chipped off at back. *J Chir*. 1924;24:513.
4. Chong K. Malleoli. In: Buckley R, Moran C, Apivatthakakul T, eds. *Principles of Fracture Management*. 3rd ed. Theime; 2017.
5. Koenig F, Schaefer P. Osteoplastic surgical exposure of the ankle joint: 41st report of progress in orthopaedic surgery. *Chir*. 1929;215:196-207.
6. Grujic L. Hindfoot and talus. In: Buckley R, Moran C, Apivatthakakul T, eds. *Principles of Fracture Management*. 3rd ed. Theime; 2017.
7. Sanders D, Schneider P, Taylor M, Tieszer C, Lawendy AR; Canadian Orthopedic Trauma Society. Improved reduction of the tibiofibular syndesmosis with tightrope compared with screw fixation: results of a randomized controlled study. *J Orthop Trauma*. 2019;33:531-537.
8. Yeo J, Cho H, Lee K. Comparison of two surgical approaches for displaced intra-articular calcaneal fractures: sinus tarsi versus extensile lateral approach. *BMC Muscoskelet Disord*. 2015;16:63.
9. Schepers T, Backes M, Dingemans S, de Jong VM, Luitse JSK. Similar anatomical reduction and lower complication rates with the sinus tarsi approach compared with the extended lateral approach in displaced intra-articular calcaneal fractures. *J Orthop Trauma*. 2017;31:293-298.
10. Gross C, Sershon R, Frank J, Easley ME, Holmes GB. Treatment of osteonecrosis of the talus. *JBJS Rev*. 2016;4:e2.
11. Meena S, Gangary S, Sharma P. Review article: operative versus non-operative treatment for displaced intraarticular calcaneal fracture. A meta-analysis of randomised controlled trials. *J Orthop Surg (Hong Kong)*. 2016;24:411-416.
12. Yao H, Liang T, Xu Y, Hou G, Lv L, Zhang J. Sinus tarsi approach versus extensile lateral approach for displaced inta-articular calcaneal fracture: a meta-analysis of current evidence base. *J Orthop Surg Res*. 2017;12:43.
13. Borrelli J, Lashgari C. Vascularity of the lateral calcaneal flap: a cadaveric injection study. *J Orthop Trauma*. 1999;13:73-77.
14. Knight T, Rosenfeld P, Jones I, Clark C, Savva N. Anatomic structures at risk: curved hindfoot arthrodesis nail. A cadaveric approach. *J Foot Ankle Surg*. 2014;53:687-691.
15. Lisfranc J. *Nouvelle méthode opératoire pour l'amputation partielle du pied de son articulation tarsométatarsienne: methode precedee des nombreuses modifications qu'a subies celle de Chopart*; 1815.
16. White JW. Torsion of the Achilles tendon: its surgical significance. *Arch Surg*. 1943;46:784.
17. Pękala PA, Henry BM, Pękala JR, Piska K, Tomaszewski KA. The Achilles tendon and the retrocalcaneal bursa: an anatomical and radiological study. *Bone Joint Res*. 2017;6:446-451.
18. McSweeney SC, Cichero M. Tarsal tunnel syndrome: a narrative literature review. *Foot (Edinb)*. 2015;25:244-450.
19. Abu-Hijleh MF, Harris PF. Deep fascia on the dorsum of the ankle and foot: extensor retinacula revisited. *Clin Anat*. 2007;20:186-195.
20. Saragas NP, Ferrao PNF, Mayet Z, Eshraghi H. Peroneal tendon dislocation/subluxation: case series and review of the literature. *Foot Ankle Surg*. 2016;22:125-130.
21. Sangeorzan B, Benirschke S, Mosca V, Mayo KA, Hansen ST. Displaced intra-articular fractures of the tarsal navicular. *J Bone Joint Surg Am*. 1989;71:1504-1510.
22. Van Raaij T, Buckley R, Duffy P. Displaced isolated cuboid fractures: results in 4 cases with operative treatment. *Foot Ankle Int*. 2010;31:242-246.
23. Kirzner N, Zotov D, Goldbllom H, Curry H, Bedi H. Dorsal bridge plating of transarticular screws for Lisfranc fracture dislocations: a retrospective study comparing functional and radiological outcomes. *Bone Joint J*. 2018;100-B(4):468-474.
24. Velkes S, Ganel A, Nagris B, Lokiec F. Chevron osteotomy in the treatment of hallux valgus. *J Foot Surg*. 1991;30:276-278.
25. Shapiro F, Heller L. The Mitchell distal metatarsal osteotomy in the treatment of hallux valgus. *Clin Orthop Relat Res*. 1975;(107):225-231.
26. Vasso M, Del Regno C, D'Amelio A, Schiavone Panni A. A modified Austin/chevron osteotomy for treatment of hallux valgus and hallux rigidus. *J Orthop Traumatol*. 2016;17:89-93.
27. Şaylı U, Akman B, Tanrıöver A, et al. The results of Scarf osteotomy combined with distal soft tissue procedure are mostly satisfactory in surgical management of moderate to severe hallux valgus. *Foot Ankle Surg*. 2018;24:448-452.
28. Dhillon M. Midfoot and forefoot. In: Buckley R, Moran C, Apivatthakakul T, eds. *Principles of Fracture Management*. 3rd ed. Theime; 2017.
29. Fowler AW. A method of forefoot reconstruction. *J Bone Joint Surg Br*. 1959;41:507-513.
30. Kates A, Kessel L. Arthroplasty of the forefoot. *J Bone Joint Surg Br*. 1967;49:552-557.

第13章

Approaches for External Fixation

創外固定のアプローチ

①上腕骨 ……………………… 820	④大腿骨 ……………………… 831
②橈骨・尺骨と手関節 ……… 822	⑤脛骨・腓骨 ………………… 832
③骨　盤 ……………………… 826	⑥足関節 ……………………… 833

第13章

　創外固定器には多くの機種があるが，基本的にはすべて2つの要素で構成される．骨に刺入するピンまたはワイヤーと，それを連結し固定する創外固定器本体である．これらのピンやワイヤーは創外固定器本体と連結し固定性を得る．ピンには骨および軟部組織を貫通する貫通ピンと，一般によく用いられる刺入側の反対側に皮質骨を貫いたところで止めるハーフピンがある．ワイヤーは常に患肢を貫通する．貫通ピンやワイヤーはその両端を創外固定器と連結することからもっとも強い固定性が獲得できるが，両側の軟部組織を貫通することから，ハーフピンに比べて多くの組織を損傷し隣接関節の可動域制限を生じることがある．こういった点より貫通ピンやワイヤーを用いた創外固定は仮骨延長術のようなきわめて強固な固定性が必要と考えられる場合に用いる．

　ピンは小切開や骨にいたる軟部組織の最小限の剥離によって"ブラインド"で刺入されることが多い．しかし橈骨遠位1/3部のようにピン刺入部に神経が存在する場合は例外である．屍体の四肢断面の解剖学的研究により，多くの骨のどのレベルでもピン刺入が可能な部位があることは明らかである．

　創外固定器には主に3つの適応がある．

1) **即時観血的骨接合（内固定）術が困難な重度の軟部組織損傷を伴う骨折**[*]：創外固定器のもっともよい適応である．これらはしばしば関節をまたぐような固定となるが，何より最終的な治療に支障をきたさないようにピンは外傷部から離れた部位に刺入する必要がある．

　　[*]訳者註：重症関節内骨折．

2) **多発外傷に伴う大腿骨などの長管骨の一時的な固定**（damage control orthopedics）．

3) **開放骨折**：これがもっとも一般的な適応である．通常骨折部は転位し正常な解剖学的形態は破壊されていることが多い．外傷による正常な解剖学的位置からのずれや解剖学的変異により通常安全と思われる刺入部でも危険なルートになる可能性があることに注意が必要である．したがって，ピンを刺入することによって神経や血管を損傷する可能性が高い．この章では各々の骨についてもっとも安全なピン刺入について述べるにとどめる．四肢延長や仮骨延長法に用いるような特殊な使い方をする場合には，他の成書を参照されたい[1,2]．

　ピンを用いる創外固定器の剛性はさまざまな方法で変えることができる．前述したように貫通ピンを使うことによりハーフピンより安定した固定性が期待できる．またピンの本数を増やしたり分散することだけで剛性はあがる．固定性は太いピンを用いるのと同様にテーパー形状のピンを用いることで増すことができる．

　バーの数を増やすこと，より皮膚近くにバーをつけることによっても固定性を増すことができる．ピン刺入は解剖学的な特徴だけでなく，創外固定器の生体力学的な特徴も考慮する必要がある[3]．

　最後に，軟部組織損傷もピン位置を決める要素になる．

　ピンを刺入するさいには皮膚切開はあまり小さくしてはいけない．なぜならピン周辺の緊張がつよい場合には軽度の感染を避けられず，ピンのゆるみの原因になるからである．

1　上腕骨

　上腕骨の創外固定の適応は少ないが，重度の軟部組織損傷を伴う骨折では有用である．創外固定は感染，とくに感染性偽関節，重症胸部外傷（肺挫傷などの損傷）を伴う多発外傷の初期治療としてもしばしば用いられる[4]．

神経・血管が骨に近接していることから，上腕骨は創外固定を安全に装着することがもっとも難しい部位である．

- **正中神経**は上腕骨と並走する．上腕近位2/3ではそのすぐ内側を通っているが，遠位1/3で次第に前方

1. 上腕骨

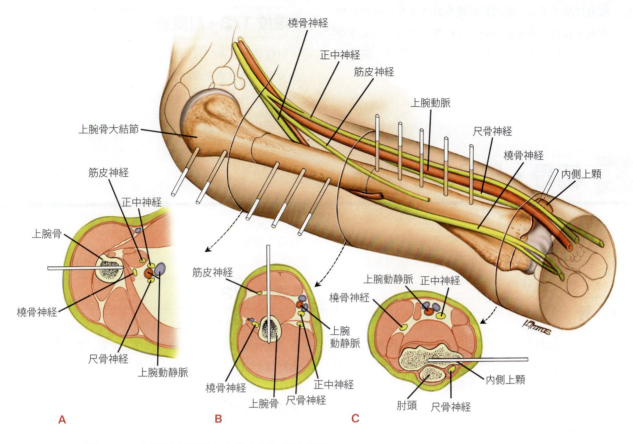

図 13-1　上腕骨の解剖と安全なピン刺入部位
上腕骨への創外固定ピンの安全な刺入経路は，解剖学的なレベルにより異なる．神経血管束と骨の位置関係により近位，中央，遠位でピン刺入部位が異なる．
A：近位 1/3．ハーフピンは外側より刺入する．内側を走る神経血管束（腋窩神経，正中神経）を損傷する危険性があることから，ピン先端は内側骨皮質よりあまり突出させてはいけない．
B：中央 1/3．ハーフピンは前方より刺入することができる．内側から上腕骨後方を回り外側に向かって走行する橈骨神経を損傷しないように，ピンが後方の骨皮質より突出しないように注意する．
C：遠位 1/3．ハーフピンを内側より外側に向けて刺入する．上腕骨内上顆後方の尺骨神経溝で容易に触知できる尺骨神経を損傷しないように注意する．

に回り込み，肘関節レベルでは完全に関節の前方を通る．
- **尺骨神経**は上腕近位 2/3 では正中神経と並走しているが，次第に後方に回り，肘関節レベルでは後内側を通る．
- **橈骨神経**はおおよそ上腕骨中央 1/3 のレベルで内側から後方に回り，上腕外側に出てくる．肘関節レベルでは上腕骨前外側を通る．

近位 1/3

上腕骨近位 1/3 では外側からハーフピンを刺入するほうがよい．内側を走行する神経血管束を損傷する危険があるので，ピン先端は内側骨皮質からあまり突出させ

てはならない．上腕二頭筋腱を損傷しないように注意すれば，ハーフピンを前方から刺入してもよい．ハーフピンを外側，前方いずれから刺入しても，後方から三角筋深部を骨に沿って前方に回り込む**腋窩神経**を損傷する危険があるので注意する．これを避けるために肩峰より 5～7cm 遠位にピンを刺入すべきである．

中央 1/3

上腕骨中央 1/3 ではハーフピンを前方から刺入することができる．しかし，**橈骨神経**が上腕骨後方を回って下行し，かつその走行の変異が多いことから，ピンが後方の骨皮質より突出しないように注意が必要である．橈骨神経は上腕遠位 2/3 のレベルで外側筋間中隔を貫通

し，前方に出てくる．髄内釘の横止めスクリューを外側から刺入する点と非常に近い．この部位ではこのようなスクリューを挿入することは避けるべきであり，創外固定のピンも外側から刺入すべきではない．

遠位 1/3・肘関節

肘関節レベルでは内側上顆や外側上顆の前方や後方にある神経血管側を避けて，ハーフピンを内側から外側に向けて刺入する（図 13-1）．

2 橈骨・尺骨と手関節

橈骨と尺骨では神経血管側との位置関係が基本的に異なるので，ピン刺入も各々異なる注意が必要である．

尺 骨

尺骨は全長にわたり皮下の浅いところに容易に触れる．尺骨神経は尺骨の前内側で前腕に入りすぐに前方コンパートメント内で尺骨の前方を尺骨動脈と並走し遠位に向かう．

したがって，尺骨は皮下に触れる骨のいずれの側からも全長にわたりハーフピンを刺入することが可能である．近位端では**尺骨神経**を損傷する危険があるが，上腕骨内側上顆の後方を通り下行するところで容易に触知できるので，これを損傷しないように後方からピンを刺入すればよい．

橈 骨

橈骨動脈と橈骨神経の感覚枝（橈骨神経浅枝）は，ほぼ橈骨の前外側を下行する．

近位 1/3

後骨間神経が橈骨の近位 1/3 で前外側から後内側へ回り込み，しかも橈骨に非常に近接し走行する．骨折した橈骨は常に回旋変形を伴うので，近位 1/3 における**後骨間神経**の正確な位置は必ずしも一定せず，安全とは言えない．このような理由から，この部でピンを刺入する操作は直視下で行うほうが安全である．

中央 1/3

この部分では，背側から小皮切でハーフピンを刺入することは安全である．

遠位 1/3

橈骨の遠位 1/3 では，外側からハーフピンを刺入する．橈骨動脈はピンの前方に存在する．**橈骨神経浅枝**の走行は一定しないことから，ピンを閉鎖的に刺入するより小切開を加えて骨まで鈍的に剥離し刺入することで，神経損傷が回避できる（図 13-2）．

手関節

橈骨遠位端骨折の治療に経皮的ピンニング（鋼線固定術）がしばしば行われる．一般にピンは橈骨茎状突起か橈骨遠位背側面より刺入される．ピンは骨折部を通して刺入すること（intrafocal pinning）が広く行われている[5,6]．

内固定で対応できない複雑な骨折にも創外固定が用いられる．創外固定は橈骨と第 2 中手骨にハーフピンを刺入して牽引し，固定する．しかし，橈骨の遠位骨片が十分に大きな症例では非架橋型創外固定器とすることができる[7]．

橈 骨

橈骨神経浅枝はピン刺入部付近を常に走行する[8,9]．この神経を損傷すると手関節背側と母指の感覚障害を起こすが，神経損傷のもっとも多い合併症が有痛性神経腫の形成であり，患者との間のトラブルの原因となる．橈骨遠位部のピン刺入は，橈骨神経浅枝の損傷を避けるために小切開を加えて行うべきである．1 cm 程度の皮切で骨にいたるまで鈍的に剥離し，神経を損傷しないように注意する．ピンの方向は横断面において前額面に

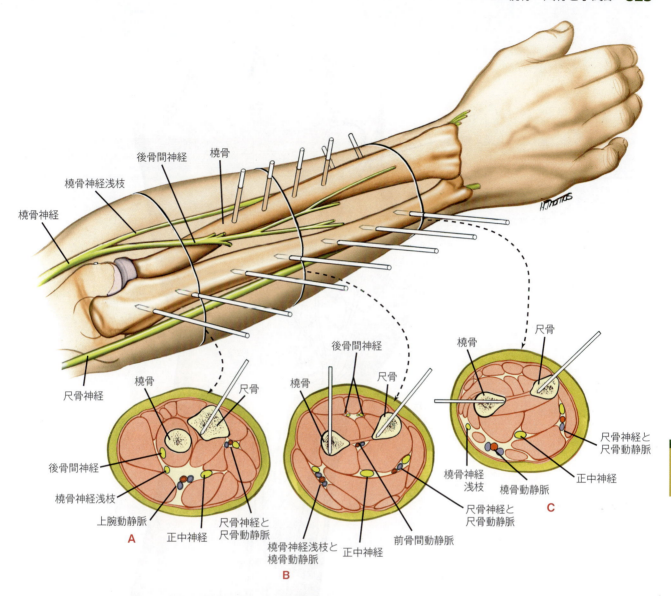

図13-2 前腕部の解剖と安全なピン刺入部位
橈骨と尺骨のピン刺入部は前腕の神経血管束の位置により制限される．また，レベルによっても刺入方向は変わる．橈骨では回内・回外の程度によってピンの位置を変える必要がある．
A：近位1/3．後骨間神経が橈骨頚部の後方を回り込むが，橈骨との位置関係は変異が多いこともあり，橈骨近位にピンを刺入するさいには必ず直視下で行う．尺骨は関節近傍で尺骨神経を損傷しないように注意すれば，ハーフピンを用いた固定が可能である．
B：中央1/3．橈骨は背側よりハーフピンを刺入する．掌側に位置する橈骨神経浅枝と橈骨動静脈を損傷しないように掌側にピンを突出させてはいけない．尺骨については，皮下に浅く触れるところであれば安全にハーフピンを刺入することができる．
C：遠位1/3．橈骨ではハーフピンは橈側より刺入する．このさい橈骨神経浅枝を損傷しないように注意する．尺骨では近位，中央と同じ方向にハーフピンを刺入する．

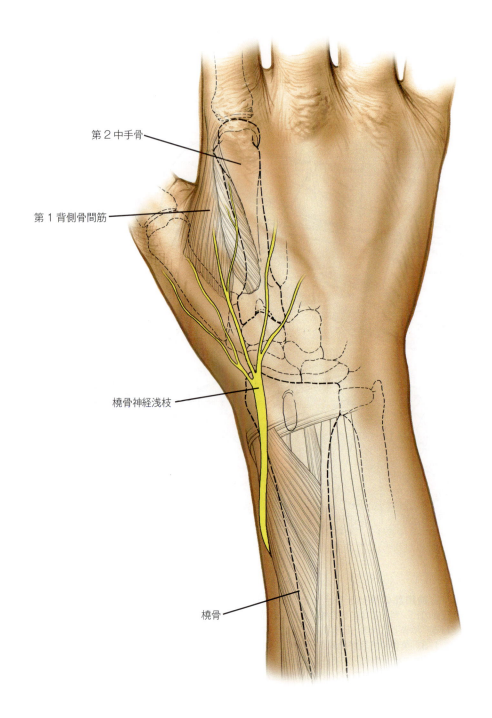

図 13-3　橈骨神経浅枝の解剖
橈骨神経浅枝は，遠位 1/3 では橈骨に沿い走行し，嗅ぎタバコ窩と第 2 中手骨部で枝分かれする．ここにピン刺入するさいには小切開で行うべきである．

45°，矢状面に 45°の方向である．通常 2 本のハーフピンを刺入する（図 13-3，4）．

第 2 中手骨

第 2 中手骨の背側は皮膚の直下にある．橈骨神経浅枝の終末枝が骨直上に存在する可能性があることから，ピ

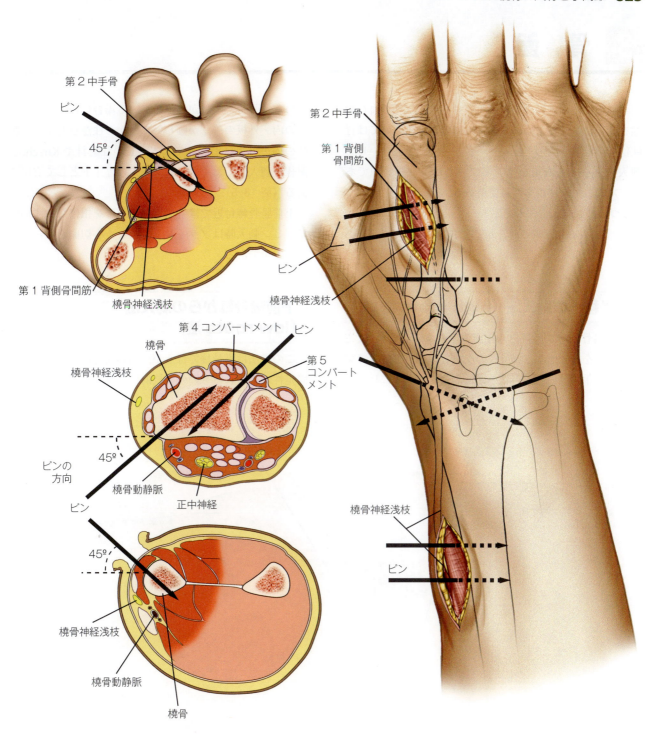

図 13-4　手関節部の解剖と安全なピン刺入部位
皮切を加えて，神経を直視下に確認・保護して行うべきである．ピンは中央に両側皮質骨を貫通させ刺入する．ピンは骨軸に垂直で，前額面，矢状面に対して 45°傾けるべきである．

ン刺入のさいには刺入部に小切開を加えることを推奨する[10]．

固定性を増すためにはピンの間隔を広くとるほうがよい．骨は比較的小さいのでピンを正確に刺入するためには透視が有用である．ピンの傾きは橈骨のピンと同じにすべきである．橈骨と同様に小切開を加え，伸筋腱と骨間筋を損傷しないように注意しながら鈍的に骨にいたる．

3 骨盤

骨盤の創外固定は，生命がおびやされる状態で血行動態を安定化させるために用いる．外傷患者においては背臥位での前方からのアプローチが容易で，そのさいピン刺入のもっとも有用なランドマークは上前腸骨棘である．X線透視を使用する必要がある．

2つのピン刺入方法がある*．

*訳者註：本書で解説される方法以外にもsubcristal法がある．

進める．骨折で腸骨が転位している場合には，とくに腸骨の内・外板の確認が難しいことから注意を要する．腸骨の内・外板に沿わせて2本の長い注射針やKirschner鋼線を刺入しておくと，ピン刺入のガイドとして有用である（図13-5）．

上前腸骨棘付近では外側大腿皮神経を損傷しやすいので，ピン刺入時はブラインドではなく小切開を行ったほうが安全である．

腸骨稜への刺入法（high route 法）

上前腸骨棘のすぐ後方の皮膚直下にある腸骨稜に，2本のピンを刺入する．腸骨稜の皮質骨のみをドリルで穿孔し，用手的に内板，外板の間に沿わせるようにピンを

下前腸骨棘からの刺入法（low route 法）

この方法は腸骨稜で行うが，創外固定法よりも強固な固定性が得られるものの手技的には難しい[11]．

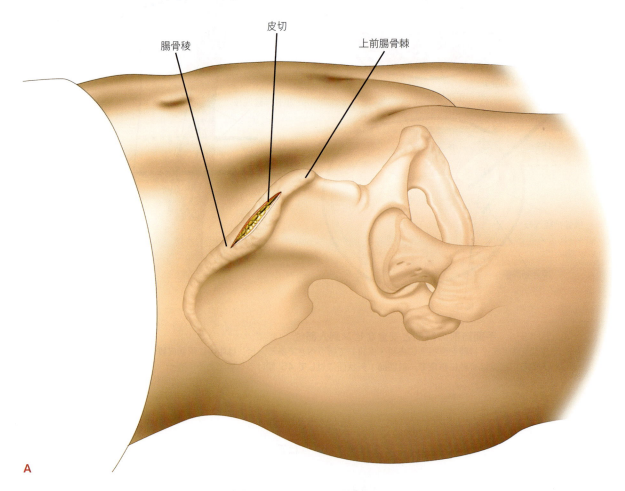

図13-5　腸骨稜からのピン刺入（high route 法）
A：腸骨稜への創外固定ピン刺入のための皮膚切開．（次頁へつづく）

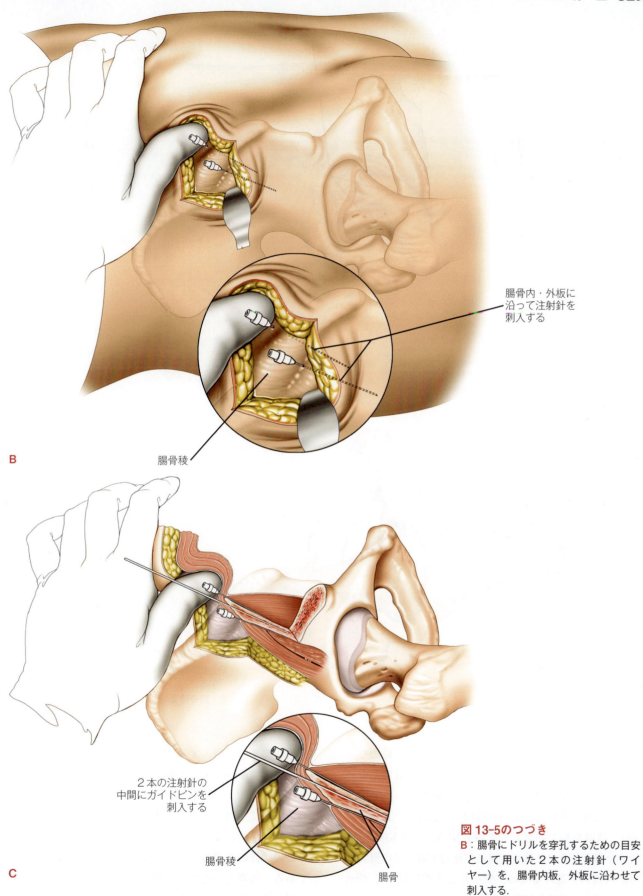

腸骨内・外板に
沿って注射針を
刺入する

B

腸骨稜

2本の注射針の
中間にガイドピンを
刺入する

腸骨稜

腸骨

C

図13-5のつづき
B：腸骨にドリルを穿孔するための目安
として用いた2本の注射針（ワイ
ヤー）を，腸骨内板，外板に沿わせて
刺入する．
C：内板・外板を確認し，ピン刺入方向
を決定する． （次頁へつづく）

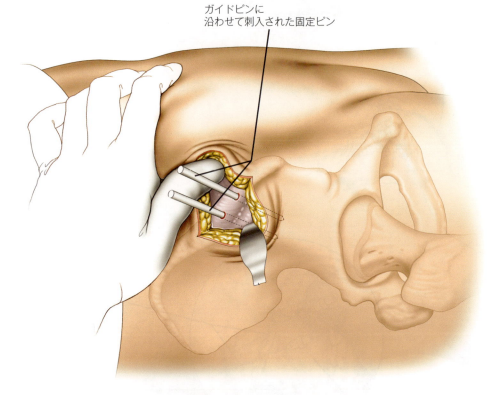

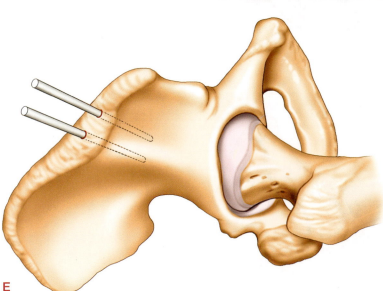

図 13-5 のつづき
D：ピンは骨質のよい腸骨結節に向かって刺入する．
E：腸骨稜より刺入されたピン．

　Cアームなどの透視を使用して下前腸骨棘を確認し，皮膚に印をつけ，この印を中心に約 2 cm の縦切開を加え，筋膜まで切開する．皮切と同一線上で筋膜を切開し，縫工筋と大腿筋膜張筋の筋間を確認する（☞図 13-6B）．筋間を指で剥離し骨を触知する．骨に Kirschner 鋼線を刺入しその位置を透視にて確認する．この鋼線は関節内刺入を避けるため，少なくとも関節縁から 2 cm 近位に刺入しなければならない．

　あるいは上前腸骨棘に加えた皮切から，透視下*に筋を通してピンを刺入することも可能である[12〜14]．

*訳者註：Teepee view を確認する．

　透視下に手前の皮質骨だけをドリルで穿破し，寛骨臼上部に用手的にピンを刺入していく[15]（図 13-6）．

　この操作の中でもっとも損傷されやすいのは股関節包である．外側大腿皮神経は刺入経路に近接しているが，主要な神経血管束はかなり内側に位置する．

3. 骨　盤

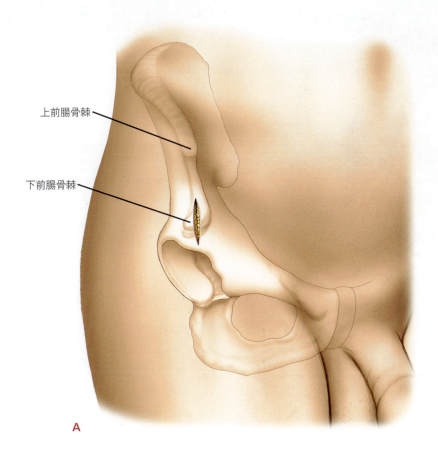

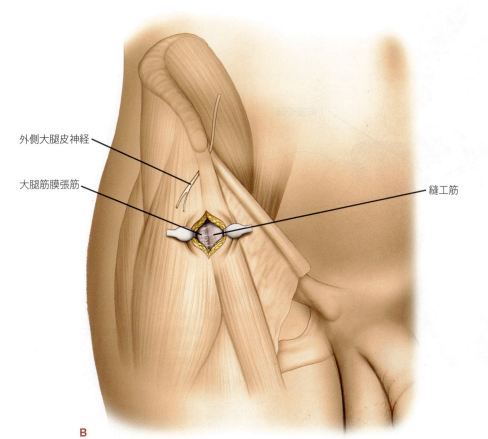

図13-6　下前腸骨棘からのピン刺入（low route法）
A：上前腸骨棘より遠位3cm下前腸骨棘直上に小切開を加える．
B：筋間を透視下で確認し，切開を加える．　　　（次頁へつづく）

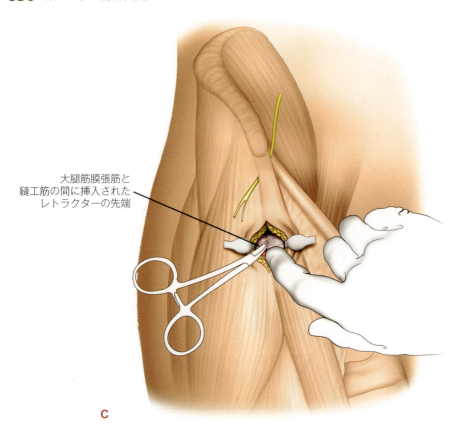

図 13-6のつづき
C：鈍的剥離し，下前腸骨棘にいたる．
D：股関節上方にピン刺入するために，鋼線を留置し透視で確認する．

（次頁へつづく）

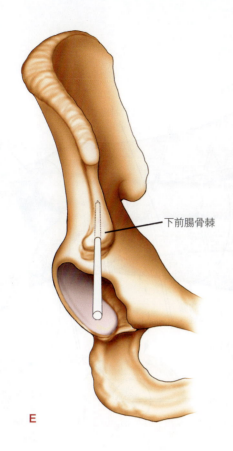

図13-6のつづき
E：股関節上方，下前腸骨棘に刺入されたピン．

4 大腿骨

　大腿動脈はちょうど大腿骨頭の前方を走行する（拍動を触知する）．大腿骨中央1/3では内側を下行し，後方に回り込みながら膝窩部では大腿骨後方に近接して下行する．坐骨神経は大腿骨頭の後方から大腿に入り，遠位部まで大腿骨の後方を走行するが，脛骨神経と総腓骨神経とに分かれる部位はさまざまである．脛骨神経は膝窩部まで大腿動脈に並走する．総腓骨神経は大腿骨の後外側にある大腿二頭筋腱と並走する．

　このことから大腿骨では全長にわたり神経や血管を損傷することなく，外側からハーフピンを刺入することが可能である．しかし，ピンで大腿筋膜張筋や外側広筋を貫通することから，しばしば膝関節可動域制限の原因となる．
　大腿骨遠位1/3ではハーフピンは前方から刺入しても安全であるが，脛骨神経の損傷を避けるためにはピンをあまり後方に突出させてはならない（**図13-7**）．

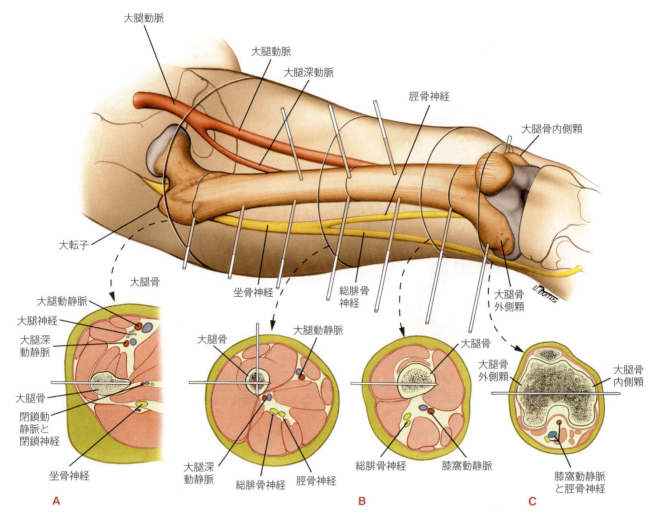

図 13-7　大腿骨の解剖と安全なピン刺入部位

大腿動脈と大腿骨の位置関係は部位により変化することから，レベルによりピン刺入部位が異なる．

A：近位 1/3．外側からハーフピンを刺入する．大腿深動脈とその分枝を損傷する危険性があることから，ピン先端は内側皮質よりあまり突出させてはいけない．

B：中央 1/3．外側からハーフピンを刺入する．大腿動脈を損傷する危険があるので，ピン先端は内側皮質骨よりあまり突出させないようにする．前方よりハーフピンを刺入してもよいが，ピン先端を後方に大きく突出させると坐骨神経を損傷する危険がある．

C：遠位 1/3．内側から外側に向けて貫通ピンを使用することができる．顆部を貫通させるさいには，関節内を通過する可能性があるので注意が必要である．

5　脛骨・腓骨

脛骨と腓骨の間に存在する骨間膜の前方と後方のいずれにも神経血管束が存在する．

腓骨

総腓骨神経が腓骨頸部に非常に近接して走行していることから，腓骨近位 1/3 にピンを刺入することは危険であるが，幸いここにピンを刺入することはきわめてまれである．

脛骨

脛骨は全長にわたり皮膚直下に存在する．骨の断面は前方凸の三角形をしているため，触知可能な脛骨面の中央は骨間膜前後に存在する神経血管束より前方に位置することになる．前内側の皮下組織の薄い面は全長にわた

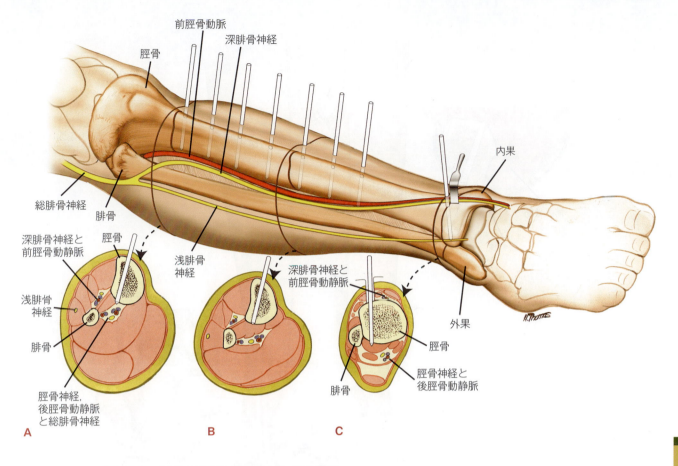

図 13-8 下腿の解剖と安全なピン刺入部位
神経血管束はかなり脛骨の後方に存在し，脛骨は全長にわたり皮下に触れることができるので，ピンはほぼまっすぐに刺入する．
A：近位 1/3．ハーフピンは脛骨前内側面から刺入する．このさい脛骨神経や後脛骨動静脈を損傷する危険があるので，ピン先端はあまり突出させてはならない．
B：中央 1/3．前外側面よりハーフピンを刺入する．
C：遠位 1/3．ハーフピンは前方より刺入する．

りハーフピンを刺入するのに適している．この方向は軟部組織を巻き込むことなく安全確実な固定性を得ることができる（図 13-8）．

6 足関節

　脛骨遠位部，踵骨，第 1 中足骨，第 5 中足骨の骨突起がピン刺入部の目安となる．内果後方を走行する後脛骨動脈を含む神経血管束を損傷してはならない．通常ハーフピンを使用するが，踵骨では貫通ピンを使用して強固な固定を行うことで，軟部組織の腫脹などの外傷にかかわる問題を回避できる（図 13-9）．

　脛骨遠位と第 1 中足骨は，小切開でハーフピンを刺入する．踵骨の貫通ピンは神経血管束の遠位後方に刺入する（図 13-10）．そのさい，ピンは神経血管束の損傷を回避するために内側から外側に向け刺入するとよい．第 1 中足骨には，ピンは骨軸に垂直に前脛骨筋腱より遠位に刺入する．

　第 5 中手骨に刺すピンは，第 5 中手骨の長軸に対して垂直に刺入するが，骨が小さく，手技を正しく行わなければ骨から外れてしまうので注意が必要である（図 13-11）．

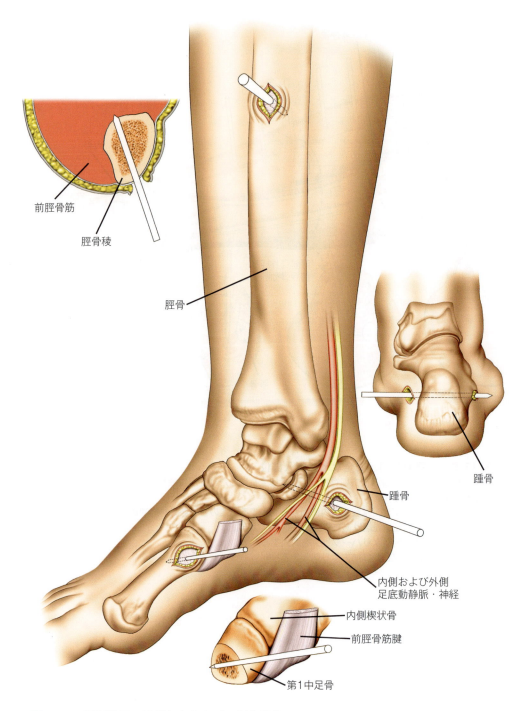

図 13-9　足関節部の解剖と安全なピン刺入部位
内果後方に位置する神経血管束は避けなければならない．第 1 中足骨は，中足骨の全長にわたってピンを刺入することができ，内側から横方向にピンを向ける．ハーフピンを用いるさいには，第 1 中足骨の対側の皮質骨までかける．

6. 足関節 **835**

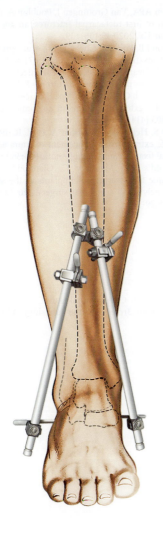

図 13-10　脛骨骨幹部と踵骨へのピン刺入
脛骨骨幹部のハーフピンと踵骨の貫通ピンを固定して構築される創外固定をデルタフレームという．第 1 中足骨および第 5 中足骨にピンを追加しデルタフレームと連結することで，足関節を背屈させ中間位での固定が可能となる．

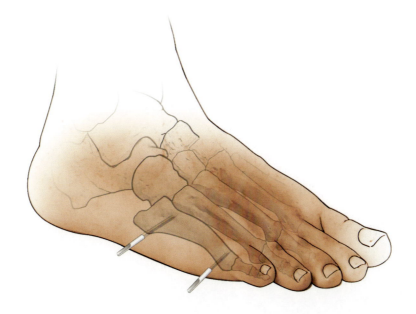

図 13-11　第 5 中手骨へのピン刺入
第 5 中手骨についてはハーフピンで固定されることが多く，外側から内側に向けて刺入される．

文 献

1. Spiegelberg B, Parratt T, Dheerendra SK, et al. Ilizarov principles of deformity correction. *Ann R Coll Surg Engl*. 2010;92:101-105.
2. Seybold D, Gessmann J, Ozokyay L, et al. The Taylor spatial frame: correction of posttraumatic deformities of the tibia and hindfoot. *Unfallchirurg*. 2008;111:985-995.
3. Chao EY, Aro HT, Lewallen DG, Kelly PJ. The effect of rigidity on fracture healing in external fixation. *Clin Orthop Relat Res*. 1989;(241):24-35.
4. Ruland WO. Is there a place for external fixation in humeral shaft fractures? *Injury*. 2000;31(suppl 1):27-34.
5. Handoll HG, Vaghela MV, Madhok R. Percutaneous pinning for treating distal radial fractures in adults. *Cochrane Database Syst Rev*. 2007;(3):CD006080.
6. Mittelmeier W, Braun C, Schäfer R. The Kapandji technique for fixation of distal radius fractures: a biomechanical comparison of primary stability. *Arch Orthop Trauma Surg*. 2001;121:135-138.
7. McQueen MM. Non-spanning external fixation of the distal radius. *Hand Clin*. 2005;21:375-380.
8. Folberg R, Ulson H Jr, Scheidt RB. The superficial branch of the radial nerve: a morphologic study. *Rev Bras Ortop*. 2015;44:69-74.
9. Chia B, Catalano LW III, Glickel SZ, et al. Percutaneous pinning of distal radius fractures: an anatomic study demonstrating the proximity of K-wires to structures at risk. *J Hand Surg Am*. 2009;34:1014-1020.
10. Greeven APA, Van Groningen J, Poublon A, et al. Safe approach for fixation of first metacarpal fractures: an anatomical study. *J Hand Surg Eur Vol*. 2020;45:136-139.
11. Solomon LB, Pohl AP, Chehade MJ, et al. Surgical anatomy for pelvic external fixation. *Clin Anat*. 2008;21:674-682.
12. Kim WY, Hearn TC, Seleem O, et al. Effect of pin location on stability of pelvic external fixation. *Clin Orthop Relat Res*. 1999;(361):237-244.
13. Haidukewych GJ, Kumar S, Prpa B. Placement of half-pins for supra-acetabular external fixation: an anatomic study. *Clin Orthop Relat Res*. 2003;(411):269-273.
14. Lidder S, Heidari N, Gänsslen A, et al. Radiological landmarks for the safe extra-capsular placement of supra-acetabular half pins for external fixation. *Surg Radiol Anat*. 2013;35:131-135.
15. Tosounidis TH, Mauffrey C, Giannoudis PV. Optimization of technique for insertion of implants at the supra-acetabular corridor in pelvis and acetabular surgery. *Eur J Orthop Surg Traumatol*. 2018;28:29-35.

参考文献

Buckley R, Moran C, Apivatthakakul T, eds. *AO Principles of Fracture Management*. 3rd ed. Thieme Publishing With AO Publishing; 2017.

図題索引

第1章 肩 ——————————— 1

図 1-1　ビーチチェアポジション……………………3
図 1-2　鎖骨前方アプローチ．皮切………………3
図 1-3　鎖骨前方アプローチ．骨の展開…………4
図 1-4　鎖骨前方アプローチ．鎖骨下動静脈……4
図 1-5　鎖骨への最小侵襲アプローチ．皮切……5
図 1-6　鎖骨への最小侵襲アプローチ．浅層の展開…6
図 1-7　肩関節前方アプローチ．患者体位………7
図 1-8　肩関節前方アプローチ．前方皮切………8
図 1-9　肩関節前方アプローチ．腋窩皮切と皮下の剥離……………9
図 1-10　肩関節前方アプローチ．腋窩皮切による展開……………10
図 1-11　三角筋・大胸筋間の internervous plane……10
図 1-12　肩関節前方アプローチ．三角筋胸筋溝の確認……………11
図 1-13　肩関節前方アプローチ．烏口突起と共同腱の展開………12
図 1-14　肩関節前方アプローチ．烏口突起の骨切り………………12
図 1-15　腋窩部の血管・神経（腋窩鞘）と烏口突起の位置関係……13
図 1-16　肩関節前方アプローチ．深層の展開，筋皮神経損傷の危険性……………14
図 1-17　肩関節前方アプローチ．肩甲下筋腱の切離と腋窩神経の位置関係………14
図 1-18　肩関節前方アプローチ．肩甲下筋の切離…15
図 1-19　肩関節前方アプローチ．肩甲下筋の支え縫合（stay suture）と関節包の切開………15
図 1-20　肩関節前方アプローチ．関節内の展開……16
図 1-21　肩関節前方アプローチ．関節の近位部の展開……………17
図 1-22　肩関節前方アプローチ．肩甲骨関節窩の展開……………18
図 1-23　肩関節前方アプローチ．近位への拡大．鎖骨下の血管・神経の展開……19
図 1-24　肩前面の解剖（深層）………………………20
図 1-25　烏口突起に付着する筋と靱帯………………21
図 1-26　肩前面の解剖（浅層）………………………22
図 1-27　肩前面の解剖（三角筋を反転したところ）……………23
図 1-28　肩前面の解剖（三角筋，大胸筋を切除したところ）……………24
図 1-29　肩甲下筋前面の神経血管束…………………25
図 1-30　肩関節包の解剖………………………………26
図 1-31　肩関節の断面…………………………………27
図 1-32　上腕骨頭および関節窩………………………28
図 1-33　肩鎖関節と肩峰下腔への前外側アプローチ．皮切………29
図 1-34　肩鎖関節と肩峰下腔への前外側アプローチ．三角筋の展開………30
図 1-35　肩鎖関節と肩峰下腔への前外側アプローチ．三角筋の剥離………30
図 1-36　肩鎖関節と肩峰下腔への前外側アプローチ．三角筋の縦割………31
図 1-37　肩鎖関節と肩峰下腔への前外側アプローチ．肩峰下滑液包と棘上筋腱の展開……32
図 1-38　上腕骨近位部外側アプローチ．患者体位…33
図 1-39　上腕骨近位部外側アプローチ．皮切………34
図 1-40　上腕骨近位部外側アプローチ．三角筋の展開および分割…35
図 1-41　上腕骨近位部外側アプローチ．肩峰下滑液包の展開………35
図 1-42　上腕骨近位部外側アプローチ．肩峰下滑液包の切開………36
図 1-43　上腕骨近位部外側アプローチ．棘上筋全長の展開…………37
図 1-44　上腕骨近位部への外側最小侵襲アプローチ．皮切…………38
図 1-45　上腕骨近位部への外側最小侵襲アプローチ．筋膜の展開…38
図 1-46　上腕骨近位部への外側最小侵襲アプローチ．三角筋線維の分割…39
図 1-47　上腕骨近位部への外側最小侵襲アプローチ．上腕骨骨膜上の展開…39
図 1-48　上腕骨近位部への外側最小侵襲アプローチ．両切開の連結…40
図 1-49　上腕骨近位部への前外側最小侵襲アプローチ．皮切………41

図 1-50	上腕骨近位部への前外側最小侵襲アプローチ．浅層および深層の展開……41	図 1-80	関節窩を外側からみた図……69
図 1-51	上腕骨近位部への前外側最小侵襲アプローチ．ガイドピンの挿入点……42	図 1-81	関節鏡のための患者体位……69
図 1-52	肩の外側面（浅層）……43	図 1-82	後方刺入点……70
図 1-53	肩の外側面（三角筋と僧帽筋は切除してある）……44	図 1-83	前方刺入点……70
図 1-54	三角筋筋線維の構造……45	図 1-84	後方からの関節鏡の挿入手順……71
図 1-55	肩峰下滑液包の解剖（1）……46	図 1-85	前方からの関節鏡の挿入手順……72
図 1-56	肩峰下滑液包の解剖（2）……46	図 1-86	後方アプローチによる肩関節上半分の鏡視……73
図 1-57	棘上筋腱の断裂と肩峰下滑液包との関係…47	図 1-87	後方アプローチによる肩関節下半分の鏡視……74
図 1-58	上肢外転時の肩峰下滑液包……47	図 1-88	後方アプローチによる肩関節前方部分の鏡視……75
図 1-59	肩の上面からの展望……48	図 1-89	後方アプローチによる関節窩下方の鏡視…76
図 1-60	肩鎖関節部の解剖……49		
図 1-61	肩鎖関節への上方アプローチ……50		

第2章 上 腕 —— 79

図 1-62	肩甲骨と肩関節への後方アプローチ．患者体位……51
図 2-1	上腕骨骨幹部前方アプローチ．患者体位……80
図 1-63	肩甲骨と肩関節への後方アプローチ．皮切……52
図 2-2	上腕骨骨幹部前方アプローチ．皮切……81
図 1-64	小円筋・棘下筋間の internervous plane…53
図 2-3	上腕の近位および遠位の internervous plane……82
図 1-65	肩甲骨と肩関節への後方アプローチ．三角筋後方起始部の展開……54
図 2-4	上腕骨骨幹部前方アプローチ．上腕骨への三角筋停止部，大胸筋停止部および上腕二頭筋，上腕筋の確認……83
図 1-66	肩甲骨と肩関節への後方アプローチ．棘下筋・小円筋間の確認……55
図 2-5	上腕骨骨幹部前方アプローチ．筋皮神経と前上腕回旋動脈の確認……84
図 1-67	肩甲骨と肩関節への後方アプローチ．関節包後部の展開……56
図 2-6	上腕骨骨幹部前方アプローチ．上腕骨骨幹の展開……84
図 1-68	肩甲骨と肩関節への後方アプローチ．関節包の切開……57
図 2-7	橈骨神経が損傷されやすい部位……85
図 1-69	肩甲骨と肩関節への後方アプローチ．関節後方部の展開……58
図 2-8	上腕骨骨幹部前方アプローチ．深層の展開．近位への拡大……85
図 1-70	肩甲骨と肩関節への後方アプローチ．関節後方部の展開（棘下筋の切離）……59
図 2-9	上腕骨骨幹部への前方最小侵襲アプローチ．皮切……87
図 1-71	肩甲骨と肩関節への後方アプローチ．下方への拡大（1）……60
図 2-10	上腕骨骨幹部への前方最小侵襲アプローチ．皮下の展開……88
図 1-72	肩甲骨と肩関節への後方アプローチ．下方への拡大（2）……61
図 2-11	上腕骨骨幹部への前方最小侵襲アプローチ．近位開創部……88
図 1-73	肩の後面（浅層）……62
図 2-12	上腕骨骨幹部への前方最小侵襲アプローチ．遠位開創部……89
図 1-74	肩の後面（三角筋後方部を反転している）……63
図 2-13	上腕骨骨幹部への前方最小侵襲アプローチ．近位と遠位開創部の連結……89
図 1-75	肩の後面（棘下筋，小円筋を除去している）……64
図 2-14	上腕骨後方アプローチ．患者体位……91
図 1-76	肩関節の関節鏡アプローチ．関節鏡の前進／後退と視野の変化……66
図 2-15	上腕骨後方アプローチ．皮切……92
図 2-16	上腕骨後方アプローチ．筋膜の切開……93
図 1-77	肩関節の関節鏡アプローチ．関節鏡の回旋と視野の変化……67
図 2-17	上腕骨後方アプローチ．上腕三頭筋の分離……93
図 1-78	肩関節の関節鏡アプローチ．関節鏡の挿入方向の変更と視野の変化……67
図 2-18	上腕骨後方アプローチ．上腕三頭筋の外側頭と長頭の分離……94
図 1-79	肩関節の解剖……68
図 2-19	上腕骨後方アプローチ．上腕骨の展開……95

図2-20	上腕骨後方アプローチ．遠位側への術野拡大（1）……………………………………96		図2-48	橈骨神経および上腕深動脈の走行（深層）……………………………………………116
図2-21	上腕骨後方アプローチ．遠位側への術野拡大（2）………………………………96-98		図2-49	上腕骨の後面……………………………………117
図2-22	上腕骨遠位部前外側アプローチ．皮切……99		図2-50	上腕の外側面（浅層）…………………………118
図2-23	上腕骨遠位部前外側アプローチ．腕橈骨筋，上腕筋，上腕二頭筋の確認………………100		図2-51	上腕骨後部と肘関節部の解剖（深層）……118
図2-24	上腕骨遠位部前外側アプローチ．外側前腕皮神経の確認……………………………100		図2-52	外側筋間中隔と橈骨神経（深層）…………119
図2-25	上腕骨遠位部前外側アプローチ．上腕筋と腕橈骨筋間の展開……………………101		図2-53	上腕骨後面の筋群の起始部…………………119

第3章　肘関節　——　121

図2-26	上腕骨遠位部前外側アプローチ．前方部の展開……………………………………102
図2-27	上腕骨遠位部前外側アプローチ．近位部への展開……………………………………102
図2-28	上腕骨遠位部前外側アプローチ．橈骨神経の展開……………………………………103
図2-29	上腕骨遠位部外側アプローチ．患者体位……………………………………………104
図2-30	上腕骨遠位部外側アプローチ．皮切………105
図2-31	上腕骨遠位部外側アプローチ．上腕三頭筋と腕橈骨筋間の確認…………………105
図2-32	上腕骨遠位部外側アプローチ．上腕三頭筋と腕橈骨筋間から外側顆上稜を展開……106
図2-33	上腕骨遠位部外側アプローチ．橈骨頭の展開……………………………………………106
図2-34	上腕骨遠位部内側アプローチ．患者体位……………………………………………107
図2-35	上腕骨遠位部内側アプローチ．皮切………108
図2-36	上腕骨遠位部内側アプローチ．尺骨神経上の筋膜の切開………………………108
図2-37	上腕骨遠位部内側アプローチ．上腕骨内側顆上稜から内側筋間中隔の切離…………108
図2-38	上腕骨遠位部内側アプローチ．肘関節前方関節包と上腕骨遠位内側前面の展開……109
図2-39	上腕のコンパートメントと主な神経，血管……………………………………………110
図2-40	上腕の解剖（浅層）……………………………111
図2-41	上腕の筋群および神経，血管（浅層）……112
図2-42	筋皮神経，正中神経，尺骨神経（中間層）……………………………………………113
図2-43	橈骨神経，正中神経，尺骨神経（深層）…113
図2-44	上腕の筋群の起始および停止………………114
図2-45	上腕後面の解剖（浅層）……………………115
図2-46	上腕三頭筋外側頭の起始部…………………115
図2-47	橈骨神経および上腕深動脈の走行（中間層）……………………………………………116
図3-1	肘頭骨切り術を加えた肘関節への後方アプローチ．患者体位…………………123
図3-2	肘頭骨切り術を加えた肘関節への後方アプローチ．皮切（右肘）………………123
図3-3	肘頭骨切り術を加えた肘関節への後方アプローチ．尺骨神経の剥離および肘頭の骨切り……………………………………124
図3-4	肘頭骨切り術を加えた肘関節への後方アプローチ．肘頭の反転…………………125
図3-5	肘頭骨切り術を加えた肘関節への後方アプローチ．関節の展開…………………126
図3-6	肘頭骨切り術を加えない肘関節への後方アプローチ．患者体位…………………127
図3-7	肘頭骨切り術を加えない肘関節への後方アプローチ．皮切（右肘）………………128
図3-8	肘頭骨切り術を加えない肘関節への後方アプローチ．肘関節伸展機構の剥離………129
図3-9	肘頭骨切り術を加えない肘関節への後方アプローチ．肘関節伸展機構の反転と関節包の展開…………………………129
図3-10	肘頭骨切り術を加えない肘関節への後方アプローチ．上腕三頭筋機構の反転と関節腔内の展開…………………………130
図3-11	上腕骨遠位部に対する上腕三頭筋温存後方アプローチ．皮切（右肘）………………131
図3-12	上腕骨遠位部に対する上腕三頭筋温存後方アプローチ．上腕骨遠位部内側の展開……………………………………131
図3-13	上腕骨遠位部に対する上腕三頭筋温存後方アプローチ．上腕骨遠位部外側の展開……………………………………132
図3-14	肘関節前内側アプローチ．患者体位………133
図3-15	肘関節前内側アプローチ．皮切（右肘）…133
図3-16	肘関節前内側アプローチ．internervous plane……………………………………134
図3-17	肘関節前内側アプローチ．尺骨神経の剥離，展開……………………………………134

図 3-18	肘関節前内側アプローチ．回内・屈筋群の展開	135
図 3-19	肘関節前内側アプローチ．円回内筋と上腕筋の分離	135
図 3-20	肘関節前内側アプローチ．上腕骨内側上顆の骨切りおよび反転	136
図 3-21	肘関節前内側アプローチ．関節腔の展開	137
図 3-22	肘関節前内側アプローチ変法．回内・屈筋群に縦切	137
図 3-23	肘関節前内側アプローチ変法．一部の屈筋回内筋群の内側上顆からの剥離	138
図 3-24	肘関節前内側アプローチ変法．展開の拡大	138
図 3-25	尺骨鉤状突起への後内側アプローチ．皮切（右肘）	139
図 3-26	尺骨鉤状突起への後内側アプローチ．尺骨神経の剥離，展開	140
図 3-27	尺骨鉤状突起への後内側アプローチ．sublime tubercle の展開	141
図 3-28	尺骨鉤状突起への後内側アプローチ．滑車切痕内側部および鉤状突起内側部の展開	141
図 3-29	肘関節前外側アプローチ．患者体位	142
図 3-30	肘関節前外側アプローチ．皮切（右肘）	144
図 3-31	肘関節前外側アプローチ．internervous plane	144
図 3-32	肘関節前外側アプローチ．浅層の展開	145
図 3-33	肘関節前外側アプローチ．橈骨神経の確認	145
図 3-34	肘関節前外側アプローチ．橈骨神経の分枝の確認	146
図 3-35	肘関節前外側アプローチ．深層の展開	147
図 3-36	前腕回外位および回内位における後骨間神経の位置変化（短い矢印）	148
図 3-37	肘関節および前腕の浅層の静脈および神経	149
図 3-38	肘窩部への前方アプローチ．皮切（右肘）	150
図 3-39	肘窩部への前方アプローチ．internervous plane	150
図 3-40	肘窩部への前方アプローチ．浅層の展開	151
図 3-41	肘窩部への前方アプローチ．上腕動脈・正中神経の展開	151
図 3-42	肘窩部への前方アプローチ．上腕筋停止部の確認	152
図 3-43	肘窩部への前方アプローチ．正中神経の露出	152
図 3-44	肘窩部への前方アプローチ．前方関節包を露出，同関節包の縦切開	153
図 3-45	橈骨頭への後外側アプローチ．手術台上での患者体位	154
図 3-46	橈骨頭への後外側アプローチ．皮切（右肘）	155
図 3-47	橈骨頭への後外側アプローチ．internervous plane	156
図 3-48	橈骨頭への後外側アプローチ．伸筋群の共同起始部の露出	156
図 3-49	橈骨頭への後外側アプローチ．前腕の回旋による後骨間神経の位置変化	157
図 3-50	橈骨頭への後外側アプローチ．橈骨頭の露出	158
図 3-51	肘関節内側面の表層解剖（右肘内側面）	160
図 3-52	肘関節内側面の浅層解剖	161
図 3-53	肘関節内側面の中間層解剖（1）	161
図 3-54	肘関節内側面の中間層解剖（2）	162
図 3-55	肘関節内側面の深層解剖	162
図 3-56	肘関節後面の浅層解剖（右肘）	163
図 3-57	肘関節後面の深層解剖（1）	164
図 3-58	肘関節後面の深層解剖（2）	165
図 3-59	肘関節後面の深層解剖（3）	166

第4章　前　腕 ── 167

図 4-1	橈骨前方アプローチ．患者体位	169
図 4-2	橈骨前方アプローチ．皮切（右腕）	169
図 4-3	橈骨前方の internervous plane	170
図 4-4	橈骨前方アプローチ．筋膜切開	171
図 4-5	橈骨前方アプローチ．橈骨動脈および橈骨神経浅枝の確認	171
図 4-6	橈骨前方アプローチ．筋間の展開	172
図 4-7	橈骨前方アプローチ．橈骨の露出	173
図 4-8	橈骨前方アプローチ．円回内筋の確認および切離	173
図 4-9	橈骨前方アプローチ．橈骨全長の展開（1）	174
図 4-10	橈骨前方アプローチ．橈骨全長の展開（2）	174
図 4-11	前腕の浅層解剖	176
図 4-12	前腕の神経と血管	176
図 4-13	前腕の中間層解剖	177
図 4-14	前腕の深層解剖	178
図 4-15	前腕筋群の起始と停止	179
図 4-16	前腕の骨格	181

図題索引 | 841

図 4-17　尺骨骨幹部アプローチ．患者体位............183
図 4-18　尺骨骨幹部アプローチ．皮切（右腕）......183
図 4-19　尺骨骨幹部の internervous plane............184
図 4-20　尺骨骨幹部アプローチ．筋膜の切開........184
図 4-21　尺骨骨幹部アプローチ．尺骨骨幹部の展開
　　　　および横断面..185
図 4-22　肘部における神経と骨格との関係（後方か
　　　　らみた図）..186
図 4-23　橈骨後方アプローチ．患者体位................187
図 4-24　橈骨後方アプローチ．皮切........................188
図 4-25　橈骨背側の intermuscular plane................189
図 4-26　橈骨後方アプローチ．筋膜の切開............189
図 4-27　橈骨後方アプローチ．筋間の展開............190
図 4-28　橈骨後方アプローチ．回外筋の展開および
　　　　後骨間神経の確認....................................190
図 4-29　橈骨後方アプローチ．回外筋の切離........191
図 4-30　橈骨後方アプローチ．橈骨骨幹部の展開
　　　　..192
図 4-31　前腕後面の浅層の筋................................193
図 4-32　後骨間神経と橈骨神経浅枝の走行............194
図 4-33　後骨間神経の走行と支配筋........................195
図 4-34　前腕後面の筋群の起始および停止............197
図 4-35　前腕後面の骨格..198
図 4-36　前腕屈筋コンパートメントの減圧（中央ア
　　　　プローチ）．皮切と筋膜切開........200, 201
図 4-37　前腕屈筋コンパートメントの減圧（尺側ア
　　　　プローチ）．皮切と深層の展開................202
図 4-38　前腕屈筋コンパートメントの減圧（尺側ア
　　　　プローチ）．尺骨神経，尺骨動脈の展開
　　　　..203
図 4-39　前腕屈筋コンパートメントの減圧（尺側ア
　　　　プローチ）．深筋膜切開............................203
図 4-40　前腕後方コンパートメントの減圧............205
図 4-41　前腕の 3 つのコンパートメントの減圧（尺
　　　　側アプローチ）．皮切と浅層の展開........206
図 4-42　前腕の 3 つのコンパートメントの減圧（尺
　　　　側アプローチ）．皮切と深層の展開........207

第 5 章　手関節と手 ──── 209

図 5-1　手関節背側アプローチ．患者体位............211
図 5-2　手関節背側アプローチ．皮切....................212
図 5-3　手関節背側アプローチ．伸筋支帯の露出...213
図 5-4　手関節背側アプローチ．手関節滑膜切除....213
図 5-5　手関節背側アプローチ．橈骨遠位の中央部と
　　　　月状骨の展開..214
図 5-6　手関節背側アプローチ．とくに橈骨遠位橈側
　　　　の展開の場合..215

図 5-7　手関節背側アプローチ．長・短橈側手根伸筋
　　　　腱の挙上 (1)..215
図 5-8　手関節背側アプローチ．長・短橈側手根伸筋
　　　　腱の挙上 (2)..216
図 5-9　手関節背側アプローチ．手関節の完全展開
　　　　(1)．総指伸筋腱の展開............................216
図 5-10　手関節背側アプローチ．手関節の完全展開
　　　　(2)．関節包の切開....................................217
図 5-11　手関節背側アプローチ．手関節の完全展開
　　　　(3)．橈骨遠位端の露出............................217
図 5-12　手関節背側アプローチ．手関節の完全展開
　　　　(4)．橈・尺骨遠位端および手根骨の展開
　　　　..218
図 5-13　手関節と手指の背側解剖および前腕遠位の
　　　　断面図..219
図 5-14　手関節部の骨格..221
図 5-15　手関節背側面の浅層解剖............................222
図 5-16　手関節と手指背側面の深層解剖................223
図 5-17　橈骨遠位への掌側アプローチ．患者体位
　　　　..224
図 5-18　橈骨遠位への掌側アプローチ．手関節掌側
　　　　の切開..225
図 5-19　橈骨遠位への掌側アプローチ．筋膜の切開
　　　　..226
図 5-20　橈骨遠位への掌側アプローチ．方形回内筋
　　　　の確認..226
図 5-21　橈骨遠位への掌側アプローチ．方形回内筋
　　　　の展開..227
図 5-22　橈骨遠位への掌側アプローチ．橈骨遠位掌
　　　　側面の展開..227
図 5-23　手根管と手関節への掌側アプローチ．皮切
　　　　..229
図 5-24　手根管と手関節への掌側アプローチ．長掌
　　　　筋腱の展開..229
図 5-25　手根管と手関節への掌側アプローチ．正中
　　　　神経の確認..230
図 5-26　手根管と手関節への掌側アプローチ．横手
　　　　根靱帯の切開 (1)......................................230
図 5-27　手根管と手関節への掌側アプローチ．横手
　　　　根靱帯の切開 (2)......................................231
図 5-28　手根管と手関節への掌側アプローチ．関節
　　　　包の展開および切開................................231
図 5-29　手根管と手関節への掌側アプローチ．手根
　　　　骨の展開..232
図 5-30　手根管と手関節への掌側アプローチ．皮切
　　　　の延長..233
図 5-31　手根管と手関節への掌側アプローチ．浅指
　　　　屈筋・腱の展開..233

図		頁
図 5-32	手根管と手関節への掌側アプローチ．浅指屈筋と正中神経との関係	234
図 5-33	尺骨神経掌側アプローチ．皮切	235
図 5-34	尺骨神経掌側アプローチ．掌側手根靱帯の露出	235
図 5-35	尺骨神経掌側アプローチ．尺骨神経の確認および剥離	236
図 5-36	尺骨神経掌側アプローチ．Guyon管の開放	236
図 5-37	尺骨神経掌側アプローチ．前腕における尺骨神経展開のための皮切	237
図 5-38	尺骨神経掌側アプローチ．尺骨神経および尺骨動脈の展開	238
図 5-39	手関節と手掌部の浅層解剖	239
図 5-40	手関節と手掌部の中間層解剖（1）	240
図 5-41	手関節と手掌部の中間層解剖（2）	242
図 5-42	手関節と手掌部の中間層解剖（3）	243
図 5-43	手関節と手掌部の深層解剖（1）	244
図 5-44	手関節と手掌部の深層解剖（2）	245
図 5-45	手の骨と皮線，基本線	246
図 5-46	皮線と手の腱，関節との相関関係	248
図 5-47	指屈筋腱掌側アプローチ．皮切	249
図 5-48	指屈筋腱掌側アプローチ．開放創がある場合の皮切	249
図 5-49	指屈筋腱掌側アプローチ．厚い皮弁の造成と挙上	250
図 5-50	指屈筋腱掌側アプローチ．屈筋腱の展開	251
図 5-51	指屈筋腱掌側アプローチ．神経血管束の保護	251
図 5-52	指屈筋腱鞘側正中アプローチ．皮切と側方解剖	252
図 5-53	指屈筋腱鞘側正中アプローチ．滑車の切離	253
図 5-54	指屈筋腱鞘側正中アプローチ．屈筋腱鞘の露出	255
図 5-55	指屈筋腱鞘側正中アプローチ．屈筋腱の露出	255
図 5-56	指屈筋腱鞘側正中アプローチ．神経血管束の展開	255
図 5-57	指屈筋腱鞘側正中アプローチ．骨背面の露出	256
図 5-58	指節骨と指節間関節への背側アプローチ．皮切	257
図 5-59	指節骨と指節間関節への背側アプローチ．MP関節の展開	258
図 5-60	指節骨と指節間関節への背側アプローチ．PIP関節の展開	258
図 5-61	指節骨と指節間関節への背側アプローチ．中節骨の展開	258
図 5-62	手関節から指尖部にわたる指屈筋腱の区域	260
図 5-63	滑車	260
図 5-64	腱ひも	262
図 5-65	舟状骨掌側アプローチ．皮切	263
図 5-66	舟状骨掌側アプローチ．筋膜の切離と橈骨動脈の確認	264
図 5-67	舟状骨掌側アプローチ．手関節包の展開	264
図 5-68	舟状骨掌側アプローチ．舟状骨の展開	265
図 5-69	舟状骨背外側アプローチ．皮切	266
図 5-70	舟状骨背外側アプローチ．筋膜切開	267
図 5-71	舟状骨背外側アプローチ．橈骨動脈の確認	267
図 5-72	舟状骨背外側アプローチ．関節包の切開	267
図 5-73	舟状骨背外側アプローチ．舟状骨の展開	268
図 5-74	舟状骨背外側アプローチ．舟状骨への血管支配	268
図 5-75	爪周囲炎のドレナージの切開	270
図 5-76	指腹腔感染（ひょう疽）のドレナージの切開	271
図 5-77	指間腔感染．臨床像	273
図 5-78	指間腔感染のドレナージ．皮切	273
図 5-79	指間腔の解剖（右手掌側）	275
図 5-80	屈筋腱鞘感染．皮切とA_1滑車切開	277
図 5-81	深手掌腔の解剖と感染巣拡大の方向（右手掌側）	278
図 5-82	内側腔（手掌中央腔）のドレナージ．皮切	279
図 5-83	内側腔（手掌中央腔）のドレナージ．手掌腱膜の鈍的剥離	280
図 5-84	内側腔（手掌中央腔）のドレナージ．屈筋腱と神経血管束の同定	280
図 5-85	内側腔（手掌中央腔）のドレナージ．深手掌腔の展開	281
図 5-86	外側腔（母指腔）のドレナージ．皮切	282
図 5-87	外側腔（母指腔）のドレナージ．手掌腱膜の同定と鈍的剥離	282
図 5-88	外側腔（母指腔）のドレナージ．示指屈筋腱の確認	283
図 5-89	外側腔（母指腔）のドレナージ．外側腔進入	283
図 5-90	指の滑膜性腱鞘と橈側および尺側滑液鞘の解剖	285

図 5-91 橈側滑液鞘感染のドレナージ．皮切………285
図 5-92 橈側滑液鞘感染のドレナージ．展開および切開………286
図 5-93 尺側滑液鞘感染のドレナージ………288

第6章 脊椎 ─── 293

図 6-1 腰椎後方アプローチ．患者体位…………295
図 6-2 腰椎後方アプローチ．皮切………296
図 6-3 腰椎後方アプローチ．筋膜の切開と剥離…296
図 6-4 腰椎後方アプローチ．椎弓の展開………297
図 6-5 腰椎後方アプローチ．椎弓間開窓と脊柱管内の視認………297
図 6-6 腰椎後方アプローチ．黄色靱帯の切除と椎弓の部分咬除（開窓）の手順………298
図 6-7 腰椎後方アプローチ．神経根・硬膜の排除とヘルニアの展開………299
図 6-8 腰椎の後方最小侵襲アプローチ．手術部位全体図（参考）………300
図 6-9 腰椎の後方最小侵襲アプローチ．術野と手順………301
図 6-10 腰仙部の筋群と靱帯群………303
図 6-11 腰仙部の骨格と椎間関節包，黄色靱帯および棘間・棘上靱帯………304
図 6-12 L3/L4 椎間高位での水平断面図……………305
図 6-13 腰仙椎部の矢状断面………306
図 6-14 腰椎への3つの前方アプローチ…………307
図 6-15 腰椎前方（経腹膜）アプローチ．腹部正中皮切………308
図 6-16 腰椎前方（経腹膜）アプローチ．腹直筋鞘前葉の正中切開………309
図 6-17 腰椎前方（経腹膜）アプローチ．左・右腹直筋の分離………309
図 6-18 腰椎前方（経腹膜）アプローチ．腹膜切開………310
図 6-19 腰椎前方（経腹膜）アプローチ．開腹……310
図 6-20 腰椎前方（経腹膜）アプローチ．腸管の収納と後腹膜の展開………311
図 6-21 腰椎前方（経腹膜）アプローチ．L5/S1 椎間板の展開（1）………312
図 6-22 腰椎前方（経腹膜）アプローチ．L5/S1 椎間板の展開（2）………313
図 6-23 腰椎前方（後腹膜）アプローチ．皮切と脊椎との位置関係………314
図 6-24 腰椎前方（後腹膜）アプローチ．左腹直筋鞘前葉の縦切開………315
図 6-25 腰椎前方（後腹膜）アプローチ．腹直筋内側縁の確認………315
図 6-26 腰椎前方（後腹膜）アプローチ．弓状線の確認………316
図 6-27 腰椎前方（後腹膜）アプローチ．後腹膜への到達………316
図 6-28 腰椎前方（後腹膜）アプローチ．下位腰椎・腰仙椎部への到達………317
図 6-29 腰椎前方（後腹膜）アプローチ．L5/S1 椎間板の展開………317
図 6-30 腹直筋鞘前葉の線維走行………318
図 6-31 腹直筋およびその筋鞘の構造………319
図 6-32 腹壁の腱膜構造（筋鞘を含む）………320
図 6-33 腹直筋を含め腹壁を一部切除したところ………321
図 6-34 腰仙部後腹膜の図………322
図 6-35 L5/S1 椎間板および仙岬角前面の図………323
図 6-36 骨盤および腰椎椎の骨格（前面）………324
図 6-37 腰椎前側方（後腹膜）アプローチ．患者体位………325
図 6-38 腰椎前側方（後腹膜）アプローチ．左側腹部の斜切開………326
図 6-39 腰椎前側方（後腹膜）アプローチ．下位腰椎部への到達経路（緑矢印）………327
図 6-40 腰椎前側方（後腹膜）アプローチ．外腹斜筋の切開線………328
図 6-41 腰椎前側方（後腹膜）アプローチ．内腹斜筋の切開線………328
図 6-42 腰椎前側方（後腹膜）アプローチ．腹横筋の切離………329
図 6-43 腰椎前側方（後腹膜）アプローチ．腹膜と後腹膜脂肪の確認………329
図 6-44 腰椎前側方（後腹膜）アプローチ．腹膜および腸管の排除………330
図 6-45 腰椎前側方（後腹膜）アプローチ．腹部大動脈，分節動脈の確認………330
図 6-46 腰椎前側方（後腹膜）アプローチ．分節動静脈の結紮と大動脈の右方排除………331
図 6-47 側腹壁を構成する筋群の線維走向………332
図 6-48 展開路となる後腹膜のイメージ………333
図 6-49 腸骨稜レベルでの椎体周辺の主な器官……334
図 6-50 下位頸椎後方アプローチ．患者体位………335
図 6-51 下位頸椎後方アプローチ．正中切開………336
図 6-52 下位頸椎後方アプローチ．筋膜の切離……337
図 6-53 下位頸椎後方アプローチ．項靱帯の正中縦割………337
図 6-54 下位頸椎後方アプローチ．椎弓展開の水平断面図………338
図 6-55 下位頸椎後方アプローチ．椎弓展開の完了………338

図 6-56	下位頚椎後方アプローチ．椎弓・黄色靱帯の展開と部分椎弓切除（椎弓間開窓）…339		図 6-86	胸椎後側方アプローチ．肋骨骨膜の剥離………368
図 6-57	下位頚椎後方アプローチ．部分椎弓切除（開窓）による頚椎椎間板ヘルニア腫瘤の展開イメージ………340		図 6-87	胸椎後側方アプローチ．肋骨の部分切除………368
図 6-58	下位頚椎後方アプローチ．神経根の愛護的排除とヘルニア腫瘤………340		図 6-88	胸椎後側方アプローチ．肋骨の除去，横突起の部分切除………369
図 6-59	項頚部の浅層解剖………342		図 6-89	開胸による胸椎前方アプローチ．患者体位………370
図 6-60	項頚部の中間層解剖………343		図 6-90	胸椎前方アプローチ．開胸の皮切………371
図 6-61	項頚部の深層解剖………344		図 6-91	胸椎前方アプローチ．広背筋の切離………372
図 6-62	後頭下三角（suboccipital triangle of the neck）を構成する筋と重要組織………345		図 6-92	胸椎前方アプローチ．前鋸筋の切離………373
図 6-63	頚椎の骨格………346		図 6-93	胸椎前方アプローチ．肋骨の展開………374
図 6-64	頚の水平断面図（C5レベル）………347		図 6-94	肋骨骨膜の剥離と肋間神経血管束との位置関係………375
図 6-65	上位頚椎後方アプローチ．皮切………348		図 6-95	開胸における肋骨切除の範囲………375
図 6-66	上位頚椎後方アプローチ．頚筋膜および項靱帯の切開………349		図 6-96	胸椎前方アプローチ．開胸と胸椎椎体椎間板の展開（右開胸）………376
図 6-67	上位頚椎後方アプローチ．頚筋膜および項靱帯の切離………350		図 6-97	胸椎前方アプローチ．食道の排除，肋間動静脈の結紮切離と椎体椎間板の展開………377
図 6-68	上位頚椎後方アプローチ．C1，C2椎弓の展開………351		図 6-98	胸壁の浅層筋解剖………377
図 6-69	上位頚椎後方アプローチ．後環椎後頭膜の切開または部分切除………351		図 6-99	胸壁の深層筋解剖………378
図 6-70	頚椎前方アプローチ．患者体位………353		図 6-100	胸椎周辺の解剖（右側）………379
図 6-71	頚椎前方アプローチ．ランドマーク………354		図 6-101	脊柱側弯症の後方アプローチ．患者体位………380
図 6-72	頚椎前方アプローチ．広頚筋膜の切開と筋の分割………355		図 6-102	胸腰椎後方アプローチ．正中直線皮切…381
図 6-73	頚椎前方アプローチ．深頚筋膜の切開……355		図 6-103	胸腰椎後方アプローチ．棘上靱帯と棘突起軟骨性アポフィジスの分割（小児期）………382
図 6-74	頚椎前方アプローチ．頚筋膜気管前葉の切開（C3〜C5）………356		図 6-104	胸腰椎後方アプローチ．傍脊柱筋群の骨膜下剥離………383
図 6-75	頚椎前方アプローチ．頚筋膜椎前葉の展開と頚長筋の排除………357		図 6-105	胸腰椎後方アプローチ．回旋筋群の剥離と椎弓，横突起の展開（胸椎部）………383
図 6-76	頚椎前方アプローチ．椎体椎間板前面の展開………358		図 6-106	胸腰椎後方アプローチ．椎弓，横突起の展開（腰椎部）………384
図 6-77	頚の水平断面図（C5レベル）………360		図 6-107	胸腰椎後方アプローチ．術野展開の完了（胸椎〜腰椎）………385
図 6-78	頚の筋膜（右側）………361		図 6-108	背筋群の解剖………388
図 6-79	頚の主な血管，神経，甲状腺など（右側）………362		図 6-109	背筋群の深層解剖（1）………389
図 6-80	頚の深層解剖（右側）(1)………363		図 6-110	背筋群の深層解剖（2）………390
図 6-81	頚の深層解剖（右側）(2)………364		図 6-111	胸椎レベルおよび腰椎レベルでの水平断面図………391
図 6-82	頚椎骨格とランドマーク………365		図 6-112	肋骨切除のための後側方アプローチ．僧帽筋の排除と広背筋の切離………393
図 6-83	胸椎後側方アプローチ．肋骨横突起切除術の皮切………366		図 6-113	肋骨切除のための後側方アプローチ．広背筋の排除と腸肋筋の分割………393
図 6-84	胸椎後側方アプローチ．僧帽筋線維の分離………367		図 6-114	肋骨切除のための後側方アプローチ．肋骨の展開………394
図 6-85	胸椎後側方アプローチ．肋骨骨膜の切開………367		図 6-115	肋骨後方アプローチ．患者体位………396

図題索引 | **845**

図 6-116	肋骨後方アプローチ．皮切	396
図 6-117	肋骨後方アプローチ．筋の展開	398
図 6-118	肋骨後方アプローチ．肋骨の展開（1）	398
図 6-119	肋骨後方アプローチ．肋骨の展開（2）	399
図 6-120	肋骨骨折固定のためのアプローチ．患者体位	400
図 6-121	肋骨骨折固定のためのアプローチ．筋の展開（1）	401
図 6-122	肋骨骨折固定のためのアプローチ．筋の展開（2）	401
図 6-123	肋骨骨折固定のためのアプローチ．肋骨の展開	402

第7章　骨盤と寛骨臼　── 405

図 7-1	寛骨臼の前柱と後柱	407
図 7-2	腸骨稜前方アプローチ．皮切	408
図 7-3	腸骨稜前方アプローチ．軟部組織の切開	409
図 7-4	腸骨稜前方アプローチ．筋の剥離	409
図 7-5	腸骨稜後方アプローチ．皮切	411
図 7-6	腸骨稜後方アプローチ．筋の剥離と骨切除の方向	412
図 7-7	恥骨結合前方アプローチ．皮切	413
図 7-8	恥骨結合前方アプローチ．腹直筋鞘への到達	414
図 7-9	恥骨結合前方アプローチ．腹直筋鞘の切離	414
図 7-10	恥骨結合前方アプローチ．腹直筋の横切	415
図 7-11	恥骨結合前方アプローチ．恥骨の展開	415
図 7-12	仙腸関節前方アプローチ．皮切	416
図 7-13	仙腸関節前方アプローチ．筋の剥離—bone block technique（1）	417
図 7-14	仙腸関節前方アプローチ．腸骨稜の切離—bone block technique（2）	418
図 7-15	仙腸関節前方アプローチ．仙腸関節の展開	419
図 7-16	仙腸関節後方アプローチ．皮切	420
図 7-17	仙腸関節後方アプローチ．殿筋膜の展開	421
図 7-18	仙腸関節後方アプローチ．筋の剥離	422
図 7-19	仙腸関節後方アプローチ．仙腸関節前面の触知	423
図 7-20	股関節後面の浅層解剖	425
図 7-21	腸骨鼠径アプローチで展開できる領域	427
図 7-22	腸骨鼠径アプローチ．皮切	427
図 7-23	腸骨鼠径アプローチ．浅層の展開（1）	428
図 7-24	腸骨鼠径アプローチ．浅層の展開（2）	429
図 7-25	腸骨鼠径アプローチ．精索（円索）の遊離	430
図 7-26	腸骨鼠径アプローチ．深層の展開（1）	430
図 7-27	鼠径靭帯の構成図	431
図 7-28	腸骨鼠径アプローチ．深層の展開（2）	431
図 7-29	腸骨鼠径アプローチ．深層の展開（3）	432
図 7-30	腸骨鼠径アプローチ．深層の展開（4）	433
図 7-31	腸骨鼠径アプローチ．展開された骨盤内腔俯瞰図	434
図 7-32	腸骨鼠径部における神経および脈管	435
図 7-33	鼠径部の浅層解剖	437
図 7-34	鼠径管の展開	438
図 7-35	精索の遊離	439
図 7-36	鼠径靭帯の深層解剖	440
図 7-37	鼠径管後壁の切開	441
図 7-38	寛骨臼内面と腸骨鼠径部	442
図 7-39	寛骨臼への前方骨盤内アプローチ．寛骨臼の解剖学的位置	443
図 7-40	寛骨臼への前方骨盤内アプローチ．患者体位	444
図 7-41	寛骨臼への前方骨盤内アプローチ．白線の縦切開	445
図 7-42	寛骨臼への前方骨盤内アプローチ．腹直筋筋膜の剥離	445
図 7-43	寛骨臼への前方骨盤内アプローチ．腹直筋の切離	446
図 7-44	corona mortis（1）	446
図 7-45	寛骨臼への前方骨盤内アプローチ．腸恥隆起起始部の展開	447
図 7-46	寛骨臼への前方骨盤内アプローチ．腸骨筋と骨の間の展開	448
図 7-47	寛骨臼への前方骨盤内アプローチ．quadrilateral surface の展開	448
図 7-48	quadrilateral surface の剥離	449
図 7-49	corona mortis（2）	451
図 7-50	腸骨恥骨筋膜の解離	452
図 7-51	閉鎖神経と外側・内側腸骨動静脈	452
図 7-52	寛骨臼後方アプローチで展開できる領域（外側面）	453
図 7-53	寛骨臼後方アプローチ．患者体位	454
図 7-54	寛骨臼後方アプローチ．皮切	454
図 7-55	寛骨臼後方アプローチ．浅層の展開（1）	455
図 7-56	寛骨臼後方アプローチ．浅層の展開（2）	456
図 7-57	寛骨臼後方アプローチ．浅層の展開（3）	457
図 7-58	大転子の階段状骨切り	458

図7-59 寛骨臼後方アプローチ．大転子の反転……459
図7-60 寛骨臼後方アプローチ．関節包のZ字型切開……460
図7-61 寛骨臼後方アプローチ．大腿骨頭の展開……460
図7-62 寛骨臼後方アプローチ．外科的脱臼の手順……461

第8章 股関節 ─── 463

図8-1 股関節への前方，前外側，後方アプローチで使用される筋間……464
図8-2 股関節前方アプローチ．患者体位……466
図8-3 股関節前方アプローチ．皮切……467
図8-4 股関節前方アプローチにおける浅層 internervous plane……468, 469
図8-5 股関節前方アプローチ．浅層 internervous plane の確認……470
図8-6 股関節前方アプローチ．外側大腿皮神経の確認……470
図8-7 股関節前方アプローチ．筋膜切開……471
図8-8 股関節前方アプローチ．筋間の拡大および外側大腿回旋動脈の結紮……472
図8-9 股関節前方アプローチ．大腿直筋腱の切離……473
図8-10 股関節前方アプローチ．関節包の展開（1）……473
図8-11 股関節前方アプローチ．関節包の展開（2）……474
図8-12 股関節前方アプローチ．関節包の展開（3）……474
図8-13 股関節前面の浅層解剖……475
図8-14 股関節前面の中間層解剖……476
図8-15 股関節前面の深層解剖（1）……477
図8-16 股関節前面の深層解剖（2）……478
図8-17 股関節前方アプローチ．上下への拡大……479
図8-18 股関節の前方最小侵襲アプローチ．皮切の位置決め……480
図8-19 股関節の前方最小侵襲アプローチ．筋膜切開の位置……482
図8-20 股関節の前方最小侵襲アプローチ．大腿筋膜張筋前縁の確認……482
図8-21 股関節の前方最小侵襲アプローチ．大腿直筋筋膜鞘の切開……483
図8-22 股関節の前方最小侵襲アプローチ．外側大腿回旋動脈の確認……483
図8-23 股関節の前方最小侵襲アプローチ．関節包前面の展開と切開……484
図8-24 股関節の前方最小侵襲アプローチ．レトラクターのかけ方と注意点……484
図8-25 股関節前外側アプローチ．進入路……486
図8-26 股関節前外側アプローチ．患者体位……486
図8-27 股関節前外側アプローチ．皮切……487
図8-28 股関節前外側アプローチ．筋膜切開……488
図8-29 股関節前外側アプローチ．大腿筋膜張筋と中殿筋間の展開……489
図8-30 股関節前外側アプローチ．関節包の展開（1）……489
図8-31 股関節前外側アプローチ．関節包の展開（2）……490
図8-32 股関節前外側アプローチ．大転子切離……491
図8-33 股関節前外側アプローチ．大転子の反転および前方関節包の露出……491
図8-34 股関節前外側アプローチ．外転機構の部分切離……492
図8-35 股関節前外側アプローチ．大腿直筋反転頭の処理……492
図8-36 股関節前外側アプローチ．H字型の関節包切開と外科的脱臼の準備……493
図8-37 股関節前外側アプローチ．寛骨臼の展開……494
図8-38 股関節前外側アプローチ．下方（遠位）への術野拡大……495
図8-39 股関節外側アプローチ．皮切……496
図8-40 股関節外側アプローチ．筋膜切開……497
図8-41 股関節外側アプローチ．深層の展開（1）……498
図8-42 股関節外側アプローチ．深層の展開（2）……499
図8-43 股関節外側アプローチ．関節包切開……499
図8-44 股関節外側アプローチ．大腿骨頚部の骨切り……500
図8-45 股関節外側アプローチ．大腿骨頭摘出……501
図8-46 股関節前外側面の表層解剖……502
図8-47 股関節前外側面の中間層解剖……503
図8-48 股関節前外側面の深層解剖……504
図8-49 前側方からみた骨盤および股関節の骨格……505
図8-50 外側方からみた骨盤および股関節の骨格……506
図8-51 股関節前方および前外側アプローチにおける筋肉の境界……507
図8-52 外側大腿皮神経の代表的変異……508
図8-53 股関節後方アプローチ．患者体位……510
図8-54 股関節後方アプローチ．皮切（A）および筋膜切開（B）……511

図 8-55	股関節後方の internervous plane ············512
図 8-56	股関節後方アプローチ．大殿筋の分離·····513
図 8-57	股関節後方アプローチ．短外旋筋群の展開 ············514
図 8-58	股関節後方アプローチ．坐骨神経の走行および短外旋筋の切離············515
図 8-59	股関節後方アプローチ．後方関節包の切開 ············516
図 8-60	股関節後方アプローチ．術野の拡大········516
図 8-61	股関節後面の浅層解剖································517
図 8-62	股関節後面の中間層解剖····························518
図 8-63	股関節後面の深層解剖································519
図 8-64	後側方からみた骨盤および股関節の骨格 ············520
図 8-65	股関節内側アプローチ．患者体位············523
図 8-66	股関節内側アプローチ．皮切····················524
図 8-67	股関節内側の internervous plane ············524
図 8-68	股関節内側アプローチ．手順····················525
図 8-69	股関節内側面の浅層解剖····························526
図 8-70	股関節内側面の深層解剖····························527
図 8-71	内方からみた骨盤および股関節の骨格····528

第9章 大腿骨 ——— 531

図 9-1	大腿骨への外側アプローチ．患者体位······533
図 9-2	大腿骨への外側アプローチ．皮切············533
図 9-3	大腿骨への外側アプローチ．大腿筋膜の切開············534
図 9-4	大腿骨への外側アプローチ．外側広筋の切開············534
図 9-5	大腿骨への外側アプローチ．大腿骨近位部の展開············535
図 9-6	大腿骨への外側アプローチ．大腿骨骨幹部の骨膜上展開と術野の拡大············535
図 9-7	大腿骨への後外側アプローチ．患者体位···536
図 9-8	大腿骨への後外側アプローチ．皮切·········537
図 9-9	大腿後外側の internervous plane ············537
図 9-10	大腿骨への後外側アプローチ．大腿筋膜の切開············538
図 9-11	大腿骨への後外側アプローチ．外側広筋全貌の確認············538
図 9-12	大腿骨への後外側アプローチ．外側広筋の前方排除············539
図 9-13	大腿骨への後外側アプローチ．大腿骨粗線の展開············540
図 9-14	大腿骨への後外側アプローチ．大腿骨骨幹部の展開············540
図 9-15	大腿骨遠位 2/3 への前内側アプローチ．患者体位············541
図 9-16	大腿骨遠位 2/3 への前内側アプローチ．皮切············542
図 9-17	大腿骨遠位 2/3 への前内側アプローチ．大腿筋膜の筋間隙の確認············543
図 9-18	大腿骨遠位 2/3 への前内側アプローチ．中間広筋の展開および関節包展開のための切開線············543
図 9-19	大腿骨遠位 2/3 への前内側アプローチ．術野の近位への拡大············544
図 9-20	大腿骨遠位 2/3 への前内側アプローチ．大腿骨の展開············544
図 9-21	大腿骨への後方アプローチ．患者体位·····545
図 9-22	大腿骨への後方アプローチ．皮切·············546
図 9-23	大腿後方の internervous plane ···············546
図 9-24	大腿骨への後方アプローチ．後大腿皮神経の確認············547
図 9-25	大腿骨への後方アプローチ．大腿二頭筋と外側広筋間の展開············547
図 9-26	大腿骨への後方アプローチ．大腿骨後面の露出············548
図 9-27	大腿骨への後方アプローチ．坐骨神経の露出確認············548
図 9-28	大腿骨への後方アプローチ．坐骨神経の保護および骨膜切開············549
図 9-29	大腿骨への後方アプローチ．大腿骨後面（遠位側）の露出············549
図 9-30	大腿骨遠位部への最小侵襲アプローチ．患者体位············550
図 9-31	大腿骨遠位部への最小侵襲アプローチ．皮切············551
図 9-32	大腿骨遠位部への最小侵襲アプローチ．筋膜の露出············551
図 9-33	大腿骨遠位部への最小侵襲アプローチ．深層の展開············552
図 9-34	大腿骨遠位部への最小侵襲アプローチ．骨膜上での鈍的展開············552
図 9-35	遠位大腿骨顆部への前方アプローチ．皮切············554
図 9-36	遠位大腿骨顆部への前方アプローチ．外側広筋筋膜の切開············555
図 9-37	遠位大腿骨顆部への前方アプローチ．外側膝蓋支帯と膝関節包の切開············555
図 9-38	大腿骨内側顆への内側アプローチ．患者体位············556
図 9-39	大腿骨内側顆への内側アプローチ．皮切 ············557

図 9-40	大腿骨内側顆への内側アプローチ．縫工筋，大内転筋，内側広筋の圧排	558
図 9-41	大腿骨内側顆への内側アプローチ．内側膝蓋支帯の切開	559
図 9-42	大腿骨内側顆への内側アプローチ．後縁と鵞足の圧排	559
図 9-43	大腿骨内側顆への内側アプローチ．大腿骨後方の膝窩動静脈	560
図 9-44	遠位大腿骨顆部への外側アプローチ．皮切	561
図 9-45	遠位大腿骨顆部への外側アプローチ．骨ブロックの作製	562
図 9-46	遠位大腿骨顆部への外側アプローチ．外側広筋と大腿二頭筋の露出	563
図 9-47	遠位大腿骨顆部への外側アプローチ．大腿骨外側顆と腓腹筋外側頭起始の露出	563
図 9-48	髄内釘のための大腿骨近位部への最小侵襲アプローチ．患者体位	564
図 9-49	髄内釘のための大腿骨近位部への最小侵襲アプローチ．肥満と皮切の位置変化（背臥位）	565
図 9-50	髄内釘のための大腿骨近位部への最小侵襲アプローチ．皮切線のデザイン（1）	566
図 9-51	髄内釘のための大腿骨近位部への最小侵襲アプローチ．皮切線のデザイン（2）	567
図 9-52	髄内釘のための大腿骨近位部への最小侵襲アプローチ．X線透視による大腿骨髄内釘挿入部位の位置決め	568
図 9-53	髄内釘のための大腿骨近位部への最小侵襲アプローチ．ランドマークによる進入部位の位置決め	569
図 9-54	髄内釘のための大腿骨近位部への最小侵襲アプローチ．大腿骨近位部（髄内釘刺入点）への到達	570
図 9-55	髄内釘のための大腿骨近位部への最小侵襲アプローチ．ガイドワイヤーの挿入	571
図 9-56	大腿骨の逆行性髄内釘のための最小侵襲アプローチ．皮切	572
図 9-57	大腿骨の逆行性髄内釘のための最小侵襲アプローチ．内側膝蓋支帯と関節包の切開	573
図 9-58	大腿骨の逆行性髄内釘のための最小侵襲アプローチ．関節滑膜の切開と後十字靱帯の確認	574
図 9-59	大腿骨の逆行性髄内釘のための最小侵襲アプローチ．ガイドワイヤーの挿入	575
図 9-60	大腿外側面の表層筋群	579
図 9-61	大腿外側面の深層筋群	580
図 9-62	大腿前面の表層筋群	581
図 9-63	大腿前面の深層筋群（1）	582
図 9-64	大腿前面の深層筋群（2）	583
図 9-65	大腿後面の表層筋群	584
図 9-66	大腿後面の深層筋群	585

第10章　膝関節 ── 587

図 10-1	膝関節鏡アプローチ．患者体位	589
図 10-2	膝関節鏡刺入口と皮切	590
図 10-3	関節鏡の挿入と膝蓋上嚢，膝蓋大腿関節，大腿骨外側顆，膝窩筋腱の観察	592
図 10-4	外側半月前方部，大腿骨外側顆の観察	593
図 10-5	大腿骨内側顆，脛骨内側顆，内側半月内縁の観察	594
図 10-6	内側半月後角の観察	595
図 10-7	顆間窩，前十字靱帯，後十字靱帯の観察	596
図 10-8	8字肢位と外側半月の観察	597
図 10-9	内側傍膝蓋アプローチ．患者体位	599
図 10-10	内側傍膝蓋アプローチ．皮切	600
図 10-11	内側傍膝蓋アプローチ．関節包の切開（1）	601
図 10-12	内側傍膝蓋アプローチ．関節包の切開（2）	602
図 10-13	内側傍膝蓋アプローチ．関節の展開	603
図 10-14	膝蓋骨脱転を容易にするための処置	604
図 10-15	膝関節内側アプローチ．患者体位	605
図 10-16	膝関節内側アプローチ．皮切（右膝）	606
図 10-17	膝関節内側アプローチ．伏在神経枝の確認および筋膜切開	607
図 10-18	膝関節内側アプローチ．薄筋，半腱様筋の露出	608
図 10-19	膝関節内側アプローチ．内側側副靱帯浅層の脛骨停止部の展開	609
図 10-20	膝関節内側アプローチ．前方部分の操作のための関節包切開	610
図 10-21	膝関節内側アプローチ．後内側関節包の展開と骨格の挿入図（後内方からみた図）	611
図 10-22	膝関節内側アプローチ．関節包切開（後内方からみた図）	612
図 10-23	膝関節前内側面の浅層解剖	613
図 10-24	膝関節前内側面の中間層解剖	615
図 10-25	膝関節前内側面の深層解剖	616
図 10-26	膝関節内側面の浅層解剖	617
図 10-27	膝関節内側面の中間層解剖	618

図10-28	膝関節の解剖．より後内側方からのビュー	619
図10-29	膝関節後内側面の深層解剖（1）	620
図10-30	膝関節後内側面の深層解剖（2）	621
図10-31	膝関節後内方の骨解剖	622
図10-32	膝関節外側アプローチ．患者体位	623
図10-33	膝関節外側アプローチ．皮切	624
図10-34	膝関節外側の internervous plane	625
図10-35	膝関節外側アプローチ．筋膜切開	626
図10-36	膝関節外側アプローチ．関節内の展開	627
図10-37	膝関節外側面の浅層解剖	628
図10-38	膝関節外側面の中間層解剖	630
図10-39	膝関節外側面の深層解剖	631
図10-40	膝関節への後方アプローチ．患者体位	632
図10-41	膝関節への後方アプローチ．皮切	633
図10-42	膝関節への後方アプローチ．筋膜切開	634
図10-43	膝関節への後方アプローチ．内側腓腹皮神経の確認と膝窩部の展開	635
図10-44	膝関節への後方アプローチ．総腓骨神経の確認および保護	636
図10-45	膝関節への後方アプローチ．膝窩動静脈の確認	637
図10-46	膝関節への後方アプローチ．後方関節包の展開	638
図10-47	膝関節後面の浅層解剖	639
図10-48	膝関節後面の中間層解剖	640
図10-49	膝関節後面の深層解剖（1）	643
図10-50	膝関節後面の深層解剖（2）	644
図10-51	内側半月アプローチ．患者体位	645
図10-52	内側半月切除術のためのアプローチ．皮切（右膝）	646
図10-53	内側半月切除術のためのアプローチ．前内方関節包の切開	646
図10-54	内側半月切除術のためのアプローチ．滑膜下脂肪組織の露出	647
図10-55	内側半月切除術のためのアプローチ．滑膜の切開（1）	647
図10-56	内側半月切除術のためのアプローチ．滑膜の切開（2）	648
図10-57	内側半月切除術のためのアプローチ．半月の展開	649
図10-58	内側半月切除術のためのアプローチ．第2の切開を加える部位の触知法	650
図10-59	内側半月切除術のためのアプローチ．第2の切開からの展開野	651
図10-60	外側半月切除術のためのアプローチ．患者体位	653
図10-61	外側半月切除術のためのアプローチ．皮切と展開	654
図10-62	外側半月切除術のためのアプローチ．半月の展開	655
図10-63	大腿骨遠位部への外側アプローチ．患者体位	656
図10-64	大腿骨遠位部への外側アプローチ．皮切	657
図10-65	大腿骨遠位部への外側アプローチ．筋膜切開	658
図10-66	大腿骨遠位部への外側アプローチ．外側上膝動脈の確認	659
図10-67	大腿骨遠位部への外側アプローチ．外側上膝動脈の焼灼および骨膜切開	660
図10-68	大腿骨遠位部への外側アプローチ．骨膜の剥離および顆間窩への到達	661
図10-69	大腿骨遠位部への外側アプローチ．後方から挿入された鉗子先端の確認	662

第11章　脛骨と腓骨 ─── 665

図11-1	脛骨近位部（脛骨プラトーを含む）への手術アプローチ	667
図11-2	脛骨外側プラトー前外側アプローチ．患者体位	668
図11-3	脛骨外側プラトー前外側アプローチ．皮切	668
図11-4	脛骨外側プラトー前外側アプローチ．浅層の展開	669
図11-5	脛骨外側プラトー前外側アプローチ．深層の展開	670
図11-6	脛骨近位部後内側アプローチ．患者体位	671
図11-7	脛骨近位部後内側アプローチ．皮切	672
図11-8	脛骨近位部後内側アプローチ．浅層の展開	673
図11-9	脛骨近位部後内側アプローチ．深層の展開	674
図11-10	脛骨プラトー後外側アプローチ．骨の展開域（脛骨後外側プラトー）	675
図11-11	脛骨プラトー後外側アプローチ．患者体位	675
図11-12	脛骨プラトー後外側アプローチ．皮切	676
図11-13	脛骨プラトー後外側アプローチ．深筋膜の切離	677
図11-14	脛骨プラトー後外側アプローチ．筋の排除と腓骨頭の確認	678

図 11-15	脛骨プラトー後外側アプローチ．膝窩筋および腓骨頭の展開	679
図 11-16	脛骨プラトー後外側アプローチ．脛骨後外側プラトーの展開	680
図 11-17	脛骨プラトー後内側アプローチ．患者体位	682
図 11-18	脛骨プラトー後内側アプローチ．皮切	682
図 11-19	脛骨プラトー後内側アプローチ．筋間進入路の確認	683
図 11-20	脛骨プラトー後内側アプローチ．筋の排除	683
図 11-21	脛骨プラトー後内側アプローチ．膝窩筋の剥離	684
図 11-22	脛骨プラトー後内側アプローチ．後内側プラトーの展開	684
図 11-23	脛骨プラトー後内側アプローチ．前脛骨動脈の認識	685
図 11-24	脛骨近位部の前外側最小侵襲アプローチ．皮切	687
図 11-25	脛骨近位部の前外側最小侵襲アプローチ．浅層の展開	687
図 11-26	脛骨近位部の前外側最小侵襲アプローチ．深層の展開	688
図 11-27	脛骨前方アプローチ．患者体位	689
図 11-28	脛骨前方アプローチ．皮切	690
図 11-29	脛骨前方アプローチ．脛骨内側面と外側面の展開	691
図 11-30	脛骨前方アプローチ．脛骨外側面の露出	692
図 11-31	脛骨遠位部の前方最小侵襲アプローチ．皮切	693
図 11-32	脛骨遠位部の前方最小侵襲アプローチ．浅層の展開	694
図 11-33	脛骨遠位部の前方最小侵襲アプローチ．深層の展開	694
図 11-34	脛骨後外側アプローチ．患者体位	695
図 11-35	脛骨後外側アプローチ．皮切	695
図 11-36	脛骨後外側の internervous plane	696
図 11-37	脛骨後外側アプローチ．筋膜切開線	696
図 11-38	脛骨後外側アプローチ．長母趾屈筋とヒラメ筋との筋間進入	697
図 11-39	脛骨後外側アプローチ．長母趾屈筋の剥離と腓骨の展開	698
図 11-40	脛骨後外側アプローチ．脛骨外側縁への到達および骨膜切開線	699
図 11-41	脛骨後外側アプローチ．脛骨外側後面の展開	700
図 11-42	腓骨アプローチ．皮切	701
図 11-43	腓骨アプローチ．総腓骨神経の確認および展開	702
図 11-44	腓骨アプローチ．総腓骨神経の前方排除および筋膜切開	703
図 11-45	腓骨アプローチ．屈筋群の腓骨後面からの剥離	703
図 11-46	腓骨アプローチ．短腓骨筋の腓骨前面からの剥離	704
図 11-47	腓骨アプローチ．腓骨の全周展開および剥離の方向	705
図 11-48	下腿の筋・筋膜コンパートメント	706
図 11-49	前方および外側コンパートメント除圧のための切開	707
図 11-50	浅後方および深後方コンパートメント除圧のための切開	708
図 11-51	膝蓋下脛骨髄内釘のための最小侵襲アプローチ．牽引手術台と体位	710
図 11-52	膝蓋下脛骨髄内釘のための最小侵襲アプローチ．自由肢位	711
図 11-53	膝蓋下脛骨髄内釘のための最小侵襲アプローチ．皮切	712
図 11-54	膝蓋下脛骨髄内釘のための最小侵襲アプローチ．皮下の剥離	713
図 11-55	膝蓋下脛骨髄内釘のための最小侵襲アプローチ．筋膜の切離	713
図 11-56	膝蓋下脛骨髄内釘のための最小侵襲アプローチ．脛骨上面からみた髄内釘の刺入点	713
図 11-57	膝蓋下脛骨髄内釘のための最小侵襲アプローチ．正しい刺入点と誤った刺入点	714
図 11-58	膝蓋上脛骨髄内釘のための最小侵襲アプローチ．患者体位	715
図 11-59	膝蓋上脛骨髄内釘のための最小侵襲アプローチ．皮切	715
図 11-60	膝蓋上脛骨髄内釘のための最小侵襲アプローチ．大腿四頭筋腱の展開	716
図 11-61	膝蓋上脛骨髄内釘のための最小侵襲アプローチ．トロカーの挿入	717
図 11-62	膝蓋上脛骨髄内釘のための最小侵襲アプローチ．トロカーの刺入位置	717

第 12 章　足と足関節　　719

図 12-1	足関節前方アプローチ．患者体位	721
図 12-2	足関節前方アプローチ．皮切	722
図 12-3	足関節前方アプローチ．筋膜切開	722

図 12-4　足関節前方アプローチ．関節包切開および関節の露出……723
図 12-5　足関節前方アプローチ．伸筋支帯内側からの関節展開……724
図 12-6　内果アプローチ．患者体位……725
図 12-7　内果前方アプローチ．皮切……726
図 12-8　内果前方アプローチ．大伏在静脈，伏在神経の確認……727
図 12-9　内果前方アプローチ．関節包の切開……728
図 12-10　内果前方アプローチ．三角靱帯の部分切離……728
図 12-11　内果後方アプローチ．皮切……729
図 12-12　内果後方アプローチ．屈筋支帯の切開……729
図 12-13　内果後方アプローチ．後面の露出……730
図 12-14　足関節内側アプローチ．皮切……731
図 12-15　足関節内側アプローチ．大伏在静脈の前方排除および屈筋支帯の切開……732
図 12-16　足関節内側アプローチ．内果の骨切りに先立つ処置……733
図 12-17　足関節内側アプローチ．内果の骨切りと下方反転および関節展開（1）……733
図 12-18　足関節内側アプローチ．内果の骨切りと下方反転および関節展開（2）……734
図 12-19　足関節後内側アプローチ．患者体位……735
図 12-20　足関節後内側アプローチ．皮切……736
図 12-21　足関節後内側アプローチ．深筋膜の切開……737
図 12-22　足関節後内側アプローチ．深屈筋コンパートメントの筋膜の切開，脛骨神経の確認……737
図 12-23　足関節後内側アプローチ．内側線維骨性トンネルの切離……738
図 12-24　足関節後内側アプローチ．後方部分の展開……739
図 12-25　足関節後外側アプローチ．患者体位……740
図 12-26　足関節後外側アプローチ．皮切……741
図 12-27　足関節後外側の internervous plane……741
図 12-28　足関節後外側アプローチ．深筋膜の切開……742
図 12-29　足関節後外側アプローチ．腓骨筋支帯の切開……743
図 12-30　足関節後外側アプローチ．長母趾屈筋の部分切離……744
図 12-31　足関節後外側アプローチ．骨膜の切開……745
図 12-32　外果外側アプローチ．患者体位……747
図 12-33　外果外側アプローチ．皮切および腓骨の展開（1）……748
図 12-34　外果外側アプローチ．皮切および腓骨の展開（2）……748
図 12-35　足関節および後足部への前外側アプローチ．皮切……750
図 12-36　足関節および後足部への前外側アプローチ．皮切と伸筋腱の露出……751
図 12-37　足関節および後足部への前外側アプローチ．腓骨，足関節前面の展開……752
図 12-38　足関節および後足部への前外側アプローチ．関節包の切開……752
図 12-39　後足部外側アプローチ．皮切……753
図 12-40　後足部外側アプローチ．深筋膜の切開……754
図 12-41　後足部外側アプローチ．伸筋腱の露出……755
図 12-42　後足部外側アプローチ．伸筋腱の内方排除……755
図 12-43　後足部外側アプローチ．関節包の露出……756
図 12-44　後足部外側アプローチ．関節包の切離……756
図 12-45　後足部外側アプローチ．後距踵関節包の切開……757
図 12-46　後距踵関節外側アプローチ．皮切……758
図 12-47　後距踵関節外側アプローチ．短腓骨筋腱鞘の切開……759
図 12-48　後距踵関節外側アプローチ．下腓骨筋支帯の切開……759
図 12-49　後距踵関節外側アプローチ．腓骨筋腱の前方移動および後距踵関節包の切開……760
図 12-50　後距踵関節外側アプローチ．後距踵関節の展開……760
図 12-51　距骨頚部前外側アプローチ．皮切……761
図 12-52　距骨頚部前外側アプローチ．上・下伸筋支帯の切離と筋膜の切開……762
図 12-53　距骨頚部前外側アプローチ．長趾伸筋腱の同定と牽引……763
図 12-54　距骨頚部前外側アプローチ．足関節包の切開と距舟関節の露出……763
図 12-55　距骨頚部前外側アプローチ．距骨の確認……764
図 12-56　距骨頚部前内側アプローチ．皮切……765
図 12-57　距骨頚部前内側アプローチ．伸筋支帯の切開……766
図 12-58　距骨頚部への前内側アプローチ．距骨頚部と距舟関節の展開……767
図 12-59　踵骨外側アプローチ．皮切……768
図 12-60　踵骨外側アプローチ．浅層の展開……769
図 12-61　踵骨外側アプローチ．深層の展開……769
図 12-62　足底アプローチ．皮切……772
図 12-63　足底アプローチ……773
図 12-64　足部背側面の浅層解剖……775

図 12-65	足部背側面の深層解剖	776
図 12-66	足関節の前部と中足部の骨格	777
図 12-67	足部と足関節内側面の浅層解剖	778
図 12-68	足部内側面の中間層解剖	779
図 12-69	足部内側面の深層解剖	780
図 12-70	足部と足関節内側面の骨格	780
図 12-71	足部外側面の浅層解剖	781
図 12-72	足部外側面の深層解剖	782
図 12-73	足部と足関節外側面の骨格	783
図 12-74	足関節後外側面の浅層解剖	785
図 12-75	足関節後外側面の深層解剖	786
図 12-76	足関節後外側面の骨格	787
図 12-77	足中央部背側アプローチ．皮切	788
図 12-78	足中央部背側アプローチ．皮切で現れる関節	789
図 12-79	足中央部背側アプローチ．皮切	789
図 12-80	足中央部背側アプローチ．踵立方関節包の展開	790
図 12-81	舟状骨へのアプローチ．皮切	791
図 12-82	舟状骨へのアプローチ．脛骨筋腱の同定，距舟関節および第1楔舟関節の関節包切開	792
図 12-83	舟状骨へのアプローチ．外脛骨の切除	792
図 12-84	立方骨へのアプローチ．患者体位	793
図 12-85	立方骨へのアプローチ．皮切	794
図 12-86	立方骨へのアプローチ．皮下組織の切開	795
図 12-87	立方骨へのアプローチ．踵立方関節の関節包の切開	795
図 12-88	Lisfranc関節背内側アプローチ．皮切	797
図 12-89	Lisfranc関節背内側アプローチ．浅層と深層の展開（1）	797
図 12-90	Lisfranc関節背内側アプローチ．浅層と深層の展開（2）	797
図 12-91	Lisfranc関節背内側アプローチ．浅層と深層の展開（3）	798
図 12-92	Lisfranc関節背外側アプローチ．皮切（1）	799
図 12-93	Lisfranc関節背外側アプローチ．皮切（2）	800
図 12-94	Lisfranc関節背外側アプローチ．長趾伸筋腱の同定	800
図 12-95	Lisfranc関節背外側アプローチ．短趾伸筋筋腹の切開	800
図 12-96	第1中足骨背内側アプローチ．皮切	802
図 12-97	第1中足骨背内側アプローチ．皮下組織の展開	802
図 12-98	母趾MTP関節背側アプローチ．皮切	804
図 12-99	母趾MTP関節背側アプローチ．深筋膜の切開	805
図 12-100	母趾MTP関節背側アプローチ．関節包の背側切開	805
図 12-101	母趾MTP関節背内側アプローチ．皮切	807
図 12-102	母趾MTP関節背内側アプローチ．深筋層の切開および関節包の展開	807
図 12-103	母趾MTP関節背内側アプローチ．関節包のU字型切開反転	807
図 12-104	外反母趾手術のための背外側アプローチ．皮切	809
図 12-105	外反母趾手術のための背外側アプローチ．深層部の展開と滑液包の切開	810
図 12-106	外反母趾手術のための背外側アプローチ．第1・2中足骨骨頭間の展開	810
図 12-107	外反母趾手術のための背外側アプローチ．母趾内転筋の切離と関節包の切開	811
図 12-108	足趾へのアプローチ．患者体位	812
図 12-109	足趾へのアプローチ．浅層の展開	813
図 12-110	足趾へのアプローチ．深層の展開（1）	813
図 12-111	足趾へのアプローチ．深層の展開（2）	814

第13章　創外固定のアプローチ　－819

図 13-1	上腕骨の解剖と安全なピン刺入部位	821
図 13-2	前腕部の解剖と安全なピン刺入部位	823
図 13-3	橈骨神経浅枝の解剖	824
図 13-4	手関節部の解剖と安全なピン刺入部位	825
図 13-5	腸骨稜からのピン刺入（high route法）	826-828
図 13-6	下前腸骨棘からのピン刺入（low route法）	829-831
図 13-7	大腿骨の解剖と安全なピン刺入部位	832
図 13-8	下腿の解剖と安全なピン刺入部位	833
図 13-9	足関節部の解剖と安全なピン刺入部位	834
図 13-10	脛骨骨幹部と踵骨へのピン刺入	835
図 13-11	第5中手骨へのピン刺入	835

内容項目索引

第1章 肩 ———————————— 1

患者体位
鎖骨への前方アプローチ..................................2
鎖骨への最小侵襲アプローチ..........................5
肩関節への前方アプローチ..............................7
肩鎖関節と肩峰下腔への前外側アプローチ......29
上腕骨近位部への外側アプローチ..................33
上腕骨近位部への外側最小侵襲アプローチ....38
髄内釘のための上腕骨近位部への前外側最小侵襲
　アプローチ..40
肩甲骨と肩関節への後方アプローチ..............51
肩関節への関節鏡後方および前方アプローチ....68

ランドマーク
鎖骨への前方アプローチ..................................2
鎖骨への最小侵襲アプローチ..........................5
肩関節への前方アプローチ..............................8
肩関節への前方アプローチに必要な外科解剖....21
肩鎖関節と肩峰下腔への前外側アプローチ......29
上腕骨近位部への外側アプローチ..................33
上腕骨近位部への外側最小侵襲アプローチ....38
髄内釘のための上腕骨近位部への前外側最小侵襲
　アプローチ..40
肩関節への前外側および外側アプローチに必要な
　外科解剖..42
肩甲骨と肩関節への後方アプローチ..............51
肩甲骨と肩関節への後方アプローチに必要な外科
　解剖..62
肩関節への関節鏡後方および前方アプローチ....68

皮　切
鎖骨への前方アプローチ..................................2
鎖骨への最小侵襲アプローチ..........................5
肩関節への前方アプローチ..............................8
肩関節への前方アプローチに必要な外科解剖....22
肩鎖関節と肩峰下腔への前外側アプローチ......29
上腕骨近位部への外側アプローチ..................33
上腕骨近位部への外側最小侵襲アプローチ....38
髄内釘のための上腕骨近位部への前外側最小侵襲
　アプローチ..40

肩関節への前外側および外側アプローチに必要な
　外科解剖..42
肩甲骨と肩関節への後方アプローチ..............52
肩甲骨と肩関節への後方アプローチに必要な外科
　解剖..63
肩関節への関節鏡後方および前方アプローチ....68

internervous plane
鎖骨への前方アプローチ..................................4
鎖骨への最小侵襲アプローチ..........................6
肩関節への前方アプローチ..............................9
肩鎖関節と肩峰下腔への前外側アプローチ......29
上腕骨近位部への外側アプローチ..................33
上腕骨近位部への外側最小侵襲アプローチ....38
髄内釘のための上腕骨近位部への前外側最小侵襲
　アプローチ..41
肩甲骨と肩関節への後方アプローチ..............52
肩関節への関節鏡後方および前方アプローチ....70

浅層の展開
鎖骨への前方アプローチ..................................4
鎖骨への最小侵襲アプローチ..........................6
肩関節への前方アプローチ..............................11
肩関節への前方アプローチに必要な外科解剖....22
肩鎖関節と肩峰下腔への前外側アプローチ......31
上腕骨近位部への外側アプローチ..................33
上腕骨近位部への外側最小侵襲アプローチ....38
髄内釘のための上腕骨近位部への前外側最小侵襲
　アプローチ..41
肩関節への前外側および外側アプローチに必要な
　外科解剖..42
肩甲骨と肩関節への後方アプローチ..............52
肩甲骨と肩関節への後方アプローチに必要な外科
　解剖..63

深層の展開
鎖骨への前方アプローチ..................................4
肩関節への前方アプローチ..............................11
肩関節への前方アプローチに必要な外科解剖....23
肩鎖関節と肩峰下腔への前外側アプローチ......31
上腕骨近位部への外側アプローチ..................34
上腕骨近位部への外側最小侵襲アプローチ....39

髄内釘のための上腕骨近位部への前外側最小侵襲
　　　アプローチ……………………………………41
　　肩関節への前外側および外側アプローチに必要な
　　　外科解剖………………………………………45
　　肩甲骨と肩関節への後方アプローチ……………52
　　肩甲骨と肩関節への後方アプローチに必要な外科
　　　解剖……………………………………………64
（肩の関節鏡の）展開……………………………………70
注意すべき組織
　　鎖骨への前方アプローチ…………………………4
　　鎖骨への最小侵襲アプローチ……………………6
　　肩関節への前方アプローチ………………………16
　　肩関節への前方アプローチに必要な外科解剖……28
　　肩鎖関節と肩峰下腔への前外側アプローチ……32
　　上腕骨近位部への外側アプローチ………………36
　　上腕骨近位部への外側最小侵襲アプローチ……39
　　髄内釘のための上腕骨近位部への前外側最小侵襲
　　　アプローチ……………………………………41
　　肩関節への前外側および外側アプローチに必要な
　　　外科解剖………………………………………45
　　肩甲骨と肩関節への後方アプローチ……………53
　　肩甲骨と肩関節への後方アプローチに必要な外科
　　　解剖……………………………………………65
　　肩関節への関節鏡後方および前方アプローチ……77
術野拡大のコツ
　　鎖骨への前方アプローチ…………………………4
　　鎖骨への最小侵襲アプローチ……………………6
　　肩関節への前方アプローチ………………………17
　　肩鎖関節と肩峰下腔への前外側アプローチ……32
　　上腕骨近位部への外側アプローチ………………36
　　上腕骨近位部への外側最小侵襲アプローチ……40
　　髄内釘のための上腕骨近位部への前外側最小侵襲
　　　アプローチ……………………………………41
　　肩甲骨と肩関節への後方アプローチ……………54
　　肩関節への関節鏡後方および前方アプローチ……77
概　観
　　肩関節への前方アプローチに必要な外科解剖……20
　　肩関節への前外側および外側アプローチに必要な
　　　外科解剖………………………………………42
　　肩甲骨と肩関節への後方アプローチに必要な外科
　　　解剖……………………………………………62
　　肩関節への関節鏡後方および前方アプローチ……67
特別な解剖学的ポイント
　　肩関節への前外側および外側アプローチに必要な
　　　外科解剖………………………………………48
**インピンジメント症候群（impingement
syndrome)**………………………………………48

　　関節鏡視の一般的原則……………………………66
　　後方ポータルからの肩関節鏡視…………………72

第2章　上　腕 — 79

患者体位
　　上腕骨骨幹部への前方アプローチ………………81
　　上腕骨骨幹部への前方最小侵襲アプローチ……87
　　上腕骨への後方アプローチ………………………90
　　上腕骨遠位部への前外側アプローチ……………99
　　上腕骨遠位部への外側アプローチ………………104
　　上腕骨遠位部への内側アプローチ………………107
ランドマーク
　　上腕骨骨幹部への前方アプローチ………………81
　　上腕骨骨幹部への前方最小侵襲アプローチ……87
　　上腕骨への後方アプローチ………………………90
　　上腕骨遠位部への前外側アプローチ……………99
　　上腕骨遠位部への外側アプローチ………………104
　　上腕骨遠位部への内側アプローチ………………107
皮　切
　　上腕骨骨幹部への前方アプローチ………………81
　　上腕骨骨幹部への前方最小侵襲アプローチ……87
　　上腕骨への後方アプローチ………………………90
　　上腕骨遠位部への前外側アプローチ……………99
　　上腕骨遠位部への外側アプローチ………………104
　　上腕骨遠位部への内側アプローチ………………107
　　上腕部の手術に必要な外科解剖…………………111
internervous plane
　　上腕骨骨幹部への前方アプローチ………………81
　　上腕骨骨幹部への前方最小侵襲アプローチ……87
　　上腕骨への後方アプローチ………………………91
　　上腕骨遠位部への前外側アプローチ……………99
　　上腕骨遠位部への外側アプローチ………………104
　　上腕骨遠位部への内側アプローチ………………107
浅層の展開
　　上腕骨骨幹部への前方アプローチ………………81
　　上腕骨骨幹部への前方最小侵襲アプローチ……87
　　上腕骨への後方アプローチ………………………91
　　上腕骨遠位部への前外側アプローチ……………100
　　上腕骨遠位部への外側アプローチ………………104
　　上腕骨遠位部への内側アプローチ………………107
　　上腕部の手術に必要な外科解剖…………………111
深層の展開
　　上腕骨骨幹部への前方アプローチ………………83
　　上腕骨骨幹部への前方最小侵襲アプローチ……88
　　上腕骨への後方アプローチ………………………92
　　上腕骨遠位部への前外側アプローチ……………101

上腕骨遠位部への外側アプローチ..................104
　　上腕骨遠位部への内側アプローチ..................109
注意すべき組織
　　上腕骨骨幹部への前方アプローチ....................86
　　上腕骨骨幹部への前方最小侵襲アプローチ............90
　　上腕骨への後方アプローチ..........................92
　　上腕骨遠位部への前外側アプローチ..................101
　　上腕骨遠位部への外側アプローチ..................104
　　上腕骨遠位部への内側アプローチ..................109
術野拡大のコツ
　　上腕骨骨幹部への前方アプローチ....................86
　　上腕骨骨幹部への前方最小侵襲アプローチ............90
　　上腕骨への後方アプローチ..........................94
　　上腕骨遠位部への前外側アプローチ..................101
　　上腕骨遠位部への外側アプローチ..................106
　　上腕骨遠位部への内側アプローチ..................109
概　観
　　上腕部の手術に必要な外科解剖....................109
特別な解剖学的ポイント
　　上腕部の手術に必要な外科解剖....................114
上腕骨への後方アプローチ..................112

第3章　肘関節 ─── 121

患者体位
　　肘頭骨切り術を加えた肘関節への後方アプローチ122
　　肘頭骨切り術を加えない肘関節への後方アプ
　　　ローチ....................................127
　　上腕骨遠位部に対する上腕三頭筋温存後方アプ
　　　ローチ....................................130
　　肘関節への前内側アプローチ....................133
　　尺骨鉤状突起への後内側アプローチ..............139
　　肘関節への前外側アプローチ....................142
　　肘窩部への前方アプローチ......................148
　　橈骨頭への後外側アプローチ....................154
ランドマーク
　　肘頭骨切り術を加えた肘関節への後方アプローチ122
　　肘頭骨切り術を加えない肘関節への後方アプ
　　　ローチ....................................128
　　上腕骨遠位部に対する上腕三頭筋温存後方アプ
　　　ローチ....................................130
　　肘関節への前内側アプローチ....................133
　　尺骨鉤状突起への後内側アプローチ..............139
　　肘関節への前外側アプローチ....................143
　　肘窩部への前方アプローチ......................148
　　橈骨頭への後外側アプローチ....................154

皮　切
　　肘頭骨切り術を加えた肘関節への後方アプローチ123
　　肘頭骨切り術を加えない肘関節への後方アプ
　　　ローチ....................................128
　　上腕骨遠位部に対する上腕三頭筋温存後方アプ
　　　ローチ....................................130
　　肘関節への前内側アプローチ....................134
　　尺骨鉤状突起への後内側アプローチ..............139
　　肘関節への前外側アプローチ....................143
　　肘窩部への前方アプローチ......................149
　　橈骨頭への後外側アプローチ....................155
internervous plane
　　肘頭骨切り術を加えた肘関節への後方アプローチ123
　　肘頭骨切り術を加えない肘関節への後方アプ
　　　ローチ....................................128
　　上腕骨遠位部に対する上腕三頭筋温存後方アプ
　　　ローチ....................................131
　　肘関節への前内側アプローチ....................134
　　尺骨鉤状突起への後内側アプローチ..............140
　　肘関節への前外側アプローチ....................143
　　肘窩部への前方アプローチ......................149
　　橈骨頭への後外側アプローチ....................155
浅層の展開
　　肘頭骨切り術を加えた肘関節への後方アプローチ125
　　肘頭骨切り術を加えない肘関節への後方アプ
　　　ローチ....................................128
　　上腕骨遠位部に対する上腕三頭筋温存後方アプ
　　　ローチ....................................131
　　肘関節への前内側アプローチ....................134
　　尺骨鉤状突起への後内側アプローチ..............140
　　肘関節への前外側アプローチ....................143
　　肘窩部への前方アプローチ......................149
　　橈骨頭への後外側アプローチ....................155
深層の展開
　　肘頭骨切り術を加えた肘関節への後方アプローチ125
　　肘頭骨切り術を加えない肘関節への後方アプ
　　　ローチ....................................128
　　上腕骨遠位部に対する上腕三頭筋温存後方アプ
　　　ローチ....................................131
　　肘関節への前内側アプローチ....................135
　　尺骨鉤状突起への後内側アプローチ..............140
　　肘関節への前外側アプローチ....................146
　　肘窩部への前方アプローチ......................149
　　橈骨頭への後外側アプローチ....................155
注意すべき組織
　　肘頭骨切り術を加えた肘関節への後方アプローチ126

肘頭骨切り術を加えない肘関節への後方アプ
　　　ローチ..130
　　上腕骨遠位部に対する上腕三頭筋温存後方アプ
　　　ローチ..132
　　肘関節への前内側アプローチ..........................136
　　尺骨鉤状突起への後内側アプローチ.................140
　　肘関節への前外側アプローチ..........................146
　　肘窩部への前方アプローチ.............................151
　　橈骨頭への後外側アプローチ..........................157
術野拡大のコツ
　　肘頭骨切り術を加えた肘関節への後方アプローチ127
　　肘頭骨切り術を加えない肘関節への後方アプ
　　　ローチ..130
　　上腕骨遠位部に対する上腕三頭筋温存後方アプ
　　　ローチ..132
　　肘関節への前内側アプローチ..........................136
　　尺骨鉤状突起への後内側アプローチ.................140
　　肘関節への前外側アプローチ..........................146
　　肘窩部への前方アプローチ.............................153
　　橈骨頭への後外側アプローチ..........................157
概　観
　　肘関節手術に必要な外科解剖..........................158
特別な解剖学的ポイント
　　肘頭骨切り術を加えた肘関節への後方アプローチ126
　　肘頭骨切り術を加えない肘関節への後方アプ
　　　ローチ..130
　　肘関節への内側アプローチに必要な外科解剖......159
　　肘関節への前外側アプローチに必要な外科解剖..160
　　肘窩部への前方アプローチに必要な外科解剖......163
　　肘関節への後方アプローチに必要な外科解剖......163

第4章　前　腕 ── 167

患者体位
　　橈骨への前方アプローチ................................168
　　尺骨骨幹部の展開..182
　　橈骨への後方アプローチ................................187
ランドマーク
　　橈骨への前方アプローチ................................168
　　尺骨骨幹部の展開..182
　　橈骨への後方アプローチ................................188
　　橈骨への後方アプローチに必要な外科解剖........194
　　前腕コンパートメント症候群の治療におけるアプ
　　　ローチ...199, 204
皮　切
　　橈骨への前方アプローチ................................170

　　前腕の前方コンパートメントの手術に必要な外科
　　　解剖...178
　　尺骨骨幹部の展開..182
　　橈骨への後方アプローチ................................188
　　橈骨への後方アプローチに必要な外科解剖........194
　　前腕コンパートメント症候群の治療におけるアプ
　　　ローチ...199, 204
internervous plane
　　橈骨への前方アプローチ................................170
　　尺骨骨幹部の展開..182
　　橈骨への後方アプローチ................................188
　　前腕コンパートメント症候群の治療におけるアプ
　　　ローチ...199, 204
浅層の展開
　　橈骨への前方アプローチ................................170
　　前腕の前方コンパートメントの手術に必要な外科
　　　解剖...178
　　尺骨骨幹部の展開..182
　　橈骨への後方アプローチ................................188
　　橈骨への後方アプローチに必要な外科解剖........196
　　前腕コンパートメント症候群の治療におけるアプ
　　　ローチ...199, 204
深層の展開
　　橈骨への前方アプローチ................................172
　　前腕の前方コンパートメントの手術に必要な外科
　　　解剖...180
　　尺骨骨幹部の展開..183
　　橈骨への後方アプローチ................................191
　　橈骨への後方アプローチに必要な外科解剖........196
　　前腕コンパートメント症候群の治療におけるアプ
　　　ローチ..199
注意すべき組織
　　橈骨への前方アプローチ................................175
　　前腕の前方コンパートメントの手術に必要な外科
　　　解剖................................178, 180, 181
　　尺骨骨幹部の展開..184
　　尺骨へのアプローチに必要な外科解剖..............186
　　橈骨への後方アプローチ................................192
　　橈骨への後方アプローチに必要な外科解剖........196
　　前腕コンパートメント症候群の治療におけるアプ
　　　ローチ...199, 204
術野拡大のコツ
　　橈骨への前方アプローチ................................175
　　尺骨骨幹部の展開..185
　　橈骨への後方アプローチ................................192

概　観
前腕の前方コンパートメントの手術に必要な外科解剖..................175
橈骨への後方アプローチに必要な外科解剖..........193

特別な解剖学的ポイント
前腕の前方コンパートメントの手術に必要な外科解剖..................181
展開に必要な解剖学−その注意すべき組織..........186

前腕屈筋コンパートメントの減圧のための前方アプローチ..................199
前腕屈筋コンパートメントの減圧のための後方アプローチ..................199
前腕屈筋コンパートメントの減圧のための尺側アプローチ..................204

第5章　手関節と手 ── 209

患者体位
手関節への背側アプローチ..................210
橈骨遠位への掌側アプローチ..................224
手根管と手関節への掌側アプローチ..................228
尺骨神経への掌側アプローチ..................234
指屈筋腱への掌側アプローチ..................248
基節および中節部の指屈筋腱鞘への側正中アプローチ..................254
指節骨と指節間関節への背側アプローチ..................256
舟状骨への掌側アプローチ..................262
舟状骨への背外側アプローチ..................265
爪周囲炎に対するドレナージ..................270
指腹腔感染（ひょう疽）に対するドレナージ......271
指間腔感染に対するドレナージ..................272
腱鞘の感染..................276
橈側滑液鞘感染に対するドレナージ..................284
尺側滑液鞘感染に対するドレナージ..................287

ランドマーク
手関節への背側アプローチ..................211
手関節背側の手術に必要な外科解剖..................220
橈骨遠位への掌側アプローチ..................224
手根管と手関節への掌側アプローチ..................228
尺骨神経への掌側アプローチ..................234
手関節掌側の手術に必要な外科解剖..................238
指屈筋腱への掌側アプローチ..................248
基節および中節部の指屈筋腱鞘への側正中アプローチ..................254
指節骨と指節間関節への背側アプローチ..................256
指屈筋腱の手術に必要な外科解剖..................261
舟状骨への掌側アプローチ..................262

舟状骨への背外側アプローチ..................265
腱鞘の感染..................276
橈側滑液鞘感染に対するドレナージ..................284
尺側滑液鞘感染に対するドレナージ..................287

皮　切
手関節への背側アプローチ..................211
手関節背側の手術に必要な外科解剖..................220
橈骨遠位への掌側アプローチ..................224
手根管と手関節への掌側アプローチ..................228
尺骨神経への掌側アプローチ..................234
手関節掌側の手術に必要な外科解剖..................238
指屈筋腱への掌側アプローチ..................248
基節および中節部の指屈筋腱鞘への側正中アプローチ..................254
指節骨と指節間関節への背側アプローチ..................256
指屈筋腱の手術に必要な外科解剖..................261
舟状骨への掌側アプローチ..................262
舟状骨への背外側アプローチ..................265
爪周囲炎に対するドレナージ..................270
指腹腔感染（ひょう疽）に対するドレナージ......271
指間腔感染に対するドレナージ..................272
腱鞘の感染..................276
内側腔（手掌中央腔）に対するドレナージ..................279
外側腔（母指腔）に対するドレナージ..................281
橈側滑液鞘感染に対するドレナージ..................284
尺側滑液鞘感染に対するドレナージ..................287

internervous plane
手関節への背側アプローチ..................211
橈骨遠位への掌側アプローチ..................224
手根管と手関節への掌側アプローチ..................228
尺骨神経への掌側アプローチ..................234
指屈筋腱への掌側アプローチ..................250
基節および中節部の指屈筋腱鞘への側正中アプローチ..................254
指節骨と指節間関節への背側アプローチ..................257
舟状骨への掌側アプローチ..................262
舟状骨への背外側アプローチ..................266
爪周囲炎に対するドレナージ..................270
指腹腔感染（ひょう疽）に対するドレナージ......271
指間腔感染に対するドレナージ..................272
腱鞘の感染..................276
内側腔（手掌中央腔）に対するドレナージ..................279
外側腔（母指腔）に対するドレナージ..................281
橈側滑液鞘感染に対するドレナージ..................286
尺側滑液鞘感染に対するドレナージ..................287

浅層の展開
手関節への背側アプローチ..................211

手関節背側の手術に必要な外科解剖……220
橈骨遠位への掌側アプローチ……225
手根管と手関節への掌側アプローチ……228
尺骨神経への掌側アプローチ……234
手関節掌側の手術に必要な外科解剖……239
指屈筋腱への掌側アプローチ……250
基節および中節部の指屈筋腱鞘への側正中アプローチ……254
指節骨と指節間関節への背側アプローチ……257
舟状骨への掌側アプローチ……263
舟状骨への背外側アプローチ……266
爪周囲炎に対するドレナージ……270
指腹腔感染（ひょう疽）に対するドレナージ……271
指間腔感染に対するドレナージ……272
腱鞘の感染……276
内側腔（手掌中央腔）に対するドレナージ……279
外側腔（母指腔）に対するドレナージ……281
橈側滑液鞘感染に対するドレナージ……286
尺側滑液鞘感染に対するドレナージ……287

深層の展開
手関節への背側アプローチ……211
手関節背側の手術に必要な外科解剖……220
橈骨遠位への掌側アプローチ……225
手根管と手関節への掌側アプローチ……228
尺骨神経への掌側アプローチ……234
手関節掌側の手術に必要な外科解剖……241
指屈筋腱への掌側アプローチ……250
基節および中節部の指屈筋腱鞘への側正中アプローチ……254
指節骨と指節間関節への背側アプローチ……257
舟状骨への掌側アプローチ……263
舟状骨への背外側アプローチ……266

注意すべき組織
手関節への背側アプローチ……218
橈骨遠位への掌側アプローチ……225
手根管と手関節への掌側アプローチ……232
尺骨神経への掌側アプローチ……237
手関節掌側の手術に必要な外科解剖……239, 241
指屈筋腱への掌側アプローチ……253
基節および中節部の指屈筋腱鞘への側正中アプローチ……254
指節骨と指節間関節への背側アプローチ……257
舟状骨への掌側アプローチ……263
舟状骨への背外側アプローチ……266
爪周囲炎に対するドレナージ……270
指腹腔感染（ひょう疽）に対するドレナージ……271
指間腔感染に対するドレナージ……272

腱鞘の感染……276
内側腔（手掌中央腔）に対するドレナージ……279
外側腔（母指腔）に対するドレナージ……281
橈側滑液鞘感染に対するドレナージ……287
尺側滑液鞘感染に対するドレナージ……288

術野拡大のコツ
手関節への背側アプローチ……218
橈骨遠位への掌側アプローチ……225
手根管と手関節への掌側アプローチ……232
尺骨神経への掌側アプローチ……237
指屈筋腱への掌側アプローチ……253
基節および中節部の指屈筋腱鞘への側正中アプローチ……254
指節骨と指節間関節への背側アプローチ……257
舟状骨への掌側アプローチ……263
爪周囲炎に対するドレナージ……270
指腹腔感染（ひょう疽）に対するドレナージ……272
指間腔感染に対するドレナージ……272
腱鞘の感染……276
内側腔（手掌中央腔）に対するドレナージ……279
橈側滑液鞘感染に対するドレナージ……287
尺側滑液鞘感染に対するドレナージ……288

概　観
手関節背側の手術に必要な外科解剖……220
手関節掌側の手術に必要な外科解剖……238
指屈筋腱の手術に必要な外科解剖……259

特別なポイント
指腹腔感染（ひょう疽）に対するドレナージ……272
橈側滑液鞘感染に対するドレナージ……287

腱の血行 ……261
理想的な手術の条件 ……269
母指内転筋 ……274
第1背側骨間筋 ……274
動　脈 ……274
外側腔（母指腔） ……284
内側腔（手掌中央腔） ……284
手　掌 ……289
手　背 ……291

第6章　脊　椎 ── 293

患者体位
腰椎への後方アプローチ……294
腰椎への後方最小侵襲アプローチ……299
腰椎への前方（経腹膜）アプローチ……306
腰椎への前方（後腹膜）アプローチ……314
腰椎への前側方（後腹膜）アプローチ……325

下位（C3 ~ C7）頚椎への後方アプローチ..........334
上位（C1 ~ C2）頚椎への後方アプローチ..........347
頚椎への前方アプローチ..........353
胸椎への後側方アプローチ（肋骨横突起切除術）365
開胸による胸椎への前方アプローチ..........370
脊柱側弯症に対する胸腰椎への後方アプローチ..380
肋骨切除のための後側方アプローチ..........392
筋肉を温存した後側方からの肋骨プレートのためのアプローチ..........395
肋骨のプレート固定のさいの腋窩アプローチ......399

ランドマーク
腰椎への後方アプローチ..........294
腰椎への後方最小侵襲アプローチ..........299
腰椎への後方アプローチに必要な外科解剖..........302
腰椎への前方（経腹膜）アプローチ..........306
腰椎への前方（後腹膜）アプローチ..........314
腰椎への前方アプローチに必要な外科解剖..........318
腰椎への前側方（後腹膜）アプローチ..........326
下位（C3 ~ C7）頚椎への後方アプローチ..........335
下位頚椎への後方アプローチに必要な外科解剖..341
上位（C1 ~ C2）頚椎への後方アプローチ..........347
上位頚椎への後方アプローチに必要な外科解剖..352
頚椎への前方アプローチ..........354
頚椎への前方アプローチに必要な外科解剖..........359
胸椎への後側方アプローチ（肋骨横突起切除術）366
開胸による胸椎への前方アプローチ..........370
脊柱側弯症に対する胸腰椎への後方アプローチ..381
胸腰椎への後方アプローチに必要な外科解剖......386
肋骨切除のための後側方アプローチ..........392
筋肉を温存した後側方からの肋骨プレートのためのアプローチ..........395
肋骨のプレート固定のさいの腋窩アプローチ......399

皮　切
腰椎への後方アプローチ..........295
腰椎への後方最小侵襲アプローチ..........300
腰椎への後方アプローチに必要な外科解剖..........302
腰椎への前方（経腹膜）アプローチ..........308
腰椎への前方（後腹膜）アプローチ..........314
腰椎への前方アプローチに必要な外科解剖..........319
腰椎への前側方（後腹膜）アプローチ..........326
下位（C3 ~ C7）頚椎への後方アプローチ..........335
下位頚椎への後方アプローチに必要な外科解剖..341
上位（C1 ~ C2）頚椎への後方アプローチ..........347
上位頚椎への後方アプローチに必要な外科解剖..352
頚椎への前方アプローチ..........354
頚椎への前方アプローチに必要な外科解剖..........360
胸椎への後側方アプローチ（肋骨横突起切除術）366

開胸による胸椎への前方アプローチ..........371
脊柱側弯症に対する胸腰椎への後方アプローチ..381
胸腰椎への後方アプローチに必要な外科解剖......386
肋骨切除のための後側方アプローチ..........392
筋肉を温存した後側方からの肋骨プレートのためのアプローチ..........395
肋骨のプレート固定のさいの腋窩アプローチ......400

internervous plane
腰椎への後方アプローチ..........295
腰椎への後方最小侵襲アプローチ..........300
腰椎への前方（経腹膜）アプローチ..........308
腰椎への前方（後腹膜）アプローチ..........314
腰椎への前側方（後腹膜）アプローチ..........326
下位（C3 ~ C7）頚椎への後方アプローチ..........335
上位（C1 ~ C2）頚椎への後方アプローチ..........348
頚椎への前方アプローチ..........354
胸椎への後側方アプローチ（肋骨横突起切除術）366
脊柱側弯症に対する胸腰椎への後方アプローチ..381
肋骨切除のための後側方アプローチ..........392
筋肉を温存した後側方からの肋骨プレートのためのアプローチ..........397
肋骨のプレート固定のさいの腋窩アプローチ......400

浅層の展開
腰椎への後方アプローチ..........295
腰椎への後方最小侵襲アプローチ..........300
腰椎への後方アプローチに必要な外科解剖..........302
腰椎への前方（経腹膜）アプローチ..........308
腰椎への前方（後腹膜）アプローチ..........315
腰椎への前方アプローチに必要な外科解剖..........319
腰椎への前側方（後腹膜）アプローチ..........327
下位（C3 ~ C7）頚椎への後方アプローチ..........335
下位頚椎への後方アプローチに必要な外科解剖..341
上位（C1 ~ C2）頚椎への後方アプローチ..........348
上位頚椎への後方アプローチに必要な外科解剖..352
頚椎への前方アプローチ..........355
頚椎への前方アプローチに必要な外科解剖..........360
胸椎への後側方アプローチ（肋骨横突起切除術）366
開胸による胸椎への前方アプローチ..........371
脊柱側弯症に対する胸腰椎への後方アプローチ..381
胸腰椎への後方アプローチに必要な外科解剖......386
肋骨切除のための後側方アプローチ..........392
筋肉を温存した後側方からの肋骨プレートのためのアプローチ..........397
肋骨のプレート固定のさいの腋窩アプローチ......400

中間層の展開
胸腰椎への後方アプローチに必要な外科解剖......386
肋骨切除のための後側方アプローチ..........392

深層の展開
　腰椎への後方アプローチ…297
　腰椎への後方最小侵襲アプローチ…300
　腰椎への後方アプローチに必要な外科解剖…303
　腰椎への前方（経腹膜）アプローチ…311
　腰椎への前方（後腹膜）アプローチ…315
　腰椎への前方アプローチに必要な外科解剖…321
　腰椎への前側方（後腹膜）アプローチ…331
　下位（C3〜C7）頚椎への後方アプローチ…336
　下位頚椎への後方アプローチに必要な外科解剖…343
　上位（C1〜C2）頚椎への後方アプローチ…348
　上位頚椎への後方アプローチに必要な外科解剖…352
　頚椎への前方アプローチ…358
　頚椎への前方アプローチに必要な外科解剖…361
　胸椎への後側方アプローチ（肋骨横突起切除術）366
　開胸による胸椎への前方アプローチ…372
　脊柱側弯症に対する胸腰椎への後方アプローチ…381
　胸腰椎への後方アプローチに必要な外科解剖…387
　肋骨切除のための後側方アプローチ…392
　筋肉を温存した後側方からの肋骨プレートのため
　　のアプローチ…397
　肋骨のプレート固定のさいの腋窩アプローチ…400

注意すべき組織
　腰椎への後方アプローチ…297
　腰椎への後方最小侵襲アプローチ…302
　腰椎への後方アプローチに必要な外科解剖
　　…302, 303
　腰椎への前方（経腹膜）アプローチ…312
　腰椎への前方（後腹膜）アプローチ…316
　腰椎への前方アプローチに必要な外科解剖319, 321
　腰椎への前側方（後腹膜）アプローチ…331
　下位（C3〜C7）頚椎への後方アプローチ…341
　下位頚椎への後方アプローチに必要な外科解剖…343
　上位（C1〜C2）頚椎への後方アプローチ…349
　頚椎への前方アプローチ…359
　頚椎への前方アプローチに必要な外科解剖360, 361
　胸椎への後側方アプローチ（肋骨横突起切除術）369
　開胸による胸椎への前方アプローチ…373
　脊柱側弯症に対する胸腰椎への後方アプローチ…382
　胸腰椎への後方アプローチに必要な外科解剖…386
　肋骨切除のための後側方アプローチ…392
　筋肉を温存した後側方からの肋骨プレートのため
　　のアプローチ…397
　肋骨のプレート固定のさいの腋窩アプローチ…400

術野拡大のコツ
　腰椎への後方アプローチ…298
　腰椎への後方最小侵襲アプローチ…302

　腰椎への前方（経腹膜）アプローチ…313
　腰椎への前方（後腹膜）アプローチ…316
　腰椎への前側方（後腹膜）アプローチ…332
　下位（C3〜C7）頚椎への後方アプローチ…341
　上位（C1〜C2）頚椎への後方アプローチ…349
　頚椎への前方アプローチ…359
　胸椎への後側方アプローチ（肋骨横突起切除術）370
　開胸による胸椎への前方アプローチ…373
　脊柱側弯症に対する胸腰椎への後方アプローチ…382
　肋骨切除のための後側方アプローチ…394
　筋肉を温存した後側方からの肋骨プレートのため
　　のアプローチ…397
　肋骨のプレート固定のさいの腋窩アプローチ…402

概　観
　腰椎への後方アプローチに必要な外科解剖…302
　腰椎への前方アプローチに必要な外科解剖…318
　下位頚椎への後方アプローチに必要な外科解剖…341
　上位頚椎への後方アプローチに必要な外科解剖…352
　頚椎への前方アプローチに必要な外科解剖…359
　胸腰椎への後方アプローチに必要な外科解剖…386

特別なポイント
　脊柱側弯症に対する胸腰椎への後方アプローチ…385
　肋骨切除のための後側方アプローチ…394

第7章　骨盤と寛骨臼　——— 405

患者体位
　採骨のための腸骨稜への前方アプローチ…407
　採骨のための腸骨稜への後方アプローチ…410
　恥骨結合への前方アプローチ…413
　仙腸関節への前方アプローチ…416
　仙腸関節への後方アプローチ…421
　寛骨臼への腸骨鼠径アプローチ…425
　寛骨臼への前方骨盤内アプローチ…443
　寛骨臼への後方アプローチ…453

ランドマーク
　採骨のための腸骨稜への前方アプローチ…407
　採骨のための腸骨稜への後方アプローチ…410
　恥骨結合への前方アプローチ…413
　仙腸関節への前方アプローチ…416
　仙腸関節への後方アプローチ…421
　骨性骨盤へのアプローチに必要な外科解剖…424
　寛骨臼への腸骨鼠径アプローチ…426
　寛骨臼への腸骨鼠径アプローチに必要な外科解剖
　　…435
　寛骨臼への前方骨盤内アプローチ…444

寛骨臼への前方骨盤内アプローチに必要な外科解剖
　　　　　　　　　　　　　　　　　　　　　　450
　　寛骨臼への後方アプローチ……………………453
皮　切
　　採骨のための腸骨稜への前方アプローチ………407
　　採骨のための腸骨稜への後方アプローチ………410
　　恥骨結合への前方アプローチ…………………413
　　仙腸関節への前方アプローチ…………………416
　　仙腸関節への後方アプローチ…………………421
　　骨性骨盤へのアプローチに必要な外科解剖……424
　　寛骨臼への腸骨鼡径アプローチ………………426
　　寛骨臼への腸骨鼡径アプローチに必要な外科解剖
　　　　　　　　　　　　　　　　　　　　　　435
　　寛骨臼への前方骨盤内アプローチ……………444
　　寛骨臼への前方骨盤内アプローチに必要な外科解剖
　　　　　　　　　　　　　　　　　　　　　　450
　　寛骨臼への後方アプローチ……………………455
internervous plane
　　採骨のための腸骨稜への前方アプローチ………407
　　採骨のための腸骨稜への後方アプローチ………410
　　恥骨結合への前方アプローチ…………………413
　　仙腸関節への前方アプローチ…………………416
　　仙腸関節への後方アプローチ…………………421
　　寛骨臼への腸骨鼡径アプローチ………………426
　　寛骨臼への後方アプローチ……………………455
浅層の展開
　　採骨のための腸骨稜への前方アプローチ………408
　　採骨のための腸骨稜への後方アプローチ………410
　　恥骨結合への前方アプローチ…………………413
　　仙腸関節への前方アプローチ…………………417
　　仙腸関節への後方アプローチ…………………421
　　骨性骨盤へのアプローチに必要な外科解剖……424
　　寛骨臼への腸骨鼡径アプローチ………………426
　　寛骨臼への腸骨鼡径アプローチに必要な外科解剖
　　　　　　　　　　　　　　　　　　　　　　436
　　寛骨臼への前方骨盤内アプローチ……………444
　　寛骨臼への前方骨盤内アプローチに必要な外科解剖
　　　　　　　　　　　　　　　　　　　　　　450
　　寛骨臼への後方アプローチ……………………455
深層の展開
　　採骨のための腸骨稜への前方アプローチ………408
　　採骨のための腸骨稜への後方アプローチ………411
　　恥骨結合への前方アプローチ…………………414
　　仙腸関節への前方アプローチ…………………417
　　仙腸関節への後方アプローチ…………………422
　　骨性骨盤へのアプローチに必要な外科解剖……424
　　寛骨臼への腸骨鼡径アプローチ………………426

　　寛骨臼への腸骨鼡径アプローチに必要な外科解剖
　　　　　　　　　　　　　　　　　　　　　　436
　　寛骨臼への前方骨盤内アプローチ……………446
　　寛骨臼への前方骨盤内アプローチに必要な外科解剖
　　　　　　　　　　　　　　　　　　　　　　450
　　寛骨臼への後方アプローチ……………………455
注意すべき組織
　　採骨のための腸骨稜への前方アプローチ………410
　　採骨のための腸骨稜への後方アプローチ…410，411
　　恥骨結合への前方アプローチ…………………414
　　仙腸関節への前方アプローチ…………………418
　　仙腸関節への後方アプローチ…………………422
　　寛骨臼への腸骨鼡径アプローチ………………426
　　寛骨臼への腸骨鼡径アプローチに必要な外科解剖
　　　　　　　　　　　　　　　　　　　　　　436
　　寛骨臼への前方骨盤内アプローチ……………447
　　寛骨臼への前方骨盤内アプローチに必要な外科解剖
　　　　　　　　　　　　　　　　　　　　　　450
　　寛骨臼への後方アプローチ……………………458
術野拡大のコツ
　　採骨のための腸骨稜への前方アプローチ………410
　　採骨のための腸骨稜への後方アプローチ………412
　　恥骨結合への前方アプローチ…………………415
　　仙腸関節への前方アプローチ…………………419
　　仙腸関節への後方アプローチ…………………423
　　寛骨臼への腸骨鼡径アプローチ………………429
　　寛骨臼への前方骨盤内アプローチ……………449
　　寛骨臼への後方アプローチ……………………461
概　観
　　骨性骨盤へのアプローチに必要な外科解剖……424
　　寛骨臼への腸骨鼡径アプローチに必要な外科解剖
　　　　　　　　　　　　　　　　　　　　　　435
　　寛骨臼への前方骨盤内アプローチ……………443
　　寛骨臼への前方骨盤内アプローチに必要な外科解剖
　　　　　　　　　　　　　　　　　　　　　　450

第 8 章　股関節　──── 463

患者体位
　　股関節への前方アプローチ……………………465
　　股関節への前方最小侵襲アプローチ…………480
　　股関節への前外側アプローチ…………………485
　　股関節への外側アプローチ……………………496
　　股関節への後方アプローチ……………………510
　　股関節への内側アプローチ……………………522
ランドマーク
　　股関節への前方アプローチ……………………465

股関節への前方最小侵襲アプローチ..................480
股関節への前外側アプローチ..................485
股関節への外側アプローチ..................496
股関節への前方，前外側および外側アプローチに
　必要な外科解剖..................504
股関節への後方アプローチ..................510
股関節および寛骨臼への後方アプローチに必要な
　外科解剖..................519
股関節への内側アプローチ..................523
股関節への内側アプローチに必要な外科解剖..................528

皮　切
股関節への前方アプローチ..................465
股関節への前方最小侵襲アプローチ..................480
股関節への前外側アプローチ..................485
股関節への外側アプローチ..................496
股関節への前方，前外側および外側アプローチに
　必要な外科解剖..................504
股関節への後方アプローチ..................511
股関節および寛骨臼への後方アプローチに必要な
　外科解剖..................520
股関節への内側アプローチ..................523
股関節への内側アプローチに必要な外科解剖..................528

internervous plane
股関節への前方アプローチ..................465
股関節への前方最小侵襲アプローチ..................481
股関節への前外側アプローチ..................485
股関節への外側アプローチ..................497
股関節への後方アプローチ..................512
股関節への内側アプローチ..................523

浅層の展開
股関節への前方アプローチ..................468
股関節への前方最小侵襲アプローチ..................481
股関節への前外側アプローチ..................487
股関節への外側アプローチ..................497
股関節への前方，前外側および外側アプローチに
　必要な外科解剖..................505
股関節への後方アプローチ..................512
股関節および寛骨臼への後方アプローチに必要な
　外科解剖..................520
股関節への内側アプローチ..................523
股関節への内側アプローチに必要な外科解剖..................528

深層の展開
股関節への前方アプローチ..................472
股関節への前方最小侵襲アプローチ..................481
股関節への前外側アプローチ..................487
股関節への外側アプローチ..................497

股関節への前方，前外側および外側アプローチに
　必要な外科解剖..................509
股関節への後方アプローチ..................513
股関節および寛骨臼への後方アプローチに必要な
　外科解剖..................520
股関節への内側アプローチ..................526
股関節への内側アプローチに必要な外科解剖..................529

注意すべき組織
股関節への前方アプローチ..................475
股関節への前方最小侵襲アプローチ..................481
股関節への前外側アプローチ..................490
股関節への外側アプローチ..................500
股関節への前方，前外側および外側アプローチに
　必要な外科解剖..................505, 509
股関節への後方アプローチ..................514
股関節および寛骨臼への後方アプローチに必要な
　外科解剖..................520
股関節への内側アプローチ..................526

術野拡大のコツ
股関節への前方アプローチ..................477
股関節への前方最小侵襲アプローチ..................481
股関節への前外側アプローチ..................494
股関節への外側アプローチ..................500
股関節への後方アプローチ..................515
股関節への内側アプローチ..................527

概　観
股関節への前方，前外側および外側アプローチに
　必要な外科解剖..................501
股関節および寛骨臼への後方アプローチに必要な
　外科解剖..................517
股関節への内側アプローチに必要な外科解剖..................528

第9章　大腿骨　──────── 531

患者体位
大腿骨への外側アプローチ..................532
大腿骨への後外側アプローチ..................537
大腿骨遠位2/3への前内側アプローチ..................541
大腿骨への後方アプローチ..................545
大腿骨遠位部への最小侵襲アプローチ..................549
遠位大腿骨顆部への前方アプローチ
　（Swashbuckler アプローチ）..................553
大腿骨内側顆への内側アプローチ..................555
遠位大腿骨顆部への外側アプローチ（Gerdy 結節
　骨切りによるアプローチ）..................560
髄内釘のための大腿骨近位部への最小侵襲アプ
　ローチ..................564

ランドマーク

大腿骨への外側アプローチ..................533
大腿骨への後外側アプローチ..................537
大腿骨遠位 2/3 への前内側アプローチ 541
大腿骨への後方アプローチ..................545
大腿骨遠位部への最小侵襲アプローチ..................550
遠位大腿骨顆部への前方アプローチ
　（Swashbuckler アプローチ）..................553
大腿骨内側顆への内側アプローチ..................555
遠位大腿骨顆部への外側アプローチ（Gerdy 結節
　骨切りによるアプローチ）..................560
髄内釘のための大腿骨近位部への最小侵襲アプ
　ローチ..................566
大腿骨の逆行性髄内釘のための最小侵襲アプローチ
　..................572
大腿部の手術に必要な外科解剖..................577

皮　切

大腿骨への外側アプローチ..................533
大腿骨への後外側アプローチ..................537
大腿骨遠位 2/3 への前内側アプローチ 541
大腿骨への後方アプローチ..................545
大腿骨遠位部への最小侵襲アプローチ..................550
遠位大腿骨顆部への前方アプローチ
　（Swashbuckler アプローチ）..................553
大腿骨内側顆への内側アプローチ..................555
遠位大腿骨顆部への外側アプローチ（Gerdy 結節
　骨切りによるアプローチ）..................560
髄内釘のための大腿骨近位部への最小侵襲アプ
　ローチ..................567，568
大腿骨の逆行性髄内釘のための最小侵襲アプローチ
　..................572
大腿部の手術に必要な外科解剖..................577

internervous plane

大腿骨への外側アプローチ..................534
大腿骨への後外側アプローチ..................538
大腿骨遠位 2/3 への前内側アプローチ 542
大腿骨への後方アプローチ..................545
大腿骨遠位部への最小侵襲アプローチ..................550
遠位大腿骨顆部への前方アプローチ
　（Swashbuckler アプローチ）..................553
大腿骨内側顆への内側アプローチ..................556
遠位大腿骨顆部への外側アプローチ（Gerdy 結節
　骨切りによるアプローチ）..................561
髄内釘のための大腿骨近位部への最小侵襲アプ
　ローチ..................568
大腿骨の逆行性髄内釘のための最小侵襲アプローチ
　..................573

浅層の展開

大腿骨への外側アプローチ..................534
大腿骨への後外側アプローチ..................538
大腿骨遠位 2/3 への前内側アプローチ 542
大腿骨への後方アプローチ..................546
大腿骨遠位部への最小侵襲アプローチ..................550
遠位大腿骨顆部への前方アプローチ
　（Swashbuckler アプローチ）..................553
大腿骨内側顆への内側アプローチ..................556
遠位大腿骨顆部への外側アプローチ（Gerdy 結節
　骨切りによるアプローチ）..................561
髄内釘のための大腿骨近位部への最小侵襲アプ
　ローチ..................568
大腿骨の逆行性髄内釘のための最小侵襲アプローチ
　..................573
大腿部の手術に必要な外科解剖..................577

深層の展開

大腿骨への外側アプローチ..................534
大腿骨への後外側アプローチ..................538
大腿骨遠位 2/3 への前内側アプローチ 542
大腿骨への後方アプローチ..................546
大腿骨遠位部への最小侵襲アプローチ..................550
遠位大腿骨顆部への前方アプローチ
　（Swashbuckler アプローチ）..................553
大腿骨内側顆への内側アプローチ..................556
遠位大腿骨顆部への外側アプローチ（Gerdy 結節
　骨切りによるアプローチ）..................562
髄内釘のための大腿骨近位部への最小侵襲アプ
　ローチ..................569
大腿骨の逆行性髄内釘のための最小侵襲アプローチ
　..................573
大腿部の手術に必要な外科解剖..................577

注意すべき組織

大腿骨への外側アプローチ..................535
大腿骨への後外側アプローチ..................539
大腿骨遠位 2/3 への前内側アプローチ 542
大腿骨への後方アプローチ..................547
大腿骨遠位部への最小侵襲アプローチ..................550
遠位大腿骨顆部への前方アプローチ
　（Swashbuckler アプローチ）..................554
大腿骨内側顆への内側アプローチ..................556
遠位大腿骨顆部への外側アプローチ（Gerdy 結節
　骨切りによるアプローチ）..................562
髄内釘のための大腿骨近位部への最小侵襲アプ
　ローチ..................569

大腿骨の逆行性髄内釘のための最小侵襲アプローチ ……574

術野拡大のコツ
大腿骨への外側アプローチ …………………536
大腿骨への後外側アプローチ ………………539
大腿骨遠位2/3への前内側アプローチ ……542
大腿骨への後方アプローチ …………………548
大腿骨遠位部への最小侵襲アプローチ ……553
遠位大腿骨顆部への前方アプローチ
（Swashbuckler アプローチ）……………554
大腿骨内側顆への内側アプローチ …………556
遠位大腿骨顆部への外側アプローチ（Gerdy結節骨切りによるアプローチ）……………562
髄内釘のための大腿骨近位部への最小侵襲アプローチ ……………………………………569
大腿骨の逆行性髄内釘のための最小侵襲アプローチ ……………………………………574

概　観
大腿部の手術に必要な外科解剖 ……………576
半膜様筋 …………………………………………578
半腱様筋 …………………………………………578

第10章　膝関節　——— 587

患者体位
膝への関節鏡アプローチ ……………………589
内側傍膝蓋アプローチ ………………………598
膝関節への内側アプローチとその支持組織 ………605
膝関節への外側アプローチとその支持組織 ………623
膝関節への後方アプローチ …………………632
内側半月切除術のためのアプローチ ………644
外側半月切除術のためのアプローチ ………652
前十字靱帯手術のための大腿骨遠位部への外側アプローチ ……………………………656

ランドマーク
膝への関節鏡アプローチ ……………………590
内側傍膝蓋アプローチ ………………………598
膝関節への内側アプローチとその支持組織 ………605
膝関節への外側アプローチとその支持組織 ………624
膝関節への後方アプローチ …………………632
内側半月切除術のためのアプローチ ………645
外側半月切除術のためのアプローチ ………652
前十字靱帯手術のための大腿骨遠位部への外側アプローチ ……………………………656

皮　切
膝への関節鏡アプローチ ……………………590
内側傍膝蓋アプローチ ………………………599

膝関節への内側アプローチとその支持組織 ………605
膝関節への内側アプローチに必要な外科解剖 ……614
膝関節への外側アプローチとその支持組織 ………624
膝関節への外側アプローチに必要な外科解剖 ……629
膝関節への後方アプローチ …………………632
膝関節への後方アプローチに必要な外科解剖 ……641
内側半月切除術のためのアプローチ ………645
外側半月切除術のためのアプローチ ………652
前十字靱帯手術のための大腿骨遠位部への外側アプローチ ……………………………656

internervous plane
膝への関節鏡アプローチ ……………………591
内側傍膝蓋アプローチ ………………………599
膝関節への内側アプローチとその支持組織 ………606
膝関節への外側アプローチとその支持組織 ………625
膝関節への後方アプローチ …………………633
内側半月切除術のためのアプローチ ………645
外側半月切除術のためのアプローチ ………652
前十字靱帯手術のための大腿骨遠位部への外側アプローチ ……………………………656

浅層の展開
内側傍膝蓋アプローチ ………………………599
膝関節への内側アプローチとその支持組織 ………606
膝関節への内側アプローチに必要な外科解剖 ……614
膝関節への外側アプローチとその支持組織 ………625
膝関節への外側アプローチに必要な外科解剖 ……629
膝関節への後方アプローチ …………………633
膝関節への後方アプローチに必要な外科解剖 ……641
内側半月切除術のためのアプローチ ………645
外側半月切除術のためのアプローチ ………652
前十字靱帯手術のための大腿骨遠位部への外側アプローチ ……………………………657

深層の展開
内側傍膝蓋アプローチ ………………………599
膝関節への内側アプローチとその支持組織 ………607
膝関節への内側アプローチに必要な外科解剖 ……614
膝関節への外側アプローチとその支持組織 ………626
膝関節への外側アプローチに必要な外科解剖 ……629
膝関節への後方アプローチ …………………635
膝関節への後方アプローチに必要な外科解剖 ……642
内側半月切除術のためのアプローチ ………647
外側半月切除術のためのアプローチ ………652
前十字靱帯手術のための大腿骨遠位部への外側アプローチ ……………………………657

注意すべき組織
膝関節鏡視 ………………………………………591
内側傍膝蓋アプローチ ………………………604

膝関節への内側アプローチとその支持組織………610
膝関節への外側アプローチとその支持組織………627
膝関節への後方アプローチ………………………636
膝関節への後方アプローチに必要な外科解剖……642
内側半月切除術のためのアプローチ………………647
外側半月切除術のためのアプローチ………………653
前十字靱帯手術のための大腿骨遠位部への外側
　アプローチ………………………………………657

術野拡大のコツ
膝関節鏡視………………………………………598
内側傍膝蓋アプローチ…………………………604
膝関節への内側アプローチとその支持組織………613
膝関節への外側アプローチとその支持組織………628
膝関節への後方アプローチ………………………637
内側半月切除術のためのアプローチ………………649
外側半月切除術のためのアプローチ………………653
前十字靱帯手術のための大腿骨遠位部への外側
　アプローチ………………………………………658

概　観
膝関節への内側アプローチに必要な外科解剖……614
膝関節への外側アプローチに必要な外科解剖……629
膝関節への後方アプローチに必要な外科解剖……641

特別な解剖学的ポイント
展開………………………………………………591
観察の順序………………………………………591
膝関節への内側アプローチに必要な外科解剖……622

第11章　脛骨と腓骨 ─── 665

患者体位
脛骨外側プラトーへの前外側アプローチ…………666
脛骨近位部への後内側アプローチ…………………671
脛骨プラトーへの後外側アプローチ………………674
脛骨プラトーへの後内側アプローチ………………681
脛骨近位部への前外側最小侵襲アプローチ………686
脛骨への前方アプローチ……………………………689
脛骨遠位部への前方最小侵襲アプローチ…………692
脛骨への後外側アプローチ…………………………695
腓骨へのアプローチ…………………………………700
下腿コンパートメント症候群に対する減圧のため
　のアプローチ……………………………………709
膝蓋下脛骨髄内釘のための最小侵襲アプローチ‥710
膝蓋上脛骨髄内釘のための最小侵襲アプローチ‥714

ランドマーク
脛骨外側プラトーへの前外側アプローチ…………667
脛骨近位部への後内側アプローチ…………………671
脛骨プラトーへの後外側アプローチ………………674

脛骨プラトーへの後内側アプローチ………………681
脛骨近位部への前外側最小侵襲アプローチ………686
脛骨への前方アプローチ……………………………689
脛骨遠位部への前方最小侵襲アプローチ…………693
脛骨への後外側アプローチ…………………………696
腓骨へのアプローチ…………………………………701
下腿コンパートメント症候群に対する減圧のため
　のアプローチ……………………………………709
膝蓋下脛骨髄内釘のための最小侵襲アプローチ‥712
膝蓋上脛骨髄内釘のための最小侵襲アプローチ‥715

皮　切
脛骨外側プラトーへの前外側アプローチ…………667
脛骨近位部への後内側アプローチ…………………671
脛骨プラトーへの後外側アプローチ………………674
脛骨プラトーへの後内側アプローチ………………681
脛骨近位部への前外側最小侵襲アプローチ………686
脛骨への前方アプローチ……………………………689
脛骨遠位部への前方最小侵襲アプローチ…………693
脛骨への後外側アプローチ…………………………696
腓骨へのアプローチ…………………………………701
下腿コンパートメント症候群に対する減圧のため
　のアプローチ……………………………………709
膝蓋下脛骨髄内釘のための最小侵襲アプローチ‥712
膝蓋上脛骨髄内釘のための最小侵襲アプローチ‥715

internervous plane
脛骨外側プラトーへの前外側アプローチ…………669
脛骨近位部への後内側アプローチ…………………671
脛骨プラトーへの後外側アプローチ………………676
脛骨プラトーへの後内側アプローチ………………681
脛骨近位部への前外側最小侵襲アプローチ………686
脛骨への前方アプローチ……………………………689
脛骨遠位部への前方最小侵襲アプローチ…………693
脛骨への後外側アプローチ…………………………696
腓骨へのアプローチ…………………………………701
膝蓋下脛骨髄内釘のための最小侵襲アプローチ‥712
膝蓋上脛骨髄内釘のための最小侵襲アプローチ‥715

浅層の展開
脛骨外側プラトーへの前外側アプローチ…………669
脛骨近位部への後内側アプローチ…………………671
脛骨プラトーへの後外側アプローチ………………676
脛骨プラトーへの後内側アプローチ………………681
脛骨近位部への前外側最小侵襲アプローチ………686
脛骨への前方アプローチ……………………………689
脛骨遠位部への前方最小侵襲アプローチ…………693
脛骨への後外側アプローチ…………………………697
腓骨へのアプローチ…………………………………701

下腿コンパートメント症候群に対する減圧のため
のアプローチ..709
膝蓋下脛骨髄内釘のための最小侵襲アプローチ..712
膝蓋上脛骨髄内釘のための最小侵襲アプローチ..715

深層の展開
脛骨外側プラトーへの前外側アプローチ............669
脛骨近位部への後内側アプローチ.....................672
脛骨プラトーへの後外側アプローチ..................676
脛骨プラトーへの後内側アプローチ..................681
脛骨近位部への前外側最小侵襲アプローチ.......686
脛骨への前方アプローチ....................................689
脛骨遠位部への前方最小侵襲アプローチ...........693
脛骨への後外側アプローチ................................697
腓骨へのアプローチ..703
膝蓋下脛骨髄内釘のための最小侵襲アプローチ..712
膝蓋上脛骨髄内釘のための最小侵襲アプローチ..715

注意すべき組織
脛骨外側プラトーへの前外側アプローチ............669
脛骨近位部への後内側アプローチ.....................672
脛骨プラトーへの後外側アプローチ..................677
脛骨プラトーへの後内側アプローチ..................681
脛骨近位部への前外側最小侵襲アプローチ.......686
脛骨への前方アプローチ....................................690
脛骨遠位部への前方最小侵襲アプローチ...........694
脛骨への後外側アプローチ................................698
腓骨へのアプローチ..704
下腿コンパートメント症候群に対する減圧のため
のアプローチ..709
膝蓋下脛骨髄内釘のための最小侵襲アプローチ..713
膝蓋上脛骨髄内釘のための最小侵襲アプローチ..716

術野拡大のコツ
脛骨外側プラトーへの前外側アプローチ............669
脛骨近位部への後内側アプローチ.....................672
脛骨プラトーへの後外側アプローチ..................677
脛骨プラトーへの後内側アプローチ..................681
脛骨近位部への前外側最小侵襲アプローチ.......688
脛骨への前方アプローチ....................................690
脛骨遠位部への前方最小侵襲アプローチ...........694
脛骨への後外側アプローチ................................699
腓骨へのアプローチ..704
膝蓋下脛骨髄内釘のための最小侵襲アプローチ..714
膝蓋上脛骨髄内釘のための最小侵襲アプローチ..716

概　観
下腿部の手術に必要な外科解剖.........................705

特別な解剖学的ポイント
脛骨への前方アプローチ....................................690

第12章　足と足関節 ─── 719

患者体位
足関節への前方アプローチ................................721
内果への前方および後方アプローチ..................725
足関節への内側アプローチ................................731
足関節への後内側アプローチ............................735
足関節への後外側アプローチ............................740
外果への外側アプローチ....................................746
足関節および足の後方部への前外側アプローチ..749
足の後方部への外側アプローチ.........................753
後距踵関節への外側アプローチ.........................758
距骨頚部への前外側アプローチ.........................761
距骨頚部への前内側アプローチ.........................765
踵骨への外側アプローチ....................................768
足関節ならびに距骨下関節固定術のための後足部
髄内釘（足底アプローチ）..............................770
足の中央部への背側アプローチ.........................787
舟状骨へのアプローチ.......................................791
立方骨へのアプローチ.......................................793
Lisfranc関節への背内側アプローチ..................796
Lisfranc関節への背外側アプローチ..................798
第1中足骨への背内側アプローチ.....................801
母趾中足趾節（MTP）関節への背側アプローチ..803
母趾中足趾節（MTP）関節への背内側アプローチ
....806
外反母趾手術のための背外側アプローチ...........808
中足骨と第2〜5中足趾節（MTP）関節への背側
アプローチ..812

ランドマーク
足関節への前方アプローチ................................721
足関節への内側アプローチ................................731
足関節への後内側アプローチ............................735
足関節への後外側アプローチ............................740
外果への外側アプローチ....................................746
足関節および足の後方部への前外側アプローチ..749
足の後方部への外側アプローチ.........................753
後距踵関節への外側アプローチ.........................758
距骨頚部への前外側アプローチ.........................761
距骨頚部への前内側アプローチ.........................765
踵骨への外側アプローチ....................................768
足関節ならびに距骨下関節固定術のための後足部
髄内釘（足底アプローチ）..............................770
足関節へのアプローチに必要な外科解剖...........781
足の中央部への背側アプローチ.........................788
舟状骨へのアプローチ.......................................791
立方骨へのアプローチ.......................................793

Lisfranc 関節への背内側アプローチ 796
Lisfranc 関節への背外側アプローチ 798
第 1 中足骨への背内側アプローチ 801
母趾中足趾節（MTP）関節への背側アプローチ ·803
母趾中足趾節（MTP）関節への背内側アプローチ
　...806
外反母趾手術のための背外側アプローチ 808
中足骨と第 2～5 中足趾節（MTP）関節への背側
　アプローチ 812

皮　切

足関節への前方アプローチ 721
内果への前方および後方アプローチ 725
足関節への内側アプローチ 731
足関節への後内側アプローチ 736
足関節への後外側アプローチ 740
外果への外側アプローチ 746
足関節および足の後方部への前外側アプローチ ..749
足の後方部への外側アプローチ 753
後距踵関節への外側アプローチ 758
距骨頚部への前外側アプローチ 761
距骨頚部への前内側アプローチ 765
踵骨への外側アプローチ 768
足関節ならびに距骨下関節固定術のための後足部
　髄内釘（足底アプローチ）..............................770
足の中央部への背側アプローチ 788
舟状骨へのアプローチ 791
立方骨へのアプローチ 794
Lisfranc 関節への背内側アプローチ 796
Lisfranc 関節への背外側アプローチ 798
第 1 中足骨への背内側アプローチ 801
母趾中足趾節（MTP）関節への背側アプローチ ·803
母趾中足趾節（MTP）関節への背内側アプローチ
　...806
外反母趾手術のための背外側アプローチ 808
中足骨と第 2～5 中足趾節（MTP）関節への背側
　アプローチ 812

internervous plane

足関節への前方アプローチ 723
内果への前方および後方アプローチ 726
足関節への内側アプローチ 732
足関節への後外側アプローチ 740
外果への外側アプローチ 746
足関節および足の後方部への前外側アプローチ ..749
足の後方部への外側アプローチ 754
後距踵関節への外側アプローチ 759
距骨頚部への前外側アプローチ 762
距骨頚部への前内側アプローチ 766

踵骨への外側アプローチ 770
足関節ならびに距骨下関節固定術のための後足部
　髄内釘（足底アプローチ）..............................771
足の中央部への背側アプローチ 790
舟状骨へのアプローチ 791
立方骨へのアプローチ 794
Lisfranc 関節への背内側アプローチ 796
Lisfranc 関節への背外側アプローチ 798
第 1 中足骨への背内側アプローチ 801
母趾中足趾節（MTP）関節への背側アプローチ ·803
母趾中足趾節（MTP）関節への背内側アプローチ
　...806
外反母趾手術のための背外側アプローチ 808
中足骨と第 2～5 中足趾節（MTP）関節への背側
　アプローチ 813

浅層の展開

足関節への前方アプローチ 723
内果への前方および後方アプローチ 726
足関節への内側アプローチ 732
足関節への後内側アプローチ 736
足関節への後外側アプローチ 742
外果への外側アプローチ 746
足関節および足の後方部への前外側アプローチ ..749
足の後方部への外側アプローチ 754
後距踵関節への外側アプローチ 759
距骨頚部への前外側アプローチ 762
距骨頚部への前内側アプローチ 766
踵骨への外側アプローチ 770
足関節ならびに距骨下関節固定術のための後足部
　髄内釘（足底アプローチ）..............................771
足の中央部への背側アプローチ 790
舟状骨へのアプローチ 791
立方骨へのアプローチ 794
Lisfranc 関節への背内側アプローチ 796
Lisfranc 関節への背外側アプローチ 799
第 1 中足骨への背内側アプローチ 801
母趾中足趾節（MTP）関節への背側アプローチ ·803
母趾中足趾節（MTP）関節への背内側アプローチ
　...806
外反母趾手術のための背外側アプローチ 808
中足骨と第 2～5 中足趾節（MTP）関節への背側
　アプローチ 813

深層の展開

足関節への前方アプローチ 724
内果への前方および後方アプローチ 727
足関節への内側アプローチ 732
足関節への後内側アプローチ 736

足関節への後外側アプローチ……………………744
外果への外側アプローチ……………………………746
足関節および足の後方部への前外側アプローチ‥749
足の後方部への外側アプローチ……………………754
後距踵関節への外側アプローチ……………………760
距骨頚部への前外側アプローチ……………………762
距骨頚部への前内側アプローチ……………………766
踵骨への外側アプローチ……………………………770
足関節ならびに距骨下関節固定術のための後足部
　髄内釘（足底アプローチ）……………………771
足の中央部への背側アプローチ……………………790
舟状骨へのアプローチ………………………………792
立方骨へのアプローチ………………………………794
Lisfranc関節への背内側アプローチ………………796
Lisfranc関節への背外側アプローチ………………799
第1中足骨への背内側アプローチ…………………801
母趾中足趾節（MTP）関節への背側アプローチ‥803
母趾中足趾節（MTP）関節への背内側アプローチ
　………………………………………………………806
外反母趾手術のための背外側アプローチ…………808
中足骨と第2〜5中足趾節（MTP）関節への背側
　アプローチ…………………………………………814

注意すべき組織
　足関節への前方アプローチ………………………724
　内果への前方および後方アプローチ……………730
　足関節への内側アプローチ………………………734
　足関節への後内側アプローチ……………………738
　足関節への後外側アプローチ……………………744
　外果への外側アプローチ…………………………746
　足関節および足の後方部への前外側アプローチ‥749
　足の後方部への外側アプローチ…………………757
　後距踵関節への外側アプローチ…………………760
　距骨頚部への前外側アプローチ…………………764
　距骨頚部への前内側アプローチ…………………766
　踵骨への外側アプローチ…………………………770
　足関節ならびに距骨下関節固定術のための後足部
　　髄内釘（足底アプローチ）……………………771
　第1中足骨への背内側アプローチ………………801
　母趾中足趾節（MTP）関節への背側アプローチ‥804
　母趾中足趾節（MTP）関節への背内側アプローチ
　　……………………………………………………806
　外反母趾手術のための背外側アプローチ………809
　中足骨と第2〜5中足趾節（MTP）関節への背側
　　アプローチ………………………………………814

術野拡大のコツ
　足関節への前方アプローチ………………………725

内果への前方および後方アプローチ………………730
足関節への内側アプローチ…………………………734
足関節への後内側アプローチ………………………738
足関節への後外側アプローチ………………………744
外果への外側アプローチ……………………………746
足関節および足の後方部への前外側アプローチ‥749
足の後方部への外側アプローチ……………………757
後距踵関節への外側アプローチ……………………760
距骨頚部への前外側アプローチ……………………764
距骨頚部への前内側アプローチ……………………767
足関節ならびに距骨下関節固定術のための後足部
　髄内釘（足底アプローチ）……………………771
足の中央部への背側アプローチ……………………790
舟状骨へのアプローチ………………………………792
立方骨へのアプローチ………………………………794
Lisfranc関節への背内側アプローチ………………796
Lisfranc関節への背外側アプローチ………………799
第1中足骨への背内側アプローチ…………………801
母趾中足趾節（MTP）関節への背側アプローチ‥804
母趾中足趾節（MTP）関節への背内側アプローチ
　………………………………………………………808
外反母趾手術のための背外側アプローチ…………809

概　観
　足関節へのアプローチに必要な外科解剖…………774
　前足部の手術に必要な外科解剖……………………815

特別な解剖学的ポイント
　足関節への内側アプローチ………………………734
　距骨頚部への前内側アプローチ…………………767

足底の解剖……………………………………………771
足関節内側アプローチ………………………………781
足関節前方アプローチ………………………………783
足関節外側アプローチ………………………………783
足背の解剖……………………………………………815
足底の解剖……………………………………………815

第13章　創外固定のアプローチ　－819

上腕骨……………………………………………………820
橈骨・尺骨と手関節……………………………………822
骨　盤……………………………………………………826
大腿骨……………………………………………………831
脛骨・腓骨………………………………………………832
足関節……………………………………………………833

用語索引

和文索引

あ

アキレス腱 735, 782
足 （☞「そく」の項も見よ）
足関節 781, 833
　――固定術 770
　――への外側アプローチ 783
　――への後外側アプローチ 739
　――への後内側アプローチ 735
　――への前外側アプローチ 749
　――への前方アプローチ 783
　――への内側アプローチ 731, 781
足の後方部への外側アプローチ 753
足の後方部への前外側アプローチ 749
足の中央部への背側アプローチ 787

い

移植骨採取 407, 410
一過性神経伝導障害 13, 28, 110, 172, 238, 418
インピンジメント症候群 48
陰部神経 521
陰部大腿神経 331

う

烏口肩峰靱帯 17, 21
烏口上腕靱帯 21
烏口突起 8, 20, 21, 29
　――の骨切り 12
烏口腕筋 12, 23, 25, 112

え

腋窩神経 14, 16, 32, 36, 39, 41, 43, 53, 65, 77, 86, 821
　――麻痺 65
腋窩動脈 28
腋窩皮切 8
腋窩へのアプローチ 399, 700

お

遠位大腿骨顆部への前方アプローチ 553
円回内筋 177, 180
円索 436
円錐靱帯 21

お

横手根靱帯 241
黄色靱帯 297, 303, 343, 387
横足根関節 749
横中足靱帯 809
横突起 359
　――切除術 365

か

外果 721, 782
回外筋 180, 193, 197
　――への外側アプローチ 746
開胸 371
　――による胸椎への前方アプローチ 370
外脛骨 787
外後頭隆起 352
外精筋膜 436
外側下膝動脈 628, 629, 653
外側腔 278
　――に対するドレナージ 281
外側広筋 504, 577, 582
外側膝蓋支帯 629
外側膝静脈 562
外側膝動脈 562
外側上膝動脈 539, 657
外側前腕皮神経 86, 100, 146, 153
外側足底神経 771
外側側副靱帯 629, 653
外側大腿回旋動脈 500, 576
　――上行枝 476, 481, 506
外側大腿皮神経 418, 428, 469, 475, 481, 506

外側半月切除術 652
回内筋症候群 180
外反母趾 804, 806, 808
　――手術のための背外側アプローチ 808
外腹斜筋 319, 504
外閉鎖筋腱 519
開放骨折 820
下顎骨 354
嗅ぎたばこ窩 265
下後鋸筋 386
下膝動脈 642
下伸筋支帯 783
下前腸骨棘 826
下双子筋 517
鵞足 614, 623
下腿コンパートメント症候群 705, 709
　――に対する減圧 709
下大静脈 313, 331
肩 （☞「けん」の項も見よ）
肩関節 27
　――関節唇 28
　――前方脱臼 65
　――の滑膜内層 28
　――への関節鏡アプローチ 66
　――への後方アプローチ 51
　――への前方アプローチ 7
肩関節鏡 66
滑車 260
下殿神経 422, 521
下殿動脈 423, 458, 514, 521
下頭斜筋 345, 352
下腹壁静脈 429
下腹壁動脈 319, 428
感覚異常性大腿痛 506
寛骨臼 406
　――への後方アプローチ 453
　――への前方骨盤内アプローチ 443

——への腸骨稜径アプローチ　425
冠状靱帯　648
関節鏡　66, 589, 591

き

気管　359
気胸　369, 392
騎手の骨　529
逆行性射精　312, 322
逆行性髄内釘　572
弓状線　319
臼底突出症　493
胸肩峰動脈　77
　　——肩峰枝　32, 44
胸最長筋　386
狭窄性腱鞘炎　220
胸鎖乳突筋　354, 359, 360
鏡視下手術　589
胸椎カリエス　365
胸椎棘突起　370, 386
胸椎への後側方アプローチ　365
胸膜　369
胸腰椎への後方アプローチ　380
棘下筋　20, 63, 64
棘間筋　386
棘筋　386
棘上筋　20, 34, 37, 41, 45, 48
　　——断裂　47
棘上靱帯　302, 382
棘突起　302, 335, 341
　　——軟骨性アポフィジス　381
距骨下関節　784
　　——固定術　771
距骨滑車　781
距骨頚部骨折　767
距骨頚部への前外側アプローチ　761
距骨頚部への前内側アプローチ　765
距舟関節　787
距踵舟関節　784
近位指節間関節　☞ PIP 関節
筋コンパートメント　109
筋皮神経　16, 28, 77, 90
　　——損傷　14

く

空気止血帯　☞ ターニケット
屈筋支帯　238, 241, 782
区画症候群　☞ コンパートメント症候群

脛骨　705, 832
　　——遠位部への前方最小侵襲アプローチ　692
　　——外側プラトーへの前外側アプローチ　666
　　——近位部への後内側アプローチ　670
　　——近位部への前外側最小侵襲アプローチ　686
　　——骨幹部と踵骨へのピン刺入　835
　　——神経　521, 636, 641, 699, 738, 777, 831
　　——髄内釘　710, 714
　　——プラトーへの後外側アプローチ　674
　　——プラトーへの後内側アプローチ　681
　　——プレート固定　670
　　——への後外側アプローチ　695
　　——への前方アプローチ　688
頚最長筋　386
警察官の踵　815
頚長筋　361
頚椎棘突起　341
頚椎への前方アプローチ　353
頚動脈　354, 356, 359
　　——結節　354, 359
経皮的ピンニング　822
頚部脊柱管内静脈叢　341
係留筋　386
頚肋筋　386
血胸　392
楔状骨　793
肩　（☞「かた」の項も見よ）
肩甲回旋静脈　65
肩甲回旋動脈　65
肩甲下筋　15, 20, 26
肩甲棘　51, 62
肩甲骨下角　370
肩甲骨関節窩　18
肩甲骨の弾発現象　371
肩甲骨への後方アプローチ　51
腱交差　261
肩甲上神経　48, 53, 77

け

肩鎖関節　48
　　——脱臼　49
　　——への前外側アプローチ　29
腱鞘感染　276
腱ひも　261
肩峰　29, 42
肩峰下滑液包　41, 44, 46
肩峰下腔への前外側アプローチ　29

こ

交感神経　316, 359
後距踵関節への外側アプローチ　758
広筋隆起　485
広頚筋　3, 4, 355, 359, 360
後脛骨筋　734, 774, 781, 787, 793
後脛骨動脈　699, 738, 777
硬口蓋　354
後骨間神経　146, 153, 157, 175, 181, 192, 196, 822
後骨間動脈　196
後十字靱帯　574
後縦靱帯　343
甲状軟骨　354
後上腕回旋動脈　53
項靱帯　302, 341, 352
後大腿皮神経　522, 546
後頭下三角　345, 352
後頭下神経　352
広背筋　302, 386
硬膜　369
硬膜外脂肪　303
股関節　464
　　——への外側アプローチ　496
　　——への後方アプローチ　510
　　——への前外側アプローチ　485
　　——への前方アプローチ　465
　　——への前方最小侵襲アプローチ　480
　　——への内側アプローチ　522
骨膜下剥離　xxi（冒頭項目「整形外科手術手技序説」）
骨膜上展開　xxi（冒頭項目「整形外科手術手技序説」）
骨盤　406, 826
　　——骨切り術　478
　　——の創外固定　826

ごまかし運動 45
コンパートメント症候群 198,
　709，774

さ

採骨 407，410
最長筋 386
鎖骨下静脈 4，6
鎖骨下動脈 4，6
鎖骨上神経 3，4
坐骨神経 411，458，513，514，
　521，547，556，576，577
坐骨切痕 412
鎖骨中央1/3骨折 5
鎖骨への最小侵襲アプローチ 5
鎖骨への前方アプローチ 2
猿手 290
三角間隙 65，110
三角筋 10，20，22，25，42
三角筋下滑液包 44
三角筋胸筋溝 8

し

死冠 429，446，449，450，451
指（☞「ゆび」の項も見よ）
指間腔 274
　——感染に対するドレナージ 272
指屈筋腱 259
　——腱鞘への側正中アプローチ
　　254
　——への掌側アプローチ 248
示指伸筋 193，197，220
指神経 272，274，276，290
指節間関節への背側アプローチ 256
指節骨への背側アプローチ 257
指節皮線 248
膝（☞「ひざ」の項も見よ）
膝蓋下脛骨髄内釘 710
　——のための最小侵襲アプローチ
　　710
膝蓋下脂肪体 648
膝蓋上脛骨髄内釘 714
　——のための最小侵襲アプローチ
　　714
膝窩筋 627，629，642，644
膝窩静脈 634，642，713
膝窩動脈 556，612，634，641，
　658

指背腱膜 290，291
指腹腔感染に対するドレナージ
　271
四辺形間隙 36，43，65
尺側滑液鞘 287
　——感染に対するドレナージ 287
尺側手根屈筋 177，179
尺側手根伸筋 186，193，195，220
尺側側副動脈 111
斜膝窩靱帯 614
射精障害 312，322
尺骨 822
　——鉤状突起 139
尺骨神経 92，111，126，132，
　136，159，177，184，186，237，
　241，290，821，822
　——への掌側アプローチ 234
尺骨動脈 159，178，185，186，
　241，822
十字滑車 259
舟状骨 793
　——結節 238
　——へのアプローチ 791
　——への掌側アプローチ 262
　——への背外側アプローチ 265
手（☞「て」の項も見よ）
手根管 228，238
　——への掌側アプローチ 229
手掌 289
手掌指節皮線 248
手掌中央腔 277，284
　——に対するドレナージ 279
手掌皮線 246，261
手背 291
上咽頭神経 359
小円筋 20，63，64
小胸筋 25，26
上後鋸筋 386
上後腸骨棘 302，424
小後頭直筋 345，352
踵骨 833
　——骨折 768
　——への外側アプローチ 768
小指外転筋 290
小趾外転筋 771，816
小指球隔壁 284
小指球筋 290
小指屈筋 287，290

小指伸筋 193，197，220
小指対立筋 290
上膝動脈 554，641
上伸筋支帯 783
上前腸骨棘 407，424，465，504
上双子筋 517
掌側指神経 254
掌側指動脈 254，290
小殿筋 424，518，519
上殿神経 422，459，500，507，
　521，569
上殿動脈 411，423，459，521
上頭斜筋 345，352
踵腓靱帯 760
小伏在静脈 636，641，698，704，
　744，815
踵立方関節 784，787
小菱形筋 386
上腕筋 112，114
上腕骨 820
　——遠位部に対する上腕三頭筋温
　　存後方アプローチ 130
　——遠位部への外側アプローチ 104
　——遠位部への前外側アプローチ
　　99
　——遠位部への内側アプローチ 107
　——外側顆上稜 104
　——外側上顆 104，188，194
　——滑車 158
　——近位部への外側アプローチ
　　33
　——近位部への外側最小侵襲アプ
　　ローチ 38
　——近位部への前外側最小侵襲ア
　　プローチ 40
　——骨幹部への前方アプローチ 80
　——骨幹部への前方最小侵襲アプ
　　ローチ 87
　——内側顆上稜 107
　——内側上顆 107，128，133
　——の創外固定 820
　——への後方アプローチ 90
上腕三頭筋 91，112，115，128
　——温存後方アプローチ 130
上腕深動脈 92，111
上腕動脈 111，126，153，159
上腕二頭筋 12，23，25，81，99，
　112，149，163，168

食道 359
処女の監視人 529
深横中手靱帯 274
伸筋支帯 783
深頸筋膜 359
人工股関節全置換術 485
人工膝関節全置換術 598
深指屈筋 177，179，182，247，261
深手掌腔 277，278，284
深掌動脈弓 246，290
深腓骨神経 686，723，724，749，764，774
——終末枝 809

す

髄内釘 40，564，710，714，770

せ

精索 429，436
星状神経節 359
精巣挙筋 436
正中神経 110，126，136，153，159，178，180，181，225，241，290，820
——運動枝 232
——除圧手術 228
——掌側皮枝 232，239
正中仙骨動脈 313，316
脊髄神経後枝 382
脊柱管 297
脊柱起立筋 302，386
脊柱側弯症 380
舌骨 354
浅横中手靱帯 274
仙棘筋 386
前脛骨筋 723，774，787，793
前脛骨動脈 681，686，723，724，749，764，774
前骨間神経 182
仙骨神経根 419，422
浅指屈筋 177，179，180，247，261，290
前十字靱帯 574，716
——手術 656
浅掌動脈弓 232，246，290
前上腕回旋動脈 86，90
仙腸関節への後方アプローチ 420
仙腸関節への前方アプローチ 416

浅腓骨神経 686，724，749，777，815
——背側皮枝 704
前腕屈筋コンパートメント 199，204
前腕コンパートメント症候群 198

そ

創外固定器 820
総指伸筋 193，195，220，291
爪周囲炎 270
——に対するドレナージ 270
総腸骨動脈 315
総腓骨神経 521，627，636，641，657，677，701，704，831，832
僧帽筋 37，62，352，359，386，388
足（☞「あし」の項も見よ）
足底 770，815
——筋 781
——腱膜 815
——神経 814
——方形筋 771
足背 815
——動脈 815
鼠径靱帯 431
足根管 784
——症候群 783
足根洞 753，784

た

第1中足骨への背内側アプローチ 801
第2中手骨 824
第3後頭神経 349，352
第5中手骨へのピン刺入 835
大胸筋 10，22，25
大後頭神経 349，352
大後頭直筋 345，352
第三腓骨筋 749，774
大腿筋膜張筋 465，475，501，504，505
大腿骨 831
——遠位2/3への前内側アプローチ 541
——遠位部へのアプローチ 553
——遠位部への外側アプローチ 656
——遠位部への最小侵襲アプローチ 549
——外側上顆 537
——顆部骨折 553
——顆部への外側アプローチ 560
——近位部への最小侵襲アプローチ 564
——髄内釘 564
——内側顆への内側アプローチ 555
——の逆行性髄内釘のための最小侵襲アプローチ 572
——への外側アプローチ 532
——への後外側アプローチ 536
——への後方アプローチ 545
大腿三角 476，481，576
大腿四頭筋 577
大腿鞘 436
大腿静脈 428，436，490，500，509
大腿神経 436，476，481，490，500，576
大腿深動脈 493，535
大腿直筋 509，577，581
大腿動脈 428，490，500，509，576，831
大腿二頭筋 577，583，629
大腿方形筋 516，517，518，522
大殿筋 424，425，501，517
大転子 453，504，519
——骨切り 456
——切離 488
大動脈 313，331
大内転筋 523，529
大伏在静脈 690，694，730，767，815
大腰筋 436，527
大菱形筋 386
大菱形骨稜 238
多羽状筋 43，45
ターニケット xx（冒頭項目「整形外科手技手序説」）
多裂筋 386
短趾屈筋 771，816
短趾伸筋 799，815
短掌筋 290
短小趾屈筋 816
短橈側手根伸筋 175，180，193，

197, 220
短内転筋 523, 529
短腓骨筋 697, 759, 774, 783, 787, 793
短母指外転筋 243, 289
短母指屈筋 243, 289
短母趾屈筋 816
短母指伸筋 193, 197, 220
短母趾伸筋 815

ち

恥骨結合 306, 318, 413
　——への前方アプローチ 413
恥骨結節 523, 528
恥骨後腔 444, 450
肘窩 159
　——部への前方アプローチ 148
中間広筋 577, 582
肘筋 160, 163, 193
中膝動脈 641
中足骨 812
　——と第2～5中足趾節関節への背側アプローチ 812
中足痛 815, 816
中殿筋 424, 501, 503, 506, 509, 519
肘（☞「ひじ」の項も見よ）
肘頭窩 90
肘頭骨切り術 125
虫様筋 259, 274
長胸神経 400
腸脛靱帯 629
腸骨筋 436, 527
腸骨結節 407
腸骨鼠径アプローチ 425
腸骨恥骨筋膜 451
腸骨稜 302, 424, 465, 504
　——への刺入法 826
長指屈筋 290
長趾屈筋 771, 774, 781, 816
長趾伸筋 723, 749, 774, 815
長掌筋 177, 179, 181, 228, 239
聴診三角 377
長橈側手根伸筋 175, 180, 193, 197, 220
長内転筋 523, 528
長腓骨筋 697, 701, 759, 774, 787, 793

長母指外転筋 193, 197, 220
長母指屈筋 177, 179, 180, 247, 284
長母趾屈筋 771, 774, 781, 808, 816
長母指伸筋 193, 197, 212, 220, 266
長母趾伸筋 723, 774, 801, 803, 804, 806, 815
腸腰筋 436, 509
腸肋筋 386

つ

椎間孔拡大術 387
椎間板ヘルニア 300, 340
椎骨動脈 341, 343, 345, 349, 359

て

手（☞「しゅ」の項も見よ）
手関節 822
　——への掌側アプローチ 228
　——への背側アプローチ 210
手くび皮線 228, 246, 248
テニス肘 180
手の安静肢位 289
手の感染症 269
殿溝 381, 386
殿皮神経 410

と

凍結肩 21
橈骨 822
　——遠位端骨折 822
　——遠位への掌側アプローチ 224
橈骨茎状突起 169, 220, 265
　——骨折 220
橈骨神経 65, 85, 86, 90, 92, 101, 110, 126, 132, 146, 159, 177, 180, 218, 821
　——浅枝 175, 266, 822
　——麻痺 86, 180
橈骨頭への後外側アプローチ 154
橈骨動脈 153, 159, 170, 175, 178, 180, 218, 225, 263, 290
　——背側手根枝 266
　——への後方アプローチ 187

　——への前方アプローチ 168
頭最長筋 352
豆状骨 238
豆状三角骨関節症 238
橈側滑液鞘感染に対するドレナージ 284
橈側手根屈筋 177, 247, 262
橈側反回動脈 146, 175
橈側皮静脈 10, 11, 16, 23, 77
頭半棘筋 352
頭板状筋 352

な

内陰部動脈 521
内果 693, 721, 781
　——骨切り術 767
　——への後方アプローチ 725
　——への前方アプローチ 725
内在筋優位の手 259
内側下膝動脈 612
内側腔 278
　——に対するドレナージ 279
内側広筋 541, 542, 577, 582
内側膝静脈 556
内側膝動脈 556
内側上膝動脈 542
内側前腕皮神経 109
内側足底動脈 771
内側側副靱帯 614, 648
内側大腿回旋動脈 526, 576
内側半月切除術 644
内側腓腹皮神経 636, 641
内側傍膝蓋アプローチ 598
内腹斜筋 319, 504
内閉鎖筋 517, 518, 520, 522
軟骨性アポフィジス 295, 408

に, の

二重神経支配 112, 114
ニューラプラキシア 13, 28, 110, 172, 238, 418
尿管 313, 316, 322, 332

膿瘍ドレナージ 269

は

白線 318, 450
8字肢位 597

薄筋　528, 608, 614
バニオン　804, 806
ばね靱帯　784
反回神経　353, 359, 362
半棘筋　386
半月脛骨靱帯　614
半月切除　644, 652
半月大腿靱帯　614
半腱様筋　578, 583, 608, 614, 632
反復性肩関節前方脱臼　28
半膜様筋　578, 583, 632

ひ

ビーチチェアポジション　3
腓骨　705, 832
　　――筋　783
　　――筋滑車　758
　　――神経　669
腓骨動脈　698, 704
　　――終末枝　746
膝（☞「しつ」の項も見よ）
膝関節　588
　　――への外側アプローチ　623
　　――への後方アプローチ　632
　　――への内側アプローチ　605
膝関節鏡　591
膝への関節鏡アプローチ　589
肘（☞「ちゅう」の項も見よ）
肘外偏角　158
肘関節　122
　　――への後方アプローチ　122, 127
　　――への前外側アプローチ　142
　　――への前内側アプローチ　132
腓腹筋　632, 781
腓腹神経　744, 746, 760, 770, 777, 815
ピボットシフトテスト　629
ひょう疽　271
　　――に対するドレナージ　271
ヒラメ筋　697, 781
ピロン骨折　721

ふ

腹横筋　319
副屈筋　816
伏在静脈　577, 610, 681, 766

伏在神経　606, 610, 681, 694, 730, 734, 766, 777, 801
　　――膝蓋下枝　556, 574, 604, 606, 610, 645, 713
腹直筋　319, 450
腹壁　320
フレイルチェスト　395, 402
分節腰静脈　316
分節腰動脈　316
　　――背側枝　297, 382, 387

へ

閉鎖神経　447, 451, 529, 576
　　――後枝　526, 529
　　――前枝　526
閉鎖動脈　451
壁側胸膜　369
臍　306, 318
扁平足　787

ほ

方形回内筋　177, 179, 181, 225
膀胱　414, 429
縫工筋　465, 475, 501, 505, 614
傍脊柱筋　302, 341, 381
傍脊椎交感神経幹　331
母趾外転筋　771, 816
母指滑車　245
母指球隔壁　284
母指球筋　289
母指球皮線　228, 261
母指腔　277, 284
　　――に対するドレナージ　281
母指指間腔　274
母指指節皮線　284
母指対立筋　244, 289, 290
母指内転筋　244, 274
母趾内転筋　816
母趾中足趾節関節　803
　　――への背側アプローチ　803
　　――への背内側アプローチ　806
ボタン穴変形　291

ゆ, よ

有鉤骨鉤　238
弓づる形成　220, 259

指　☞「し」の項

腰神経後枝　297
腰神経根　387
腰仙神経幹　419
腰椎　294
　　――への後方アプローチ　294
　　――への後方最小侵襲アプローチ　299
　　――への前側方（後腹膜）アプローチ　325
　　――への前方（経腹膜）アプローチ　306
　　――への前方（後腹膜）アプローチ　314
腰分節静脈　331
腰分節動脈　331

り

梨状筋　455, 517, 518, 519, 520
立方骨　793
　　――へのアプローチ　793
菱形靱帯　21
輪状滑車　259
輪状軟骨　354, 360

ろ

肋間静脈　373, 397, 402
肋間動脈　369, 373, 397, 402
肋骨横突起切除術　365
肋骨挙筋　386
肋骨筋　386
肋骨骨折　400
　　――の固定　395
肋骨切除のための後側方アプローチ　392
肋骨プレート　395, 399
肋骨隆起　392

わ

腕神経叢　4, 6
腕橈骨筋　168, 175, 178, 179, 193

欧文索引

A

A₁ 滑車　259
　　——切開　277
A₂ 滑車　259
A₃ 滑車　259
A₄ 滑車　259
anatomic snuff box　265
ape hand　290
apophysis　295
auscultation triangle　397

B

Bankart 損傷　28
boat-race incision　149
bone block technique　417
bowstringing　220, 259

C

C₁ 滑車　259
C₂ 滑車　259
C₂ 棘突起　352
C₃ 滑車　261
carrying angle　158
Chassaignac's tubercle　354
corona mortis　429, 446, 449, 450, 451
custodes virginitatis　529

D

de Quervain 病　220
Douglas 線　319
Dupuytren 拘縮　289, 815

F

felon　271
floating knee　574
foraminotomy　387
Frohse のアーケード　118, 173, 180, 194

G

Gerdy 結節　560, 562, 624

Grayson 靱帯　250
Guyon 管　234, 238, 241, 290

H

Holstein-Lewis 骨折　99

I

iliocapsularis　472
impingement syndrome　48
intrinsic plus hand　259

K

Kaplan interval　155
Kaplan の基本線　246
Keller 手術　806

L

lacertus fibrosus　149, 159, 163
Lisfranc 関節　787, 796
　　——脱臼骨折　774
　　——への背外側アプローチ　798
　　——への背内側アプローチ　796
Lister 結節　188, 211, 220

M

Magnuson-Stack の肩甲下筋腱の前進法　11
meralgia paresthetica　506
midtarsal joint　749
mobile wad of three　175, 193
Moore 型皮切　511
MP 関節　256
multipennate muscle　43, 45

N

natatory ligament　274
no man's land　261

O

over the top アプローチ　656

P

paronychia　270

Pfannenstiel 切開　444
PIP 関節　256
policeman's heel　815
Popeye sign　26
prominent ribs　392
pronator syndrome　180
Putti-Platt の肩甲下筋と関節包の縫縮法　11

Q

quadlilateral plate　426
quadrangular space　43
quadrilateral surface　443

R

Retzius 腔　414, 425, 436, 450
rib hump　392
rider's bone　529

S

Scarpa 三角　481, 576
soft tissue release only　417
Southern approach　510
Struthers 靱帯　114
sublime tubercle　140
Swashbuckler アプローチ　553
sympathetic effusion　394

T

Taylor 鈎　411
Trendelenburg 跛行　507
triangle of auscultation　377
triangular interval　65, 110
trick movement　45

V

vincula　261
Volkmann 阻血拘縮　198

W

Wrisberg 靱帯　644

整形外科医のための手術解剖学図説（原書第6版）

2023年7月1日　発行	監訳者　川口善治, 田中康仁, 酒井昭典
	発行者　小立健太
	発行所　株式会社　南　江　堂
	〒113-8410　東京都文京区本郷三丁目42番6号
	☎(出版) 03-3811-7236（営業）03-3811-7239
	ホームページ https://www.nankodo.co.jp/
	印刷・製本　大日本印刷
	装丁　花村　広

Surgical Exposures in Orthopaedics, The Anatomic Approach, 6th Edition
©Nankodo Co., Ltd., 2023

定価はカバーに表示してあります.　　　　　　　　　　　　　Printed and Bound in Japan
落丁・乱丁の場合はお取り替えいたします.　　　　　　　　　ISBN978-4-524-20373-4
ご意見・お問い合わせはホームページまでお寄せください.

本書の無断複製を禁じます.

本書の複製（複写，スキャン，デジタルデータ化等）を無許諾で行う行為は，著作権法上での限られた例外（「私的使用のための複製」等）を除き禁じられています．大学，病院，企業等の内部において，業務上使用する目的で上記の行為を行うことは私的使用には該当せず違法です．また私的使用であっても，代行業者等の第三者に依頼して上記の行為を行うことは違法です．